KB018786

1918-2009년 학교교육과정 연구의 역사적 항해

교육과정 I

Curriculum Development

김영천 지음

lph Tyler
Villiam Pinar
Patti Lather
Hilda Taba
Saylor/Alexander
Benjamin Bloom
Lauri Anderson
Robert Marzano
John McNeil
Joseph Schwab
Gail McCutcheon
Ken Zeichner
Jean Clandinin
Philip Jackson
Michael Apple
Steven Zemelman
Grant Wiggins
Lyn Erickson
Eric Jensen
Howard Gardner
Robert Stake
Egon Guba

아카데미프레스

교육과정연구자로서 성장할 수 있도록
오랫동안 지도와 배려를 아끼지
않으신 한양대학교 교육학과
김 명희 스승님께 이 책을 바칩니다.

서 문

지난 15년간 한양대학교와 여러 대학교 그리고 진주교육대학교에서 가르쳐왔던 강좌들 '교육과정', '교육과정과 수업', '교육과정 이론'의 내용을 발췌하고 정리하여 2009년에 『교육과정 I: Curriculum Development』라는 이름으로 교육과정 관련 첫 저서를 출간하게 되었다. 교육과정 개발이라는 부제가 붙은 만큼 이 책은 그 동안 필자가 다루었던 다양한 교육과정 연구의 주제들 중에서 학교 교육과정 개발과 개선에 필요한 핵심적 이론과 내용을 선정하였다는 점에서 실제적이고 교실수업에 바로 적용될 수 있는 지식을 담고 있다. 또한 학교현장의 교사가 될 미래의 교육대학과 사범대학의 학생들 그리고 교직을 신청한 학생들에게 교육과정에 대한 전반적인 지식 그리고 교육과정과 관련하여 교사로서 알아야 하는 최신 이론들을 섭렵하였다는 점에서 그들에게 많은 도움이 될 것으로 생각한다. 이에 필자의 이 분야에 대한 지식 중에서 매우 실질적이고 전략적이며 적용 가능한 교육과정의 최근 지식을 선정하여 책의 내용으로 구성하였다. 특히 2009년부터 교직과목의 명칭이 전국적으로 교육과정으로 새롭게 바뀐다는 점을 고려하여 그동안 많은 교재들에서 다루었던 수업 부분, 교육평가 부분, 그리고 간접적으로 관련되었던 내용은 모두 삭제하고 교육과정 개론으로서 다루어야 하는 내용만을 엄선하여 집필하게 되었다.

그러나 무엇보다 이 책을 집필하게 된 주요 동기는 필자가 15년 동안 가르쳤던 다양한 교육과정의 주제들을 나름대로 정리하고 엄선하여 한 권의 책으로 구체화시킴으로써 교육과정이라는 이름으로 출간된 다양한 서적들 중에서 다루고 있지 못한 새로운 내용, 생략된 내용을 보충하여 알려주고자 하는 강렬한 목적에서 비롯되었다. 필자의 개인적인 연구결과, 일반 대학의 교직과목에서 사용되고 있는 교육과정에 대한 여러 개론서들이 최근의 교육과정의 연구의 결과들과 이론들을 반영하고 있지 못하다는 판단을 하였고 그러한 부족함을 나름대로 보충해야겠다는 생각을 하게 되었다. 이에 기존의 책에서 소개되지 못한 그러나 이미 구미 교육과정 개론서의 핵심적인 내용들로 다루어지고 있는 내용을 선정하여 자세하게 소개하고 설명하는 것을 이 책의 출판의 주요 목적으로 삼았다. 때문에 이 책을 사용할 다른 학자들과 강사들, 그리고 학생들이 이 책에 담겨 있는 새로운 내용의 가치와 학습에 더욱 의미 있는 가치를 부여해 주기를 바란다.

이에 이 책에 담겨 있는 다양한 새로운 주제들과 이론들이 교육과정 개론서의 핵심 내용으로서 다루어지기를 희망하면서 다음 책 그리고 다른 연구자들의 저서에서 이 책에서 다루었던 내용 그리고 내용의 방대함으로 인하여 포함시키지 못하였던 내용을 더 많이 다룰 수 있기를 희망한다. 아울러 이 책에서는 포함되지 않았지만 초고에 포함되었던 다양한 주제들(개별화 학습, Block scheduling, standard-based curriculum reform 등)은 다음 기회에 자세하게 소개할 수 있기를 기대해 본다. 이 책을 저술하기로 결심하면서 필자는 집필의 기준으로 다음 세 가지를 정하였다. 첫째, 교육과정 분야의 대표적 이론으로 자리 잡은 선도 교육과정 학자들의 의도를 명료하게 전달하기 위하여 그들이 저술한 원전의 내용을 가능하면 오해 없이 충실하게 전달하고자 하였다. 그러한 점에서 Taba, Salyor와 Alexadner, Wiggins 등의 내용 등은 그 의미 전달에 최선을 다하였다. 둘째, 기존의 개론서에서 다루지 않았던 교육과정 연구와 개발의 방법들을 소개하고자 애썼다. '개발' 하면 대부분 전통적 모형을 떠올리지만 다른 관점에서는 다양한 새로운 방법들이 모두 개발과 관련된 아이디어들을 제공해 주고 있다. 이에 실행 연구, 숙의 모형, 교사의 개인적 · 실제적 지식 등이 학교 교육과정 개발에 어떻게 연관될 수 있는지를 개념화하려고 노력하였다. 셋째, 교육과정 개발 모형은 아니지만 서구 학교 교육과정과 수업의 주요한 개발 모형 또는 지침으로 활용되고 있는 수업 모델 또는 교육과정 모델들을 소개하고자 하였다. 그 대표적인 영역으로는 backward design, concept-based curriculum design, MI-based curriculum design 등이 있다.

필자의 연작으로 펼쳐질 교육과정 개론서의 그 첫 저서인 『교육과정 I: Curriculum Development』가 미래의 교사가 될 학생들과 교직자격을 갖추어야 하는 교육대학원의 학생들에게 많은 도움이 될 수 있기를 기대해 본다. 아울러 이 책에서 나타난 여러 가지 문제점이나 보충해야 할 내용은 다음 판에서 개선해 나가도록 하겠다. 지난 15년간의 필자의 강의 노트와 구미의 현장작업을 통하여 수집한 자료, 그리고 필자가 저술한 논문들에 기초하여 쓰여진 이 책이 우리나라의 교육과정 분야의 또 다른 새로운 저서로서 인정받기를 기대하는 마음이 크다. 이에 이 책의 준비를 위하여 저자의 작업에 여러 가지 측면에서 자료 정리를 도와준 제자들에게 감사하지 않을 수가 없다. 정 정훈 선생, 황 인실 선생, 김 지인 조교는 이 작업을 마무리하는 데 중요한 역할을 하였다. 아울러 이 책에 소개된 중요한 구미 학교들의 자료를 필자가 수집하는 데 기꺼이 도움을 제공한 학자들과 교육연구자들(Kentucky 교육부의 Ms. Agnes, California Sanfrancisco 교육부의 교육과정 개발과 평가 담당자, Grant Wiggins 박사, Robert Marzano 박사, Theodore Sizer 박사, Coalition of Essential School의 본부 소장 등)에게 진심으로 감사함을 전한다. 마지막으로 이 책을 출간할 수 있도록 연구 초기에서부터 마지막까지 여유로움과 격려를 보내주신 아카데미프레스 출판사의 홍 진기 사장님께 진심으로 감사드린다.

2009년 5월 19일

김 영천 씀

차 례

제1장

교육과정 개념 그리고 그 다양함: Overview

제2장

첫 교육과정 개발 모형: Tyler Rationale

제3장

Tyler 모형의 승화: Taba model

제4장

학교 교육과정 개발의 일반적 모형: Saylor와 Alexander model

제5장

교육목표 이론화의 첫 시작: Bloom의 Taxonomy

제6장

신교육목표분류학: Anderson과 Marzano의 New Taxonomy

제7장

교육과정 설계: Various approaches

제8장

숙의 교육과정 개발: Deliberation

제9장

교사실천 중심의 교육과정 개발: Action research

제10장

교사의 개인적 · 실천적 지식과 교육과정 개발: Personal practical knowledge

제11장

교사의 삶과 전문성 발달: Teacher' s life world

제12장

교육과정의 어두운 그림자: Hidden curriculum

제13장

구미교사들이 이야기하는 좋은 수업방법: Best practice

제14장

수행과 평가 중심의 교육과정 설계: Backward design

제15장

개념 중심 교육과정 설계: Concept-based design

제16장

인지과학이 알려주는 교수-학습의 비밀: Brain-based design

제19장

좋은 교사를 평가하는 준거: National professional teaching standards

제1장

교육과정 개념 그리고 그 다양함: Overview

이 장의 공부할 내용

교육과정의 기원

교육과정의 모더니즘적 개념

교육과정의 다양한 수준

교육과정의 포스트모더니즘적 개념

Franklin Bobbitt

미국 인디애나 출신인 Franklin Bobbitt는 인디애나 대학교를 졸업하고 인디애나 시골 지역의 학교에서 교사로 활동하였다. 그 후 2년 뒤, 필리핀 마닐라에 소재한 필리핀 정규학교에서 교사로 취직하여 학생들을 가르쳤다. 1907년까지 필리핀에서 근무하다가 미국으로 돌아온 Bobbitt는 클라크 대학교에서 박사학위를 취득하고, 그 해에 시카고 대학의 교수로 임용되었다. 대학교 교수로 임용되고 난 후에 그는 처음으로 교육과정이라는 명칭의 강좌를 대학에 개설하였다. 또한 전통적인 지역 학교 시스템을 조사하는 연구를 맡아하면서 그들의 교육과정이 일시적으로나마 유연함을 가질 수 있도록 하기 위하여 노력하였다. 그의 가장 유명한 연구 중의 하나는 1914년에 이루어졌던 샌안토니오 공립학교의 교육과정에 대한 연구와 1922년에 이루어진 로스엔젤레스 시립 학교의 교육과정 연구였다. 이러한 그의 연구들을 통하여 교육과정에 대한 학문이 교육학 분야에 있어서 공식적인 자리를 차지할 수 있게 되었다. 그 후 Bobbitt는 1941년 은퇴할 때까지 시카고 대학에서 교수로 재직하면서 활발한 저술활동을 통하여 교육과정에 대한 그의 이론을 정립하였다.

Bobbitt는 교육과정의 시초로 알려져 있다. 1910년 시카고 대학교에서 '교육과정'이라는 명칭의 강좌를 개설하고, 「교육과정(The Curriculum, 1918)」을 출판하였는데 그의 이론화가 교육과정을 탐구영역이자 학문영역으로 인정받게 하였다. 과학적 경영 기법에 큰 영향을 받아 저술된 이 책의 핵심은 학교는 아동이 성인 세계에 적응할 수 있도록 준비시키는 기관이므로, 교육과정은 아동이 성인의 세계에서 접하게 될 과제를 적절히 수행할 수 있도록 준비시키기 위하여 아주 명확하고 구체적으로 구성되어야만 한다고 보고 교육과정 개발에 있어서 과학화와 효율성을 강조하였다. 때문에 David Snedden과 함께 사회효율성 중심의 교육과정 이론가로서 널리 평가되고 있다. 그의 저서와 업적은 그 이후의 교육과정 연구자들의 교육과정 탐구에 깊은 영향을 끼쳤으며 특히 Tyler의 교육과정 개발 모형의 정립에 이론적 기초를 제공해 주었다. 나중에 미국 교육과정 역사연구자인 Herbert Kliebard에 의하여 교육과정의 연구분야가 과학적 절차와 효과성 그리고 측정에 대한 강조로 점철된 것은 그 시작이 바로 Bobbitt의 이데올로기 때문이라고 평가되었다.

주요 저서

1918, The Curriculum: Boston MA, Houghton Mifflin.
1941, Curriculum of Modern Education: Mcgraw-Hill Book Company Inc.
1952, How to make a curriculum: Houghton Mifflin.

교육과정은 교육이 나아가야 할 방향, 수업의 전개 과정과 방법, 그리고 학습의 성취를 평가하는 방법과 같은 교육을 하는 데 필요한 모든 과정을 포함하고 있는 교육학의 핵심 영역이다. 이러한 교육과정은 현재 진행형의 개념으로 Bobbitt를 시작으로 하여 Tyler, Schwab, Pinar에 이르기까지 수많은 학자들에 의해 탐구되고, 수정 · 보완되면서 그 폭과 깊이가 확장되고 있다. 특히 Pinar의 『Understanding Curriculum』이 나온 이후 교육과정에 대한 논의는 사회의 다양한 분야를 아우를 정도로 그 범위가 넓어지게 되었다. 이에 이 장에서는 체계화되지 않고 산발적으로 논의되고 있는 교육과정의 개념들을 살펴보고 정리하는 자리를 마련하고자 한다. 이를 위해 먼저 교육과정의 기원과 어원을 통해 개념적 뿌리를 찾고, 다음으로 개념의 확장이 이루어진 시기(1970년대)를 전후하여 교육과정 개념들을 모더니즘적 접근과 포스트모더니즘적 접근으로 나누어 제시하고 그러한 접근법 아래 생겨난 하위의 교육과정 개념들을 살펴볼 것이다.

교육과정의 기원

이 절에서는 교육과정이 언제부터 학문의 한 분야로 등장하였는지 그 기원을 살펴볼 것이다. 사람에게 자신의 뿌리(조상)를 찾는 행위가 자신의 근원적 자아를 찾는 일이듯, 교육과정에서 또한 그 기원을 살펴보는 것은 교육과정을 깊이 있게 이해하는 데 중요하다고 할 수 있다. 이를 위해 일반적으로 사람들이 교육과정의 시작이라고 보는 Bobbitt와 교육과정의 어원인 'currere' 에 대하여 알아봄으로써 교육과정에 대한 이해를 돕고자 한다.

Bobbitt의 과학적 교육과정 연구 : 교육과정의 시작

교육과정 개념의 시작은 Franklin Bobbitt에 의해 시작되었다. Bobbitt는 1910년 시카고 대학교에서 '교육과정' 이라는 명칭의 강좌를 개설하고, 당시 교사들에게 생소한 자신의 교육과정 이론을 소개할 목적으로 『교육과정(The Curriculum)』(1918)을 출판하였다. 과학적 경영 기법에 큰 영향을 받아 저술된 이 책의 핵심은 학교는 아동이 성인 세계에 적응할 수 있도록 준비시키는 기관이므로, 교육과정은 아동이 성인의 세계에서 접하게 될 과제를 적절히 수행할 수 있도록 준비시키기 위하여 아주 명확하고 구체적으로 구성되어야만 한다는 것이다. 그에 따르면 교육과정이란 학교에서 학생에게 무엇을 가르칠 것인가를 결정하기 위해 먼저 '이상적인 어른' 의 세계를 분석하고 이를 기초로 아동에게 가르칠 구체적인 내용을 '목표화' 하는 것이다. 즉, '이상적인 어른' 의 세계를 분석하여 아동들이 성취해야 하는 '교육목표' 를 설정해야 한다는 것이다.

Bobbitt의 이러한 논리는 과학적 관리 기법의 영향을 받은 것이다. Bobbitt는 당시 '시간과 동작 연구' 로 경영학 분야에 널리 알려져 있었던 Frederick Winslow Taylor의 『과학적 경영의 원리』에 큰 영향을 받았다. Taylor의 이론은 공장에서 제품을 생산하고 관리하는 과학적인 경영방법에 관한 것이었다. 그의 이론의 핵심은 완성된 제품의 질을 평가하는 기준을 미리 정해 놓는 것이 공장에서 질 좋은 제품을 생산하는 데 매우 중요하다는 것이었다. Bobbitt는 이러한 Taylor의 이론을 그대로 교육과정에 적용하여 학교는 공장, 학생은 원자재, 교사는 생산직 근로자, 교장은 공장장에 비유하여 학교 교육을 설명하였다. 그리고 교육은 성인 생활을 위한 것으로 미래 직업 사회에 대한 준비로 보고, 교육내용과 활동 역시 미래 직업 사회에 유용한 지식과 기술들로 구성되어야 한다고 제안하였다.

Bobbitt는 이러한 그의 이론을 구체화하기 위해 '이상적인 어른(ideal adult)' 이라는 용어를 사용하였다. '이상적인 어른' 이란 사회가 원하는 인간상을 말한다. Bobbitt에게 좋은 학교(효율적인 학교)란 일련의 교육과정을 통해 학생을 사회가 원하는 이상적인 어른으로 기르는 곳이다. 그는 이 비유를 『미국교육학회 제12차 연감』에서 '도시학교 문제를 해결하는 데 유용한 몇 가지 경영 원리' 라는 이름으로 설명하였는데, 그가 특히 강조하여 완제품(이상적인 어른)이 되었는지 아닌지를 결정하기 위한 양적, 질적 기준이 미리 정해져야만 한다고 제안하였다. 왜냐하면, 이 기준이야말로 교육감과 교장 등의 교육행정가와 일선 교사들, 나아가 심지어는 학생들 스스로 자신을 안내하는 역할을 한다고 그는 믿었기 때문이다. 그리고 Bobbitt는 학생들이 학교라는 공장에서 이상적인 어른이라는 완제품을 향해 나아가는 데 필요한 지식과 기술들을 결정하여 교육과정으로 구성해야 한다고 제안하였다.

Bobbitt는 자신의 이론을 체계화시키기 위해 교육과정을 구성하는 방법으로 분석의 다섯 단계를 제안하였다. '과학적 교육과정 연구' 라는 별칭에 명시되어 있는 바와 같이 Bobbitt는 과학적 방법을 교육과정의 탐구에 적용하고 교육과정의 체계를 갖춰 학문의 한 영역으로서 교육과정을 제시하였다. Bobbitt가 제시한 교육과정의 과학적 구성 5단계는 다음과 같다.

교육과정의 과학적 구성

- 인간의 경험을 광범위하게 분석
- 주요 분야의 직무 분석
- 교육목표의 열거
- 교육목표의 선정
- 상세한 교육 계획의 수립

교육과정을 과학적으로 분석하기 위해서는 먼저 인간의 경험을 광범위하게 분석해야 한다. 인간의 경험을 언어, 사회, 문화, 경제, 종교, 직업 등 중요한 몇 개의 분야로 분류한 뒤 이러한 경험들이 갖는 중요한 특징들을 분석하는 것이다. 둘째로는 주요 분야의 직무를 분석해야 한다. 서비스업, 건축업, 제조업, 상업, 농업 등 주요 분야의 직무를 분석하고 이들 직무들이 갖는 구체적인 활동들을 다시 한 번 하위 범주화한다. 셋째로는 교육목표를 열거하는 것이다. 앞서 분석한 직무를 수행하는 데 필요한 능력들을 기술하고 진술하여 교육목표를 추출하는 것이다. 넷째로는 교육목표를 선정하는 것이다. 이전 단계에서 도출된 교육목표들로부터 학생들의 활동으로 계획할 목표목록들을 선정하는 것이다. 마지막으로 위의 네 단계를 바탕으로 상세한 교육계획을 수립하는 것이다. 목표를 달성하는 데 포함되는 다양한 활동, 경험, 기회 등을 상세하게 계획해야 하며, 이때 각 연령 또는 학년의 수준에 알맞은 활동들을 자세히 기술해야 한다. 이러한 자세한 활동들의 묶음이 곧 교육과정을 이루는 것이라 볼 수 있다.

Bobbitt로 인해 교육과정 연구는 교육과정의 주제를 '학교에서 가르쳐야 하는 교육 내용, 즉 교육과정이 어떤 것이어야 하는가' 에서 '그것을 어떻게 구성하여야 하는가' 하는 주제로 관심을 집중하게 되었으며, 교육과정의 학문화를 이루는 데 많은 기여를 하였다. 즉, 교육과정의 개념이 단순히 교수요목을 뜻하는 데서 수업의 개념까지 포함하게 되는 결과를 가져온 것이다.

교육과정 개념의 어원

교육과정이라는 용어는 영어의 '커리큘럼(curriculum)' 을 번역한 것이다. 역사적으로 볼 때, 1918년에 Bobbitt가 『교육과정』이라는 단행본을 발간한 이후 교육과정이 학문의 연구대상이 되었다는 점을 주목할 필요가 있다. 그 당시 Bobbitt가 사용한 curriculum은 라틴어의 '쿠레레(currere)' 에서 유래된 말이다. 쿠레레는 '달린다', '뛴다' 라는 뜻으로 경마장의 경주로(a race course)와 경주하는 그 자체(the race itself)에 해당하는 것으로 활동의 장소나 활동의 연속을 의미한다. 말이 달리고 학생들이 뛰는 경주로를 의미하던 curriculum이 교육 분야에 자주 사용됨에 따라 그 의미가 다양하게 변천하여 왔다. 교육의 장면에 적용할 경우에 달린다는 것은 학생들이 공부한다(study)라는 의미이며, 달리는 코스는 특정한 목적을 가진 학생들이 일정한 기간 동안 공부하는 과정, 즉 course of study를 뜻한다. course of study는 실제로 학생이 공부하는 내용을 포함하게 되어 contents of study라는 의미를 지니게 된다. 그래서 커리큘럼의 어의는 학생이 학습할 내용을 일정한 순서에 따라 조직하고 배열하는 것이라고 해석할 수 있다. 어의적인 측면에서 보면 curriculum은 학교에서 가르치는 기본적인 교과서 또는 매일 교수하기 위하여 부과된 일정의 교수요강, 교수요목 내지 학습지도 요령을 의미했으며, 학교 프로그램이나 학교의 지도하에 경험하는 학생들의 경험이나 전체 생활이라고 보는 넓은 뜻으로 사용하게 되었다(김진규, 2007).

교육과정이란 말의 본래의 어원적 근원을 보아도 알 수 있듯이, 인생 문제에 깊숙이 관계되어 있는 근원적 문제에 대한 해답을 위한 탐구가 아니라 사륜마차 경기의 주행로, 즉 'course' 를 뜻하는 것이며 미리 계획하여 정해놓은 과정으로 풀이되었다. 이같이 풀이됨으로써 교육과정은 처음부터 학생들에게 운반될 계획된 교과, 아니면 경험(활동) 또는 의도된 학습결과로 정의되었다. 따라서 학교 안에서 학생들에게 계획된 내용이 효과 있게 전달되도록 하기 위해 고안된 기술로서의 동기유발 방법과 교수방법 등이 교육과정 연구의 핵심을 차지하게 된 것이다. 이렇게 미리 정해진 코스 또는 계획이라는 정의는 타일러 이후 1970년대에 이르기까지 교육과정의 정설을 차지해 왔다.

하지만 한편에서는 달리는 그 자체를 강조하자는 움직임이 나타났다. 즉 교육과정이 '도달되어야 할 산출물' 로서의 curriculum에서 벗어나 '경험하다' 라는 currere로 새롭게 개념화되어야 한다고 보았다. 즉 학생들을 정해진 코스만을 달리는 객체로서 파악하는 것이 아니라 달리는 과정에서 주관적으로 경험하는 내용과 이러한 경험이 객관적 경험과 맺는 관계 및 교육적 상황에서 교육 주체들 간의 상화작용을 강조하기 시작한 것이다.

결국 이는 현상학적인 입장에서 사회적 실재를 주관적이며 구성적이고 다원적인 것으로 보았으며, 개인이 의미를 구성하는 방법도 다양하다고 보기 시작한 것이다.

교육과정의 모더니즘적 개념

이 절에서는 교육과정의 의미를 확장하기 위해 모더니즘의 영향을 받아 나타난 다양한 교육과정 개념들을 살펴볼 것이다. Bobbitt 이래로 교육과정은 하나의 정의로 설명할 수 없을 정도로 그 영역이 다양해졌다. 따라서 이제는 하나의 논리나 명제를 가지고 교육과정을 이해하려는 시도보다 다양한 교육과정 개념들을 하나하나를 살펴봄으로써 교육과정을 이해하려는 시도가 필요하다.

이에 이 절에서는 먼저 학자들에 따라 교육과정이 어떻게 정의되고 있는지를 살펴보고 다음으로 모더니즘이라는 사조 아래 나타난 다양한 교육과정의 정의들을 살펴볼 것이다.

학자에 따른 다양한 교육과정 개념

이 절에서는 학자들의 관점에 따라 교육과정의 개념이 얼마나 다양하게 정의되고 있는지 살펴볼 것이다. Bobbitt가 교육과정 분야를 창시한 이래 교육과정의 개념은 학자들에 따라 그 개념과 의미가 다양한 형태로 정의되었다. 교과중심 교육과정의 시기에 교육과정이란 학생의 측면에서는 '학습해 나갈 코스' 이고, 교사의 측면에서는 학생들에게 가르쳐야 할 '교수 내용의 체계' 인 것이다. 그리고 경험중심 교육과정의 시기에는 듀이의 교육철학에 따라 '학생들이 학교의 계획과 지도 아래 가지게 되는 모든 경험' 으로 정의되어 왔다. 또한 학자에 따라서도 다양하게 정의되고 있는데 재건주의 교육철학의 대표자인 G. S. Counts는 교육과정이란 '사회 개선을 위한 프로그램' 이라고 정의하였고, W. F. Pinar는 '교육과정이란 개인의 인생 항로에 대한 재해석의 과정' 이라고 정의하였다. 이렇듯 교육과정이란 역사적 사조 혹은 철학이나 관점에 따라 다양하게 정의되고 있다.

다음은 교육과정에 대한 다양한 학자들의 정의를 정리한 것이다.

학자에 따른 다양한 교육과정의 정의

- 학생들이 이상적인 어른의 세계에 도달하기 위해 발전시켜야 하는 능력을 바탕으로 일련의 과정을 만들어 놓은 것이다.
(Franklin Bobbitt, 1918)
- 교육과정이란 학교 내에서뿐만 아니라, 학교 밖에서도 학생들이 기대하는 결과에 도달할 수 있도록 하는 학교의 총체적인 노력이다.
(Saylor & Alexander, 1954)
- 교육과정이란 교과목들의 여러 목표들과 이들 목표들의 성과를 평가할 수 있는 프로그램들로 구성되어 있는 것이다.
(Hilda Taba, 1962)
- 인생에서 일어날 수 있는 경험들을 재현해 놓은 일련의 사건들이다.
(Duncan & Frymier, 1967)
- 교육과정이란 학교가 추구해야 하는 교육목적은 무엇이고 그러한 목적을 달성하기 위한 학습경험은 어떻게 선정하고 조직해야 하는지 그리고 학습경험의 평가는 어떻게 해야 하는지를 규명하는 것이다.
(Ralph Tyler, 1970)
- 학교를 다니는 동안 학생들이 배워야 할 사회적으로 가치 있는 지식, 기능, 태도를 가르치는 것이다.
(Bell, 1971)
- 교육과정이란 학교에서 활용되는 학습활동의 계획들이다.
(Tanner & Tanner, 1977)
- 교육과정이란 억압적인 사회적 실제를 해결하는 변형적 교육학적 실제는 무엇이며 그러한 교육학적 실제를 지지하는 이론과 연구가 무엇인지 알고 다차원적인 목소리, 해방적인 삶의 가치를 찾는 것이다.
(Patti Lather, 1991)
- 교육과정이란 개인의 인생 항로에 대한 재해석의 과정이다.
(W. F. Pinar, 1995)

모더니즘적 교육과정 개념

이 절에서는 모더니즘의 영향 아래 나타난 다양한 교육과정의 개념들을 살펴볼 것이다. 이 개념들은 공통적으로 실증주의와 자연 과학을 기초로 교육목표 수립과 교육과정 설계에 관심을 가진다. 하지만 이 개념들 역시 앞서 살펴본 학자들의 관점에 따라 그 정의가 달라지듯 접근방법과 관점에 따라 형태를 달리한다. 이 책에서는 그중 일반적으로 잘 알려진 교육내용으로서의 교육과정, 학습계획으로서의 교육과정, 학습경험으로서의 교육과정, 학습결과로서의 교육과정, 성취기준으로서의 교육과정에 대하여 살펴볼 것이다(표 1-1 참조). 참고로 교육과정의 개념을 크게 모더니즘 관점과 포스트모더니즘의 관점으로 나누어 살펴보았는데, 사실 이 두 개념은 경계가 모호하여 정확한 시기를 명확하게 구별하기 어렵다. 하지만 이 책에서는 교육과정의 재개념운동이 일어난 1970년대를 전후하여 두 사조를 구분하였음을 밝혀둔다.

〈 표 1-1 〉

	교육내용	학습계획	학습경험	학습결과	성취기준
개념	일정기간 동안 제공되는 교과목의 종류, 성격, 내용 등을 간단히 나열해서 기술한 것	교육과정이라는 문서에 담겨 있는 교육계획	아동이 겪는 모든 경험의 총체	의도된 학습 성과	국가차원에서 학생이 학습의 결과를 규정해 놓은 진술문
의미	학생의 입장에서는 학습해 나가야 할 과정이고, 교사의 입장에서는 학생에게 가르쳐야 할 교육내용의 체계를 의미함	문서 속에 담긴 계획 내용에 따라 다양한 교육과정이 존재함을 인정함	교육과정을 통해 아동들이 경험하는 모든 경험을 포함하므로, 아동중심적인 입장을 지님	교육과정은 수업의 결과에 대해서 처방, 규제하는 수업을 위한 지침서로서의 의미를 지님	국가차원에서 각 교과의 전문가들이 학생들이 도달해야 할 최소한의 학습내용을 기술하여 학습해야 함을 강조

교육내용으로서의 교육과정

교육내용으로서의 교육과정은 교육과정의 개념상 역사적으로 가장 오래되고 보편적으로 알려진 개념이다. 이는 학자에 따라 교과중심 교육과정이라고 불리기도 한다. 이 정의에 따르면 교육과정은 교과들의 목록, 해당 교과의 교수요목, 강의요목(syllabus)으로 정의될 수 있다. 따라서 교육과정이라는 용어보다는 교과과정으로 더욱 많이 사용되어 왔다. 그리고 교과과정에는 학교에서 일정기간 동안 제공되는 교과목의 종류, 성격, 내용 등을 간단히 나열해서 기술하여 제공하고 있다.

교육내용으로서의 교육과정은 학생의 입장에서는 학습해 나가야 할 과정이고, 교사의 입장에서는 학생에게 가르쳐야 할 교육내용의 체계를 의미한다. 그리고 교육내용으로서의 교육과정에서의 교육의 목적을 인지적 능력의 계발에 초점을 두고, 인지적 능력 계발에 도움을 줄 수 있는 특정 교과목들이 교육과정의 내용이 되어야 한다고 강조하고 있다. 그리고 교육을 위한 교과는 쉽게 설명되고, 논리적 순서로 배열되며, 학교 학습이나 학생의 경험에 선행하여 지식을 제공할 수 있는 내용으로 구성된다. 교육의 방법 역시 단일 교과에 초점을 두면서 학급 전체의 학생들에게 강의법이나 암송, 예시 등을 통한 교사 중심의 수업이 이루어진다. 교과서가 주된 교재로 사용되며, 교과서에 실린 내용을 숙달하게 하는 데 초점을 맞추게 된다. 교육의 평가 역시 교육의 내용이 효과적으로 전달되었는가가 중요한 포인트가 된다. 교육 내용의 완전한 숙달을 평가하기 위하여 지필검사를 정기적으로 실시하고, 숙달정도에 따라 학점을 부과하는 것이다. 즉 학생들이 정보를 획득하였는가, 기본 기능을 숙달하였는가 등이 중요한 평가 수단임과 동시에 목적이 된다.

학습계획으로서의 교육과정

학습계획으로서의 교육과정은 문서에 나타난 교육계획을 의미한다. 즉, 문서란 그릇과 같고 그 속에 채워지는 내용이 의미를 가지듯이, 교육과정을 문서 속에 담긴 계획으로 본다는 말은 계획 내용의 종류만큼 다양한 교육과정이 있다는 것을 의미한다. 예를 들어, 교육과정 문서 속에 담긴 내용이 교과들의 목록이나 교과 속에 포함되는 주요 주제들이라면 교육과정은 교육내용이고, 교육과정 문서를 채우는 내용이 학교에서 경험하는 학생들의 학습경험의 총체라면 교육과정은 학습경험이 되는 것이다(김대현, 1997).

학습계획으로서의 교육과정은 결국, 교육 현장에 있는 교사를 비롯한 교육관계자들에게 교육과정이라는 문서를 구성하여 만들고, 실질적으로 교육을 실시하여 학생들의 도달정도를 평가할 수 있는 기회를 제공해 주는 것이다. 물론, 그 문서들의 내용이 좁은 의미에서는 교육내용이나 학습경험, 학습성과만을 제시할 수도 있으나, 대부분의 교육과정의 문서에는 학습의 전 과정을 포함하는 내용으로 구성되어 있다. 또한 여기에는 문서화된 계획뿐만 아니라 문서화되지 않은 계획, 예컨대 교사의 마음속에서 상황적으로 일어나는 계획도 포함된다. 따라서 학습계획으로서의 교육과정은 교과, 경험, 목표가 포함되어야 한다. 나아가 학습계획으로서의 교육과정은 예측적, 의도적인 교육활동이므로, 계획뿐 아니라, 교육과정을 통해 도달해야 하는 결과까지 일련의 교육의도를 내포하고 있어야 한다. 즉, 교육과정 계획은 목표나 목적에 초점을 두지만 그것에만 국한하지는 않고, 교육과정 설계, 실행(즉, 수업), 평가와 같은 요소를 포함한다는 것을 의미한다.

이러한 계획을 하는 궁극적인 목적은 학교나 교사가 기대하는 활동을 학생들이 하도록 하는 데 있다. 그러므로 학생들이 하는 활동도 중요하지만 그보다는 활동에 대한 계획이 더 강조된다. 이는 교육과정이 교과를 학습하거나, 단순히 학생에 의해 경험되는 것을 강조하기보다는 치밀한 계획을 강조하는 것이 목적 달성에 더 유용하다는 전제가 깔려있는 것이다. 이런 의미에서 교육과정은 문서 속에 담긴 교육목적과 교육내용의 체계, 그리고 이를 효과적으로 전달하기 위한 교육방법, 교육평가, 교육운영 등에 대한 종합계획을 가리킨다. 이러한 정의는 교육과정을 학습을 위한 종합계획으로 본다는 점에서 포괄적이며, 현장의 교사들에게 국가에서 의도하는 교육의 전 과정을 이해하고 실행할 수 있도록 도움을 준다는 측면에서 실용적이라고 할 수 있다. 그러나 교육과정을 계획이라는 의미로 보면, 교육과정의 강조점은 내면적인 발달보다는 겉으로 드러나는 결과에 중점을 두게 된다. 즉 학습의 결과에 가치를 두기 때문에 학습의 과정이 무시되어 수단이 목적으로 전화되는 결과를 초래할 수도 있다는 것이다.

학습경험으로서의 교육과정

학습경험으로서의 교육과정은 교육과정을 계획된 학습경험으로 보는 입장이다. 교육목적이 학생들의 바람직한 행동 변화에 있다는 것은 널리 알려진 사실이다. 만일 어떤 학생들이 학교를 다니면서 주요한 교과들을 배웠지만 조금도 향상되지 않았다면, 학습에 문제가 있다고 생각한다. 이 말은 아무리 주요한 내용으로 구성된 교과라 하더라도 학생들에게 학습되지 않는다면 교육적으로 아무런 가치가 없다는 것이다(김대현, 1997).

학습경험으로서의 교육과정은 이미 많은 학자들에 의해 개념이 많이 소개되었다. 특히, Caswell과 Campbell(1935, 69)은 교과를 개괄하는 교과과정과 교재를 기반으로 하는 수업의 무익함을 관찰하고 교육과정의 개념에 경험을 포함시켰다. 『교육과정 개발』이란 유명한 책에서 교육과정은 교사의 안내하에 아동이 겪는 모든 경험의 결과로 이루어져야 함을 강조하였고, 이후의 많은 책에서도 유사한 정의를 사용하였다.

즉, 학습경험으로서의 교육과정이 주목을 받게 된 것은 학습계획으로서의 교육과정과 경험한 교육과정의 불일치에서 시작되었다. Goodlad는 수백 개의 교실을 방문한 후에 교육과정을 네 가지(공식적 교육과정/지각된 교육과정/관찰된 교육과정/경험한 교육과정)로 확인하였다. 즉, Goodlad가 밝혀낸 공식적 교육과정과 지각된 교육과정의 불일치 또는 관찰된 교육과정과 경험한 교육과정의 불일치는 교육방법과 목적의 구분을 나타내는 것이다.

따라서 교육의 방법은 '어떻게 가르쳐야 할까?' 라는 문제에 답하는 것이며, 교육의 목적은 '무엇을 가르쳐야 할까?' 라는 문제에 답하는 것이므로, 교육의 방법과 목적과 구분되는 교육적 상황에서, 학습경험으로서의 교육과정은 학습계획으로서의 교육과정과 다를 수 있다고 하였다. 따라서 Caswell과 Campbell이나 그 후의 다른 저자들이 추구하는 바와 같이 교육과정이 생명력을 가지려면, 교육과정은 방법과 목적이 일관되도록 학습자 경험의 모든 요소를 고려하여 학습경험으로서의 교육과정을 구성해야 할 것이다(홍성윤, 1994).

학생들의 바람직한 행동 변화가 교육목적이라면 교육과정은 학교 시간표에 제시된 교과의 목록이나 강의계획서에 나타난 내용이 아니라 학생들이 갖는 경험 속에 있다는 것이다. 학교에서 제공되는 모든 경험이 교육적 가치가 있다고 보기 어렵기 때문에 교육과정을 학교에서 제공되는 경험 중에서 계획된 경험으로 한정하는 것이 좋다는 견해도 있다(김대현, 김석우, 1996). Doll(1992)이 교육과정을 학교의 지원 또는 감독아래 학생들에게 제공하는 모든 경험이라고 한 것도 학습경험으로서의 교육과정을 설명한 입장이다(김진규, 2007).

학습결과로서의 교육과정

학습결과로서 교육과정이란 교육과정을 수업을 통하여 도달해야 할 의도된 학습성과로 보는 입장이다. 이 정의에 의하면 교육과정은 수업을 통해 도달해야 할 학습성과를 의미하고, 이는 교육과정과 수업을 구분하는 것이다. 즉 교육과정을 수업에 해당하는 학습경험의 계획이라기보다는 학습경험을 통하여 성취해야 할 그 무엇으로 보는 것이다. 특히 Johnson(1981)은 교육과정을 의도된 일련의 구조화된 학습결과로 봄으로써 교육과정이 학습경험을 통해 성취해야 할 그 무엇이라고 하였다.

학습결과로서의 교육과정은 교육과정을 수업의 결과에 대해서 처방, 규제하는 수업을 위한 지침서로서의 의미를 가질 뿐, 수업 그 자체는 아니다. 그리고 수업은 학생이 바람직한 경험을 하도록 환경과 상호작용하는 과정이나 활동으로 규정한다. 학습결과로서의 교육과정의 대표적인 예는 영국의 국가교육과정 문서로, 여기에는 교과별로 수행목표들의 체계를 지시하고 있다. 그러나 학습결과로서의 교육과정은 실질적으로 교육전문가가 의도된 학습성과의 목록작성에만 몰두한다면 교육과정 연구에서 전통적으로 포함되어 왔던 매우 중요한 과정인 내용 선정과 학습활동의 명세화에 대한 책임과 관심이 약화되기 쉬우며, 쉽게 측정될 수 있는 행동적 결과나 목표들만이 강조될 우려가 있다는 문제점을 지니고 있다(김진규, 2007).

성취기준으로서의 교육과정

성취기준으로서의 교육과정은 각 교과에서 수립된 성취기준(학생이 알아야 하는 것과 할 수 있어야 하는 것)을 교육과정의 개념으로서 이해하는 방식이다. 먼저, 성취기준에 대해 자세히 살펴보자면, 성취기준(standard)은 국가 차원에서 학생이 학습의 결과로서 무엇을 알고 있으며 무엇을 할 수 있어야 하는가를 규정해 놓은 진술문이다. 특히, 이 성취기준은 국가가 각 학생이 각 교과에서 무엇을 어떻게 성취해야 하는지를 명시하고 있다는 점에서 국가교육과정의 성격을 띠고 있다고 하겠다. 이 개념은 1980년도 이후 미국의 교육개혁과 함께 미국 학교 교육의 수준을 높이고자 하는 목적 아래 만들어졌으며 나아가 미래 경제세계에서 요구되는 인간 자원을 길러낼 목적 아래서 탄생하였다는 것이 특징이다. 이에 미국을 비롯한 많은 구미의 국가들에서는 학생들이 한 학년에서 그리고 한 교과에서 무엇을, 얼마나, 어떻게 알아야 하는가를 공식적으로 규정해 놓고 있고 학교의 교장과 교사, 학생들은 그 규정에 도달하기 위하여 공부하고 있는 실정이다.

이러한 성취기준의 일반적인 특징은 다음 세 가지로 정리할 수 있다. 성취기준의 첫 번째 특징은 고등 사고 기술의 습득의 강조이다. Marzano와 Wiggins는 21세기 사회에서는 단순한 지식의 습득보다는 고차원적 탐구기술의 습득이 더 생산적이고 경쟁력이 높다고 강조하였고, 이러한 미래 학습사회의 특징이 고차원적 탐구기술의 강조로 이어졌다. 구체적으로 고차원적 탐구기술의 종류를 살펴보면 적용력, 비판적 사고력, 문제 해결력, 창의적 사고력, 종합력 등이 있다. 성취기준의 두 번째 특징은 실제 사태에서의 문제해결력의 강조이다. Gardner의 다중 지능 이론에서 강조하는 것처럼, 인간의 능력은 더 이상 인위적인 상황에서 암기한 지식을 재인하는 것이 아니라 구체적인 실제 사태에서 자신이 습득한 개념이나 지식을 새로운 문제 해결을 위하여 어떻게 얼마나 잘 적용할 수 있는가로 가늠된다. 따라서 학교 교육의 새로운 목표는 과거와는 달리 실제 생활에서 접하게 되는 문제나 이슈를 잘 해결할 수 있는 능력을 개발하고 자극시켜 주는 것이어야 한다. 그러한 점에서 학교의 교육과정은 예기치 못한 생활 상황에서의 비구조적인 딜레마나 과제들을 효과적으로 해결해 나갈 수 있는 활성화된 지성(Sternberg), 실제적 지능 등을 길러 주는 것을 목표로 해야 한다는 것이다. 성취기준의 세 번째 특징은 책무성의 강조이다. 이것은 미국 학교 교육의 문제점을 개선하기 위해 나타난 특징으로서 학생의 진급과 졸업을 단순히 학교가 정해 놓은 문서상의 교육과정과 수업시간을 모두 이수하였는가에 기초하여 평가해서는 안 된다는 인식에서 등장하였다. 대신에 책무성은 각 학년별로 각 주의 교육부가 규정해 놓은 학습결과의 기준에 도달하였는가를 평가하고 그 결과에 따라 학생의 진급과 졸업을 결정해야 한다는 정책이다. 이러한 성취기준을 통한 학습자의 평가는 학생들로 하여금 학습은 자신이 책임져야 하는 과제라는 인식을 갖게 만들었고, 아울러 이 검사의 결과들은 각 학교 전체의 통계로 구체화되기 때문에 교사와 학교장들에게도 성취기준에 도달시키기 위한 노력이 교육과정과 수업의 개혁으로 나타나게 되었다. 하지만 책무성은 그 성격이 강압적이고 의무적이어서 부정적인 성향도 가지고 있다.

우리나라의 제7차 교육과정에서 강조하는 각 교과목의 성취기준 역시 이러한 서구적 변화를 수용하고 반영하고 있다. 나아가 우리나라의 제7차 교육과정 내용을 교과목 중심으로 분석해보면 그 내용이 미국의 각 교과 성취기준의 내용과 매우 유사하다는 사실을 알 수 있다. 성취기준에 기초한 성취기준의 개념을 더 알고자 하는 사람들은 인터넷 서핑을 통하여 미국과 캐나다의 각 주 교육부에서 공고해 놓은 주 차원에서의 성취기준을 찾을 수 있다. 또한 이 주제와 관련된 국내 문헌으로는 『현장 교사를 위한 교육평가』(김영천, 2007)에 구체적인 자료와 정보가 제시되어 있다.

〈 표 1-2 미국의 각 교과별 성취기준 〉

교과목	성취기준
국어	Standards for Language Arts (National Council of Teachers of English, International Reading Association, 1992)
수학	Curriculum and Evaluation Standards for School Mathematics (National Council of Teachers of Mathematics, 1989)
사회	Expectations of Excellence: Curriculum Standards for Social Studies (National Council of Social Studies, 1994)
과학	National Science Education Standards (National Academy Press, 1996) Benchmarks for Science Literacy(American Association for the Advancement of Science, 1993)
지리	Geography for life: National Geography Standards (Geography Education Standards Project, 1994)

(계속)

교과목	성취기준
역사	National Standards for History: Basic Education (National Center for History in the School, 1996)
시민	National Standards for Civics and Government(Center for Civic Education, 1994)
예술	National Standards for Arts Education: What every young American should know and be able to do in the Arts (Consortium of National Arts Education Association, 1994)
체육	Moving into the Future, National Standards for Physical Education: A Guide to Content and Assessment (National Association for Sport and Physical Education, 1995)
외국어	Standard for Foreign Language Learning in the 21st Century
공학	Standards for technological literacy; Content for the study of Technology (International Technology Education Association, 2000)

교육과정의 다양한 수준

이 절에서는 교육과정의 다양한 수준들에 대해서 살펴볼 것이다. 교육과정의 다양한 수준들은 앞서 리뷰한 모더니즘적 정의들의 범위(scope)를 나타내는 것으로 보통 국가 수준의 교육과정, 지역 수준의 교육과정, 학교 수준의 교육과정으로 그 층위를 나눌 수 있다. 예컨대, 우리나라의 경우를 살펴보면, 교육과학기술부 장관이 결정 고시한 교육과정은 국가 수준의 교육과정이 되며, 시 · 도 교육청의 교육과정 편성 · 운영 지침은 지역 수준의 교육과정이 되고, 마지막으로 각 급 학교가 당해 학생들의 실태와 지역사회를 고려하여 학교에서 수립한 교육과정이 학교 교육과정이 되는 것이다. 여기에서는 Glatthorn(2005)이 정의한 네 가지 수준의 교육과정을 중심으로 교육과정의 다양한 수준들을 살펴볼 것이다.

계획된 교육과정(written curriculum)

쓰여진 교육과정은 국가 수준 혹은 주(州) 수준의 교육과정을 의미한다. 이는 교육과정 전문가, 각 교과전문가, 일선 교사 그리고 교육행정가가 모여 개발한 교육과정으로서 최소한 이 정도는 학교에서 공통적으로 가르치고 배워야 한다는 가이드라인이다. 즉, 국가 수준의 공통성을 의미하며 일반적이고 추상적인 수준의 기준(standards)를 의미하는 것이다. 이 유형의 교육과정에는 일반적으로 학교에서 편성 · 운영해야 할 학교 교육과정의 목표, 내용, 방법, 평가에 관한 국가 또는 주 수준의 기준 및 기본 지침이 제시되어 있다. 결국 이는 국가나 주 수준에서 표준적인 교육내용 기준을 설정하여 질적 수준을 높게 유지하려는 의도이며 교육내용의 학교급별 체계성과 일관성을 유지하고자 하는 노력인 것이다.

계획된 교육과정의 가장 중요한 요소는 중재(mediating), 표준화(standardizing), 통제(controlling)이다. 먼저 중재란 교육과정 전문가가 학생들에게 가르쳐지기를 바라는 내용과 교사 자신이 학생에게 가르쳐야 한다고 믿는 내용 사이의 중재를 의미한다. 교육과정 전문가는 자신의 교육적 철학과 믿음을 바탕으로 교육과정을 개발하고, 교사는 이러한 교육과정을 근거로 하여 자신의 교수 방법을 토대로 수업을 진행한다. 하지만 여기에서 가르치고자 하는 것에 대한 전문가의 기준과 교사의 기준 사이에 괴리가 발생한다. 즉, 교사에 의해 의도적으로 가르쳐질 수도 있고 반대로 의도적으로 가르쳐지지 않을 수 있다. 이러한 교육과정 개발자와 교사 사이의 괴리를 중재해 주는 것이 바로 계획된 교육과정인 것이다. 이는 이 정도는 반드시 가르치고 배워야 하는 국가나 주 수준의 공통 지침이기 때문이다. 둘째, 표준화란 모든 학생들에게 동일한 질과 수준의 교육을 보장하기 위한 것으로 교육과정을 일정 수준으로 유지 · 관리하기 위한 것이다. 마지막으로 통제란 교육과정이 학교나 교사가 학생들의 높은 학업 성취도를 관리하기 위한 장치로서 기능한다는 것을 의미한다. 국가는 국가 수준의 성취기준을 설정함으로써 실제 학교와 현장에서 그러한 기준을 달성하도록 하는 기준과 방향을 제시하여 주는 것이다. 즉, 교육목적과 교육목표 달성의 책임 체제를 확립하고자 하는 의도인 것이다.

반면 계획된 교육과정은 여러 가지 단점을 내포하고 있는데 첫째, 국가 수준의 목표들이 하위수준의 교육과정과 연결되지 못한다는 것이다. 즉, 일반적이고 추상적인 교육과정이므로 구체화된 각 교과목의 교육과정과의 괴리로 인하여 오히려 각 교과의 목표 달성에 방해가 될 수 있다는 것이다. 둘째, 계획된 교육과정은 아무리 최신의 것이라 해도 2~3년 전의 것일 수밖에 없다. 결국 최신의 지식과 교수법 등이 반영되기가 어렵다는 단점이 있다.

지원된 교육과정(supported curriculum)

지원된 교육과정은 쓰여진 교육과정을 현장에서 사용할 수 있는 구체적인 계획으로서의 교육과정을 의미한다. 쓰여진 교육과정이 국가 수준에서의 기준을 제시하여야 했기에 추상적이고 일반적인 수준에서 이루어졌다면, 지원된 교육과정은 구체적이고 세부적이라고 할 수 있다. 이러한 지원된 교육과정을 설정하는 이유는 바로 학교나 교사가 쓰여진 교육과정을 효율적으로 운영함과 동시에 학생들의 학업성취도를 극대화하기 위한 것이다. 각 학교급별 학생들의 특성에 알맞도록 교과 배당을 함과 동시에 교과의 특성에 따라 교사의 배치를 결정함으로써 쓰여진 교육과정과 가르쳐진 교육과정, 그리고 학습된 교육과정 사이를 최대한 좁힘과 동시에 교육의 효율성을 도모하고자 하는 것이다.

지원된 교육과정은 크게 두 가지로 구분할 수 있다. 먼저 시간과 자원의 배분이다. 지원된 교육과정은 각 과목별 시간 배당을 의미하는 것으로 각 학교급별로 어떤 과목을 어떤 학년에 몇 시간씩 배당할 것인지를 결정한다. 예컨대 11학년에서 사회과는 몇 시간을 배당해야만 하는가에 대한 결정을 의미한다. 또한 여기에는 각 과목별 교사 인원 배치도 포함된다. 즉 학급의 규모와 관련된 개념으로 만약 35명 이상의 학급에서 체육수업을 할 경우 몇 명의 교사가 필요한가이다. 두 번째 의미는 수업도구와 매체, 자료의 결정이다. 이것은 바로 학교에서 교육과정을 실행하기 위하여 필요한 교과서와 자료, 그리고 컴퓨터 등과 같은 멀티미디어 자료들을 언제 어디에서 적절하게 사용할지에 대한 구체적인 계획을 의미한다. 여기에서 의미하는 교과서는 학생들이 학습하게 되는 교과서는 물론 교사용 지도서도 포함된다.

가르쳐진 교육과정(taught curriculum)

가르쳐진 교육과정은 교사가 실제 쓰여진 교육과정과 지원된 교육과정을 바탕으로 교실에서 학생들에게 가르친 교육과정을 의미한다. 여기에는 국가나 주에서 의도한 내용과 함께 국가나 주에서 의도하지는 않았지만 교사가 어떠한 목적이나 의도를 가지고 학생들에게 가르친 내용도 포함된다. 국가나 주에서 의도한 교육과정은 지역사회의 특수성을 고려하지 못하므로 학교나 교사가 지역사회, 학생의 실태, 그리고 학교의 실정을 반영하여 쓰여진 교육과정과 지원된 교육과정을 재구성하여 가르칠 수밖에 없기 때문이다. 그러므로 가르쳐진 교육과정은 쓰여진 교육과정과 지원된 교육과정보다 더 많은 것을 포함하게 된다. 하지만 여기에서 분명히 해야 할 것은 국가나 주 수준에서 정한 원칙은 반드시 지켜야 한다는 것이다. 교사의 재량권이 무한대로 주어지는 것이 아니라 교육과정이 의도하는 시간 배당을 지키고 가르쳐지기를 기대하는 내용은 반드시 가르쳐야만 한다는 것이다.

가르쳐진 교육과정은 크게는 1년, 1학기, 그리고 1차시의 수업까지도 포함하는 개념이다. 교사가 교육과정이 의도한 목표와 내용을 바탕으로 특정한 목적을 가진 뒤 이를 근거로 하여 1차시의 수업을 진행하였다면 이는 가르쳐진 교육과정에 해당하는 것이다. 그리고 이러한 1차시의 수업이 모여 한 학기, 그리고 한 학년의 수업이 마무리되었을 때 좀 더 거시적이고 포괄적인 가르쳐진 교육과정이 되는 것이다. 비록 쓰여진 교육과정과 같이 문서상의 교육과정은 아니지만 결국 교육이란 교육과정을 바탕으로 교사와 학생 사이의 상호작용이라고 말할 수 있으므로 가르쳐진 교육과정 역시 교육과정의 한 부분을 차지하는 매우 중요한 개념이라 볼 수 있다.

학습된 교육과정(learned curriculum)

학습된 교육과정이란 실제 학생들이 보고 듣고 배운 것을 의미하는 것으로 가장 포괄적인 개념의 교육과정이라 볼 수 있다. 학습된 교육과정은 쓰여진 교육과정에서 의도하였고, 교육과정에서 의도한 내용을 교사가 가르친 것뿐만 아니라 교육과정에서 의도하지도 않았고 교사가 가르치지도 않았지만 학습자가 학습한 내용까지도 포함한다. 즉, 학생들이 경험하고 총체를 의미하는 것으로 공식적 교육과정뿐만 아니라 잠재적 교육과정까지 포함하는 포괄적인 개념의 교육과정이다. 이러한 학습된 교육과정이 바로 마지막 수준의 교육과정으로서 쓰여진 교육과정, 지원된 교육과정, 그리고 가르쳐진 교육과정의 장단점과 적합성 그리고 효율성을 가늠하는 척도가 된다. 만약 학생들의 학업 성취도가 높아지지 않았다면 교육과정의 적합성에 문제가 있는 것이기 때문이다. 결국 학습된 교육과정은 교육과정의 최종 목적지임과 동시에 교육과정을 평가할 수 있는 평가 자료로서 기능을 하게 된다.

다양한 수준의 교육과정

- 계획된 교육과정
- 지원된 교육과정
- 가르쳐진 교육과정
- 학습된 교육과정

교육과정은 이처럼 그 성격에 따라 다양한 수준의 교육과정으로 정의되기도 한다. 많은 학자들은 이것을 의도된 교육과정, 전개된 교육과정, 실현된 교육과정으로 정의를 내리는데, Glatthorn(2005)이 제시한 교육과정으로 표현하자면 쓰여진 교육과정과 지원된 교육과정은 의도된 교육과정으로 나타낼 수 있으며, 가르쳐진 교육과정은 전개된 교육과정으로, 마지막으로 학습된 교육과정은 실현된 교육과정으로 일대일 대응이 된다고 볼 수 있다. 결국 같은 맥락이지만 결국 그 주체가 국가이냐, 교사이냐, 학생이냐에 따라 다양하게 정의될 수 있으며, 그 수준과 위상은 다를 수밖에 없다는 것이다. 아무리 국가나 주에서 심혈을 기울여서 교육과정을 마련한다 하더라도 교사가 가르치지 않았다면 아무런 효과를 기대하기 어려울 것이며, 교사가 의도하고 가르쳤다 하더라도 학습자가 배우지 않았다면 교육과정이 제대로 실행되었다고 보기 어렵기 때문이다.

| Bobbitt에 대한 추억 |

1993년 1월 Bobbitt의 책 두 권 『The curriculum』과 『How to make a curriculum』을 찾으러 사범대학의 도서관에 갔다. 위스콘신 대학교 Herbert Kliebard의 제자인 Dr. Beverly Gordon이 강의하던 'Historic Bases of Curriculum Development'의 중간과제를 하기 위해서였다. 사범대학 도서관에 가서 이 책들을 검색한 결과 그 책들은 사범대학이 아니라 농업대학 도서관에 있다는 것을 알게 되었다. 차가운 겨울 바깥에는 약 15센티미터의 눈이 내려 길이 막히고 걷기가 힘들었다. 아무도 걷지 않은 한적한 학교의 도로. 그리고 하얀 눈으로 가득한 캠퍼스. 한발 한발 내디딜 때마다 깊게 빠지는 발자국을 내면서 캠퍼스 서쪽에 있는 도서관을 향하여 약 30분을 걸은 것 같았다. 너무 추워서 돌아갈까 하는 생각이 자꾸 들었다.

농대 도서관에 도착하였다. 기대 반 걱정 반으로 책을 찾으러 다녔다. 이윽고 말로만 들었던 그 두 권의 책을 찾을 수 있었다. 책 열람 일지를 보니 오랫동안 대여되지 않은 듯하였다. 먼지가 수북히 쌓여 있었다. 그리고 더 놀라운 것은 초판이었다. 그날의 느낌을 어떻게 표현할 수 있을까. 설렌다고 할까 아니면 나만이 간직하고 싶은 보물을 찾았다고나 할까. 처음부터 끝까지 책을 읽었고 그 책의 내용이 Ralph Tyler의 『Basic principles of curriculum and instruction』에 얼마나 깊은 영향을 주었는지 어렵지 않게 알 수 있었다.

William F. Pinar

캐나다의 브리티시 콜롬비아 대학(UBC)의 교육과정학과 석좌교수로 재직하고 있다. 아울러 세계 최초로 교육과정의 국제 연구를 선도하기 위한 목적으로 교육과정 국제화연구소를 개설하여 연구소장을 맡고 있다. 학력으로는 1969년에 오하이오주립대학교를 졸업하였고 뉴욕의 롱아일랜드 워싱턴 항에 있는 폴 고등학교(Paul D. High School)에서 2년간 영어를 가르쳤다. 1970년에는 오하이오로 돌아와 석사과정을 마쳤고 2년 후에 박사가 되었다. 그의 지도교수는 오하이오주립대학교 사범대학 당시의 학과인 Curriculum and Foundation의 지도교수였던 Dr. Paul Klohr였다. 그로부터 현상학에 대한 지도를 받았고 교육과정 연구의 재개념화운동의 기수로서 이름을 전 세계에 드날리기 시작하여 Rochester University, Louisiana State University의 석좌교수를 거쳐서 여러 대학의 스카웃 제의를 뿌리치고 마지막으로 캐나다의 UBC로 자리를 옮겼다.

교육과정 분야의 패러다임 전환의 역사에 대한 산 증인인 그는 많은 연구작업과 공식활동을 통하여 교육과정 연구의 재개념화의 정착과 확산에 실제적인 기여를 하였다. 교육과정 분야의 대표적인 학회들(Bergamo Conference, Dayton, Ohio, IAACS)을 창설하였고 미국 교육과정 탐구학회 초대회장을 역임하였다. 아울러 재개념화와 교육과정이론의 새로운 학술지인 「Journal of Curriculum Theorizing」을 Janet Miller와 창간하였고 많은 책들을 편집하였다. 최근에 와서는 교육과정 연구의 국제화에 관심을 갖고 있으며 브라질과 남미의 교육과정 연구에 대한 책을 출간하였고 가까운 미래에 남아프리카 공화국의 교육과정 연구에 대한 책을 집필할 예정이다(2009년 개인 면담).

주요 저서

1994, Autobiography, Politics, and Sexuality: Peter Lang.
1995, The senior author of Understanding Curriculum: Peter Lang.
1998, The Passionate Mind of Maxine Greene: Falmer.
1998, The editor of several collections, among them Queer Theory in Education: Lawrence Erlbaum.
1999, Contemporary Curriculum Discourses: Peter Lang.
2001, The Gender of Racial Politics and Violence in America: Peter Lang.
2003, The International Handbook of Curriculum Research: Lawrence Erlbaum.
2006, Race, Religion and a Curriculum of Reparation Palgrave Macmillan.
2004, What Is Curriculum Theory?: Lawrence Erlbaum.
2006, Curriculum Development after the conceptualization: Peter Lang.

교육과정의 포스트모더니즘적 개념

앞 절에서는 교육과정을 실증주의적 관점에서 해석하고 바라본 모더니즘적 개념들을 고찰하였다. 이 절에서는 교육과정을 포스트모더니즘의 관점에서 접근한 교육과정 개념들을 살펴볼 것이다. 이 개념들은 Pinar의 『Understanding Curriculum』에서 규명된 것으로 1970년대 이후 구미 교육과정 연구의 핵심 축이 되어 왔다. 이 개념들은 기존의 Tyler식 교육과정에서 탈피하여 새로운 시각과 관점에서 교육과정을 바라보고 이해하고자 하였다. 즉, 자연과학적이고 기계론적 관점에서 정의되던 기존 교육과정에 대한 거부와 모더니즘적 관점에서 벗어나려는 일련의 노력이라 할 수 있다. 이러한 노력은 기존의 입장과는 다소 이질적인 것으로 교육이라는 굴레와 틀을 벗어나 사회의 다양한 현상과 문제를 교육과정의 영역으로 끌어들였다. 그리고 이러한 노력은 교육이라는 영역에만 한정되어 있던 기존의 교육과정과 달리 교육으로 볼 수 없는 다양한 사회의 현상들을 교육과정의 영역으로 흡수하고 바라볼 수 있게 하였다는 점에서 교육과정 패러다임의 폭과 영역을 확장시키는 데 지대한 공헌을 하였다. 이 절에서는 Pinar의 『Understanding Curriculum』에서 규명된 개념들을 중심으로 여덟 가지 포스트모더니즘 개념들을 소개할 것이다.

쿠레레(currere)로서의 교육과정

쿠레레로서의 교육과정은 학생 개개인이 갖게 되는 교육적 경험들을 생생하게 그려내고 그 의미를 밝히려는 관점의 교육과정 연구이다. 1970년대 이후 Pinar는 '교육과정(curriculum)'의 라틴어 어원인 '쿠레레(currere)'가 갖는 본래의 의미(동사적 의미) '달리다'에 주목하며 교육과정을 학생들이 코스를 달리면서 갖게 되는 경험으로 재해석하였다. 이것은 그 이전에 Tyler가 currere의 명사적 의미에 초점을 맞추어 교육과정을 코스웍이나 결과로서 개념화하고 해석한 것과는 달리, 동사적 의미에 초점을 맞추어 교육과정을 목표의 달성이 아닌 교육적 경험과 과정으로 재개념화하고 해석한 것이다.

이러한 쿠레레로서 교육과정은 기존의 교육과정이 교육과정의 명사적 의미에만 초점을 맞추어 교육목표, 수업내용, 평가와 같은 모형과 프로그램의 개발을 중시한 것과는 달리, 학생들이 가지게 되는 교육적 경험을 중요시하며 그들의 생활을 기술하고 의미를 분석하는 데 초점을 맞춘다. 즉, 학생들이 교육을 받으면서 듣고, 느끼고, 생각한 모든 경험을 생생하게 그려내는 것이 바로 쿠레레인 것이다. 이것은 기존의 교육과정이 가지던 교육목표, 수업내용, 평가와 같은 정적인 의미에서 탈피하여 학습자의 경험과 실재를 부각시켰다. 그리고 학생들을 교육의 주체가 아니라 객체로 다루어 왔던 기존의 교육과정과는 달리, 학생들의 교육적 경험이 실제의 본질이 되게 해 줌으로써 교육에서 분리되어 있던 학생들을 교육의 주체가 될 수 있도록 해 주었다.

Pinar는 이를 위해 교육과정이 학생들의 경험과 그것의 의미를 탐구하는 활동이어야 함을 주장하면서, 이러한 경험을 밝히기 위한 전략으로 쿠레레 방법을 소개하였다. 쿠레레 방법이란 학습자가 스스로 자신의 교육적 경험을 분석하여 자신의 실존적 의미를 찾는 작업을 뜻한다. Pinar는 이러한 자신의 경험을 분석하고 실존적 의미를 찾기 위해 과정을 '회기 → 전진 → 분석 → 종합' 의 4단계로 제시하였다. 학생들은 쿠레레의 4단계를 통해 자신의 교육적 경험과 생생하게 직면하게 되고 그러한 경험들이 어떠한 의미를 가지는지 그리고 어떠한 영향을 미쳤는지 알게 된다. 이 4단계를 자세히 살펴보면 그림 1-1과 같다.

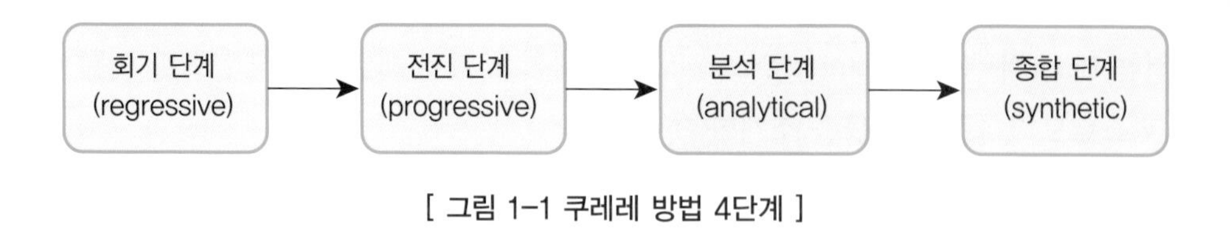

[그림 1-1 쿠레레 방법 4단계]

첫째, 회기는 과거를 현재화하는 단계이다. 회기 단계에서는 자신의 실존적 경험을 회상하면서 기억을 확장해 나간다. 특히 이 단계에서는 과거의 경험을 '정보수집' 이라는 차원에서 최대한 생동감 있게 묘사하는 것이 중요하다. 둘째, 전진은 미래에 대한 상상을 하는 단계이다. 전진 단계에서는 자유연상기법을 통해 1년 후, 10년 후, 30년 후와 같은 미래의 모습을 상상해 본다. 즉, 아직 현실화되지 않는 모습을 상상하며 과거가 현재는 물론 미래에 어떠한 영향을 미쳤는지 자각하는 단계이다. 셋째, 분석은 자기성찰을 통하여 과거 · 현재 · 미래를 동시에 펼쳐 놓은 후, 이들을 연결하고 있는 복잡한 관계를 분석하는 단계이다. 현상학적 방법을 통해 회귀와 전진을 거친 후 현재로 다시 돌아오는 것이다. 특히 이 단계는 과거의 교육적 경험으로 형성된 자신의 삶을 분석하는 단계라 할 수 있다. 넷째, 종합은 생생한 현실로 돌아가 내면의 목소리에 귀를 기울이고, 자기에게 주어진 현재의 의미를 자문하는 단계이다. 이 단계에서 주인공은 과거, 미래, 현재라는 세 장의 사진을 한곳에 모은 후, 자신의 삶에 과거의 학교교육이 어떻게 이바지했는지, 지적 호기심이 자신의 성장에 어떠한 도움을 주었는지, 학교교육을 통해 개념에 대한 정교성이나 이해가 제대로 획득되었는지 자문하게 된다.

아동은 이러한 회기, 전진, 분석, 종합의 네 단계를 거치면서 자신들의 교육적 경험에 대한 의미를 해석하고, 자신의 교육적 삶에 작용했던 원칙이나 패턴이 무엇인지를 이해하게 된다. 특히, 분석의 과정에서 자신의 비평적 능력을 사용하게 되는데, 이를 통한 자기성찰을 통해 자신의 내면 세계를 깊이 있게 이해하게 될 뿐만 아니라 자신의 교육적 경험에 대해 풍부하게 이해하게 된다(Graham, 1992).

| Pinar에 대한 추억 |

미국으로 공부하러 가기 전에 Pinar가 그렇게 유명한 학자라는 사실을 알았다면 그에게로 갔을 것이다. 다행인지 아니면 불행인지 오하이오주립대학교로 가게 된 나는 몇 년 동안 코스웍을 마치는 데 열심이었기 때문에 그의 이름을 잊고 지냈다. 3년 후, 교육과정 분야의 북미 최대 학술대회인 Bergamo Conference (Dayton, Ohio)에서 지도교수인 Dr. Patti Lather로부터 Pinar 교수를 소개받았다. 그러나 특별히 할 말이 없었기 때문에 나는 지도교수의 발표를 듣고서 곧바로 학교로 돌아왔다(Columbus, Ohio). 학교 공부와 논문 때문에 그의 존재에 대하여 생각할 겨를이 없었다.

공부를 끝내고 한국으로 돌아온 나는, 문득 교육과정 이론을 강의하면서 그리고 글을 쓰면서 그의 학술적 자취와 공헌에 대하여 생각하게 되었고 생각하였던 것보다 그가 훨씬 더 유명한 학자라는 사실을 알게 되었다. 더욱 나를 놀라게 하였던 사실은 그가 오하이오 주립대학교 사범대학교 교육과정학과를 나온 선배라는 사실이었다. 이후 진주교육대학교 교육학과에 교수로 임용된 뒤에 국제 학술대회에 참여하게 되었고 자연스럽게 Pinar를 만날 수 있었다. 그리고 그의 발표를 처음 감상할 수 있었다. 글에 비하여 발표는 약간 덜 인상적이었다. 그 이후로 2002년 AERA 학술대회, 미국 교육과정 연차 학술대회, 2003년 상하이 제1차 세계 교육과정학회, 2006년 핀란드 제2차 세계교육과정학회, 그리고 2007년 미국 교육과정 연차 학술대회에서 그를 만나고 강연을 들었다. 2006년 미국 교육과정 연차 학술대회에서는 Pinar와 Lather의 교육과정의 개념에 대한 논쟁이 흥미로웠는

데 Pinar는 이 용어를 계속 사용할 것을, Lather는 폐지할 것을 주장하는 대립이 있었다.

이미 한국의 몇몇 학자들에 대하여 잘 알고 있었기 때문에 필자를 만나면 그들에 대한 안부 질문을 하였다. 전남대학교의 이용환 교수의 안부를 물었고 인천대학교의 김복영 교수와도 잘 알고 있었다. 또한 한국의 교육과정 연구상황에 대해서도 알고 싶어하였다. 나아가 필자가 쓴 외국 논문에 대하여 비평을 해 줄 만큼 자상하고 배려가 깊었다. 그런 이유에서인지 그의 옆에는 항상 세계 교육과정 연구를 이끄는 학자들이 있었고 학술대회에서는 비공식적으로 회의를 하고 담소를 나누었다. Kuha가 이야기한 것처럼 이들이 서구 교육과정의 연구의 방향을 이끌어 가고 있다는 생각이 들어서 한편으로는 그들만의 리그라는 생각이 들었다.

Pinar 교수는 외롭게 1970년대에 오하이오주립대학교에서 그의 스승인 Paul Klohr로부터 현상학을 공부하여 새로운 길을 개척하였지만 그러한 외로운 길만큼 새롭고 도전적인 학술 활동과 결과를 만들어 냈다. Bergamo Conference, Journal of Curriculum Theorizing, International Association for the Advancement of Curriculum Studies의 창간과 창립을 주도하였다. 아울러 훌륭한 박사과정 학생들을 많이 배출하였다. 대표적인 제자로는 Janet Miller, Madeline Grumet, Pattrick Slattery, Hongyu Wang, Marra Morris, Nicholas N-G-Fook 등이 있다. 특히 2005년에는 캐나다 British Columbia 주 정부의 석좌 교수로 임명되었다. 이 과정은 매우 흥미로웠는데 세계에서 가장 유명한 다섯 명의 교육과정학자들을 개별 접촉하여 면담하고 심사하여 2년을 거쳐서 최종 한 명의 학자를 선정하는 일이었다. 최종적으로 Pinar 교수가 임용되었다.

2009년 5월 한국다문화교육학회 초청으로 한양대학교에서 "코스모폴리타이즘과 다문화교육"에 대하여 강연하였다.

필자가 2006년 캐나다를 방문하였을 때 University of British Columbia의 교수식당에서 Pinar 교수와 식사하면서 여러 가지 질문을 하였고 그의 삶에 대하여 많은 이야기를 나누었다. 필자가 가장 관심 있었던 것은 어떻게 그렇게 오랫동안 훌륭하고 창의적인 연구를 많이 할 수가 있는가였다. Pinar는 그에 대한 대답으로서 하루 한 시간의 수영 그리고 7~8시간의 글쓰기를 한다고 하였다. 훌륭한 학자는 그냥 만들어지는 것이 아니라는 사실을 새삼스럽게 깨달았다.

정치적 텍스트로서의 교육과정

정치적 텍스트로서 교육과정은 학교교육을 지배집단(dominant: 백인, 남자, 이성애자, 상류계급)의 이데올로기를 재생산하는 도구로 이해하려는 접근방법이다. 이 개념은 막시즘과 네오막시즘에 기초하여 지배집단의 이데올로기가 학교교육을 통해 어떻게 재생산되고 있는지 이해하려는 최초의 시도이다. 이 관점에서는 학교교육이 지배집단이 가치 있고 유용하다고 생각하는 지식과 교과로 구성되어 있으며, 학교를 통해 이러한 지배집단의 지식, 가치, 행동양식, 세계관이 피지배집단에게 전달된다고 본다. 즉, 학교에서 교육되고 있는 교과와 교육내용은 지배집단이 가치 있고 유용하다고 생각하는 가치와 이념들로 구성되어 있고, 학교는 이러한 지배집단의 이데올로기를 자연스럽게 스며들 수 있도록 만드는 재생산의 장소로 본다. 정치적 재생산 도구로서 교육과정은 이러한 교육과정 속에 숨어 있는 사회적 계급과 이데올로기를 재생산하는 과정과 방법을 이해하고 분석하려는 접근방법이라고 할 수 있다. 이러한 정치적 텍스트에 속하는 이론으로는 재생산이론, 대응이론, 헤게모니이론, 저항이론, 잠재적 교육이론 등이 있다. 정치적 텍스트는 기존의 이데올로기나 헤게모니를 재생산한다는 점에서 뒤에 설명하게 될 '인종적 재생산 도구로서의 교육과정'과 '인종적 재생산 도구로서의 교육과정'을 포괄하는 좀 더 확산적인 개념이다.

이러한 정치적 텍스트로서의 교육과정은 학교와 교육을 순기능적으로만 보던 기존의 교육과정 연구에 새로운 시각을 제공해 주었다. 교육과정을 정치적 재생산 도구로 이해하려는 시도가 있기 전에는 학교와 교육을 사회의 순기능 역할을 하는 긍정적인 것으로 이해하였다. 교육은 사회가 바람직하다고 생각하는 문화가 가치를 가르치고 미래 사회를 준비하기 위한 지식과 기술을 가르치는 것으로 인식되었고, 학교는 바람직한 시민으로서의 역할을 배우고 사회화를 준비하는 기관으로 생각되었다. 이것은 자본주의와 산업화의 영향을 받은 것으로 학교가 정의로운 사회를 구현하는 데 있어 중요한 역할을 한다는 입장에서 교육과정을 바라보고 이해한 것이다. 하지만 정치적 재생산 도구로서 교육과정은 자본주의의 폐단과 마르크스의 영향을 받아 학교를 빈곤, 부랑아, 인종차별, 정치적 억압과 재생산을 당연한 것으로 받아들이게 만드는 기관으로 바라본다. 그리고 교육과정은 지배집단이 자신들의 계급을 더 공고하게 지키고 유지하기 위해 봉사하는 도구라고 생각하였다.

정치적 텍스트로서 교육과정의 대표적인 학자들을 살펴보면 다음과 같다. 먼저 Marx주의에 기초하여 사회계층이 재생산된다고 본 재생산이론의 대표적인 학자

Apple과 Giroux, 생산구조와 학교구조 간의 대응을 통해 재생산을 설명한 대응이론의 대표자 Bowles와 Gintis, 정치적 성향을 이데올로기의 관점에서 해석한 Althusser, McLaren, 공식적이고 계획된 수업 이외에 암암리에 지식이 학습되는 잠재적 교육과정을 규명한 Philip Jackson, 정치적 텍스트를 이해하는 데 새로운 개념으로 헤게모니를 사용한 Gramsci, Wexler, Whitson이 주류를 이룬다.

인종적 재생산 도구로서의 교육과정

인종적 재생산 도구로서의 교육과정은 학교교육을 인종 차별과 식민의식을 재생산하는 도구로 바라보고 이해하려는 접근방법이다. 일반적으로 유럽 중심의 서구 문화에서 백인이외의 다른 인종(흑인, 황인)들은 부정적이고 천한 것으로 인식되어 차별을 받아 왔다. 또한 제3세계 국가에서 백인의 문화는 우월하고 뛰어난 것으로 여겨지고 간주되었다. 학교에서는 미국과 유럽의 백인을 젠틀맨이라고 부르며 깨끗하고 친절한 인종으로 가르치는 반면 아프리카나 동남아시아의 인종은 더럽고 폭력적인 인종으로 느껴지게 가르치고 있다. 인종적 재생산도구로서 교육과정은 이러한 인종 차별과 식민의식(백인 우월주의)이 교육을 통해 어떻게 재생산되고 가르쳐지는지를 이해하려는 접근방법이다. 즉, 인종이라는 굴레가 주는 억압, 식민적인 인식 · 관념이 재연되는 과정, 그리고 이러한 식민적인 의식이 해방되는 과정을 교육과정의 텍스트로 이해하고 밝히려는 것이다.

이러한 인종적 재생산 도구로서 교육과정을 이해하려는 노력은 흑인에 대한 연구에서 시작되었다. 대표적인 연구로는 피부 색깔에 따라 사회계급이 어떻게 재생산되는지를 밝혀낸 William H. Watkins의 흑인 노동계층에 관한 연구가 있다. 또한 다양한 인종이 같은 시간과 공간에서 살아가는 다문화사회에 대해 이해하려고 한 Cameron McCArthy의 연구 역시 인종적 차별과 융합이 교육을 통해 어떻게 이루어지고 재생산되는지를 밝힌 출발선에 있는 연구라고 할 수 있다. Pinar는 이러한 연구의 토대 위에 쿠레레의 개념을 도입하여 인종의 정체성을 억압과 해방의 과정으로 이해하려고 하였다. 그는 인종이라는 굴레가 주는 억압과 식민적인 사고에 대하여 진지하게 고찰하였다. 실제로 인종에 대한 관념과 억압은 사회적 · 문화적으로 무의식중에 재연되는데 인종적 재생산으로서 교육과정은 사회적 · 문화적으로 무의식중에 재연되고 있는 인종에 관한 이러한 억압된 의식과 해방을 이해하고 분석하려는 접근방법이다.

이러한 인종적 재생산 도구로서 교육과정은 크게 세 가지 측면에서 접근이 시도되었다. 첫째는 인디언계, 흑인, 백인이라는 인종적 차별의 문제를 이해하려는 접근법이다. 이 접근은 신대륙 개척의 일환으로 세워진 미국의 역사와 깊은 관련을 맺고 있다. 신대륙을 개척하는 과정에서 원주민 계열과 흑인과 백인의 갈등과 인종적 차별이 어떻게 이루어지고 고착되었는지를 밝혀내었다. 둘째는 세계화 시대의 영향으로 다양한 인종이 함께 살아가는 다문화 사회에서의 인종문제를 이해하려는 접근법이다. 세계화와 함께 다양한 민족들의 이민으로 인해 다양한 인종이 섞여서 살아가는 사회가 되었다. 세계화와 다문화 사회 속에서 다양한 인종의 고유한 문화가 세대를 거듭하며 전해지는 과정과 이러한 다양한 민족의 문화가 융화되어 가는 과정을 밝혀내었다. 셋째는 인종의 정체성(민족의식)과 억압 그리고 탈식민으로서의 의식해방을 이해하려는 접근이다. 일반적으로 유럽 중심의 문화에서 흑인과 그 외의 다른 민족들은 역사적 '타자'로 인식되어 왔다. 이러한 백인 우월주의에 대한 의식의 해방을 통해 자신의 인종이 가진 본연의 모습을 찾는 것을 말한다.

젠더 재생산 도구로서의 교육과정

젠더 재생산으로서의 교육과정은 학교교육을 성역할과 성차별의 재생산 도구로서 바라보고 이해하려는 접근이다. 페미니스트들의 활동과 여성해방 운동이 일어나기 전, 사회에서 여성이 차지하는 역할과 지위는 남성의 역할과 지위에 비해 주변부에 위치하고 소외되어 있었다. 특히나 여성에게 요구되는 덕목은 배려와 순종과 같은 수동적이고 소극적인 것들이었고, 그들의 역할 역시 주로 가사와 자녀교육과 같은 가정적인 일에 한정되어 있었다. 그들에게 요구되는 삶은 오로지 희생과 헌신이었다. 여성은 자신의 삶의 주인이 되지 못하고 남성과 가정의 내조자요 협조자로 존재할 뿐이었다. 젠더 재생산 도구로서 교육과정은 이러한 성역할과 성차별이 학교교육을 통해 어떻게 재생산되고 가르쳐지는지를 이해하려는 접근방법이다. 즉, 생물학적 성(sex)차이가 가져온 역할의 차이, 과거와 사회로부터 자연스럽게 형성되고 대물림되고 있는 성역할과 성차별, 그리고 젠더(gender)로서의 성이 가져온 억압과 재생산의 과정을 이해하고 밝히려는 것이다.

이러한 젠더 재생산 도구로서 교육과정은 크게 두 가지의 관점에서 이해되고 분석된다. 첫째, 페미니즘 관점에서의 분석이다. 역사적으로 시민혁명 이후 자유와 평등에 대한 이념이 확산되면서 가부장적 사회에서 소외되어 있던 여성지위와 인권에 관한 목소리가 커지게 되었다. 페미니즘적 관점에서는 이러한 여성지위와 인권에 대한 목소리와 움직임을 교육과정으로 이해하고 분석하였다. 둘째 포스트모더니즘과 관련한 해방적 관점에서의 분석이다. 포스트모던 사회로 들어오면서 사회가 요구하는 바람직한 인간상이 양성성에 있는 것처럼, 현대 사회에서는 성에 대한 관념과 인식이 단순히 생물학적 성의 영역을 넘어 동성애와 같은 성정체성과 관련된 영역으로까지 확장되었다. 해방적 관점에서의 분석은 기존의 성에 대한 관념과 의식으로부터 탈피하여 개인의 성정체성을 확립하는 과정을 이해하려고 한다. 이러한 접근방법은 사회적으로 소외되고 억눌려 있던 여성의 공간과 목소리를 교육과정으로 이해하고 분석하려는 시도이고 노력이라고 할 수 있다. 이를 통해 사회에서 소외되고 암묵시되던 여성과 남성, 재생산, 양육, 가정생활, 성별, 본성에 관한 의식이 사회의 수면 위로 올라올 수 있게 되었다.

젠더 재생산 도구로서 교육과정의 대표적인 학자들은 다음과 같다. 페미니즘, 성 분석, 그리고 재개념화를 위한 일련의 연구를 한 Linda Christian-Smith, Babara Mitrano, Sandra Wallenstein, Janet Miller, Piter Maas Taubman, 성정체성이 확립되어 가는 과정을 개념, 부정, 애착으로 그린 Madeleine R. Grumet, 새로운 공간의 창출과 새로운 목소리 발견의 공간으로 성 영역을 그린 Janet L. Miller, 가부장적인 사회 속에서 성에 대한 역할이 가정과 사회를 통해 잠재적으로 학습되어 가는 과정을 그린 Jo Anne Pagano, 페미니스트가 가지는 배려의 윤리를 통해 보살핌, 목소리 그리고 고독이라는 여성성과 관련한 새로운 교육학적 시각을 제시한 Nel Noddings, 페미니즘이 강조되면서 다시금 새롭게 강조되고 떠오르게 된 남성의 정체성과 관련하여 동성애를 연구대상으로 한 James T. Sears, 친페미니스트적 남성들에 대한 Jesse Goodman의 연구까지 이 개념에서는 다양한 주제와 폭넓은 영역이 다루어지고 있다.

현상학적 텍스트로서의 교육과정

현상학적 텍스트로서 교육과정은 현상학적 개념과 연구 방법을 사용하여 학교의 교육과정을 탐구하는 영역이다. 현상학(phenomenon)이란 그 단어가 현상(phenomenon)과 이성(logos)의 합성어라는 점에서도 알 수 있듯이, 우리를 둘러싸고 있는 세계와 현상에 대하여 이성을 가지고 그 의미를 부여하는 것이라고 할 수 있다. 따라서 현상학적 교육과정이란 실제 학교교육에서 일어나는 현상들을 해석하고 의미를 밝히는 것으로 정의할 수 있다. 이러한 현상학적 교육과정은 자연과학적 연구 방법(Tyler

식 교육과정)이 학교에서 일어나는 실제 경험을 연구하는 것이 아니라 목표, 개념과 같은 추상적이고 원론적인 이론을 찾으려 한다는 것을 비판하면서 등장하였다. 그리고 학교교육에서 이루어지는 실제적인 경험(현상)들과 직접적인 소통을 꾀하였다. 즉, 학교 교육과정에서 일어나는 현상과 경험의 실제적 의미를 이해하고 탐구하고자 하는 것이다. 그리고 그러한 소통을 통해서 학교교육 본질은 무엇이며, 학생과 교사 그리고 그들이 생활하고 있는 공간(학교, 교실)이 어떻게 상호작용하고 있는지 어떠한 영향을 미치는지와 같은 복잡한 현상에 관한 심도 있는 통찰을 얻고자 한다.

이러한 현상학적 접근방법의 가장 큰 특징은 '생활세계(lifeworld)' 와 '개인의 전기적 상황(one' s biographical situation)' 에 대한 살아 있는 경험을 탐구하는 것이다. 그래서 현상학적 접근방법에서는 교육과정을 겪으면서 일어나는 보고, 듣고, 느낀 좀 더 직접적인 경험의 세계를 만나길 원한다. 그리고 그러한 현상들과 경험이 어떤 의미를 가지고 있는지를 탐구하고자 한다. 이러한 특징으로 인해 현상학적 접근방법은 합리주의와 경험주의에 대한 거부에서 시작되었다. 왜냐하면 합리주의와 경험주의는 인간에 의하여 경험된 세계를 설명하는 데에는 실패했기 때문이다. 반면 현상학적 접근방법은 실제적인 교육현상과 직접적으로 만날 수 있게 해주며 그 경험들에 대한 심층적인 의미를 통찰할 수 있게 해준다.

하지만 현상학적 탐색과 기술은 결코 쉬운 일이 아니다. 그 이유는 우리의 기본적인 자세가 우리와 세계를 당연하게 인식하는 '자연적 태도(natural attitude)' 를 가지고 있기 때문이다. 자연적 태도란 자신과 자신을 둘러싸고 있는 세계를 의심할 여지가 없는 당연한 것으로 여기는 태도를 말한다. 그러나 우리가 이 세계와 맺고 있는 관계 양상은 우리의 일상적인 상식이나 이해를 뛰어넘는 다양하고 복잡한 것이다. 따라서 자신과 자신을 둘러싼 세계를 온전하게 드러내기 위해서는 자연적 태도를 유보하고, 관성적 사고를 잠시 묶어둘 필요가 있다. 그리고 자신과 자신을 둘러싸고 있는 세계를 들여다보아야 한다. 우리는 이러한 태도를 '현상학적 태도(phenomenological attitude)' 라고 부른다(Sokolowski, 2000, p.4).

현상학에서는 자신과 자신을 둘러싸고 있는 생활세계의 의미를 밝히고 탐구하기 위한 방법으로 환원(reduction)을 사용한다. 환원이란 자연적 태도를 잠시 동안 보류해 두고 현상학적 태도로 전회하는 것을 말한다. 즉, 인간과 세계에 관한 좀 더 진전된 이해를 획득하기 위해 우리가 우리 자신과 세계에 관하여 가지고 있는 일상적이고 상식적인 이해를 당연한 것으로 받아들이지 않고 그러한 앎과 이해 자체에 대하여 심각하게 숙고하고 검토하는 방법을 뜻한다(이근호, 2006). 이러한 환원은 종종 '에포

케(epoche)', '판단중지(suspension)', '괄호치기(bracketing)'와 같은 다른 이름으로도 불리는데, 그 이름에서 알 수 있듯 생활세계의 의미를 드러내기 위해 이전에 주어진 일체의 편견이나 선입견을 내려놓고, 모든 상정들을 괄호에 묶고, 제반 주장들을 해체하며, 우리가 관심을 갖는 현상과 경험에 대해 개방적인 태도를 회복하는 것을 의미한다(van Manen, 2001b). 따라서 현상학적 텍스트로서의 교육과정도 환원이라는 방법을 통해 기존에 당연하게 받아들이고 인식한 교육과정에 대한 일체의 선입관이나 편견에서 벗어나 실제 교육과정의 의미를 탐구한다.

현상학적 접근의 대표적인 학자들을 살펴보면 다음과 같다. 현상학적 방법론이 기존의 사회과학 주류에 대한 비판에서 나왔는데 이에 지대한 공헌을 한 Aoki, Grumet, Jardine, 인간의 존재를 시간성과 역사성의 관점에서 인식하고 교육과정 영역에 현상학적 관점을 최초로 소개한 Dwayne Huebner, 의식비평을 통해 교육과정을 맹목적 수용의 대상이 아닌 재구성 · 창조의 대상으로 본 Maxine Green, 쿠레레로서 개인의 경험을 현상학적 입장에서 분석하려 한 William Pinar, 해석학적 현상학을 제안한 van Manen이 있다.

미학적 텍스트로서의 교육과정

미학적 텍스트로서의 교육과정은 순수예술의 방법론에서 착안한 것으로 학교나 교실에서 발생하는 다양한 교육과정 현상을 미학적 관점에서 심층적으로 기술하고 분석하는 연구 방법이다. 우리가 예술 작품을 이해하거나 평가할 때 단순히 그 작품의 요소들을 분절적으로 이해하는 것이 아니라 종합적으로 고려하여 그 심층적 의미를 이해하듯이, 미학적 텍스트로서의 교육과정도 교실에서 발생하는 다양한 사건과 경험들을 종합적으로 고려하여 미학적으로 재연하는 것을 뜻한다. 즉, 학생들의 학습경험을 심층적으로 기술하고 이해하는 데 있어 교육과정 연구자가 교육현장에 직접 참여하여 교사와 학생 간의 상호작용, 교실분위기, 학생들의 학습경험 등과 같은 다양한 요인들을 맥락적으로 종합하여 이해하는 것을 말한다. 이러한 미학적인 접근방법에서는 교사는 수업을 전하고 중재하는 예술가가 되고, 교육현장은 교사의 전문성과 창의력을 펼치는 공간이 되며, 학습결과는 다른 예술분야처럼 전문가인 교사가 수업을 조정하고 수정해 가는 작품이 된다.

이러한 미학적 접근방법은 기존의 교육과정 연구들처럼 사회 · 과학적인 방법을 차용한 것이 아니라 순수예술의 방법을 가져왔다는 점에서 교육과정 분야의 새로운 전환점을 마련해 주었다. 김명희(2006)는 미학적 접근이 가지는 의미를 다음과 같이 제시하였다. 무엇보다도 교육과정을 학습내용이나 수업계획뿐만 아니라 교실의 상황적 맥락 안에서 창출되는 의미로 재개념화함으로써 교육과정 이론화에 이바지하였다는 점과 객관성 · 가치중립성과 같은 실증주의 개념에 기초한 양적 평가의 제한점을 지적하고, 교사의 전문가적인 안목을 바탕으로 한 질적 평가의 중요성을 강조하였다는 점이다. 이는 학습의 결과를 양적인 지표를 통해 획일적으로 제시하고 전달하는 차원이 아니라, 예술적 · 심미적인 차원에서 학습자의 학습과정과 수행결과를 심층적으로 기술하고 종합적으로 평가할 수 있는 이론적 근거를 마련하였다는 점에서 커다란 의의가 있다. 또한 교실의 실재를 더욱 풍부하고 설득력 있게 기술할 수 있는 수업관찰, 심층적 기술과 같은 교육과정 연구의 실재를 구체화하고, 전문가적 안목에 기초한 교육과정 평가의 방안을 제시하였다는 점에서도 그 의미를 찾을 수 있다.

이 책에서는 미학적 텍스트로서 교육과정 이론 중 대표적인 Eisner의 '교육비평'을 소개한다. 중등학교 미술교사였던 Eisner는 순수예술(문학, 시각예술, 연극, 영화, 음악 등)에 대한 비평 개념에 기초하여 교육비평이라는 새로운 이론을 제안하고, 교육비평에 대한 이해를 돕기 위해 '교육적 감식안(educational connoisseurship)'이라는 개념을 소개하였다. 어원적으로 '알다', '이해하다'라는 의미의 '코노쉐레(cognoscere)'에서 온 감식안이란 개념은 예술작품과 같은 복잡하고 다양한 대상의 질을 세밀하게 구별할 수 있는 안목을 뜻한다. 따라서 예술적 감식안이 예술에 대해 알고 예술을 다방면으로 비평할 수 있는 안목이라면, 교육적 감식안이란 학생들의 교육적 수행에 대한 지식을 바탕으로 이들의 학습활동을 감지할 수 있는 능력이라 할 수 있다.

그리고 그는 교육비평의 실제를 네 가지 차원에서 구체화하였다. 먼저 '기술적 비평(descriptive criticism)'은 수업 중에 관찰되는 중요한 사실과 장면을 묘사하고 기술하여 학교나 교실을 이해하고 볼 수 있도록 도와주는 것이다. '해석적 비평(interpretive criticism)'은 학교에서 발생한 사건이나 수업 장면을 어떻게 이해해야 하는지 그 해석에 초점을 맞추는 것이다. '규범적 비평(normative criticism)'은 비평가의 가치관에 따라 현상을 평가하는 것으로 그들이 연구한 교육적 가치를 새롭게 규정하고 이들을 평가하는 것이다. 마지막으로 '주제적 비평(thematic criticism)'은 현장 연구를 통해 발견할 수 있는 의미와 원리를 개념화하는 것으로 연구자가 기술한 상황과 메시지 안에 내재되어 있는 핵심 주제나 원리를 발견하고 총괄적인 주제를 형성하는 것이다. 이와 같은 교육비평의 네 가지 차원은 서로 다른 시각에서 교육현상을 세부적으로 분석할 수 있는 독립적인 틀로 활용된다. 하지만 이들은 궁극적으로 학습자의 교육경험이나 교육현상을 종합적으로 이해하고 그 의미를 탐색한다는 측면에서 하나의 큰 맥락으로 통합될 수 있다(Eisner, 1985).

이 영역의 대표적인 연구자로는 우선 Broudy가 있다. 그는 상상력의 자료인 이미지가 말(the word), 즉 개념(concepts)에 선행한다고 보고 심미적 소양은 언어적 소양에 필수적인 것으로 간주하였다. 그리고 명상적 특성을 통해 미학적 탐구의 길을 열어준 Rosario는 『사고하는 법(How We Think)』에 나타난 Dewey의 개념이 지나치게 계산적임을 발견하고 저절로 그 의미를 드러내는 명상적인 특성을 강조하였다. 그리고 Huebner, Green, Eisner의 저작을 추적연구하여 교육미학을 밝혀내고 심미적 탐구를 개발한 Vallance, 교육과정에 대한 심미적 견해를 서사적 스토리텔링과 비판적 스토리텔링 연구와 통합시킨 Barone이 있다. 그리고 예술을 통한 배움의 과정을 성장의 관점으로 바라본 Ronald E. Padgham, 예술이 사회와 가지는 상호작용과 관계를 교육과정으로 그린 Landon E. Beyer의 연구 역시 교육과정을 미학적 관점에서 접근한 대표적인 연구라고 할 수 있다. 그 외에도 예술의 구체적 특정 한 분야인 연극으로서의 교육과정을 그린 Grumet, Figgins, Norris, Steinberg의 연구가 있다.

자서전적 · 생애사적 텍스트로서의 교육과정

자서전적 · 생애사적 텍스트로서의 교육과정(이하 생애사적 텍스트로 칭함)은 한 개인의 전기적 삶과 경험들을 심층적으로 드러내는 생애사적 연구 방법을 통해 교육과정을 이해하려는 연구 방법이다. 생애사의 의미를 살펴보면, 먼저 고전적 의미에서의 생애사는 단순히 어떤 개인의 성장을 문화적 맥락에서 살펴보는 것으로 정의되었다(Dollard, 1935). 그리고 다루고 있는 연구들 역시 소외되어 있던 계층들(인디언, 흑인, 여성)의 삶을 기술하는 데 초점이 맞추어져 있었으며, 그 정의 역시 정치적, 사회적, 문화적, 경제적 맥락에 따라 다양하게 해석되고 있었다. 그래서 이론적 배경이 뒷받침되는 학문적 가치보다는 문학적 가치로서 더욱 인정을 받아왔다. 하지만 다양한 학자들의 노력과 역사의 흐름 속에서 그 의미를 확장하여 현재는 한 개인의 의식과 삶을 이해하고 분석하는 하나의 연구 방법으로 자리 잡았다. Tierney(2000)는 이러한 생애사적 연구에 대해 명확한 정의가 존재하는 것은 아니지만, 일반적으로 연구자와 연구대상과의 상호작용을 통해 그 의미가 이루어지며, 문화적으로 생산되는 산물들이고, 그것의 해석을 통해 문서화하는 것이라고 정의하였다.

생애사적 연구는 간혹 자서전, 전기, 이야기와 같은 의미로 사용되기도 한다. 이것은 이런 방법들이 삶의 이야기를 다룬다는 공통분모를 가지고 있기 때문이다. 하지만 이들은 미세한 차이를 가지고 있는데 이를 구분해 본다면 다음과 같다. '생애사' 는 삶의 전체와 일부를 역사적, 사회학적 관점에서 다룬 이야기를 의미하고, '전기' 와 '자서전' 은 문학적 가치가 있는 삶의 이야기로서 그중 '전기' 는 문학적인 면을 강조하고 '자서전' 은 창조적, 묘사적 특징이 부각된다. 그리고 '이야기' 는 어느 특정 주제들에 대한 경험을 체계적인 방법을 이용하여 다룬 연구로서 다양한 탐구를 중심으로 기술된다. '이야기' 와 '생애사' 의 차이점을 구분한다면 '이야기' 가 좀 더 특정 주제 중심이라고 할 수 있다(김영천 · 허창수, 2006, p.322). 이들은 연구주제에 따라 서로 상호보완적으로 사용되는데, 예를 들어 한 개인의 삶을 맥락적인 관점에서 이해하는 생애사적 방법을 사용하기 위해 이야기를 자료수집의 목적으로 사용할 수 있다.

이러한 생애사적 연구 방법으로 교육과정을 이해하게 된 것은 1970년대 들어서이다. 이 당시 Pinar와 Grumet는 교육과정을 쿠레레로 새롭게 정의하고 학생들의 경험을 분석할 수 있는 방법으로 자서전과 생애사적 연구를 사용할 것을 제안하였는데, 이것이 교육과정을 생애사적으로 이해하려는 최초의 시도였다. 교육과정을 생애사로 이해하는 데 중요한 개념으로는 '목소리' , '장소' , '공동체' 가 있다. 먼저 '목소리' 생애사는 한 개인의 삶과 의미를 드러낸다. 개인의 삶과 이야기는 목소리를 통해 전달된다. 따라서 '목소리' 는 생애사에서 개인의 이야기를 들려주는, 그리고 개인의 내부의 목소리를 드러내는 방법이다. 둘째, '장소' 생애사는 한 개인이 살아가는 공간과 장소에 대한 이야기이다. 따라서 생애사는 구체적인 장소에 존재하는 일상적인 인간의 경험을 다루고 기술한다. 한 개인이 자신이 속한 공간 속에서 관계를 맺으며 살아가는 모습을 그린다는 점에서 '공간' 은 한 개인의 삶을 드러내는 중요한 요소이다. 셋째, '공동체' 생애사는 어떤 공동체나 집단 속에서 살아가며 성장하는 인간의 모습을 그린다. 따라서 해석적 '공동체' 또는 의미를 만들어 내는 '공동체' 속에서 살아가는 인간의 모습을 그리는 것은 우리가 세계 속에서 우리의 위치를 찾을 수 있도록 해준다는 점에서 중요하다.

이 영역의 대표적인 학자로는 우선 초임교사의 삶을 다룬 Bullough를 들 수 있다. Bullough(1989)는 『초임교사: 사례연구』를 통해 초임교사가 겪게 되는 다양한 경험과 교사의 성장과정을 생애사와 이야기를 통해 묘사함으로써 초임교사가 될 예비교사들에게 선경험을 제시하였다. 교사의 삶에 대한 이야기들을 맥락적 흐름 속에서 해석하며 교사의 전기를 연구한 Goodson(1992)의 『교사의 삶에 대한 연구』, 흑인 카리브인(Caribbean)으로서 캐나다에 이주한 노동자 가족의 환경에서 자란 Craig의 생애사 연구를 통해 부모의 적극적인 지원과 기대, 그리고 한 개인의 교육적 의지가 어떻게 훌륭한 교사로 성장하게 하는지를 보여준 James(2002)의 『욕망의 성취: 흑인 남성 교사의 이야기』는 생애사의 대표적인 연구들이다. 또한 투쟁적인 삶을 통해 사회구조적 모순 속에서 교사들의 해방적 삶을 다룬 Miller(1990)의 『장소의 창조와 목소리 찾기: 해방을 위한 교사들의 협동』, Grumet(1988)의 『씁쓸한 우유: 여성과 교수』, 교사의 전문적 지식을 교사의 가르치는 경험과 실재를 통하여 접근한 Schubert와 Ayers의 연구도 중요한 의의를 가진다. 또한 교사들의 실제적 지식을 다룬 Connelly와 Clandinin(1990)의 『이야기 탐구』, Elbaz의 『교사 생각: 실제적 지식에 대한 연구 0127』, Clark과 Yinger(1997)의 『교사 생각에 대한 연구』 등이 있다. 그 외에도 학생들의 삶을 다룬 Kozol(1992)의 『야만적 불평등』, 『어린 시절의 죽음』, 『혁명의 아이들』과 교육행정가들의 삶을 다룬 Fennell(1998)의 『교장으로서의 권력: 네 여교장의 경험』 같은 작품들이 있다.

Patti Lather

미국 South Dakota 주의 조그마한 동네에서 태어난 Lather는 1970년 South Dakota State 대학에서 영어학을 공부하고 1972년에는 Purdue University에서 미국학으로 석사를 받았다. 그중에 학교 고등학교 교사로 재직하였고 교사경험을 쌓은 이후에 1983년에 Indiana University에서 교육과정과 수업을 전공하고 연구방법론으로 부전공을 하여 철학박사학위를 받았다. 박사학위 논문으로는 페미니스트 연구가 저항적 헤게모니로서 어떤 역할을 할 수 있는지에 대하여 썼으며, 그후 Mankato State University에서 여성학 강의를 시작하였다.

이후 1989년 오하이오주립대학교의 교육과정과 수업학과 조교수로 임용되어 그녀가 원하였던 질적연구방법론 강좌를 개설하기 시작하였고 오하이오주립대학교 교육과정과 수업학과를 미국의 선도적인 질적연구 기관으로 만드는 데 일조하였다. 그 당시에 이 학과에서는 교실수업의 문화기술지로 유명한 Judith Green이 University of California at Santa Babara로 이직한 후였기 때문에 Lather는 새로운 연구문화를 형성할 수 있었다. 이에 Harold Garfinkel의 제자인 Doulga Macbeth, Elliot Eisner 교수의 제자인 Gail McCutcheon과 Robert Donmoyer 등이 있었기 때문에 질적연구의 이론화를 선도하는 연구문화를 형성하는 것이 더 가속화될 수 있었다.

이 학교로 옮기고 난 후에 Lather의 연구는 초기 페미니즘의 전통적 논의에서 벗어나 페미니즘이 교육학·교육과정 연구에 주는 방법론적 시사점을 이론화시키는 쪽으로 나아가게 되었는데 그 연구의 결과는 Harvard Educatoinal Review에 게재된 그녀의 대표적 논문 「Reserach as praxis」였다. 이 논문에서 그녀는 그동안의 많은 질적연구/비판문화기술지 연구가 실제적으로 사회의 변화에 얼마나 기여할 수 있었는지 그리고 그 연구작업이 갖는 진실성은 어떤지를 Egon Guba가 개념화시킨 전통적인 질적연구의 신뢰성의 기준에 따라서 평가하는 획기적인 작업을 하였다. 그리고 그 논문에서 개념화시킨 질적연구의 신뢰성의 준거들은 Guba의 기준과 함께 질적연구의 새로운 평가기준으로서 오늘날까지 널리 쓰이고 있다.

이후 그녀의 관심은 포스트모더니즘으로 확산되어 교육학연구에서의 포스트모더니즘이 네 번째 연구패러다임으로서 정립될 수 있는 이론적 기초를 마련하는 데 많은 정열을 쏟았다. 데리다, 들뢰즈 라캉, 푸코 등의 불란서 철학서적을 탐독하여 구미에서의 교육과정 분야에서의 탐구에 이들의 이론을 어떻게 접목시킬 것인가를 작업하였다. 그리고 이와 관련된 여러 개의 논문들을 발표하였고 그 결과를 한 권의 책으로 엮었는데 바로 그 책이 구미 교육학/교육과정 연구의 네 번째 연구 패러다임의 주제로서 해체적 탐구를 수용하게 만드는 데 결정적으로 기여한『Getting smart』이다.

이에 이 분야의 대가로서 인정받기 시작한 그녀의 연구의욕과 활동은 더 가속화되어 교육학/교육과정 연구방법론으로서 질적연구에서의 이론화와 함께 탈실증주의의 새로운 영역 개척을 위한 많은 작업을 개척하기에 이르렀다. 가장 대표적인 연구개념으로서 그녀가 대중화시킨 'Self-reflexivity'는 질적연구자들이 알아야 할 가장 기초적인 개념이 되었다. 그리고 Egon Guba가 개념화시킨 질적연구의 신뢰성 준거를 실증주의 계승자의 타당도(successor validity)로서 비평하고 새로운 질적연구 타당도 준거를 창조하기에 이르렀는데 그 개념이 바로 포스트모던 타당도이다. 그리고 그 개념들은 질적연구자들이 자신들의 현장작업을 반성할 때, 연구경험을 기술하고 해석할 때, 자신의 주관성과 표현의 방법을 평가하는 기준으로서 널리 쓰이고 있다. 아울러 포스트모던 질적연구는 이러한 방법론을 가지고 연구현장 작업을 하는 새로운 영역으로 확산되기에 이르렀다.

우리나라에서는 Michael Apple이나 William Pinar에 비하여 그 명성이 덜 알려져 있으나 구미의 경우, 그녀의 학술적 명성은 필자의 개인적 판단에 따르면 이들의 명성과 거의 비슷하며 앞으로 더 높아질 것으로 생각한다. 나아가 그녀가 최근 새롭게 연구하고 있는 교육과정과 문화연구는 교육과정을 학교의 현상에 대한 탐구에서 벗어나 문화적 현상으로서 이해함으로써 인종, 성정체성, 젠더, 계급, 국가 등의 다양한 이슈들을 문화, 교육, 교수법, 그리고 국제화와 탈식민주의 등의 넓은 맥락에서 논의하기를 기대하고 있다. 그러한 그녀의 강한 리더십의 영향으로 인하여 오하이오주립대학교의 교육과정과 수업학과는 최근에 문화연구와 질적연구라는 명칭으로 개칭되었고 교육과정을 문화연구라는 맥락 속에서 탐구하는 새로운 연구전통을 이어가고 있다. 때문에 이 학과의 강좌를 전통적인 교육과정 강좌들이 이미 폐쇄되었고(이렇게 된 것은 이미 1990년경이다) 푸코 연구, 문화연구, 젠더연구, 다문화주의 연구 등이 새로운 교육과정 연구의 주제들로 넘쳐나고 있다.

포스트모던 텍스트로서의 교육과정 연구

지난 구미 교육과정 연구의 두 세기를 지배하는 주요 담론 중의 하나인 포스트모던 텍스트는 교육과정을 포스트모더니즘의 주요 이론과 개념에 기초하여 새롭게 재개념화시키고자 하는 연구분야이다. 포스트모더니즘이 전제하고 있는 주요 개념들(의미와 재연의 불가능성, 절대적 지식과 진리의 거부, 차이, 해체, 그리고 리좀)을 이용하여 1970년대 이전의 교육과정 연구를 모더니즘적으로 규정하고 그러한 교육과정 연구를 다른 관점에서 비평하고 새로운 탐구의 영역을 그려 나가고자 한다. 이에 프랑스에서 시작된 포스트모더니즘의 주요 학자들인 데리다, 들뢰즈, 푸코, 라비나스, 라캉 등의 지식에 대한 역사적 · 철학적 · 심리학적 분석을 차용하여 구미의 교육학 · 교육과정에 대한 기존의 담론들이 갖는 문제점들을 들추어 내고 어떻게 다르게 연구할 수 있는지를 새롭게 창조해 나가고 있다.

포스트모더니즘에 속하는 다양한 학자들의 다양한 이론들 때문에 이 분야의 학자들의 새로운 연구동향들을 체계적으로 정리할 수 없지만, 일련의 학자들은 푸코의 '권력과 지식' 개념에 기초하여 교육과정의 담론을 해석하기도 하고 다른 학자들은 데리다의 '차이' 개념에 기초하여 구조주의적 교육과정 연구의 문제점과 비합리성을 비평하기도 한다. 그러나 이들의 다양한 주장의 광범위한 변상성을 인정한다고 하더라고 우리가 추측할 수 있는 하나의 공통된 주장은 '인간의 이성이 과연 합리적인가'에 대한 의문과 함께 우리가 그동안 교육과정 연구에서 진실 또는 진리나 이론으로서 강조하고 가르쳐 왔던 내용을 정말로 이성의 결과로서 받아들일 수 있는 것인지를 의심하는 데 있다. 그리고 우리의 이성이 절대적이고 합리적인 것이 아니라고 한다면, 그리고 나아가 우리가 쓰는 언어가 우리의 생각과 이성을 순수하게 반영할 수 없다고 한다면 우리 교육과정 연구자들의 다음 작업은 우리의 사유와 판단, 이론화에 깊이 깔려 있는 우리의 주관성과 비합리성을 조금이나마 해체하고 반성하는 작업이어야 한다고 주장하고 있다.

이러한 입장 아래에서 다양하고 다채로운 포스트모던 교육과정 연구가 이루어지고 있는데 대표적인 학자로는 Cherryholmes, Doll, Slattery, Lather, Giroux가 있다. Cherryholmes는 기존의 대표적인 교육과정이론인 Tyler와 Bloom의 이론에 내재된 구조주의적 이데올로기와 문제점을 제시하고, Doll은 혼란이론과 복잡성이론에 기초하여 새로운 교육과정과 수업의 이론을 제시하였다. 또한 Lather는 교육과정 연구의 네 번째 패러다임으로서 포스트모던 교육과정 연구의 이론적 토대를 확고히 하는 데 그 역할을 다하였다. 이러한 포스트모더니즘 교육과정 연구는 서구에서는 자신들의 이성과 합리성 그리고 언어에 대한 해체적 노력을 하면서 자신들의 사유에 깔린 합리성의 숨겨진 또 다른 이데올로기(서구적 위치성)를 규명하는 데 노력하고 있다. 그리고 비서구에서는 그동안 진실과 합리적 준거로서 사용되어 왔던 서구의 이론과 강령이 합리적이라기보다는 서구적이고 앵글로색슨적이라고 하면서 제3세계 교육학 · 교육과정 이론을 지배해 온 서구 교육과정 담론의 식민적 이데올로기를 분석하고 노출시키는 탈식민적 담론의 생성으로 이어지고 있다.

종합 및 결론

이 장에서는 교육과정의 기원을 시작으로 역사적으로 나타난 다양한 교육과정의 논의들을 살펴보았다. 교육과정을 학문의 영역으로 발전시킨 Bobbitt를 비롯하여 교육과정의 과학화와 체계화에 공헌한 모더니즘적 개념들, 그리고 교육과정의 표면 아래 숨겨져 있던 교육적 경험과 실재를 드러낸 포스트모더니즘적 개념들까지, 교육과정은 그 개념을 확장하고 개발시켜 왔다. 그리고 교육과정은 지금도 계속해서 그 의미와 영역을 넓혀가고 있는 현재진행형의 형태이다. 이에 이 장에서는 산발적으로 우후죽순처럼 나타나고 있는 교육과정의 개념들을 정리함으로써 우리가 교육과정을 명확하게 이해할 수 있도록 하였다. 그리고 교육과정의 개념들을 체계적으로 정리함으로써 교육과정에 대한 이해를 돕고 나아가 교육과정이 나아가야 할 방향과 다음에 나타날 교육과정의 영역과 개발에 도움이 될 수 있도록 하였다.

학습활동과 토의주제

1 교육과정의 개념들 중에서 가장 마음에 드는 개념은 어떤 것인지 생각해 봅시다. 그리고 왜 그 개념이 특별히 마음에 드는지를 조원들과 말해 봅시다.

2 다양한 교육과정의 개념들 중에서 여러분이 어떤 한 개의 개념을 선택한다면 그 개념의 선택으로 인하여 나타날 수 있는 장점과 단점은 무엇인지를 생각해 봅시다.

3 학교현장에서 가장 널리 이용되고 있는 교육과정의 개념은 무엇이라고 생각하며 그러한 개념의 일반화가 가져올 수 있는 문제점과 위험성은 무엇인지 규명해 봅시다.

4 교육과정의 개념에 대한 William Pinar의 이론화 작업은 어떤 시사점과 새로운 해석의 지평선을 제공해 주는지 논의해 봅시다.

참고문헌

김대현 · 김석우(1997). 교육과정 및 교육평가. 서울 : 학지사.

김억환(1995). 교육과정 재개념화로서 Currere이론의 전개(1973~1993) 및 비판, 교육과정 연구. 13집. 159-174.

김영천(2007). 현장교사를 위한 교육평가. 서울 : 문음사.

김진규(2007). 교육과정과 교육평가. 서울 : 동문사.

김명애(2007). 쿠레레 방법을 통한 초등학교 아동의 탈식민주의적 의식 변화 연구, 진주교육대학교 교육대학원 석사학위 논문.

박봉목(2000). 위대한 교육사상가들IV. 서울 : 교육과학사.

박승배(2007). 교육과정학의 이해. 서울 : 학지사.

이원희 외 13명(2005). 교육과정과 수업. 서울 : 교육과학사.

한준상 · 김종량 · 김명희 공역(2001). 교육과정논쟁. 서울 : 집문당.

Bobbitt, F. (1924). *How to Make a Curriculum.* Boston : Houghton Mifflin.

Dewey, J. (1897). *The child and Curriculum.* Chicago, IL:University of Chicago Press.

Ellis, A. (2004). *Exemplars of Curriculum Theory.* New York : Eye on Education.

Graham, R. (1992). Currere and Reconceptualism: The progress of the pilgrimage 1975-1990. *Journal of Curriculum Studiies, 24(1)*, 27-42.

Jon Wiles, & Bondi. (2007). *Curriculum Development A Guide to Practice.* Upper Saddle River, N.J. : Pearson Merrill Prentice Hall.

Oliva, P. (2001). *Developing The Curriculum.* New York : Longman.

Philip W. Jackson (1996). *Handbook of research on Curriculum : A Project of the American Educational Research Association.* New York : Macmillan.

Saylor, G., & Alexander, W., and Lewis, A. (1981). *Curriculum Planning for Better Teaching and Learning*. New York : Holt, Rinehart and Winston.

Tyler, R. (1949). *Basic Principles of Curriculum and Instruction.* Chicago, IL : University of Chicago Press.

Walker, D. (1990). *Fundamentals of Curriculum.* San Diego : Harcourt Brace Jaranovich.

Lather에 대한 추억

Patti Lather는 필자의 미국 오하이오 주립대학교 박사과정 지도교수이다. 1990년 9월 처음 만났을 때 반가워하는 표정 대신에 아주 근엄한 모습으로 "What can I do for you"라고 질문할 때 미국을 잘못 왔나 하는 생각이 들 정도록 미국적인 생활방식과 대화방식을 가진 페미니스트 학자였다. 아시아의 한 나라 한국에서 멀리까지 왔으니 고생하였다고 해줄 줄 알았고 커피나 차를 줄 줄 알았다. 그러나 그 학기에 들을 강좌를 알려주더니 질문이 더 있냐고 물었다. 없다고 하니까 가라고 하였다. 황당하였다.

페미니스트로서 그녀의 수업은 다른 교수들과 달라서 여성다운 태도나 행동이 없었다. 그러나 그러한 태도에도 불구하고 그녀의 수업은 오하이오 주립대학교에서 명성이 자자했다. 교육학 패러다임에서 실증주의에 대한 신화를 씻어내기 위하여 다양한 방법을 썼던 그녀는 수업에서 물리학, 자연과학, 역사학, 그리고 현대 문명까지 다양한 이슈들을 수업에 가지고 들어와 학생들을 놀라게 하고 자극시켰다. 직접 강의하는 것에 비하여 가지고 온 내용들, 그리고 토론하도록 하는 내용들이 더 교육적이고 참신하였다.

필자 역시 1990년에 이 학교에 들어왔고 Lather 교수 역시 1989년에 이 학과에 조교수로 임명되었다. 모두 새내기인 셈이다. 필자 역시 처음 만난 외국 지도교수였고 Lather 교수에게도 필자는 익숙하지 않은 동양학생이었다. 그렇지만 세월이 지나면서 지도교수와 필자의 인간적 관계는 더욱 가까워졌고 신뢰를 보여주었다. 그러나 동양에 대한 잘못된 지식을 갖고 있어서 그런지 필자를 만나거나 떠나보낼 때는 항상 부처님께 손으로 비는 자세를 하여 필자를 난감하게 하였다. 그게 인사하는 방법이 아니라고 설명하고 싶었지만 결국 하지 못하였다.

조그만 미네소타의 주립대학의 조교수로 있다가 연구대학인 오하이오 주립대학으로 옮긴 그녀는 그 당시 연구 초기 단계에 있었던 교육과정의 네 번째 패러다임인 포스트모더니즘을 심도 있게 연구하기 시작하는 새로운 길을 가고 있었다. 그리고 William Pinar, Henry Giroux, Michael Apple 등의 이름이 거론되고 있었던 교육과정의 연구세계에 그녀의 이름을 기명시키는 역사적 작업을 하게 되었다. 그리고 그 결과『Getting smart』의 책 출판을 계기로 그녀는 새로운 교육과정 탐구의 대표적 학자로 성장하게 되었다. 그녀의 웹사이트를 참고하면 그녀의 국제적 명성이 얼마나 대단하지를 알 수 있다.

개인적으로 그녀가 이렇게 훌륭한 학자로 성장할 수 있었던 것은 인디애나 대학교에서 좋은 스승을 만났기 때문이 아닌가 생각한다. 첫째는 질적 연구의 대가인 Egon Guba의 제자였고 여성학의 대가인 Sandra Harding의 지도를 받았다고 한다. 특히 그러한 방법론적 훈련 덕분에 다른 학자들과는 다르게 교육과정의 내용 영역이 아니라 교육과정 방법론에 대한 새로운 탈실증주의적 이론들을 개척할 수 있는 능력을 개발하였을 것으로 생각한다.

학부에서는 영어학, 석사에서는 미국학을 공부하여서 그런지 그녀의 수업은 단순히 교육과정 영역 안에서 다루어지는 주제들을 가지고 수업을 하지 않았다. 그녀의 수업에서는 교육과정 영역의 학자들에 대한 소개보다는 사회학, 철학, 페미니즘 등 분야에서의 새로운 이론들을 소개하고 그러한 이론들이 교육학 탐구, 교육과정 탐구, 그리고 교육학 방법론에 어떤 시사점을 주는지에 대하여 고민하게 만들었다. 그녀의 수업으로부터 필자는 많은 지식과 생각을 이끌어 낼 수 있었는데 대표적인 내용으로는 푸코, 데리다, 사이드, 기어츠, 하딩 등이 강조해 온 과학에 대한 새로운 해석들이다.

그녀의 많은 제자들 역시 교육과정 분야의 포스트모더니즘 탐구에 활동하고 있는데 대표적으로 James Scheurich, Lisa Cary, Lisa Weems, Wanda Pillow, Elizabeth St. Pierre, Ronald Coloma, Jeung-eun Ree 등을 들 수 있다. 필자 역시 그러한 학자의 제자가 될까 하는 생각에 한 학기 방학동안에 포스트모더니즘을 공부하려고 사회학 도서관에서 공부하였다. 그러나 영어로 된 포스트모더니즘에 대한 책을 읽는 다는 것은 참으로 힘들었고 좌절적이었다. 이에 필자와 Lather는 그러한 상황을 이해하고 박사학위 논문을 포스트모더니즘과 관련이 적은 전통적인 질적 연구를 하기로 결정하였다. 그리고 미국을 떠나기 일주일 전에 그녀의 박사과정 수업 콜로키움에서 필자의 학위 논문의 결과에 대하여 조촐한 강연을 하였다. 그리고 그 수업을 녹화한 녹음 테이프가 미국을 떠나기 하루 전 필자의 기숙사 메일 박스에 'going home' 선물이라는 이름으로 전달되었다.

제2장

첫 교육과정 개발 모형: Tyler Rationale

이 장의 공부할 내용

Tyler의 교육과정 개발 모형
Tyler의 교육과정 개발 절차
Tyler의 교육과정과 수업의 기본원리의 의의

Ralph W. Tyler

Ralph W. Tyler는 1902년에 미국 시카고에서 목사의 아들로 태어났다. 1921년 네브라스카 대학교에 진학하여 과학교육 전공으로 석사학위를 받고 그 이듬해에 시카고 대학 및 대학원의 교육학과에 입학하여 연구를 시작하였으며, 그곳에서 박사학위를 받았다. 이후 그는 교육과정에 있어 좀 더 혁신적이고 심화된 연구를 위해 오하이오주립대학교로 갔다. 오하이오주립대학교에서 교육평가 연구소를 설립하여 그 유명한 8년연구를 수행하였다. 이 연구를 하면서 가진 경험에 기초하여 그의 교육과정 명저, 『교육과정과 수업의 기본 원리』를 출간하였고 교육과정 개발 모형의 첫 원형을 이론화시켰다. 이후 시카고대학교로 자리를 옮겨서 교육과정과 평가 부분에서 많은 역할을 하였고 Benjamin Bloom, Robert Mager 등의 저명한 교육과정과 수업학자들을 배출하였다.

미국 교육과정 혁신을 위하여 그는 연방을 위하여 지침서를 만드는가 하면, 조언자로서 혁신적인 구조를 만드는 데 헌신하였고, 초등과 중등 교육과정을 검토하는 데 공헌했다. 그는 미국의 아카데미 위원회의 창립 회원이었고 초대 회장이었다. 또한 학교 안에서 학생들을 가르치고 배우고 양육하기 위한 목표를 세우기 위하여 어떻게 교사와 행정관들에게 조언할 것인가에 대해 의논하기 위하여 노력하였다. 1923년 그는 실제로 시험에 관한 연구를 위하여 과학 시험을 디자인했다. 1967년에 공식적으로 은퇴한 후 Tyler는 SAT 점수, 과학 연구, 시스템 개발 기초 및 교육과정을 연구하기 위한 위원회의 의장으로서 연구하는 데 봉사하였다.

주요 저서

1934, Constructing Achievement tests: The Ohio state university.

1942, Appraising and recording student progress: Evaluation, Records, and reports in the thirty schools: HARPER & BROS.

1949, Basic principles of curriculum and Instruction: University of Chicago Press.

1969, Evaluation: New roles, new means: Allyn & Bacon.

1975, Specific approaches to curriculum development.

1979, Values conflicts and curriculum issues: Lessons form research and experience.

1985, Charles Hubbard Judd: As I came to know him.

1997, Evaluation: A Tylerian perspective.

교육과정의 영역을 새로운 학문탐구 영역으로 개척한 대표적인 학자가 바로 Ralph Tyler이다. 그리고 그가 저술한 『Basic principles of curriculum and instruction』은 Tyler 이후의 교육과정 연구의 방향을 결정짓는 데 결정적인 역할을 하였다. 이에 그의 책은 구미를 포함한 전 세계의 교육과정과 수업 부분의 대표적인 교재로 널리 읽히고 있다. 그리고 많은 교육과정 개론서의 제1장에서 교육과정 개발 모형을 소개할 때에 대표적 학자로서 언급되고 있다.

이에 이 장에서는 Tyler가 그의 책에서 개념화한 교육과정 개발의 네 단계 모형에 대하여 살펴보고자 한다. 간단하지만 그 네 단계의 모형은 교육과정 영역에서 연구하고 활동하고 있는 교육자들에게 명료한 개발 지침과 방법을 제시하고 있다는 점에서 매우 유익하다. 미래에 교사가 될 학생들이라면 그리고 교육 프로그램을 개발할 계획에 있는 설계자라면 Tyler의 모형에 의존하지 않을 수 없을 것이다. 교육과정과 수업 분야의 가장 기초적인 고전적 지식으로 자리 잡았다는 점에서 이 장에서는 그의 책에 담겨져 있는 개발 모형의 핵심 내용을 중점적으로 살펴보고자 한다.

Tyler의 교육과정 개발 모형

Tyler의 교육과정과 수업 계획의 개발 원리는 다음 네 가지 물음에서 출발한다.

Tyler의 교육과정과 수업계획을 위한 근본적인 물음

1. 교육목표의 설정: 학교는 어떤 교육목적을 달성하기 위해 노력해야 하는가?
2. 학습경험의 선정: 이러한 교육목적을 달성할 수 있도록 하기 위해서 어떤 교육경험이 제공될 수 있는가?
3. 학습경험의 조직: 이러한 교육경험은 어떻게 효과적으로 조직될 수 있는가?
4. 학습결과의 평가: 이러한 교육목표가 달성되었는지의 여부를 우리는 어떻게 결정할 수 있는가?

하지만 그의 연구는 네 가지 물음에 대한 해답이 아니라, 답을 찾아가기 위한 과정에 대한 설계이다. 이는 그가 교육의 수준에 따른 단계와 실재하는 교육현장의 다양성을 전제하고 있기 때문이다. 따라서 수많은 상황과 교육이론 등의 틈바구니 속에 처한 교육과정 개발자가 그 교육과정에 필요한 것을 선택하고 교육과정을 개발하기 위한 방법적 체제에 대한 종합적인 안내를 받을 수 있다.

위의 물음에 근거한 그의 연구에서는 교육목표, 학습경험, 평가의 세 가지 요소를 추출해 낼 수 있다. 그림 2-1에 예시된 교육목표는 학습경험과 평가를 선정하고 조직하는 기준으로 작용하며, 또한 학습경험을 고려한 교육목표의 선정은 교육목표와 평가가 학생들에게 실제성을 제공하는가를 제고할 수 있는 기회를 부여한다. 그리고 평가활동은 교육목표와 학습경험이 효과가 있는 것인지와 목표가 달성되는 정도를 보여준다고 볼 수 있다. 목표는 교육과정을 결정하는 기준이 되며 평가는 교육과정으로부터 분리된 것이 아니라 통합된 한 부분으로 간주되어야 한다는 것이다.

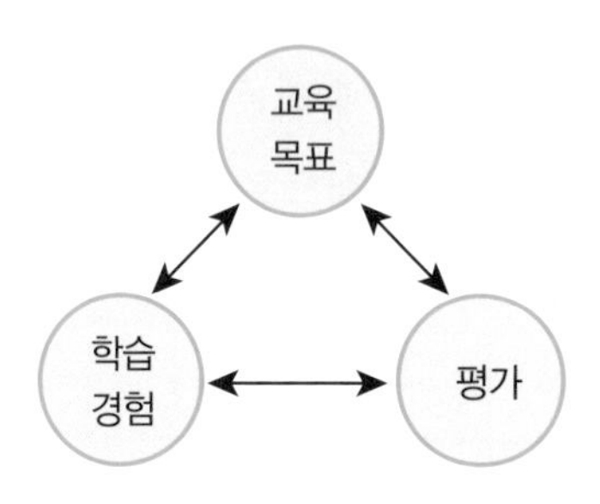

[그림 2-1 Tyler의 Rationale]

따라서 Tyler의 교육과정 원리는 교육의 목표, 학습경험과 평가가 궁극적으로 교육목표를 효과적으로 이룰 수 있도록 계획되는 방법에 대한 것이다. 결국, Tyler의 교육과정과 수업지도의 기본원리는 교육목표 선정, 학습경험 선정, 학습경험 조직, 평가 순으로 나타난다.

Tyler의 교육과정 개발 절차

교육목표의 선정

학교는 어떠한 교육목적을 달성하기 위해 노력해야 하는가?

교육이란 사람들의 행동양식을 변화시키는 과정이다. 여기에서의 행동은 외현적인 행위뿐만 아니라 사고와 감정을 포괄하는 넓은 의미에서의 행동을 의미한다. 교육이 이러한 방식으로 정의되면, 교육목표는 교육기관이 학생들에게 일으키고자 하는 행동에 있어서의 변화의 종류

를 나타내는 것이 된다(Tyler, 진영은 역, 1999, p.10-11).

교육과정이나 수업지도가 체계적으로 이루어지려면 기본 교육의 목적이 지향하는 바에 대한 개념 파악과 확실한 인식이 매우 중요하다. Tyler는 이러한 교육의 목표를 선택의 문제이며 가치판단으로 보았다. 결국 어떤 교육목표를 선정할 것인가에 대한 체계적인 접근을 위한 기본 원천과 여러 가지 원천들 중 어떤 원천을 이용할 것인가 하는 문제가 제기된다. 따라서 그는 학습자, 현대사회 생활, 교과전문가들이 제시한 교육목표에서 교육목표 선정의 기본 원천을 살펴보았고, 이러한 원천의 여과장치로서 교육철학과 학습심리학을 이용하여야 한다고 진술하였다.

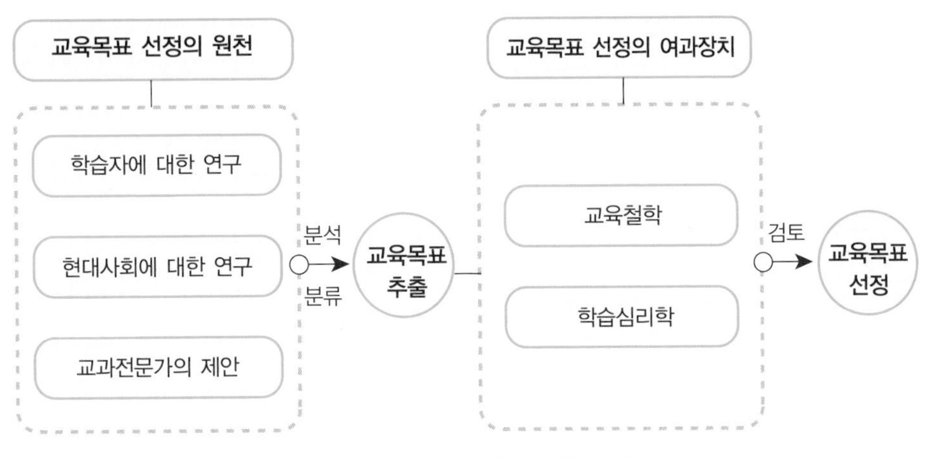

[그림 2-2 Tyler의 교육목표 선정 과정]

교육목표 선정의 원천

교육을 사람들의 외현적인 행위 및 사고와 감정을 포괄하는 행동양식을 변화시키는 과정이라고 정의한다면, 교육목표는 학생들의 행동양식에 있어서 필요한 변화의 종류를 교육기관이 산출해 낸 것이라고 Tyler는 보고 있다.

교육목표의 원천으로서 학습자에 대한 연구

학습자에 대한 연구: '필요(need)'와 '흥미'. 학습자에 대한 연구는 크게 학습자의 '필요(need)'와 '흥미'로 나눌 수 있다. 첫째, 학습자의 '필요'에 대한 논의에서 그는 먼저 용어의 의미가 혼동되지 않도록 명확히 하였다. Tyler가 사용하는 '필요'의 의미는 실제 상태(what is)와 철학적인 가치의 표준(what scould be) 사이의 간격과,

Prescott와 Murry 등 일부 심리학자들이 사용하는 유기체의 건강한 상태인 평형상태로 향하는 긴장 두 가지로 정의된다.

학생의 필요를 고찰하는 연구의 전개는 첫째 학생의 필요를 알아내고, 둘째 간격이나 필요를 밝혀내기 위해 현재 상태를 수용할 수 있는 표준과 비교하는 과정으로 전개된다. 즉, 학생의 필요는 매우 다양하게 존재하므로 생활의 모든 측면을 포괄하는 단일연구보다는 삶을 주요한 몇 가지 요소로 나누고 차례로 조사하여 학생이 현재 어떤 상태에 있는가를 파악하고, 이를 바람직한 표준과 비교하여 둘 사이의 심각한 간격은 교육목표에 대한 시사점을 제공하게 된다. 이 과정이 끝나야만 공통된 필요를 규명하는 것이 가능해진다.

또 다른 학습자에 대한 연구로 흥미를 들 수 있다. 교육은 능동적인 과정이며 학습자의 자발성을 포함하는데 즉 학교 교육이 학생이 흥미를 일으킬 만한 문제를 다루고 있다면 학생들은 능동적으로 학습상황에 참가해 효과적으로 문제상황을 취급하는 것을 배워 문제해결력을 기르게 된다는 진보주의 견해에 동의하여 Tyler는 학습자에 대한 또 다른 연구 분야로서 흥미를 꼽고 있다.

학습자에 대한 연구: 조사방법. 학습자의 '필요'와 '흥미'를 조사하는 방법에는 거의 모든 조사연구방법이 적합하다. 조사연구방법으로는 교사의 관찰, 학생 면담, 질문지법과 지역사회가 작성한 다양한 형태의 사회적 자료(예를 들면 소년범죄 · 건강상태)의 기록부 등 다양하다. 조사연구방법으로 실제로 수집된 자료 자체가 교육목표로 선정될 수는 없다. 수집된 자료를 일반적으로 수용할 수 있는 표준과 비교해 해석하여 의미를 파악하는 것이 중요하다.

Tyler는 이렇게 수집된 학생에 대한 구체적인 자료를 분석할 때 직면하는 어려운 점으로 첫째 자료 해석의 다양성, 둘째 교육으로만 해결될 수 없는 다른 사회적 행위를 요구하는 자료를 교육적 필요와 혼동하는 것 두 가지를 지적한다.

교육목표의 원천으로서 현대사회 생활에 대한 연구

Tyler는 일반적인 목표 추출과정의 다음 단계로 현대생활을 분석할 것을 제안한다. 사회의 필요에 따라 다양하게 존재하는 많은 잠정적인 교육목표들을 명료하게 분석해 낼 필요가 있다는 것이다.

교육목표 원천으로서의 생활 분류 예

건강, 가족, 오락, 직업, 종교, 소비생활, 시민생활

버지니아 주 교육과정 연구의 자세한 생활 분류의 예

생명의 보호와 보존, 천연자원, 상품과 용역의 생산과 재생산물의 분배, 상품과 용역의 소비, 의사소통과 상품과 인간의 수송, 오락, 심미적 충동의 표현, 종교적 충동의 표현, 교육, 자유의 확장, 개인의 통합, 탐험

교육목표의 원천으로서 교과전문가들이 제시한 교육목표

교과전문가들이 작성한 보고서들은 교육과정 계획가들에게 많은 교훈을 제공해 준다. 교과전문가들이 제안하는 교육목표는 실제로 많은 학교에서 적용하고 있다. 교과전문가들은 교육목표를 특별하게 열거하지 않으며, 교과 분야의 개념을 개괄적으로 설명하거나 방법론적인 측면을 시사하는 정도에 그친다. 따라서 교육과정 계획자들은 이러한 보고서로부터 함의된 교육목표를 도출해 내야 하는 것이다. 이러한 교과전문가들의 보고서로부터 이끌어 낼 수 있는 것은 다음과 같다.

- 특정한 교과가 기여할 수 있는 광범위한 기능에 관련된 제안
- 교과의 주된 기능은 아닐지라도 교과가 다른 커다란 기능에 기여할 수 있는 특별한 공헌에 관한 제안

교육목표 선정의 여과장치

Tyler는 적더라도 매우 일관성 있는 중요한 목표를 선정할 것을 주장한다. 교육의 효율성을 위해서는 앞에서 언급한 세 가지 교육목표 선정의 원천으로부터 도출된 많은 목표들 중에 교육 프로그램이 적용되는 시간 동안에 의미 있는 정도의 목표 달성을 이룰 수 있는 목표를 선정하고 이러한 목표들 사이는 서로 모순이 없도록 일관성을 지녀야 한다고 보기 때문이다.

모순된 교육목표가 제거된 의미 있는 소수의 교육목표를 도출해 내기 위해 Tyler는 교육철학과 학습심리학이라는 두 가지 여과장치를 사용할 것을 권유한다.

교육목표 선정에서의 철학적 여과장치

Tyler는 교육철학이 다루어야만 하는 물음에 대한 예를 들면서 철학적 여과장치의 필요성과 역할을 설명하였다. 예를 들면 아래와 같다.

첫째, 학교가 맡아야 할 교육적이며 사회적인 철학에 대해 논하면서 민주주의 사회의 철학으로 강조되는 다음의 네 가지 민주적 가치를 강조하였다.

- 인종적 · 민족적 · 사회적 · 경제적 지위 등을 초월한 인간의 존엄성 인정
- 사회 안에서 모든 수준의 활동에 참여할 수 있는 기회
- 인성의 다양성을 존중
- 독재집단이나 전제집단의 권위에 의존하기보다는 중요한 문제를 다루는 방법으로서 지성을 신뢰

둘째, 교육받은 학생이 현재의 사회에 잘 적응하도록 할 것인가 혹은 사회를 개선하려는 실천의지를 키울 것인가에 관한 것이다. 어떤 교육철학을 선택하느냐에 따라 교육목표 선정에 막대한 영향이 있을 것은 자명한 일이다.

셋째, 사회의 서로 다른 계층을 위한 상이한 교육이 있어야만 하는가 하는 문제이다. 이것은 시민의 일반교육을 지향할 것인지 직업교육을 지향할 것인지에 관한 것이다.

따라서 원천으로부터 도출된 다양한 교육목표는 사회적 철학을 지향하는 목표는 학교 교육 프로그램에 채택될 것이며, 반면 이에 반하는 목표는 채택되지 않을 것이다. 이렇게 채택된 교육 프로그램에서 교육철학에 비추어 교육적 가치가 있는 부분은 강조될 될 것이며 교육철학은 직접적으로 교육목표를 선정 및 제거하는 수단으로 작용한다.

Tyler는 교사들에게 교육적 · 사회적 철학을 명료화할 것과 교육목표가 교육철학의 요점에 모순되거나 무관한가를 구별해 내야 한다고 요구한다. 다시 말해 교육철학과 조화되는 교육목표가 진정한 교육목표라는 것이다.

교육목표 선정에서의 학습심리학적 여과장치

학습심리학은 뚜렷하고 명확한 연구결과를 포함하고 있을 뿐만 아니라, 학습이 어떻게 어떤 조건 아래 어떤 기제가 작동하여 발생하는가 하는 학습과정의 본질을 기술하는 학습이론의 통합된 명료한 진술을 포함한다(Tyler, 진영은 역, 1999, p.49). 이러한

학습심리학적 지식은 교육목표 선정에 있어 다음과 같은 점에서 검토될 수 있다.

첫째, 교육목표가 학습에 의한 변화로 달성될 수 있는가?

예를 들어 학습과정을 통해서 사회적으로 바람직한 방향 안에서 신체적 반응을 발산하는 방법을 배울 수 있지만, 학습이 키를 크게 할 수는 없는 것이 사실이다. 그러므로 학습에 의해 달성될 수 있을 만한 목표인가를 학습심리학적 지식으로 검토할 수 있다고 Tyler는 보는 것이다.

둘째, 교육목표가 교육 예상 연령 수준에 적합한가?

교육목표를 달성하는 데 걸리는 효과적인 시간과 노력이 적용되는 학년이나 연령 수준을 결정하는 데 학습심리학적 지식을 이용할 수 있다. 학습심리학적 연구는 특정 교육목표에 내포된 학습의 계열성을 밝혀주고 있기 때문이다.

셋째, 교육목표 선정에 중요한 학습조건에는 무엇이 있는가?

학습심리학적 연구결과는 교육목표 선정에 있어 중요한 학습조건 몇 가지를 제공한다. 모든 교육경험은 둘 이상의 교육적 결과를 예상할 수 있으므로 동일 경험을 통해 함께 개발될 수 있는 교육적 특징을 교육목표가 포함하고 있는가이다.

다음으로 일관성 있는 학습은 학습시간을 단축시키고 목표를 효과적으로 달성할 수 있도록 도와주지만, 모순된 학습은 이를 방해한다는 학습심리학 결과는 교육목표가 학생의 마음과 행위에 통합과 응집적인 통일성을 이루고 있는가를 살펴볼 수 있는 기준을 제공한다. 이 밖에도 특정 유형의 교육목표를 학습하는 데 필요한 조건에 관련된 학습심리학 결과로 '망각에 관한 연구', '학습으로 인한 변화를 유도하는 데 걸리는 시간의 길이' 등을 들 수 있다.

이를 위해 교사와 교육과정 입안자는 구체적이고 명확한 용어로 진술된 학습 이론을 가져야 한다. 따라서 Tyler는 선정된 교육목표를 검토하는 방법으로 학습심리학의 실행 가능한 중요한 논증 요소를 추출하고 해당 교육목표에 어떠한 함의를 가지고 있는지 고려할 것을 제안하고 있다.

교육목표의 진술

Tyler는 교육목표가 학습경험을 선정하고 수업을 안내하는 데 유용하게끔 진술되어야 한다고 본다. 이에 교육목표 진술은 가능한 한 분명하고 유용한 진술 형식을 개발하는 데 목적을 둔 행동과 내용의 두 가지 측면을 모두 고려한 이원분류표를 사용할 것을 제안한다. 이원목표분류표는 구체성의 일반성(generality of specificity)이라는 문제를 안고 있지만 이에 대한 그의 해답은 다음과 같다.

첫째, 행동목표는 7~15개 정도의 행동목표 범주목록을 권장한다. 예를 들어 8년 연구의 10개의 범주는 여러 분야에 걸친 범주의 차이를 구별할 만큼 크면서도 교사가 지침으로 쉽게 기억할 만큼 적은 수라는 것이다. Tyler는 행동의 차원을 일곱 가지 항목으로 세분화하여 예를 제시하였는데 다음과 같다.

Tyler가 제시한 교육에 있어서의 궁극적인 행동목표 (Tyler, 1949, p.48)

1. 중요한 사실이나 원리에 관한 이해
2. 신뢰할 수 있는 정보원에의 접근성
3. 자료에 대한 이해력
4. 원리의 적용력
5. 학습 연구 및 결과 보고 능력
6. 광범하고 원숙한 흥미
7. 사회적 태도

둘째, 내용목표는 행동목표가 상대적으로 적게 가진 수를 보완해 중요한 내용과 덜 중요한 내용을 구별하기 위해 충분한 수의 내용범주를 가지는 것이 바람직하나 Tyler는 10~30개 정도가 유용하다고 보고 있다.

셋째, 이원적 체계를 이용하기 위해 사용하는 도표는 용어 사용에 주의를 해야 한다. 용어는 애매모호한 일반성을 띠지 않도록 의미를 지니고 있어야 한다는 것이다. 예를 들어 8년 연구에서는 '비판적 사고' 라는 용어를 '귀납적 사고' , '연역적 사고' , '논리적 측면' 의 세 가지로 구분하여 사용하였다.

Tyler는 표 2-1에 있는 것처럼 교육목표 내용과 행동 두 차원으로 구분하여 다음과 같이 설명하였다.

- Tyler의 목표 진술 방법 예
  "현대 소설의 감상능력을 길러 준다(Tyler, 1949, p.47)."

Tyler가 말하는 올바른 교육목표 진술이란, 오로지 수업에서 다루는 내용만을 언급하거나 일반적인 수준의 막연한 행동으로만 목표를 진술하는 방식을 지양하고, 학습자가 나타내어야 할 구체적인 행동이 내용과 결합된 것이다.

〈 표 2-1 고등학교 생물학 강좌를 위한 교육목표 진술에서 이원분류표를 사용한 예 〉

구분		교육목표의 행동 측면						
		중요한 사실과 원리에 대한 이해	신뢰성 있는 정보 원천에 익숙해지기	자료 해석 능력	원리를 적용하는 능력	연구를 하고 연구 결과를 보고하는 능력	넓고 성숙된 흥미	사회적 태도
교육목표의 내용 측면	**A. 인간 유기체의 기능**							
	1. 영양	X	X	X	X	X	X	X
	2. 소화	X	X	X	X	X	X	X
	3. 순환	X	X	X	X	X	X	X
	4. 호흡	X	X	X	X	X	X	X
	5. 재생산	X	X	X	X	X	X	X
	B. 식물과 동물자원의 이용							
	1. 에너지 관계	X	X	X	X	X	X	X
	2. 식물과 동물의 성장을 조건 짓는 환경요소	X	X	X	X	X	X	X
	3. 유전과 발생	X	X	X	X	X	X	X
	4. 토지의 이용	X	X	X	X	X	X	X
	C. 진화와 발달	X	X	X	X	X	X	X

학습경험의 선정

교육목표를 달성하는 데 유용한 학습경험은 어떻게 선정될 수 있는가?

본질적으로 학습은 학습자의 경험, 즉 학습자가 처해 있는 환경에 대한 반응을 통해 발생한다. 따라서 교육의 수단은 학습자가 갖게 되는 교육적 경험(educational experiences)이다. 일정한 교육목표를 달성하기 위한 교육 프로그램을 기획할 때 우리는 제공되어야 할 특별한 교육적 경험을 결정하는 문제에 직면한다(Tyler, 진영은 역, 1999, p.71).

학습경험은 학생과 학생의 외부적 조건의 상호작용을 포함하며, 이는 학생이 능동적인 참여자라는 사실과 학생이 처한 환경이 학생의 주의를 집중시키고 반응을 일으킨다는 것을 의미한다. 따라서 교사는 환경을 설정하고 상황을 조작하는 방법으로 학습경험을 통제하여 의도한 반응의 유형을 자극하고 불러일으킬 수 있다.

Tyler가 지적하는 문제는 동일 경험에 대한 학생의 반응이 다양하다는 점에 있다.

따라서 교사는 학생에게 의미 있는 가능성을 제공하기 위해 의도한 경험을 연상시킬 수 있는 교육경험을 다양화함으로써 해결할 수 있다. Tyler가 제안한 학습경험 선정 원리와 유용한 학습경험의 특징의 몇 가지 예를 통해 학습경험 선정방법에 대해 알아보도록 하자.

Tyler의 학습경험 선정 원리

Tyler는 교육목표는 학생들이 그들의 생활에서 직접 실천되지 않는다면 의미가 없다고 보고 있다. 따라서 학생들은 교육목표가 요구하는 행동을 직접 실천해 볼 기회를 가져야 한다. 그러므로 학습경험 선정의 첫째 원리는 학습경험은 반드시 학생이 직접 그 경험을 실천해 볼 기회가 주어지도록 설정해야 한다는 것이다. 여기에서는 행동뿐만 아니라 내용을 다루는 기회도 포함된다. 왜냐하면 Tyler의 교육목표 진술은 행동표제뿐 아니라 내용표제도 포함하기 때문이다.

둘째 원리는 목표한 행동과 내용을 실천해 본 학습경험이 학생에게 만족스러워야 한다는 점이다. 학생이 경험에 만족하지 못하거나 혐오스러워 한다면 의도된 학습은 일어나지 못할 것이고 오히려 반대되는 것이 개발될 가능성이 존재하게 된다. 이에 교사는 학생의 흥미와 필요, 기본적인 인간의 만족에 대해 충분한 자료를 수집할 것을 제안한다.

셋째 원리는 학생의 출발점 행동과 연계되는 것으로 학생이 수행해 낼 수 있는 경험으로 조직되어야 한다는 것이다. 이에 Tyler는 교사가 학생의 현재의 학습상태, 배경, 정신상태 등에 관심을 가지고 정확하게 파악해서 제공된 학습경험이 학생들이 해낼 수 있는 것인지 아닌지를 교사가 판단해야 한다고 제안한다.

넷째 원리는 동일한 교육목표 달성에 사용가능한 학습경험은 다양하다는 것이다. 따라서 교육과정이 제한되거나 미리 규정된 학습경험을 고집할 필요가 없다.

다섯째 원리는 동일한 학습경험이 다양한 결과를 만들어 낸다는 것이다. 잘 계획된 학습경험은 동시에 여러 가지 목표를 달성하는 데 유용할 수 있으나 부정적인 면에서는 바람직하지 못한 결과를 일으킬 수 있다는 가능성이 있다.

Tyler의 유용한 학습경험의 특징

Tyler는 학습경험을 선정하는 과정을 창조적인 과정이라고 본다. 이는 이미 사용되고 있는 경험들에 대한 반성적 숙의 및 이루어져야 할 활동과 사용될 자료에 대한 모양에 대한 잠정적 초안이기 때문이다. 교사에게는 교수 프로그램 계획을 세우기 이전에 창의적인 기술을 발휘하고 주의 깊은 평가를 하기 위한 기회가 존재한다는 점에 주목할 필요가 있다(Tyler, 진영은 역, 1999, p.91-92).

Tyler는 교육목표를 달성하는 데 효율적인 학습경험에 요구되는 중요한 특성 예를 통해 유용한 학습경험 개발에 이용할 것을 제안하였다. 그가 예를 들고 있는 학습경험의 특징과 요구 조건은 표 2-2와 같다.

〈 표 2-2 Tyler의 학습경험의 특징과 조건 〉

학습경험의 특징	요구되는 조건	
사고의 기술 개발	• 귀납적 사고, 연역적 사고, 논리적 사고 등 다양한 종류의 사고를 행할 기회의 제공 – 실질적인 문제의 활용을 통한 다양한 학생 반응 유도 – 즉각적인 해답을 찾을 수 있는 것이 아니라 다양한 사실과 개념을 관련지어야 구할 수 있는 문제의 제공 • 정상적인 순서로 사고의 단계에 따라 문제를 해결할 수 있는 상황의 제공 • 학생 스스로의 힘으로 문제를 해결하는 경험을 제공 • 학생이 문제에 접근할 때 다양한 가능성을 제시하는 훈련을 가지도록 할 것 • 개념구조가 부족한 학생에게 기본적인 가정과 일반화를 통해 현상의 다양한 요소를 관련짓는 토대를 마련해 줄 것	
정보 획득	정보학습의 단점	• 실제적인 이해의 획득이나 기억하는 개념의 적용이 아닌 기계적인 암기에 의존 • 학생들의 급속한 망각률(Meumann의 망각곡선) • 정보의 항목을 조직하거나 체계적인 형태로 관련짓지 못함 • 학생의 재인(再認)하는 정보의 수가 모호하고 부정확함 • 정확한 정보의 원천과 최신의 정보를 밝혀내는 데 미숙함
	Tyler의 제안점	• 문제해결 과정에서의 정보 획득 • 암기할 만한 가치가 있는 중요한 정보만 선정 • 다양한 방식으로 강도 있게 제시되는 정보 제공의 환경 조성 • 정보항목을 자주 그리고 다양한 맥락에서 사용 • 정보 원천의 탐문 연습 • 질 좋은 정보 획득 방법 습득
사회적 태도 개발	• 학교와 지역사회의 통합된 사회적 태도 유지 • 학교 안에 존재하는 반사회적 환경(차별, 파벌의 묵인 등)에 대한 주의 깊은 검토 • 바람직한 방식의 행동경험을 통해 얻는 만족의 기회 확대 • 광범한 분석을 제공할 수 있는 경험의 제공 • 학생들의 자신의 행동에 대한 주기적인 검토	

(계속)

학습경험의 특징	요구되는 조건
흥미 개발	• 학생의 근본적인 만족(음식, 휴식, 열망, 성공 등)을 획득할 기회의 제공 • 활동을 만족스러운 다른 경험과 연계 • 어린 아동집단을 대상으로 할 때 탐구에 큰 비중을 둘 것 • 재미없는 활동은 새로운 접근방법으로 환경을 설정

학습경험의 조직

학습경험은 어떻게 조직될 수 있는가?

교육경험이 누적되는 효과를 산출하려면 교육경험은 서로를 강화할 수 있도록 조직되어야 한다. 따라서 조직은 교육과정 개발에서 중요한 문제로 간주된다. 왜냐하면 조직은 수업의 효율성과 학습자에게서 주된 교육적 변화가 발생하는 정도에 크게 영향을 미치기 때문이다 (Tyler, 진영은 역, 1999, p.71).

Tyler는 이 단계에서 앞서 선정된 학습경험을 조직해서 단원, 교과, 프로그램을 만드는 절차에 대한 설명을 시도하였다. 학생의 변화는 오랜 시간 동안 교육적 경험이 쌓임으로써 이루어진다고 본다. 또한 영역들 사이의 상충 · 상보 작용이 학습의 효율에 작용하고 있다. 이에 학습경험을 조직할 때 시간에 대한 관계와 영역들 사이의 관계에 대한 고찰을 전제한다.

Tyler의 효과적인 학습경험 조직의 준거

학습경험을 조직하고 통합하는 데는 계속성, 계열성, 통합성의 세 가지 기초적인 준거가 학습경험 조직의 바람직한 틀을 제공한다. 계속성은 교육요소에 대한 학습자의 경험을 반복해서 강조하는 것이고, 계열성은 학습자의 발달을 넓히고 심화시키는 것이며, 통합성은 관련 요소들에 연관시켜 학습자의 행동의 단일성(unity)을 증가시키는 것이다(Tyler, 진영은, 1999, p.108).

계속성(continuity). 계속성이란 교육과정의 주요소를 여러 시간에 걸쳐 반복하는 것을 일컫는다. 예를 들어 에너지에 대한 의미 있는 개념을 개발하기 위한 것이라면 계속해서 과학교과의 여러 부분에서 다루는 것이다.

계열성(sequence). 계열성은 제공되는 경험이 동일하게 반복되는 것이 아니라, 좀 더 넓고 깊게 경험을 조직하여 주된 교육과정을 반복하는 것을 말한다. 이는 단순한 중복성이라기보다는 연속적인 학습경험이 학년이 경과할수록 더 높은 수준을 취급하는 것이다.

통합성(integration). 통합성은 교육경험이 통합된 견해와 행동의 통합을 도와주도록 조직되어야 한다는 것과 관련된다. 즉 학습된 내용이 고립된 교과내용으로 개발되기보다는 학생의 다양한 일상생활에서 사용되는 총체적 능력을 개발하도록 구성되어야 한다는 준거이다. 이러한 통합은 교과 간의 통합도 포함한다.

Tyler의 학습경험 조직

일반적으로 널리 사용되는 학습경험의 조직원리는 다양하다. 예를 들어 학교 교육과정에서 일반적으로 사용하는 '연대순으로 조직하기'는 역사 교과에서 학생들이 시간에 따른 사건의 전개를 이해하는 데 도움이 된다. 다른 조직원리로는 '적용의 폭 넓히기', '내포된 활동 범위 확대하기', '분석을 수반한 서술의 활용', '보기의 설명을 위해 더 큰 원리가 수반되는 보기를 전개하기' 등이 있다.

학습경험을 조직하기 위한 조직원리는 많지만 Tyler가 중요하게 꼽고 있는 점은 어떤 교육과정을 설계하든지 가능한 조직원리들을 검토하고 잠정적으로 결정하여 그 내용을 실제로 시험해 보고 점검해서 계속성, 계열성, 통합성을 전개하는 데에 이 원리들이 얼마나 만족스러운지를 알아보는 것이다(Tyler, 진영은 역, 1999, p.109).

학습성과의 평가: 목표달성 평가모형

교육목표가 달성되었는지를 어떻게 평가하는가?

Tyler는 단순히 교육목표가 얼마나 달성되었는지를 알아보기 위해 사용하는 수단으로 평가를 국한하지 않고, 교육과정 전반에 걸쳐 다양한 평가절차에 의해 산출된 증거는 교육과정을 개선시켜 나가는 데 꼭 필요한 활동으로 교육과정 개발에까지 확대시켰다(이종승, 1990). Tyler의 교육과정 원리 가운데 두드러진 특징의 하나인 평가는 평가의 개념을 형성평가라는 아이디어(Scriven, 1967)에 모티브를 제공했으며, 오늘날의 교육과정 분야에 구체적으로 목표를 실현하는 길을 열어 준 셈이다.

국내에서도 정범모(1968)의 연구를 비롯한 많은 연구자들이 객관적이며 실증주의적으로 교육현상을 연구하는 움직임이 활발하다. 타일러의 실증주의적인 평가관은 각급 학교에도 그대로 수용되어 체계적이며 종합적인 지침을 제공하고 있다(김억환 · 김민환, 1991).

실제 교수 절차에는 많은 변수가 존재하고 이러한 환경적 조건 아래에서 실제 학습경험이 계획대로 실현되었는지에 대해서 확신하는 것은 불확실하다. 따라서 학습경험에 대한 계획이 원하는 결과를 산출해 내는 데 있어 교사를 안내하는 기능을 실제로 하고 있는지, 결과를 얼마나 산출해 내고 있는지 알아내는 과정이 필요하다. 이것이 Tyler가 말한 평가의 목적이면서 학습계획이 개발된 이후에도 평가의 과정이 필요한 이유이다(Tyler, 진영은 역, 1999, p.118). 즉 평가(evaluation)도 교육과정 개발의 중요한 작업 중의 하나인 이유이다.

우리는 평가 결과를 통해 교육과정의 효과성과 필요한 개선의 측면을 판단해 낼 수 있다. 이에 Tyler의 평가 절차와 활용에 대해 알아보고자 한다.

Tyler의 평가에 관한 기본 개념. 첫째, 평가는 학생의 행동을 평가해야 한다. 교육은 학생의 행동상의 변화가 실제로 발생하는가에 관한 것이기 때문이다.

둘째, 학생의 행동 변화 여부를 알아보아야 하므로 초기 평가와 후기 평가의 최소한 두 번 이상의 평가가 필요하다. 어떤 경우에는 수업 시작 전에 수업 내용에 대해 학생이 상당한 진보를 이루었을 수도 있고 아닐 수도 있기 때문에 프로그램 초기와 나중의 최소한 두 번의 평가는 필요하다는 점에 주목할 필요가 있다.

셋째, Tyler는 평가의 방법에 있어 학생의 바람직한 행동 변화를 판단할 수 있는 것이라면 어떠한 타당한 증거라도 적절한 평가 방법을 제공한다고 본다. 따라서 필기시험 · 관찰 · 면접 · 질문지법 · 학생작품 등을 학생 행동에 대한 증거를 얻는 유용한 방법으로 제안하였다.

넷째, '표집' 의 방법으로 학생들의 전형적인 반응을 평가하는 것이다. 학생 개개인이나 학생 집단의 목표 달성 여부를 판단하기 위해 수집된 자료 모두를 다 검토하는 것은 어려운 일이다. 이에 가장 대표성을 지닌 표본을 수집하여 평가의 근간으로 삼는 것이다. 이러한 표집의 방법은 개인의 반응을 포함하며 표본적인 상황이 추론이 가능하게 함을 전제하고 있다.

Tyler의 평가 절차. 첫째 단계에서는 교육목표의 이원적 분석을 교육과정 평가의 지침으로 활용한다. 만약 행동과 내용 목표가 명확하게 규정되어 있지 않다면, 평가 단계에서라도 명료화 과정을 거칠 것을 Tyler는 제안한다. 왜냐하면 행동에 대한 명료

〈 표 2-3 Tyler의 교육평가 구성요소 〉

항목	내용
교육평가의 목적	• 교육활동에 대한 직접적인 평가: 분류와 배치가 아닌 학생의 교육적 성취도의 평가 • 학교의 역할 수행의 평가: 교육과정과 교육 프로그램의 개선을 위한 효과성의 평가
교육평가의 주체	• 교육자(educator): 교사, 교수, 교과전문가 등 • 평가자(evaluator, technician): 교육적 검사를 돕고, 평가도구 제작 기술을 가지고 있는 평가전문가
교육평가의 대상	• 교육의 결과: '학생들의 학업성취'에서 '학교교육 프로그램 전반에 관한 평가'로 확대
교육평가의 기준	• 교육을 통해 이끌어 내야 하는 교육목표 달성 (※ 기본가정–동일한 결과에 대한 전문가들의 평가 해석은 일치할 것이다.)
교육평가의 방법	• 검사도구: 기존 '시험'이라는 검사도구를 '학생들이 수업에서의 바람직한 목표들을 획득한 정도에 관해 타당한 증거를 얻기 위한 모든 수단'으로 확대

화된 개념이 없다면 어떤 종류의 행동을 조사하는지를 알 수 없기 때문이다.

둘째 단계에서는 평가하려는 행동 유형을 학생들이 직접 표현할 기회를 제공하는 상황을 규명하는 것이다. 교육목표에 비추어서 제안된 평가도구를 검토하고 그 평가도구가 교육목표로서 기대되는 행동을 불러일으킬 가능성이 있는 상황을 활용하는지 알아보는 것이다.

셋째 단계에서는 세련되지 않더라고 교육목표에 맞는 평가도구를 제작하는 것이다. 평가도구를 만족스럽게 사용할 수 있는 형태로 개발하는 데 유용한 단계이다.

넷째 단계에서는 개발된 평가도구를 통해 획득된 행동에 대한 기록을 요약하거나 평가하기 위해 사용되는 용어나 단위를 결정하는 일이다. 이 단계에서 분명히 할 점은 어떤 영역에서 얼마의 점수를 획득하였는가에 집중하기보다는 평가 수치를 통해 그 프로그램의 강점과 약점을 나타내는 분석적 요약을 시도해야 한다는 점이다. 예를 들어, 학생의 독서 흥미는 만족스럽지 않지만 학생들이 독서에서 해석하는 기술이 나아지고 있다는 것을 알아내는 것이다.

평가도구가 이렇게 어느 정도 객관성을 확보한다면 좀 더 신뢰도를 측정하는 방법을 기술함으로써 신뢰도를 확보할 수 있다. 예를 들어 검사나 관찰이 시간이 충분하지 못해 표본을 충분히 제공할 수 없다면 결론을 내리기 이전에 표본을 확정하는 것이 필요하다는 것을 기술해 놓는 것이다.

평가도구의 타당도는 바라는 행동에 대한 증거를 평가도구가 실제로 제공하는 정도를 일컫는다. 평가도구가 객관도나 신뢰도가 낮다거나 학생의 중요한 반응을 끄집어내지 못한다면 평가도구를 개선해야 되는 것이다. 평가도구는 계속적으로 개선된다고 볼 수 있다. 이렇게 개선된 평가도구는 점수로 혹은 기술(descriptions)의 형태로 모두 표현될 수 있다.

Tyler의 교육과정과 수업의 기본원리의 의의

교육과정 개발과 평가에의 합리적 접근과 경험적인 접근을 절묘하게 이루어낸 Tyler의 교육과정 원리의 강력한 힘에도 불구하고 그 역시 완전히 비판으로부터 벗어나지는 못했다. 교육목표의 설정에 기초하여 학습경험을 선정하고 조직하여 평가로, 평가결과를 바탕으로 다시 교육목표의 설정으로 순환되는 Tyler의 교육과정과 수업의 기본원리에서 수업이라는 절차가 생략되어 있다는 비판을 받아왔다(정범모, 1956). 또한 Kliebard는 평가를 목표의 성취로 제한하는 것은 프로그램의 생산성에 대한 판단을 흐려놓는다고 비판하였다. 즉 사소한 목표를 가진 프로그램이 평가를 통해 효율적이라는 결과가 산출된다면 성공적인 목표로 평가받게 되는 시스템은 그 프로그램을 수강한 학생들이 그들의 성장에 눈속임을 당하는 것일 수도 있다는 것이다.

그럼에도 불구하고 Tyler의 교육과정 원리는 교육과정 개발 및 평가 체제에 널리 수용되어 왔다. 특히 Tyler 교육과정의 핵심인 목표설정 및 진술과 평가는 오늘날의 교육에 많은 실현방법을 실제적으로 제공하는 핵심이라고 해도 과언이 아닐 것이다. 교육과정에 있어서 뚜렷한 목표의 설정 방법과 평가를 교육과정의 일부로 통합하고 다양한 평가 절차를 통한 교육목표 효율성의 평가와 피드백의 과정은 Tyler가 공식적으로 교육과정 원리에 포함시키기 전까지는 존재가 미약했던 평가영역을 교육과정 원리의 일부로서 자리매김시키고 공식적으로 포함되지 않았었던 뚜렷한 목표 실현의 방법을 제시한 것이었다. 결국 Tyler는 구체적인 교육내용에 대한 행동을 교육목표로 내세우면서 그것을 달성하기 위한 적절한 학습경험을 투입하여 그 결과를 평가해야 한다는 교육목표 위주의 교육과정이론을 표방하고 있다.

학습활동과 토의주제

1 교육과정과 교육평가 분야에서 Ralph Tyler가 이룩한 학술적 성취에는 어떤 것들이 있는지 탐색하여 봅시다.

2 Tyler가 미국 The Ohio State University에 재직하는 동안 수행한 8년 연구(The Eight Year Study)는 무엇인지 그리고 그 실제적 영향은 어떻게 나타났는지 알아봅시다.

3 Tyler의 교육과정 개발 모형 연구를 역사적으로 이어나가고 있는 학자들의 지적 계보를 Tyler에서 시작하여 Ohio State University에서 박사학위를 받은 Daniel Tanner까지 표로 만들어 봅시다.

4 Tyler 모형은 그 역사적 기여에도 불구하고 왜 1970년대 이후로 일련의 학자들에게서 비판을 받고 있는지 생각해 봅시다. 이를 위하여 위스콘신 대학교의 교육과정학과 교수인 Herbert Kliebard의 글과 재개념주의자들의 글을 찾아서 읽어 봅시다.

참고문헌

곽진숙(2002). 타일러와 아이스너의 교육평가론 비교 연구. 서울대학교 대학원 석사학위논문.

서미혜(1986). 타일러 교육과정이론의 비판에 관한 고찰 : 브루너 이론을 근거로 한 비판을 중심으로. 성균관대학교 대학원 박사학위논문.

이종승(1987). 타일러의 학문적 생애와 교육평가관. 교육평가연구 2(1). 교육평가 연구회.

진영은 역(1996). Tyler의 교육과정과 수업지도의 기본원리. 양서원.

Tyler, R. W. (1949). *Basic Principles of Curriculum and Instruction,* 양서원.

Tyler, R. W. (1949). *Basic Principles of Curriculum and Instruction,* University of Chicago Press.

Tyler에 대한 추억

오하이오주립대학교 사범대학의 두 개 건물 중 하나인 Arps Hall에는 명예의 전당(Hall of Fame)이 있다. 오하이오주립대학교 사범대학의 명성을 높인 학자들의 이름을 기리기 위한 것이다. 항상 수업을 위하여 이 건물을 다니다 보면 이들의 사진을 감상하지 않을 수가 없었다. 존 듀이와 함께 미국 진보주의 교육철학의 선두주자였던 Boyd Bode에서부터 미국 중등학교 교육과정 개혁을 이끌었던 Harold Alberty, 그리고 비지시적 상담으로 유명한 Carl Rodgers 등의 사진이 걸려 있다. 그리고 8년 연구를 오하이오 주립대학교 재직 당시 완성한 Tyler가 있다.

그러나 그러한 역사적 발자취와는 달리 1990년대의 오하이오 주립대학교의 사범대학에서는 Tyler에 대한 강좌나 관련 수업은 없었다. Tyler의 사진이 명예의 전당에 남아 있는 학교에서 어느 누구 하나 Tyler를 가르쳐주는 사람은 없었다. 있었다고 한다면 Elsie Alberty의 'The Junior High School Curriculum' 그리고 'Fundamentals of Curriculum' 뿐이었다. 교육과정은 무엇을 공부하는 학문일까 처음으로 의문이 들었다. 한국에서 공부하였던 내용들과는 너무 달라서 제대로 공부를 하고 있는지 걱정이 많이 되었다. 그러한 고민을 해결하기 위하여 교육과정학과 대신에 초등교육과, 유아교육과, 사회교육과 그리고 산업교육과에서 교육과정 개발과 관련된 수업들을 수강하였다.

반면 교육과정학과에는 새로운 이론들과 학자들의 이름으로 넘쳐났다. 실행연구, 질적연구, 문화연구, 젠더연구, 비판이론, 포스트모던 연구 등이었다. 대신에 Pinar, Apple, Lather, Foucault, Said가 가르쳐지고 있었다.

제3장

Tyler 모형의 승화: Taba model

이 장의 공부할 내용

Taba의 교육과정 개발의 7단계

각 단계의 설명

- 요구의 진단
- 교육목표의 선정
- 학습내용과 경험의 선정
- 교육과정 내용과 학습경험의 조직
- 교육과정 성과의 평가

Hilda Taba

Hilda Taba는 1902년 에스토니아에서 출생하였다. 1921년에 에스토니아에서 고등학교를 졸업한 후, 처음에 그녀는 초등학교 선생님이 되기를 결정하여 초등학교 교사 자격증을 취득하였다. 그러나 곧 마음을 바꾸어 Tartu 대학교의 경제학과 학생이 되었다. 그곳에서 Taba는 심리학 교수에게서 교육에 대한 진보적인 생각들을 소개받고 연구하게 되었다. 1926년 대학을 졸업한 후, 그녀는 미국에서 공부할 졸업 기회를 갖게 되었는데 바로 록펠러 재단의 지원을 받게 된 것이다. 이에 미국에 와서 공부를 계속하다가 결국 Bryn Mawr 대학에서 석사학위를 취득하였다. 이후 진보주의 교육에 심취하여 콜럼비아대학교 박사과정에 입학하여 미국 진보주의 교육철학에 대하여 전문적으로 공부하게 되었다. 물론 이 시기에 이 대학의 유명한 교육학자들이었던 Thorndike, Monroe, Counts, John Dewey의 수업을 들을 수 있었다. 그리고 결정적으로 Kilpatrick의 제자가 되어 「The dynamics of education: a methodology of progressive education thought」(1932)로 박사학위를 받았다. 지도교수의 박사학위 논문 평가에는 그녀가 나중에 저명한 교육과정 학자가 될 것이라는 예언이 있었다.

졸업 후 고국으로 돌아간 그녀는 대학에서 가르치려고 하였으나 지도교수가 갑자기 죽는 바람에 교수가 되지 못하게 되었다. 이에 여의치 않아 다시 미국으로 돌아오게 되고 진보주의 교육을 구체화시켰던 Dalton School Project에 참여하게 된다. 바로 이 기회가 오하이오주립대에 있었던 Ralph Tyler를 만나게 된 계기였다. 그녀의 현명함과 수학적 사고에 감동받은 Tyler는 Taba에게 자신이 진행하고 있었던 8년 연구의 한 부분을 책임지게 하고 사회과 교육과정 분야에 대한 연구를 하도록 격려하였다. 이후 Tyler가 University of Chicago로 떠날 때는 Tyler를 따라 그 대학의 연구소장으로 갔으며 이후에 뉴욕으로 돌아오게 된 후에도 그녀의 학문적 성숙은 Tyler의 자문과 연구활동으로 더욱 강화되었다. 그리고 Tyler의 원리를 승화시킨 그녀의 새로운 교육과정 개발 모형을 드디어 완성하게 되었다. 그녀의 이러한 역사적 업적으로 인하여 그녀의 교육과정 연구에 대한 논문은 100편이 넘으며 그녀가 돌아가려고 한 에스토니아의 대학에는 그녀의 학문적 업적을 기리는 기념일이 있다고 한다.

나아가 그녀는 수업모델에서도 중요한 기여를 하였는데 사회과에서의 개념 학습모형을 창조하여 역사적인 발자취를 남긴 것이다. 『Models of Teaching』의 책에 그녀의 개념학습모델은 주요 교수모형으로 소개되어 있다.

출처: Hilda Taba by Edga Krull, UNESCO, International Bureau of Education, 33(4). 2003, 12월.

주요 저서

1945, General techniques of curriculum planning: NSSE.
1962, Curriculum Development; Theory and Practice. NY: Brace and World.
1967, Teacher handbook for elementray social studies. CA: Addison-Wesley.

Tyler의 여제자로서 Taba는 Tyler가 개념화한 교육과정 개발 모형의 원형을 더욱 공고화한 학자이다. 그러한 점에서 초기의 교육과정 모형을 좀 더 원숙하고 더 정제된 형태로 발달시킨 학자로서 평가받는다. 그녀가 개념화한 7단계의 교육과정 개발 모형은 Tyler의 모형에 비하여 교육과정 개발 모형을 더 합리적이고 체계적으로 보완했다는 느낌을 지울 수가 없다. 이에 이 장에서는 국내에서 자세하게 소개된 적이 없는 Taba의 7단계 교육과정 개발 모형에 대하여 자세하게 설명하고자 한다. 이를 위하여 그녀의 대표작인 『교육과정 개발: 이론과 실제』 책을 중심으로 모형의 전체적 구조를 소개한다. 모형의 이해를 통하여 Tyler의 모형에서 어떤 점이 더 진화되었고 복잡해졌고 첨가되었는지를 비평해 본다면 이 모형의 가치를 이해하는 데 더 도움이 될 것이다. 그녀의 핵심 이론을 명료하게 설명하기 위하여 책 뒷 부분에서 다루고 있는 교과 단원 설계에 대한 모형에 대한 소개는 생략하기로 한다.

Taba의 교육과정 개발의 7단계

Taba는 자신의 저서 『교육과정 개발 : 이론과 실제』(Curriculum Development : Theory and Practice)에서 교육에 있어서 이론과 실제의 격리현상을 지적하고 좀 더 현실적이고 이론과 실제가 연계될 수 있는 교육과정 개발 이론을 개발하였다. 그의 교육과정개발 모형은 교육과정 개발의 출발을 교수-학습 단원 개발에서 시작하여 교과 형성으로 진행하도록 한다는 점에서 귀납적 모형이라고 할 수 있다. Taba는 Tyler의 모형을 보강한 7단계의 교육과정 개발 모형을 그림 3-1과 같이 제시하였다.

그림 3-1은 Tyler와 Taba의 교육과정개발 이론을 비교한 것이다. Taba는 Tyler와 달리 아동들이 무엇을 배우기를 원하고 배울 필요가 있는지를 확인하는 '요구의 진단' 을 첫 번째 단계로 설정하였다. 그는 교육과정의 원천에 대한 탐색을 통하여 학교가 추구해야 할 일반목표를 추출할 수 있지만, 구체적이고 명확한 교과과정 목표는 특정 집단의 학생에 의해서 도달될 수 있는 목표수준과 학생의 경험에 비추어 요구될 수 있는 강조점 등에 관한 어떤 정보, 즉 욕구에 대한 진단자료에 의해서만 가능하다고 설명하였다.

요구의 진단에 이어 두 번째 단계는 교육과정 요소를 개발하기 위하여 기초가 되는 명확하고 포괄적인 목표를 설정하는 단계이다. 목표에 의해 어떤 내용이 중요하고

[그림 3-1 Tyler와 Taba의 교육과정 개발 모형 비교]

그것을 어떻게 조직하느냐를 결정한다.

다음 단계는 내용선정과 조직이다. 이 단계에서는 내용에 대한 교사의 깊이 있는 이해를 바탕으로 교육과정 내용을 선정하고 조직하여야 한다. 즉, 내용조직과 선정을 위해서는 그것의 타당성과 의의, 내용의 여러 수준 간의 적절한 구별, 어떤 발달수준에 어떤 내용을 적용할 것인가의 결정 등과 같은 목표 이외의 준거가 필요하며 더 나아가서는 학급에 있어서 계속성과 계열성의 중요성, 다양한 학습 능력 등에 대한 교사의 깊이 있는 이해가 필요하다.

다음 단계는 학습경험의 선정과 조직이다. 이 단계에서는 학습의 원리를 응용하는 것뿐만 아니라, 개념 성취의 전략과 학습의 계열화에 대한 이해를 바탕으로 적절한 학습경험을 선정하고 조직하여야 한다. 또한 학습될 내용을 적절한 학습경험으로 연결시키는 방법, 학습 능력, 동기화 등의 문제도 교사가 고려하고 대처해야 하는 단계이다. 이러한 측면에서 볼 때, Tyler가 교사의 측면에서 학습경험을 강조한 반면 Taba는 학습자의 측면에서 강조했다고 볼 수 있다.

마지막 단계인 학습성과의 평가 단계에서는 무엇이 평가되어야 하는지와 그것을 평가하는 방법과 수단을 결정하는 단계이다.

각 단계의 설명

요구의 진단

Taba 모델의 첫째 단계는 요구의 진단이다. 이는 학생들이 무엇을 알고 무엇을 이해할 수 있으며, 그들이 어떤 기능을 가지고 있느냐, 혹은 어떤 정신적 과정을 그들이 성취했느냐 등을 진단하는 단계이다. 진단은 자원 및 시설을 포함한 교육제도 전반 상태의 진단에서부터 개개 학생이나 학생 집단에 관한 진단에 이르기까지 여러 수준에서 이루어진다. Taba의 요구의 진단방법은 표 3-1과 같이 공식적인 진단방법과 비공식적인 진단방법을 포함한다.

〈 표 3-1 공식적 진단방법과 비공식적 진단방법 〉

	공식적 진단방법	비공식적 진단방법
특징	학생의 교육적 욕구, 교실학습의 제 조건, 교육목적의 가장 적당한 성취에 영향을 미치는 제 요인을 진단	공식적인 진단의 조력, 객관적 진단방법이 개발되어 있지 않은 분야의 진단
진단방법	① 성취도 진단 ② 학습자인 학생의 진단 ③ 교육과정 문제의 진단	① 개방적 학급면담 ② 개방적 질문과 주제 ③ 완성의 이야기와 일상사건 ④ 작업의 기록과 관찰 ⑤ 토의와 기록 ⑥ 교우측정검사 ⑦ 교외환경 진단방법

공식적 진단방법

Taba가 제시하는 공식적인 진단 유형으로서 성취도의 진단, 학습자인 학생의 진단, 교육과정 문제의 진단은 학생의 욕구, 교실학습의 제 조건, 교육목적의 가장 적당한 성취에 영향을 미치는 제 요인 등을 진단하는 방법이다.

성취도의 진단

성취도의 진단은 학생들이 중요한 교육목표를 어떻게 잘 성취했는가를 진단하는 것이다. 성취도의 진단에 의한 자료는 기준설정에 자주 이용된다. (예를 들어 수학과를 더 강조할 경우, 그것이 성취결과를 기대되는 수준에 도달하도록 하는 데 필요하냐, 그렇지 않으냐를 결정하기 위해서는 수학시험에서의 집단점수를 기준인 국가적인 표준점수에 비교해 보게 된다.)

또한 학생들이 도달한 것 중에서 강약점의 원인을 분석하는 데 성취도 진단 자료가 이용된다. 그러므로 성취결과뿐만 아니라 답이 얻어지고 잘못된 원인이 나타나는 모든 과정도 분석되어야 한다. 진단은 역시 가능한 도달 수준을 평가하는 데 필요한 정보를 주기 때문에 특수 학년, 교과 혹은 단원의 출발점을 결정하는 데 이용될 수 있다.

학습자인 학생의 진단

효과적인 교육과정의 단원을 개발하고 학습경험을 위한 계획을 세우기 위해서는 학생들의 문화적 배경, 동기부여의 패턴, 그들이 학교에서 갖는 특수한 의미, 사회학습의 내용, 그들이 그들 자신과 타인에게 갖는 기대 등에 대한 진단이 필요하다. 이러한 학습에 영향을 미치는 요인들의 조기진단은 이들 요인에 의한 문제를 사전에 처리하여 학교교육에 있을 많은 성취도 미달을 막아줄 수 있다.

교육과정 문제의 진단

교육과정 문제의 진단은 교육과정 실험이 계속되는 교실에 대한 연구나 특수한 사례를 포함하는 포괄적인 진단 자료 중에서 진단의 특수사례를 교육과정 문제를 분석하는 데 이용하는 방법이다.(예: 성취도에 미달한 원인을 발견하기 위해서 필요한 것 또는 상당한 비율의 학생들에 대한 교육과정의 실패 원인 분석에 필요) Taba는 교사의 참여를 필요로 하는 이러한 진단 방법은 교사훈련의 강력한 방법인 현장연구를 지원하는 진단 개념이라고 하였다. 진단에 의한 특수 사례의 문제를 분석할 때에는 방대한 자료를 모으려고 하기보다는 '가능성을 좁히기' 위한 중요한 몇 개의 기준에 의해 진단자료를 모을 수 있는 체계적인 진단과정이 필요하며, 이를 위해 Taba는 다음의 네 단계를 제시하였다.

교육과정 문제의 진단 과정 예 : 부진아 문제

① 문제의 확인 : 교사들은 부진아들 사이에 부진 원인의 공통점이 많다고 인식(모든 부진아의 학습부진의 원인을 지적 능력의 결여라고 예상함.)

② 문제의 분석 : 부진아의 공통적인 특징을 목록화함. 각 부진아마다 하나의 고유한 원인이 있음을 발견
③ 가설설정과 자료수집 : 모든 부진아들에게 있어 지적 능력의 결여가 부진의 원인이 아니었음을 확인
④ 실천에 의한 실험 : 부진아 개별로 고유한 원인에 교정적인 방법을 적용하여 개선시킴. 교사들은 장애물을 제거하기 위한 단계들은 일단 '근본적인' 요인들이 확증되면 아주 명확하고 단순한 것이라는 것을 발견함.

비공식적 진단방법

비공식적 진단방법은 공식적 진단도구가 개발되어 있지 않은 분야(예를 들면 사고, 태도, 감정 등)를 진단하는 방법이다. 비공식적 진단방법을 표로 정리하였다.

〈 표 3-2 비공식적 진단방법 〉

종류	특징
개방형 학급면담	학생들에게 친근한 어떤 사물의 의미를 도출하도록 설계된 질문과 학생들의 과거 경험의 기술 등으로 구성되어 있으며 이것은 어떤 현상과 개념을 이해하고 이에 대한 그들의 감정과 배경을 해설하는 데 이용된다.
개방적 질문과 주제	한 집단의 감정, 개념, 사고를 타진하기 위하여 어떤 주제에 대한 반응을 타진하는 진단방법이다.
완성의 이야기와 일상사건	중단된 미완성의 이야기와 사건에 대한 토론을 통하여 감정, 감수성, 판단의 수준과 특질을 진단하는 방법이다.
토의와 기록	토의 내용은 가치에 대한 감수성과 감정, 학생들이 정통하여 응용하는 개념과 관계를 검사하고 일반화하는 능력을 알기 위해 분석될 수 있다.
작업의 기록과 관찰	작업기록은 기능과 작업습관의 진단에 특히 유용하다. 예를 들어 수학에서 타당한 해답에 도달하기 위해 타당한 절차를 학생들이 사용하고 있는지를 알 필요가 있다면 문제해결과정의 기록을 습득해야 가능하다.
특수과제물 연습	학생들이 사용하는 개념의 수준, 추상적 능력의 정도, 언어적, 양적 자료를 해설하는 능력과 다른 사고의 측면을 평가하는 방법으로, 즉 교수의 전 단계로 이 과정의 작업에 필요한 과제를 부과하는 것이다. 예를 들어 학생들에게 도표와 그래프의 해석을 요구하게 될 때, 정확한 사실에서 정확한 의미를 얻는 학생의 능력을 알게 된다.

(계속)

종류	특징
교우측정조사	개인간의 상호작용 유형을 진단하는 방법으로 타당한 조사의 필수조건은 그 상황이 현실적이어야 하며, 그 질문에 포함된 내용이 실제로 수행될 수 있는 것이어야 한다.
교외환경 진단방법	기존의 가정방문, 상담과 같은 방법은 아동이 생활하는 심리적 · 사회적 세계와 새로운 지식과 통찰력을 기르는 데 부족하다. 사회계층의 배경을 진단하기 위해서는 문화인류학자들이 지역사회연구에 사용하는 명료한 해설기술이 유용하며, 일기를 통해 아동의 입장에서 교외환경을 타진할 수도 있다.

교육목표의 선정

Taba 모델의 두 번째 단계는 교육목표의 선정이다. 이와 관련하여 Taba는 크게 세 가지 핵심 내용을 제시하고 있다. 이를 설명하면 다음과 같다.

교육목표의 정의 및 기능

> *교육의 주된 활동은 어떤 수단으로서 개인을 변화시키는 것 즉 개인들이 가지고 있는 지식을 더해주고 그들이 다른 방도로 수행하지 않은 기술을 그들로 하여금 수행하도록 하며, 어떤 이해력, 통찰력 등을 계발시켜 주는 것이다. 이와 같은 기대나 혹은 바람직한 성과의 진술을 교육목적 또는 교육목표라고 한다(Taba, p.194).*

Taba에 따르면 교육목표는 교육활동을 통해 수행되거나 계발될 여러 가지 능력에 대한 기대나 혹은 바람직한 성과의 진술을 말한다. 따라서 교육목표의 설정은 아이디어를 이끌어 낼 수 있는 사회 · 문화 · 개인의 발달, 교과와 같은 자원의 검토 · 해석 · 선정 과정을 통해 균형 잡힌 목표를 이끌어 내는 작업을 의미한다.

Taba는 교육성과의 진술, 즉 목표는 몇 개의 다른 수준상에서 진술될 수 있다는 점을 밝히며 이와 같은 다양한 수준에서의 교육목표의 기능을 다음과 같이 제시하였다. 일반적 수준상에서 목적을 진술하는 것의 주된 기능은 교육 프로그램에 있어서 주된 강조점에로의 지향점을 마련해 주는 것이다. 이런 수준의 목적은 교육철학으로 기술될 수 있는 바를 정립시켜 주며 개인 및 사회의 요구와 가치를 하나의 교육 프로그램으로 옮겨 주는 유일한 하나의 단계에 불과하다. 더욱 구체적인 수준상에서의 성과는 항상 교육목표라고 불리며 학교에서 행해지는 넓은 성과를 기술하는 것과 특수한 하나의 단원, 교과영역, 혹은 한 학년 수준의 프로그램에서 도달되어질 행동을 구체적으로 기술한 것이다.

각각의 단원이나 학년에서 일어나고 있는 발달을 생각하지 않고 교육과정의 각 부분이 진행된다면 상호의존, 비판적 사고의 발달과 같은 복잡한 목표에 도달하기에는 어려움이 있게 된다. 그러므로 교육 프로그램의 많은 부분에 걸쳐 있는 공통목표가 하나로 통합된 관점으로 되는 것이 필요하다(Pace, 1958, pp.69-83). 이에 교육목표의 더 구체적인 항목의 주된 기능은 전체를 아우르는 것, 강조하는 것, 내용으로 선정할 것, 학습경험으로 강조할 것 등에 관한 교육과정적 결정을 내리게 하는 것이다. 이것이 교육목표의 가장 중요한 기능으로서 내용 및 학습경험의 선정에 관한 결정을 인도하는 것과 무엇을 가르치며 그것을 어떻게 가르칠 것인가에 관한 기준을 마련하는 것이다. 즉 목표의 명확한 진술은 매우 넓은 지식 영역으로부터 어떤 타당한 성과의 실제로 필요한 것을 선정하는 데 도움을 주며 우리들이 교육과정이라고 부르는 다양한 활동에 대해서 공통적이며 일관된 초점을 마련해 준다.

마지막으로 목표는 성취도의 평가를 위한 하나의 지침으로 주어진다. 우리는 가르치게 되는 것과 평가되는 것 사이의 모순을 보아왔다. 부분적으로는 넓은 성취도의 범위를 측정할 방법의 제한에 의해서 이루어지며 주로 기대되는 성과와 평가 간의 모순은 목표 그 자체가 명확하게 설정되지 않는 데에서 일어난다.

교육목표 선정의 자원

Taba는 교육의 역할을 다음 세 가지로 정의하였기 때문에 교육목표의 선정자원 역시 그러한 역할에 기초하여 도출되어야 한다고 주장하였다: ① 문화적 유산의 보존 및 계승, ② 교육의 역할에 대한 견해에 따라 목표와 강조점이 달라지며 그에 따른 교육과정이 탄생된다. Taba는 학교의 기능을 크게 세 가지로 제안하였다.

첫째, 문화적 유산의 보존 및 계승자로서의 교육이다.

둘째, 문화변혁의 기구로서의 교육이다. 이는 교육이란 사회과정 즉 기본적이고 가장 효율적인 사회재건의 도구로 보는 것이다.

셋째, 개인적 발달을 위한 교육이다. Dewey와 그의 추종자들은 창조적 개인의 발달을 강조함으로써 교육에서의 창의적 역할을 강조하였다.

이에 Taba는 목표자원을 선정하기 위하여 교육과정 개발자가 해야 할 역할로서 다음 네 가지의 자원에 대한 분석을 시도해야 한다고 제언하였다. 위와 같은 학교의 기능을 통한 Taba가 제시하는 교육목표 선정의 자원을 살펴보면 다음과 같다.

교육목표 선정 자원으로서의 문화 분석

문화 분석이란 환경은 무엇을 내포하고 있는가, 어떤 역동성에 의해 움직이고, 그것은 어떤 문제와 가능성을 지니고 있는가에 대한 이해를 통해 교육이 무엇을 할 수 있고 해야 하는지를 밝혀내는 과정을 의미한다.

Taba에 의하면 이러한 문화 분석의 과정을 통한 교육목표 선정을 위해서는 문화연구학자와 교육연구학자들 간의 연구의 교류가 필요하다. 그 이유는 오늘날 학교를 괴롭히는 실제 문제들은 독자적으로 교육 그 자체 내에 뿌리를 박고 있지 않기 때문이다. 이에 인류학적, 사회학적 및 사회심리학적인 접근이 어떻게 문화 분석을 돕는 자료가 되는지를 살펴보고자 한다.

첫째, 교육은 인류학과 마찬가지로 생활 속의 기술, 기술에 붙어 있는 규준과 가치, 이것의 젊의 세대로의 전달 등을 취급한다. 인류학과 교육 양자 모두 문화의 중요한 가치를 취급하는데 인류학이 문화의 특징과 문제들에 관하여 말함으로써 교육과정 구성을 위한 기준의 개발에 도움을 준다. 둘째, 사회심리학은 학교의 사회화 기능과 학습 분위기 조성에 있어서 진단과정의 역할을 설명하는 데 공헌할 수 있다. 일종의 사회제도와 같은 학교에 대한 사회학적 연구는 명확한 초점을 갖게 하며 여러 가지 의사결정의 역할이 어떻게 정립되어 가는가를 보여줌으로써 학교의 문화적인 학습경험의 근원을 추적할 수 있게 한다. 즉 인류학, 사회심리학과 같은 학문들은 교육목표의 규정, 학교에 미치는 문화적 영향의 이해, 가치 및 기준의 학습에 교사가 미치는 영향을 살펴볼 수 있는 학교문화의 역할 이해, 학교 문화 내에 있는 역할관계의 효과, 사회학습의 상대적 역할, 사회화 · 성격형성 · 학생의 세계관에 관한 지식 등의 이해에 도움이 될 수 있을 것이다.

문화 분석을 통한 교육목표의 자원이 될 수 있는 가치관의 예

자율성, 개성, 창의성, 자기개발, 주체성에 대한 인식

교육목표 선정 자원으로서의 사회 분석

두 번째 분석의 자원은 사회이다. 사회 분석이란 사회가 교육에 대해 무엇을 요구하고 있는지, 교육은 문화에 대해 특히 광대하고 급속한 변화가 일어나고 있는 복합사회에 대해 어떤 공헌을 할 수 있으며 해야 하는지에 대해 확립해 나가는 과정을 의미한다.

사회를 분석하기 위해 참고할 수 있는 자료들은 다음과 같다. 첫째 과학학문의 진보이다. 생물학, 인류학, 사회학, 사회심리학의 진보는 우리에게 인간에 대한 새로운 이해와 인간이 어떻게 성장하고 학습하는가에 대한 이해를 주고 있다. 둘째 사회제도의 변화이다. 인구동향의 방향과 의의, 기술의 발달, 사회의 계층, 가치체계와 행동적 역할의 구별, 도시화의 영향, 가족의 구조 등을 살펴봄으로써 인간에 대한 이해를 도울 수 있다.

과학과 기술의 진보는 사회에 대한 자동적인 진보 및 개선이라는 결과를 낳고 있으며, 결과적으로 교육의 과업은 젊은이들에게 이러한 성취를 새겨 넣도록 하는 것이 되었고 지나친 사실적 중립과 수단화를 강조하게 되었다. 따라서 기술에 의해 초래된 변화와 이로 인한 사회적 · 경제적 결과에 대해 어떤 이해를 가지고 숙고해야 한다.

이러한 현대사회의 모습을 분석해 볼 때 교육목표 선정 자원으로서 다음과 같은 것을 이끌어 낼 수 있다.

교육목표 자원이 될 수 있는 사회 분석의 예

과학과 인간 책임성, 인간의 복지를 위한 변화의 통제 불가능, 기계의 출현에 의한 무력감과 소외감 경험, 가치의 근원, 새로운 지적 훈련

교육목표 선정 자원으로서 개인의 발달에 대한 연구

세 번째 분석의 자원은 개인의 발달에 대한 연구이다. 개인의 발달에 대한 연구는 인간으로서의 개인 그리고 자기발전 및 자기달성, 교육에 대한 그들의 욕구 등이 국가생활에 매우 중요하며 개인의 발달에도 본질이 되어야 한다는 것에 관하여 알려진 바를 고찰하는 것이다. 따라서 한 개인이 어떻게 발달하고 각 단계에서 무엇을 성취해야 하는지를 알려주는 발달과 지능이론 등은 교육목표의 중요한 자원이 된다. 이 주장은 이미 Tyler에 의해서도 잘 설명되었다.

어떤 연령수준에 무엇을 가르칠 것인가를 알기 위해서는 아동의 발달에 관한 지식에 관심을 가질 필요가 있다. 여러 연령수준에 나타나는 특징적 사고형태는 특정교과를 가르치는 가장 적절한 시기가 언제이며 이러한 경험의 계열이 어떻게 되어야 하며, 가르칠 것을 어떻게 해서 학습할 수 있는 경험으로 조직해야 하는가 하는 것 등을 결정하게 해 줄 것이다. 만약 우리들의 지능이 어떻게 작용하며 능력이 어떻게 발달하는가를 안다고 하면 아동의 욕구와 능력에 맞는 교육과정 내용을 만들 수 있을 것이다. 학습의 전이에 관한 지식은 학습의 효과, 즉 학교에서 배워질 수 있는 것은 무엇이든지 유용하게 쓸 수 있게 하는 방법, 학교경험이 다루는 것 이외의 것에 학교에서 배운 바를 적용시킬 수 있는 방법 등에 관하여 결정을 내리는 데 도움을 줄 것이다.

이와 같이 발달이론뿐 아니라 교육과정 전반에 관한 주된 학습이론들과 지능에 대한 연구와 한계점, 새로운 지능에 대한 연구, 학습의 전이에 대한 연구, 사회적 · 문화적 학습에 대한 연구 등 유기적인 연구를 통해 개인의 발달에 적합한 교육목표를 선정해야 할 것이다.

교육목표의 자원이 될 수 있는 개인의 발달에 대한 연구의 예

발달에 관한 시켄스의 연구 : 지적, 정서적, 또는 사회적 성숙의 어떤 정도가 사회 학습의 여러 다른 능력과 다양한 형태를 가지고 있는 여러 연령 수준의 학생들에 의해서 도달될 수 있는가를 밝혀내는 연구

교육목표 자원으로서 교과 연구

마지막 분석의 자원은 교과(지식)에 관한 연구이다. 교과 연구란 학문적인 지식은 무엇으로 이룩되는가, 어떤 종류의 지식이 가장 큰 교육적 영향을 가지는가, 사람들이 고등정신 과정을 어떻게 개발하는가 등의 문제를 고찰하는 것을 의미한다.

한 가지 예를 들어 전통적으로 교과의 기능으로는 몇 가지가 있는데 하나는 내용 자체가 중요하다는 관점으로 각각의 지식이 고유한 가치를 지니고 있다는 것이며 또 하나의 관점은 교과의 가치발견에 만족하는 것이 아닌 교과를 통한 정신훈련에 만족하는 것으로, 대립되는 이 두 견해가 지배적이다. 이 견해들은 교육과정 전개를 위한 기준으로서, 종종 내용을 선정하고 조직하며 무엇이 근본적인 것인가를 결정하는 방법상에 숨겨져 있는 가정으로 작용한다. 이와 같이 교과의 기능에 대해 어떠한 견해를 가지고 있느냐, 어떠한 기능이 존재하느냐, 양립 가능하느냐를 탐구함으로써 더

적절한 교육목표를 선정하는 데 중요한 자원이 될 수 있는 것이다.

교육목표의 자원이 될 수 있는 교과연구의 예

내용수준에 대한 연구 : 특수한 사실과 제 과정, 기본 아이디어, 개념, 사고체계
지식의 통합연구 : 전문분야의 증가, 지식의 폭발적 증가로 인해 더욱 필요성이 강조되고 있음

행동목표의 유형

교육목표의 선정 영역에서 Taba가 이론화하였던 세 번째 주제는 행동목표의 유형들을 개념화한 것이다. Taba는 교육목표의 진술을 '행동과 내용' 으로 나타내어야 한다고 하였는데 이 점에서 Tyler와 의견을 같이한다. 그는 행동의 기술과 이런 행동이 적용되는 내용을 기술함으로써 목표를 진술하고 분류하는 이차원적 모형은 내용에 의한 분류보다 교육과정 전개 및 평가를 위한 하나의 기초로서 더 기능적이라고 하였다.

Taba가 제시하는 행동목표의 유형을 정리하면 표 3-3과 같다.

〈 표 3-3 Taba가 제시한 행동목표 〉

행동목표의 유형	의미
지식 (사실, 아이디어, 개념)	경험되거나 혹은 학습될 형태 가운데에서 기억하는 것, 사실이나 아이디어 혹은 현상을 재생시키는 영역
반성적 사고	자료의 해석을 바탕으로 사실과 원리를 적용하여 논리적 추리에 이르는 영역
가치와 태도	가치란 주관 및 자기의 욕구, 감정이나 의지의 욕구를 충족시키는 것을 가리킨다. 태도란 개인이 어떤 사건이나 문제, 물건이나 사람 등에 관해서 어떤 인식과 감정 및 평가를 가지며, 거기에 입각하여 그 대상에 대해 가지고 있는 반응의 준비상태를 의미함
감수성과 감정	감수성은 사회적 · 문화적 환경에 대해 반응하는 능력으로 감정의 확산은 감수성의 중요한 하나의 측면
기능	어떤 영역과 관련하여 학습되는 능력

지식 : 사실, 아이디어, 개념

이러한 목표의 영역은 경험되거나 혹은 학습될 형태 가운데에서 기억하는 것, 사실이나 아이디어 혹은 현상을 재생시키는 영역이다. 더 넓은 의미로는 새로운 장면에서

재조직될 수 없고 이용될 수 없으며 관계를 보는 것, 판단을 내리는 것을 내포하지 않는 지식이 거의 가치가 없다는 뜻에서 '이해' 혹은 '통찰' 의 아이디어를 내포하고 있다. 특수한 사실 → 기본 아이디어 → 개념 및 사고체계 순으로 지식의 목표 간에 계열을 가지고 있다.

반성적 사고

반성적 사고는 자료의 해석을 바탕으로 사실과 원리를 적용하여 논리적 추리에 이르는 영역이다. 이와 같이 많은 과정을 내포하고 있으며 그런 과정의 각각은 이 목표가 교육과정 전개나 혹은 평가의 지침으로서 기여할 수 있도록 아주 명료하게 구별되어야 한다. 반성적 사고의 과정은 첫째 자료의 해석이다. 이는 글 한줄 한줄에서 의미를 뽑아내거나 만화, 통계표에서 아이디어를 뽑아내는 그 자체와 그것의 아이디어들을 서로 관련을 맺도록 하여 일반화를 끌어내는 것을 내포한다. 둘째, 사실과 원리의 적용과정으로 학습되지 않은 새로운 장면에서 이미 학습한 사실을 끌어내거나 원리를 적용하는 것을 말한다. 마지막으로 생각을 분석하여 논리적이며 비판적으로 추리하는 논리적 추리과정으로 구분된다.

가치와 태도

가치란 주관 및 자기의 욕구, 감정이나 의지의 욕구를 충족시키는 것을 가리킨다. 태도란 개인이 어떤 사건이나 문제, 물건이나 사람 등에 관해서 어떤 인식과 감정 및 평가를 가지며, 거기에 입각하여 그 대상에 대해 가지고 있는 반응의 준비상태를 의미한다. 즉 가치와 태도 영역은 문화, 인간의 동기 및 행동과 관련이 있다. Taba는 이러한 가치의 교수에는 주로 세 가지, 즉 그들에 관해 가르치는 것, 교화하는 것, 그런 것들이 프로그램 내에 있는 다른 일의 부산물로 나타나기를 바라는 것 등이 있으며, 학교 프로그램은 기대하는 것보다 가치 발달에 교육효과가 좀 더 적다고 지적하였다.

감수성과 감정

감수성은 사회적 · 문화적 환경에 반응하는 능력으로 감정의 확산은 감수성의 중요한 하나의 측면이다. 가치, 감정 및 감수성 등은 그것에 관해서 가르치는 것만으로 발전되지 않는다. 학생들의 체험, 문학적 경험, 충분한 정서적 의미로 생활을 다시 만들어내고 감정과 가치를 표현할 경험을 제공해야 한다. 또한 그런 것에서 감명을 받게 할 다른 자료에 의한 경험을 필요로 한다.

기능

기능은 어떤 영역과 관련하여 학습되는 능력이다. 기능에 관한 목표는 읽기, 쓰기, 셈하기와 같은 기본이 되는 학문적인 기능에서 민주적 시민의 자질 및 집단생활에 있어서의 기능까지 포함한다. 항상 기능에 관한 목표는 '3Rs' 에 집중되어 왔다. 이와 달리 사회적 또는 집단 기능은 무시되어 왔다. 이러한 기능을 기르기 위해서는 첫째, 반대쪽의 감정을 측정하거나, 자기 자신의 행동에 대한 대중의 반응을 객관적으로 평가하기, 곤란에 관한 장면적인 원인을 발견하는 것 등이 필요하다. 둘째, 민주적으로 권위를 다스리는 기능을 필요로 한다. 셋째, 적절한 리더십의 역할을 학습하는 것이다.

학습내용과 경험의 선정

> *교육과정이 학습계획이며, 목적이 어느 학습이 중요한가를 결정한다면 적절한 교육과정 계획에 학습경험 및 내용의 선정과 조직이 포함되어야 한다. 학생들이 학급 내에서 가질 수 있는 경험 유형에 해당되는 모든 결정이 순수하게 방법론적임이 되지는 못한다는 것을 의미한다 (Taba, 이경섭 외 역, 1976, p.324).*

이 단계는 Taba의 모형에서 세 번째와 다섯 번째 단계에 해당되며, 학습경험과 내용 선정의 합리적 준거를 적용하여 적절한 학습경험과 내용을 선정하는 단계이다. 그는 교육과정 경험 선정의 합리적 준거를 논의하기 전에 교육과정이 학습내용과 경험으로 구성되어 있다는 것과 합리적 준거를 확립하기 위해서는 학습경험과 내용을 구별해야 한다고 하였다. 예컨대, 중요한 내용을 취급하여 결국 부적절한 결과로 끝날 수 있으며, 유익한 학습경험을 학습할 가치 없는 내용에 적용할 수도 있다. 내용과 학습경험이 모두 유의미하고 유익할 경우에만 효과적인 학습이 이루어질 수 있는 것이다. 그러나 교육과정 경험 선정의 준거를 교육과정 내용선정에 대한 준거로 사용함으로써 교육과정 조직과 선정의 준거가 잘못 적용되어 왔음을 그녀는 지적하였다. 그녀는 행동목표 중에는 내용에 의해 충족되는 교육목표(개념, 관념, 학습할 사실)도 있으며 학습경험에 의해 적절히 수행되는 목표(사고, 기술, 태도)도 존재한다고 진술하였다. 따라서 Taba는 앞에서 언급한 행동목표와 같이 목표는 그것이 어느 학습이 중요한가를 결정하기 때문에 교육과정 계획에 학습경험뿐만 아니라 내용의 선정과 조직이 포함되어야 한다고 주장하였다.

학습경험과 내용 선정의 준거

학습경험과 내용의 선정과 조직을 위해 공식화되어 적용될 수 있는 준거는 교육과정 전개의 원천적 자료연구에서 도출된 결과를 기능적 교육과정으로 전환시킬 수 있는 도구이다. Taba에 의하면 이러한 준거는 학교의 사회적 과제, 문화적 요구, 학습에 대한 방침에 따라 교육과정 설정의 준거와 목적도 달라질 것이라고 하였다. 결국 한 가지 준거만을 배타적으로 사용할 수 없기 때문에 그 준거가 어떤 것이든지 타당하게 입증된 내용과 경험만을 걸러낼 수 있는 체의 집합과 같은 준거집단이 필요하다고 그녀는 주장하였다. 다음은 Taba가 제시한 학습경험과 내용 선정의 준거를 표 3-4로 정리한 것이다.

〈 표 3-4 학습경험과 내용 선정의 준거 〉

선정에서 고려할 점	내용	학습경험
타당성과 유의미성	기본적 개념과 관념이어야 함.	탐구방법, 개념, 원리를 학생들의 발달수준에 적합한 사고체계로 전환시킬 수 있어야 함.
사회적 실재와의 일치	사회적 실재와 일치하는 내용이어야 함.	
폭과 깊이의 균형	최대의 전이능력과 최대의 적응력을 갖춘 충분한 범위의 개념을 선정해야 함.	전이에 필수적인 과정을 개발할 수 있는 학습경험의 설계를 위한 계획을 병행해야 함.
광범위한 목표 성취를 위한 대안		능동적 학습기회를 증가시켜야 함.(발견학습의 원리 적용)
새로운 학습에 대한 교량으로서의 생활경험	생활경험을 교육과정 내용 및 경험에 적용함.(새로운 학습에 대한 교량으로서 사용)	
학생들의 욕구와 흥미	선택 수준을 세분화함에 따라 학습되어야 할 필수적인 것을 고정시키고 학습해야 할 세부적인 사항을 학생의 흥미에 맞춰 결정해야 함.	

타당성과 유의미성

학습내용이 타당하고 유의미한 것이어야 하며 그러한 타당성과 유의미성을 확보하기 위해서는 다음의 준거가 적용되어야 한다.

- 학습내용이 기본적 개념과 관념이어야 한다.
- 탐구방법, 개념, 원리를 학생들의 발달수준에 적절한 사고체계로 전환시킬 수

있어야 한다.

지식(관념이나 개념)이 기본적인 것일 때 타당하고 유의미한 내용이 될 수 있다. 기본적인 개념이나 관념은 적용범위를 넓히고 광범위한 적응력을 가질 수 있게 한다.(예: 빛의 파장설의 기본 관념 이해 → 소리의 파장에도 적용) 그러나 타당하고 유의미하며 기본적인 교육과정 내용 전개는 기본적 개념을 선정하는 것보다 더 중요하다. 따라서 탐구방법, 관념, 원리를 학생들의 발달수준에 적절한 사고체계로 전환할 수 있어야 한다.

사회적 실재와의 일치

교육과정이 추구하는 내용과 결과가 '사회적 실재와 일치' 해야 유용하다. '사회적 실재와의 일치' 란 현재 사회의 직접적 상황의 요구에 대한 반응이 아니라 문화와 사회의 분석에 의해 우리 문화의 기본적 요구에 대한 사려 깊은 실재 방침이다.

Taba는 사회적 실재와 일치를 내용 선정의 준거로 적용하게 된다면, 현재를 밝혀주고 미래의 전망을 열어주는 지혜를 제공해 줄 수 있으며, 결과적으로 교육이 시대에 뒤떨어지고 현재 가르치는 것과 현재의 학생들이 미래에 성인으로서 필요로 하는 것 사이의 간격을 좁힐 수 있다고 하였다.

- 사회적 실재와 일치하는 내용:
  현재를 밝혀주고 미래의 전망을 열어주는 지혜를 제공해 줄 수 있어야 한다.

폭과 깊이의 균형

교육과정은 폭과 깊이의 적절한 균형을 제시해야 한다. 깊이를 적용범위의 확장으로 보지 않고, 어떤 기본적 원리, 관념, 개념을 명확히 이해하고 적용하는 것으로 본다면 이해의 깊이와 적용범위의 폭은 상반되는 원리가 아니다. 예컨대, 반드시 모든 빛의 현상을 포함시키지 않아도 충분한 깊이로 빛의 개념을 공부할 수 있다. 그리고 빛의 파장설을 명확하게 이해하고 있다면, 소리에 관해서도 동일하게 적용할 수 있게 된다.

깊이에 대한 위의 견해에 의한다면, 교육과정 내용과 학습경험 선정의 준거로서 폭과 깊이의 균형을 이루기 위해서는 최대의 전이능력과 최대의 적응력을 갖춘 충분한 범위의 개념을 선정하고 각 연구에 충분한 시간을 할당해야 한다. 적용범위와 깊이의 균형을 유지하기 위해서는 내용 선정만을 고려함으로써 해결될 수 없으며 전이에 필수적인 과정을 개발할 학습경험의 설계를 위한 계획도 포함되어야 한다.

- 폭과 깊이의 균형을 이루기 위해서는 최대의 전이능력과 최대의 적응력을 갖춘 충분한 범위의 개념을 선정한다.
- 전이에 필수적인 과정을 개발할 수 있는 학습경험의 설계를 위한 계획이 포함되어야 한다.

광범위한 목표 성취를 위한 대안

교육과정은 광범위한 목표의 성취를 계획해야 한다. 광범위한 목표의 성취를 위해서는 첫째, 내용보다 학습경험이 지식과 이해를 포함한 모든 목적을 성취하는 수단이 된다는 점을 먼저 고려하여야 한다. 내용과 내용조직은 오직 목적의 외적 한계만을 결정할 뿐이다. 만약 잠재적으로 풍부한 교과라 할지라도 광범하거나 또는 제한된 범위의 행동을 실천할 기회를 제공하는 학습경험에 의해 보완될 수 있다. 둘째로 고려해야 할 것은 여러 분야의 목표에 관련된 여러 행동은 그것을 달성하기 위해 여러 유형의 학습경험을 필요로 한다는 것이다. 따라서 학습경험에 의해 광범위한 목표를 성취하도록 하기 위해서는 동일한 경험 내에서 다양한 행동을 실천할 수 있는 기회를 제공하여야 한다. 즉 다수의 목적을 성취하기 위해서는 능동적 학습기회가 증가되어야 한다.

- 다수의 목적을 성취하기 위해서는 능동적 학습기회가 증가되어야 한다.(발견학습의 원리 적용)

새로운 학습에 대한 교량으로서의 생활경험

교육과정을 학습할 수 있게 하기 위해서는 사회적 유산을 학생 자신의 것으로 되게 할 경험으로 전환할 수 있어야 하며, 이를 위해 학습내용과 경험에 학생의 '생활경험' 을 적용해야 한다.

교육과정을 학생들의 경험에 관련짓는 이 준거를 적용한다는 것은, 생활경험 자체가 어떤 새로운 개념과 원리를 학습하는 것이 중요한가를 결정하는 것이 아니라, 새로운 학습에 대한 교량으로서 사용된다는 것을 의미한다.

- 생활경험을 교육과정 내용 및 경험에 적용하여야 한다.(새로운 학습에 대한 교량으로서 사용)
  - 일반적 개념을 발견하기 위해 구체적 실례를 선정할 때
  - 단원이나 화제가 시작될 때

학생들의 욕구와 흥미

Taba는 잠재적 동기를 유발하고, 효과적 학습을 위해서는 학습내용과 방법 면에서 학습자의 현재 관심사, 장점, 약점, 특수한 욕구, 흥미 등을 간과해서는 안 된다고 하였다. 더구나 교육은 개인의 성장을 촉진해야 하므로 학습자의 흥미와 욕구는 이러한 성장에 종속되어야 한다는 것이다.

그러나 의식적 흥미의 범위가 제한되어 있으며, 그것이 학습내용 선정을 위한 적절한 기초가 될 수 없다. 학습자의 동기, 관심사와 교육의 필요량 사이를 잇는 가교가 필요하다. Taba는 현재의 흥미가 학습을 성취하는 수단이 되기 위한 방법을 다음과 같이 진술하였다. 학습해야 할 것과 학습량을 구체적인 활동과 내용에 의해서 선정하고, 많은 상세한 사항들을 현재의 흥미와 의식적인 욕구에 따라 선정함과 동시에 이미 존재하거나 개발될 수 있는 흥미를 학습내용으로 선정함으로써 성취될 수 있다고 하였다. 예컨대, 퍼센트 수준이 낮은 8학년 학생들에게 재미가 없는 것이라면 자신의 성장을 퍼센트 계산의 수단으로 비교 측정하는 것이 현명하다. 학습해야 할 것과 학습량을 충족시키는 원리와 학생들의 흥미와 욕구를 교육에 적용시키는 것이 상충되지 않으려면 선택수준을 세분화하여 학습되어야 할 필수적인 것을 고정시키고 학습해야 할 세부적인 사항을 학생의 흥미에 의해 결정하도록 허용해야 한다고 그녀는 주장하였다.

- 선택 수준을 세분화하여 학습되어야 할 필수적인 것을 고정시키고 학습해야 할 세부적인 사항을 학생의 흥미에 의해 결정하여야 한다.

교육과정 내용과 학습경험의 조직

이 단계는 Taba 모델의 네 번째와 여섯 번째 단계에 해당된다. 단원 및 교과에서 지식의 성격, 아동의 성장과 발달, 학습과 관련된 이론적 사고를 기초로 하여 적절한 학습경험과 내용을 조직하는 단계이다.

학습경험과 내용 조직의 준거

Taba는 학습경험과 내용을 조직하는 데 필요한 준거와 원리를 표 3-5와 같이 제시하였다.

〈 표 3-5 학습경험과 내용 조직의 준거 〉

조직에서 고려할 점	학습경험 및 내용 조직의 준거
계열의 확립	• 실천적 통찰력과 함께 상당한 이론적 이해를 바탕으로 한 과학적 사고과정을 거쳐 계열을 설정하여야 한다.
누가학습의 제공	• 학습내용의 곤란성, 추상의 수준, 복잡성과 정확성이 점진적으로 증가되도록 조직하여야 한다. • 학습경험이 더 높은 곤란과 복잡성으로, 점진적으로 더 복잡한 개념으로, 견해를 더 제한적으로 사용하는 것에서 광범위한 사용으로, 더 복잡한 개념으로 이동할 수 있도록 조직되어야 한다.
통합의 제공	• 통합의 연결요소(관념, 문제, 방법 혹은 도구 등)에 학생이 의미를 갖도록 이것들을 매우 다양한 문제에 계속 적용하여야 한다. • 경험이 변화함에 따라 통합적 연결요소가 재형성, 변용, 증가될 수 있도록 학습경험을 조직하여야 한다.
중핵교육과정	• 중핵교육과정 – 여러 교과에서 일관성 있는 사고유형을 전개하고 각 교과가 공유하고 있는 광범한 개념(공통요소)을 강조하여야 한다. – 학생들이 이러한 개념이 학문에 이용되는 방법을 이해하도록 일관성 있는 체제를 전개하여야 한다.
논리적 요구와 심리적 요구의 결합	• 교과 조직의 논리적 준거: 교과 내에서 여러 다른 방법들을 대등하게 논리적으로 결합하고, 합리적 유형을 조직하고 논리적으로 타당하게 세부사항을 조직할 수 있는 차원이 제시되어야 한다. • 학습경험 조직의 심리적 준거: 심리적 계열에 따라 학습될 내용을 내재화할 수 있도록 조직되어야 한다.
중핵적 개념	• 내용조직에 중핵적 개념을 사용하여야 한다.
다양한 학습형태의 제공	• 합리적으로 균형을 이룬 다양한 학습경험을 제시하여야 한다.

계열의 확립

첫 번째 방법은 계열에 의한 조직이다. 교육과정의 계열을 확립한다는 것은 내용과 재료를 어떤 형태의 순서에 맞춰 연속적으로 배열하는 것을 말한다. 학습계열의 계획을 위해서는 내용과 학습경험이 능동적 이해를 위한 적절한 단계로 분화될 필요가 있다. 이러한 목적 때문에 단순한 것에서 복잡한 것으로, 구체적인 것에서 추상적인 것으로 진행하는 것과 같은 원리는 충분한 준거가 되지 못한다. Taba는 이러한 발달계열을 설정하기 위해서는 교육과정이론과 실천적 통찰력이 필요하며 이를 바탕으로 과학적 사고과정을 거쳐 계열을 확립한다면 반성적 사고와 개념을 훨씬 더 일찍 개발할 수 있다고 하였다.

- 실천적 통찰력과 함께 상당한 이론적 이해를 바탕으로 한 과학적 사고과정을 거쳐 계열을 설정하여야 한다.
  - 개념의 전개과정과 탐구방법의 개발, 일반화를 발견하는 데 관련된 내용의 문제에 대한 지식은 교육과정 계획에 과학적 사고를 가능하게 한다.
  - 실천적인 통찰력과 함께 개념의 전개과정, 탐구방법의 개발과 일반화를 발견하는 데 관련된 지식을 결합하여 계열을 과학적으로 계획한다면, 반성적 사고와 개념이 훨씬 더 일찍 개발될 수 있다.

누가학습의 제공

두 번째 방법은 누가학습법이다. Taba는 학습경험과 내용이 누가적 나선형으로 조직되어야 한다고 하였다. 그녀는 누가적 나선형 조직은 획득된 내용을 계속 사용함으로써 연속적 강화가 가능하며 정신작용에 있어서의 진보를 가능하게 한다고 하였다. Taba는 학습의 누가적 진보를 위한 준거로서 두 가지를 제시하였다. 첫째, 학습내용 곤란성과 추상의 수준, 복잡성과 정확성이 점진적으로 증가되도록 계획되어야 한다는 것이다. 예를 들어 상호의존의 개념을 다룰 경우 1학년은 가족의 활동과 요구에, 8학년은 지역사회의 봉사활동에, 12학년은 국가의 상호의존, 정치적 결정, 자원의 이용, 상업무역에 동일한 개념을 다룬다면 위와 같은 누가적 진보가 이루어질 수 있다. 둘째, 학습경험을 점차 높은 난이도와 복잡성으로, 견해를 제한적으로 사용하는 것에서 광범위한 사용으로, 단순한 개념에서 점진적으로 더 복잡한 개념으로 이동하도록 계획하여야 한다고 하였다.

학습경험과 내용의 누가적 나선형 조직

- 학습내용의 곤란성, 추상의 수준, 복잡성과 정확성이 점진적으로 증가되도록 계획되어야 한다.
- 학습경험이 더 높은 곤란과 복잡성으로, 점진적으로 더 복잡한 개념으로, 견해를 더 제한적으로 사용하는 것에서 광범위한 사용으로, 더 복잡한 개념으로 이동할 수 있도록 조직되어야 한다.

통합의 제공

세 번째 방법은 통합이다. 통합이란 한 영역의 사실과 원리가 다른 분야에 관련되고 적용되도록 하는 것을 말한다. Taba는 통합을 '교육과정 내용의 통합 의도와 상관없이 개인에게 일어나는 통합' 이라고 정의하였다. 이 개념은 처음에는 대체로 관련되어 있지 않은 것 같은 지식과 경험을 의미 있게 조직하려고 할 때 개인이 추구하는 통합과정과 관련된다. 그녀는 이러한 통합을 위해서는 교과통합보다 통합의 연결요소를 계획하는 일이 중요하다고 하였다. Bloom은 통합의 공통요소를 "두 개 이상으로 분리된 여러 학습경험을 관련되게 하는 관념, 문제, 방법 혹은 도구"로 정의하였다(Bloom, 1958). 그녀에 따르면, 효과적인 학습은 이러한 공통요소를 학생이 의미를 갖도록 매우 다양한 문제에 지속적으로 적용할 때 이루어져야 한다고 하였다.

- 통합의 연결요소(관념, 문제, 방법 혹은 도구 등)를 학생이 의미를 갖도록 매우 다양한 문제에 계속 적용하여야 한다.
  예) 과학적 탐구의 본질을 강조하는 일이 어떤 특수한 관념, 물리나 화학에서의 발견 결과보다 더 효과적이다.

중핵교육과정

네 번째 방법은 중핵교육과정이다. Taba는 교육과정통합으로서 중핵교육과정을 강조하였다. 중핵교육과정이란, 여러 교과에서 일관성 있는 사고 유형을 전개하고 더 분화된 각 교과가 공유하고 있는 광범한 개념을 강조하는 방법이다. 중핵계획은 학생들이 이러한 개념이 학문에 이용되는 방법을 이해하도록 일관성 있는 체제를 전개하는 것을 포함한다.

중핵교육과정

- 여러 교과에서 일관성 있는 사고유형을 전개하고 각 교과가 공유하고 있는 광범한 개념(공통요소)을 강조
- 학생들이 이러한 개념이 학문에 이용되는 방법을 이해하도록 일관성 있는 체제를 전개

논리적 요구와 심리적 요구의 결합

다섯 번째 방법은 교과의 논리성과 학습경험의 심리적 계열의 확보이다. 교과의 논리적 조직을 위한 준거는 첫째, 모든 교과는 다른 여러 방법들이 대등하게 논리적으로 결합되어야 한다. 예를 들어 역사적 사건을 연구할 경우 동시에 상호 관련되어 일어난 사건인 '씨줄' 과 시간의 경과에 의해 연결된 사건인 '날줄' 을 함께 연구(결합)하여야만 완전한 이해가 가능하다. 둘째, 합리적 유형을 조직하고 논리적으로 타당하게

세부사항을 조직할 수 있는 차원이 제시되어야 한다.

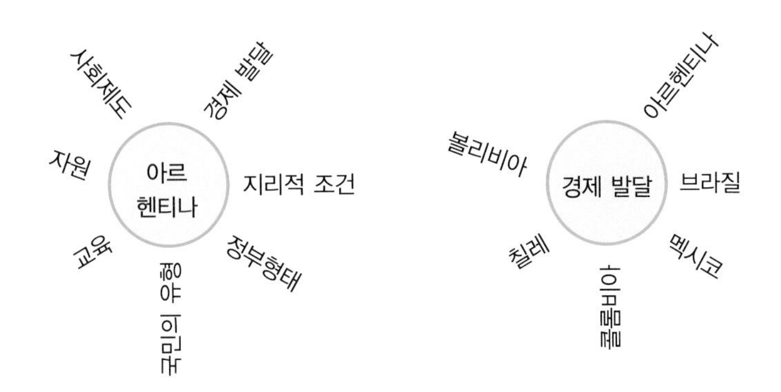

① 조직의 중심 : 국가　　② 조직의 중심 : 생활의 여러 측면

연구할 국가	각국에 대해 연구할 사항
아르헨티나	경제 발달
볼리비아	지리적 조건
브라질	정부형태
칠레	국민의 유형
콜롬비아	사회제도와 관습
멕시코	자원
	교육

[그림 3-2 Tyler의 교육목표 선정 과정]

라틴아메리카의 연구를 조직하는 방법에 관한 예를 살펴보자. 라틴아메리카의 연구에서 일반적으로 중요한 연구문제는 국가의 생활측면이 될 것이며, 주요 요소는 표와 같이 '연구할 국가' 와 '각국에 대한 연구할 사항' 이다.

그림 ①은 조직의 중심을 국가로 사용하였고, 그림 ②는 생활의 여러 측면을 중심으로 하여 각 국가의 생활측면을 검토하도록 조직하였다. 이때 두 방법 모두 논리적 준거에 합당하다. 그러나 학습의 효과, 실천, 통합의 관점에서 볼 때, 그림 ①의 방법은 중요한 개념을 전개하기 곤란하며 내용이 반복되고 기억에 부담이 되기 때문에 비효과적이다. 이와 달리 그림 ②는 기본적 관념의 전개와 이러한 관념에 의해 선정된 상세한 사항의 조직을 가능하게 해 주기 때문에 그림 ①의 방법보다 더 적절하다. 학습경험 조직에 심리적 준거를 적용한다는 것은 심리적 계열에 따라 학습될 내용을 내재화할 수 있도록 학습경험을 조직하는 것이다(Taba, p.302-303).

- 교과 조직의 논리적 준거: 교과 내에서 다른 여러 방법들을 대등하게 논리적으로 결합하고, 합리적 유형을 조직하고 논리적으로 타당하게 세부사항을 조직할 수 있는 차원이 제시되어야 한다.
- 학습경험 조직의 심리적 준거: 심리적 계열에 따라 학습될 내용을 내재화할 수 있도록 조직하여야 한다.

중핵적 개념

여섯 번째는 중핵적 개념이다. 내용조직에 중핵적 개념을 사용하여야 한다. 중핵적 개념은 취급될 내용에 대한 전망을 제시하므로 교과의 화제와 단원을 구조화시켜 준다. 내용 조직의 중심으로 중핵적 개념을 사용하면 연구되어야 할 항목의 양이 제한되고 적용범위의 문제를 결정하는 데 도움을 줄 수 있다. 즉, 내용을 사려 깊게 표집하는 준거를 제공해 주며 특수한 내용의 적절한 개념의 영역은 적용범위를 확대하지 않고도 균형 잡힌 방법에 의해 확실한 이해가 가능하게 해 준다. 따라서 초점의 중심이 되는 중핵적 개념은 수직적 통합과 수평적 통합의 공통요소로서 도움을 준다.

- 내용조직에 중핵적 개념을 사용하여야 한다.
  예) 미국인에 관한 연구에서의 중핵적 개념
  - 사람들이 여러 장소에서 여러 가지 이유 때문에 다른 시기에 미국으로 이주했다.
  - 그들이 가져온 어떤 관념과 관습을 버리고(언어 등)
  - 다른 관습을 바꾸며(식생활 습관 등)
  - 어떤 것을 여전히 보유하고 있다(종교 등).
  - 이러한 사람들이 미국생활에 크게 기여했으며 지금도 다양한 역할을 수행하고 있다.

다양한 학습형태의 제공

일곱 번째는 다양한 학습형태이다. 합리적으로 균형을 이룬 다양한 학습경험을 제시함으로써 학습능력과 학습동기를 증가시킬 뿐만 아니라, 이것이 개인차와 이질성을 해결해 준다. 특히 능력의 이질성은 욕구, 이해도, 능력에 따라 학습방법을 설계함으로써 효과적으로 해결할 수 있다.

- 합리적으로 균형을 이룬 다양한 학습경험을 제시하여야 한다.
  - 효과 : 학습능력과 학습동기를 증가시키고, 개인차와 이질성을 해결해 준다.

교육과정 성과의 평가

Taba 모델의 일곱 번째 단계는 교육과정 성과의 평가단계이다. 이 단계는 학생들의 변화내용(내용의 숙달, 해당 기술, 사고방식의 변화)을 결정하고, 교육목적의 달성정도를 규명하기 위해 목적에 제시된 가치에 따라 이 변화를 감정하는 단계이다. 학습내용을 평가하는 방법은 학습을 전개하는 방법을 지시해 주기 때문에 평가 영역은 교육과정이 무엇을 제시하든 어떤 학습의 유형과 수준이 강조되어야 하는가를 결정해 준다. 또한 평가계획의 중요한 기능은 학생들의 성취의 장단점을 평정함으로써 그 계획의 장단점에 관한 지식을 제공해 준다.

평가계획의 준거

Taba는 앞에서 진술한 바와 같은 평가의 기능을 수행하기 위해서 평가계획은 표 3-6과 같은 특성을 보유해야 한다고 하였다.

〈 표 3-6 평가계획의 준거와 내용 〉

평가계획의 준거	내용
목적과의 일치	목적과 일치해야 한다. 일치점을 모색하기 위해서 평가 계획의 특수부분에 대한 강조가 필요하며, 이것은 전체계획의 전망에 입각해야 한다.
포괄성	평가계획은 학교의 목적처럼 영역에 있어 포괄적이어야 한다. 상당한 양의 기술적 자원이 이 평가 영역에서 이용됨으로써 많은 중요한 교육과정이 충분한 증거에 의해서 결정될 것이다.
충분한 진단가치	평가결과는 획득된 숙달과 작업수행의 다양한 수준을 구별할 수 있을 만큼 충분히 진단적이어야 하며 작업수행의 결과와 같이 과정의 장점과 단점을 기술할 수 있어야 한다.
타당성	평가도구는 타당해야 한다. 평가도구가 목적과 일치하며 평가될 행동에 대해 충분히 사려 깊은 분석에 의거하고, 학생의 학습기회에 전념하게 될 때 타당성이 확보될 수 있다.
평가적 판단의 통합	여러 측면의 평가계획과 여러 도구에서 획득된 증거는 개인과 집단을 유용하게 묘사할 수 있도록 어떤 형태로 조직될 필요가 있다.

(계속)

평가계획의 준거	내용
계속성	평가는 계속적 과정이며, 교육과정의 전개와 교수의 통합적 부분이 되어야 한다.

포괄적 평가계획

Taba는 평가의 방법으로서 포괄적 평가계획을 제시하였다. 그녀가 제시하는 포괄적 평가계획은 특수한 유형의 교육과정과 준거에 적합한 평가계획으로서 다음과 같은 5단계를 포함한다. 평가의 단계를 의미하는 다섯 가지의 관련 질문은 평가계획을 구성하고 있는 요소들을 제시하고 있으며 질문의 순서는 평가계획을 전개할 단계의 계열을 나타낸다.

〈 표 3-7 평가계획의 5단계 〉

단계	관련 질문
목적의 형성과 설명	교육과정 계획의 기초가 되는 목적은 무엇인가? 이러한 목적을 수행하는 데 어떤 행동이 수반되는가?
증거를 얻을 적절한 도구의 선정과 구축	학생들이 어떠한 조건이나 상태하에서 그 행동을 표현할 기회를 가질 것인가?
평가 준거의 적용	어떠한 준거에 의해서 그 목적에 대한 학생들의 성취도를 측정할 수 있는가?
증거의 해설에 입각해서 교수의 성격과 학생의 배경에 대한 정보	어떠한 요인이 교육목적의 달성을 결정하며 그리고 이러한 요인을 어떻게 결정할 수 있는가?
평가결과를 교육과정과 교수의 개선을 위해 해설	그 결과는 교육과정의 교수나 학생의 지도에 대해서 어떠한 함축성을 갖고 있는가?

Taba가 제시하는 포괄적 평가계획의 첫째 단계는 교육과정 목표를 결정하는 단계이다. 목표에 의해서 평가계획이 전개되기 때문에 가장 먼저 이루어져야 한다. 적절한 목표를 형성하는 것은 중요하며 이에 대해서는 3장에서 고찰되었다.

둘째 단계는 평가자료 수집을 위해서 사용될 기술에 관하여 결정하는 단계이다. 객관적 검사에서 체크리스트나 관찰기록, 자작의 문제지와 같은 비공식적 절차에 이르기까지 다양한 수단과 방법이 유용하게 쓰일 수 있다. 더 복잡한 진보의 증거를 얻기 위해서는 공식적인 검사에 덧붙여 비공식적인 기술을 사용할 필요가 있다.

셋째 단계는 평가 준거를 적용하는 단계이다. 평가도구에서 얻은 자료는 보통 행동의 기술에 지나지 않기 때문에 그것이 의미를 가지려면 어떤 준거에 의해 평가될 필요가 있다. 이러한 준거는 비교적인 규범이며 작업수준의 질적 차이에 입각한 다른 종류의 준거에 의해 평가되는 것도 가능하다.

넷째 단계는 증거의 해설에 입각해서 교수의 성격과 학생의 배경에 대한 정보를 얻는 단계이다. 여러 가지 자료와 다양한 차원의 성취에 관한 정보가 통합된 형태로 해설되어야 한다. 그리고 성취에 관한 자료는 학생들의 배경과 학습조건에 관해 알려진 내용에 의해 해설되어야 한다. 이때 교육철학과 교육적 가치가 고려되어야 한다. 즉, 해설은 기계적 과정이 아니라 사회적 가치, 철학적, 심리적 원리에 의한 판단을 포함해야 한다.

포괄적 평가계획의 마지막 단계는 평가 결과를 교육과정과 교수의 개선을 위해서 해설하는 단계이다. 포괄적인 평가계획은 목적을 평가자료로, 그리고 이러한 자료를 교육과정과 교수에서 필요시되는 변화에 관한 가설로 전환시키는 단계와 절차를 또한 포함시켜야 한다. Taba는 평가의 도구적 기능을 교육의 중심으로 생각되는 성취 문제로 전환하기 위해서는 현재의 작업수행의 분석에 입각해서 교육과정 개발에 대한 실험이 필요하다고 강조하였다. 이러한 일이 수행될 때 비로소 여러 가지 유형의 성취는 교육과정과 교수에서 역할을 차지할 수 있다고 하였다.

종합 및 결론

Taba는 Tyler의 제자로서 Tyler의 기본 모형을 보강하여 이론과 실제가 연계될 수 있는 교육과정 개발모형을 제시하였다. 그녀는 Tyler의 교육목표 분류를 더욱 정교화하여 교수내용과 학습전략의 선택과 구성을 개별로 간주함으로써 구체적이며 실제적 의미를 지닌 학습경험에 대한 견해를 심화시켰다. 또한 그녀는 복합적인 교육목표의 견해와 별개의 네 가지 교육범주(기초 지식, 사고 기술, 태도, 학문적 기술)를 소개하였다. 이 접근은 특정한 교수학습 전략을 각각의 목표범주에 관계짓도록 하는 것으로 이러한 관점에서 볼 때 그녀의 교육목표 분류는 요구하는 결과에 도달하는 방법을 설명하는 Gagné(1985)의 학습산출과 학습조건의 시스템과 유사함을 띠고 있다(Edga Krull, 2003, p.7).

인터넷에서 'Hilda Taba' 와 그녀의 교육사상에 대한 수많은 조회는 교육학 영역에서 그녀의 학술적인 공헌이 지속적으로 가치 있게 평가받고 있다는 것을 새삼 강조할 필요가 없음을 드러내는 증거이다. 국제적 무대에서 Hilda Taba는 20세기의 다른 뛰어난 교육가 사이에서 일류라 할 만하다. 교육철학 분야, 교육집단, 교육과정 개발에서 그녀의 과학적인 유산은 숙고할 만하며 지속되는 중요한 가치들과 교육지식의 체계를 제공하였다. 교육목표 분류에 대한 내용의 유기화와 개념형성과 교수방법의 귀납적 전략과 같은 교육과정 설계에 대한 아이디어는 교육학의 고전이 되었다. 그녀의 교수법의 귀납적 접근인 '교수법의 모델' 이 여섯 번째 개정판의 원형으로 소개되고 있다(Joyce, Weil & Calhoun, 2000).

학습활동과 토의주제

1 Hilda Taba의 모형은 Tyler의 모형을 어떤 점에서 개선시켰는지를 생각해 봅시다. Taba는 왜 자신의 지적 스승의 모델을 새롭게 재편하여 재구성하였는지 그 의도에 대하여 생각해 봅시다.

2 Hilda Taba가 그녀의 책 마지막에 설명해 놓은 단원설계 방법은 그녀의 또 다른 중요한 업적입니다. 이 단원설계에 대하여 우리는 얼마나 알고 있는지에 대하여 자기평가해 봅시다.

3 Hida Taba의 귀납적 교수모형은 교육과정 모형 분야의 기여와 함께 그녀가 수업 분야에 끼친 또 다른 중요한 업적입니다. 개념 획득 모형으로 알려져 있는 그녀의 수업모형은 Joyce의 교수모형의 책에서도 대표적인 수업모형으로 소개되고 있습니다. 그녀의 수업모형의 특징, 그리고 그 수업모형은 어떤 점에서 유익하고 어떤 교과와 개념을 가르치는 데 도움을 줄 수 있는지를 살펴봅시다.

참고문헌

이경섭 외(1976). 교육과정개발론. 경북대학교출판부.

Edga K. (2003). International Bureau of Education, vol. XXXIII, no. 4, UNESCO.

Taba. H. (1962). Curriculum Development : Theory and Practice, Harcourt.

제4장

학교 교육과정 개발의 일반적 모형: Saylor와 Alexander model

이 장의 공부할 내용

교육과정의 정의
교육과정 체제의 제 요소
Saylor와 Alexander 교육과정 개획의 특징
교육과정 개발의 단계

Saylor와 Alexander는 Tyler와 Tabla에 이어서 교육과정개발의 이론을 정립한 전통적인 학자들로서 그들은 다른 학자들과는 달리 교육과정 개발에 대한 그들의 입장과 이론을 학교 혹은 학교교육에 한정시키지 않았다. 그들은 교육상황뿐만 아니라 직업과 산업상황에까지 적용할 수 있는 모델을 개발하고자 노력했다는 점에서 다른 학자들과 매우 다르다. 이 장에서는 이들의 교육과정에 대한 정의, 교육과정 체제의 제 요소들, 교육과정 계획의 특징, 그리고 교육과정 개발의 단계(목적설정, 설계, 수업, 평가)에 대해서 이야기한다.

그들은 교육 프로그램 계획과 관련된 요소들과 단계를 계획하고 분석하는 과정의 모형을 포괄적으로 다루고 있다. 그들은 교육과정 계획이란 본질적으로 선택에 의해 이루어지며, 교육을 조직하는 여러 가지 방법들을 이끌어내는 사회목표, 사회이론 및 심리학 체제 중에서 선택하게 된다고 하였다. 다른 교육과정 책과 다른 중요한 두 가지 사항을 강조하였는데 그것은 첫째, 학교교육(schooling)과 교육(education)을 같은 뜻으로 보지 않고 교육을 학교교육보다 넓은 의미로 사용하였으며, 둘째, 교육과정 계획에서 미래 예측과 관련된 활동을 지향한다는 점이다. 그들은 기술하고 예시한 교육과정의 원리는 어떤 상황에서나 교육과정 개발에 적용할 수 있으며, 교육과정 계획자들이 미래 예측에 대한 교육 프로그램 계획에 자신의 해석을 활용하는 방법을 제시하였다.

교육과정의 정의

Saylor와 Alexander는 "교육과정이란 교육받을 사람을 위해 일련의 학습기회를 제공하려는 계획이다."라고 정의하였다. 하나의 계획으로서의 교육과정에 대한 정의는 "교육과정이란 특정한 목적과 특정한 집단을 위한 학습기회의 제공을 예측하는 것이다." 그들에 따르면 일련의 학습기회를 제공하는 것이 교과중심 교육과정일 수도 있고, 능력중심 교육과정일 수도 있다.

이러한 입장하에 그들은 교육과정의 개념에 대해 이렇게 분석하였다. 첫째, 교과로서의 교육과정, 가장 지배적인 교육과정의 개념으로서 교사가 가르치고 학생이 학습한다는 교과의 개념이다. 이 개념에는 교과를 선택하는 원리, 단계, 학년별 배치의 원리와 관련된 많은 이론이 반영되어 있다. Saylor와 Alexander는 교과로서의 교육과정은 교육을 체계적인 지식 분야에만 국한한다는 점에서 이를 반대한다. 둘째, 경험으로서의 교육과정, 계획된 교육과정과 실행(경험)된 교육과정의 불일치 또는 관찰된 교육과정과 경험한 교육과정의 불일치는 교육방법과 목적을 분리시키는 문제가 발생하게 되므로 그들은 이 개념 또한 지지하지 않는다. 셋째, 목표로서의 교육과정, 성취할 목표로서의 교육과정의 개념이 교육에 심오한 영향을 주었다. 그것은 능력중심 교육의 근거가 되었으며, 역사적으로는 직업교육을 위한 모형에 기여하였다. 이는 Bobbitt(1918)가 교육과정 분야에 과학적인 원리를 적용한 것과 Tyler(1949)의 8년 연구로 대표된다. 마지막으로 계획된 학습기회로서의 교육과정인데 Saylor와 Alexander는 앞의 세 가지 교육과정의 개념(교과로서의 교육과정, 경험으로서의 교육과정, 목표로서의 교육과정)들 중 어느 하나에 국한시키는 것은 사고를 한정하며 중요한 대안을 고려하지 못하게 한다고 하였다.

그들은 교육과정에 대한 적절한 정의에는 교과, 경험, 목표가 포함되어야 하며, 교육과정은 예측적이거나 의도된 것이므로 계획이나 일련의 의도를 포함해야 한다고 하였다. 그것은 목표나 목적에 초점을 두지만 그것에만 국한하지 않고 교육과정 설계, 실행(수업) 평가와 같은 요소들을 포함한다. 그들은 교육과정의 계획에서는 목적과 방법을 분리시킬 위험을 최소화해야 한다고 주장하였다.

그들의 정의에서도 알 수 있듯이 그들은 '계획된 학습 기회로서의 교육과정' 을 지지하며, 이런 정의를 적용할 때, 계획이란 말은 청사진이라기보다는 의도로 보아야 한다고 하였다. 예술가가 그릴 풍경이나 조각할 두상에 대한 이미지를 가지고 출발하는 것처럼, 유능한 교사는 계획한 후에 출발해야 한다는 것이다. 그들은 유능한 교사가 수업을 통해 교육과정 계획을 구체화할 때 원래의 계획이 적절하게 바뀔 수 있으며, 그렇지 못한 교사는 학습자와 자료와의 상호작용을 무시하고 그들의 계획을 억지로 진척시키려 하는 경우가 자주 있다고 지적하며, 비생산적인 수업내용에만 한정되지 않고 창의적일 수 있도록 교육과정 계획은 교사에게 자유를 부여해야 한다고 주장하였다.

교육과정 체제의 제 요소

교육을 받을 사람을 위해 제공할 일련의 학습기회의 계획인 교육과정을 구성하기 위한 요소들을 소개한다. 교육과정이란 특정한 목적과 학습자 집단을 위해 제공할 계획이다. 즉 교육과정은 꼭 어떤 계획만을 말하는 것이 아니라 어떠한 교육적 상황 속에서 요구되는 프로그램을 위한 전체적인 계획이다. '교육과정 계획' 은 교육과정의 특별한 부분에 대한 소규모의 계획을 말한다. 대부분의 교육과정 계획은 더 광범위하고 구체적인 경향이 있지만, 계획은 단 하나의 관련된 목표 즉 하나의 영역을 위해 적절하게 개발될 수 있다. 어떤 교육상황이든 가장 중요하고 영향력 있는 계획은, 특정한 학생집단을 위해 공식화된 일련의 목표를 성취하도록 교사와 교사집단의 합의일 수도 있다.

교육과정을 개발할 경우 여러 요인들을 고려해야 한다. 이런 요소들 간의 관계를 다음의 표로 제시하였다. 이 체제에서는 교육받을 사람들이 사는 사회의 영향을 고려하는 것에서 시작한다. 계획자들은 '이 사람들에게는 어떤 종류의 학습기회가 필요한가?' 라는 질문에 대한 최선의 답을 찾기 위해 목표와 수업목표를 진술하게 된다.

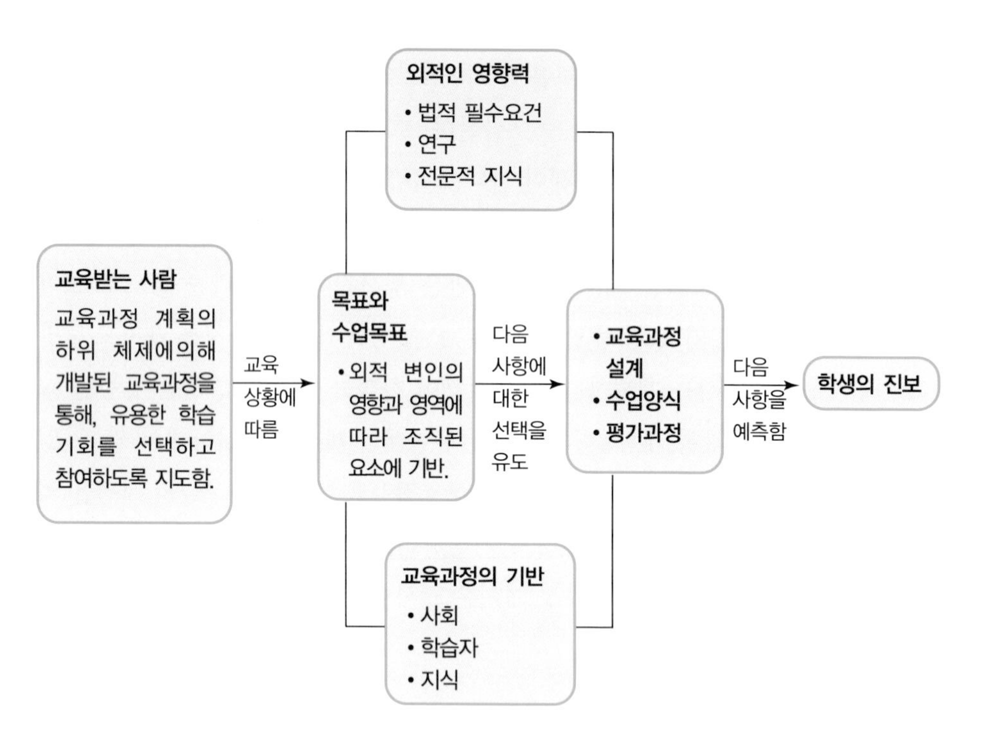

[그림 4-1 Saylor의 교육과정 체제의 제 요소 (홍성윤 외, 1994)]

제공된 교육기회의 본질은 목표와 수업목표에 따라 다르다. 목표와 수업목표를 진술할 때는 고려할 사항이 많다. 이상적으로는 학습자의 개인적 목표나 수업목표가 교육과정 체제의 목표나 수업목표와 일치할 것이다. 이럴 경우에 학습은 거의 확실해지지만,

그렇지 않을 때는 학습이 어려울 수도 있다. 그는 목표와 수업목표가 네 가지 영역—개인의 발달, 사회적 능력, 지속적 학습 기능, 전문화—으로 조직된다고 제안하였다.

합의된 목표와 수업목표는 교육과정 설계를 선정하고 교육과정을 실행하기 위해 수업양식이나 교수모형을 선정하며, 교육과정을 평가하는 기반을 제공해 준다. 적절한 설계를 선정할 때는 성취할 목표와 학습자의 본질, 사회의 본질을 기반으로 결정한다. 이때 정치적 · 사회적인 규제가 고려될 수도 있다. 교육과정 실행과정에서는 사용할 수업양식이나 교수모형을 결정하게 된다. 이상적인 교육과정 계획은 융통성을 격려해야 한다. 학생의 과정평가를 교육과정 계획에 포함시켜야 하며 또한 계획으로서 교육과정 계획의 평가를 준비해야 한다. 일련의 활동이 포함되었을지라도, 효율적인 교육과정 계획은 직선적인 것이 아니다. 계획의 어떤 시점에서나 출발할 수 있다. 예를 들어, 교육과정을 설계하는 동안 교육학자들이 목표를 다소 수정할 수 있으며, 계획을 구체화하는 동안 설계를 수정할 필요는 자명하다.

계획을 위한 자료

Saylor와 Alexander는 교육과정 계획은 언제나 사회구조 내에서 이루어지고, 아동, 청소년, 성인집단의 교육에 기여하도록 설계된다고 하면서, 학습자에게 제공되는 교육이 적절하고 타당하려면 교육과정을 계획하는 사람들은 사회기능의 기본적인 요소를 광범위하게 고려해야 한다고 하였다.

계획에 필요한 자료	학습자에 대한 자료	사회에 대한 자료	지식에 대한 자료	그 외의 자료
• 교육받을 학습자 • 교육기관을 세워서 운영하는 사회 • 학습자를 교육하는 데 사용하는 누적된 지식	• 인구통계학적 자료 • 성장과 발달의 특징 – 발달과업 (Havighurst) – 인성 발달 단계 (Havighurst) – 지적 발달 (Piaget) • 최근의 성장 유형 • 아동과 청소년의 발달상태 • 개별 학습자에 대한 정보	• 사회와 학습자–가족, 동료, 지역사회, 매스컴 • 사회와 교육의 기능 – 일과 여가 – 환경과 에너지 – 공학 – 가치	• 지식의 새로운 개발 • 정보의 저장과 처리 • 지식과 교육과정 계획 • 내용의 선정 • 방법의 선정 • 인지도	• 연구 • 전문적 지식 – 정치학 – 인류학 – 사회학 – 심리학과 신경과학(학습이론, 신경과학과 교육

[그림 4-2 Saylor와 Alexander의 교육과정 계획을 위한 자료]

그들은 효과적인 교육과정은 학습자, 사회, 지식에 대한 자료를 기반으로 해야 한다고 하였다. 다시 말해 효과적으로 교육과정을 계획하고 교육과정을 결정하기 위해서는 여러 근거에서 나온 자료들을 모두 이용하고 종합해야 하며, 종합적으로 이용되는 개념체제는 계획자의 가치경향에 따라 달라진다고 하였다. 인지과학과 두뇌에 대한 발달로 새롭고 더 심오한 지식이 나타나는 고도 산업사회에서는 지식을 더 크게 강조하게 될 것이라고 하였다.

Saylor와 Alexander 교육과정 계획의 특징

Saylor와 Alexander의 입장에 대한 두드러진 특징을 찾아내는 일은 쉽지 않다. 왜냐하면 그들은 많은 부분에서 중용(中庸)을 선호하기 때문이다. 여기에서는 Saylor와 Alexander의 교육과정 계획의 특징을 살펴보고 그들이 이야기하는 훌륭한 교육과정 계획의 특징을 소개한다.

(1) 학교나 교사들만을 위한 교육과정 개발이 아닌 특정한 집단을 위해 교육과정 혹은 프로그램 개발자를 고려하였다.
(2) 특정한 원리나 입장을 지지하지 않는다. Saylor와 Alexander는 그들의 저서에서 특정한 입장을 지지하거나 고집하는 것은 교육과정 학자 혹은 계획자로서 편협해질 수 있다고 경고하면서 특정한 입장을 지지하지 않는다고 하였다. 하지만 여러 가지 교육과정 계획의 유형들 중 특히 개인요구와 흥미, 그리고 인본주의를 지향하는 입장을 가지고 있다.
(3) 교육과정 계획에 교사의 참여를 강조하였다. 교육과정 계획에 교사가 참여하는 것은 그림을 그릴 사람이 그 대상에 대한 이미지를 머리에 가지고 있는 것과 비유하면서 교사의 교육과정 계획(개발) 참여를 강조하였다.
(4) 자율과 융통성을 강조하였다. 각 지역, 학교에 따라 그 교육과정의 구성원리나 중점적인 고려대상이 달라야 하며, 한번 계획될지라도 환류의 과정을 거쳐 그리고 계획의 실현(수업)에서 적절하게 변형되고 수정되어야 함을 강조하였다. 왜냐하면 수업에서 그 계획만을 무리하게 고집하는 것은 학생, 교실, 교재, 그리고 수업자료와 상호작용하지 못하기 때문이다.

(5) 교육과정의 전통적인 학자임에도 불구하고, 개념들과 입장들을 통합하고 각각의 장점들을 부분적으로 수용하려는 중용(中庸)의 태도를 취하고 있다.

(6) 교육과정을 실행(수업)하는 교사의 중요성을 매우 크게 부각시켰으며, 그들이 교육과정의 계획 및 설계에 적극적으로 참여해야 함을 강조한다.

Saylor와 Alexander는 하위목표나 수업목표와 밀접하게 관련된 단 하나의 중요한 목표에 도달하도록 계획된 학습기회를 교육과정 영역이라고 개념화하였다. 그 개념은 지속적인 학습기능 영역은 현재와 미래의 학습에 필요한 기능 및 과정과 관련되는 여러 가지 교육목표를 포함하여 다음과 같이 다양한 학습기회를 포함하게 된다. 그들은 '훌륭한' 교육과정 계획의 특징은 다음과 같은 질문에 답할 수 있어야 한다고 보았다.

(1) 교육과정 계획집단에 도움이 될 학습자, 사회 · 문화적 요인, 사회, 지식의 본질, 학습과정에 관한 자료가 있는가?

(2) 교육센터의 목표는 관심 있는 모든 사람들에 의해 명백히 진술되고 이해되는가? 목표의 기반이 되는 가치와 가정은 알고 있는가? 목표는 포괄적이고 조화로우며 현실적인가? 필요할 때 목표를 수정하고 삭제하고 부가하는가?

(3) 교육과정 계획은 지역사회 교육계획의 일부인가?

(4) 교육센터에서 도움을 받는 학습자들의 수준에 맞게 학습기회가 의존적이고 타인지향적인 학습에서 독립적이고 자기안내적 학습으로 나아가리라 예측하는가?

(5) 학습자와 교사들은 그들에게 영향을 주는 전 교육과정 계획에서 구체적인 계획을 서로 이해하고 있는가? 그들의 성숙정도가 허용하는 한 계획할 때 학생들이 참여하는가? 그들은 일반적으로 그들에게 기대한 것과 기대한 이유를 이해하고 동의하는가?

(6) 관련된 주요 목표는 이런 목표에 도달하기 위해 선택한 영역에서 학습기회로 나타나는가? 학습기회는 중복된 부분과 차이를 확인하고 고치면서 목표와 관련해서 채택하는가? 목표에 도달할 때 그것이 학습자 집단에게 최선의 선택일 것 같은가?

(7) 교육과정은 네 영역인 개인의 발달, 사회적 능력, 지속적 학습기능, 전문화의 각각을 적절히 학습하도록 하는가?

(8) 각 영역이나 목표 및 관련된 학습기회에서 교육과정 설계에 의식적인 관심을 두는가? 적절하고 가능한 학습경험을 모두 이용할 수 있는가?

(9) 그 계획은 특정 교육센터에 맞는가? 학습기회는 대상과 지역사회의 요구에 맞게 계획되었는가? 학습자의 개인차를 고려하였는가?

(10) 외적 영향력의 요구는 적절히 수용할 수 있는 과정을 통해 분류되었는가?

(11) 전 교육과정 계획은 포괄적인가? 그리고 학습기회의 목적과 설계를 포함할 뿐만 아니라 수업과 평가를 예측하는가?

(12) 책임 있는 계획집단은 학습자, 부모, 일반, 대중, 전문직원들을 포함하는 모든 사람을 대표하는가?

(13) 그 계획은 수정하기 위한 수단으로서뿐만 아니라, 학습자 및 다른 이익집단에게 적절한 피드백을 제공하는가?

(14) 계획을 학습자, 부모 및 다른 문외한에게도 충분히 이해시킬 수 있는가?

(15) 어떤 대표적인 협회나 교육과정 평가단체나 다른 집단 또는 개인이 계획과정에서 개발하여 확인한 문제를 책임 있게 확인하고 수집할 수 있는가? 문제를 해결할 수 있는 사람에게 문제를 해결하기 쉽게 피드백할 계획이 있는가? 마찬가지로 변화와 혁신에 대해 확실히 제시하고 검토하고 보고하는 체계적인 방식이 있는가?

(16) 계획에서는 지역센터, 지역사회, 교육자원을 이용할 수 있으리라 예측하는가? 계획이 다른 상황에서도 학습자들에게 교육경험이 될 것이라고 인정할 수 있는가?

(17) 대안적인 학습기회, 수업방식과 교사-학습자의 선택을 적절히 함으로써 교육과정 계획에서 융통성을 기할 수 있는가?

교육과정 개발의 단계

Saylor와 Alexander는 교육과정 개발을 크게 4단계로 나누었다.

(1) 기초적 자료 분석을 통한 주요 목표, 영역, 수업목표의 설정

(2) 주요 목표, 영역, 수업목표와 일관된 하나 이상의 교육과정 계획 설계

(3) 교육과정 실행(수업)의 예측

(4) 교육과정 평가의 계획

여기에서는 이 절차에 따라 각각의 단계에서 어떠한 활동들이 어떻게 이루어지는지 소개한다.

일반목표와 수업목표의 정의

교육과정 개발자는 목적, 목표를 구체화함으로써 개발을 시작한다. 목적과 목표를 구체화하는 이유는 교육과정 영역을 묘사하기 위한 것이다. 교육과정의 주요영역으로는 개인적 발달, 인간관계, 학습기능, 전문화가 있다. 그러나 이들은 학교가 이 영역에만 제한되어서는 안 된다고 보았다. 선택된 목적, 목표, 영역은 외적 변인, 즉 지역사회의 견해와 요구, 법적 요인, 연구결과들, 교육과정 전문가의 철학적 시각 등의 영향을 받아 발전되어 간다.

Saylor와 Alexander는 일반목표와 수업목표를 결정하는 과정을 4단계로 기술했는데 ① 교육목적의 진술, ② 일반목표와 영역의 확인, ③ 하위목표의 제시, ④ 수업목표의 진술이 그것이다. 그들은 지역사회는 모든 교육기관이 성취해야 할 광범위한 목적에 일치할 필요가 있다고 하였다. 이런 진술은 범지역사회의 가치를 반영하고 지역사회와 더 넓은 사회의 특성, 모든 연령의 잠재적인 학습자의 특성, 그리고 지식의 특성에 기반을 두어야 한다고 하였다.

교육목적에 대한 진술이 주어지면, 지역사회는 교육기관이 도달할 일반목표에 응해야 한다. 하위목표에는 두 가지 유형이 있는데 한 가지 유형은 학습할 행동을 명세화하는 것이며 다른 하나는 개발할 인간특성을 명세화하는 것이다. 하위목표는 교육과정 계획의 기초적인 요소이며, 학생들에게는 바라는 결과에 대한 진술이다. 하위목표는 학교의 일반목표와 일관되지만 일반목표보다 더 상세하고 구체적이며, 교육과정 영역의 매개이자 본질이다. 학교교육이 제공해야 하는 목적을 결정하고 난 다음 단계는 구체적인 학습기회로부터 의도하는 결과를 진술하는 것이다. 흔히 교육과정 책자에서는 수업목표라 한다. 분명히 수업목표는 하위목표에서 나오며, 일반목표의 실현에 기여할 수 있는 결과의 진술로 구성된다.

이런 모든 단계가 서로 밀접하게 관련되어 있어서, 반드시 직선적인 것만이 아니다. 그래서 예를 들면 수업목표를 선정할 때 이와 관련된 교육목적과 일반목표를 염두에 두는 것이 중요하다. 그렇지 않으면 나무만 보고 숲을 못 보는 결과, 즉 작은 것에 사로잡혀 큰 것을 보지 못하게 된다. 어떤 기관이나 조직의 목적, 일반목표, 그리고 수업목표를 체제화하는 것은 매우 부담스럽고, 시간소모적이며 때로는 좌절스러운 일이기도 하지만 이것은 교육과정의 중요한 측면이며 프로그램의 질을 결정하는 주요한 요소이다. 이들에 대한 정의는 뚜렷하고 구체적인 행동으로부터 광범위하고 근본적인 인본주의(humanism)라는 개념에 대한 진술에 이르기까지 포괄적이다. 일반목표를 교육과정 계획으로 바꾸고 궁극적으로 학습자의 경험으로 바꾸려면, 일반목표를 하위목표로 정의하고, 수업목표는 하위목표로부터 도출해야 한다. 교육의 질은 부분적으로 이러한 것이 얼마나 잘 이루어지는지와, 하위목표를 정의하고 일반목표를 도출할 때 따르는 질의 차이에 있다.

그림 4-3은 Saylor와 Alexander의 '교육기관의 일반목표와 수업목표 정의에 대한 과정' 을 도식으로 정리한 것이다.

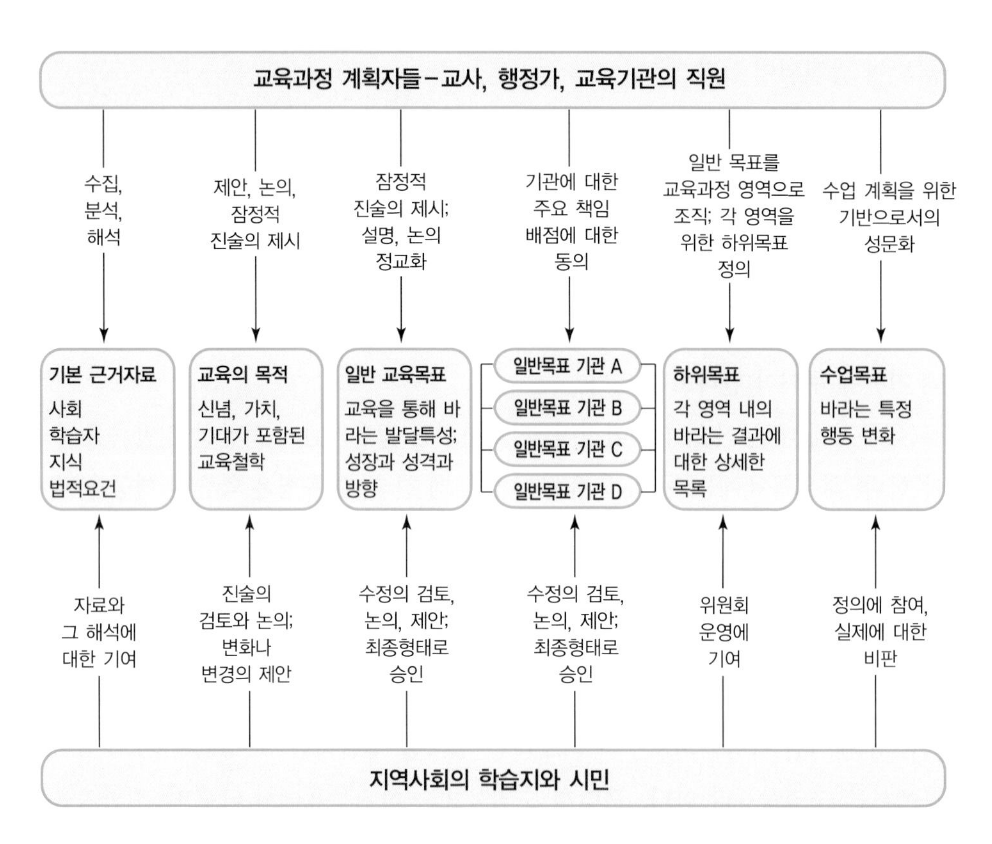

[그림 4-3 Saylor와 Alexander의 교육기관의 일반목표와 수업목표 정의에 대한 과정]

그들은 교육의 과정에 직접 관심 있는 모든 사람들은 어떤 수준에서 어떤 방식으로든 일반적인 교육목표와 수업목표를 결정하는 일에 참여해야 한다고 하였다. 학습자 자신, 여러 교육기관의 교사, 교육위원회의 구성원, 지역사회의 시민, 특히 학부모, 적절한 정부기관의 대표자가 목적을 설정하는 일을 함께 해야 한다는 것이다.

교육과정 계획의 설계

교육과정 계획자들은 목표와 수업목표를 확인한 후에, 한 가지 이상의 교육과정 설계를 선택한다. 설계란 학습기회의 특정한 형태, 체제, 유형을 의미한다. 그래서 어떤 특정 집단을 위한 학습기회의 범위와 유형을 교육과정 설계로 본다. 여기에서는 대안적인 설계의 유형들을 설명하고, 교육과정의 설계와 관련된 단계를 안내하고자 한다.

McNeil(1977) 혹은 Eisner와 Vallance(1974) 등도 교육과정 계획과 관련한 여러 가지 유형을 기술하였지만, Saylor와 Alexander는 일반목표와 수업목표에 맞는 자료의 일차적인 근원, 수업을 조직하는 일장적인 방식의 설계 등을 고려하여 교육과정 설계를 다섯 가지 유형으로 구분하여 제시하였다. 더불어 '인본주의 교육과정' 은 특정한 설계에 한정되는 것이 아니기 때문에 분리하여 논의하였다.

교육과정 설계의 다섯 가지 유형

교과 · 학문 중심 설계

이 설계의 가장 특징적이고 포괄적인 특징은 비교적 조직적이라는 것이다. 교육과정 계획은 뚜렷하게 교과로 나누어지고, 그것들 자체가 학년이나 표시기간에 따라 나누어진다. 이보다 더 잘 정돈된 특징은 내재적인 학문의 구조와 원리이다. 학문의 구조는 여러 분야의 지식을 통합하고, 이런 지식체계를 응집력 있는 전체로 묶고, 학문 자체를 위해 연구의 한계와 지식의 범위를 정하고, 그 분야 내에 존재하는 다른 어떤 것을 발견하려는 기반을 제공하는 근본적인 일반화와 집합이다. 그래서 질서정연한 학문인 수학, 화학, 물리학과 같은 전통적인 학교 교과는 자체의 독특한 설계를 가지고 있으며, 학교 교육과정 계획자들은 이 설계 중 어떤 것을 언제, 어떻게 이용해야 할지를 결정할 뿐이다.

그러나 실제적이고 중요한 목적을 위해서 만들어진 다른 교과의 구조는 매우 불명확하다. 그래서 이 설계에서 교과라는 것과 설계에 포함된 내재적인 논리를 혼동하고 있다. 이는 '교과' 가 가지는 세 가지 문제점 때문에 교과 · 학문 설계와 내재적 질서가 있는 원리를 혼동하게 되는 것이다. 첫째, 학교 교과를 위해 학문의 특수한 단계를 선택할 때, 학문의 평범한 구조를 불합리하게 할 수 있다. 둘째, 하나 이상의 기초적인 학문에서 포괄적인 내용을 광범위하게 다루는 것, 즉 인류학과 역사를 사회과로 통합할 때, 내용의 배열을 특별히 설계해야 한다. 셋째, 많은 경우에 체계화된 학문은

〈 표 4-1 Saylor의 다섯 가지 교육과정 설계 〉

구분	특징	설계의 예	적용과 한계
교과 · 학문 중심 설계	• 비교적 조직적(교과, 학년, 기간에 따라 구분) • 정돈된 학문의 구조 · 원리	• 전통적인 학교교과 • Morisson(1940)-공립 국민학교의 교육과정 • Bruner(1959)-학문의 구조 • Eisner & Vallance-훈련의 전이	• 많은 교과 필요(교육과정상 융통성 결여) • 지식의 폭발적 증가 • 학생의 문제나 요구와의 관련 부족 • 간학문적 접근, 학문의 통합이라는 주류에 역행
특정능력 · 공학 중심 설계	• 교육의 효율성, 내용보다 방법 중시 • 학습자가 무엇을 해야 하는지를 강조	• Bobitt(1918)-활동분석(작업분석) 접근 • Charters(1923)-「교육과정 구성」 • Florida대학의 치과의사 프로그램.	• 편협하고 한정된 설계 • 학생과 교사에게 지루하다. • 모든 교육을 다룰 수 없다.
인간특성 · 과정 중심 설계	• 미리 결정된 구체적 인간특성 개발이 중심목표 • 중심목표 도달을 위해 실행과정을 주의 깊게 선택 • 학습자의 사고, 느낌, 행동요소를 더 통합한다. • 경험을 기반으로 한 지식 • 가치화 과정에 초점	• Gardner의 self-renewal • Whitehead(1929)-유용성 없는 아이디어의 극복 • Clute(1978)-학습자의 교육목적에 관심, 개인의 자아실현에 필요한 기능 개발을 위한 설계	• 계획의 어려움(제대로 개발된 것이 없음) • 과정 접근을 이용할 때 바라는 인간특성이 개발된다는 보장이 없다. • 공적인지지 확보가 어렵다.
사회기능 · 활동 중심 설계	• 사회와 사회문제에 기반을 두고 그것이 교육과정의 영역이나 주요한 부분을 결정한다.	• Caswell & Campbell (1935)-학교에서의 활동은 학생들의 삶 속으로 전이가 쉽도록 조직 • Fantini & Weinstein-"사회활동 프로젝트의 순환"	• 교육과정의 한 부분으로 사용되므로, 제한이 있기 마련
개인요구와 흥미 · 활동 중심 설계	• 기반-학습자의 요구와 흥미에 대한 지식 • 많은 융통성 • 적절한 시기에 개별적 자문과 지도를 받음	• Dewey-'자연적인 학습' • Cracy-자연적인 학습자는 지칠 줄 모른다.	• 사회적 목표를 무시-학생들의 흥미와 요구만을 고려한다면 미래에 그들이 감당해야 할 성인들의 역할을 준비시킬 수 없다.

학생들에게 생활문제를 다룰 기회를 제공하지 못하며, 학문 이외나 학문 간의 내용을 새로이 조직한 것을 교과로 만들거나 분류한다. 그래서 체계화된 학문과 그로부터 나온 교과는 그 설계를 나타내는 지족 내지 구조가 있지만, 많은 교과는 결코 고유의 설계를 가지고 있지 않다. 실제로 교과는 동일한 계획과 수업조직이 모든 교육과정 요소에 이용될 때 전체의 설계가 혼동되어 보이고 뚜렷해 보이지 않을 만큼 매우 다양하다. 이 설계가 가지는 단점들이 있고 그것들에 대한 반박이 적지 않음에도 불구하고 어떤 체계적인 학문연구를 포함하지 않은 교육 프로그램은 지지받기 어려운 것이 사실이다.

특정능력 · 공학 중심 설계

특정 능력 · 공학중심 설계는 가장 편협하고 한정된 설계가 될 가능성이 있다. 특정 능력 · 공학중심 설계를 위해서는 교육과정 개발에 대한 다음과 같은 분석적 접근을 기초로 한다.

(1) 제공될 모든 과제나 직무를 확인한다.
(2) 이런 과제나 직무를 수행하기 위해 알거나 해야 할 것들을 결정한다.
(3) 과제나 직무를 해당 강좌에 배열한다.
(4) 각 과제나 직무에 맞게 지식과 기능을 위계적으로 조직한다.
(5) 각 지식이나 기능을 터득하기 위해 알 필요가 있는 것들을 결정한다.

일반적으로 한 가지 이상의 행동목표나 수행목표로 진술된 과제분석 결과는 수업설계 조직에 대한 자료를 제공해 준다. 이런 조직은 교육내용이 아니라 교육방법에 관심을 둔다. 지식을 전달하고 학습을 촉진하기 위해 가장 효율적인 수단을 제공하려고 하는 것이다. 그런 의미에서 공학(technology)이 특정능력 · 공학 중심 설계의 일부분이 된다.

특정능력 · 공학 중심 설계에서 바라는 수행은 행동목표나 수행목표 또는 능력으로 규정하며, 각 목표에 도달하기 위해 학습활동을 계획하며, 한 목표에서 다른 목표로 나아가는 기반으로 학습자의 수행을 검토한다. 예를 들어 타이핑(typing) 수업에서 타이핑에 숙달하기 전에 키보드(keyboard)를 먼저 알아야 한다. 사회과에서 특정한 지도상의 위치와 관계에 대한 지식을 학습하고 시연하기 전에 지도를 읽는 법을 학습해야 한다. 따라서 특정한 능력에 기반을 둔 이 설계는 학생이 학습하고 수행할 행동이 되는 과제, 활동, 기능을 구체적, 계열적, 명시적으로 학습하는 것이라고 특징지을 수 있다.

특정능력 설계의 주요 한계점은 그것이 모든 교육분야에서 다루어질 수 없다는 점이다. 교육은 이중적 특성을 지니는데, 개인이 행동을 학습하게 하고 개인의 특성을 개발하도록 돕는 것이 그것이다. 특정능력 · 공학 설계는 개인이 행동을 하게 돕는 데에만 적절하고 인간 특성을 개발하도록 돕는 데에는 상당히 한정되어 있다.

인간특성 · 과정 중심 설계

위의 두 가지 설계, 즉 교과 · 학문 설계와 특정능력 · 공학 설계는 자주 사용되며, 확인하고 기술하기도 비교적 쉬운 편이다. 훨씬 덜 이용되고 있는 인간특성 · 과정 설계는 분명히 정의되지 않으며 행동으로 알아내기도 어렵다. 그럼에도 불구하고 여기서는 매우 중요한 교육과정 설계로 다루고 있다.

모든 교육과정 설계의 적용은 인간특성의 개발에 영향을 준다. 하지만 인간특성 설계는 다른 설계와 달리 두 가지의 큰 특징이 있다. 첫째, 미리 결정된 구체적 인간특성을 개발하는 것이 중심목표이다. 둘째, 중심목표에 도달하기 위해 실행과정을 주의 깊게 선택한다. 특정한 능력 · 공학 설계는 학습할 행동에 초점을 두지만, 인간특성 · 과정 설계는 개발할 특성에 관심을 둔다.

Raven(1977)은 개발할 인간의 특성과 관련한 능력으로 '타인과 효과적으로 일하기', '효과적으로 이끌어가기', '자신을 알기', '예측하기', '자신의 행동결과를 검토하기', '자신을 관찰하기' 등을 이야기하였으며 그중 특히 창의성, 주도성, 자신감, 자신의 감정과 정서에 대한 민감성을 강조하였다. 이 목록들은 두 가지 면에서 학습할 능력목록과 다르다. 첫째, 이런 인간특성의 학습은 전통적인 학습활동보다 사고, 느낌, 행동요소를 더 많이 통합한다. 둘째, 이런 인간특성을 개발하는 교육목표는 가치나 판단과 관련되는데 능력개발은 비교적 개재되지 않는다. Raven은 자신감이 있고 자신의 감정 및 정서에 민감한 것이 인간 자원 특성 개발의 중심이 된다고 결론지었다.

이와 관련하여 Schaefer(1967)는 "학교가 지식을 평생 추구하도록 준비시키는 특성을 개발하도록 돕는 탐구의 중심이 되어야 한다."고 보았으며, Berman(1968)은 자신과 자신의 일부분인 상황을 적절하고도 쉽게 다룰 수 있는 사람의 양성을 교육의 목적으로 보았다. 이들의 인간특성 · 과정 중심 설계는 가치교육에 대한 접근에서 많이 사용된다.

물론 인간특성 · 과정 중심 설계를 이용할 때에도 몇 가지 한계점이 있다. 인간특성을 개발하는 계획과정은 어렵고, 지금까지 이것을 할 만큼 잘 만들어진 절차가 개발되지 않았다. 인간특성 개발은 학습자의 전체 경험의 영향을 받으므로 특성개발을 기반으로 하는 특수한 교육경험이 주는 영향을 측정하기 어렵다. 다시 말해, 과정 접근을 이용할 때 바라는 인간특성이 개발된다는 보장이 없다는 것이다. 다른 한계점은 공적인 지지를 받기가 어렵다는 것이다. 부모들은 인간특성 개발이 중요하다는 것을 인정하기는 해도, 행동이나 특히 기초과목을 학습하는 것보다 더 중요시하지는 않을 것이다. 더구나 개발해야 할 특성이 무엇이며, 어떻게 개발해야 하는지에 대한 일치점도 없다.

이런 제한점에도 불구하고 인간특성 · 과정 설계는 생활이나 학습과정을 포함하여 어떤 중요한 인간특성을 개발하기 위한 최선의 기회를 제공해 주는 것 같다. 이런 특성은 다른 교육과정 설계로 인해 촉진되거나 방해받을 수는 있지만 다른 어떤 것도 인간특성 개발을 주요 목적으로 하지는 않는다. 그러므로 주의 깊은 적용과 연구를 기반으로 얻은 정보를 통해 인간특성 · 과정 설계를 정교화시켜 나가야 한다.

사회기능 · 활동 중심 설계

각 교육과정 설계는 교육과정의 주요 요소들 중 상대적으로 강조하거나 중점을 둔 것을 더욱 고려하는 입장을 가진다. 인간특성 · 과정 중심 설계는 그것들 중 사회를 강조한다. 그것은 사회와 사회문제에 기반을 두고 있다. 사회기능 · 활동 중심 설계에는 세 가지 조직적 주제가 포함되어 있다. ① 교육과정 설계는 인간의 지속적 기능(function), 분야, 생활상황에 따라야 한다는 신념을 기반으로 사회생활이나 지속적 생활상황 접근을 해야 한다. ② 지역사회 생활문제의 측면을 중심으로 교육과정을 조직하는 접근을 해야 한다. ③ 주요 목표나 교육과정의 일차적인 목표에도 학교와 학생이 직접 관여함으로써, 사회를 개선할 수 있다는 사회재건주의 이론이 그것이다.

사회생활이나 지속적 생활상황 접근을 기반으로 하는 교육과정 설계는 집단생활을 연구함으로써 나온 유형을 말한다. 지역사회 문제를 중심으로 하는 설계는 관련되는 지역사회의 중요한 기능과 현상에 관심을 둔다. 그 대표적인 예로는 대공황 무렵의 앨라바마 주 Holtville에 있는 시골의 종합고등학교를 들 수 있다. 학생과 교사들은 그 지역사회의 한 가지 문제점 즉 통조림 고기가 부패하는 것을 발견했다. 농부들의 협조로 학교는 도살장과 고기를 얼리는 공장을 만들었다. 고기가 손질되어 저장실에 보내지는 등 여러 가지 방식으로 학교는 지역사회의 생활조건을 개선했다.

그러나 사회재건주의 개념은 교육과정 설계로서 충분히 발달하지 못했다. 지역사회 학교의 지지자들은 학교가 기존의 사회를 개선하기를 바라기 때문에, 사회재건주의자들은 새로운 사회를 만들기 위해 학교를 이용하려 했다. 요약하면 사회중심 교육과정 설계는 사회기능 활동에 관심을 두고 있으며, 이것이 교육과정의 영역이나 주요한 부분을 결정한다. 이러한 사회중심 교육과정은 설계가 학생의 요구와 관심에 적절하고 의미가 있어 일상생활 상황으로의 전이가 잘 이루어질 수 있다는 것과 사회의 요구에 부응함으로써 사회를 지속적으로 개선하는 데 직접 기여할 수 있다.

사회기능 · 활동 중심 설계는 모든 수준에서 광범위하게 대학의 간학문적 강좌에서 많이 사용되며, 사실 중고등교육의 전 교과, 특히 경제학, 정치학, 사회학 등은 사회기능을 중심으로 만들어진다. 또한 사회기능 · 활동 중심 설계는 학교 외의 기관이 지원하는 교육경험에도 적용될 수 있다. 사회기능 · 활동 중심 설계는 교육과정의 한 부분으로 사용되므로, 제한이 있기 마련이다.

개인요구와 흥미 · 활동 중심 설계

개인요구와 흥미 · 활동 중심 설계는 Rousseau가 Emile을 교육한 18세기 이후 Pestalozzi에 의해 스위스에서 그리고 Dewey의 실험학교에서 널리 사용된 접근이다. 현재에는 앞에서 언급한 설계들조차도 아동쪽으로 나아가고 있다. Dewey의 영향을 크게 받은 개인요구와 흥미 · 활동 설계는 학습자들을 도움을 받을 특정 대상이라기보다, 교육과정 계획자에게 교육과정 설계를 위해 그들의 흥미와 요구를 적극적으로 제공하는 대상으로 인식된다. 개인의 요구와 흥미 활동에 중심을 두는 교육과정 설계는 다음과 같은 특징이 있다.

(1) 교육과정 계획은 학습자의 요구와 흥미에 대한 지식을 기반으로 하며, 그 계획으로 도움을 받는 집단의 특정 요구와 흥미에 대한 진단을 포함한다.
(2) 특정 학습자의 요구와 흥미에 부합하도록 개발하고 수정할 조항과 학습자가 이용할 수 있는 대안이 많은 교육과정 계획은 많은 융통성을 지니게 된다. 사실 학습자는 어떤 설계에서든 자신의 교육과정 계획을 개발해야 하지만, 대안을 선택하고 계획할 때는 안내를 받을 수 있다.
(3) 학습자는 교육과정과 수업과정에서 적절한 때에 개별적으로 자문과 지도를 받는다.

Dewey 학교, 8년 연구, Virginia Richmond의 Maury 학교, 그리고 영국의 Summerhill 등에서 다양한 형태의 아동 중심학교를 시도하고 적용하였다. 확인하기도 어렵고 일시적이라 할 수 있는 이들 여러 학교와 시도들의 공통점은 공립학교에 비해 자유롭고 대안적이라는 데 있으며, 공립학교에 불만을 가지고 있는 학부모, 교사, 심지어 학생들에 의해서까지도 종종 조직되고 시도되어 왔다. 요구와 흥미 활동 설계에 대한 연구들은 다음의 세 가지 주장을 제시해 준다. 즉, ① 요구와 흥미에 기초한 학습기회는 학습자와 밀접하며, ② 요구와 흥미설계에는 높은 수준의 동기와 이에 의한 학습자의 성공이 뒤따르며, ③ 각 개인의 잠재력 실현이 이 설계에 의해 용이해진다는 것이다.

요구와 흥미 · 활동 설계의 많은 사례들을 통해 이 설계의 주요 한계점은 이 설계가 사회적 목표를 등한시(덜 중요한 것으로 고려함)하고 있다는 점이다. 학습자들의 요구에 입각하지 않은 학습기회는 제외되기 때문에 사회활동, 특히 직장과 시민으로서 참여해야 하는 성인의 활동 등에 학습자들이 효과적으로 참여하도록 준비시키라는 보장이 없다는 점이다.

인본주의 교육

인본주의 교육은 다른 학자들에 의해 하나의 교육과정 설계로 제시되기도 하지만 Saylor와 Alexander는 인본주의 교육이 한 가지 교육과정 설계에 한정되어서는 안되고, 모든 교육과정 설계에 파급되어야 한다고 믿는다. 인본주의자들은 교육과정의 기능이 각 학습자에게 개인의 자유와 발달에 도움이 되는, 내재적으로 보상이 되는 경험을 제공해 주어야 한다고 주장하며 그들에게 교육의 목적은 개인의 성장, 통합, 자율이라는 이상과 관련이 있다. 자아실현이야말로 인본주의 교육과정의 핵심이다. 인본주의 교육의 여러 가지 특징은 이미 다른 교육과정관을 지지하는 학자들에 의해서 고려되고, 도입되고 있다.

> 학교가 학생들을 비방할 때가 자주 있다. 학교는 학생이 게으르고 나약하며 주의력이 산만하다고 판단한다. 학교는 이러한 것들이 마치 학생들의 자연적인 특징인 것처럼 본다. 이와는 반대로 이러한 것들은 자신들과는 관계없이 모험에 몰입하지 않으려는 사람들의 보호적인 자세 때문이다. 학교가 학생들로 하여금 그들이 오르려는 산을 발견하도록 도울 때, 학생들의 원기와 능력을 발견하게 된다(Cray, 1969).

Saylor와 Alexander는 교육과정 연구자들이 먼저 교육과정에서 하나의 설계만을 이용하려고 미리 결정해 버리면 지나치게 제한을 받는다고 지적하였으며, 단 하나의 원리에만 관심이 있는 일부 교육과정 이론가들의 편견은 교육과정 연구에서 혼란의 원인이 될 수 있다고 지적하였다. 그들은 교육과정 계획자들은 그들의 사고를 제시된 설계의 틀에 제한하지 말아야 한다고 지적하였다. 그 가치들을 검토하면서 현재를 넘어 과감하게 창조적으로 나아갈 수 있어야 한다고 하였다.

교육과정 설계 절차

여기에서는 Saylor와 Alexander가 제시한 교육과정 계획 과정 4단계(목표설정, 교육과정 계획 설계, 실행(수업)의 예측, 평가의 계획) 중 두 번째 단계인 교육과정 계획 설계의 6단계를 설명한다.

1단계 : 주요 일반목표 및 영역과 관련된 기초요인 고려하기

교육과정 계획자들은 일반목표, 영역, 수업목표를 확인한 후 사회의 목적과 요구, 학습자, 학습과정, 지식요건에 대한 자료를 면밀히 검토해야 한다. 교육과정 계획자들이 이런 것들을 알았을 때 영역, 대상과 관련된 특정한 자료에 관심을 두게 된다. 예를 들어 교사가 주요 목표의 하나로서 학생들로 하여금 지속적이고 성공적인 학습과 생활의 기반이 되는 흥미를 확인하고 탐색하도록 돕기로 했다고 가정하자. 그러면 다음과 같은 문제들이 제기된다. '우리 학생들은 어떠한 흥미를 가지고 있는가?', '현재의 흥미 중에 이 지역사회에서 수용될 수 없는 것이 있는가?', '어느 것이 우리 학교와 지역사회에서 발달할 수 있는가?' 이런 질문들을 고려해 보는 것은 앞으로의 계획에 도움이 될 것이다.

2단계 : 영역의 하위목표 확인하기

다음 단계는 영역에 대한 광범위한 일반목표에서 특정 집단이 도달할 수 있도록 그 영역의 가능성 내에서 하위목표로 이동하는 것이다. 하위목표는 협의로 진술할 필요가 없다. 광의로 정의된, 바라는 결과에 대한 자유로운 진술일 수 있다. 예를 들어 목표로 학생들이 지속적 학습기능(skill)에 도달하는 것을 설정할 수 있다. 학습기능 영역 내에서 하위목표는 읽기, 듣기, 질문하기, 정보 조직하기 등의 기능과 관련지어 정해진다.

3단계 : 학습기회 유형 확인하기

교육과정 설계의 세 번째 단계에서는 가상적인 브레인스토밍(brain-storming)과 실제적인 가능성에 대한 현실적 평가를 종합한다. 이 단계에서, 기회의 목록을 확대하고 설계를 선택하는 데 잠정적인 분류가 도움이 된다. 그래서 어떤 유형의 학습기회는 예술과 기예, 공예, 음악, 미술, 외국어와 같은 영역에서의 단기적인 탐색과정이 될 수 있다. 이 단계에는 다음의 활동들이 포함된다.

- 학습기회 확인하기
- 선택된 학습기회 분류하기
- 지속 가능한 유형 확대하기
- 궁극적으로 개발하는 것 등

4단계 : 적절한 교육과정 설계 결정하기

영역이 결정되고, 하위목표가 잠정적으로 정해지고 가능한 학습기회 유형이 탐색되면, 계획집단은 여기에서 주요 관심을 두고 있는 단계에 대해 준비를 한다. 즉, 설계의 대안을 고려하고 선택하는 것이 그것이다. 어떤 활동은 한 가지 교육과정 설계가 필요할 수 있고, 다른 어떤 것들은 여러 가지를 고려해야 할 수도 있다. 계획집단은 영역과 설계를 짝짓는 것은 대안적 설계에 대한 지식일 뿐만 아니라, 위에서 기술한 단계를 요구하는 과정임을 알아야 한다. 그런 단계나 지식 없이 모든 학습기회가 소위 교과로 되거나, 보조교재, 과제, 시험, 학점의 전통적인 교과설계에 따라 계획할 때처럼 설계를 하면 안된다.

5단계 : 잠정적 설계 명세화하기

이 단계는 4단계를 정교화하는 단계이다. 마지막으로 설계집단은 설계원리를 선택하는 기초로서 학습단원, 기능계열, 활동집단, 교과나 강좌, 단기강좌, 지역사회 경험, 독립적 학습 등과 같은 학습기회 유형을 시험적으로 목록화한다. 일단 선택했으면 학습기회는 더 신중하게 계획한다.

6단계 : 실행요건 확인하기

교육과정 계획의 실행을 위해, 그것을 예측하고 갖추어야 할 요건들이 제대로 갖추어져 있는지 확인한다.

적절한 교육과정 설계를 선정하기 위해 교육과정 설계자는 교육과정 설계와 설계 과정에 관한 지식이 있어야 한다. 설계를 학교 교육과 정의 목표와 영역에 더 적절하게 개발하려는 노력을 이해하지 못하면, 계획자들은 그들이 과거에 저지른 실수를 계속 반복하게 될 것이다. 설계자들은 새로운 이론의 공식화에 대한 배경을 확인하고, 과거에 검증된 것뿐만 아니라 검증되지 않은 이론의 공식을 발견하려는 노력이 필요하다.

교육과정 계획의 실행 : 수업

수업계획과 교육과정

수업은 학습자가 계획된 학습기회에 실제로 참여하는 것이다. 수업이란 교육과정을 실행하는 것이다. 그러나 이것은 지나치게 단순화한 것으로서, 사실 공식적이거나 진술된 교육과정과 학습자가 실제로 참여하는 것 간에는 거의 관계가 없다고 할 수 있다. 교육과정 계획은 사용할 자료로서만이 아니라, 학생활동을 제안하거나 상술하는 것일 수도 있다. 교사 개인의 수업 전 계획에 학생활동과 교수자료를 포함시킬 수도 있다. 사실 기초적으로 미리 계획된 교육과정은, 교사지침서가 수반되는 교재 자체일 수도 있으며, 교사는 이 계획을 아주 엄격히 따르지도 모른다. 일반적으로 인간특성 · 과정, 사회기능 · 활동, 요구와 흥미 · 활동에서 사용하는 설계보다 교과 · 학문이나 특정능력 · 공학 설계를 따르는 계획에서는, 실행에 더 완벽한 정보를 제공해 준다. 실행을 위한 계획이 좀 더 더 완전하면, 교사가 사전수업 계획을 할 필요성이 감소하며, 교육과정 계획이 구체적일 때 연결은 더 직접적일 수 있으며, 실행계획이 시사적 형태일 때 관련은 희박할 것이다. 다시 말해, 교육과정에서 너무 구체적인 내용까지 제공해 주면 교사가 계획할 일이 없어지고, 그것이 학습자들에게 적절하지 못했을 경우 실패로 돌아가며, 교육과정에서 너무 적은 것을 제공해 주면 교사가 계획할 것이 너무 많아지므로 큰 부담으로 돌아간다. 이상적인 것은 교사가 교육과정 계획에 참여하고 수업을 계획하는 것이다.

사전수업 계획에서 교사가 고려할 요소를 이해함으로써, 교육과정 연구자들은 실행하기 쉬운 계획을 설계할 수 있다. 교육과정 계획과 수업을 연결하는 합리적인 정적 모형에서는 사전수업 계획을 할 때 교사가 따르는 단계를 제시해 주고 있다. 교사는 진술된 목표와 수업목표, 제안된 교육과정 설계, 제안된 수업계획을 고려한다. 교사는 교육과정 계획에서 나온 몇 가지 수업설계를 예측할 수도 있다. 이런 계획에서는 지역사회의 가치와 교육에 대한 기대를 고려하면서 범위는 좁혀지게 된다. 중요한 것은 교사의 판단이 과정의 모든 면에서 나타난다는 점에서 교사는 새로운 교수전략을 요구하는 수업계획보다 자신이 알맞다고 생각되는 수업계획을 개발할 수 있다.

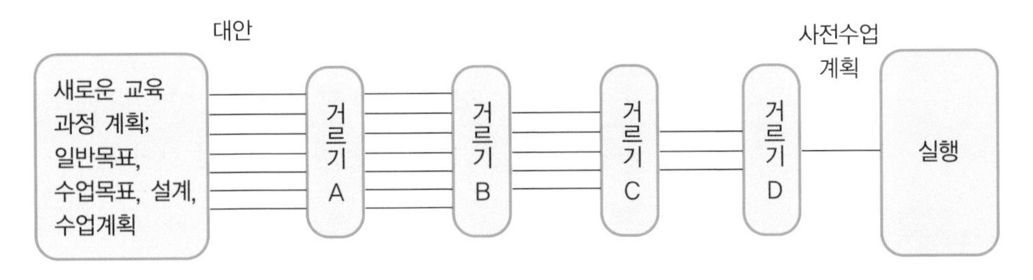

[그림 4-4 교육과정 계획과 수업을 연결짓는 합리적이고 정적인 모형]

그림 4-4의 모형이 제시한 식으로 계속 나아가는 교사들은 거의 없다. 더구나 이 모형은 진행 중인 프로그램의 존재도 모르는 교사에게는 새로운 접근임에 틀림없다. 그림 4-5의 모형은 교사가 고려해야 할 동일한 요소들이면서도 좀 더 현실적이고 역동적인 양식으로 제시되어 있다.

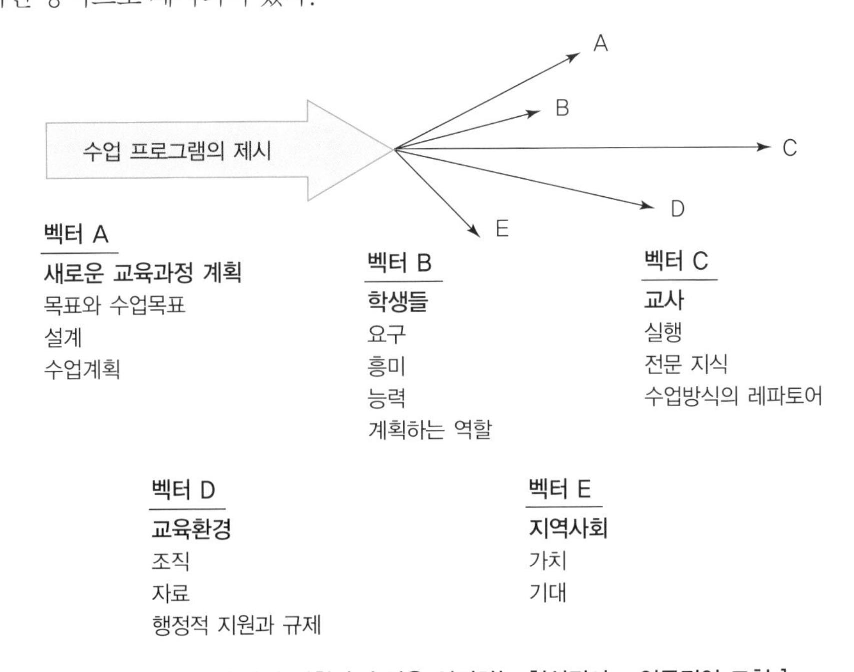

[그림 4-5 교육과정 계획과 수업을 연결하는 현실적이고 역동적인 모형]

이 모형은 새로운 교육과정을 제안할 때 기능적인 수업 프로그램이 어떻게 진행되고 있는가를 나타내 준다는 점에서 역동적이다. 새로운 교육과정(벡타 A)을 따르기 위해서는 수업 프로그램을 바꾸어야 한다. 학생들의 요구, 홍미, 능력(벡타 B)이 이런 교육과정 변화의 방향에 영향을 준다. 교사의 실행과 전문 지식, 수업방식 목록(벡타 C)은 강력한 영향을 나타내며 당연히 현재의 사실과 비슷한 방향이다. 특히 교육환경(벡타 D)은 새로운 교육과정을 지원하지 않는다. 강력한 행정적 지원이 있다면 벡타 D가 벡타 A와 같은 방향이어서 교육과정에 '표면상' 의 변화가 나타날 것이다.

교수모형 목록

교수모형(teaching model)이라는 말은 별개의 많은 행동으로 이루어져 있으면서도, 특수한 초점을 가지고 있는 교수유형을 의미한다. Joyce와 Weil(1972)은 교수모형을 고려함으로써 교육과정 설계과정을 개선할 수 있는 두 가지 방법을 제시했는데, ① 교육목적의 명료화와 확인, ② 목적에 도달하는 적절한 방법에 대한 대안의 객관적인 안내가 그것이다. 교육과정 계획자의 편의를 위해 앞에서 논의한 다섯 가지 교육과정 설계에 따라 14가지 교수모형을 표 4-2로 제시하였다.

〈 표 4-2 교육과정 설계에 따른 교수모형 〉

교육과정 설계	여러 가지 교수모형
교과 · 학문 중심 설계	토의-질문, 탐구훈련, 강의, 시청-경청
특정능력 · 공학 중심 설계	수업체제 설계, 연습과 훈련, 프로그램 수업, 역할극, 모의학습과 게임, 시청-경청
인간특성 · 과정 중심 설계	집단조사, 탐구훈련, 역할극, 모의학습과 게임
사회기능 · 활동 중심 설계	지역사회 활동, 집단조사, 법률학, 역할극, 모의학습과 게임
개인의 요구와 흥미 · 활동 중심 설계	독자적 학습, 창의적 문제해결법

각 설계별로 제시한 수업모형은 가장 유용성이 높은 것들을 우선으로 분류하였다. 이러한 모형들은 적절한 목적에 도달할 수 있다는 장점이 있다. 교수모형을 선택할 때는, 특정 기간에 특정 학생집단을 위해 필요한 목적에 따라 교육과정 조직의 여러 가지 방법을 사용하는 것이 바람직하고 필수적이기조차 하다. 교수모형을 선택할 때에는 ① 추구하는 목표, ② 여러 가지 목표에 도달하는 기회의 극대화, ③ 학생의 동기유발, ④ 학습의 원리 시설, 장비 및 지원 등을 고려한다.

교육과정의 평가

교육과정 계획의 모든 단계에서는 선택의 문제가 강조된다. 그러나 특정한 한 가지 선택이 다른 것보다 좋다는 것은 아니다. 교육과정 선택의 적절성을 판단할 때 사용되는 과정이 교육과정 평가이다. 평가는 어떤 것의 가치를 결정하는 기본적인 목표와 동시에 교육과정 자체의 가치를 결정하는 일 그리고 교육기관이 운영하는 구조와 행정·관리적 기구와 실제의 장점을 판단하는 일이다.

그들은 평가에 대한 다양한 접근을 나타내기 위해 다섯 가지 모형을 기술하였다(표 4-3). 평가모형은 평가를 행하는 사람, 평가결과에 대한 청취자, 평가과정의 일부로서의 과정, 자료를 모을 때 사용하는 방법, 평가에서 사용하는 정보의 성격, 평가에 대해 기대하는 결과에 따라 달라지며 다음 질문에 다양한 답을 제공해 준다.

〈 표 4-3 다섯 가지 교육과정 평가모형 〉

모형	관련 학자 및 평가에 대한 정의	특징
행동목표 모형	Tyler: 목표에 맞는 변화가 일어났는지 측정하는 일 • 바람직한 변화가 일어났는지 판단하는 일	• 각종 시험, 검사로 측정 • 평가 결과의 강조(교사 책무성에 대한 지지자들의 옹호를 받음)
의사결정 모형	Stufflebeam: 교육평가란 결정대안을 판단하는 유용한 정보를 기술하고 습득하고 제공하는 과정	• 평가는 의사결정에 필요한 정보를 제공하고, 의사결정은 대안 중에서 선택하는 것
탈목표 평가	Scriven(평가에 대한 편견에 관심): 평가자는 프로그램 개발자의 목표에 대한 진술의 설득력에 영향을 받거나 편견을 갖지 않아야 한다.	• 평가자는 공정한 관찰자 • 소비자 지향의 총괄적 평가유형이지 계획자들을 위한 형성적 자료를 제공하지 않음.
인정	인정협의회는 방문위원회의 보고서에 따라 학교(교육과정)을 판단하고 인정하며, 폐교한다.	• 평가절차로서 인정의 효율성은 기준의 질에 달려 있다. • 정치화된 사회에서 방문팀의 주관은 배제되기 어렵다. • 미국에서는 교육과정 문제를 결정하는 데 중요한 요소가 되고 있다.
반응모형	Stake(1997): 프로그램 관찰을 위해 여러 사람을 동원(학생, 교사, 부모 등). 청중의 가치 있는 결정을 돕기 위한 자료 제공	• 소비자는 가장 좋은 것을 선택할 것이며, 이런 아이디어와 경쟁을 통해 교육의 개선을 기대할 수 있다.

- 누가 평가를 하는가?
- 결과에 대한 주요 청취자는 누구인가?
- 어떤 가정하에 이루어지는가?
- 어떤 방법을 사용하는가?
- 사용되는 정보의 성격은 어떠한가?
- 바라는 결과는 무엇인가?

행동목표 모형

Tyler는 교육을 행동의 변화로 정의함으로써, 평가는 미리 정의된 교육 프로그램의 목표에 맞는 그런 변화가 일어나는 정도를 측정하는 것이라고 하였다. 그의 모형에서 평가는 주로 학생들의 성취에 대해 검사, 등급, 분류, 표시, 측정을 하는 총괄적인 것이었다. 이것은 표준화 검사, 교사가 만든 객관식 검사, 대학 입학시험, 수행기준, 백분위 등으로 오늘날에도 자주 사용되는 평가방법들이다. 이 모형은 과학적 관리운동에 뿌리를 두며, 결과를 강조하며, 미리 기술한 목표를 객관적으로 측정하는 관료적인 방식에 적절하다.

의사결정 모형

Stufflebeam은 Phi Delta Kappa 위원회에서 형성평가를 통합하는 새로운 접근방법을 개발하였다. 이 위원회는 "교육평가란 결정대안을 판단하는 유용한 정보를 기술하고, 습득하고, 제공하는 과정"이라고 정의하였다. 그 결정을 돕기 위해 그리고 의사결정자들이 요구하는 정보를 제공하기 위해, 의사결정 모형은 다음과 같은 단계를 평가과정에서 채택한다.

(1) 평가대상의 결정 : 평가자료는 어떤 결정에 필요한가?
(2) 결정할 때 필요한 자료의 종류
(3) 이런 자료의 수집
(4) 평가문제의 특성을 결정할 준거의 정의
(5) 이런 준거에 따른 자료의 분석
(6) 의사결정자를 위한 정보제공

의사결정 평가모형은 프로그램 개발의 각 단계에 대한 일반목표와 목표도달을 측정할 때 적용될 준거 간에 합의가 이루어져야 한다고 가정한다. 상황평가를 통해 일정한 교육 프로그램이 다른 학생들에게 특별한 사항을 제공하면서도, 학생 대부분의 요구에 부응하도록 해야 한다. 학생들의 요구에 부응하도록 준거를 일치시키는 것이 필요하다. 예를 들어, 이런 준거에는 학교 출석률, 학교에 대한 태도, 졸업생들의 성공률이 포함된다. 그래서 기록, 태도조사, 졸업생들에 대한 추후연구를 통해 자료를 수집할 수 있다. 자료에서 증명되는 것처럼, 학생들의 요구에 부응하는 목표와 이런 요구에 부응하는 실제 간에 불일치가 나타난다. 이 불일치(목표와 실제 간의 차이)의 극복이 프로그램 목표의 기반으로 기여한다.

탈목표 평가

탈목표 평가의 창시자인 Scriven은 평가에 대한 편견에 관심을 많이 가졌다. 그래서 평가자는 프로그램 개발자의 목표에 대한 진술의 설득력에 영향을 받거나 편견을 갖지 않아야 한다는 것이다. Scriven(1977)은 "목표를 고려하고 평가하는 것이 불필요할 뿐만 아니라 오염시키는 단계일 수 있다."고 자신의 입장을 밝혔다. 탈목표 평가에서는 평가자가 공정한 관찰자이다. 객관성은 편견이나 왜곡이 없다는 것이며, 평가자는 프로그램의 전체적인 결과를 고려하면서, 적절해 보이는 자료를 아무거나 자유롭게 모은다. 그리고 이런 결과를 예시된 요구와 대조하여 평가한다. 만일 아동이 읽기나 그와 관련된 모든 것을 좋아하지 않는다면, 아동에게 읽기를 가르치는 새로운 절차를 개발하는 것이 대체로 어떤 가치가 있을까? 근본적으로 탈목표 평가는 소비자 지향의 총괄적 평가유형이지, 교육과정 계획자들에게 유용한 형성적 자료를 제공하지는 않는다.

인정 모형

인정(accreditation)은 1871년 Michigan 대학에서 개발된 가장 오래된 교육평가 절차 중의 하나로, Michigan 주의 고등학교 학업 프로그램에 대해 대학이 인정을 하도록 한 것이다. 인정받은 학교의 졸업생들은 시험을 치르지 않고 대학에 들어갔다. 그들은 구성원들의 기반(실력)과 실행되고 있는 실태를 평가체제의 기준으로 정하고, 이런 두 가지 종류의 인정은 다른 법적 요건을 제외하고는 다른 요소들보다 교육과정 문제에 대한 결정을 할 때 중요하게 고려하였다.

인정협의회가 프로그램에 대한 판단을 하려면 그 기관에 대해 방문위원회(visiting committee)가 하루 이상(보통 3일)을 할애해야 한다. 방문위원회는 그 기관 프로그램의 각 분야에 대한 개선을 위해 제언을 한다. 방문위원회의 보고서에 반영된 기준과 실제적인 사실 간에 불일치가 있다면, 협의회가 인정을 할지의 여부를 결정한다. 평가절차로서 인정의 효율성은 기준의 질에 달려 있다. 즉, 교사와 방문팀이 내린 판단의 타당성, 인정을 허가하거나 보류할 때 협의회가 제시하는 절차 등이 그것이다. 그러한 기준과 근거들이 변화하는 시대에 적응하지 못한다면, 그것은 곧 그 교육기관이 쓸모없이 되어 버린다는 것을 의미한다. 동시에 그 적절성에 대한 충분한 증거도 없이 새로운 기준을 채택할 위험이 있으며, 무엇보다 인정협의회는 객관적이 되려고 노력하겠지만 고도로 정치화된 사회에서 그것은 쉽지 않은 일임에 틀림없다.

반응 모형

반응 평가모형의 창시자인 Stake는 프로그램의 의도보다는 프로그램의 활동에 맞춰지며, 정보에 대한 청중의 요구에 따르고, 교실의 성공과 실패를 보고할 때 현재의 다양한 가치관이 언급된다면 그 교육평가는 반응평가라고 하였다. 반응 평가자는 선행 조직자로서의 목표나 가설보다는 쟁점을 활용한다. 학생, 교사, 부모, 행정가와 대화를 한 후에, 평가자가 이런 쟁점과 문제를 확인한다. 반응 모형을 활용하는 평가자는 프로그램을 관찰하기 위해 여러 사람을 동원한다. 평가자는 동원된 사람들이 가치 있는 것을 결정하는 데 필요한 정보들(기술서나 설명서, 그래프, 등)을 마련한다. 물론 이 경우 결과에 적절하게 반응할 수 있는 대상자를 선정하는 것이 무엇보다 중요하다. 행동목표 평가나 의사결정 평가의 결과는 정부당국이나 교육관리자에게 보내지지만, 반응 평가 결과는 지역사회에 보내진다. Stake는 "자유로운 아이디어 시장에서 소비자는 가장 좋은 것을 선택할 수 있을 것이다. 아이디어의 경쟁을 통해, 진실은 강화되고 교육은 개선될 것" 이라고 주장하였다.

교육과정 계획자들이 스스로 한 가지 모형에만 한정될 필요는 없으며, 사실 그들은 두 가지나 그 이상의 모형을 사용할 수도 있다. 평가를 위한 일관된 전체 계획은 몇 가지의 고려사항—교육과정 설계와 교수모형, 도움을 받는 대상, 평가목적—을 기반으로 하여 개발되어야 한다. 만일 목적이 미리 진술된 목표의 도달을 측정하는 데 있다면, 행동목표 모형이나 의사결정 모형이 적절하다. 그러나 그 목적이 전체 프로그램의 결과를 측정하는 데 있다면, 탈목표 평가가 유용할 것이다. 프로그램 개발을 도우려는 것이라면, 의사결정이나 반응 모형 같은 형성평가를 통합한 모형을 사용할 수도 있다.

종합 및 결론

전통적인 교육과정 학자로 분류되는 Saylor와 Alexander는 그들의 저서『Curriculum Planning for Better Teaching and Learning』에서 학교와 교사들뿐만 아니라 특정 집단을 위해 교육과정 혹은 관련 프로그램을 개발하거나 계획하는 사람들을 위한 교육과정 혹은 프로그램 개발을 전반적으로 안내하였다. 그들은 다양한 교육과정 설계 원리들 중 단 하나의 원리가 전 교육과정에 적용될 수 있고 또한 적용되어야 한다는 가정에서 생길 수 있는 오류를 지적하였다. 그들은 한 가지 설계에 대한 집착 때문에 그 방법으로 설계할 수 없는 학습기회는 사라지게 된다. 기능(function)이 설계를 따라가기보다는 설계가 기능을 따라가야 하며, 결국 포괄적인 교육과정 계획은 하나 이상의 설계를 이용해야 한다고 주장하였다.

특히 그들은 교육과정 계획에 교사가 관여해야 한다고 주장하며, 많은 교육자원을 활용하는 사회에서는 많은 사람들이 교육에 대한 책임을 져야 한다고 주장하였다. 교육과정 계획을 하나의 패턴에 맞추는 것이라고 편협하게 생각하지만 말고, 여러 가지의 교육과정 설계, 교수모형, 평가절차 중에서 적절한 것을 선택해야 한다고 주장하였다.

Saylor와 Alexander는 교육과정 계획의 모든 측면이 미래 지향적 경향을 띠어야 함을 강조하였다. 그들이 예견한 21세기 교육은 지금의 그것과 다르지 않다. 그들은 저서에서 당시로서 미래 즉 현재의 교육에 대해 예견하고 준비해야 할 것들에 대해 많은 논의를 하였다. 하지만 우리는 이 시점에서 그 자체에 대한 논의는 중요한 의미를 지니지 못하기 때문에 중요하게 다루지 않았다. 그들의 주장이 아니더라도 우리는 미래사회를 살아갈 학생들을 미래사회에 잘 대처할 수 있도록 도와줄 수 있는 방향으로 교육과정을 계획해야 하기 때문이다.

Socrates가 2300년을 건너뛰어 20세기 초 Bobbitt의 시대에 나타나 증기기관, 전기, 라디오를 보고 놀라는 것보다 Bobbitt가 100년 뒤에 나타나 원자폭탄, 위성, 우주여행 등을 보고 놀라는 충격이 더 클 것이다. 미루어 보건대 오늘날 우리 학생들이 살아갈 30년, 50년 후의 세상에 더 놀라운 발전과 변화가 밀려올 것이라는 것은 자명하기 때문이다.

학습활동과 토의주제

1 Saylor와 Alexander의 교육과정 개발이론이 다른 학자들의 그것과 가장 두드러지게 다른 점이 무엇인지 토의하고, 이를 토대로 교육 자체에 대한 그들의 입장을 정리해 봅시다.

2 Saylor와 Alexander는 전통적인 교육과정 학자임에도 불구하고 자율성과 융통성을 강조하며, 여러 원리나 입장들을 취하는 중용(中庸)의 태도를 취하고 있다. 그들이 이러한 입장을 취하는 이유가 무엇인지 논의해 봅시다.

3 그들은 교육과정 개발에 있어서 교사의 참여를 필수적인 요소로 꼽고 있다. 우리나라의 경우 몇몇 교사들이 교육과정 개발에 참여하고 있다. Saylor와 Alexander가 말하는 교육과정 개발 참여와 현재 우리나라에서 이루어지고 있는 교사의 교육과정 개발 참여를 비교하고 그 교육적 의의에 대해 토론해 봅시다.

4 Saylor와 Alexander는 교육과정이 미래지향적 성격을 띠어야 함을 강조하였다. 그것은 교육과정이 어떠해야 한다는 것이며, 교실에서 교육활동을 수행하는 교사들에게 어떤 의미가 있는지 생각해 봅시다.

참고문헌

김영천 역(2005). 교육과정 이론이란 무엇인가? 서울 : 문음사.

박현주(2005). 교육과정 개발의 모형과 실제. 서울 : 교육과학사.

Bobbitt. F. (1918). *The Curriculum*. Bostion : Houfhton Mifflin Company.

Bruner, J. (1960). The Process of Education. Cambridge, Mass : Harvard University Press.

Casewell, H. (1978). Persistent Curriculum Problems. *The Educational Forum, Nuvember*. 103.

Dewey, J. (1963). Experience and Education. New York : collier Books.

Fadiman, C. (1979). Classroom' s Rival : Pop Culture. Gainesville Sun.

Gage, N. L. (ed). (1976). *The Psychology of Teaching Methods*. Seventy-fifth Yearbook, National Society for the Study of Education. Chicago : University of Chicago Press.

Glasser, W. (1977). Ten Steps to Good Discipline. Today' s Education, 66, 61-63.

Hunter, M. (1979). Reply to Jonas F. Soltis. *Teachers College Record*(80). 788.

Jackson. P. W. (1968). *Life in the Classroom*. New York : Holt, Rinehart, and Winston, Inc.

Kimball, S. T. (1974). *Culture and the Educative Process*. New York : Teachers College Press.

Luxenberg, S. (1980). AT & T and Citicorp : Prototypes in Job Training Among Large Corporations. *Phi Delta Kappan(61)*, 314.

Martin, E. W. (1978). Education of the Handicapped Act and Teacher Education. *Journal of Teacher Education(29)*, 8.

Nutting, W. C. (1973). *Designing Classroom Spontaneity*. Englewood Cliffs, N.J. : Prentice-Hall, Inc.

Pinar, W. F. (ed). (1975). *Curriculum Theorizing : The Reconceptualists*. Berkeley, Calif : McCutchan Publishing Corp.

Pinar, W. F. (1978). Notes on the Curriculum Field. *Educational Researcher(7)*, 11.

Saylor, J. G., Alexander, W. M., & Lewis, A. J. (1981). *Curriculum Planning for Better Teaching and Learning*, 4th ed. New york : Holt, Rinehart and Winston.

Tyler, R. (1977). Desirable Content for a Curriculum Development Syllabus Today, in A. Molnar, & J. A. Zahorik(eds), Curriculum Theory. Washington, D.C. : Association for Supervision and Curriculum Development.

Tyler, R. (1978). Technological Horizons in Education : An Overview. *Technological Horizons(5)*. 34.

Walker, D., & Schaffarzick, J. (1974). Comparing Curricula. *Review of Educational Research(44)*, 83-111.

Wittrock, M. C. (1979). The Cognitive Movement in Education. *Educational Researcher(8)*.

제5장

교육목표 이론화의 첫 시작: Bloom의 Taxonomy

이 장의 공부할 내용

교육목표분류학

Bloom의 교육목표분류학의 영향

Benjamin S. Bloom

Benjamin, S. Bloom은 1913년 펜실베이니아의 렌스포드에서 태어났다. 1935년 펜실베이니아주립대학교에서 석사와 박사학위를 취득하였으며, 1942년에는 시카고대학교에서 철학박사 학위를 취득하였다. 그의 지도교수는 Ralph Tyler였다. 그로부터 교육과정과 교육평가에 대하여 많은 지도와 지식을 전수받았다. 1940년 시카고 대학의 시험사정 위원회의 임원이 되었으며 1943년까지 임원직을 수행하였다. 그후 1959년까지 시험사정관으로 활동했다. 1944년부터 시카고대학교의 교육학 강사로서의 첫 직무를 시작했으며 1970년에는 찰스 H. 특별공로교수로 선정되었다. 그는 1999년 9월 13일 생을 마감할 때까지 이스라엘, 인도 등 여러 국가 정부의 교육 고문관으로 활동하였다.

Bloom의 가장 중요한 업적은 교육의 목표를 세분화하고 위계화시킨 '교육목표분류학'이다. 이 작업은 복잡하고 불명확하던 교육목표를 조직화하고 체계화함으로써 학교교육에서 무엇을 가장 우선시하고 가르쳐야 하며 그에 기초하여 무엇을 평가해야 하는지에 대한 최초의 이론적 지식을 제공해 주었다. 인지적 영역에 대한 그의 교육목표분류학이 가장 널리 일반화되었지만 다양한 시기를 거치면서 정의적 영역과 심리운동적 영역에 대한 교육목표의 이론화를 다른 동료들과 함께 시도하였다. 그의 연구작업은 우리나라에서 교육목표분류학으로만 알려져 있지만 그의 다양한 연구관심은 그를 다른 분야의 대학자로서 기명시키는 데 충분하였다. 학교학습의 특징, 널리 유명한 완전학습이론 등이 그가 개척한 또 다른 업적이다.

주요 저서

1985, Developing Talent in Young People. Ballantine Books.

2005, Benjamin S. Bloom[Paperback | PAP/COM] // Rowman & Littlefield Pub Inc.

2008, Benjamin Franklin[Library binding] // Facts on File.

Tyler의 제자인 Bloom은 그의 스승이 교육과정 개발 모형에서 가장 강조한 교육목표의 선정 영역을 처음으로 이론화한 학자이다. 그의 이론이 있기 전까지 학교교육의 목표는 교과목별로 그리고 학교별로 순서가 없이 사용되어 왔는데 Bloom은 학교에서 가르쳐야 할 교육목표의 성격과 내용이 명료하게 규명되고 그 가치들이 차등화되었을 때 교육과정 개발의 다음 단계들이 좀 더 명료하게 진행될 수 있다고 생각하여서 학교교육 목표의 구조와 내용을 생물학에서 사용되는 분류학의 개념을 차용하여 처음으로 교육목표분류학으로 이론화시켰다. 그리고 그 분류학은 만들어지고 난 이후 최근까지 학교행정가와 교사들, 그리고 학습평가자들에게 무엇을 가르칠 것인가 그리고 무엇을 평가할 것인가를 판단하는 기준으로서 널리 이용되고 있다. 이에 이 장에서는 학교교육 목표의 선정과 평가의 고전으로 이용되고 있는 교육목표분류학의 내용과 기여점 등에 대하여 살펴보고자 한다.

교육목표분류학

교육목표가 교육의 포괄적인 기본방향을 제시한다면 수업목표는 상위의 교육목표를 실현하기 위한 구체적인 교육의 방향을 제시해주는 행동적 지표라고 할 수 있다. 이에 교육목표 진술은 마치 나침판이 목적지를 가리키는 것과 같이, 교육활동에서 기대하는 결과를 얻기 위한 과정을 결정하는 데 매우 중요하다(Botturi, 2004).

교육목표의 분류는 교육으로부터 학생이 성취할 수 있는 것에 대한 기대나 교육의도에 대한 진술을 분류하기 위한 틀이다. Bloom에 의하면 교육목표를 분류하는 틀은 검사제작은 물론 교육 연구와 교육과정 개발에 관심을 가진 다른 사람들 간에 아이디어와 자료의 상호교환을 증진하는 방법으로 제시된 것이었다. 초기에 교육목표분류학을 발전시키기 위한 노력은 Bloom과 그의 동료들에 의해 인지적, 정의적, 운동-기능적 영역으로 구분되고 연구되었다.

교육목표분류학을 Bloom의 『교육목표분류학』만으로 부르는 것은 모호한 점이 있는데, 이는 실제로 교육목표 분류의 세 분야는 인지적 영역은 Bloom(1956)에 의해, 정의적 영역은 Krathwohl과 Bloom, Masia(1964)에 의해, 그리고 운동-기능적 영역은 Harrow(1972) 등에 의해서 연구가 이루어졌기 때문이다. 주로 Bloom이 참여하였고 그의 교육목표를 분류하는 선구적인 연구 행위로 인해 흔히 Bloom의 분류학이라고 지칭한다. 흔히 『Bloom의 분류학』은 인지적 영역을 일컫기도 한다.

〈 표 5-1 교육목표분류학의 영역별 분류체계 〉

영역	인지적 영역	정의적 영역	심리운동적 영역
분류기준	지적 능력 및 작용에 대한 복잡성의 원칙	외적 현상 및 가치에 대한 내면화의 원칙	신체에 의해 학습되는 정도 예) Harrow(1972)
분류체계	지식 이해 적용 분석 종합 평가	수용 반응 가치화 조직화 인격화	반사적 운동 초보적 기초운동 운동지각 능력 신체적 기능 숙련된 운동 동작적 의사소통

인지적 영역의 행동 분류

Benjamin S. Bloom et at.(1956)

교육목표분류학이 정립될 당시의 교육과정 개발 연구는 인지적 영역 위주였고 이러한 인지적 영역은 학생 행동이 관찰되고 기술되며 분류에 가장 근접한 정의가 가시적으로 보여질 수 있는 영역이었다. 따라서 Bloom은 학생들의 사고를 자극하고 좀 더 높은 수준으로 끌어올리기 위해 지난 40여 년간 사용되었던 인식의 복잡성을 6단계로 나누었고, 이러한 그의 인지적 목표 분류는 실제 교육현장에서 광범위하게 적용되고 연구되어 왔다.

그림 5-1과 같이 Bloom은 인지적 영역을 지식과 지식 기능인 이해 · 적용 · 분석 · 종합 · 평가의 여섯 개의 범주로 나누고 이에 '복잡성의 원칙' 에 따라 위계적 순서를 두었다. Bloom 등은 이 분류에서 지식과 이해는 기초정신과정에, 적용 · 분석 · 종합 · 평가는 고등정신과정에 속한다고 보고 있다.

Bloom의 여섯 가지 인지 영역은 서로 중첩되는 면이 없지는 않지만, 각각은 지적 수준의 위계로 나뉘어 있으므로 각 하위 수준의 인지 영역은 상위 수준의 인지 능력을 성취하기 위한 선행 조건이기도 하다. 따라서 여섯 가지 인지 영역이 위계의 논리성이나 조합성에는 의문이 제기되기도 하지만, 독립적으로 치부하지 말고 차이의 유사성을 이해하는 입장에서 접근하다면 매우 용이할 것이다.

교육과정의 목적은 의도적인 교육의 성과 또는 구체적인 수업목적이나 목표의 상위 개념이다. 따라서 이러한 교육과정의 목적을 극대화하는 진술 방법에 대한 검토의 측면에서 Bloom의 인지적 영역의 교육목표 분류를 요약하면 다음 도식과 같다.

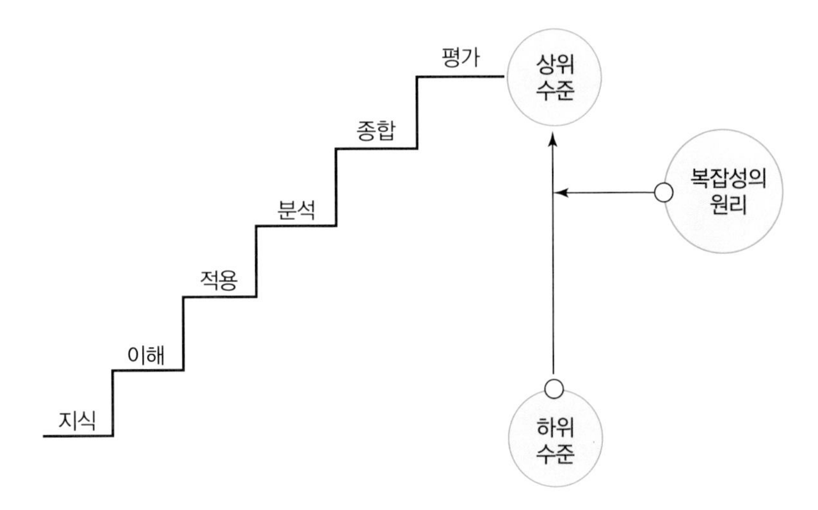

[그림 5-1 인지적 영역의 위계적 행동 분류]

1수준 : 지식(knowledge)

> *지식이란, 학생들이 교육과정 속에서 경험한 아이디어나 현상을 재생하거나, 재인에 의한 아이디어나, 자료 혹은 현상을 처음 접했던 것과 매우 비슷한 형태로 기억해 내는 것이며 또한 이를 강조하는 행동과 검사 상황을 모두를 포함한다(Bloom et al., 1956, p.62).*

Bloom은 재인이나 재생에 의하여 과거에 학습된 아이디어나 자료 또는 현상을 기억해 내는 행동을 '지식'으로 정의하고, 이 단계의 교육목표는 학습한 내용을 원형 그대로 상기해 낼 수 있는 단순 암기 능력에 관한 것으로 삼았다. 이 단계는 인지적 영역 중 가장 낮은 단계로 하위분류 내용은 특수 사상에 대한 지식, 특수 사상을 다루는 방법과 수단에 관한 지식, 보편적 · 추상적 사상에 관한 지식 등으로 다시 나누고 있다. 여기서 Bloom의 '지식'은 인출의 인지과정과 인출되는 다양한 지식의 형태를 혼합하고 있음을 알 수 있다.

특수 사상에 관한 지식

용어에 관한 지식

(교육목표의 예)

• 단어가 지칭하는 대상을 분석해 내고 생물학 용어의 뜻이 분명해지도록 한계를

설정하는 능력

- 많은 단어의 상용 의미를 익히는 일
- 지성적으로 충분히 읽을 수 있고 대화할 수 있을 만한 미술어휘에 관한 지식
- 수량적 사고에 사용되는 어휘의 뜻을 파악하기
- 평면도형에 관한 용어를 이용하기

평가와 검사 문항 예

1. 연안(synapse)을 가장 잘 설명한 것은?
   ① 많은 핵을 가졌으나 분명한 세포막이 없는 원형질의 덩어리 또는 층
   ② 뇌에서의 혈액순환이 원활하지 않아서 일어나는 기억의 상실
   ③ 생식세포의 성숙기간에 일어나는 모염색체와 부염색체의 결합
   ④ 축바퀴에 있는 긴 원통형 부분
   ⑤ 충동이 한 신경원에서 다른 신경원으로 통과하는 지점
2. 스패니엘(Spaniel)이란? ( )
   ① 장검의 일종
   ② 개의 일종
   ③ 끈의 일종
   ④ 말의 일종
   ⑤ 동전의 일종

특수 사실에 관한 지식

(교육목표의 예)

- 특정문화의 중요 사실에 관한 상기
- 실험실에서 공부한 생체에 관한 기본적인 지식의 소유
- 중요 자연자원에 관한 정보 획득
- 영양에 관한 여러 가지 중요한 정보 얻기
- 뉴스에 나오는 주요인물, 장소, 사건에 대한 숙지
- 현명한 소비를 위한 믿을 만한 정보원에 관한 지식

평가와 검사 문항 예

1. 장발장은 처음에 무엇을 훔쳤기 때문에 감옥에 가게 되었는가?
   ① 주교의 촛대

② 한 조각의 빵
③ 몇 조각의 장작
④ 과부의 암소
⑤ 성단에 있는 법의

2. 나트륨 이온이 나트륨 원자와 다른 점은?
① 나트륨의 동위원소이다.
② 더 활발하다.
③ 핵에 양전하를 띠고 있다.
④ 용액 속에서만 존재한다.
⑤ 전자수가 적다.

특수 사상을 다루는 방법과 수단에 관한 지식

형식에 관한 지식

(교육목표의 예)

- 작품의 주요 형식, 예컨대 시, 희곡, 과학적 논문 등의 형식에 익숙해지기
- 연설이나 작문의 바른 의식과 용법 익히기
- 보편적인 예법에 관한 지식
- 단어의 정확한 발음을 나타내기 위하여 사용되는 발음기호의 용법에 관한 지식
- 지도와 도표에 사용되는 표집적 기호와 용법에 관한 지식

평가와 검사 문항 예

1. 자극(磁極)은 대개 (　　　)라고 부른다.
① 플러스와 마이너스
② 적과 청
③ 동과 서
④ 남과 북
⑤ 양과 음

2. 다음 글이 사실이면 A, 의견이나 판단이면 B, 사실도 의견도 아니면 C를 (　　　) 안에 써 넣으시오.
① 시간에 1달러씩, 매주 40시간, 연간 50주 일하는 사람의 연간 수입은 2000달러이다. (　　　)
② 1년 동안 2000달러도 벌지 못하는 노동자가 많다. (　　　)
③ 실업보험금은 실업노동자의 가정에게 약간의 수입이 될 것이다. (　　　)

경향과 순서에 관한 지식

(교육목표의 예)

- 미국인 생활에 나타난 미국 문화 계속성과 발달에 관한 지식
- 인간의 진화적 발달에 관한 기본적인 지식
- 한 나라의 공업화와 문화 및 국제관계에 미쳐온 영향에 관한 지식
- 사회 정책을 결정하고 형성하는 힘을 알고 기술하는 일
- 그리스 문화가 현대에 미친 영향에 관한 지식
- 군국주의와 제국주의가 얼마나 중요한 세계대전의 원인이었던가를 아는 일
- 전 세계 사람들이 점차 독립하게끔 만든 과거 및 현대의 대세에 관한 지식

평가와 검사 문항 예

1. 파리의 생활사에서 볼 수 있는 시기의 순서가 바르게 된 것은?
   ① 유충 – 알 – 번데기 – 성충
   ② 번데기 – 유충 – 알 – 성충
   ③ 번데기 – 알 – 유충 – 성충
   ④ 알 – 유충 – 성충 – 번데기
   ⑤ 알 –유충 – 번데기 – 성충

2. 19세기 후반의 특징으로 들 수 있는 것은?
   ① 대기업체의 소기업체 흡수
   ② 동업 형태의 기업체 출현
   ③ 폭리에 대한 정부의 억제
   ④ 생산자와 소비자 간의 중개인의 중요성 감소

분류와 유목에 관한 지식

(교육목표의 예)

- 여러 가지 종류의 문제와 자료가 포함되어 있는 문제영역을 인식하기
- 모든 문학형태에 익숙해지기
- 여러 가지 기업체의 특색에 관한 지식

평가와 검사 문항 예

1. 다음 중 화학적 변화는 어느 것인가?
   ① 알코올의 증발
   ② 물의 얼음
   ③ 기름의 끓음
   ④ 초의 용해
   ⑤ 모래와 사탕의 혼합

2. 모든 고등동물의 뼈와 근육은 다음 중 어느 제1차적 생식세포층에서 발달하는가?
   ① 외배엽
   ② 신경세포
   ③ 상피세포
   ④ 내배엽
   ⑤ 중배엽

준거에 관한 지식

(교육목표의 예)

- 작품형태 및 그것을 읽는 목적을 비판하는 데 적합한 준거에 익숙해지기
- 오락 활동의 평가를 위한 준거에 관한 지식
- 식사의 영양가를 판단하는 데 필요한 준거에 관한 지식
- 예술작품을 판단하는 데 사용되는 기본요소(균형, 통일성, 율동 등)에 관한 지식

평가와 검사 문항 예

1. 존 라스킨에 의하면 위대한 그림이란?
   ① 가장 잘 묘사된 것
   ② 가장 교훈적인 것
   ③ 최대의 힘을 표현한 것
   ④ 최고의 이념을 최대로 전하는 것

2. 다윈이 제2장에서 변하기 쉬운 종과 어려운 종을 구별하는 기준으로 내세운 것은?
   ① 종 속에 있는 개체의 수
   ② 종 내의 개인차의 빈도
   ③ 종 속에 있는 변종의 수
   ④ 밀접히 관련되어 있는 종의 수
   ⑤ 종이 견디어 낼 수 있는 기후 조건의 수

방법론에 관한 지식

(교육목표의 예)

- 사회과학에 관련된 문제의 연구방법 알기
- 위생관념을 평가하는 과학적 방법에 관한 지식
- 세계문제의 해결에 과학자들이 사용하는 기술과 방법에 관한 지식

평가와 검사 문항 예

1. 과학자는 새로운 사실을 어떻게 발견하는가?
   ① 아리스톨의 저서를 참고한다.
   ② 확률에 대해 생각한다.
   ③ 세심한 관찰과 실험을 한다.
   ④ 친구들과 의문점을 토의한다.
   ⑤ 다윈의 연구를 참고한다.

2. "별은 지구와 같은 원소로 구성되어 있다." 이 진술을 지지할 만한 정보원은 어느 것인가?
   ① 우주진의 분광흡수현상을 관찰하기
   ② 별의 분광을 관찰하기
   ③ 별의 밝기를 관찰하기
   ④ 별의 밀도를 관찰하기
   ⑤ 별에서 나오는 최대발광의 파장을 측정하기

보편적 · 추상적 사상에 관한 지식

원리와 통칙에 관한 지식

(교육목표의 예)

- 생물학적 현상에 대한 인간의 경험을 요약하는 주요원리에 관한 지식
- 특정문화에 관한 주요통칙 상기하기
- 생식과 유전의 생물학적 법칙에 관한 지식
- 서구문명의 유산 중 주요요소 알기
- 고등학교 화학의 주요원리 알기
- 세포설, 삼투현상, 광합성 작용과 같은 기본적인 생물학적 원리 알기
- 우리의 대외교장정책이 국제경제 및 국제친선에 미치는 의의 알기

평가와 검사 문항 예

1. 만일 일정량의 기체의 체적이 일정하게 유지되면 압력은 다음 중 어떤 경우에 감소하는가?
   ① 온도를 낮출 때
   ② 온도를 올릴 때
   ③ 열을 가할 때
   ④ 밀도를 감소시킬 때
   ⑤ 밀도를 증가시킬 때

2. 시장가격과 통상가격의 관계를 옳게 나타낸 것은?
   ① 짧은 기간에는 통상가격의 변화에 따라 곧 시장가격이 변한다.
   ② 장기간에 걸쳐서는 시장가격은 통상가격과 같아지는 경향이 있다.
   ③ 시장가격은 대개 통상가격보다 낮다.
   ④ 장기간에 걸쳐서 보면 시장가격이 통상가격을 결정한다.

학설과 대조에 관한 지식

(교육목표의 예)

- 특정문화에 관한 주요학설 상기하기
- 특정문화의 내용에 관한 상기와 재인
- 어떤 비판 철학적 기초에 관한 지식
- 화학적 원리와 학설의 상호관계에 관한 지식
- 국회의 구조와 조직 이해하기
- 지방행정의 기본적인 기계조직 이해하기
- 국회의 구조와 조직 이해하기
- 진화이론에 관해 비교적 완전한 지식 갖추기

평가와 검사 문항 예

지시 : 1~3번은 생물진화론을 지지할 수 있는 증거에 관한 것이다. 그 증거가 다음 어느 것에 관한 것인가를 분류기입하시오.

㉮ 비교 해부학 ㉯ 비교 생리학 ㉰ 분류학 ㉱ 발생학 ㉲ 고생물학

1. 같은 종에서도 동식물의 초기 종을 구분할 수 있는 것은 진화적인 변화가 오늘날도 모든 생체에서 일어나고 있다는 것을 지적하는 것이다. (   )
2. 여러 척추동물의 헤모글로빈 속에 있는 혈소판은 같은 화학물질로 되어 있다. (   )
3. 아주 초기 발달 단계에서는 인간의 심장은 두 개의 심방으로 되어 있다. (   )

2수준 : 이해(comprehension)

> *이해란 학생들이 의사소통에 직면하였을 때, 의사소통이 되고 있는 것이 무엇이며, 그 속에 포함된 자료나 아이디어를 어느 정도 활용할 수 있도록 기대할 수 있는 수준의 자료나, 기호, 언어의 의미를 파악하는 능력이다(Bloom et al., 1956, p.89).*

Bloom의 글에서 알 수 있듯이 '이해'의 핵심은 의사소통 형식을 통한 새로운 정보의 이해이다. 여기서 '이해'란 단순한 정보의 '이해(understand)'를 뜻할 수도 있으나, 이보다는 넓은 뜻으로 자료나 기호, 언어의 의미를 파악하는 능력으로서의 '이해(comprehension)'를 말한다. 따라서 단순한 언어적 형태뿐 아니라, 다른 형태인 상징적·경험적 형태로 표현해 낼 수 있는 능력을 뜻한다. 다시 말해 단순히 학습한 내용을 재생·재인하는 것을 넘어서서 다양한 형태의 자료의 의미를 파악하고 해석하여 다시 표현해 내는 능력을 일컫는다. 이러한 이해력은 다시 번역, 해석, 추론의 세 가지 형식으로 분류된다.

번역

한 추상수준에서 다른 추상수준으로의 비평

(교육목표의 예)

- 기술적인 또는 추상적인 문제로 주어진 문제를 구체적인 또는 덜 추상적인 문체로 옮기는 능력으로 "문제를 당신의 용어로 진술하시오"와 같은 것
- 의사소통 자료에서 길게 표현된 부분을 더 짧은, 또는 더 추상적인 용어로 바꾸어 놓는 능력
- 일반적인 원리와 같은 추상 개념을 보기를 들어서 번역하는 능력

평가와 검사 문항 예

1. 도선의 자기장의 상호운동에 의해서 전류가 유도되었을 때 유도전류의 방향은 운동에 반대되는 자기장을 이루게 된다. 이 원리를 설명할 수 있는 구체적인 예는?
   ① 못을 끌어당기는 자석
   ② 발전기
   ③ 나침반의 바늘의 운동
   ④ 초인종
2. 자연과학 강의를 들을 때 당신은 가설, 학설, 과학적 법칙, 과학적 방법, 과학적 태도라는 말을 자주 들었을 것이다. 이런 말들이 뜻하는 바를 당신 자신의 표현방식 또는 늘 쓰는 용어로 몇 줄을 적어 설명하시오.

기호형태로부터 다른 형태로의 번역 또는 그 반대

(교육목표의 예)

- 수화, 지도, 표, 도형, 도표, 수식, 기타 식을 포함하는 기호형태로 표현된 관계를 언어적인 형태로 바꾸어 놓는 능력 또는 그 반대
- 언어적인 용어로 주어진 기하학적인 개념을 시각적인 또는 공간적인 용어로 바꾸어 놓는 능력
- 물리적인 현상이나 관찰된 자료 또는 기록된 자료를 도표로 표현하는 능력
- 음악 악보를 읽는 능력
- 건강 설계도를 읽는 능력

평가와 검사 문항 예

1. 이 만화가 설명하고 있는 것은?
   ① 사회문제는 때와 장소와 문화에 관련되는 것이다.
   ② 발명의 과정이란 누적적이다.
   ③ 사회문제는 역동적인 사회에서 더 자주 일어난다.
   ④ 각 문화측면 간의 변화율에는 차이가 없다.
2. 자유경쟁하에 있는 상품의 예상공급량을 가장 잘 나타낸 그래프?
   (표와 그림은 생략)

한 언어형태에서 다른 언어형태로의 번역

(교육목표의 예)

- 자의 그대로가 아닌 진술(음율, 상징, 반어법)을 보통 문제로 바꾸어 놓는 능력
- 특정한 시에 쓰인 낱말의 의의를 그 문맥에 비추어 파악하는 능력
- (사전을 써서 혹은 쓰지 않고) 외국어의 산문이나 운문을 우리말로 번역하는 능력

평가와 검사 문항 예

1. "밀톤! 그대가 지금쯤 살아있어야 했을 것을; 영국은 그대를 필요로 하나니 영국은 고인 물의 늪이어라" -워즈 워드

   "영국은 고인 물의 늪이어라"라는 비유로 보면 워즈 워드가 영국을 어떻게 생각했음을 알 수 있는가?

① 소택지가 많다.
② 소란하고 뒤숭숭하다.
③ 진보하지 않는다.
④ 일반적으로 부패해 있다.

해석

아이디어를 마음속에 새로운 형태로 재배치하는 것

(교육목표의 예)

- 문학작품의 사상을 요구되는 일반성의 정도에 따라 전체적으로 파악하는 능력
- 여러 가지 형태의 읽을거리를 깊고 분명하게 이해하고 해석하는 능력
- 자료에서 산출된 정당한 결론과 그렇지 않은 결론 및 모순되는 결론을 식별하는 능력
- 여러 가지 형태의 사회적인 자료를 해석하는 능력

평가와 검사 문항 예

지시: 다음은 앞에 나온 직업과 교육에 관한 통계표에서 추리할 수 있는 일반화된 결론이다. 이 결론이 주어진 통계만으로 나올 수 있는 것이면 A를, 대학을 나오지 않은 사람들의 직업별 백분율을 알아야 나올 수 있는 것이면 B를, 각 직업에서 대학 졸업자로서 같은 직업에 종사하고 있는 아버지를 가진 남자 대학 졸업자의 비율을 알아야 나올 수 있는 것이면 C를, 위의 B와 C의 두 가지 자료가 더 있더라도 제대로 내릴 수 없는 것이면 D를 각각 (　　) 안에 쓰시오.

1. 미숙련 노동자, 숙련 노동자 및 사무직 종사자는 판매직 종사자만큼 대학교육을 높이 평가하지 않는다. (　　)
2. 숙련 노동자, 사무직 종사자 및 미숙련 노동자 계급에서 대학 졸업자의 비율이 낮은 것은 미국에서 사회적 계층이동이 적다는 것을 나타낸다. (　　)
3. 이 나라에서 고등교육은 젊은이에게 자신의 지위를 상승시킬 수단이 된다. (　　)

추론

의사소통에서의 글자 정보와 학습자가 이미 소유한 원리와 통칙에 기초한 추리와 예언

(교육목표의 예)

- 나타난 진술로부터 직접 추론해서 작품의 결론을 내리는 능력
- 결론을 내리고 그것을 효과적으로 진술하는 능력

- 경향의 계속을 예언하는 기능
- 자료에 기술된 일련의 행동의 귀결을 추정하거나 예언하는 능력
- 비교적 가능하리라고 생각되는 귀결과 가능성이 아주 높은 귀결을 구별하는 능력
- 귀결의 예언과 가치판단을 구분하는 능력

평가와 검사 문항 예

1. 중학교 2학년 학생의 표본에서 얻은 동일한 검사점수분포에서 나온 빈도분포, 막대그래프 및 원활하게 수정된 꺾어진 금 그래프에서 내릴 수 있는 해석의 종류를 비교하시오.
2. 이민자들은 대개 우리나라 대도시의 상업중심가 주변의 빈민굴에 정착하는 경향이 있다. 그들의 자녀를 어디에서 가장 흔히 볼 수 있겠는가?

3수준 : 적용(application)

적용이란 과거에 학습한 자료나 내용을 새로운 구체적 상황에 사용할 줄 아는 능력이다. 예를 들어 학생에게 새로운 문제가 주어졌을 때에 주어지는 단서 없이 학생은 알고 있는 추상 개념의 사용을 정확하게 시범보일 수 있어야 하는데 여기에 추상 개념을 적용할 것이다 (Bloom et al., 1956, p.120).

'적용' 이란 과거에 학습한 자료나 내용을 새로운 문제 사태에 적용할 줄 아는 능력을 말한다. 추상의 개념을 예로 든다면 '이해' 단계의 추상은 학생이 사용하기 위한 조건이 명세화되어 있어야 사용 가능한 반면에, '적용' 단계의 '추상' 은 어떠한 방식도 주어지지 않은 상황에서 이전에 학습한 방법, 원리, 학설, 개념 등을 적용하여 '추상 개념 문제' 를 해결할 수 있다는 것이다. 하지만 '적용' 은 Bloom의 분류학에서 가장 잘 정의되지 않은 단계이기도 하다.

(교육목표의 예)

- 어떤 논문에서 논의된 현상에다가 다른 논문에서 사용된 과학적 술어나 개념을 적용하기
- 사회과학의 통칙이나 결론을 실제의 사회문제에 적용하는 능력
- 평형상태에 있던 생물학적인 사태에 포함된 어떤 한 개의 인자의 변화가 가져올 만한 영향을 예측하는 능력
- 집 수리문제에 관계되는 해결안을 찾는 데 실험적인 절차 채택하기

- 시민의 자유와 권리에 대한 원리를 시사문제에 관련시키는 능력
- 민주적 집단행위의 원리를 집단참여와 사회적 사태에 적용하는 기술
- 삼각법의 법칙을 실제 문제 사태에 적용하는 능력

평가와 검사 문항 예

1. X와 Y는 둘이 같이하여 어떤 일을 15일에 할 수 있다. 6일간 같이하고 X가 그 일을 그만 두면 Y는 그 일을 마치는 데 30일을 더 일해야 한다. Y가 그 일을 혼자 하면 며칠 걸리겠는가?
   ① 30일 ② 40일 ③ 50일 ④ 60일 ⑤ 위 모두 아니다
2. 세로가 가로보다 200야드 더 긴 직사각형이 있다. 만약 가로 세로가 지금보다 20야드씩 더 길어진다면 넓이는 지금의 2배가 된다고 한다. 처음 변 중 짧은 것은 몇 야드이겠는가?
   ① 20 ② 30 ③ 35 ④ 40 ⑤ 위 모두 아니다

4수준 : 분석(analysis)

분석이란 자료의 의미나 의도를 파악하는 데 강조점을 두고, 주어진 자료를 구성요소나 부분으로 분해하고 부분 간의 관계와 그것이 조직되어 있는 방법을 발견하는 능력이다(Bloom et al., 1956, p.144).

이 행동 유형은 주어진 자료의 조직적인 구조를 이해할 수 있도록 내용을 세분화화는 능력으로, 자료를 구성부분으로 분해하고 조직되는 방법과 사태의 원인이 되는 요소와 요과의 관계 및 배경원리 등을 파악하는 것을 중요한 내용으로 한다. 교육목표로서의 '분석'은 세 수준으로 나눌 수 있는데. 첫째, 요소의 분석이며 둘째, 관계의 분석이며 셋째, 조직의 분석이다. 명심할 점은 Bloom의 분석은 '이해'나 '평가'와 중첩된다는 사실이다.

요소의 분석력

가정, 가치, 관점을 분석하여 정보의 성질이나 기능을 결정하는 능력

(교육목표의 예)

- 진술되지 않은 가정을 인지하는 능력
- 사실과 가설을 구별하는 기능

- 사실적 진술과 규범적 진술을 구별하는 능력
- 동기를 발견하고 개인과 집단에 관련된 행동기제를 식별하는 능력
- 결론과 그 결론을 지지하는 설명을 구별하는 능력

평가와 검사 문항 예

1. 부하량을 결정하기 위하여 실시한 이 실험에 관련되는 가정은 다음 어느 것인가?
   ① 빗방울의 전하여부에는 관계없이 중력의 크기는 같다.
   ② 반대의 대전체는 서로 끌어당긴다.
   ③ 한 빗방울은 단 하나의 전하를 가진다.
   ④ 빗방울의 양은 밀도와 용적의 적과 같다.
   ⑤ 위의 어느 것도 해당하지 않는다.

다음 문항은 Lindsay의 현대민주국가론의 발췌문에 의한 것으로 이 발췌문은 시험시작 전에 학생들에게 나누어 주었으며 학생에게 시험동안에 그 책이나 노트를 볼 수 있도록 하였다.

2. Lindsay가 제1장에서 시도한 주요문제는 다음 중 어느 것인가?
   ① 국가의 주권이란 무엇인가?
   ② 법률과 주권과의 관계는 어떤 것인가?
   ③ 주권과 권위 및 도의와의 관계는 어떤 것인가?
   ④ 주권은 권할 만한 것인가?

관계의 분석력

요소와 요소 사이의 관계, 부분과 부분 사이의 관계를 찾아내는 능력

(교육목표의 예)

- 문장에 있는 개념 간의 상호관계를 이해하는 기능
- 판단을 정당화하는 데 어떤 특수 사상이 관련되는가를 인식하는 능력
- 가설이 주어진 정보나 가정과 일치하는가를 점검하는 능력
- 인과관계와 다른 연결관계를 구별하는 능력
- 역사적 기사에서 인과관계 및 중요한 세부와 중요하지 않는 세부를 인식하는 능력

평가와 검사 문항 예

다음 진술을 읽고 1번 문항을 푸시오.

(1) 햄릿은 피살된 아버지의 영으로부터 살인자 크라디우스에게 복수하라는 명을 받았다. (2)

그는 크라디우스가 자기 아버지를 죽였다는 충분한 증거를 갖지 못했기 때문에 즉각적으로 복수할 수 없었다. (3) 이 증거를 찾는 도중에 햄릿은 왕이 그가 의심을 품고 있다는 것을 눈치채게 한다. (4) 연극이 진행됨에 따라 햄릿은 복수하기 좋은 기회가 없어 복수를 할 수 없게 된다. (5) 끝장에 가서 햄릿은 크라디우스가 수배해 놓은 결투를 하게 되는데 그 결과 중요한 조연뿐만 아니라, 주인공과 그의 협조자들까지 죽게 된다.

1. 위의 진술에 대하여 토론과 평가를 한다면 어느 문장에 나와 있는 점을 중심으로 숙고하겠는가?
   ① 문장(1) ② 문장(2)와 (3) ③ 문장(2)와 (4) ④ 문장(5)

조직원리의 분석력

조직원리, 체계적 배열, 구조를 분석하는 능력

(교육목표의 예)

- 특정한 예술작품에서 제작자료 및 방법의 요소와 조직에 대한 관계를 분석하는 능력
- 문학 및 미술작품의 뜻을 이해하는 수단으로서 그 형식과 유형을 인식하는 능력
- 작품에 나타난 작가의 목적, 견해, 사상, 감정을 추리해 내는 능력
- 실제 활동에 나타난 저자의 과학, 철학, 역사 또는 예술에 대한 생각을 미루어 아는 능력
- 광고, 선전 등과 같은 설득적 자료에 사용된 기술을 간파해 내는 능력
- 역사적 기사에서 필자의 견해나 편견을 인식하는 능력

평가와 검사 문항 예

다음 음악을 듣고 풀어보시오.

1. 이 곡의 일반적인 구성 순서는 무엇인가?
   ① 주제와 그 변화 ② 주제, 발전, 재진술
   ③ 제1주제, 발전, 제2주제, 발전 ④ 서곡, 주제, 발전

2. 주제는 주로 무엇으로 연주되었는가?
   ① 현악기 ② 목관악기
   ③ 호른 ④ 위의 모든 것을 번갈아가면서

5수준 : 종합(synthesis)

종합이란, 여러 가지 요소나 부분을 전체로서 하나가 되도록 묶는 능력을 의미한다. 다시 말해 종합의 사고 후에는 이전에는 분명하지 않았던 유형이나 구조를 형성하는 방법과 그것을 조합하는 과정을 일컫는다. 또한 일반적으로 이것은 이전에 경험했던 부분을 새로운 자료와 재결합하고, 새롭고 다소 잘 통합된 전체로 재구조화하는 것과 관련된다(Bloom et al., 1956, p.162).

이 행동은 여러 가지 요소나 부분을 어떤 하나의 구조나 형태로 결합하여 전체로 묶어내는 행동이다. 이것은 새로운 지식 구조의 창출과 관련이 되므로 '창의적인 능력'과 유사한 능력이다. Bloom은 '종합' 은 하위 인지 행동영역과의 관련성을 인정하면서 다음과 같이 진술한다.

"이해 · 응용 · 분석의 인지적 행동을 할 때도 요소들을 조합하고 의미를 구성하는 행동을 하지만, 수많은 과제에서 전체로 엮어내는 '종합' 보다는 실제적인 경향이 있으나 덜 조화롭다(Bloom et al., 1956, p.162)."

독특한 의사전달 자료의 창조

조직원리, 체계적 배열, 구조를 분석하는 능력

(교육목표의 예)

- 아이디어나 문장을 탁월하게 조직해서 작문하는 능력
- 자기의 개인적인 즐거움이나 또는 타인을 환영하거나 소개할 목적으로 소설, 수필, 산문을 창조적으로 쓰는 능력
- 개인적 경험을 효과적으로 이야기하는 능력
- 즉석에서 연설하는 능력
- 짧은 시에 곡을 붙이는 것과 같은 간단한 작곡 능력

평가와 검사 문항 예

1. 당신 생애에서 당신이 어떤 곤란에 부딪혔을 때, 그것을 극복하지 않으면 안되었던 때를 회상해보고 그 곤란에 관한 짧은 이야기를 만들어서 학급에 발표하시오.

2. 다음 시를 음악으로 작곡하시오.(적당한 시를 학생에게 제시한다.)
   2-① 단순선율로 작곡하시오.
   2-② 단순조의 베이스로 작곡하시오.
   2-③ 두 개의 조성으로 작곡하시오.

조작의 계획 및 절차의 창안

조직원리, 체계적 배열, 구조를 분석하는 능력

(교육목표의 예)

- 가설 검증방법을 제시하는 능력
- 문제를 해결하기 위한 효과적인 계획이나 해결방안에 여러 가지를 통합하는 능력
- 특정한 교수 사태를 위한 지도단원을 계획하는 능력
- 특정한 조작을 수행하기 위한 간단한 기계를 고안하는 능력
- 주어진 명세에 따라 건축을 설계하는 방법
- 화학적 지식, 조작단원의 지식, 그리고 전문서적에서 볼 수 있는 자료를 종합하고 이것을 화학적 공정설계에 적용하는 능력

평가와 검사 문항 예

첨부된 설계도에 있는 부속품을 만드는 마지막 작업을 수행하기 위한 간단한 드릴지그(drill jig)를 설계해 보시오. 그 마지막 작업이란 모든 구멍을 뚫는 일이다. 똑같은 부속품 1000개를 만들려고 하는데 외경과 길이가 각각 2분의 1인치인 축받이통을 사용하고자 한다. (설계도 생략)

추상관계의 도출

조직원리, 체계적 배열, 구조를 분석하는 능력

(교육목표의 예)

- 학습지도에 응용될 수 있는 학습이론을 형성하는 능력
- 경험이 조직되어 하나의 개념구조가 형성되는 여러 가지 방법을 지각하는 능력
- 수학적인 발견 및 통칙을 만드는 능력

평가와 검사 문항 예

사실 : 건조가스 X와 Y는 후라스코에 혼합되었을 때 곧 반응을 보인다. 그러나 가스를 넣기 전에 그 후라스코가 몹시 뜨겁거나 차면 반응이 안 나타난다. 그리고 구리로 된 용기를 사용해도 반응이 안 생긴다.

지시 : 아래 각 가설을 위의 사실에 비추어 생각해 보시오. 만약 그 가설이 틀린 것이거나 실험적으로 검증될 수 있도록 기술된 것이 아니면 A를 검게 칠하고, 그렇지 않다면 그 가설을 가장 잘 검증할 수 있는 실험을 선택하여 그 기호를 까맣게 칠하시오.

가설 : 반응을 일으키는 데는 물이 필요하다.
A. 가설은 틀린 것이거나 실험적으로 검증될 수 없다.
B. 가스를 넣기 전에 후라스코에 열을 가하지 않고 잘 말린다.
C. 가스를 혼합한 후에 후라스코의 끝을 막지 않은 채 둔다.
D. 가스를 넣기 전에 구리 용기의 안쪽 면을 적신다.
E. 후라스코에 강한 열을 가했다가 식힌 후에 가스를 넣기 전 며칠 동안 밖에 내어 둔다.

6수준 : 평가(evaluation)

평가란 비판이라고도 할 수 있는 것으로 특정의 목적을 갖고 아이디어, 작품, 해결책, 방법, 자료의 가치를 판단하는 능력이다. 이에 특정 사태가 정확하고 효과적이며 경제적이고 만족스러운 정도를 평가하기 위해 표준뿐 아니라 준거를 활용하는 행동과 관련된다. 판단은 양적일 수도 질적일 수도 있으며, 준거는 학생에 의해 결정될 수도, 학생에게 주어진 것일 수도 있다(Bloom et al., 1956, p.185).

이 행동은 지식의 가치에 대해 판단하는 능력과 의식적이고 시간을 가지고 사려 깊은 수준에서 이루어지는 의사결정의 형식이다. '평가'는 두 가지 형식의 준거가 있다. Bloom은 '내적 준거와 외적 준거'로 '견해'와 관련이 깊다고 제안한다.

내적 증거에 의한 판단

논리적인 정확성, 일관성, 기타 내적 준거의 증거에 의한 의사전달 자료의 평가

(교육목표의 예)

- 내적 기준에 의해 판단하면서 진술, 고증, 증명 등의 정확성에 대한 배려로부터 사실보고에 있어서의 일반적인 정확도를 평가하는 능력
- 작품의 판정에 일정한 준거를 적용하는 능력
- 주장 중의 논리적 오류를 지적하는 능력

평가와 검사 문항 예

문제 : 사회보장국 직원들은 실업자보상금에 대한 청원을 심사할 때 가끔 난처한 문제에 직면하게 된다. 오하이오주와 미주리주에 사는 몇몇 메이저리그의 야구선수들은 1월(시즌 말 이후)에는 야구를 하지 않기 때문에 스스로를 실업자라고 할 수 있다고 판단했다. 그중 몇몇 사람은 야구에서 연 8000달러에서 10,000달러라는 많은 봉급을 받고 있으면서 사회보장법의 실

업자 조항의 혜택을 받을 자격이 있다고 주장하였다.

구단 소유주는 이들 선수에게는 실업자보상금이 적용될 수 없다고 주장했다. 소유주의 해석에 의하면 비록 시즌동안만 야구를 하고 보수를 받기는 하지만, 이 선수들은 일 년 내내 계약되어 있다는 것이다. 한편 오하이오주와 미주리주 간사들은 이들이 보상금 혜택을 받을 수 있다는 선수들의 주장에 동조하는 듯하였다.

지시 : 다음에 주어진 결론들을 검토하시오. 위에 든 문장이 이 문제에 대한 공정한 진술이라고 본다면 당신은 어느 결론이 정당하다고 생각하는가?

A. 선수들은 사회보장법의 실업자조항의 혜택을 받을 자격이 있다.
B. 선수들은 사회보장법의 실업자조항의 혜택을 받을 자격이 없다.
C. 선수들이 사회보장법의 실업자조항의 혜택을 받을 자격이 있는지 없는지를 판정하기에는 정보가 부족하다.

다음 진술에서 당신의 결론이 논리적이라는 것이 설명되어 있으면 A에, 설명되어 있지 않으면 B에, 어느 편인지 결정할 수 없으면 C에 각각 표시하시오.

진술 :

1. 주간사들은 실업자보상금에 대한 청원을 심사하는 사람들이다. 그리고 그들의 의견은 구단 소유주의 의견보다 더 중요시된다.
2. 사회보장법에는 일년 중 얼마 동안만 일을 하고 보수를 받는 사람이 나머지 기간에는 실업자라고 규정하고 있을 수도 있고, 규정하고 있지 않을 수도 있다.
3. 비록 각각의 정의에서 나오는 주장은 논리적일지라도 정의가 바뀌면 다른 결론이 나올 수 있다.
4. 선수들은 간접적으로 다른 사람들이 보상금을 받는데 우리는 왜 받지 못하는가 하며 주장하고 있으며 다른 사람에게는 보상금이 더 필요하다는 것을 잊고 있다.

외적 준거에 의한 판단

설정된 준거나 기억된 준거에 의거한 자료의 평가

(교육목표의 예)

- 특정문화에 관한 주요학설, 통칙 및 사실의 비교
- 외적 기준에 의해 판단할 때, 한 작품을 그 분야에서 알려진 최고의 기준과 특히 걸작이라고 인정된 다른 작품과 비교하는 능력
- 여러 가지 실행과정에 포함되는 가치를 인식하고 그 비중을 따지는 기능
- 어떤 실행과정의 선택에 수반되는 판단과 가치를 발견하고 평가하는 능력
- 더욱 적절히 정의되어 원문을 더 정확히 해주는 학술어와 보통명사를 어떤 은밀한 명칭으로 바꿀 만한 용어를 구별하는 능력

- 건강에 대한 신념을 비판적으로 평가하는 능력
- 스스로 발달된 기준을 하루하루의 생활환경에서 일용품을 선택하고 사용하는 데 적용하는 능력

평가와 검사 문항 예

1. 어쩔 수 없으니 내게 오시오. 키스하고 헤어집시다.
   아니 나는 다 끝마쳤소. 당신은 내게서 더 얻을 것이 없어요.
   내가 진정 이렇게 즐거움을 나 스스로를 깨끗이 해방할 수 있기
   (중략)
   당신이 바라기만 하면 아직은 그를 죽음에서 되살릴 수 있으리라.

   위에 나온 시를 서술하고 평가하는 250자 내지 500자 정도의 글을 쓰시오. 이 글에서 당신이 이 시의 형식적 특성을 알고 있다는 것을 밝혀 줄 만한 용어를 사용해야 합니다. 당신의 평가원칙을–다시 부언하거나 변명하지 말고–분명히 밝혀야 합니다.

   시간을 들여서 글을 조심스럽게 조직하시오. 답안에 당신이 의도한 바가 가장 잘 나타났는지 검토하고 수정할 시간을 남겨두시오. 계획에 20분, 쓰는 데 80분, 고치는 데 20분을 배당하는 것이 좋을 것입니다. 간결하게 쓰시오.

정의적 영역

Krathwohl, Bloom, Masia(1964)

인지적 영역을 보완하기 위해 제시된 교육목표 분류체계에서 정의적 영역의 분류는 지적 · 지식 기능에 따른 교육목표 분류의 한계를 보완하여 다른 시각에서 교육을 바라볼 수 있는 다양성을 제공하고 있다. 즉 인지적 영역의 강조로 도외시될 수 있는 느낌, 흥미, 태도, 가치 등과 관련한 교육목표 분류이다. 이 영역은 외적 현상이나 다른 사람의 이이디어와 가치 등을 개인이 수용할 때 내면화되는 원칙(principle of internalization)에 근거하여 가치 체계를 조직하고 종합하는 내면화 정도의 낮은 수준부터 높은 수준으로의 점진적인 발달 단계로 분류한다.

1수준 : 수용(receiving)

어떤 자극이나 새로운 내용을 편견 없이 받아들이고 기꺼이 학습하려는 학습자의 자발

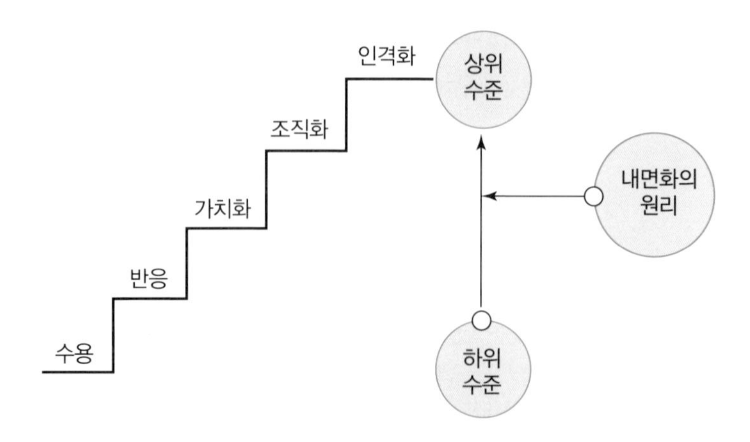

[그림 5-2 정의적 영역 위계적 행동 분류]

적인 관심에 관한 분류이다. 현상이나 자극에 대한 인식에서부터 선택 및 주의를 집중하는 가장 낮은 정의적 행동 수준이다. 특정 현상이나 자극에 대해 학습자가 감수성을 가지게 되는 것에 주목한다. 수용은 감지, 자진 감지, 선택적 주의집중으로 분류된다.

감지(awareness)

어떤 것을 단순히 의식하는 것, 자발적으로 관심을 기울이려는 성향

예) 주의 깊게 듣기

자진감수(willingness to receive)

주어진 자극을 피하지 않고 자발적으로 수용하려는 행동

예) 사회적 문제에 민감하게 반응하기

선택적 주의집중(controlled 또는 selected attention)

여러 자극 중 학습자가 선택한 자극에 주목하는 것

예) 연주에 사용된 다양한 악기에 유의하며 음악 감상하기

2수준 : 반응(responding)

주어진 자극이나 활동에 대해 단순히 수용으로 끝나지 않고, 적극적으로 참여하여 자발적으로 반응하고 이를 통해 만족감을 얻게 되는 행동을 일컫는다. '흥미'는 이 수준의 정의적 행동이다. 반응은 묵종반응, 자진반응, 반응에 대한 만족 등으로 분류한다.

묵종반응(acquiscence in responding)

반응을 보이기는 하나 반응행동에 대한 필요성을 납득하지 못하는 단계

예) 자료에 대한 타당성을 검증해보기

자진 반응(willingness to respond)

자발적인 활동의 필요성을 충분히 납득하고 행동하는 것

반응에 대한 만족(satisfaction in response)

자진반응 단계의 부가적인 요소로서 일반적으로 즐거움, 열정, 향락 등의 만족감 또는 정서적 반응을 수반하는 것

3수준 : 가치화(valuing)

가치화는 태도, 가치라는 말로 표현되기도 하는 분류로 특정 대상, 활동 또는 행동에 대해 의의와 가치를 직접 부여하고 내면화하여 행동으로 추구하는 것이다. 개인은 여러 자극에 대한 다양한 가치에 직면하여 일치된 가치나 갈등을 일으키는 가치에 놓이게 된다. 가치화는 가치의 수용, 가치의 선택, 확신으로 분류된다.

가치의 수용(acceptance of a value)

'신념' 이라는 용어에 근접한 개념으로 충분한 근거가 있다고 보는 정서를 마음으로 받아들이며 가치를 부여하는 단계

예) 자료에 대한 타당성 검증해보기

가치의 선택(preference for a value)

가치에 대한 인정을 넘어서서 개인이 그 가치를 충분히 확신하고 추구하는 것

예) 타인의 복지에 관심 보이기

확신(committment)

깊은 믿음으로 비합리적인 근거에 입각하더라도 정서적으로 굳게 수락할 수 있는 것, '의심할 여지가 없는 믿음'

예) 신앙, 충성

4수준 : 조직화(organization)

갈등을 일으키는 다양한 가치(다른 수준, 다른 종류)를 나름대로 통합하고 위계화하는 것으로 개인의 내면적인 가치체계를 확립하기 위한 출발 단계이다.

가치의 개념화(conceptualization of a value)

새로운 가치가 개인이 지닌 기존의 가치 또는 또 다른 새로운 가치와 관련되는가에 대해 개념화하는 것으로 추상적이며 상징적임.

예) 자료에 대한 타당성 검증해보기

가치체계의 조직(organization of a value system)

낱낱의 가치를 종합하고 질서 있는 관계 짓기

예) 자신의 능력과 흥미 그리고 신념에 어울리는 생활계획 세우기

5수준 : 인격화(characterization)

조직화된 가치체계가 개인의 인격의 일부로 내면화된 정도를 일컫는 것으로 개인의 행동 및 생활의 기준이다. 상당히 포괄적이고 일관성 있는 행동특징을 가지므로 개인은 충분히 예측할 수 있을 만큼 확고하고 일관된 행동을 보인다.

일반화된 행동태세(generalized set)

높은 수준의 선택적인 반응으로 어떠한 자극에도 태도 및 가치체계에 대한 일관성 있는 반응을 유지하는 것

예) 자료에 대한 타당성 검증해보기

인격화(characterization)

개인의 내면화 과정의 정점으로 정의적인 영역의 가장 광범위한 목표

예) 개인의 우주관, 인생철학, 세계관

심리운동적 영역

Simpson(1966), Anita Harrow(1972)

Bloom과 그의 동료들은 애초에 인지적, 정의적 및 심리운동적 영역으로 분류를 시도

하였으나 심리운동적 영역에 대한 연구물은 내놓지 않았다. 하지만 예체능 교과나 다른 교과에서의 심리운동에 대한 요구는 후속적인 연구를 필요로 하였다. '행동' 을 학습의 과정에 따라 위계적으로 체계화시키기 위해 Bloom의 교육목표분류학에서 영감을 얻어 Simpson(1966), Kibler(1970), Harrow(1972), Jewett, Mullan(1977) 등은 Bloom과 그의 동료들이 그들의 분류체계에 포함시키지 않았던 심리운동적 영역의 교육목표 분류를 체계화하였다.

심리운동적 영역에서는 신체를 움직여 학습내용을 획득하는 것과 관계있는 것으로 특히 근육이나 운동기능을 강조하는 것을 목표로 두고 있다. 심리운동적 영역은 평가를 강조하는 인지적 · 정의적 영역과 달리 평가 아이템을 포함하지 않는 특징이 있다. 교육에서의 심리운동적 영역의 본질적인 애매함과 복잡함을 이유로 타당성과 실용성 면에서는 미흡하다는 지적을 받고 있기도 하다. 여기에서는 Simpson(1966)과 Anita Harrow(1972)의 분류를 소개하고자 한다.

Simpson(1966)의 분류

1.0 지각(perception)

감각기관을 통해 지각하는 과정으로 운동 수행에 가장 먼저 와야 하는 단계
예) 볼링공을 던질 때의 발의 위치 판단하기

2.0 태세(set)

특정 행동이나 경험을 하기 위한 정신적, 신경적, 운동적인 준비 상태

3.0 인도된 반응(guided)

타인의 지도에 따라 복잡한 운동 기능의 여러 요소 중 하나를 외현적 행동으로 해보는 반응

4.0 기계화(mechanism)

상황에 따른 습관적 동작이 자동적으로 반응하는 것

5.0 복합적 외현반응(complex overt behavior)

복잡한 운동행위를 할 수 있는 단계로 노력이나 시간을 최소한으로 유효하고 원활하게 이끄는 반응
예) 피아니스트의 연주 모습

Harrow(1972)의 분류

1.0 반사적 운동(reflext movement)

운동이나 훈련에 의해 발달된 것이 아니며 개인의 의지와 관계없는 단순 반사 운동으로,

교육목표로 설정될 수는 없으나 운동기능 발달의 기초가 되는 운동
예) 잡기, 서기, 걷기, 무릎반사

2.0 초보적 기초동작(basic-fundamental movements)
여러 개의 반사적 운동이 함께 발달되고 통합되어 이루어지는 동작
예) 걷는 것, 뛰는 것, 손으로 물건 잡기

3.0 운동지각 능력(perceptual abilities)
감각기관을 통해 전달된 자극을 자각하고 해석하여 환경에 대처하고 적응하는 능력
예) 지시에 의해 물건 집기, 음식의 맛 구별하기, 공감각 · 시각 · 후각 · 미각 능력

4.0 신체적 기능(physical abilities)
숙달된 기능의 발달에 필요한 부분으로 숙달된 기능을 위한 기초 기능
예) 계속적인 체력과 근육운동, 운동의 민첩성, 유연성, 인내력, 저항력

5.0 숙련된 운동기능(skilled movements)
동작의 능률성, 숙달도, 통합성 등의 복잡하고 숙련된 기술을 필요로 하는 기능
예) 타자, 기계체조, 댄스, 복잡한 적응 기술

6.0 동작적 의사소통(non-discoursive communication)
신체적 운동을 통한 의사소통의 운동기능 등 신체적 동작을 통하여 감정, 흥미, 의사, 욕구 등을 표현하고 창작하는 운동기능
예) 운동의 표현, 운동의 해석

Bloom의 교육목표분류학의 영향

지난 반세기 동안 가장 영향력이 큰 교육연구 논문 중의 하나는 『교육목표분류학, 교육목적의 분류, 핸드북 I : 지적영역』이라고 할 수 있다. 1956년에 출판이 되고 난 후 거의 40년이 지났지만 그 책은 검사와 평가, 교육과정 개발, 그리고 교수와 교사 교육의 논의를 위한 표준적인 참조체제가 되고 있다(Anderson & Sosniak, 1994, p.vii).

Bloom의 교육목표분류학은 오늘날 교육과정보다는 평가에 강력한 영향을 미친 것으로 평가받고 있다. 즉 Bloom의 분류학이 교육목표 진술에 좀 더 상세한 수준을 제공한다는 점에서 목표중심의 평가를 위한 강력한 도구임에 틀림없다는 것이다. 이러한 교육목표분류학의 유용성은 Bloom이 주장하는 바를 위주로 살펴보면 다음과 같다.

Bloom의 교육목표분류학은 유용한 도구인가

분류학을 이용하면, 하나의 특정한 교육계획에서 어떤 행동에 중점을 두어야 할 것인가를 내다볼 수 있게 될 것이다. 어떤 교사가 각 학습단원의 목표를 분류해 본다면, 거의 모든 목표들이 본 분류학의 지식의 상기 또는 인식이라는 유목에 속하는 것임을 알게 될 것이다 (Bloom et al., 1956, p.4).

분류학이 유용한 도구로 인정받기 위한 조건

교육목표분류학의 특징

교육목표 분류체계가 교육적 · 논리적 · 심리적이어야 하고, 교육목표나 행동분류에 가치판단을 제거하기 위해 중립성을 강조한 것이 Bloom의 교육목표분류학의 특징이다.

교육목표분류학의 분류기준

분류학의 분류가 장소와 학습자의 상황에 관계없이 적용되려면 분류자들 사이에 충분한 의사소통의 길을 열어두어야 하며, 그러한 특수성이 모두 포함되도록 하는 포괄성을 띠어야 한다. 더불어 교육적 문제에 대한 사고를 자극하고 교육 실천가에게 매우 유용한 아이디어와 방법을 제공할 것을 유용한 도구로 인정받기 위한 기준으로 강조하고 있다.

분류학이 유용한 도구인 점을 서술하면 아래와 같다.

첫째, Bloom 등은 교육문제에 대한 사고를 자극하고, 그동안의 교육과정 전문가와 평가자들이 여러 가지 교육목표에 상관없이 짜여진 교육과정을 계획해 왔었다는 점을 지적하였다. 이것은 교육과정 계획이나 교육연구 분야에서 소홀히 해온 문제에 대한 관심을 불러일으켰다. 이에 교육내용을 인지, 정의, 심리운동의 세 영역으로 분류함으로써 교육을 더욱 분석적인 시각으로 접근할 수 있게 한 것이다.

둘째, 각 영역의 교육내용을 포괄적으로 그리고 어느 정도 타당하게 분류하여 이를 수업내용의 분석이나 평가목표의 설정에 구체적으로 활용할 수 있게 하였다는 점을 들 수 있다. 따라서 하나의 특정한 교육계획에서 어떤 행동에 중점을 두어야 할 것인가를 알 수 있다. 더불어 교육과정 계획에 있어서 설정한 교육목표의 포괄성을 검증할 수 있도록 도와준다.

셋째, 교사들이 전개하는 교육과정이나 평가 방안에 관한 정보를 쉽게 상호 교환하는 것을 가능하게 한다.

Bloom의 교육목표분류학의 한계

Bloom의 교육목표분류학은 실제 교육현장의 교육과정, 수업, 평가, 학습 분야에서 중요한 도구로 오랜 세월 활용되어 왔음에도 불구하고 분류기준이 모호하고 심리학적 속성이 명확하지 않다는 문제점이 끊임없이 제기되고 있다(Sedden, 1978). 이러한 교육목표분류학이 지니는 문제점을 여러 연구(Kunen, Cohen & Solman, 1981; Anderson, 2002)를 중심으로 정리하면 다음과 같다.

교육적 원리의 문제. 분류학의 교육적 원리는 학교의 수준이나 종류에 상관없이 학생들의 일련의 행동을 동일한 수준으로 분류할 수 있다는 것이다. 이것이 가능하기 위해서는 분류자들 간의 의사소통이 가능한 체계하에서 분류자들이 분류한 교육목표나 평가문항이 어느 정도 일치하느냐에 달려있다고 볼 수 있다. 하지만 Bloom 등은 다양한 목표들을 충분히 수용할 만한 하위수준을 정의할 수 있다는 이유를 들어 자세한 통계적 처리결과를 발표하지 않아 의문을 낳고 있다.

중립성 원리의 문제. 분류학의 중립성 원리는 가치판단을 함축한 용어나 포괄적인 분류체계를 구성함으로로써 분류의 불공평성을 제거함을 말한다. Bloom 등도 학생들의 의도된 행동분류라는 점에서 완전한 중립성 유지의 어려움은 인정하고 있다. 하지만 교육목표로 선정될 것들이 학생들의 행동의 변화로 두는 한 관찰될 수 있는 진술이나 반응만이 교육목표로 선정될 수 있으며, 중요한 교육목표가 될 수 있는 사고와 감정의 변화는 제외될 가능성이 많다는 것이다.

유목의 구인타당도, 유목의 모호성, 위계의 비타당성. Bloom 등의 분류학은 각 분류체계의 독립성과 계열성을 기본전제로 하고 있다. 그러나 각 분류체계의 상호 관계에 대한 구인타당도에 관한 연구를 찾아보기 어렵다는 것이 사실이다. 각 분류체계들의 위계에 대한 문제를 지적한 연구들로 Hauenstein의 연구(1998), Marzano의 연구(2001), Anderson의 연구(2001)가 있다.

다음으로 분류체계의 구분이 명확하지 않다는 점을 지적할 수 있다. 각 분류체계가 상당히 임의적으로 분류되어 있으며 논리적으로 어떻게 구분되는지 뚜렷하지 못하다는 지적이다. 예를 들어 '이해'는 낮은 수준의 지적 기능으로 분류되어 있으나 이해의 과정을 보면 고등정신기능으로 분류되는 '적용 · 분석 · 종합 · 평가' 들이 어울려 있다.

일차원적인 단일성. 분류학은 학습자의 인지과정에 부합하는 지식차원을 고려하고 있지 못하다는 점이다. 이러한 일차원적인 단일성을 극복하기 위해 Marzano는 정신적 과정의 복잡성을 들면서 인지과정 차원과 지식차원을 동시에 고려하고 있다.

분류학의 한계를 요약하면 다음과 같다. 교육목표를 체계적으로 설정하고자 할 때 유용한 도구로 사용될 수 있으나 인지, 정의, 신체는 서로 밀접히 연관되어 있기 때문에 교육목표를 세 가지로 분류하는 것은 상당히 인위적이다. 또한 각 영역 내에서 하위목표들 간에 중첩되는 부분이 많다. 교육목표분류학은 교육목표를 설정할 때 세목까지 지켜야 할 지침이 아니라 교육을 통하여 달성해야 할 영역이 다양하므로 어느 한 가지만 강조하여 다른 것을 무시하거나 경시해서는 안 된다는 것을 알려 준다. 그리고 각 영역 속의 목표에도 여러 수준이 있기 때문에 어느 한 가지 수준의 목표 달성에 열중한 나머지 다른 수준의 목표들을 간과하는 실수를 범하지 말아야 한다는 의미다.

Bloom 등도 그의 저서에서 교육목표분류학이 교육 및 측정분야에서 상당히 존재할 수 있는 문제의 내포 가능성을 인정하고 있으며, 다만 그는 분류학이 과학적인 체계 없이 혼돈 상태의 교육현장에 이론적인 연구결과만 일삼는 사람들에게 교육계의 현실성에 비추어 보아 그들의 분류체계와 같은 방안이 오히려 정당화될 수 있다고 주장한다. 이러한 문제와 결함에도 불구하고 교육의 실재에 광범위하게 사용되어 온 Bloom 등의 분류학은 그들의 괄목할 만한 기여를 인정하면서, 문제점을 보완하는 방향으로 모색되어 나가야 할 것이다.

학습활동과 토의주제

1. Bloom이 교육평가 영역에 끼친 공로는 매우 심대하다. 그의 교육목표분류학이 학교교육 목표 선정, 학생들의 학습방법, 교사의 수업방법에 어떤 영향을 줄 수 있는지를 토론해 봅시다.

2. Bloom의 교육목표분류학은 인간의 인지적 기술 수준을 낮은 사고기술에서 고등사고 단계로 체계화시켜 놓았다. 이 기준에 근거하여 우리나라의 다양한 평가제도들(수능고사 문제지, 학습지, 학교 월말고사 시험지)에서 어떤 인지적 영역을 강조하고 강조하지 않는지 내용을 분석해 봅시다.

3. Bloom의 각 단계에 해당하는 평가문항을 제작하여 봅시다. 학교의 교과서나 단원목표에 근거하여 지식 · 이해 · 적용 · 분석 · 종합 · 평가 영역에서 각 세 문항씩 만들어 보고 집단으로 토론하여 과제로 제출합시다.

참고문헌

강현석 · 강이철 · 권대훈 · 이원희 · 주동범 · 최호성 역(2005). 교육과정, 수업, 평가를 위한 새로운 분류학: Bloom 교육목표분류학의 개정, 아카데미프레스.

곽진숙(2002). 타일러와 아이스너의 교육평가론 비교 연구. 서울대학교 대학원 석사학위논문.

서미혜(1986). 타일러 교육과정이론의 비판에 관한 고찰 : 브루너 이론을 근거로 한 비판을 중심으로. 성균관대학교 대학원 박사학위논문.

이종승(1987). 타일러의 학문적 생애와 교육평가관. 교육평가연구 2(1). 교육평가 연구회.

진영은 역(1996). Tyler의 교육과정과 수업지도의 기본원리. Tyler, R. W. (1949)의 Basic Pringiples of Curriculum and Instruction., 양서원.

Benjamin S. Bloom. (1956). *Taxonomy of Educational Objectives Handbook I : Cognitive Domain*. New York: David Mckay company, inc.

Krathwohl, D. R. Bloom, B. S. & Masia, B.B. (1964). *Taxonomy of educational objectives, Handbook 2. Affective Domain*. New York: David Mckay company, Inc.

Benjamin S. Bloom. 教育目標分類學 - 教育目標의 分流 및 評價의 實際 (1) 知的 領域.

제6장

신교육목표분류학: Anderson과 Marzano의 New Taxonomy

이 장의 공부할 내용

Anderson의 교육목표분류학 개정
- 목표의 이차원적 구조
- 개정된 분류학 표
- 지식차원 · 인지차원
- 분류학 표의 사용

Marzano의 신교육목표분류학
- Bloom의 분류학에서 새로운 분류학으로
- 세 가지 사고체제

Robert Marzano

Robert Marzano는 카디널 스트리치 대학의 교수이며, Marzano 연구소의 소장이다. 또한 콜로라도에 있는 교육 및 학습 전문 연구소인 McREL(Mid-continent Research for Education and Learning)의 수석학자이기도 하다. 그는 아이오나 대학교에서 영어에 관련된 학사학위를, 시애틀 대학에서 언어와 독서분야의 석사학위를 취득한 뒤, 워싱턴 대학교에서 교육박사학위를 받았다. 그리고 선생님들을 위해 30권 이상의 책과 150개가 넘는 기사, 그리고 100개가 넘는 교과과정 도움말 등 활발한 저술활동을 하였다. 그는 교육 분야에서 40여 년 동안 연구를 위하여 조사한 자료들을 번역하고, 교육에 대한 여러 이론을 실용적인 도구와 프로그램으로 바꾸어 학교 현장에서 선생님들과 행정관들이 적용할 수 있도록 노력하였다. 그리고 쓰기능력, 읽기능력, 사고능력과 인지능력 등에 초점을 맞추고 집중적으로 연구를 수행하였다.

교육과정 분야에서 그가 이룬 가장 큰 업적은 '신교육목표분류학' 이다. 이는 Bloom의 교육목표분류학을 심화 발전시킨 것으로 새로운 시대의 패러다임이 반영된 교육목표분류학이다. 그는 기존의 Bloom의 여섯 단계를 네 단계로 다시 정리하고 그 상위에 해당하는 단계로 '초인지' 와 '자기 체제' 를 두어 6단계로 분류하였다. 이것은 자신이 가진 지식을 반성하고 새로운 지식을 창출할 수 있으며 자기와의 관계를 인지하는 것을 최고 상위에 둔다는 점에서 새로운 교육목표분류라고 할 수 있다.

2008년에 교육이라는 학문 분야에서 중대한 영향을 끼치는 혁신적이고 효과적인 생각을 가진 사람에게 주는 브룩국제상을 수상하였다. 그의 연구자로서 가장 큰 강점은 교육이론가들이 만든 교수와 학습에 관한 연구결과들을 메타 분석하고 종합하여 실제적으로 교실에 적용 가능한 구체적인 방법과 지침을 개발하고 제시하는 능력이다. Wiggins, Jacobs 등과 함께 미국에서 가장 많이 초청받는 교육과정과 수업개선 분야의 연사이다.

주요 저서

2001, Classroom Instruction That Works: ASCD.
2003, What Works in Schools: ASCD.
2004, Building Background Knowledge for Academic Achievement: ASCD.
2007, The Art and Science of Teaching: ASCD.

이 장에서는 앞 장에서 살펴본 Bloom의 분류학 이후 개발되고 논의되고 있는 새로운 교육목표분류학에 대하여 살펴볼 것이다. Bloom의 교육목표분류학은 교육목표 선정 그리고 학교 학습평가의 기초로서 오랫동안 교육과정 담론의 중심부를 차지하고 있었다. 그러나 Bloom의 분류학이 발표된 지 어언 50년이 흘렀고, 새로운 교육목표분류학 제정에 대한 학술적 요구들이 계속되고 있다. 다양한 사회적 요구, 교육환경의 변화, 사회가 요구하는 새로운 인간상, 이상적인 교육적 능력들에 대한 인지심리학의 결과들은 이러한 변화에 대한 요구를 가속화하였다. 이에 일련의 학자들이 Bloom의 교육목표분류학이 갖는 문제점 그리고 개정되어야 할 내용들에 대한 문제의식을 통하여 새로운 학교교육 목표분류학을 이론화하는 작업을 해왔다.

그 결과, Anderson, Robert Marzano, Grant Wiggins와 같은 학자들에 의해 개발된 새로운 교육목표분류학들이 교육과정 영역의 새로운 이론으로서 자리 잡기 시작하였고 교사들의 교육에 소개되기 시작하였다. 이러한 새로운 교육목표분류학은 기존의 Bloom의 모형에 대한 비판과 문제를 수정 · 보완하여 개발된 것으로 교육목표에 대한 영역 · 과정이 세분화되고 복잡해졌다. 이 장에서는 이들 모형 중에서 구미에서 가장 널리 알려지고 가르쳐지고 있는 Anderson의 교육목표분류학과 Robert Marzaon의 신교육목표분류학을 소개하였다. 먼저 목표를 이원적으로 분류하여 블룸의 교육목표분류학을 좀 더 정교하게 수정한 Anderson의 모형을 소개하고, 그 다음에 세 가지 사고체제(인지체제, 메타체제, 자기체제)와 세 개의 지식 영역(정보 영역, 정신적 절차 영역, 심동적 절차 영역)으로 교육목표를 분류한 Marzano의 모형을 소개할 것이다.

Anderson의 교육목표분류학 개정

이 절에서는 Anderson이 개발한 교육목표분류학에 대하여 자세히 다루고자 한다. Anderson이 개발한 교육목표분류학은 기존에 존재하던 Bloom의 교육목표분류학을 더 세련되고 정교하게 다듬은 것으로 교육목표의 구조를 새로운 형태로 제시하여 교육과정과 수업설계에 더 세분화되고 구체적인 방향을 제시해 주었다. 그리고 Anderson의 교육목표분류학은 학습, 수업, 평가에 대한 이해의 변화와 사회적 요구에 의해 개발되었기 때문에 실제 교실 현장과 좀 더 밀접한 관련을 맺고 있다. 이에 이 절에서는 그의 모형의 이론적 근간이 되는 이차원적 목표의 구조에 대하여 자세히 살펴보고, 이 개념들을 설명할 수 있는 지식 영역과 인지과정 영역에 대하여 자세하게 다룰 것이다. 그리고 마지막으로 학교 현장과 교육과정 개발에 그의 모형을 어떻게 적용할 수 있는지 구체적인 예를 들어 자세히 설명하고자 한다.

목표의 이차원적 구조

Anderson이 제시한 교육목표분류학이 블룸의 교육목표분류학과 달라진 점은 교육목표의 영역을 '인지과정'과 '지식'으로 구분하여 이차원적으로 제시하였다는 점이다. 그리고 교육과정의 목표를 동사와 명사로 구분하여 기술하였다. 이때 동사는 대개 의도된 인지과정을 의미하고 명사는 주로 학생들이 획득하거나 구성할 것으로 기대되는 지식을 뜻한다. 먼저 '인지과정'을 살펴보면, 인지과정 차원은 여섯 가지의 유목(기억하다, 이해하다, 적용하다, 분석하다, 평가하다, 창안하다)로 구성된다. 이해는 기억보다 인지적으로 더 복잡한 것으로 여겨지고 적용은 이해보다 인지적으로 더 복잡한 것으로 여겨진다. 지식차원은 네 가지 유목으로 구성되는데 이는 사실적 · 개념적 · 절차적 · 메타인지적 지식이다. 이러한 유목은 구체적인 것부터 추상적인 것까지 연속선상에 놓이는 것으로 간주된다.

Anderson이 Bloom의 교육목표분류학을 개정한 이유는 학습, 수업, 평가에 대한 이해가 변화하였기 때문이다. 그중 한 가지 중요한 변화는 인지심리학에서 이루어진 메타인지적 지식의 첨가이다. 또한 평가와 종합의 순서가 바뀌었다. 종합은 다시 창안으로 이름이 바뀌었고 상위유목이 되었다. 이러한 변화에 따른 Anderson의 Bloom 교육목표분류학 개정 내용을 살펴봄으로써 배울 가치가 있는 것은 과연 무엇인지, 다수의 학생에게 높은 학습효과를 거두기 위한 지도법을 계획하고 전달하려면 어떻게 해야 할지, 평가도구와 절차를 어떻게 선정하여 설계할 것인지, 목표와 수업 및 평가가 서로 일관성이 있는지 확인할 수 있을 것이다. 그림 6-1은 Anderson의 교육목표분류학이 기존의 것과 어떻게 달라졌는지를 잘 보여준다.

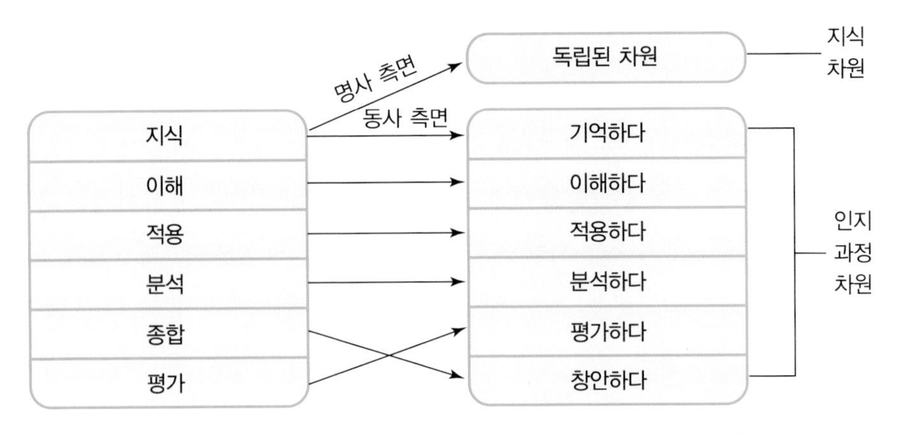

[그림 6-1 최초 분류학의 기본틀에서 개정된 분류학의 변화]

Anderson의 모형 역시 다른 모형들과 마찬가지로 Ralph Tyler(1949)의 연구에 기초로 목표를 구조화하였다. 그는 "목표진술을 위한 가장 유용한 형태는 학생에게서 개발되어야 할 행동의 종류와 이 행동이 작용할 내용 둘 다를 확인하려는 용어로 그것들을 표현하는 것이다"(p.30)라는 Tyler의 진술에 따라, 목표의 진술은 동사와 명사를 포함하여야 한다고 주장하였다. 동사는 일반적으로 의도된 인지적 과정을 기술하고, 명사는 일반적으로 학생이 획득하거나 구성할 것으로 기대되는 지식을 기술한다. Tyler식의 목표 진술을 어떻게 변화시켰는지 조금 더 자세히 소개하도록 하겠다.

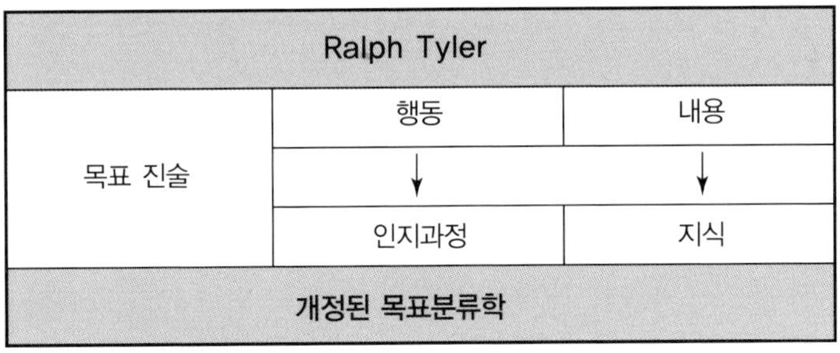

Ralph Tyler		
목표 진술	행동	내용
	↓	↓
	인지과정	지식
개정된 목표분류학		

[그림 6-2 개정 교육목표분류학의 특징]

내용 대 지식

전통적으로 교과내용을 결정하는 것은 수학자, 과학자, 역사가 등 한 분야에서 연구하고 오랜 시간을 바친 사람인 학자들에게 주어졌다. 시간이 지나면서 이들은 자신의 학술적 학문의 교과를 '역사적으로 공유된 지식'으로 부르기로 합의하였다. 이러한 맥락에서 내용은 '역사적으로 공유된 지식'이라고 볼 수 있다. 따라서 특정 학문 내에서 수용의 합의를 공유하는 지식에 의해 학문이 지속적으로 변화하고 진화한다는 우리의 신념을 반영하기 위해 '지식' 이라는 용어를 사용한다.

그러나 지식과 교과내용은 또 다른 방식으로 관련되어 있다. 학술적 학문에서 지식으로서의 교과와, 지식을 학생들에게 전달하는 데 사용되는 교재 사이에는 종종 혼돈이 일어난다. 교육적 목적을 위해 교과내용은 어떠한 방식으로 '패키지화' 되어야 한다. 패키지화의 예로 교과서, 학년 수준, 교육과정 등의 '패키지' 를 들수 있다. 패키지화는 내용을 선정하고 조직하는 것과 관련되는데 그 방식은 "교육학적으로 강력하고 학생들에 의해 제시되는 배경과 능력의 다양한 차이에 적응적인 형태" 로 제시될 수 있도록 해야 한다(Shulman, 1987, p.15). 한 학문의 내용으로서의 교과와 학습을 촉진시키도록 설계된 패키지화된 교과를 분류하면 전자를 지식으로 후자를 교육과정 자료, 수업자료로 볼 수 있다.

따라서 Tyler의 '내용' 을 개정된 교육목표분류학에서 '지식' 으로 대체한 두 가지 이유가 있다. 첫째, 역사적으로 공유되어 온 지식, 즉 한 학문 내에서 현재에도 공유된 합의를 통해 도달되는 지식이며 이는 시간이 지남에 따라 변한다는 사실을 강조한다. 둘째 이유는 학술적인 학문의 교과내용과 그 내용이 장착되어 있는 자료를 변별하고 구분하는 것이다.

행동 대 인지과정

Tyler의 '행동' 이라는 단어의 선택에서 행동주의가 그 당시 심리학 이론을 지배하고 있었기 때문에 많은 사람들은 Tyler가 사용한 '행동' 이라는 용어와 행동주의를 부정확하게 동일시하고 있었다. Tyler의 관점에서 행동에서의 변화는 수업의 의도된 결과이지만 행동주의에서는 바라는 목적이 성취될 수 있는 하나의 수단이다. 또한 1950년대와 1060년대에는 목표관리, 직무분석, 프로그램 학습이 한창 유행하였는데 이로 인해 '행동' 은 목표를 제한하는 수식어가 되었다. 이와 같은 혼돈을 없애기 위해 개정된 교육목표분류학에서는 '인지과정' 이라는 용어로 '행동' 을 대체한다. 이러한 변화는 인지심리학과 인지과학이 심리학과 교육에서 지배적인 관점이라는 사실을 반영한다.

개정된 분류학 표

Anderson의 모형은 표 6-1에서 보는 것과 같이 이차원적 분류체계를 가지고 있다. 다음 이원분류학 표의 열은 각각 '지식차원'과 '인지과정 차원'의 유목을 나타낸다. 분류학 표의 칸은 지식차원과 인지과정 차원이 교차하는 부분이다. 따라서 특정 목표는 분류학 표의 칸 중 하나에 속하게 된다. 그는 인지적 성격을 가진 모든 교육목표는 분류학 표의 특정 칸에 분류할 수 있어야 한다고 보았다.

〈 표 6-1 분류학 표 〉

지식차원	인지과정 차원					
	1. 기억하다	2. 이해하다	3. 적용하다	4. 분석하다	5. 평가하다	6. 창안하다
A 사실적 지식						
B 개념적 지식						
C 절차적 지식						
D 메타인지 지식						

지식차원의 유목

Anderson의 분류학에서는 지식차원을 네 가지 유형(사실적 지식, 개념적 지식, 절차적 지식, 메타인지 지식)으로 나누었다. 표 6-2는 지식의 네 가지 유형과 각 유형에 속하는 하위 유형들을 나타낸다.

사실적 지식(factual knowledge)은 별개의 분리된 내용요소, 즉 '정보단위'에 대한 지식이다. 사실적 지식은 용어에 대한 지식과 특수 사상(事象) 및 요소에 대한 지식을 포함한다. 개념적 지식(conceptual knowledge)은 '다소 복잡하고 조직화된 지식형식'을 말한다. 개념적 지식은 분류와 유목, 원리와 일반화, 이론, 모형, 구조에 대한 지식을 포함한다. 절차적 지식(procedural knowledge)은 '어떤 것을 수행하는 방법'에 대한 지식을 의미한다. 절차적 지식은 특정 영역과 학문분야에서 '무엇을 언제 해야 하는가'를 결정할 때 사용하는 준거에 관한 지식과 기능, 알고리즘, 기법에 대한 지식을 포함한다. 마지막으로 메타인지 지식(meta-cognitive knowledge)은 '자신의 인지에 대한 인식 및 지식과 인지 전반에 대한 지식'을 말한다. 메타인지 지식은 전략적 지식, 맥락 및 조건적 지식을 포함하는 인지과제에 대한 지식, 자기지식

〈 표 6-2 지식차원의 주요 유형 및 하위 유형 〉

주요 유형 및 하위 유형	예시
A. 사실적 지식: 교과나 교과의 문제를 해결하기 위해 숙지해야 할 기본요소	
Aa. 전문용어에 대한 지식	전문용어, 음악부호
Ab. 구체적 사실과 요소에 대한 지식	주요 자원, 신뢰할 수 있는 정보원
B. 개념적 지식: 요소들이 통합적으로 기능하도록 하는 상위구조 내에서 기본요소들 사이의 상호관계	
Ba. 분류와 유목에 대한 지식	지질학 연대, 기업소유 형태
Bb. 원리와 일반화에 대한 지식	피타고라스 정리, 수요와 공급의 법칙
Bc. 이론, 모형, 구조에 대한 지식	진화론, 의회조직
C. 절차적 지식: 어떤 것을 수행하는 방법, 탐구방법, 기능을 활용하기 위한 준거, 알고리즘, 기법, 방법	
Ca. 교과의 특수한 기능과 알고리즘에 대한 지식	수채화를 그리는 기술, 정수와 나눗셈 알고리즘
Cb. 교과의 특수한 기법과 방법에 대한 지식	면접기법, 과학적 방법
Cc. 적절한 절차의 사용 시점을 결정하기 위한 준거에 대한 지식	뉴턴의 제2법칙이 포함된 절차의 적용시점을 결정하기 위한 준거, 사업비용 추정방법의 실현가능성을 판단하기 위한 준거
D. 메타인지 지식: 지식의 인지에 대한 인식 및 지식과 인지 전반에 대한 지식	
Da. 전략적 지식	교재단원의 구조를 파악하기 위한 수단으로서 개요를 작성하는 지식, 발견법 활용에 대한 지식
Db. 인지과제에 대한 지식(적절한 맥락적 지식 및 조건적 지식 포함)	특정교사가 실시하는 시험유형에 대한 지식, 과제의 인지적 요구에 대한 지식
Dc. 자기-지식	논문을 비판하는 것은 개인적 강점이지만 논문을 작성하는 것은 개인적 약점이라는 지식, 자신의 지식수준에 대한 인식

을 포괄한다.

인지과정 차원의 유목

인지과정 차원의 유목은 목표에 포함되어 있는 학습자들의 인지과정을 포괄적으로 분류하고 있다. 인지과정 차원의 유목으로 기억하다 · 이해하다 · 적용하다 · 분석하다 · 평가하다 · 창안하다가 있다. 기억하다는 장기기억으로부터 관련된 지식을 인출하는 것을 의미한다. 이해하다는 말이나 글, 그래픽 등을 통해 전달된 수업메시지로부터 의미를 구성하는 것을 뜻한다. 적용하다는 특정 장면에서 절차를 실행하거나 활용하는 것을 지칭한다. 분석하다는 자료를 구성요소로 분할하고 요소들의 상호관계는 물론 요소들이 전체 구조나 의도와 어떻게 관련되어 있는가를 결정하는 것을 말한다. 평가하다는 준거와 기준에 따라 판단하는 것을 뜻한다. 마지막으로 창안하다는 부분들을 결합해서 새롭고 일관성이 있는 전체를 구성하거나 독창적인 산물을 만들어 내는 것을 말한다. 표 6-3과 같이 여섯 개의 인지과정 유목은 각각 두 개 이상의 하위 인지과정으로 구성된다.

〈 표 6-3 여섯 가지 인지과정 유목과 그에 관련된 하위 인지과정 〉

인지과정 유목	관련된 인지과정 및 예시
1. 기억하다: 장기기억에서 관련 정보를 인출한다.	
1.1 재인하기	(예: 미국 역사상 중요 사건의 연도를 재인한다.)
1.2 회상하기	(예: 미국 역사상 중요 사건의 연도를 회상한다.)
2. 이해하다: 말, 글, 그래픽으로 전달된 수업메시지로부터 의미를 구성한다.	
2.1 해석하기	(예: 중요한 연설과 문서를 의역한다.)
2.2 예증하기	(예: 여러 가지 작화법(作畵法)의 예를 든다.)
2.3 분류하기	(예: 정신질환의 사례를 분류한다.)
2.4 요약하기	(예: 비디오테이프를 보고 사건을 짧게 요약한다.)
2.5 추론하기	(예: 외국어를 학습할 때 예문에서 문법을 추정한다.)
2.6 비교하기	(예: 역사적 사건을 현대 상황과 비교한다.)
2.7 설명하기	(예: 18세기 프랑스에서 발생한 주요 사건의 원인을 설명한다.)
3. 적용하다: 절차를 특정 장면에서 실행하거나 활용한다.	
3.1 집행하기	(예: 두 자릿수 이상으로 된 정수의 나눗셈을 한다.)
3.2 실행하기	(예: 뉴턴의 제2법칙이 적합한 장면을 결정한다.)
4. 분석하다: 자료를 구성요소로 나누고 구성요소 상호간의 관계와 구성요소와 전체 구조 혹은 의도의 관계를 결정한다.	
4.1 구별하기	(예: 수학 문장제에서 관련된 수와 관련되지 않은 수를 구분한다.)
4.2 조직하기	(예: 역사적 서술문을 보고 특정 역사적 설명에 부합되는 증거와 그에 반하는 증거를 구조화한다.)
4.3 귀속하기	(예: 정치적 견해를 기준으로 논자의 견해를 결정한다.)

(계속)

인지과정 유목	관련된 인지과정 및 예시
5. 평가하다: 준거와 기준에 근거하여 판단한다.	
5.1 점검하기	(예: 과학자의 결론이 자료와 일치하는지 결정한다.)
5.2 비판하기	(예: 두 가지 방법 중 문제를 가장 잘 해결할 수 있는 방법을 결정한다.)
6. 창안하다: 요소들을 일관성이 있거나 기능적인 전체로 결합하거나 새로운 패턴 혹은 구조로 재조직한다.	
6.1 생성하기	(예: 관찰된 현상을 설명하기 위한 가설을 도출한다.)
6.2 계획하기	(예: 특정 역사적 주제에 관한 연구논문 계획서를 작성한다.)
6.3 산출하기	(예: 어떤 의도를 갖고 어떤 종(種)의 서식지를 조성한다.)

이해를 돕기 위해 예를 들어 보면 다음과 같다. 그림 6-3에 제시되어 있는 예제에서 교육목표 '학습자는 보존에 대한 축소-재생-재활용(reduce-reuse-recycle) 접근을 적용하는 것을 학습한다' 를 살펴보자. 이 목표의 동사는 '적용하다' 이다. 적용하다는 인지과정의 여섯 개 유목의 하나이다. 명사는 '보존에 대한 축소-재생-재활용 접근' 이다. 접근이란 방법이나 기법이므로 절차적 지식이다. 따라서 이 목표는 적용하다와 절차적 지식이 교차하는 칸에 분류할 수 있다.

그림 6-3에서와 같이 목표분류가 쉬운 것도 있지만, 다음 두 가지 요인 때문에 목표분류가 어려운 경우도 있다. 목표분류가 어려운 첫째 이유는 목표가 동사와 명사 이외의 다른 요인들을 포함할 수 있기 때문이다. 둘째는 동사가 의도하는 인지과정이 모호하거나 명사가 의도하는 지식유형이 모호하기 때문이다. 따라서 목표를 분류하려면 반드시 추론을 해야 한다. 다음 두 개의 목표(간단한 목표와 추론을 해야 하는 목표)를 살펴보자.

첫째 목표 '특정 수업장면에서 수업단원을 계획할 수 있다.' 를 보자. 이 목표에는 단원계획(명사)과 계획하는 행위(동사)가 결합되어 있다. 그렇다면 분류학 표에서 이 목표의 정확한 위치는 어디일까? 계획은 미래의 행위 지침이 되는 모형이다. 즉 표 6-2 지식차원의 주요 유형 및 하위 유형에서 '모형' 은 개념적 지식의 세 번째 하위 유형으로 분류학 표의 둘째 행(즉 B행)에 해당된다. 한편 표 6-3 여섯 가지 인지과정 유목과 그에 관련된 하위 인지과정에서 '계획하기' 는 창안하다의 두 번째 인지과정으로 분류학 표의 여섯째 열(6열)에 해당된다. 따라서 이 목표는 B행 개념적 지식과 6열 창안하다가 교차하는 칸에 해당된다. 결국 이 목표는 개념적 지식을 창안하는 것과 관련되어 있다.

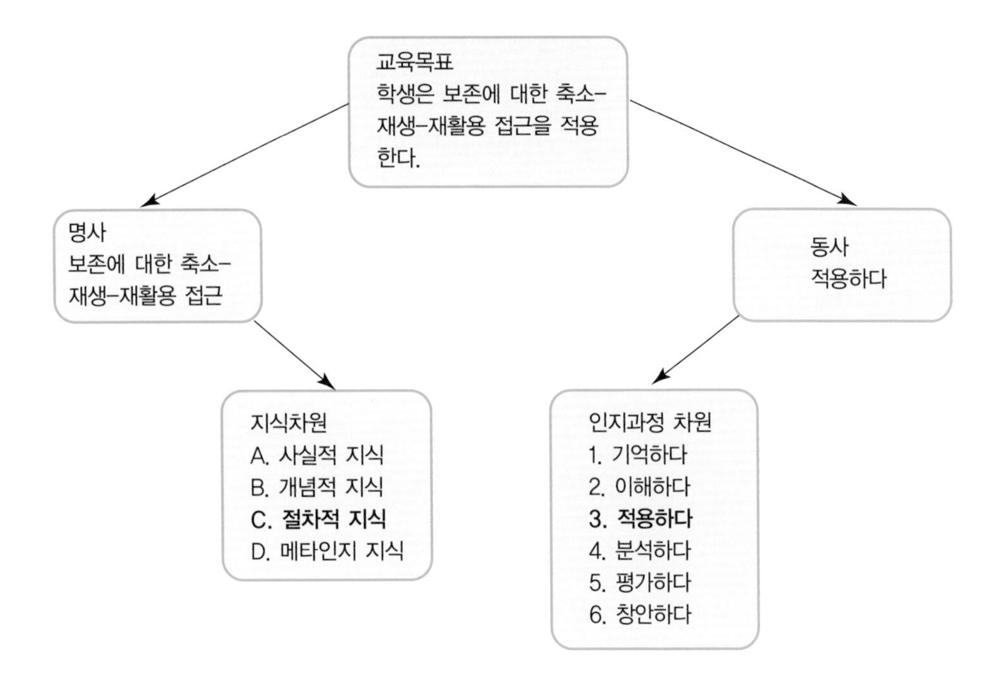

지식차원	인지과정 차원					
	1. 기억하다	2. 이해하다	3. 적용하다	4. 분석하다	5. 평가하다	6. 창안하다
A 사실적 지식						
B 개념적 지식						
C 절차적 지식			★			
D 메타인지 지식						

[그림 6-3 분류학 표에서 목표를 분류하는 방법]

둘째 목표는 '학생은 역사적 설명에 대한 필자의 견해 혹은 편견을 재인하다.' 이다. 이 목표에서 명사는 '역사적 설명' 이다. 역사적 설명은 교재나 논설과 같이 교육과정 혹은 수업자료의 일종이다. 그렇다고 하더라도 이 목표가 어떤 유형의 지식을 포함하고 있는가에 대한 의문은 여전히 남는다. 이 목표는 사실적 지식을 포함하고 있을 가능성도 있고 개념적 지식을 포함하고 있을 가능성도 있다. 어떤 유형의 지식을 포함하고 있는가는 ① 설명의 구조 ② 학생에게 설명을 '도입하는' 방식 ③ 두 가지 요소의 결합에 따라 좌우된다. 이 중에서 세 번째가 가장 가능성이 높다. 이 목표의 동사구는 '재인하다' 가 아니라 '필자의 견해 혹은 편견을 재인하다' 이다. 만약 동사가 '재인하는' 것이라면 이 목표는 기억하다에 해당된다. 그렇지만 필자의 견해 혹은 편견을 재인하는 행위는 인지과정 귀속하기의 특성이다. 귀속하기는 기억보다 훨씬 복잡한 인지과정 분석하다에 관련된다. 이것은 이 목표가 분석하다 유목에 해당된다는 것을 시사한다. 이 목표의 지식은 사실적 지식일 수 있고 개념적 지식일 수도 있기 때문에 이 목표는 분석하다와 사실적 지식이 교차하는 칸(A4)이나 분석하다와 개념적 지식이 교차하는 칸(B4)으로 분류될 수 있다.

지식차원

앞에서 살펴보았듯이 Anderson의 분류학은 지식의 일반적 유형을 네 가지로 구분하였다.

- 사실적 지식
- 개념적 지식
- 절차적 지식
- 메타인지 지식

이 절에서는 자세하게 설명하기 위해 구체적인 예를 들어 지식차원의 주요 유형과 하위 유형에 관하여 알아보도록 하겠다.

지식차원 유형			
사실적 지식	개념적 지식	절차적 지식	메타인지 지식

사실적 지식

사실적 지식은 기본 요소를 포함하고 있어서 학생들이 그 학문에서 문제를 풀거나 학문을 공부할 때 반드시 알아야 한다. 이런 요소는 흔히 구체적인 지시대상물과 관련된 상징 또는 '일련의 상징들' 으로서 중요한 정보를 전달한다. 사실적 지식은 비교적 아주 낮은 추상성을 지닌다. 이러한 기본적인 요소는 셀 수 없이 많기 때문에 모두 학습한다는 것은 어렵다. 사실적 지식은 그 구체성 혹은 특수성에 비추어 개념적 지식과 구분된다. 즉 사실적 지식은 그 자체로 의미 있는 요소나 정보조각으로서 분리될 수가 있다. 사실적 지식의 두 가지 하위 유형은 전문용어에 대한 지식(Aa)과 구체적이고 세밀한 요소에 관한 지식(Ab)으로 구분된다.

〈 표 6-4 사실적 지식 〉

하위 요소	의미	예
Aa. 전문 용어에 대한 지식	구체적, 언어적, 비언어적 명칭이나 상징에 대한 지식	• 알파벳에 대한 지식 • 과학 용어에 대한 지식 • 회화 용어에 대한 지식 • 중요한 회계 용어에 대한 지식 • 지도나 차트에서 사용되는 표준적 상징 기호
Ab. 구체적이고 세밀한 요소에 관한 지식	사태, 위치, 사람들, 날짜, 정보의 원천 등과 같은 지식	• 특정 문화나 사회의 주요 사실에 관한 지식 • 건강, 시민정신, 그 밖의 인간 욕구와 관심 등에 중요한 실제적 사실에 대한 지식 • 뉴스에 나오는 중요한 이름이나 장소, 사건에 대한 지식 • 국가의 수출품과 생산품에 대한 지식

개념적 지식

개념적 지식은 스키마, 정신모형, 인지심리학 모형의 내면적 · 외면적 이론을 포함하고 있다. 예를 들어 왜 계절이 나타나는가에 대한 정신 모형은 지구, 태양, 지구가 태양을 도는 공전, 지구의 기울어짐에 대한 생각들을 포함한다. 계절 변화에 대해 지구와 태양의 단순하고 분리된 사실을 아는 것이 중요한 게 아니라 어떻게 지구와 태양이 계절의 변화와 관련을 맺는가에 대한 관계를 아는 것이 중요하다. 개념적 지식은 세 개의 하위 유형을 포함하고 있다(표 6-5 참조).

분류와 유목에 대한 지식(Ba), 원리와 일반화에 대한 지식(Bb), 이론, 모형, 구조에 대한 지식(Bc)이 그것이다. 분류와 유목은 원리와 이론화를 위해 기본이 되는 것이다. 이는 다시 이론, 모형, 구조의 기초를 형성한다. 이런 세 가지 하위 유형은 모든 학문에서 발생되는 상당수의 지식을 포함하고 있다.

〈 표 6-5 개념적 지식 〉

하위 요소	의미	예
Ba. 분류와 유목에 대한 지식	학문에서 전문 지식을 개발하는 중요한 측면	• 문학의 다양한 형태에 대한 지식 • 사업소유의 다양한 형태에 대한 지식 • 문장을 구성하는 품사에 대한 지식(명사, 동사 등) • 서로 다른 기간별 지질학적 연대에 관한 지식
Bb. 원리와 일반화에 대한 지식	원리와 일반화는 분류와 유목으로 구성되며 학문에서 현상을 연구하거나 문제를 해결하는 데 사용된다. 또한 많은 구체적 사실과 사태를 결합하고 구체적인 사실들 간의 과정과 내적 관련성을 설명한다.	• 특정 문화에 대한 일반화 • 물리학의 기본 법칙에 대한 지식 • 생활과정과 건강에 관련된 화학적 원리에 관한 지식 • 학습 원리에 대한 지식 • 기초적인 수 연산 원리에 대한 지식
Bc. 이론, 모형, 구조에 대한 지식	복잡한 현상과 문제, 교과에 대해 분명하고 체계적인 관점으로 상호연관성을 파악하는 원리와 일반화의 지식이다. 가장 추상적인 공식화이며 상당한 구체적 사실, 분류와 유목, 원리와 일반화의 조직 및 상호관련성을 보여줄 수 있다.	• 화학이론에 기본이 되는 화학 원리들 간의 상호관련성에 대한 지식 • 의회의 종합적인 구조에 대한 지식(조직과 기능) • 지방정부의 기본적인 조직 구조에 대한 지식 • 진화이론의 형성에 관한 지식 • 유전모형에 대한 지식(DNA)

절차적 지식

사실적 지식과 개념적 지식은 지식의 '내용'을 나타내는 반면, 절차적 지식은 '방법'에 관한 것이다. 즉, 절차적 지식은 '과정'에 관한 지식을 반영하는 반면, 사실적 지식과 개념적 지식은 '산물'에 관한 것을 다룬다. 절차적 지식은 과정의 지식만을 나타내고 있음에 주목하는 것이 중요하다. 메타인지 지식과 다르게 절차적 지식은 구체적 교과나 학문에 해당한다. 따라서 교과 특수적 혹은 영역 특수적인 기술, 알고리즘, 기법, 방법 등에 관한 지식을 절차적 지식이라 한다.

〈 표 6-6 절차적 지식 〉

하위 요소	의미	예
Ca. 교과의 특수한 기능과 알고리즘에 대한 지식	일반적으로 최종 결과는 고정되어 있는 것으로 간주한다. 절차에 대한 학생의 능력을 강조한다.	• 그리는 기술에 대한 지식 • 방정식을 푸는 데 사용되는 알고리즘에 대한 지식 • 점프하는 것과 관련된 기술 지식
Cb. 교과의 특수한 기법과 방법에 대한 지식	최종 결과가 훨씬 더 개방되어 있으며 고정되어 있지 않다. 일반적으로 해당 분야의 전문가들이 문제를 어떻게 생각하고 공략하는지의 과정을 반영한다.	• 사회과학에 적절한 연구방법에 대한 지식 • 과학자들이 문제의 해결책을 찾는 데 사용하는 기술에 관한 지식 • 건강개념을 평가하는 방법에 대한 지식 • 다양한 문학비평 방법에 관한 지식
Cc. 적절한 절차의 사용 시점을 결정하기 위한 준거에 대한 지식	언제 적절한 절차들을 사용할 것인가에 대한 지식은 절차적 지식을 적절하게 사용하는 데 중요하다.	• 여러 종류의 수필을 선택하는 기준에 대한 지식 • 방정식을 풀기 위해 사용할 방법을 결정하는 기준에 대한 지식 • 특정한 실험에서 수집한 자료를 처리하기 위해 어떤 통계적 절차를 거칠 것인가에 대해 결정하는 기준에 관한 지식

메타인지 지식

메타인지 지식은 일반적으로 인지에 관한 지식, 자신의 인지에 대한 인식과 지식을 가리킨다. 여기에서는 인지과정의 통제, 점검, 조절을 제외한 인지에 대한 지식으로 메타인지 지식의 범위를 한정한다. 메타지식은 다양한 과업에서 사용될 수 있는 일반적 전략에 관한 지식, 그러한 전략이 사용되는 환경, 그 전략이 효과를 나타내는 범위, 그리고 자기-지식 등을 포함하고 있다. 그리고 학생들로 하여금 자신의 속도를 조절하거나 또는 완전히 다른 방식을 사용하는 등 과제에 대한 자신의 접근 방식을 변화시킬 수 있도록 이끈다.

메타인지 지식과 관련된 목표의 평가는 고유한 특성을 지니고 있다. 메타인지 지식을 포함하고 있는 목표의 경우에는 학생마다 정답에 대한 개인차나 관점의 차이가 나타날 수 있다. 더군다나 메타인지 지식을 구성하고 있는 세 가지의 하위 유형들도 정답에 대해 그들 나름대로 독특한 관점을 요구한다. 단순히 지필고사를 실시하여 메타인지 지식을 평가하기란 매우 어려운 일이다. 결과적으로 메타인지 지식과 관련된 학습목표는 교실에서의 활동이나 다양한 전략에 관하여 토론하는 상황 속에서 가장 잘 평가해 낼 수가 있다.

〈 표 6-7 메타인지 지식 〉

하위 요소	의미	예
Da. 전략적 지식	학습, 사고, 문제해결을 위한 일반적 전략에 관한 지식이다(연습, 정교화, 조직). 문제해결과 사고를 위한 일반 전략이 포함되어 있다(발견식 사고기법).	• 정보의 암송연습은 정보를 획득하는 하나의 방법이라는 지식 • 다양한 기억 조성술에 관한 지식 • 부연하고 요약하는 것과 같은 여러 가지 정교화 기법에 관한 지식 • 개요 작성하기나 다이어그램 작성하기와 같은 여러 가지 조직 전략에 관한 지식
Db. 맥락적 지식과 조건적 지식을 포함한 인지과제에 대한 지식	조건적 지식이란 학생들이 메타인지 지식을 활용하는 상황에 관한 지식을 가리킨다. 상이한 상황이나 그 상황 내에서의 상이한 전략을 활용하는 일이 메타인지 지식의 가장 중요한 측면이다.	• 회상과제(단답형 문제)와 재인과제(선다형 문제)를 비교하였을 때, 일반적으로 전자가 개인의 기억체계에 대해 요구하는 바가 더 많다는 지식 • 일차 참고자료가 일반교과서나 대중서적에 비하여 훨씬 더 이해하기 어려울 수 있다는 지식 • 단순 암기력 과제는 단지 암송연습만을 요구한다는 지식 • 요약하기나 부연하기와 같은 정교화 전략을 통해 심층 수준의 이해에 이를 수 있다는 지식
Dc. 자기-지식	인지 및 학습과 관련하여 자신의 강 · 약점에 대한 지식을 가리킨다. • 자기-효능감 신념 • 구체적인 과제를 수행함에 있어 갖게 되는 목표와 이유에 대한 신념 • 가치나 흥미와 관련한 신념	• 사람이 한 영역에 박식하면서도 다른 영역에 대해서는 그렇지 않을 수 있다는 것을 아는 것 • 사람은 특정한 상황에서 특정한 유형의 '인지적 도구'(전략)에 의존하는 경향이 있다는 것을 아는 것 • 특정 과제를 수행하기 위한 개인의 목표에 대해 아는 것 • 특정 과제에 대한 개인의 흥미나 관심을 아는 것

인지차원

이 절에서는 교육목표 분류에서 중요하게 다루는 인지 영역에 대하여 소개하고자 한다. Anderson의 경우 인지적 차원의 영역을 여섯 가지로 분류하였는데, 그중 하나는 파지(기억하다)와 가장 관련이 깊고, 나머지 다섯 가지(이해하다 · 적용하다 · 분석하다 · 평가하다 · 창안하다)는 전이와 관련이 있다. 다음 표 6-8은 여섯 가지 유목 내에서 적합하다고 보이는 19개의 인지과정들로 구성되어 있다. 그래서 각각의 인지과정의 정의와 예를 제시하고 그에 해당되는 이름을 열거하였으며, 그들이 속한 유목들을 나타내었다. 19개의 구체적인 인지과정들은 상호 독립적이며 또한 여섯 가지 유목의 폭과 영역을 서술해 주고 있다.

〈 표 6-8 인지과정 차원 〉

인지과정 유목	관련된 용어	예시
1. 기억하다: 장기기억으로부터 관련된 지식을 인출한다.		
1.1 재인하기	확인하기	제시된 자료와 일치하는 지식을 장기기억 속에 넣기 (예: 미국사의 주요사건들의 날짜를 재인한다.)
1.2 회상하기	인출하기	장기기억으로부터 관련된 지식을 인출하기 (예: 미국사의 주요사건의 날짜를 회상한다.)
2. 이해하다: 구두, 문자, 그래픽을 포함한 수업 메시지로부터 의미를 구성한다.		
2.1 해석하기	명료화하기 바꿔쓰기 표현하기 번역하기	하나의 표현형태(예, 숫자)를 다른 표현형태(예, 단어)로 바꾸기 (예: 주요 연설문이나 서류를 바꿔 쓴다.)
2.2 예증하기	예를 들기 실증하기	개념이나 원리의 구체적인 예나 범례 찾기 (예: 다양한 미술양식의 예를 든다.)
2.3 분류하기	유목화하기 포섭하기	사물이 특정 유목(예, 개념이나 원리)에 속한다는 것을 결정하기 (정신적으로 정리되지 않은, 관찰되거나 기술된 사례를 분류한다.)
2.4 요약하기	추상하기 일반화하기	일반적 테마나 요점을 요약하기 (예: 비디오테이프에 나타난 상들에 대한 짧은 요약문을 쓴다.)
2.5 추론하기	결론짓기 외삽하기 내삽하기 예언하기	제시된 정보로부터 논리적인 결론을 도출하기 (예: 외국어 학습에서 여러 사례로부터 문법적 원리를 추론한다.)
2.6 비교하기	대조하기 도식화하기 결합하기	두 개의 아이디어, 대상들 간에 일치점을 탐색하기 (예: 역사적 사건들을 현재 상황과 비교한다.)
2.7 설명하기	모델 구성하기	인과관계 체제 모델 구성하기 (예: 프랑스의 18세기 주요사건들의 원인을 설명한다.)

(계속)

인지과정 유목	관련된 용어	예시
3. 적용하다: 특정한 상황에 어떤 절차들을 사용하거나 시행한다.		
3.1 집행하기	시행하기	어떤 절차를 유사한 과제에 적용하기 (예: 정수를 다른 정수로 나눈다.)
3.2 실행하기	사용하기	어떤 절차를 친숙하지 못한 과제에 적용하기 (예: 뉴턴의 제2법칙을 적절한 상황에 활용한다.)
4. 분석하다: 자료를 구성부분으로 나누고, 그 부분들 간의 관계와 부분과 전체구조나 목적과의 관계가 어떻게 되어 있는가를 결정한다.		
4.1 구별하기	변별하기 식별하기 초점화하기 선정하기	제시된 자료를 관련된 부분과 관련되지 않은 부분으로 중요한 부분과 중요하지 않은 부분으로 구분하기 (예: 수학적 문장제 문제에서 관련된 수와 관련되지 않은 수를 구분한다.)
4.2 조직하기	발견하기 정합성 찾기 통합하기 윤곽그리기 해부하기 구조화하기	요소들이 구조 내에서 어떻게 기능하는가를 결정하기 (예: 역사적으로 기술된 증거들을 특정한 역사적인 해설에 대한 찬반의 증거로서 구조화한다.)
4.3 귀속하기	해체하기	제시된 자료를 기반으로 하고 있는 관점, 편견, 가치, 혹은 의도를 결정한다. (예: 저자의 정치적인 관점에 따라 그의 관점을 결정한다.)
5. 평가하다: 준거나 기준에 따라 판단한다.		
5.1 점검하기	조정하기 탐지하기 모니터링하기 검사하기	과정이나 산출물 내부의 오류나 모순을 탐지하기, 과정이나 산출물의 내적 일관성 여부를 결정하기; 절차가 실행될 때 그 효과성을 탐지하기(예: 과학자들의 결론이 관찰된 데이터로부터 도출되었는지의 여부를 결정한다.)
5.2 비판하기	판단하기	어떤 결과와 외적 기준 간의 불일치 여부를 탐지하기, 어떤 결과가 외적 일관성을 가졌는지의 여부를 결정하기, 특정문제에 대한 절차의 적절성을 탐지하기(예: 두 가지 방법 중 어느 것이 주어진 문제를 해결하는 최상의 방법인지를 판단한다.)
6. 창안하다: 요소들을 일관되거나 기능적인 전체로 형성하기 위해 함께 둔다: 요소들을 새로운 패턴이나 구조로 재조직한다.		
6.1 생성하기	가설 세우기	준거에 기반을 둔 대안적인 가설을 제안하기 (예: 관찰된 현상을 설명하기 위해 가설을 설정한다.)
6.2 계획하기	설계하기	어떤 과제를 성취하기 위한 절차를 고안하기 (예: 특정한 역사적 토픽에 관한 연구 보고서를 계획한다.)
6.3 산출하기	구성하기	어떤 절차를 만들어 내기 (예: 어떤 특정한 목적을 위한 거주지를 건설한다.)

교육목표에서 가장 중요한 두 가지는 바로 파지와 전이를 증진시키는 것이다. 파지는 수업하는 도중에 나타난 것과 같은 방식으로 얼마 후에도 자료를 기억해 낼 수 있는 능력이다. 전이는 새로운 문제를 해결하거나 새로운 질문에 대답하거나 새로운 교재의 학습을 촉진시키기 위해 배운 것을 활용할 수 있는 능력이다. 즉, 파지는 학생들이 학습한 것을 기억하는 반면, 전이는 학습한 것을 기억할 뿐 아니라 이해하고 활용할 수 있어야 한다.

그렇다면 어떤 인지과정이 파지와 전이를 위해서 활용되는 것일까? 앞에서 언급한 바와 같이 개정된 교육목표분류학에서의 기본 여섯 가지 유형의 인지과정을 포함한다. 하나는 파지(기억하다)와 가장 관련이 깊고, 나머지 다섯 가지(이해하다 · 적용하다 · 분석하다 · 평가하다 · 창안하다)는 전이와 관련이 있다.

기억하다

수업목표가 제시된 자료를 가르친 것과 같은 형태로 그 자료의 파지를 증진시키는 것으로 되어 있다면 그와 관련된 인지과정은 '기억하다' 이다. 기억하기는 관련된 지식을 장기기억으로부터 끄집어내는 것이다. 두 가지 관련된 인지과정은 재인하는 것과 회상하는 것이다. 관련된 지식은 사실적, 개념적, 절차적, 메타인지적 지식 혹은 이들이 결합된 것일 수도 있다. 지식을 기억한다는 것은 유의미 학습에 필수적인 것이고 그 지식으로 문제를 해결한다는 것은 더 복잡한 과제에서 활용된다. 예를 들면 특정한 학년에서 적절한 영어단어의 철자를 정확하게 쓰는 지식은 학생이 문장을 쓰는 능력을 습득해야 하는 경우에는 필수적인 것이 된다. 기억하기의 하위유목에는 재인하기, 회상하기가 있다.

재인하기

재인은 제시된 정보와 비교하기 위하여 관련된 지식을 장기기억으로부터 상기하는 것이다. 여기에 학생들은 장기기억에서 제시된 정보와 동일하거나 아주 유사한 정보를 탐색하게 된다. 새로운 정보가 제시되었을 때 학생들은 그 정보가 이전에 학습한 지식과 일치하는지 결정하게 된다. 재인하다의 대안적인 용어는 '확인하다' 이다.

회상하기

회상하기는 단서가 주어졌을 때 장기기억으로부터 적절한 지식을 회상해 내는 것이다. 단서는 가끔 질문이 된다. 회상하기에서 학생들은 장기기억에서 얼마의 정보를 찾아내어 그 정보를 처리해 줄 실제적인 기억에 제공해 준다. 회상하기의 대안적인 용어는 '인출하다' 이다.

이해하다

만약 수업의 기본목적이 파지를 증진시키는 데 있다면 '기억하다' 를 강조하는 목표에 초점을 두게 된다. 하지만 수업의 목적이 전이를 증진시키는 데 있다면 다른 다섯 가지의 인지과정, '이해하다' 에서부터 '창안하다' 까지로 그 초점이 옮겨지게 된다. 학생들은 습득한 새로운 지식과 이전의 지식 간의 관련을 맺을 수 있을 때 이해하게 된다. 더 구체적으로 말하면 후속의 지식은 기존의 도식과 인지적 기본틀과 통합된다. 개념은 이들 도식과 기본틀을 구성한 블록이 되므로 개념적 지식은 이해를 위한 토대가 된다. '이해한다' 라는 범주 속의 인지과정에는 해석, 분류, 요약, 추론, 비교, 설명이 있다.

해석하기

해석하기는 학생이 하나의 표상형태를 다른 표상형태로 정보를 전환할 수 있을 때 일어난다. 해석은 단어를 단어로(예: 바꿔 쓰기), 그림을 그림으로, 수를 단어로, 단어를 수 등으로 전환하는 것을 포함할 수도 있다. 대안적인 용어는 번역하다, 바꿔 쓰다, 표현하다, 명료화하다이다.

예증하기

예증하기는 학생들이 일반적인 개념이나 원리의 구체적인 실례를 들 수 있을 때 일어난다. 예증하기는 일반적인 개념이나 원리의 특징을 밝히고, 구체적인 예들(예: 제시된 세 가지 트라이앵글 중 어느 것이 이등변삼각형 모양의 트라이앵글인지 선택할 수 있는 것)을 선택하거나, 구성하기 위해 그들을 활용하는 것과 관계가 있다. 관련된 용어로는 예를 들기와 실증하기가 있다.

분류하기

분류하기는 학생이 어떤 것(구체적인 예)이 특정한 유목(예: 개념이나 원리) 속에 속한다는 것을 인지할 때 일어난다. 분류는 구체적인 예와 개념이나 원리 모두에 적합한 패턴이나 특징들을 밝혀내는 것을 포함한다. 분류는 예증하는 것을 보충하는 과정이다. 예증하기가 일반적인 개념이나 원리로부터 시작하여 학생들로 하여금 구체적인 예나 사례를 발견하도록 하는 것인 반면에, 분류하기는 구체적인 예나 사례로부터 시작하여 일반적인 개념이나 원리를 찾아내도록 하는 것을 요구한다. 분류하기와 관련된 용어는 유목화하기와 포섭하기이다.

요약하기

요약하기는 제시된 정보를 표현하거나 일반적인 테마를 발췌하여 하나의 단일한 진술문으로 나타낸 것이다. 요약은 연극 장면의 의미와 같은 정보의 표현, 테마나 요점의 결정과 같은 정보를 요약한 것과 관련이 있다. 관련된 용어는 일반화하기와 추상화하기이다.

추론하기

추론하기는 일련의 예나 사례에서 특정한 패턴을 발견하도록 하는 것과 관련이 있다. 추론하기는 학생들이 각각의 예나 사례들의 특징을 기호화하고 그것들 간의 관계를 밝힘으로써 그것들을 설명하는 개념이나 원리를 추상화할 수 있을 때 일어난다. 예를 들면 1, 2, 3, 5, 8, 13, 21과 같은 일련의 숫자가 주어졌을 때 각 숫자의 모양이나 각 숫자가 짝수인지 홀수인지와 같은 별 관계가 없는 특징보다는 각 숫자의 수값에 초점을 맞추게 할 수 있다. 그렇게 될 때 학생들은 일련의 수들의 패턴을 구별할 수 있다(예: 처음 두 수 다음에 나오는 짝수는 앞의 두 수의 합이다).

비교하기

비교하기는 잘 알려진 사건(예: 최근의 정치적 스캔들)이 비교적 덜 친숙한 사건(예: 역사적 정치적 스캔들)과 어떻게 유사한가를 결정하는 것과 같이 두 개 이상의 대상, 사건, 아이디어, 문제, 혹은 상황들 간의 유사점과 차이점을 밝혀내는 것과 관계 있다. 비교는 하나의 대상, 사건, 혹은 아이디어와 또 다른 대상, 사건, 혹은 아이디어의 요소들이나 패턴들 간의 일대일 대응관계를 찾아내는 것을 포함하고 있다. 추론(예:

먼저보다 친숙한 상황에서 규칙을 추출한다)과 실행(예: 그 다음 그 규칙을 덜 친숙한 상황에 적용한다)에 결부되어 사용될 때, 비교는 유추해서 추론하는 데 도움을 줄 수 있다. 관련된 용어로는 대조하기, 도식화하기, 결합하기가 있다.

설명하기

설명하기는 어떤 체제에서 인과관계의 모델을 구성하거나 활용할 수 있을 때 일어난다. 그 모델은 형식적 이론(자연과학에서의 사례와 같은)으로부터 도출되거나 연구나 경험(사회과학이나 인문학의 사례와 같은)에 토대를 둘 수도 있다. 완벽한 설명은 어떤 체제의 각각의 주요부분이나 연결체에서 각각의 주요한 사상들을 포함한 인과관계 모델을 구성하고 체제의 한 부분이나 연결체의 한 고리에서의 변화가 다른 부분의 변화에 어떤 영향을 미쳤는가를 결정하기 위해 그 모델을 활용한다. 설명과 관련된 용어는 모델 구성하기이다.

적용하다

적용하다는 연습이나 문제해결을 하기 위해 여러 가지 절차들을 활용하는 것이다. 따라서 적용하다는 절차적 지식과 밀접히 관련되어 있다. 연습은 학생들이 이미 올바른 활용 절차를 알고 있고 그에 대한 일상적인 접근방법을 개발해 온 것이라고 할 수 있다. 제기되는 문제는 학생이 처음에는 어떤 절차를 활용할지를 알지 못하였다는 것이다. 그래서 학생들은 문제를 해결하기 위한 절차를 규명해야 한다. 적용은 두 가지 지적 과정, 즉 집행하기－과제가 연습(친숙한)과 관련될 때－와 실행하기－과업이 문제(친숙하지 못한)일 때－로 되어 있다.

과제가 친숙한 연습과 관련될 때 학생들은 일반적으로 어떤 절차적 지식이 활용되는가를 알게 된다. 연습할 기회가 주어지면 학생들은 별 생각 없이 그 절차를 수행한다. 그러나 과업이 친숙하지 않은 문제일 경우, 학생들은 어떤 지식을 활용한 것인가를 결정해야 한다. 만일 과업이 절차적 지식이 요구되고 그 문제 상황에 적합한 가용한 절차가 없는 경우에는, 선택된 절차적 지식에 대한 수정이 필요하다. 집행하기와는 대조적으로 실행하기는 문제해결 절차와 마찬가지로 그 문제에 대한 이해가 어느 정도 필요하다. 실행하기인 경우에는 개념적 지식을 이해하는 거시 절차적 지식을 적용할 수 있는 것에 앞선 선행요건이 된다.

집행하기

집행하기에서 학생들은 친숙한 과업에 당면했을 때 일상적인 절차를 수행한다. 친숙한 상황은 적절한 활용절차를 선택하는 데 도움이 되는 단서를 제공해 준다. 집행하기는 기법이나 방법보다는 기능과 알고리즘 활용과 더 많이 연합되어 있다. 기능과 알고리즘은 특별히 집행하기와 통할 수 있는 두 가지 특질을 가지고 있다. 첫째, 그것들은 일반적으로 정해진 순서를 따르게 되는 일련의 단계로 구성되어 있다. 둘째, 단계가 정확히 수행될 때 그 결과는 사전에 정해진 답이 된다. 관련된 용어는 시행하기이다.

실행하기

실행하기는 학생들이 친숙하지 않은 과제를 수행하기 위해 어떤 절차를 선택하고 활용할 때 일어난다. 선별적인 활동이 필요하기 때문에 가용한 절차의 범위와 마찬가지로 당면한 문제의 유형에 관해 이해를 하여야 한다. 따라서 실행은 이해하다와 창안하다와 같은 다른 인지과정 유목들과 연결되어 사용된다. 학생들은 친숙하지 않은 문제에 직면하기 때문에 가용한 절차 가운데 어느 것을 사용할 것인지 바로 알지 못한다. 더 나아가 어떤 절차도 그 문제에 완벽하게 적합한 것은 없다. 그래서 절차상의 일부 수정이 불가피하게 된다. 실행하기는 흔히 기능과 알고리즘보다는 기법과 방법의 활용과 더 자주 연계된다. 기법과 방법의 활용이 더 자주 연계된다. 기법과 방법은 특별히 실행과 통할 수 있는 두 가지 특질을 가지고 있다. 첫째, 그 절차는 고정된 계열보다는 흐름도와 더 유사하다는 것이다. 즉 절차는 그 속에서 형성되는 해결점을 가질 수 있다. 둘째, 그 절차가 정확히 적용될 때를 예견할 수 있는 단 하나의 고정된 정답은 없다는 것이다.

분석하다

분석은 자료를 구성부분으로 나누고 그 부분들이 상호간에 그리고 전체구조와 어떻게 관련되어 있는가를 결정하는 것이다. 이 과정은 구별하기, 조직하기, 귀속하기라는 인지과정을 포함하고 있다. 분석하다로 분류된 목표는 메시지의 중요하거나 적절한 부분(구별하기), 그 메시지의 부분들이 조직되는 방식(조직하기), 그리고 그 메시지가 기저로 하고 있는 목적(귀속하기)을 결정하는 학습을 포함하고 있다. 분석을 위한 학습 자체가 목적이더라도 이해하기의 확장이나 평가하기나 창안하기의 전체로서 분석하기를 고려해 보는 것이 교육적으로 더 합당한 것이 될 수도 있다.

구별하기

구별하기는 전체구조의 부분들을 적절성이나 중요성이라는 입장에서 그것들을 구별하는 것과 관련이 있다. 구별하기는 적절한 정보와 적절하지 않은 정보를 구분하거나 중요한 정보와 중요하지 않은 정보를 구분할 때 일어난다. 따라서 학생들로 하여금 적절하거나 중요한 정보에 주의를 기울이게 한다. 구별하기는 구조적 조직을 가졌고 특히 각 부분들이 어떻게 전체구조 혹은 전체와 연관되어 있는가를 결정해야 하기 때문에 이해하다와 관련된 인지과정과는 다르다. 즉, 구별하기는 무엇이 적절하고 중요하며 무엇이 그렇지 않은가를 결정하기 위해 좀 더 큰 맥락을 활용한다는 점에서 비교하기와 다르다. 구별하기와 관련된 용어로는 변별하기, 선정하기, 식별하기, 초점 맞추기 등이 있다.

조직하기

조직하기는 커뮤니케이션이나 상황의 요인들을 확인하고 그들이 어떻게 일정한 구조 속에 적절하게 연관되어 있는가를 인식하는 것을 말한다. 조직하기에서 학생들은 제시된 정보들 가운데에서 체계적이고 일관된 관련성을 구축한다. 조직하기는 구별하기와 관련 속에서 일어난다. 학생들은 먼저 적절하거나 중요한 요소들을 확인하고 그 요소들이 적절하다고 생각되는 전체적인 구조를 결정한다. 조직하기와 관련된 용어는 구조화하기, 통합하기, 정합성 찾기, 윤곽 그리기, 해부하기 등이 있다.

귀속하기

귀속하기는 커뮤니케이션에 들어 있는 관점, 편견, 가치 혹은 의도를 확인할 때 일어난다. 귀속하기는 해체활동과 관련이 있다. 거기에서 학생들은 제시된 자료에 대한 저자의 의도를 결정하게 된다. 학생들이 제시된 자료의 의미를 이해하려고 하는 해석하기와는 대조적으로, 여기에서는 제시된 자료의 기반이 되는 관점이나 의도를 추론하기 위해 기본적인 이해의 차원을 지나 그 범위를 넓히게 된다. 예를 들면, 미국 남북전쟁에서 Atlanta 전투에 관한 글을 읽고 학생들은 저자가 남측과 북측 어느 쪽의 입장을 취했는지의 여부를 결정할 필요가 있다. 관련된 용어는 해체하기이다.

평가하다

평가하기는 기준이나 준거를 기반으로 해서 판단하는 것이라고 정의된다. 흔히 활용되는 대부분의 준거는 질, 효과성, 효능성, 일관성이다. 준거는 학생이나 다른 사람들에 의해 결정되는 수도 있다. 기준은 양적인 것이나 질적인 것일 수도 있다. 기준은 준거에 적용된다. 평가유목은 점검(내적 일관성에 관한 판단)과 비판(외적 준거를 토대로 한 판단)이란 인지과정을 포함하고 있다.

점검하기

점검하기는 어떤 활동이나 산출물에 내적 비일관성이나 오류가 있는지를 검증하는 것을 말한다. 예를 들면 점검하기는 학생들이 특정 전제로부터 결론이 바르게 도출되었는지, 데이터가 특정 가설을 지지해 주는지 그렇지 않은지, 아니면 제시된 자료가 서로 모순된 부분을 포함하고 있는지의 여부 등을 검증할 때 일어난다. 계획하기(창안이란 유목의 인지과정)와 실행하기(적용이란 유목의 인지과정)와 결부될 때, 점검하기는 계획이 얼마나 잘 수행되는가를 결정하게 된다. 점검하기와 관련된 용어로는 검사하기, 탐지하기, 모니터링하기, 조정하기가 있다.

비판하기

비판하기는 외적인 준거나 기준을 토대로 결과나 활동들을 판단하는 것과 관계가 있다. 여기에서 학생들은 어떤 결과에 대한 긍정적인 면과 부정적인 면을 주목해 보고 최소한 부분적으로나마 이들을 토대로 판단을 내리게 된다. 비판은 비판적 사고라고 불려왔던 것의 핵심이 된다. 비판하기의 한 예로는, 산성비 문제에 대한 특정한 해결책의 장점을 그 효과성과 그와 관련된 비용에 비추어서 판단하는 것을 들 수 있다. 관련된 용어는 판단하기이다.

창안하다

창안하기는 요소들을 결합해서 일관성 있거나 기능적인 전체를 형성하는 것이다. 창안하기로 분류된 목표들은 학생들로 하여금 일부 요소들이나 부분들을 정신적으로 재조직해서 이전에는 드러나지 않았던 패턴이나 구조를 가진 새로운 결과를 만들어내게 하는 것이다. 창안과 관련된 과정은 일반적으로 학생의 이전 학습경험에 따라 조정된다. 창안이 학생에게는 창의적인 사고를 요구한다 할지라도 학습과제나 상황의 요구 때문에 창의적인 표현이 제약받지 않을 수 없다.

이해하다, 적용하다, 분석하다라는 과정유목들이 제시된 요소들 간의 관계를 탐색하는 것과 관계된다 할지라도 창안은 독창적인 결과를 만들어 내는 것이기 때문에 다른 점이 있다. 창안과는 달리 다른 유목들은 주어진 전체의 부분인 특정한 요소들을 가지고 활동하게 된다. 즉, 그것은 학생들이 이해하려 하는 좀 더 커다란 구조의 부분이다. 한편 창안 활동에서 학생들은 많은 원자료로부터 요소들을 끌어내어 함께 결합하여 학생들의 이전의 지식과 관련된 새로운 구조나 패턴을 구성하여야 한다. 창안은 관찰될 수 있고 학생들의 최초의 자료보다 더 좋은 어떤 새로운 결과를 가져와야 된다. 창안이 필요한 과제는 어느 정도 초기의 인지과정 유목들의 개별적인 측면들이 요구되기도 하지만 반드시 목표분류학 표에 열거된 순서대로 요구되는 것은 아니다.

생성하기

생성하기는 문제를 제시하고 어떤 준거를 충족하는 가설이나 대안에 이르도록 하는 것과 관련이 있다. 가끔 어떤 문제가 최초로 제시되는 방식은 가능한 해결책을 암시하고 있다. 그러나 그 문제에 대한 새로운 표현방식을 제안함으로써 상이한 해결방식이 암시되기도 한다. 생성하기가 이전의 지식과 기존이론의 경계나 제한점을 초월하게 될 때 그것은 발산적 사고를 포함하게 되고 창의적 사고라고 불릴 수 있는 것의 핵심을 이루게 된다.

계획하기

계획하기는 특정한 문제의 준거를 충족하는 해결방법을 구안하는 것이다. 즉, 문제를 해결하기 위한 계획을 수립하는 것을 말한다. 계획하기는 주어진 문제에 대한 실제적 해결책을 구안하는 단계를 수행하는 것이다. 계획하기에서 학생들은 하위목표를 설정하거나 문제를 해결할 때 수행되도록 하기 위해 과제를 하위과제로 나누기도 한다.

산출하기

산출하기는 어떤 명세화된 주어진 문제를 해결하기 위한 계획을 수행하는 것을 말한다. 앞에서 언급한 것처럼 창안하다라는 유목 내의 목표는 명세화된 것의 하나로서 독창성과 특이성을 포함할 수도 있고 그렇지 않을 수도 있다. 관련된 용어는 구성하기이다.

분류학 표의 사용

이 절에서는 교육목표분류학을 실제 학교와 교실의 현장에서 적용하고 활용할 수 있는 방법에 대하여 소개하고자 한다. 교육과정을 개발하거나 수업을 적용할 때, 목표를 설정하고 목표를 달성하기 위한 활동을 구성할 때, 우리는 교육목표분류학을 사용할 수 있다. 이에 이 절에서는 예를 통해 이러한 분류학이 어떻게 사용될 수 있는지 설명할 것이다.

본격전인 논의에 앞서 분류학 표가 가지는 의의를 살펴보면, 첫째, 교육자들이 자신의 목표(자신이 선택한 목표와 다른 사람에 의해 제공된 목표 둘 다)에 대한 이해를 좀 더 완전하게 이해를 할 수 있도록 돕는다. 즉, 분류학 표는 우리가 '학습 질문' 이라고 언급한 문제에 대하여 교육자들이 대답하는 것을 도울 수 있다. 둘째, 이런 이해로부터 교사는 목표로 학생들을 어떻게 가르치고 평가해야 하는지에 대한 더 나은 의사결정을 하기 위해 분류학 표를 사용할 수 있다. 즉 분류학 표는 교육자들이 '수업 질' 과 '평가 질문' 에 답하도록 도울 수 있다. 셋째, 분류학 표는 교육자들이 목표, 평가, 수업활동이 어떻게 유의미하고 유용한 방식에서 적합한지를 결정하는 데 도움을 준다.

다음으로 분류학 표를 구체적으로 어떻게 효과적으로 사용할 수 있는지 살펴보자.

수업 질문에 대한 대답은 매우 복잡해 보일 수 있다. 수업활동은 학생들에게 적어도 세 가지 유형의 지식(개념적, 절차적, 메타인지)을 개발하고 다섯 가지의 과정유목(기억하다, 이해하다, 적용하다, 분석하다,평가하다)과 관련된 적어도 여섯 가지의 인지과정(회상하기, 분류하기, 구별하기, 실행하기, 점검하기, 비판하기)에 관여하도록 기회를 제공할 수 있다. 분류학 표의 용어에서 수업활동의 분석은 더욱 많은 셀로 나타나며, 표 6-9에서 확인할 수 있다.

수업활동(B2, B4, B5, C3, C5, D1, D3)을 포함하는 일곱 개의 셀에 목표를 포함하는 B3셀의 관계에 대한 검토는 흥미 있는 결과를 보여준다. 즉, 수업활동이 아닌 것은 직접적으로 목표에 속하지 않는다. 그 이유는 적용하다(apply)의 정의에서 분명해진다. 적용하다는 주어진 상황에서 절차를 수행하거나 사용하는 것을 의미한다. 바꾸어 말하면 적용하다는 절차적 지식을 요구하는 것이다. 그러므로 만약 전기법칙과 자기

〈 표 6-9 분류학 표에서 목표와 수업활동의 정위치 〉

지식차원	인지과정 차원					
	1. 기억하다	2. 이해하다	3. 적용하다	4. 분석하다	5. 평가하다	6. 창안하다
A 사실적 지식						
B 개념적 지식		활동 1	목표	활동 2	활동 7	
C 절차적 지식			활동 3		활동 6	
D 메타인지 지식	활동 4		활동 5			

목표 = 목표, '문제를 풀기 위해 학생들은 전기법칙과 자기 작용을 사용하는 것을 배워야만 한다.'
활동1 = 학생들이 문제 유형을 분류하는 데 도움을 주는 의도된 활동
활동2 = 학생들이 적절한 법칙을 선택하는 데 도움을 주는 의도된 활동
활동3 = 학생들이 적절한 절차를 실행하는 데 도움을 주는 의도된 활동
활동4 = 학생들이 메타인지 전략을 회상하는 데 도움을 주는 의도된 활동
활동5 = 학생들이 메타인지 전략을 실행하는 데 도움을 주는 의도된 활동
활동6 = 학생들이 절차실행을 점검하는 데 도움을 주는 의도된 활동
활동7 = 학생들이 자신들의 해결에 대한 정확성을 비판하는 데 도움을 주는 의도된 활동

작용(개념적 지식)이 적용된다면, 이는 절차(절차적 지식) 내에 들어가야 한다. 절차는 전형적으로 전기법칙과 자기작용의 적용(즉, 먼저 볼트에서 전력을 계산하거나 추정한다. 둘째, 암페어로 전류를 계산하거나 추정한다. 셋째, 저항을 산출하기 위해 전력을 전류로 나눈다.)을 용이하게 하는 한 방식에서 법칙을 이끌어 낸다. 적용하다와 절차적 지식 간의 관계는 개념적 지식을 적용하는(B3) 대신에 절차적 지식(C3)을 적용할 때 목표를 분류한다는 것을 제시했을 것이다.

교사가 학생들에게 예를 계속 제시하는 것이 그들이 정답을 획득하는 것만큼 정확한 절차를 사용하는 것에 관심을 가지도록 결정한다고 가정해 보자. 사실 이 교사는 평가를 형성적이라고 보고 있다. 이 교사는 학생들에게 10가지의 전기와 기계에 관한 질문을 제시하고 각각의 문제를 풀고 자신들의 작업을 보여주도록 요구한다.

우리가 목표와 수업활동에서 점검했던 것처럼 분류학 표에서 평가를 점검할 수도 있다. 이런 경우 할당된 점수에 초점을 둘 수 있다. 10개 문제의 각각에 점수는 '정확한 절차를 선택하는 데' 주어진다. 교사의 채점 항목은 학생들이 문제를 정확하게 분류하고(개념적 지식을 이해하기, 1점), 적절한 법칙을 선택하고(개념적 지식 분석하

기, 1점), 법칙에 따르고 문제를 해결하는 절차를 선택할(절차적 지식 분석하기, 1점) 수 있도록 요구한다. 왜냐하면 교사는 절차를 고려하고 각각 문제를 푸는 데 정확한 절차를 선택하는 데에 3점을 주고 절차와 결과를 똑같이 중요한 것으로 여기기 때문에 문제에 정확한 해결에 이르는 데 3점을 준다(즉, 절차적 지식 실행하기). 표 6-10을 살펴보자.

표 6-10을 보면 목표, 하나 이상의 수업활동 및 평가의 일부 측면을 포함하는 칸은 높은 일치도를 나타낸다. 즉, 일치도란 목표, 수업활동, 평가의 긴밀한 연관성을 의미한다. 그러므로 오직 한 가지 목표, 혹은 오직 한 가지 수업활동 혹은 오직 평가 측면의 일부분만을 포함하는 칸은 일치도가 낮다. 그러나 이런 해석은 기본적인 가정을 전제해야 한다. 완성된 표는 추론을 나타내기 때문에 목표진술, 수업활동의 분석, 평가의 점검에 관해 합리적으로 타당한 추론을 했다고 가정해야 한다. 이런 가정은 오분류와 불일치를 명확하게 해준다.

이러한 세 가지 원천(즉, 목표진술, 수업활동, 평가)에서 정확한 분류를 가정한다면 표 6-10은 일치도와 비일치도에 대한 증거를 제시한다. 예를 들어 C3(절차적인 지식 적용하기)는 수업활동과 평가에서 채점 점수 둘 다를 포함한다. 만약 목표가 적절하게 분류되었다면 일치도를 높여줄 것이다. 이와 유사하게 일치도는 셀 B2와 B4에서도 나타난다. 이 또한 수업활동과 평가에서 점수득점을 포함한다. 동시에 표 6-10

〈 표 6-10 분류학 표에서 목표진술 · 수업활동 · 평가의 배치 〉

지식차원	인지과정 차원					
	1. 기억하다	2. 이해하다	3. 적용하다	4. 분석하다	5. 평가하다	6. 창안하다
A 사실적 지식						
B 개념적 지식		활동 1 평가 1A	목표	활동 2 평가 1B	활동 7	
C 절차적 지식			활동 3 평가 2	재강조된 것으로서의 목표-평가 1C	활동 6	
D 메타인지 지식	활동 4		활동 5			

평가 1A, 평가 1B, 평가 1C = 각각 문제의 절차적 측면과 연관된 셀
평가 2 = 정확한 '대답'과 관련된 셀

을 보면서 비일치도를 확인할 수 있다. 이것은 다음의 세 가지 원천에서 유래된다.

첫째, 목표진술에서 동사와 명사 간에 '비연결' 을 가지는 것.

실행을 위한 대안적 용어인 '사용하다' 는 적용하다(apply) 유목에 연관된다. 절차적 지식의 전형적으로 적용하다와 연관되어 있다. 우리는 '전기법칙과 자기작용' 이라는 명사구의 분석을 마음속에서 이런 것과 연관시켜 접근했다. 그러므로 우리는 개념적 지식과 같은 법칙지식을 강조하기보다는 절차적 지식 문제를 해결하기 위해 법칙을 사용하는 절차에 초점을 두어야 한다. 법칙 대신에, 절차에 이런 '재초점' 이라는 측면에서 목표는 B3(개념적 지식 적용하기)보다는 오히려 C3(절차적 지식을 적용하기)에 분류되어야만 한다. 그런 분류는 C3에서 가장 강력한 일치도를 제공한다. 즉 목표, 수업활동, 평가가 모두 제시될 것이다.

둘째, 평가되지 않고 학습문제 진단에 정보를 거의 제공하지 않는 수업활동 포함하기.

표 6-10의 예문은 ACT4(각각 문제에서 작업할 때 진보를 확인해야 하는 것을 기억하기), ACT6(진보가 만족스러운지의 여부를 결정하기), ACT5(필요하다면 진보점검에 근거해서 수정하기), ACT7(최종 해결에 대한 정확성 점검하기)을 포함한다. 네 가지 모두는 진보에서 작업을 검토하는 과정과 관련 있다. 학생들이 복습을 했는지 여부를 묻는 것은 그렇게 하는 것의 중요성을 높여 줄 것이다. 게다가 개인적으로 검토했지만 여전히 잘못된 해결을 한 학생들에게 질문하는 것은 학생이 문제를 해결하면서 실수한 것을 발견하도록 돕고 어떻게 해결해 나갈 수 있는지 도와준다.

셋째, 수업활동 중에 강조되지 않았거나 강조되었다면 어떤 진술된 목표와 관련되지 않았던 문제해결 과정에 근거를 둔 점수(C4) 보상하기.

분류학 표를 사용한 분석에 근거해서 교사들은 전반적 일치도를 증가시키기 위해서 목표진술, 수업활동, 평가과제, 사전과제, 혹은 평가준거에서 변화시켜 나갈 수 있을 것이다.

Marzano의 신교육목표분류학

이 절에서는 Marzano가 개발한 신교육목표분류학에 대하여 살펴볼 것이다. Robert

Marzano는 Bloom의 교육목표분류학의 몇 가지 문제점을 지적하고 새로운 교육목표분류학이 필요함을 주장하였다. 이것은 50년간 논의되어 오던 Bloom의 교육목표분류학을 넘어 21세기가 요구하는 교육목표를 제시하고 분류하였다는 점에서 커다란 의의를 가지고 있다. 이에 이 절에서는 Marzano의 신교육목표 분류를 좀 더 자세하게 소개하고 논의하고자 한다. 먼저 Bloom의 교육목표 분류와 비교하여 21세기가 요구하는 새로운 교육목표분류학은 무엇이며 신교육목표분류학이 어떻게 등장하게 되었는지를 소개할 것이다. 그리고 신교육목표분류학에서 제시된 세 가지 체제와 지식이 무엇이며, 이 개념들이 어떤 구조와 단계를 가지는지 자세히 소개할 것이다.

Bloom의 분류학에서 새로운 분류학으로

5장에서 언급한 Bloom의 분류학은 특히 평가에 커다란 영향을 끼치며 목표중심 평가에 중요한 역할을 수행했다. 하지만 1980년대에 들어 고급 사고력을 가르치는 데 강조를 두면서 Bloom 분류학의 타당도에 의혹을 제기하기 시작했다. 가장 흔한 비판 중 하나는 분류학이 사고의 본질과 그 본질이 가지는 학습과의 관련성을 너무 단순화시켰다는 것이다. 분류학은 한 수준과 다른 수준을 분리하는 특징을 가지고 좀 더 단순한 난이도 구인을 가정하고 있다. 즉, 상위 수준은 하위 수준보다 어려운 인지과정에 관련된다는 것이다. 그러나 평가가 다른 유목을 어느 정도 요구하기 때문에 인지적 영역에서 가장 마지막에 위치하지만 사고나 문제해결에서 항상 마지막 단계가 되는 것은 아니다. 즉, Bloom 분류학의 위계적 구조는 논리적이거나 혹은 경험적 조망으로부터 잘 조합되지 않는다.

이러한 비판과 함께 신교육목표분류학이 제시되었는데 표면상 Bloom의 분류학과 유사한 면이 있지만 여기에는 근본적인 차이점이 있다. 예를 들어, Bloom 분류학의 여섯 가지 수준은 새로운 분류학에 기술되어 있는 자기체제 사고와 메타인지를 소개하지 않고 있다. 그래서 Bloom의 분류학은 새로운 분류학의 첫 네 가지 수준에 포함된다고 말할 수 있겠다. 또 다른 차이점은 새로운 분류학은 세 가지의 지식 영역, 즉 모든 여섯 가지 수준의 정신적 절차를 가로지르는 것으로, 정보 영역, 정신적 절차 영역, 심동적 절차 영역을 기술하고 있다는 것이다. 이것은 지식의 다양한 영역에 대한 논의를 첫 수준, 즉 지식 수준이라고 불분명하게 명명한 것에 한정하는 Bloom의 분류학과 뚜렷한 차이를 보이는 것이다. 그림 6-4에서 제시하는 것처럼 Marzano 박사는 지식 영역과 세 가지 사고체제(인지체제, 메타인지, 자기체제)를 소개하고

Bloom의 분류학처럼 여섯 가지 정신적 절차를 세분화하고 있다.

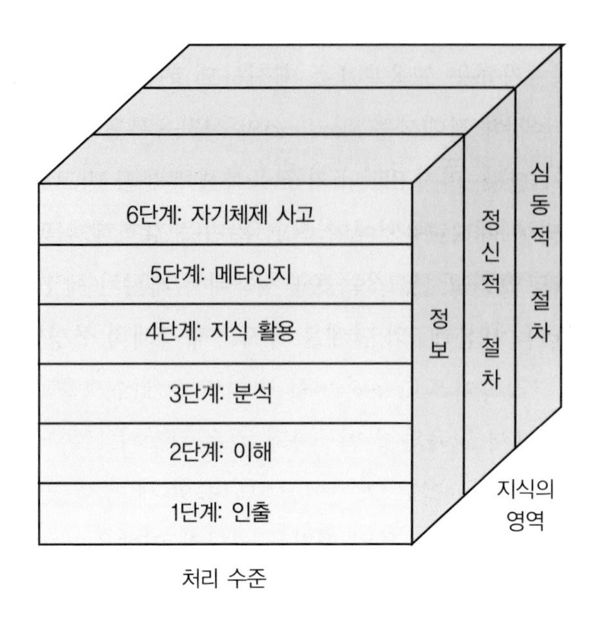

[그림 6-4 신교육목표분류학의 이차원 모형]

[그림 6-5 Bloom과 Marzano의 분류학 비교]

Bloom과 그의 동료들은 난이도를 목표분류학의 수준 간 차이의 기반으로 활용하려 시도했다. 하지만 실제로 인간의 정신적 과정은 복잡성과 관련하여 위계화하기 어렵지만 이 과정을 관리하는 입장에서 본다면 순서화될 수 있다고 본다. 다음 모형은 인간이 특정 시점에서 새로운 과제를 수행하는지의 여부를 어떻게 결정하는가에 대한 것을 기술할 뿐만 아니라 수행하기로 결정이 이뤄졌을 때 정보가 처리되는 방법을 설명해 준다. 이 모형은 세 가지 정신적 체제, 즉 자기체제－메타인지 체제－인지체제를 보여주고 있다. 그리고 이 모델의 네 번째 구성요소는 지식이다.

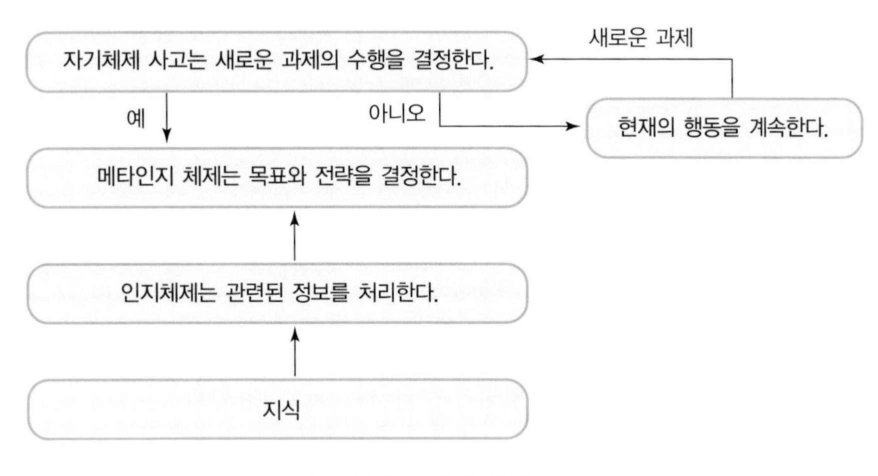

[그림 6-6 행동모형]

신교육목표분류학은 Bloom의 업적에 보태어 '프레임웍' 이 아닌 인간사고의 모형을 제시한다. 모델형 이론은 인간이 현상을 예측하도록 하는 체제이다. 위 모형과 같이 특정한 상황 내에서 구체적인 행동 예측을 허용해 주고 있는 것이다. 그리고 두 가지 준거의 관점(정보의 흐름, 의식의 수준에서 인간사고의 위계적 체제의 설계를 허용)에서 Bloom의 노력을 개선하였다. 위 모형의 정보의 흐름에서 보면 처리과정은 항상 자기체제에서 출발하여 메타인지 체제, 인지체제로 나아가 마지막으로 지식 영역으로 간다. 즉, 한 체제 내의 다양한 요인들의 지위에 영향을 미친다. 다음은 각 영역에 대한 간단한 설명을 나타내는 표이다.

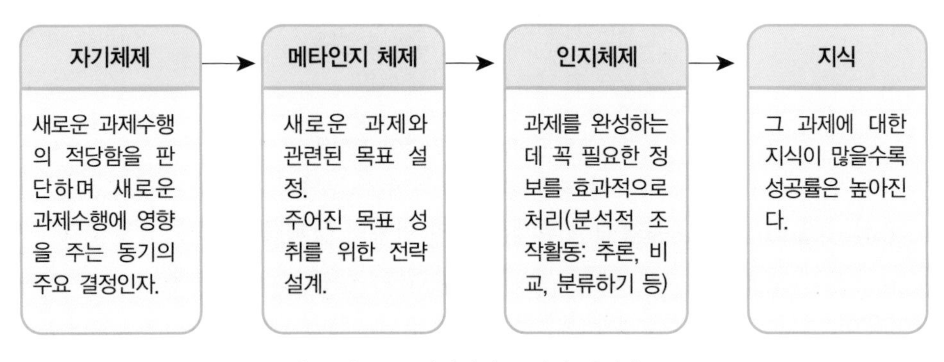

[그림 6-7 인지체제들 간의 관계]

지식 영역

여기에서는 지식 영역이 무엇인지에 대하여 자세히 다루고자 한다. 이를 위해 먼저 Bloom의 분류학에서 '지식' 유목을 살펴보면 다음과 같은 내용이 있다: 용어에 관한 지식, 특수 사실에 관한 지식, 형식에 관한 지식, 경향과 순서에 관한 지식, 분류와 유목에 관한 지식, 준거에 관한 지식, 방법론에 관한 지식, 원리와 통칙에 관한 지식, 이론과 구조에 관한 지식. 하지만 지식에 대해 작동하는 다양한 정신작용과 지식유형의 이러한 혼합은 Bloom의 분류학에서 주요한 단점 중 하나이다. 왜냐하면 Bloom의 분류학은 행위대상과 행위 자체가 혼란스럽기 때문이다. 그래서 신분류학은 사고의 세 가지 체제와 그 구성요소에 의해 작동되는 세 가지 지식 영역을 정하여 이러한 혼란을 피한다. 신분류학을 구성하는 위계구조를 갖는 것은 바로 사고체제이다. 이러한 위계적 정신작용은 세 가지 지식 영역과 분리되어 상호작용한다.

신분류학은 지식을 하나의 새로운 영역으로 설정하였다. 지식은 세 가지 일반적인 범주로 나눌 수 있다: 정보, 정신적 절차, 심동적 절차. 어떤 과목도 이러한 세 가지 지식 유형을 얼마나 포함하고 있느냐에 따라 기술될 수 있다.

정보 영역

선언적(명제적) 지식으로도 불리는 정보 영역은 그림 6-8과 같이 위계적으로 개념화될 수 있다.

아이디어 조직	7 원리 6 일반화
세부항목(상세)	5 에피소드 4 인과관계 3 시간계열 2 사실 1 단어용어

[그림 6-8 정보 영역의 조직]

우선, 정보적 지식의 유형에서 위계의 제일 밑부터 살펴보자.

단어용어

정보적 지식의 가장 특수한 수준에 단어용어가 있다. 이 체제에서, 하나의 단어용어를 아는 것은 매우 일반적인 수준에서 하나의 말의 의미를 이해하는 것을 의미한다. 단어용어들로 수업내용을 조직하는 것은 수업내용을 독립적인 말로 조직하는 것과 같다. 학생이 이 용어의 의미에 대해 정확하나 다소 피상적인 수준으로 이해할 것이라는 기대를 한다.

사실

사실은 특정 인물, 장소, 생물과 비생물, 사건에 대한 정보를 전달한다.

시간계열

시간계열은 시간상 두 시점 사이에서 일어난 중요한 사건을 말한다.

인과관계

인과관계는 하나의 산출물이나 또는 효과를 만들어 낸 사건을 말한다. 한 사건이 다른 사건에 영향을 미치고 이것은 다시 세 번째 사건에 영향을 미치는 식이다.

에피소드

에피소드는 상황, 특정 개입자, 특별한 지속시간, 특정한 사건 계열, 특별한 원인과 효과를 가지는 특정 사건이다.

일반화

일반화는 예가 제시될 수 있는 진술이다. 이는 '사실'과는 다르게 인물군의 특징, 장소군의 특징, 생물과 비생물군의 특징, 사건군의 특징, 추상의 특징으로 나타낸다.

원리

원리에는 일반적으로 인과원리, 상관원리라는 두 가지 유형의 원리가 있다. 인과원리는 원인과 결과의 인과적 관계를 분명히 나타내며 상관원리는 본질상 필수적으로 인과적이지는 않지만 한 요인에서의 변화가 다른 요인에서의 변화와 연관되는 관계를 말한다.

이처럼 위와 같은 정보적 지식이 기억에 표상되는 방법에 대해 알아보자. 어떤 심리학자들은 정보적 지식은 기억에서 명제적 형태로 존재한다고 주장한다. 주요 명제 유형으로 다음과 같은 것이 있다. ① 막스는 걸어간다. ② 막스는 잘 생겼다. ③ 막스는 과일을 먹는다. ④ 막스는 런던에 산다. ⑤ 막스는 몰리에게 한 개의 장난감을 주었다. ⑥ 막스는 천천히 걸어간다. ⑦ 막스는 베개로 빌을 때린다. ⑧ 소로우는 막스를 이겼다.

정신적 절차 영역

절차적 지식이라고도 불리는 정신적 절차는 선언적 지식과는 다르다. 선언적 지식이 '무엇' 에 해당한다면 절차적 지식은 '어떻게' 에 해당한다. 예를 들어 자동차를 운전하는 방법이나 복잡한 나눗셈을 하는 방법에 관한 지식은 절차적인 것이다.

정신적 절차 영역에서 지식의 중요한 특징은 지식이 학습되는 방식이다. 정신적 절차 획득을 위한 세 가지 단계가 있는데 Fitts(1964)는 첫 번째 단계를 '인지적' 단계라고 부른다. 이 단계에서는 학습자가 기술을 실행하기 위해 반복적으로 말하는 언어적 '조정' 을 쉽게 관찰할 수 있다. 즉, 학습자는 과정을 말로 할 수 있고 서툴지만 그 절차에 가깝게 수행할 수 있다. 하지만 과정을 말로 설명할 수 있다고 해서 실제로 그것을 수행할 수 있는 것은 아니다. 두 번째 단계는 '관계적' 단계로 절차의 수행이 자연스럽게 이어지며 초기의 이해에서 언어적 반복으로 오류가 감소된다. 세 번째 단계는 '자율적인' 단계로 앞 단계의 과정을 거치면서 절차는 세련되어지고 자동적으로 이뤄진다. 즉, 학습자에 의해 일단 요구된 절차는 자동적으로 실행되며 작동기억에서 공간을 거의 차지하지 않는다.

정신적 절차 영역 역시 다음과 같은 위계로 조직될 수 있다.

과정	4 거시적 절차
기능	3 책략 2 연산 1 단일규칙

[그림 6-9 정신적 절차 영역의 조직]

우선, 정신적 절차 영역의 유형 중 위계의 제일 밑부터 살펴보자.

단일규칙

정신적 절차의 가장 단순한 유형으로 하나의 '만약 ~이라면, ~행동을 할 것이다' 와 같은 산출로 구성된다. 보통 단일규칙의 정신적 절차는 세트로 사용된다. 예를 들 어 영어에서 대문자 사용에 대한 여러 가지 규칙을 아는 학생은 글을 편집할 때 이런 규칙을 하나씩 적용할 수 있다. 각 문장의 시작에서 대문자를 확인하고 다음에는 고유명사의 대문자를 체크하는 식의 실행 패턴을 잘 따랐는지에 따라 그 학생은 하나의 규칙(단일 규칙)을 조직하게 되는 것이다.

연산

일반적으로 적용할 때 다양하지 않은 정신적 절차로 매우 특수한 성과와 단계를 가지고 있다. 예를 들어 두 자리 이상 뺄셈에서 자릿값 계산은 연산의 한 예이다. 연산을 유용하게 사용하기 위해서는 자동 수준에서 학습되어야 한다.

책략

책략은 전체적인 실행 흐름을 갖는 일반적인 규칙으로 구성되어 있다. 예를 들어 히스토그램을 읽기 위해서는 다음과 같은 책략이 필요하다. 「a. 범례에 있는 요소 파악, b. 그래프 각 축이 무엇을 의미하는지 살피기 c. 두 축에 있는 요소들 사이의 관계 파악」 비록 이런 규칙이 실행되는 일반적인 패턴은 있지만 정해진 순서는 없다.

거시적 절차

거시적 절차는 그 절차가 매우 복잡하며 실행에서 어떤 형식을 요하는 많은 하위 구성요소를 가진다. 예를 들어 글을 쓸 때 여러 학생들이 같은 주제로 같은 단계를 거쳐 글쓰기를 하지만 글쓰기를 마친 후 그 글의 내용은 다양할 것이다. 이와 같이 책략, 연산, 단일규칙은 아무런 의식이 없는 자동수준에서 학습될 수 있다. 하지만 거시적 절차는 통제된 실행을 요구한다.

심동적 절차 영역

심동적 영역은 일상생활을 조절하기 위해 그리고 일과 레크리에이션을 위한 복잡한 신체활동을 하기 위해 개인이 사용하는 운동절차로 구성된다. 심동적 절차가 지식 영역에 포함이 되는 것은 다음과 같은 두 가지 이유 때문이다. 우선, '만약 ~라면, ~행동을 할 것이다.' 와 같이 정신적 절차와 동일한 형태로 기억에 저장된다. 그리고 심동적 절차를 획득하기 위한 단계는 정신적 절차와 유사한데 처음 접하는 정보로써 학습이 된다는 것이다. 심동적 절차는 처음 연습을 하는 동안 모양이 갖춰지고 자동에 가까운 수준에서 학습이 된다.

정보 영역과 정신적 절차 영역처럼 심동적 절차 영역도 다음과 같이 하나의 위계로 조직될 수 있다.

우선, 심동적 절차 영역의 유형 중 위계의 제일 밑부터 살펴보자.

과정	3 복잡결합절차
기능	2 단순결합절차 1 기초절차

[그림 6-10 심동적 절차 영역의 조직]

기초절차

복잡한 절차가 이뤄지기 위해 필요한 기초 신체능력인 '전체적인 신체균형, 사지운동의 속도, 손목-손가락 속도, 손가락 기민성' 은 일반적으로 훈련 없이도 발전된다. 하지만 훈련으로 개인의 손 기민성은 증진될 수 있다. 이런 기능들은 학습이 될 수 있다는 점에서 지식의 한 유형으로 간주할 수 있겠다.

단순결합절차

병렬적으로 작동하는 일련의 기초절차를 수반하는데 농구에서 자유투를 던지는 예를 들 수 있다. 하나의 자유투를 던지는 것은 손목-손가락 속도, 통제 정교성, 팔-손 지속성과 같은 많은 기초 절차와 상호작용을 수반하는 단순결합절차인 것이다.

복잡결합절차

일련의 단순결합절차를 사용하는 것이다. 예를 들어, 농구에서 방어를 하는 것은 웅크린 자세로 옆으로 움직이는 것, 손을 움직이는 것 등과 같은 결합기능을 수반한 다. 따라서 스포츠나 레크리에이션 활동은 일련의 복잡결합절차를 사용하는 것으로 볼 수 있다.

세 가지 사고체제

여기에서는 세 가지 사고체제(인지, 초인지, 자기체제)에서 신분류학의 여섯 가지 수준(인출, 이해, 분석, 지식 활용, 메타인지, 자기체제 사고)을 소개할 것이다. 설명하기에 앞서 간단히 표로 요약하면 다음과 같이 살펴볼 수 있다.

〈 표 6-11 신분류학의 수준별 목표 〉

수준 6 : 자기체제	
중요성 검사	학생은 지식이 자신에게 얼마나 중요한지 확인하고, 이런 인식의 기저가 되는 추론을 규명할 수 있다.
효능감 검사	학생은 지식과 관련된 능력이나 이해를 증진시킬 수 있는 능력에 대한 신념과 이런 인식의 기저가 되는 추론을 규명할 수 있다.
정서적 반응의 검사	학생은 지식에 대한 정서적 반응과 이런 반응에 대한 이유를 규명할 수 있다.
동기의 검사	학생은 지식과 관련해 능력이나 이해를 증진시키기 위한 동기의 수준을 규명하고 이런 수준별 동기의 원인을 규명할 수 있다.
수준 5 : 메타인지	
목표 명세화	학생은 지식과 관련하여 목표에 대한 계획을 수립할 수 있다.
과정 점검	학생은 지식의 실행을 점검할 수 있다,
명료성 점검	학생은 자신이 지식에 관해 가진 명료성의 정도를 결정할 수 있어야 한다.
정확성 점검	학생은 자신이 지식에 관해 가진 정확성의 정도를 결정할 수 있어야 한다.
수준 4 : 지식 활용	
의사결정	학생은 의사결정을 위한 지식을 활용하거나 지식의 활용에 대한 의사결정을 할 수 있다.
문제해결	학생은 문제를 해결하기 위해 지식을 활용할 수 있거나 또는 지식에 대한 문제를 해결할 수 있다.
실험탐구	학생은 가설을 생성하거나 검증하기 위해 지식을 활용하거나 지식에 대한 가설을 만들고 시험할 수 있다.
조사연구	학생은 조사를 하기 위해 지식을 활용하거나 지식에 대한 조사를 할 수 있다.
수준 3 : 분석	
조화	학생은 지식 간의 의미 있는 유사성과 차이성을 규명할 수 있다.
분류하기	학생은 지식과 관련된 상위 및 하위 유목을 규명할 수 있다.
오류 분석	학생은 지식의 표상이나 활용에서의 오류를 규명할 수 있다.
일반화하기	학생은 새로운 일반화를 구조화하거나 지식에 근거한 원칙을 구성할 수 있다.
명세화하기	학생은 지식의 구체적인 적용 또는 논리적 결과를 규명할 수 있다.
수준 2 : 이해	
종합	학생은 지식의 기본적 구조를 규정하고 중요하지 않은 특성과 반대되는 중요한 특성을 규명할 수 있다.

(계속)

표상	학생은 정보의 특징을 확인하거나 인식할 수 있으나 지식의 구조를 필수적으로 이해할 필요는 없으며 중요하지 않은 구성요소와 중요한 요소를 구별할 수 있어야 한다.
수준 1 : 인출	
재생	학생은 정보의 특징을 확인하거나 인식할 수 있으나 지식의 구조를 필수적으로 이해할 필요는 없으며 중요하지 않은 구성요소와 중요한 요소를 구별할 수 있어야 한다.
실행	학생은 중요한 오류를 범하지 않고 절차를 이행할 수 있으나 이러한 절차가 어떻게 왜 이루어지는지 필수적으로 이해할 필요는 없다.

먼저 간단히 살펴보면 자기체제는 과정의 처음이며 학생이 주어진 지식 구성요소를 학습하기 위해 동기화될 수 있는 범위를 결정한다. 다음 단계는 메타인지 체제이다. 이 단계에서는 지식과 관련이 있는 학습목표를 확실히 정하고 가능한 명확한 방식으로 이 목표를 계획 · 실행하는 것이다. 메타인지 체제의 지시하에 인지체제의 구성요소는 실행하게 된다.

또한 신분류학 내에서 세 가지 체제는 실행을 조절하는 데 필요한 의식의 단계와 관련하여 계층적인 구조로 되어 있다. 인출과정에서 자기체제과정으로 나아갈수록 점차 의식적인 과정을 요구하게 된다.

하지만 신분류학의 여섯 가지 수준이 복잡성의 수준을 의미하는 것은 아니다. 자기체제 내 과정은 메타인지 내 과정보다 복잡하지 않다는 것이 그 예이다. 그리고 자기 및 메타인지 체제 내 구성요소 자체가 본질적으로 위계적이라고 말할 수 없다. 따라서 의식 수준에 따라 중요성 검사, 효능감 검사 및 정서적 반응의 검사 처리과정에 순서를 매기는 것은 의미가 없다.

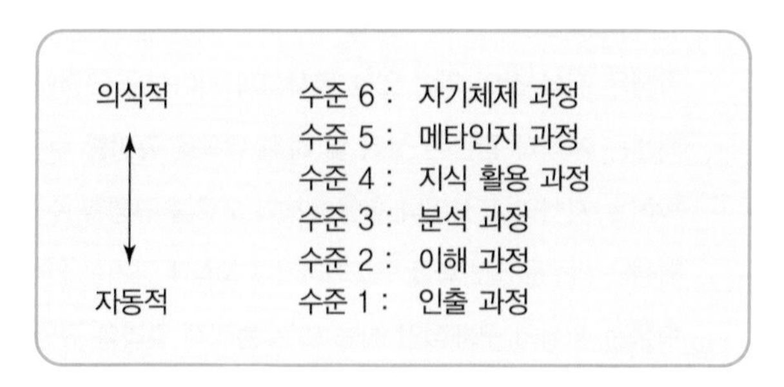

[그림 6-11 신분류학의 의식적 통제와 여섯 가지 수준]

수준 1 : 인출(인지체제)

인출이란 영구기억에서부터 의식적 처리 과정의 작용기억으로 지식을 활성화하고 전이하는 것이다. 일반적으로 인출은 의식적 자각 없이 이루어진다. 영구기억에서 작동기억에 이르기까지 세부사항이나 조직하는 아이디어를 단순히 전이하는 유형의 인출을 재생이라고 한다.

한 학생이 1999년 코소보 분쟁에 대한 정보를 영구기억에서 인출하여 작동기억에 이 정보를 두게 되는 경우, 이는 정보영역에서 세부사항을 떠올리는 재생을 하는 것이다. 또 한 학생이 베르누이 원리에 대한 정보를 인출하여 작동기억에 보관한다면 이는 아이디어 조직의 재생을 수반하게 된다.

결핍추론은 "Bill이 개를 키우고 있다."라는 문장을 읽었을 때 즉각적으로 "개는 네 발이 있다.", "개는 뼈다귀를 좋아한다."와 같은 정보를 추가하게 된다. 즉, 정보의 부재에도 불구하고 문장에서 언급되지 않은 것이라도 개에 대해 가지고 있는 일반적인 정보가 옳다고 추론하게 되는 것이다.

이성적 추론은 명백하지 않은 정보를 추가하는 또 다른 방식으로 "실험심리학자들은 옳은 것을 밝히기 위해 일반화를 시험해야 한다고 믿는다."라는 문장을 보고 동료로부터 새로운 이론을 제시받은 심리학자에 대한 글을 읽는다면 자연스럽게 그 심리학자가 그 이론을 검증해야 한다고 말할 것을 추론하게 된다. 이것은 글을 읽은 사람이 가진 지식에서 나온 것이 아니라 실험심리학자에 대해 읽었던 초기 정보로부터 도출된 것이다. 즉, 정보의 재생은 결핍추론과 이성적 추론을 통해 추가될 가능성이 있는 정보뿐만 아니라 처음에 우리가 정보를 접했을 때 명백히 제시되는 것의 영구기억으로부터의 인출도 포함한다.

정보영역 지식은 다시 재생되는 것이지만, 정신적 절차와 심동적 절차 영역의 지식은 재생뿐만 아니라 실행될 수 있다. 모든 유형의 절차는 만약/그렇다면(If/Then)의 구조를 가지고 있는데 이것을 '산출과정(production)'이라고 한다. 예를 들어 뺄셈의 구조와 관련해서 그 과정이 실행되면 양이 계산된다. 따라서 정보는 재생되는 반면 절차적 지식은 실행된다고 할 수 있다. 그러나 절차적 지식 또한 재생될 수 있는데 이는 모든 절차가 정보를 포함하고 있기 때문이다.

〈 표 6-12 재생의 목표와 과제의 예 〉

		정보
세부항목	재생	특정 항목에 대해 질문을 받았을 때 학생은 관련된 지식을 제시하거나 인식할 수 있다. (예) 우리는 시냅스(신경세포의 연접부)에 대한 용어를 공부하고 있다. 그것이 무엇인지 기술하시오.
아이디어 조직	재생	원리나 일반화에 관한 것을 제시했을 때 학생은 관련된 지식을 제시하거나 인식할 수 있다. (예) 우리는 "모든 생명은 생명으로부터 시작되고 고유한 유기체를 생산한다."라는 일반화에 대한 예시를 공부했다. 학습한 것 중에서 예를 두 가지 들어 보시오.
		정신적 절차
기능	재생	질문을 받았을 때 학생은 정신적 기능에 대한 일반적 특성이나 목적을 기술할 수 있다. (예) 등고선 지도가 유용하게 쓰이는 상황은?
	실행	자극을 받았을 때 학생은 큰 실수 없이 정신적 기능을 수행할 수 있다. (예) 우리 하교 주변을 나타낸 등고선 지도가 있다. 이 지역에 대해 지도가 제공하는 정보를 기술하시오.
	과정	질문을 받았을 때 학생은 정신적 과정에 대한 일반적인 특징이나 목적을 기술할 수 있다. (예) 워드프로세서 프로그램이 매우 유용하게 사용되는 상황을 제시하시오.
	실행	자극을 받았을 때 학생은 큰 실수 없이 과정을 수행할 수 있다. (예) 책상 위에 편지 복사본이 있다. 워드프로세서 프로그램을 이용하여 편지를 타이핑하고 저장하여 편지지에 인쇄하시오.
		심동적 절차
기능	재생	질문을 받았을 때 학생은 심동적 기능에 대한 일반적인 특징이나 목적을 기술할 수 있다. (예) 우리는 힘줄을 잡아당기는 적절한 기술을 연습해왔다. 이러한 기술이 유용하게 쓰이는 상황은?
	실행	자극을 받았을 때 학생은 큰 실수 없이 심동적 기능을 수행할 수 있다. (예) 힘줄 근육을 잡아당기는 적절한 방법을 나타내시오.
과정	재생	질문을 받았을 때 학생은 심동적 과정에 대한 일반적인 특징이나 목적을 기술할 수 있다. (예) 격렬한 운동을 하기 전 워밍업을 해야 하는 중요한 이유를 기술하시오.

(계속)

실행	자극을 받았을 때 학생은 큰 실수 없이 심동적 과정을 수행할 수 있다. (예) 격렬한 신체 활동을 하기 전에 워밍업 과정으로 효과적인 것을 나타내 보이시오.

수준 2 : 이해(인지체제)

감각기억에 의해 작동기억 내에 저장된 데이터는 경험된 그대로 영구기억에 저장되지 않는다. 이때 인지체제 내에서의 이해과정은 지식을 영구기억에 저장하기 위해 적절한 형태로 전환하는 역할을 수행한다. 효과적으로 정보를 영구기억에 저장하기 위해서는 핵심정보가 남을 수 있도록 변환되어야 하는데 이 작업을 수행하는 '이해' 에는 종합과 표상의 두 과정이 있다.

종합(synthesis)

종합은 지식에서 핵심 특징을 추출하는 과정이다. 핵심 특징은 거시적 구조로 요약되고 일반화된 형식으로 조직화된다. 이때 직접 경험과 추론으로 획득된 정보로 조직된 미시적 구조를 거시적 구조로 변환시키는 데 활용되는 세 가지 규칙을 아래와 같이 van Dijk와 Kintsch(1983)이 규명한 바 있다.

- 삭제(deletion) : 주어진 일련의 명제 중 연결상 다른 명제와 직접 관련이 없는 명제는 제거할 것
- 일반화(generalization) : 어떤 명제를 더욱 일반적인 형식의 정보를 포함하는 하나의 명제로 대치할 것
- 구성(construction) : 명제집합을 더욱 일반적인 형식으로 진술된 정보를 포함하는 하나 또는 그 이상의 명제집합으로 대치할 것

이런 규칙을 통하여 개인이 각자 읽었던 흥미로운 이야기에서 세부사항을 낱낱이 기억하지는 못해도 정보와 사건의 흐름을 떠올리는 경향을 설명할 수 있다. 여기에서 학생이 효과적으로 지식을 종합했다는 증거는 지식에 대한 거시적 구조, 즉 지식에 대한 중요하고 핵심적인 요소에 대한 기술을 생성했다는 것이다.

〈 표 6-13 종합의 목표와 과제의 예 〉

정보	
세부항목	학생은 특정 항목에 대한 비본질적인 요소와 비교하여 본질적인 요소를 확인할 수 있다. (예) 알라모에서 일어난 사건 중 결과에 결정적인 영향을 끼친 사건을 제시하시오.
아이디어 조직	학생은 일반화나 원리에 대한 개념적인 특징을 확인할 수 있다. (예) 강가의 대합조개의 수와 강가에 용해되어 있는 탄산염의 양의 관계를 기술하시오. 이러한 관계에 영향을 끼치는 요소는 무엇이며, 어떻게 영향을 끼치는가?
정신적 절차	
기능	학생은 정신적인 기능에 포함된 단계를 기술할 수 있다. (예) 막대그래프를 읽을 때 거치는 단계를 기술하시오. 그 단계가 특정한 순서에 따라 수행되어야 하는지 설명하시오.
과정	학생은 정신적인 과정의 주요 증거를 기술할 수 있다. (예) 워드프로세서를 활용하여 편지글을 타이핑하고 저장하여 인쇄하면서 거치는 단계를 기술하시오. 이런 과정의 다양한 부분은 다른 것과 어떻게 관련이 되는가?
심동적 절차	
기능	학생은 심동적인 기능에 포함된 단계를 확인할 수 있다. (예) 백핸드를 하는 가장 적절한 방법을 기술하시오. 훌륭한 백핸드를 칠 수 있는 중요한 요소는 무엇인가?
과정	학생은 심동적인 과정의 주요 증거를 확인할 수 있다. (예) 서브를 되받아치는 과정에 포함된 기능과 전략을 설명하시오. 이러한 전략과 기능은 다른 것과 어떻게 상호작용하는가?

표상

표상은 거시적 구조 내에 포함되어 있는 지식의 상징적 아날로그를 생성시키는 이해 과정으로 이는 종합의 과정을 통해 생성된다. Paivio의 이중 부호화 이론에 의하면 언어학적 모드(linguistic mode)와 심상모드(imagery mode)에 의해 정보가 처리된다고 한다. 언어학적 모드는 명제나 산출물로 표현되지만 심상모드는 정신적 영상이나 신체적인 감각으로 표현된다(Richardson, 1983). 따라서 표상은 거시적 구조의 지식을 상징적 또는 심상적(비언어적) 모드로 변환하는 것이다.

〈 표 6-14 표상의 목표와 과제의 예 〉

	정보
세부항목	학생은 비언어적 혹은 상징적 형태의 세부항목에 대한 주요 증거를 정확하게 표현할 수 있다. (예) 이 단원에서 '유전'이라는 용어를 학습했다. 도표나 그래프를 사용해 이 용어에서 중요하다고 생각되는 증거를 설명하시오.
아이디어 조직	학생은 비언어적 혹은 상징적 형태로 된 일반화나 원리에 대한 주요 구성요소와 그 관계를 정확하게 표현할 수 있다. (예) "독재자는 나라 힘이 약해져 있을 때 설득력을 발휘하여 세력을 키워나간다."라는 일반화를 표상하는 그래프를 제작하시오.
	정신적 절차
기능	학생은 비언어적 혹은 상징적 형태로 된 정신적 기능의 구성요소를 정확하게 표현할 수 있다. (예) 막대 그래프를 읽을 때 거치는 사고과정을 도표로 그리시오.
과정	학생은 비언어적 혹은 상징적 형태로 된 정신적 과정의 구성요소를 정확하게 표현할 수 있다. (예) 워드프로세서를 사용하여 편지를 타이핑하고 저장하고 인쇄하는 과정을 나타내는 도식을 그리시오.
	심동적 절차
기능	학생은 비언어적 혹은 상징적 형태로 된 심동적 기능의 구성요소를 정확하게 표현할 수 있다. (예) 테니스에서 백핸드 치기 과정에 포함된 행동을 도식으로 그리시오.
과정	학생은 비언어적 혹은 상징적 형태로 된 심동적 과정의 구성요소를 정확하게 표현할 수 있다. (예) 테니스에서 서브를 되받아칠 때 하는 행동을 도식으로 그리시오.

수준 3 : 분석(인지체제)

신분류학에서 분석은 지식의 '합리적인' 확장을 말한다. 개인이 이해한 대로 지식을 정교화하는 것은 분석의 과정을 적용하게 된다. 분석과정에는 조화, 분류, 오류분석, 일반화, 명세화의 다섯 가지 형태가 있다. 이러한 인지적 작동은 의식적 사고 없이 자연스럽게 서로 연관지어 일어날 수 있다. 그리고 학습자로 하여금 지식을 변환시키고 세련화시켜 지식을 수차례 순환시키도록 한다. Piaget가 말하는 조절이 신분류학에서 분석으로 언급된다.

조화

조화과정은 지식구성 요소 간 유사성과 차별성을 찾는 것인데 이것은 대부분의 분석 과정에서 기초가 된다. Stahl(1985)와 Beyer(1988)의 경우 고차원적인 분석적 사고를 위한 조화 전략을 개발했는데 그 전략의 기초 단계는 다음과 같다.

- 분석될 대상을 명세화할 것
- 분석될 속성과 특성을 구체화할 것
- 어느 정도로 유사하고 차이점이 있는지 결정할 것
- 가능한 한 정확하게 유사성과 차이점을 기술할 것

〈 표 6-15 조화(matching)의 목표와 과제의 예 〉

	정보
세부항목	학생은 명세적 항목들이 어떻게 유사하며 다른지를 확인할 수 있다. (예) Gettysburg 전투가 Atlanta 전투와 어떻게 유사하며 다른지 확인하시오.
아이디어 조직	학생은 어떤 일반화 및 원리가 다른 일반화 및 원리와 어떻게 유사하며 다른지를 확인할 수 있다. (예) 민주주의 정치가와 공산주의 정치가의 다양한 특징을 공부하고 있다. 두 정치가가 명세적 특징에서 어떻게 유사하며 다른지 확인하시오.
	정신적 절차
기능	학생은 정신적 기능들이 어떻게 유사하며 다른지 확인할 수 있다. (예) 정치적 지도를 읽는 것은 등고선 지도를 읽는 것과 어떻게 유사하며 다른지 기술하시오.
과정	학생은 정신적 과정들이 어떻게 유사하며 다른지 확인할 수 있다. (예) 수채화를 그리는 과정은 유화를 그리는 과정과 어떻게 유사하며 다른지 기술하시오.
	심동적 절차
기능	학생은 심동적 기능들이 어떻게 유사하며 다른지 확인할 수 있다. (예) 테니스에서 백핸드 tit을 치는 과정은 포핸드 tit을 치는 과정과 어떻게 유사하며 다른지 기술하시오.
과정	학생은 심동적 과정들이 어떻게 유사하며 다른지 확인할 수 있다. (예) 서브를 받아치는 과정은 테니스에서 네트를 차지하는 것과 어떻게 유사하며 다른지 기술하시오.

분류

분류는 지식을 의미 있는 유목으로 조직화하는 것이다. 인간은 감각을 유사한 것으로 모아 익숙하지 않은 것을 익숙한 것으로 만든다. 분류는 다음과 같은 구성요소를 포함한다.

- 분류될 대상을 규명할 것
- 대상의 특성을 규정하는 특징을 밝힐 것
- 대상이 포함되는 상위 영역을 규명하고 왜 이 영역에 속하게 되었는지 설명할 것
- 대상에 대한 하나 또는 그 이상의 하위 영역을 규명하고 이것이 어떤 연관성이 있는지 설명할 것

〈 표 6-16 분류의 목표와 과제의 예 〉

	정보
세부항목	학생은 명세적 세부항목이 속하는 일반적 유목을 확인할 수 있다. (예) 여러분은 Gettyburg 전투를 어느 일반적 사건 유목으로 배치할 것인가? 그렇다면 이 사건이 왜 그 유목으로 들어간다고 생각하는지 이유를 설명하시오.
아이디어 조직	학생은 일반화나 원리에 대한 상위유목과 하위유목을 확인할 수 있다. (예) 베르누이의 원리를 공부하고 있다. 베르누이 원리가 속하는 원리들이나 이론의 유목을 확인하시오. 여러분이 확인한 일부를 만드는 베르누이 원리의 특징을 설명하시오.
	정신적 절차
기능	학생은 정신적 기능에 대한 상위유목들을 확인할 수 있다. (예) 막대그래프를 읽는 법은 어느 기능의 유목에 속하는가? 그 이유를 설명하시오.
과정	학생은 정신적 과정에 대한 상위유목과 하위유목을 확인할 수 있다. (예) 쓰기는 과정의 어느 일반적 유목에 속하는가? 이 유목에 속하게 하는 쓰기의 특징은 무엇인가?
	심동적 절차
기능	학생은 심동적 기능에 대한 상위유목을 확인할 수 있다. (예) 우리는 건 근육을 적절하게 펴는 방법을 공부하고 있다. 이 기능은 활동의 어느 유목에 속하는가? 이 건 근육 펴기를 이 유목에 배치하는 것을 정당화하는 것이 무엇인지 설명하시오.
과정	학생은 심동적 과정들에 대한 상위유목과 하위유목을 확인할 수 있다. (예) 워밍업은 과정의 어느 일반적 유목에 속하는가? 그것이 이 유목에 속하는 이유를 설명하시오.

위 단계에 따라 정의된 분류과정을 실행하기 위해 학생들은 하위에 있는 지식과 상위에 있는 지식을 규명할 수 있는 능력이 있어야 한다. 신분류학에서 분류는 학습자가 지식을 계층별 구조로 조직화하도록 하는 것이다.

오류분석

오류분석의 분석학적 과정은 지식의 논리 및 합당성(reasonableness)을 설명한다. 이것은 정보가 개인이 타당하다고 받아들일 만한 것으로 합리적이어야 한다는 점을 의미한다. 만약 새로운 지식에 대하여 이미 알고 있는 지식에 기초해 비논리적이거나 합리적이지 못하면 영구기억으로 저장되지 않고 거부될 것이다. 신분류학에서 오류분석은 명백한 기준에 기반한 지식의 타당성을 의식적으로 판단하고 제시된 논리 내에서 오류를 규명하는 것이다.

〈 표 6-17 오류분석의 목표와 과제의 예 〉

정보	
세부항목	학생은 명세적 세부항목에 따라 새롭게 제시된 저옵의 타당성을 판단할 수 있다. (예) 첨부된 기사는 수업에서 다루지 않은 Little Big Horn의 전투에 대한 것이다. 정보가 타당한지 그 이유는 무엇인지를 설명하고 어떤 정보가 타당하며 그 이유가 무엇인지 설명하시오.
아이디어 조직	학생은 일반화의 새로운 사례들이나 어떤 원리의 새로운 적용들의 타당성을 판단할 수 있다.
정신적 절차	
기능	학생은 정신적 기능의 실행 동안 한 오류를 확인할 수 있다. (예) John은 2/3과 3/4를 더해서 5/7이 나왔다. 그가 계산에서 실행한 오류를 기술하시오.
과정	학생은 정신적 과정의 실행 동안 한 오류를 확인할 수 있다.
심동적 절차	
기능	학생은 심동적 기능의 실행동안 한 오류를 확인할 수 있다.
과정	학생은 심동적 과정의 실행 동안 한 오류를 확인할 수 있다.

일반화하기

일반화하기는 이미 알려진 정보로부터 새로운 일반화를 구성하는 과정이다. 이 과정에는 추론이 포함된다. 그리고 그 추론은 미시적 구조나 거시적 구조의 형성 중 이루어지는 추론 그 이상의 것이다. 이러한 추론은 보통 귀납적인 것으로 간주된다.

Marzano(1997) 등은 일반화할 때 학생이 따르게 되는 일련의 단계를 규명하였다.

- 정보 및 관찰했던 것에 대한 특수한 단편들에 중점을 둘 것
- 어떤 것을 추측하려고 노력하지 말 것
- 규명하였던 정보 내의 양상과 연결성을 살필 것
- 이러한 양상과 연결성을 설명하는 일반적인 문구를 형성할 것
- 이러한 일반화가 유지되려면 더 많은 관찰을 할 필요가 있음. 그렇지 않다면 필요 시 변경할 것

〈 표 6-18 일반화하기의 목표와 과제의 예 〉

	정보
세부항목	학생은 알려진 세부항목에 기초하여 새로운 일반화와 원리를 구성하고 변호할 수 있다. (예) 우리는 많은 정치적 암살을 공부하고 있다. 이 사례들에 기초하여 여러분은 정치적 암살에 대해 어떤 일반화를 만들 수 있는가? 여러분이 내린 결론에 대한 확실한 증거를 제공하시오.
아이디어 조직	학생은 알려진 일반화나 원리에 기초하여 새로운 일반화와 원리를 구성하고 변호할 수 있다.
	정신적 절차
기능	학생은 명세적인 정신적 기능에 대한 정보에 기초하여 새로운 일반화와 원리를 구성하고 변호할 수 있다.
과정	학생은 명세적인 정신적 과정에 대한 정보에 기초하여 새로운 일반화와 원리를 구성하고 변호할 수 있다. (예) 여러분은 다음(그림을 그리는 과정, 노래를 짓는 과정, 이야기를 쓰는 과정)의 이해에 기초하여 일반적으로 작문하는 과정에 대해 어떤 결론을 추론할 수 있는가? 여러분은 이런 새로운 결론을 산출하는 데 어떤 명세적 정보를 사용했는가?
	심동적 절차
기능	학생은 명세적인 심동적 기능에 대한 정보에 기초하여 새로운 일반화와 원리를 구성하고 옹호할 수 있다. (예) 여러분은 다음 기능의 이해에 기초하여 타격에 대해 어떤 일반적 결론을 추론할 수 있는가? 커브볼 치기, 빠른 볼 치기, 너클볼 치기, 슬라이더 치기
과정	학생은 명세적인 심동적 과제에 대한 정보에 기초하여 새로운 일반화와 원리를 구성하고 옹호할 수 있다.

명세화하기

명세화는 알려진 일반화와 원칙의 새로운 적용을 양산하는 과정이다. 일반화하기의 분석적 과정이 좀 더 귀납적인 것이라면, 명세화의 분석적 과정은 더 연역적인 경향이 있다. Marzano(1997) 등은 명세화하기 과정이 진행되는 동안 뒤따를 수 있는 과정을 다음과 같이 규명하였다.

- 검토되거나 연구되는 구체적인 환경을 규명할 것
- 특수한 환경에 적용되는 일반화 및 원리를 규명할 것
- 일반화 및 원리가 적용되기 위해 주어져야 하는 조건을 특수한 환경이 충족할 수 있도록 할 것
- 일반화 및 원리가 적용된다면, 특수한 환경에 대해 알려진 것을 규명할 것. 즉 어떠한 결론이 도출될 수 있는지 규명할 것

〈 표 6-19 명세화하기의 목표와 과제의 예 〉

정보	
세부항목	세부항목은 본래 너무 명세적이어서 예상들이 만들어 낸 규칙을 포함할 수 없다.
아이디어 조직	학생은 주어진 일반화에 관련된 어떤 조건하에서 사실일 수 있거나 사실임이 분명한 특징들을 확인할 수 있다. 그 학생은 주어진 원리와 관련된 어떤 조건하에서 발생할 수 있거나 발생해야 하는 것에 대해 예상을 하거나 그 예상을 변호할 수 있다. (예) 새로운 종의 곰이 Alaska에서 발견되었다. Alaska 곰의 유형이 주어지면 그 곰이 가져야 하는 특징과 그 곰이 가질 수 있는 특징이 무엇인가? 여러분은 그 곰이 가져야 하는 특징과 그 곰이 가질 수 있는 특징들을 어떤 기초로 확인했는가?
정신적 절차	
기능	학생은 정신적 기능과 관련된 특정 조건하에서 발생할 수 있거나 발생해야 하는 것에 대한 추론을 하고 그 추론을 변호할 수 있다.
과정	학생은 정신적 과정과 관련된 특정 조건하에서 발생할 수 있거나 발생해야 하는 것에 대한 추론을 하고 그 추론을 변호할 수 있다. (예) 여러분이 다양한 초고를 쓸 수 없다면 쓰기(writing) 과정을 어떻게 수정해야 할 것인가? 그 수정이 왜 필요한지 설명하시오.
심동적 절차	
기능	학생은 심동적 기능과 관련된 특정 조건하에서 발생할 수 있거나 발생해야 하는 것에 대한 추론을 하고 그 추론을 변호할 수 있다.

(계속)

기능	(예) 가라데의 휘두르는 킥(roundhouse kick)을 실행할 때 여러분이 하는 첫 번째 움직임이 여러분의 가슴에 가능한 한 높게 차는 다리의 무릎을 올리는 것이라면 이 킥을 하는 동안 무엇이 발생할 것인지를 기술하시오.
과정	학생은 심동적 과정과 관련된 특정 조건하에서 발생할 수 있거나 발생해야 하는 것에 대한 추론을 하고 그 추론을 변호할 수 있다. (예) 시간당 110마일의 속구를 던질 수 있는 투수에게 적응할 배팅자세와 배팅기법을 어떻게 수정해야 할 것인지 설명하시오.

수준 4 : 지식활용(인지체제)

지식활용 수준은 개인이 특수한 임무를 해결할 때 적용되는 단계를 말한다. 예를 들어 엔지니어는 베르누이 원리*에 대한 지식을 활용하여 우주선이 새로운 형태의 설계로 이륙과 관련된 일을 해결할지도 모른다. 신분류학에서 지식 활용 임무에 대한 네 가지 일반적인 범주(의사결정, 문제해결, 실험탐구, 조사보고)가 있다.

의사결정

의사결정은 무엇이 가장 좋은 방법인지 어떤 방식이 가장 적합한지와 같은 물음에 대해 개인이 답할 수 있도록 하는 과정으로 개인이 둘 또는 그 이상의 대안 중에서 선택하여야 하는 경우에 이루어지게 된다. 의사결정의 전체적인 과정과 관련 있는 단계와 발견법(heuristics : 문제해결에 유용한 작용을 하는 경험적 지식)은 다음과 같은 과정을 포함한다.

- 대안의 규명
- 대안별 가치의 나열
- 성공 가능성에 대한 결정
- 성공 가능성이 가장 높고 가장 높은 가치성을 지니는 대안으로 결정

* 유체는 좁은 통로를 흐를 때 속력이 증가하고 넓은 통로를 흐를 때 속력이 감소한다. 유체의 속력이 증가하면 압력이 낮아지고 반대로 감소하면 압력이 높아지는데, 이것을 '베르누이의 정리'라고 한다.

〈 표 6-20 의사결정(decision making)의 목표와 과제의 예 〉

정보	
세부항목	학생은 명세적인 결정을 하기 위해 자신의 세부항목의 지식을 이용할 수 있다.
아이디어 조직	학생은 명세적인 결정을 하기 위해 자신의 어떤 일반화나 원리의 지식을 이용한다.
정신적 절차	
기능	학생은 명세적인 결정을 하기 위해 정신적 기능의 자신의 기능이나 지식을 이용할 수 있다.
과정	학생은 명세적인 결정을 하기 위해 정신적 과정의 자신의 기능이나 지식을 이용할 수 있다.
심동적 절차	
기능	학생은 명세적인 결정을 하기 위해 심동적 기능의 자신의 기능이나 지식을 이용할 수 있다. (예) 앞차기, 옆차기에는 강하지만 휘둘러차기가 약한 상대에게 사용해야 할 최상의 킥은 어느 것인가?
과정	학생은 명세적인 결정을 하기 위해 심동적 과정의 자신의 기능이나 지식을 이용할 수 있다. (예) 여러분이 테니스에서 강한 상대에 맞서 1점을 얻는 데 가장 의지하는 것이 다음 중 어느 것인지 확인하시오. 1. 서브를 받아치는 능력 2. 발리하는 능력 3. 네트 플레이하는 능력

문제해결

문제해결은 장애물이 존재할 경우 그것을 어떻게 해결할 것인가 혹은 목표에 도달하기 위해 조건을 충족시키기 어렵더라도 어떻게 해야 할 것인가와 같은 질문에 답하기 위해 개인이 거쳐야 할 과정이다. 문제에 대한 규명적 본질은 장애 또는 제한 요건이다. 문제해결에 공통적으로 포함되는 단계와 발견법은 다음과 같다.

- 목표에 대한 장애물 규명
- 가능한 목표의 재분석
- 대안의 규명
- 대안의 평가
- 대안에 대한 선택과 실행

〈 표 6-21 문제해결(problem solving)의 목표와 과제의 예 〉

정보	
세부항목	학생은 명세적 문제를 해결하기 위해 세부항목에 대한 자신의 지식을 이용할 수 있다. (예) 여러분은 Guys and Dolls 연극을 상연하려고 한다. 그러나 세트를 만들 돈이 없다. 사실 여러분은 세트 재료로 박스를 이용할 수 있다. 여러분은 특정 장면을 어떻게 상연할지 스케치하고 그 장면에 박스들이 어떻게 이용될지 설명하시오.
아이디어 조직	학생은 명세적 문제를 해결하는 데 도움을 주는 일반화나 원리에 대한 자신의 지식을 이용할 수 있다.
정신적 절차	
기능	학생은 명세적 문제를 해결하기 위해 정신적 기능에 대한 자신의 기능이나 이해를 이용할 수 있다.
과정	학생은 명세적 문제를 해결하기 위해 정신적 과정에 대한 자신의 기능이나 이해를 이용할 수 있다.
심동적 절차	
기능	학생은 명세적 문제를 해결하기 위해 심동적 기능에 대한 자신의 기능이나 이해를 이용할 수 있다. (예) 여러분은 이례적으로 매우 훌륭한 그라운드 스트로크-백핸드와 포핸드-를 가진 누군가와 경기를 하는 중이다. 이때 덧붙여 여러분은 포핸드를 자주 사용할 수 없을 것이다. 여러분의 전략은 무엇인가?
과정	학생은 명세적 문제를 해결하기 위해 심동적 과정에 대한 자신의 기능이나 이해를 이용할 수 있다. (예) 상대를 막는 여러분의 기법은 여러분 편의 빠른 증거 움직임에 많이 의존한다. 그러나 여러분은 오른쪽으로 재빨리 움직이기 어려운 그런 방법으로 근육을 사용했다. 여러분은 민첩함에 있어서 동등하나 여러분만큼 높이 점프할 수 없는 상대를 효과적으로 막기 위해 무엇을 할 것인가?

실험탐구

실험탐구는 '이것이 어떻게 설명될 것인가?', '이러한 설명을 바탕으로 무엇이 추측되는가?'와 같은 질문에 답할 때 활용되는 과정으로 어떤 물리적이거나 정신적인 현상을 이해하기 위한 목적으로 가설을 생성하고 검증하는 단계이다. 실험탐구에서 공통적으로 관련된 단계와 발견법은 다음과 같다.

- 알려지거나 가정된 원리를 바탕으로 예측
- 이러한 예측을 실험하기 위한 방법 설계
- 실험결과를 바탕으로 원리의 타당성 평가

〈 표 6-22 실험탐구(experimental inquiry)의 목표와 과제의 예 〉

정보	
세부항목	학생은 가설을 산출하고 검증하기 위해 세부항목에 대한 자신의 지식을 사용할 수 있다. (예) 우리는 Denver시의 공공운송시스템을 공부하고 있다. 이 사실을 사용하여 그 시스템의 일부 증거에 대해 어떤 가설을 산출하고 검증해 보시오.
아이디어 조직	학생은 가설을 산출하고 검증하기 위해 어떤 일반화나 원리에 대한 자신의 지식을 사용할 수 있다.
정신적 절차	
기능	학생은 가설을 산출하고 검증하기 위해 정신적 기능에 대한 자신의 기능이나 이해를 사용할 수 있다.
과정	학생은 가설을 산출하고 검증하기 위해 정신적 과정에 대한 자신의 기능이나 이해를 사용할 수 있다. (예) 정보의 원천을 World Wide Web을 사용하여 특정 유형의 기관에 의해 개발된 웹사이트 유형에 대해 가설을 세우고 검증하시오.
심동적 절차	
기능	학생은 가설을 산출하고 검증하기 위해 심동적 기능에 대한 자신의 기능이나 지식을 사용할 수 있다. (예) 골프공이 평평하고 단단한 모래에 있는 상황에서 모래 웨지의 사용에 대한 가설을 세우고 검증하시오,
과정	학생은 가설을 산출하고 검증하기 위해 심동적 과정에 대한 자신의 지식이나 기능을 사용할 수 있다. (예) 수집한 정보를 도구로 네트를 차지하는 기법을 사용하여 특정 유형의 상대와 경기하는 것에 대한 가설을 세우고 검증하시오.

조사보고

조사보고는 과거, 현재, 미래 사건에 대한 가설을 생성하고 검증하는 단계이다. 조사보고의 지식활용 과정은 가설이 생성되고 검증된다는 점에서 실험탐구의 지식 활용 과정과 유사하지만 조사보고는 상이한 증거규칙(rule of evidence)를 활용하는 데에 차이가 있다. 즉, 연구 내에서 주장을 뒷받침하기 위해 활용되는 증거는 훌륭한 논증이지만 실험탐구에 대한 증거규칙은 통계적인 가설검증에 충실하다. Marzano(1997) 등은 조사 보고의 과정과 관련된 단계와 발견법을 규명하였다.

- 알려진 것을 확인하거나 조사 연구 중인 현상과 관련되는 것과 일치되는 것을 규명할 것

〈 표 6-23 조사보고(investigation)의 목표와 과제의 예 〉

	정보
세부항목	학생은 과거, 현재 또는 미래 사건을 조사하기 위해 명세적인 세부항목에 대한 자신의 지식을 사용할 수 있다. (예) 우리는 John F. Kennedy의 1963 암살을 공부하고 있다. 많은 모순되는 설명이 있다. 이 사건에 대한 모순되는 설명 중 한 가지를 확인하고 그것에 대해 알려진 것을 조사해 보시오.
아이디어 조직	학생은 과거, 현재 또는 미래 사건을 조사하기 위해 일반화나 원리에 대한 자신의 지식을 사용할 수 있다.
	정신적 절차
기능	학생은 과거, 현재 또는 미래 사건을 조사하는 도구로서 정신적 기능에 대한 자신의 기능이나 지식을 사용할 수 있다. (예) 1900년 콜로라도 등고선 지도가 아래에 있다. Denver가 왜 그 주의 가장 큰 도시가 되었는지 조사하는 기초로서 지도의 정보를 이용하시오.
과정	학생은 과거, 현재 또는 미래 사건을 조사하는 도구로서 정신적 과정에 대한 자신의 기능이나 지식을 사용할 수 있다.
	심동적 절차
기능 과정	다른 사람의 의견이나 주장을 수집 · 조사하기에 적절하지 않다.

- 현상에 대한 혼란이나 논란의 부분을 구명할 것
- 혼란이나 논란에 대한 해답을 제공할 것
- 제안된 해답에 대한 논리적인 논증을 제시할 것

수준 5 : 메타인지

메타인지 체제는 모든 형태의 사고에 대한 감시, 평가 및 기능에 대한 역할을 한다. 신분류학에서 메타인지 체제는 (1) 목표 명세화 (2) 과정 점검 (3) 명료성 점검 (4) 정확성 점검 기능을 수행한다.

목표 명세화

메타인지 체제의 목표 설정 기능은 지식의 특정 형태에 대한 명료한 학습목표를 설립하는 역할을 한다. 목표 명세화 과정에서는 목표가 완료되었을 때의 모습을 그려보게 되고 지속적 성취를 위한 규정도 생각하게 된다.

〈 표 6-24 목표 설정(goal setting)의 목표와 과제의 예 〉

	정보
세부항목	학생은 명세적 세부항목에 대한 자신의 지식과 관련된 목적을 설정하고 계획할 수 있다. (예) Kosovo의 1999년 전투에 대한 여러분의 이해와 관련해 여러분이 가지거나 가질 수 있는 목적은 무엇인가? 여러분은 이 목적을 성취하기 위해 무엇을 해야 할 것인가?
아이디어 조직	학생은 명세적 일반화와 원리에 대한 자신의 지식과 관련된 목적을 설정하고 계획할 수 있다.
	정신적 절차
기능	학생은 명세적인 정신적 기능에서 자신의 역량과 관련된 목적을 설정하고 계획할 수 있다.
과정	학생은 명세적인 정신적 과정에서 자신의 역량과 관련된 목적을 설정하고 계획할 수 있다.
	심동적 절차
기능	학생은 명세적인 심동적 기능에서 자신의 역량과 관련된 목적을 설정하고 계획할 수 있다. (예) 백핸드 샷을 하는 여러분의 기능에 대해 여러분이 가지거나 가질 수 있는 목적은 무엇인가? 여러분은 이 목적을 성취하기 위해 무엇을 해야 할 것인가?
과정	학생은 명세적인 심동적 과정에서 자신의 지식과 관련된 목적을 설정하고 계획할 수 있다. (예) 농구에서 수비하는 여러분의 능력에 대해 여러분이 가지거나 가질 수 있는 목적은 무엇인가? 여러분은 이 목적을 어떻게 성취할 것인가?

과정 점검

메타인지 체제의 과정 점검 요소는 알고리즘, 기술 및 과정의 효율성을 감시하는 임무에 활용되는 것으로서 상대적으로 특수한 기능이다. 이는 정신적 · 물질적인 절차적 지식에 적용되며 정보에 적용되는 것은 아니다.

〈 표 6-25 과정 점검(process monitoring) 목표와 과제의 예 〉

	정보
세부항목 아이디어 조직	정보적 지식은 재생될 수 있으나 실행되지는 않는다.
	정신적 절차
기능	학생은 명제적인 정신적 기능이 효과적으로 실행되고 있는 정도를 점검할 수 있다. (예) 분수를 비율로 변형시키는 것을 포함하는 문제가 네 가지 주어져 있다다. 여러분이 이 문제를 해결할 때 여러분은 좀더 효과적으로 바꾸어야 하는 그런 것들에 특히 주의를 기울이며 이 변형을 수행하는 것이 얼마나 효과적인지 기술하시오.
과정	학생은 명세적인 정신적 과정이 효과적으로 실행되고 있는 정도를 점검할 수 있다.
	심동적 절차
기능	학생은 명제적인 심동적 기능이 효과적으로 실행되고 있는 정도를 점검할 수 있다. (예) 건 근육(hamstring muscles)을 펴는 데 적절한 기법을 시연하라. 여러분이 그렇게 할 때 여러분이 생각하기에 얼마나 효과적으로 이 기능을 실행하고 있는지를 확인하고 기술하시오.
과정	학생은 명세적인 심동적 과정이 효과적으로 실행되고 있는 정도를 점검할 수 있다.

명료성과 정확성 점검

명료성과 정확성을 점검하는 것은 몇몇 연구자들이 '성향적(dispositional)' 이라고 지칭한 일련의 기능에 속한다. 성향이라는 말은 명확성과 정확성을 점검하는 것이 개인이 지식에 접근하거나 접근하지 않는 경향성의 방식을 지적할 때 사용된다. 이런 성향을 활용하는 것은 자동적인 것이 아니라 의식적으로 명료성과 정확성에 대한 시각을 가지고 주어진 임무에 도달하고자 할 때 이루어진다.

〈 표 6-26 명료성 점검(monitoring clarity)의 목표와 과제의 예 〉

정보	
세부항목	학생은 구별이 힘들거나 애매모호한 세부항목의 국면을 확인할 수 있다.
아이디어 조직	학생은 구별이 힘들거나 애매모호한 일반화나 원리의 증거들을 확인할 수 있다. (예) 베느루이 원리 중 혼동되는 증거를 확인하라. 혼동되는 영역에 대해 명세화하시오.
정신적 절차	
기능	학생은 구별이 힘들거나 애매모호한 정신적 기능의 증거들을 확인할 수 있다. (예) 등고선 지도를 읽는 기능 중 혼동되는 부분을 확인하라. 그 원인이 무엇이라고 생각하는가?
과정	학생은 구별이 힘들거나 애매모호한 정신적 과정의 증거들을 확인할 수 있다. (예) 워르드포세싱 프로그램인 WordPerfect를 사용하는 과정 중 여러분이 혼동되는 부분을 확인하라.
심동적 절차	
기능	학생은 구별이 힘들거나 애매모호한 심동적 기능의 증거들을 확인할 수 있다. (예) 건 근육을 펴는 기법 중 혼동이 되는 부분을 확인하라. 그 원인은 무엇인가?
과정	학생은 구별이 힘들거나 애매모호한 심동적 과정의 증거들을 확인할 수 있다. (예) 농구에서 수비하는 데 혼동되는 부분을 확인하라. 그 원인이 무엇인지 가능한 한 명세화하라.

〈 표 6-27 정확성 점검(monitoring accuracy)의 목표와 과제의 예 〉

정보	
세부항목	학생은 명세적인 세부항목에 대한 자신의 지식에 대해 정확한 정도를 확인하고 변호할 수 있다, (예) Kosovo의 1999 전투에 대해 여러분이 정확하다고 확신하는 부분을 확인하고 어떻게 정확하다고 생각하는지 설명하시오. 정확성 판단에 대한 증거는 무엇인가?
아이디어 조직	학생은 명세적인 일반화와 원리에 대한 자신의 이해에 대해 정확한 정도를 확인하고 변호할 수 있다. (예) 베르누이의 원리 중 여러분이 정확하다고 확신하는 부분을 확인하라. 여러분의 정확성 판단의 증거는?
정신적 절차	
기능	학생은 정신적 기능에 대한 자신의 이해에 대해 정확한 정도를 확인하고 변호할 수 있다. (예) 등고선 지도를 읽는 기능 중 여러분이 정확하다고 확신하는 부분을 확인하고 그 증거를 제시하시오.

(계속)

과정	학생은 정신적 과정에 대한 자신의 이해에 대해 정확한 정도를 확인하고 변호할 수 있다. (예) WordPerfect를 사용하는데 정확하다고 확신하는 부분을 확인하고 그 정확성 판단의 증거를 제시하시오.
심동적 절차	
기능	학생은 심동적 기능에 대한 자신의 이해에 대해 정확한 정도를 확인하고 변호할 수 있다. (예) 건(hamstring)을 펴는 과정 중 여러분이 정확하다고 확신하는 부분을 확인하고 그 증거를 제시하시오.
과정	학생은 심동적 과정에 대한 자신의 이해에 대해 정확한 정도를 확인하고 변호할 수 있다. (예) 농구에서 수비하는 데 정확하다고 확신하는 부분을 확인하고 그렇게 판단한 증거를 제시하시오.

수준 6 : 자기체제 사고

자기체제는 태도, 신념 및 감정의 상호연관된 체제로 구성되어 있다. 이는 동기 및 주의를 결정하는 태도, 신념 및 감정의 상호작용이다. 특히 자기체제는 개인에게 주어진 과제를 할 것인지 말 것인지의 여부를 결정하는 것이다. 신분류학과 관련된 자기체제 사고에는 (1) 중요성 검사 (2) 효능감 검사 (3) 정서적 반응 검사 (4) 전체적인 동기 검사가 있다.

중요성 검사

주어진 지식에 관심을 가지게 될 결정을 하는 주요인 중 하나는 그 지식을 중요하게 생각하는지 여부이다. 개인이 중요하다고 인식하는 것은 기본적인 욕구를 충족시키는 데 수단적인 것으로 인식되는 것, 개인적 목표의 성취에서 수단적인 것으로 인식되는 것 중 하나를 만족시키는 정도에 대한 기능이라고 할 수 있다.

〈 표 6-28 중요성 검사(examining importance)의 목표와 과제의 예 〉

정보	
세부항목	학생은 세부항목에 두는 개인의 중요성을 확인하고 자신의 판단에 대한 추리를 분석할 수 있다. (예) 1963년 John F. Kennedy의 암살을 둘러싼 사건에 대한 지식이 여러분에

(계속)

	게 얼마나 중요하다고 생각하는가? 여러분은 왜 그렇게 생각하며 여러분의 사고는 얼마나 논리적인가?
아이디어 조직	학생은 일반화나 원리에 두는 개인의 중요서을 확인하고 자신의 판단에 대한 추리를 분석할 수 있다. (예) 베르누이의 원리를 이해하는 것이 여러분에게 왜 얼마나 중요하다고 믿는가? 여러분은 이것을 왜 믿으며 여러분의 사고는 얼마나 타당한가?
정신적 절차	
기능	학생은 정신적 기능에 두는 개인의 중요성을 확인하고 자신의 판단에 대한 추리를 분석할 수 있다. (예) 등고선 지도를 읽을 수 있는 것이 여러분에게 얼마나 중요하다고 생각하는가? 여러분은 왜 그렇게 생각하며 여러분의 사고는 얼마나 논리적인가?
과정	학생은 정신적 과정에 두는 개인의 중요성을 확인하고 자신의 판단에 대한 추리를 분석할 수 있다. (예) WordPerfect를 사용할 수 있는 것이 여러분에게 얼마나 중요하다고 생각하는가? 여러분은 왜 그렇게 생각하며 여러분의 사고는 얼마나 타당한가?
심동적 절차	
기능	학생은 심동적 기능에 두는 개인의 중요성을 확인하고 자신의 판단에 대한 추리를 분석할 수 있다. (예) 건 근육을 효과적으로 펼 수 있는 것이 여러분에게 얼마나 중요하다고 생각하는가? 여러분은 왜 그렇게 생각하며 여러분의 사고는 얼마나 타당한가?
과정	학생은 심동적 과정에 두는 개인의 중요성을 확인하고 자신의 판단에 대한 추리를 분석할 수 있다. (예) 농구에서 효과적으로 수비할 수 있는 것이 여러분에게 얼마나 중요하다고 생각하는가? 여러분은 왜 그렇게 생각하며 여러분의 사고는 얼마나 타당한가?

효능감 검사

유효성에 대한 신념은 상황을 바꿀 수 있는 재원, 능력 및 힘을 가지고 있다고 개인이 믿는 정도를 설명한다. 유효성을 검토하는 것은 개인이 특정 지식 구성요소에 관련된 능력을 획득할 수 있는 자질, 힘 및 필요한 재원을 어느 정도 가지고 있다고 믿는지 그 범위에 대해 검토하는 것과 관련이 있다.

〈 표 6-29 효능감 검사(Examining efficacy)의 목표와 과제의 예 〉

정보	
세부항목	학생은 명세적 세부항목에 대한 자신의 이해가 향상될 수 있다고 믿는 정도를 확인하고 이 믿음 배후의 추리를 분석할 수 있다. (예) 여러분은 John F. Kennedy 암살에 대한 이해를 어느 정도 향상시킬 수 있다고 믿는가? 이 믿음에 근거하는 추리는 무엇이며, 여러분의 사고는 얼마나 논리적인가?
아이디어 조직	학생은 일반화나 원리에 대한 자신의 이해가 향상될 수 있다고 믿는 정도를 확인하고 이 믿음 배후의 추리를 분석할 수 있다. (예) 여러분은 베르누이의 원리에 대한 자신의 이해를 어느 정도 향상시킬 수 있다고 믿는가? 여러분은 이것을 왜 믿는가? 여러분의 사고는 얼마나 논리적인가?
정신적 절차	
기능	학생은 정신적 기능에서 자신의 역량이 향상될 수 있다고 믿는 정도를 확인하고 이 믿음 배후의 추리를 분석할 수 있다. (예) 여러분은 등고선 지도를 읽는 능력을 어느 정도 향상시킬 수 있다고 믿는가? 이 믿음에 대한 추리는 무엇이며 여러분의 사고는 얼마나 논리적인가?
과정	학생은 정신적 과정에서 자신의 역량이 향상될 수 있다고 믿는 정도를 확인하고 이 믿음 배후의 추리를 분석할 수 있다. (예) 여러분은 WordPerfect를 사용하는 능력을 어느 정도 향상시킬 수 있다고 믿는가? 여러분은 이것을 왜 믿는가? 여러분의 사고는 얼마나 타당한가?
심동적 절차	
기능	학생은 심동적 기능에서 자신의 역량이 향상될 수 있다고 믿는 정도를 확인하고 이 믿음 배후의 추리를 분석할 수 있다. (예) 여러분은 백핸드 샷을 하는 기능을 어느 정도 향상시킬 수 있다고 생각하는가? 이 믿음에 대한 추리는 무엇이며 여러분의 사고는 얼마나 논리적인가?
과정	학생은 심동적 과정에서 자신의 역량이 향상될 수 있다고 믿는 정도를 확인하고 이 믿음 배후의 추리를 분석할 수 있다. (예) 여러분은 농구에서 수비하는 기능을 어느 정도 향상시킬 수 있다고 생각하는가? 여러분은 이것을 왜 믿는가? 여러분의 사고는 얼마나 타당한가?

정서적 반응 검사

인간의 동기에 감정은 큰 영향력을 행사한다. 감정은 인간사고에 대한 영향력을 조정한다고 보는 것이다. LeDoux는 인간은 감정적 반응에 대한 직접적인 조절력이 거의 없으며 한번 감정이 일어나면 미래 행위에 대한 강력한 동기 촉진자가 된다고 보고 있다.

〈 표 6-30 정서적 반응 검사(examining emotional response)의 목표와 과제의 예 〉

	정보
세부항목	학생은 명세적 세부항목과 연합된 어떠한 감정을 확인하고 이 연합 이면의 추리를 분석할 수 있다. (예) 여러분은 Kosovo의 전투와 어떤 감정을 연합시키며 이 연합 이면의 사고는 무엇이며 얼마나 논리적인가?
아이디어 조직	학생은 일반화나 원리와 연합된 어떤 감정을 확인하고 이 연합 이면의 추리를 분석할 수 있다. (예) 여러분은 베르누이의 원리와 어떤 감정을 연합시키며 연합 이면의 사고는 무엇이며 얼마나 타당한가?
	정신적 절차
기능	학생은 정신적 기능과 연합된 어떠한 감정을 확인하고 이 연합 이면의 추리를 분석할 수 있다. (예) 여러분은 등고선 지도를 읽는 기능과 어떤 감정을 연합시키며 그 이면의 사고는 무엇이며 얼마나 논리적인가?
과정	학생은 정신적 과정과 연합된 어떠한 감정을 확인하고 이 연합 이면의 추리를 분석할 수 있다. (예) 여러분은 WordPerfect의 사용과 어떤 감정을 연합시키는가? 그 이면의 사고는 무엇이며 얼마나 타당한가?
	심동적 절차
기능	학생은 심동적 기능과 연합된 어떠한 감정을 확인하고 이 연합 이면의 추리를 분석할 수 있다. (예) 여러분은 백핸드 샷을 하는 기법과 어떤 감정을 연합시키며 그 이면의 사고는 무엇이며 얼마나 타당한가?
과정	학생은 심동적 과정과 연합된 어떠한 감정을 확인하고 이 연합 이면의 추리를 분석할 수 있다. (예) 여러분은 농구에서 수비하는 것과 어떤 감정을 연합시키며 그 이면의 사고는 무엇이며 얼마나 논리적인가?

전체적인 동기 검사

주어진 지식 구성요소에 대한 능력을 학습하고 증진시키기 위한 동기는 다음과 같은 조건일 경우 높을 것이다.

- 개인이 지식 구성요소가 중요하다고 인식하는 경우
- 개인 스스로 지식 구성요소와 관련된 능력을 학습하거나 증진하는 데 필요한 자질, 역량, 재원을 가지고 있다고 믿는 경우

- 개인이 정서적 구성요소에 대해 긍정적인 감정적 반응을 지닌 경우

〈 표 6-31 동기 검사(examining motivation)의 목표와 과제의 예 〉

정보	
세부항목	학생은 명세적 세부항목에 대한 자신의 이해를 증가시킬 동기 수준을 확인하고 이 동기 수준에 대한 추리를 분석할 수 있다. (예) 여러분은 Kosovo의 전투에 대한 자신의 이해를 증가시킬 동기 수준을 어떻게 기술할 것인가? 이 동기 수준에 대한 이유는 무엇이며 여러분의 사고는 얼마나 논리적인가?
아이디어 조직	학생은 일반화나 원리에 대한 자신의 이해를 증가시킬 동기 수준을 확인하고 이 동기 수준에 대한 추리를 분석할 수 있다. (예) 여러분은 베르누이의 원리에 대한 자신의 이해를 증가시킬 동기 수준을 어떻게 기술할 것인가? 이 동기 수준에 대한 여러분의 이유는 무엇인가? 그 이유들이 얼마나 타당한가?
정신적 절차	
기능	학생은 정신적 기능에 대한 자신의 역량을 증가시킬 동기 수준을 확인하고 이 동기 수준에 대한 추리를 분석할 수 있다. (예) 여러분은 등고선 지도를 읽는 능력을 증가시킬 동기 수준을 어떻게 기술할 것인가? 이 동기 수준 이면에 있는 여러분의 이유는 무엇이며 그 사고는 얼마나 논리적인가?
과정	학생은 정신적 과정에 대한 자신의 역량을 증가시킬 동기 수준을 확인하고 이 동기 수준에 대한 추리를 분석할 수 있다. (예) 여러분은 WordPerfect를 사용하는 기능을 증가시킬 동기 수준을 어떻게 기술할 것인가? 이 동기 수준에 대한 여러분의 이유는 무엇이며 그 이유는 얼마나 타당한가?
심동적 절차	
기능	학생은 심동적 기능에 대한 자신의 역량을 증가시킬 동기 수준을 확인하고 이 동기 수준에 대한 추리를 분석할 수 있다. (예) 여러분은 백핸드 샷을 하는 자신의 역량을 증가시킬 동기 수준을 어떻게 기술할 것인가? 이 동기 수준 이면에 있는 여러분의 이유는 무엇이며 얼마나 논리적인가?
과정	학생은 심동적 과정에 대한 자신의 역량을 증가시킬 동기 수준을 확인하고 이 동기 수준에 대한 추리를 분석할 수 있다. (예) 여러분은 농구에서 수비하는 기능을 증가시킬 동기 수준을 어떻게 기술할 것인가? 이 동기 수준 이면에 있는 이유들은 무엇이며 여러분의 사고는 얼마나 논리적인가?

종합 및 결론

이 장에서는 Bloom 이후에 나타난 새로운 교육목표에 대한 논의들을 살펴보았다. 이런 교육목표에 대한 논의는 교육이 어떠한 목적을 추구하는 활동이라는 점에서 교육과정 연구에 있어 영원히 빼놓을 수 없는 탐구영역이다. 그리고 그것이 중요한 탐구의 영역이 될 수밖에 없는 이유는 교육목표가 교육이 추구해야 하는 방향과 길에 대한 안내자 역할을 하기 때문이다. 따라서 교육과정의 목표를 좀 더 명확하고 구체적으로 규명한 교육목표분류학에 대한 논의는 반드시 필요한 일이었다.

하지만 아직도 50년이 지난 Bloom의 교육목표분류학을 전부라고 생각하는 한국 사회의 교육과정은 이미 답보 상태에 머물러 있다. 이에 이 책에서는 현 시대의 요구와 환경을 반영한 새로운 교육목표분류학에 대한 논의를 통해 한국의 교육과정에서 우리가 무엇을 어떻게 가르쳐야 하는지에 대한 방향과 지침을 마련하고자 하였다. 그리고 이러한 논의를 통해 한국 사회에서 신교육목표분류학을 기초로 한 새로운 교육과정 개발과 학교 현장의 수업이 활발하게 이루어질 수 있도록 하였다. 이러한 신교육목표분류학은 한국 사회에서 교육과정의 개선과 학교교육의 개선에 있어서도 좋은 길잡이가 되어 줄 것이다.

학습활동과 토의주제

1. Anderson의 개정교육목표분류학이 Bloom의 교육목표분류학과 어떤 점에서 비슷하고 다른지 생각해 봅시다.
2. Robert Marzano의 신교육목표분류학은 Bloom의 교육목표분류학과 어떤 점에서 다른 철학적 · 심리적 · 사회적 전제를 가지고 만들어졌는지 생각해 봅시다.
3. 신교육목표분류학에서 자기체제가 가장 상위로 만들어진 이유 그리고 Bloom의 단계에서 3단계였던 적용이 4단계로 한 단계 올라간 이유에 대하여 생각해 봅시다.
4. 신교육목표분류학에 근거하여 개인별 또는 그룹별로 각 단계를 나타내는 목표문항 또는 평가문항을 만들어 봅시다.

참고문헌

강현석(2005). 교육과정 수업평가를 위한 새로운 분류학. 아카데미프레스.

이원희 외(2005). 신교육목표분류학의 설계. 아카데미프레스.

Anderson, L., Krathwohl, D., Airasian, P., Cruikshank, K., Mayer, E. R., Pintrich, R., Raths, J., & Wittrock, C. M. (2000). *A Taxonomy for Learning, Teaching, and Assessing: A Revision of Bloom' s Taxonomy of Educational Objectives*. Allyn & Bacon.

Marzano, R. (2000). *Designing a New Taxonomy of Educational Objectives*. Thousand Oaks, CA: Corwin Press.

Marzano, R. (2006). *The New Taxonomy of Educational Objectives*. Thousand Oaks, CA: Corwin Press.

| Marzano에 대한 추억 |

2001년 대안적 평가를 더 공부하기 위하여 미국 콜로라도 오로라 카운티에 있는 MCREL을 방문하면서 그를 만났다. 그는 이 연구소의 자문위원으로 활동하고 있었다. MCREL(Mid-continent Regional Educational Laboratory)은 전국에 분포되어 있는 미국 연방정부 산하의 비영리 교육연구 단체 중의 하나였다. 지역적 특징으로 인하여 이 연구소는 콜로라도, 와이오밍, 워싱턴, 네브라스타, 오클라호마 주의 교사연수와 워크숍 그리고 연구를 담당하고 있었다. 콜로라도가 대안적 평가의 대표적인 주였기 때문에 우선 목적은 콜로라도 교육부 담당자를 찾아가는 것이었고 아울러 학교의 교육과정 체계를 교과목 중심이 아닌 성취기준(standards) 중심으로 재배열하고 여섯 개의 평생교육 성취기준(lifelong education standards)에 근거하여 유치원에서 고등학교까지의 교육과정을 새롭게 개발하고 평가제도를 개척한 오로라 학교 카운티의 학교 교육과정을 연구하기 위한 것이었다.

다행히도 이 기간 동안에 Marzano 박사와 만나서 그의 연구분야와 그의 대표역작 신교육목표분류학에 대하여 이야기를 나누었다. 이태리 출신의 핏줄을 가져서 그런지 활기차고 자신감이 넘쳤다. 그 역시 Wiggins와 함께 미국 전역에서 가장 많은 강연과 워크숍을 하고 있었고 신교육목표분류학의 출간 이후 이 아이디어를 구체화할 수 있는 방법들 그리고 평가과제들을 이론화시키고 확산시키는 작업을 하고 있었다. 우리나라의 교육과정 분야에서 이론가들의 위상에 비하여 실천가들의 역할이 미미하다는 점에서 우리나라에도 이러한 전문적인 연구자들이 더 있었으면 하는 생각을 하였다. 대학연구자들의 연구결과의 핵심을 쉽게 풀이하여 이를 현장에 적용시킬 수 있는 구체적인 작업으로 변환시켜서 교사들에게 전달해 주고 훈련시켜 주는 그의 역할은 이론과 실제의 차이가 너무 큰 그리고 대학연구자 중심의 우리나라 교육과정 개발 문화에 매우 큰 시사점을 준다고 느꼈다.

특히 그가 개념화시킨 신교육목표분류학의 최고 단계에 있는 자기체제(self-system)는 아동의 발달과 성장 그리고 직업의 선택과 삶에서의 우선적 가치를 정하는 데 있어서 중요하다는 생각을 나누었다. 어떻게 무엇을 잘 가르칠 것인가 이전에 학생이 왜 자신이 이 세상에 존재하며 자신의 삶에서 무엇을 가장 중요한 것으로 생각할 것인지를 명료하게 해주고, 그리고 그에 따라 그 목표를 잘할 수 있는 방법은 무엇인지에 대한 자기에 대한 지식을 잘 알도록 해주는 것이야말로 학생이 어떤 학습자로서 학교에 올 것이며 수업을 어떻게 잘하고 못하고를 결정짓는 중요한 자극제가 될 것으로 생각하였다.

필자의 개인적인 삶을 생각해 보아도 자기 체제와 자기 지식은 참으로 중요한 역할을 했다고 생각한다. 어떤 사람으로 살아야 할까를 결정한 대학시절 이후에 그 목표를 위하여 살기 위하여 파생되는 다른 문제들을 해결하는 데 큰 딜레마나 어려움은 없었다. 무엇이 중요한가를 알았기 때문에 무엇을 포기하고 무엇을 간직하고 인내해야 할 것인가에 대하여 누구의 간섭이 없이 스스로 결정하고 자기 동기화되어 있기 때문이었다. 그러한 점에서 Marzano의 이태리 식당에서의 점심 식사는 참으로 나에게 의미 있는 일이었다.

제7장

교육과정 설계: Various approaches

이 장의 공부할 내용

교육과정 설계의 개념

교육과정 설계에 대한 다양한 입장

교육과정 설계의 네 가지 유형

- 학문 중심 교육과정의 개념과 예
- 사회 효율성 교육과정의 개념과 예
- 학습자 중심 교육과정의 개념과 예
- 사회 재건주의 교육과정의 개념과 예

이 장에서는 교육의 목표와 내용을 선정하고 조직하는 교육과정 설계에 관하여 살펴볼 것이다. 수업의 구체적인 목표와 내용을 계획하고 조직한다는 점에서 교육과정 설계는 교육과정의 목표와 방향을 결정해 준다. 그리고 설계된 교육과정으로 교실의 교육이 이루어진다는 점에서 실제적인 성격을 가지고 있다. 따라서 교육과정을 성공적으로 실행하는 데 있어 교육과정 설계는 빼놓을 수 없는 중요한 요소이자 절차이다. 이처럼 교육과정 설계는 교육의 목적과 방향에서부터 실행에 이르는 광범위한 영역에서 교육의 성공 여부를 결정한다. 따라서 교사들과 교육과정자들은 교육과정 설계가 무엇인지 그리고 어떠한 의미를 가지는지 이해하고 있어야 한다. 이에 이 장에서는 먼저 교육과정 설계가 무엇인지 그 개념을 제시하였다. 그리고 학자들의 관점에 따라 정의되는 다양한 교육과정의 개념을 살펴보고, 그 정의에 따라 교육과정 설계의 목적과 방향이 어떻게 달라지는지를 소개하였다. 마지막으로 이러한 설계의 유형을 일반적으로 잘 알려진 학문 중심 교육과정, 사회 효율성 교육과정, 학습자중심 교육과정, 사회재건주의 교육과정으로 나누어 살펴보았다. 그리고 이 네 가지 유형에 대한 좀 더 깊이 있는 이해를 돕기 위해 각각의 유형을 대표하는 구체적인 예를 소개하였다.

교육과정 설계의 개념

교육과정 설계는 교육내용을 선정 · 조직하고 가르칠 방법에 대한 계획을 수립하는 것이다. 우리는 수업과 교육을 할 때 가장 먼저 무엇을/어떻게 가르칠지에 대하여 고민한다. 그리고 가르칠 내용으로 무엇을 선정할지, 선정한 내용을 성공적으로 가르치기 위해 어떤 교수전략과 자원을 사용해야 할지, 가르치는 내용을 어떤 순서로 조직하여야 할지 고민한다. 교육과정 설계는 바로 이러한 일련의 고민이라고 할 수 있다. 즉, 교육과정 설계란 교육과정을 구성하기 위해 필요한 과정 및 절차를 포함한, 교육과정이 어떻게 계획, 전개, 실행, 평가되어야 하는지를 보여주는 구체적인 계획이라고 할 수 있다. 그리고 이를 통해 교육과정 설계는 교육과정 개발과 실행의 방향과 기준을 제공해 준다. Bobbitt 이래 Tyler를 비롯한 다양한 학자들에 의해 이러한 교육과정 설계는 교육과정 개발과 함께 이제 교육과정을 이해하고 접근하는 방법에 있어 가장 일반적이고 보편적인 방법이 되었다.

하지만 이러한 교육과정 설계는 무엇을 어떻게 가르칠까에 대한 고민이라는 점에서 교육과정 개발과 그 의미를 혼동하기 쉽다. 심지어 학자에 따라서는 이 두 개념을 큰 구분 없이 사용하기도 한다. 하지만 엄격하게 말하자면 교육과정 개발은 포괄적이고 일반적인 수준에서의 계획 수립을 의미하며 교육과정 설계는 훨씬 더 구체적인 세부적인 계획 과정이라 할 수 있다. 다음은 이 두 개념의 구분을 좀 더 명확하게 하기 위해 교육과정 개발과 교육과정 설계를 비교하여 제시하였다. 이것은 교육과정 설계의 의미를 좀 더 명확하게 이해할 수 있도록 도울 것이다.

교육과정 개발은 학교에서 무엇을 가르칠 것인지, 그리고 필요한 제반, 인적·물적 자원은 무엇인지 등에 대한 의사결정을 하는 과정을 말한다. 즉, 특정 교육기관의 교육 목적, 내용이나 경험의 선정과 조직, 수업, 평가, 변화 등 교육과정 체제를 구성하는 영역들에 관한 일반적이고 전체적인 결정행위를 말한다(최호성, 2008, p.53). 반면 교육과정 설계는 교육과정 개발에 의해 만들어진 일반적이고 전체적인 수준의 교육과정에서 필요한 내용을 선정하고 조직하여 학생들에게 전달하는 구체적이고 세부적인 계획을 수립하는 것을 말한다. 즉, 교육과정 개발이 비교적 일반적인 계획 수립이라고 한다면 교육과정 설계는 훨씬 더 구체적이다. 최호성(2008)은 교육과정 개발이 교육과정의 철학으로부터 실행 이후의 평가에 이르기까지 거시적이고 종합적인 구상이라고 한다면, 교육과정 설계는 교육내용을 선정하고 조직하는 체계를 마련하는 좀 더 구체적인 과정이라고 보았다. 집합의 관계로 본다면 교육과정 설계는 교육과정 개발에 속한다고 할 수 있다. 따라서 이 둘의 포함 관계를 생각해 본다면 다음 그림 7-1처럼 나타낼 수 있을 것이다.

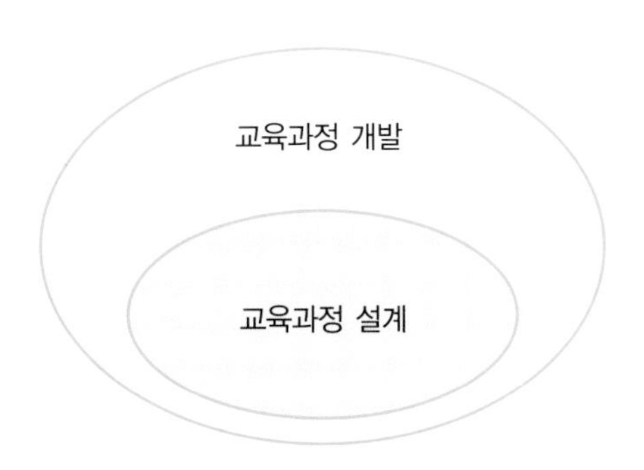

[그림 7-1 교육과정의 개발과 설계의 관계]

아울러 이러한 교육과정 설계는 그 성격을 결정하는 주요한 요소로서 사회, 지식(교과), 그리고 학생(학습자)라는 세 개의 요소가 강력하게 작용하고 있다는 점을 알

수가 있다. 즉, 사회에 주안점을 두었을 때, 교육과정 설계자가 하는 설계 행위와 방향은 학습자에게 주안점을 두는 경우와는 매우 다른 형태로 달라진다는 점이다. 그러한 이유 때문에 교육과정 설계자와 교육 실천가들은 과거 · 현재 · 미래의 교육과정을 설계하고 평가할 때 어떤 교육과정이 이 세 개의 요소 중에서 어떤 힘(영향력)을 가장 중요하게 설계의 핵심으로 간주하였는지를 분석해 보는 것이 매우 중요하다. 왜냐하면 지식을 강조하는 교육과정 설계는 사회 또는 학습자를 강조하는 교육과정 설계와 근본적으로 다르기 때문이다.

교육과정 설계에 대한 다양한 입장

이 절에서는 교육과정의 대표적인 학자들에 의해 소개된 다양한 교육과정 설계의 개념과 입장을 살펴볼 것이다. 앞 절에서 우리는 교육과정 설계가 교육 목표, 학습 내용, 학습 방법과 절차, 평가에 대한 구체적인 계획을 세우는 것이라고 정의하였다. 이러한 교육과정 설계는 교육적 철학이나 신념 혹은 추구하는 가치나 이념에 따라 다양한 형태와 모습으로 나타난다. 이에 많은 학자들은 이데올로기, 패러다임, 오리엔테이션과 같은 용어를 사용하여 교육과정이 추구하는 가치나 이념에 따라 교육과정 설계의 유형을 분류하고 규명하였다. 우리는 학자들이 소개한 교육과정 설계에 대한 다양한 입장들을 살펴봄으로써 그것이 가지는 성격과 가치를 좀 더 깊이 있게 이해할 수 있을 것이다.

예를 들면 Kliebard(1986)는 교육과정 설계의 유형을 학문 중심 교육과정, 인본주의 교육과정, 사회 효율성 교육과정으로 나누고, 시대의 이념과 변화에 따라 주기적으로 이 세 가지 유형이 순환하여 나타난다고 보았다. 구체적으로 살펴보면, 자본주의의 이념이 강해질 때에는 사회 효율성을 강조하는 교육과정이 나타난다. 하지만 시간이 지나면서 기계적이고 비인간적인 교육과정에 대한 비판적 움직임이 일어나게 되고, 이에 대한 대안으로 경험과 학생들을 중시하는 인본주의 교육과정이 나타난다. 하지만 시간이 지나면 인본주의 교육과정은 기초학력 저하와 학력 부족이라는 문제를 야기하고, 이러한 문제를 해결하기 위해 학문 중심의 교육과정이 대두되게 된다고 보았다. 그리고 이러한 과정은 시대와 역사의 흐름 속에서 순환적으로 반복해서 나타난다는 것이다. 이러한 Kliebard의 예는 교육과정을 설계할 때 그 초점에 따라 교육과정이 추구하는 목표와 가르칠 내용, 그리고 교육 방법 및 절차가 달라진다는 것을 보여준다. 그리고 이것은 구체적인 수업 방법과 계획을 달라지게 만든다. 예를 들어, 똑같은 내용을 수업한다는 가정하에 학습자 중심 교육과정에서는 교사의 일방적인 강의보다는 학생들이 주도적인 활동을 할 수 있는 모둠 활동이나 체험학습을 주로 사용한다.

이 절에서는 다양한 학자들의 입장 중 대표적으로 잘 알려진 Esiner, McNiel, Foshay의 입장에 대해 살펴볼 것이다. 그리고 절을 옮겨서 Schiro의 입장을 중심으로 많은 학자들이 규명하고 소개한 교육과정 설계의 개념을 종합하여 네 가지로 분류하고 소개할 것이다: 학문 중심 교육과정, 사회 효율성 교육과정, 학습자 중심 교육과정, 사회 재건주의 교육과정. 이 절에서는 먼저 학자들에 의해 규명된 유형들에 관하여 간략하게 소개할 것이다. 그리고 절을 옮겨 교육과정 설계의 분류에 대해 자세하게 다루고자 한다. 본격적인 논의에 앞서 학자들에 의해 소개된 교육과정 설계에 대한 다양한 분류를 한눈에 알아볼 수 있도록 표 7-1에 정리하여 제시하였다.

〈 표 7-1 학자들에 따른 교육과정 설계의 분류 〉

Eisner	McNeil	Foshay	Goodlad와 Zhixin Su	Schiro
인지 개발의 과정	인본주의 교육과정	초월적 자아	교육과정 조직의 메이저 주제	학문 중심 이데올로기
학문 중심주의	사회 재건주의 교육과정	미학적, 심미적 자아	지배적인 학문 주변의 조직	사회 기능주의 이데올로기
개인 관계	체제적 교육과정	육체적, 신체적 자아	학생들의 흥미와 개발을 지향하는 조직의 패턴	학습자 중심 (이데올로기)
사회 재건주의	학문 중심 교육과정	사회적 자아	주요 사회적 이슈 주변의 조직	사회 재건주의 이데올로기
기술로서 교육과정		감정적, 정서적 자아	혼성적 조직 패턴	
		지능적 자아		

Eisner의 입장

이 절에서는 교육과정을 오리엔테이션이라는 용어를 사용하여 분류한 Eisner의 분류에 대하여 소개할 것이다. Eisner는 1979년 『The Educational Imagination』이라는 책에서 대표적인 교육과정 설계 유형으로 알려진 '교육과정의 다섯 가지 기본 오리엔테이션(Five Basic Orientations to the Curriculum)'을 소개하였다. 물론 이 책에서 Eisner가 교육과정 설계라는 용어를 직접적으로 사용하지 않았지만, 그가 소개한 다섯 가지 오리엔테이션은 많은 사람들이 알고 있는 대표적인 교육과정 분류이다. 그리고 그 후, 1992년 Philip W. Jackson이 편집한 『Handbook of Research on Curriculum』에 실은 논문을 통해, 기존의 다섯 오리엔테이션에서 비판받은 부분을 수정(사회 재건주의를 비판이론과 재개념주의로 분류함)하고 새롭게 개발된 영역(종교적 교리 영역)을 포함하여 분류를 여섯 가지 이데올로기로 확장시켰다.

이 책에서는 독자들의 편의를 위해 교육학계에서 널리 잘 알려진 『The Educational Imagination』의 다섯 가지 오리엔테이션을 중심으로 두 책의 논의를 종합하여 제시하였다. 『The Educational Imagination』에 소개된 다섯 가지 오리엔테이션의 명칭과 개념을 사용하는 것을 원칙으로 하고, 후에 새롭게 수정 보완된 점 중 기존의 내용과 교집합을 이루는 부분은 각 영역에 맞게 보충하여 설명하였다.

Eisner는 기존의 책에서 소개한 내용을 새롭게 바꾸어 『Handbook of Research on Curriculum』에서 크게 두가지 내용을 수정하였다. 첫째, 교육적 상상력 책에서 제시한 사회적응과 재구성의 오리엔테이션에서 사회적응을 삭제하고 사회재건주의만을 남겨 놓은 점, 그리고 어디에도 교집합이 되지 않는 '종교적 교리' 영역을 새로운 학교 교육과정의 오리엔테이션으로 첨가한 점이다.

McNeil의 입장

McNeil은 1977년 교육과정에 대한 종합적이고 포괄적인 관점을 제시한 『교육과정: 종합개론서(Curriculum: A Comprehensive Introduction)』를 통해 교육과정의 개념화를 시도하였다. 이 책은 교육과정 학계에 널리 알려지게 되었고, 그 인기와 대중성으로 인해 현재는 다섯 차례의 수정을 거쳐 2006년에 제6판이 발행되었다. 제6판의 책 제목은 『현대 교육과정의 이론과 실제(Contemporary Curriculum in thought and action)』이다. McNeil은 이 책을 통해 교육과정이 커다란 학교 변화를 가져다줄 수 있

〈 표 7-2 〉

종류	주요 내용
인지 발달 과정	• 학생들이 스스로 학습할 수 있도록 학습하는 방법을 학습 • 학생들이 지니고 있는 다양한 지적 기능을 활용하고 신장 • 지식의 전이
인간 중심	• 학습자의 관심과 흥미 • 개인적 의미가 충족되고 실현될 수 있도록 프로그램을 계획하고 설계 • 교사와 학생들이 협력하여 교육과정을 설계하고 수업을 전개 • 학생들의 적극적인 참여와 이를 통한 경험
학문 중심	• 가장 근원적이고 일반적이라고 할 수 있는 학문을 학습시키고, 그 학문에서 배운 논리를 다른 학문과 분야에 확장시키는 것 • 사회에서 학생들이 반드시 알아야 하고 배워야 하는 과목과 내용 • 흥미나 능력이 강화되는 것은 여러 종류의 학문과 접해봄으로써 가능 • 학문적 이성주의/지적 능력의 배양
사회 재건주의	• 사회적 모순과 부정의를 바로잡고 더 나은 사회를 재건하는 것 • 아동들의 비판의식의 수준을 향상
기술	• 체제적 교육과정이나 사회 효율성 교육과정 • 교육계획을 체계화시킬 수 있는 장점
종교적 교리	• 학교교육에서 종교의 역할 강화 • 종교적 믿음과 신앙은 학교 교육에 앞서는 그들 삶의 우선적인 부분

는 강력하고 영향력 있는 도구라고 소개하며, 당시 미국 사회가 겪고 있던 교육문제(성취도 저하, 학교 폭력, 유급의 증가)를 해결하는 데 있어 교육과정의 중요성을 강조하였다. 그리고 이러한 교육과정을 개발하고 탐구하기 위해 교육과정을 개념화하였는데, 그 네 가지 개념은 다음과 같다.

- 인본주의 교육과정
- 사회 재건주의 교육과정
- 체제적 교육과정
- 학문 중심 교육과정

Foshay의 교육과정 매트릭스 유형

Foshay는 교육과정의 목적에 따라 교육과정이 설계되어야 한다고 제안하였다. 교육과정 설계는 그 성격이 목적에 따라 결정된다고 보고 목적에 따라 교육과정을 분류하고 설계하였다. 『The Curriculum』(2000)에서 이러한 교육의 목적을 여섯 가지로 분류하고 이러한 목적에 따라 교육과정의 방향과 설계가 이루어져야 한다고 소개하였다. 그가 제시한 교육과정의 목적은 표 7-4에 나타나 있는 여섯 가지 자아의 개념이다.

〈 표 7-3 〉

종류	주요 내용
학문 중심 교육과정	• 학생들이 각 분야의 전문가들이 가지고 있는 사고체계를 기를 수 있도록 학문적 원리와 법칙을 가르쳐야 함 • 교과의 내용면에서는 체계적인 개념과 법칙, 즉 지식의 구조를 강조 • 지식의 구조, 교과의 구조 또는 학문적 원리
인본주의 교육과정	• 인간의 기본적인 욕구로서 자아실현 • 인간의 잠재적 가능성을 최대한으로 실현하는 것을 목적으로 함 • 개인의 자유와 발달에 도움이 되는 경험들로 수업을 구성하고 조직 • 학생들의 관심과 흥미를 기초로 한 자기주도적 학습
사회재건주의 교육과정	• 학습자가 인류가 당면한 심각하고 절실한 문제를 인식할 수 있도록 하는 것 • 학생들을 사회적 의식이 깨인 실천가로 길러내며 사회의 구조적 모순을 변화시키고 나아가 더 나은 사회변화를 추구하는 태도와 신념을 기르는 것을 목적으로 함
체제적 교육과정	• 교육과정의 목적과 실행이 성공적으로 이루어질 수 있는 기준과 방향을 제시 • NCLB • 성취기준에 기초한 교육과정 실행과 평가 • 목표달성을 위한 다양한 체계적 실행과 평가, 측정 도구의 개발

〈 표 7-4 Foshay의 여섯 가지 자아 〉

자아	개념
초월적 자아	• 종교적 교리의 이해, 절대적 존재에 대한 깨달음 • 인간의 본연에 존재하는 우주의 법칙과 자연에 대한 이해. 이성 밖의 교육적 경험
심미적 자아	• 사물이나 환경의 아름다움을 인지할 수 있는 미적 판단 능력 • 이성 밖의 교육적 경험
신체적 자아	• 인간의 육체적 욕망과 자아에 대한 관계에 대한 깨달음
사회적 자아	• 사회적 관계 속에서 자신의 능력과 위치를 깨닫는 능력 • 아동의 사회성 개발은 교육과정이 오랫동안 진지하게 관심을 가지고 있는 목표
정서적 자아	• 희로애락과 같은 인간이 가진 감정과 관련된 의식을 깨닫는 것 • 의식 세계의 감정만이 아니라 무의식의 세계에서 느끼는 개개인의 감정에 대한 인지
지적 자아	• 인간 지성에 대한 추구 • 학교 교육과정에서 가장 강조되어 온 목표 중의 하나

교육과정 설계의 네 가지 유형

이 절에서는 일반적으로 학계에서 정의하고 있는 교육과정 설계의 유형을 네 가지로 정리하였다. 이미 앞 절에서 살펴보았듯 교육과정 설계 유형은 학자들의 관점이나 시각에 따라 다양하게 분류 · 정의되고 있었다. 이에 필자는 학자들에 따라 다양하게 분류 · 정의되고 있는 교육과정 유형 정리에 대한 필요성을 느끼게 되었다. 이에 다양한 논의들을 종합하여 네 가지 유형으로 정리하였다. 이 작업은 가장 최근에 소개된 Schiro(2008)의 유형을 참고하였다. 그리고 좀 더 깊이 있는 이해를 돕기 위해 유형별로 예를 제시하였다. 이러한 교육과정 설계에 관한 네 가지 유형들은 교육과정에 대한 통합적이고 넓은 이해의 틀을 제공해 줄 것이다.

학문 중심 교육과정

기자: 체육이 필요하다는 생각이 들 때에는 어떻게 하세요?
허친스(시카고 대학교 총장): 체육이 필요하다는 생각이 없어질 때까지 잠을 잡니다.
(김영천의 1993년 박사학위 종합 시험 기억에서)

교육은 학습자에게 특정한 내용을 강조하는 핵심적인 지식을 가르쳐야 한다. 교육은 사회를 이루고 있는 기본적인 원리(학문/교과)인 지식의 구조를 가르쳐야 한다.
E. D. Hirsch(1996, p.28)

학문 중심 교육과정은 수세기를 걸쳐 인류가 중요하게 여기고 축적해 온 지식을 가르쳐야 한다는 입장이다. 여기서 인류가 중요하게 여기는 지식이란 대학에서 발견된 학문적 원리나 이론을 말하는 것으로 논리적이며 이론적 체계가 갖추어진 지식을 의미한다. 따라서 학문 중심 교육과정이 추구하는 목적은 인류가 쌓아 온 문화적 지식(학문적 원리)들을 학생들에게 가르치는 것이다. 학문적 원리에 대한 이해는 특정 교과가 가지고 있는 지식의 개념과 개념의 구조, 학문적으로 사고하는 방법을 포함한다. 이를 위해 학문 중심 교육과정에서 교사는 학문적 원리를 깊이 있게 이해하고 있는 준전문가가 되어야 한다. 그리고 명확하고 정확하게 학생들에게 지식을 가르칠 수 있어야 한다.

학문 중심 교육과정은 학문적 원리, 학자들의 세계, 지식의 세계를 막연하게 같은 것으로 가정한다. 교육에서 핵심 임무는 이러한 막연하게 같은 것으로 간주되는 학문적 원리, 학자의 세계, 지식의 세계를 확장시키는 것이다. 그리고 사회적 차원의 지식과 개인적 차원의 지식 둘 모두를 확장시키는 것이다. 여기에서 문화적 수준은 새로운 진리에 대한 앎의 발견을 말하며 개인적 수준은 개개인의 학문적 발전과 사고의 확장을 의미한다.

학문 중심 교육과정에서 교육의 목적은 학생들에게 학문적인 원리와 이론적 구조를 소개함으로써 그것의 원리를 확장시키는 것이다. 앞서 설명한 Bruner의 논리를 빌자면, 지식의 구조를 통해 다른 영역에 대한 지식의 전이와 확장을 추구하는 것으로 볼 수 있다. 이것은 이 원리의 젊은 학습자가 학생으로서 첫발을 내딛고 그런 후에 그 계층의 밑에서부터 위로 향하도록 움직이는 것을 포함한다. 원리의 확장은 학생들에게 사고하는 방식과 지식의 전수를 통해 이루어진다. 교육과정은 이 전수의 의미를 제공해 준다. 그리고 그것은 학문적인 원리들로부터 그것의 의미와 존재 이유를 끌어낸다. 학문 중심 교육과정의 주요 관심사는 그들의 원리의 본질을 반영하는 방식으로 교육과정을 구성하는 것이다. 학문 중심 교육과정은 기본 개념 파악, 즉 지식의 구조를 이루는 기본 개념과 그 관계를 이해하고 지적인 탐구방법을 익힐 수 있도록 지도 내용을 정선하여야 한다.

학문 중심 교육과정의 대표적인 학자

Jerome Bruner, Phillip Phenix, Paul Hirst, Robert Hutchins, John Bradford, E. D. Hirsch

목적

학문 중심주의의 목적은 오랜 시간 인류가 축적해 온 문화와 사회의 본질인 학문·교과를 학생들에게 전수하고 학문적인 원리(지식과 지성의 세계)를 확장하는 것이다. 그리고 새로운 구성원을 기존의 문화와 사회에 적응시키고 인류가 이룩한 문화와 지식의 소산을 보존하는 것이다. 따라서 학문적 원리에 따라 사고할 수 있는 능력을 갖춘 사회 구성원을 길러내는 것을 중시한다. 따라서 학문 중심 교육과정의 주요한 목적은 학문적 원리를 확장시키는 것과 학문적 원리에 따라 사고할 수 있는 사회 구성원을 길러내는 것 두 가지로 볼 수 있다. 즉, 인류가 축적해 온 문화의 필수적인 구성요소를 유지하고 확장하는 것과 일정한 수준의 문화적 지식수준을 갖춘 사회 구성원을 길러내는 것을 교육의 중요한 역할로 보는 것이다.

학문 중심 교육과정에서는 학교에서 가르쳐야 하는 주요 과목으로 수학과 과학을 꼽는다. 그 이유는 이 두 학문은 가장 오래된 역사를 가진 학문 원리이며 학문의 본질적 구조를 가지고 있기 때문이다. 학문의 본질적 구조란 어떤 현상이나 사물의 본질에 대하여 증명할 수 있는 논리적이며 체계적인 이론적 구조를 의미한다. 학문 중심 교육과정에서는 이 두 교과를 가르침으로써 학생들이 인류가 축적해 놓은 자연과 사회의 본질에 대한 지식을 전수해야 한다고 본다. 그리고 학문적 원리와 지식을 통해 아직 밝혀지지 않은 자연과 사회의 본질을 밝힘으로써 학문의 세계를 좀 더 확장시켜야 한다고 본다. 나아가 자연과 사회의 본질을 파악할 수 있는 논리적이고 과학적인 사고방법을 배우게 된다고 본다. 따라서 수학과 과학 교육을 통한 학문의 본질적 구조를 학습하는 것이 교육의 궁극적인 목적이라고 보았다.

그들이 이러한 학문의 본질적 구조의 전수를 중요하게 생각하는 이유는 학문 중심 교육과정에서는 우주, 세계, 인간, 진리, 지식, 덕, 미에는 불변하는 진리가 존재한다고 생각하기 때문이다. 이와 관련하여 Hutchins(1936)는 "교육은 어느 장소, 어느 시대에서나 변함없는 인간 본성과 관련된 요소들을 끄집어내야 하며, 특정 시기나 장소에서만 살아가도록 사람을 교육하는 것은 참된 교육의 개념과는 동떨어진 일이다"(p.66)라고 말하였다. 그는 절대적 진리라고 할 수 있는 학문과 교과를 전수하는 것이 매우 중요하다고 생각하였다. 그리고 사회의 본질을 담고 있는 교과와 학문으로 읽기, 쓰기, 셈하기에서부터, 라틴어, 문법, 수사학, 논리학, 기하학과 같은 자유교양과목을 가르쳐야 한다고 생각했다. 그리고 학문의 본질을 담고 있는 대저서(The Great Books) 100권을 선정하였고 이 100권의 고전을 읽고 가르칠 것을 주장하였다.

가르쳐야 하는 학문 · 교과에 대한 선정은 각 분야의 전문가들에 의해 이루어진다. 전문가들은 학문의 일반적 원리와 법칙을 선정하고 이러한 지식들을 분과별로 구분한다. 그리고 학교에서는 이렇게 선정된 학문과 교과를 학생들에게 가르친다. 라틴어, 문법, 수사학, 논리학, 기하학과 같은 자유교양과목과 학생들이 반드시 읽어야 하는 고전 100선의 선정은 이러한 과정을 통해 선정되고 강조되는 학문들이다. 학문 중심 교육과정 학자들은 이러한 과목들을 통해 학문적 지식을 가르쳐야 한다고 생각하기 때문에 각 학문에서 중요하게 생각하는 지식의 요체인 학문적 원리와 이론을 전달해야 한다고 본다. 따라서 그들은 가르칠 내용을 선정할 때 학습자의 흥미와 관심을 고려하지 않는다. 그들은 오직 이미 학문적으로 가치가 있다고 밝혀진 내용을 학생들에게 전달하고 학생들이 그러한 내용을 이해하고 숙지할 수 있도록 만드는 것에만 관심을 둔다. 그리고 이러한 교육을 통해 이 분야의 전문가를 길러내는 것을 목적으로 한다. 따라서 학문 중심 교육과정에서는 교육이란 가르친다는 의미보다는 지식의 전수라는 측면이 더욱 강하다고 할 수 있다.

하지만 학문 중심 교육과정은 특정 내용과 교과가 교육과정에 포함되는 이유를 구체적으로 밝히지 않기 때문에 지식의 객관성에 관해 비판을 받는다. 즉, 지식에 대한 선정이 전문가들의 주관적인 판단과 가치에 따라 이루어질 수 있다고 보는 것이다. 그리고 그들의 장기적 목적 역시 막연하다는 비난을 받는다. 하지만 이러한 객관성에 대한 이유가 명백하게 설명되지 않는다고 해서, 목적이 언어로 기술되어 있지 않다고 해서 중요한 가치를 가진 지식이 가치를 잃는 것은 아니다. 왜냐하면 학문 중심 교육과정에서 가정하는 기본전제는 이러한 지식은 선험적인 관념에 의해 만들어진다는 것이기 때문이다. 따라서 학문적 원리와 지식은 이러한 가치에 대한 객관적인 설명이나 목적이 명시되어 있지 않다 하더라도 전수해야 하는 중요한 것이다. 따라서 인류가 가치 있다고 여기는 지식을 가르치고 이를 통해 인류 문명을 유지하고, 학생들의 지식 세계를 확장하는 것이 학교 교육의 중요한 목적이다. 그리고 이러한 목적을 달성하기 위한 방법은 학생들에게 지식을 전수하는 것이다.

특징

다음에서는 학문 중심 교육과정의 특징을 각 요소(지식, 학습, 학습자, 교수)별로 살펴볼 것이다. 이것은 학문 중심 교육과정에서 정의하는 지식은 무엇인지, 가치 있는 지식은 무엇이며, 가르쳐야 하는 지식이 무엇인지를 보여준다. 그리고 학습자와 교사는 어떤 역할과 가치를 가지는지 보여준다. 또한 이것은 학문 중심 교육과정을 좀 더 깊이 있게 이해할 수 있도록 도울 것이다.

지식

학문 중심 교육과정에서는 인간의 인지 발달과 사회 공동체 발전에 기여하는 지식을 가치 있는 것으로 여긴다. 이러한 지식을 배우고 습득하면 다른 학문에 전이될 뿐만 아니라 실제 인간세계에도 전이된다고 믿는다. 그리고 이러한 학문과 교과는 인간의 인지가 어떻게 구성되고 이루어져 있는지를 드러내준다고 믿는다. Phenix(1964)는 이와 관련하여 "유일하고 정말로 유용한 지식이 인간의 인지 원리를 드러내고 인지

구조를 형성한다."(p.51)고 하였다. 학문 중심 교육과정에서는 절대적인 지식으로 선정된 학문 · 교과를 가르치는 것이 인간의 인지를 발달시키고 공동체를 발전시킨다고 본다. 따라서 인류의 발전에 공헌하는 지식을 학문 · 교과로 선정하여 가르쳐야 한다고 본다.

학문 중심 교육과정에서 가치 있다고 여기는 지식은 다음과 같은 몇 가지 특징을 가진다.

첫째, 지식은 사람들에게 그들의 세계를 바라보고 이해할 수 있는 능력을 준다. 예를 들면, 자연현상과 사물의 본질을 이해하고 설명할 수 있게 해준다. 또한 사회현상의 본질을 이해하고 설명할 수 있게 해준다.

둘째, 지식은 내용과 과정 두 가지 형태를 취한다. Schwab(1964a)는 지식이라는 단어를 사용할 때에는 반드시 알고 있는 것이 무엇인지 그리고 그러한 알고 있는 지식을 어떻게 사용하는지(방법과 절차)를 아는 것 모두를 의미한다고 이야기하였다. 즉, 지식이란 단순히 내용만을 아는 것이 아니라 그 지식이 가진 원리와 방법을 모두 아는 것을 의미한다는 것이다.

셋째, 지식은 인간의 발달과 사회의 발달에 기여하는 교훈적인 것들이다. 이것은 절대적 진리와 학문의 본질을 의미한다. 따라서 지식은 한 사람에게서 다른 사람에게로 전달되는 것, 전달된 사람의 정신 속에 유지되는 것, 그리고 전달받은 사람에 의해 아직 알려지지 않는 지식에 의미를 부여하고 형성하는 데 사용되는 것이 가능하다.

넷째, 지식은 실제를 형상화하고 표현한 것일 뿐 그것 자체로 실제를 의미하는 것은 아니다. 즉, 지식이 플라톤의 논리처럼 이데아에 대한 표현이거나 아리스토텔레스의 논리처럼 물질적 현상을 의미하든지 간에 그것은 현실 세계를 표현한 것일 뿐 그것 자체로 현실을 의미하는 것은 아니다.

이와 관련하여 학문 중심 교육과정에서 지식을 얻는 과정은 그림 7-2와 같다. 먼저, 실제에 존재하는 현상과 사물에 대한 의문을 가지고 이를 설명하려고 한다. 그리고 이러한 의문을 해결하고 설명을 하기 위해 학문적 지식과 원리를 가져온다. 그리고 이러한 자연과 현상에 대한 설명을 가능하게 하는 학문 · 지식 중 논리적이며 체계적인 지식 구조를 갖춘 것을 선정한다. 그리고 이렇게 선정된 지식과 학문을 학생들에게 전수한다. 여기에서 선정된 지식은 인지 발달과 사회 발전에 가치가 있는지를 평가하게 된다. 그리고 만약 가치가 없다고 판단되면 적합한 가치를 가진 지식으로 대체되게 된다.

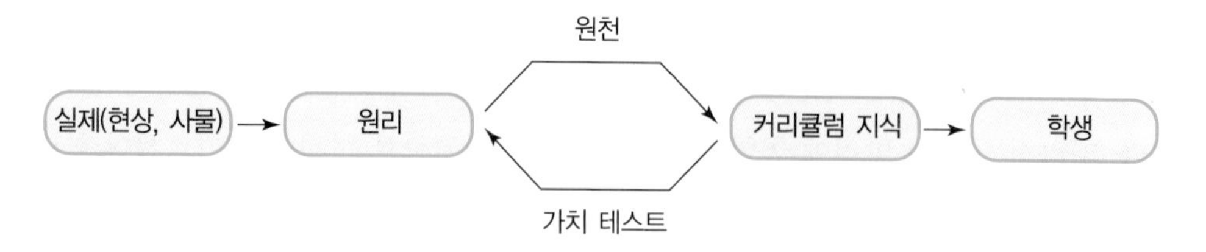

[그림 7-2 학문 중심주의가 커리큘럼 지식을 획득하는 과정]

학습자

학문 중심 교육과정에서 학습자는 교육의 중요한 구성요소가 아니다. 학문 중심 교육과정에서는 교육과정을 개발할 때 학습자는 고려하지 않는다. 오히려 학문의 본질적 구조를 형성하는 지식이 무엇인지 결정하는 일에 관심을 둔다. 따라서 학문 중심 교육과정에서 학습자를 말할 때는 학생 그 자체를 이야기하는 것이 아니라 학생의 정신이나 인지 과정을 이야기하는 것이다. 즉, 학습의 주체로서 아동이나 학습자를 말하는 것이 아니라 아동의 정신에서 일어나는 이성적이고 지적인 측면을 말하는 것이다.

학문 중심 교육과정에서는 이러한 학습자의 정신 능력을 두 가지로 나눈다. 하나는 학습한 내용을 기억하는 정신 능력을 말하고 다른 하나는 기억한 내용을 실제 상황이나 생활에서 활용할 수 있는 정신 능력을 말한다. 즉, 학문 · 교과를 학습할 수 있는 정신 능력과 학습한 내용을 활용할 수 있는 정신 능력으로 구분한다. 전자는 흔히 기억으로 불리고 후자는 이성으로 불린다. 그리고 전자는 학문과 교과를 기억하는 것을 말하는 것이고 후자는 학문적인 사고방식을 형성하는 것을 말한다.

결론적으로 학문 중심 교육과정에서 학습자를 말할 때, 그것은 인간 본연의 인격체가 아니라 지성의 산물을 말하는 것이다. 학습자는 지성의 산물을 아직 전수받지 못하였기 때문에 지식 구조가 형성되지 않은 불완전한 존재이며, 따라서 학문적 원리와 지식을 배워야 하는 존재이다. 즉, 학습자를 아직은 미숙한 사회 구성원으로 여기고 학문 · 교과를 전수하고 가르쳐야 하는 존재로 인식하는 것이다. 그리고 이러한 학문 · 지식을 전수받을 수 있는 정신적 능력과 가능성을 갖춘 존재로 여긴다.

학습

학문 중심 교육과정에서는 학습과 교수를 역동적인 관계로 인식한다. 즉, 학습은 가르치고 배우는 것을 통해 이루어진다는 것이다. 더 쉽게는 교사가 학문 · 교과 내용을 학생들에게 가르치고, 학습자가 학문 · 교과 내용을 배우는 행위를 통해 이루어진다는 것이다. 인류가 축적한 문화와 지식을 학습하는 데 있어 이 둘의 역동적인 관계가 핵심인 것이다. 앞서 밝혔듯이 학문 중심 교육과정의 중요한 역할인 기존의 사회적 지식과 원리를 전수하고 인류가 축적한 문화와 문명을 전수하는 방법이 가르침(교수)과 배움(학습)인 것이다.

따라서 학문 중심 교육과정에서는 학습을 가르침의 결과로 본다. 즉, 학습의 성패는 교사가 어떻게 가르치느냐에 달려있다는 것이다. 학습은 가르침의 결과이기 때문에 교사가 어떻게 가르쳤는지에 따라 학습의 결과가 달라진다고 본다. 이것은 학습자 중심 교육과정의 관점과는 완전히 다른 것이다. 학습자 중심 교육과정에서는 학습을 학습자가 스스로 지식을 습득하고 형성하는 능동적인 활동으로 본다. 따라서 교사의 역할은 학습의 보조자나 조력자에 머문다. 하지만 학문 중심 교육과정에서는 학습을 능동적인 활동이 아니라 일방적으로 전수되는 수동적인 활동으로 간주된다. 그래서 학문 중심 교육과정에서는 교사는 학문과 교과를 전수하는 존재이고, 학습자는 학문과 교과의 지식에 대한 가르침을 받는 존재이다. 따라서 발견학습이나 탐구학습이 아닌 기억이 학습의 중요한 방법이다. 학생들에게 있어 기억은 중요한 학습의 형태가 된다. 학생들은 교사로부터 받은 학문 · 교과의 지식을 기억하게 된다. 그리고 학생들은 학문 · 교과의 지식 구조를 배움으로써 논리적이고 이성적인 사고 능력을 개발하게 된다. 그리고 이러한 학습의 성격 때문에 학문 중심 교육과정에서는 오직 교사가 학생들에게 전달하고자 하는 목적에 부합되는 지식만을 가르친다.

학문 중심 교육과정에서 학습과 관련된 또 하나의 중요한 개념은 '지식의 구조(Structure of knowledge)' 이다. 이 개념은 대표적인 학문 중심 교육과정 학자 Bruner의 『교육의 과정(The Process of Education)』(1963)을 통해 소개되었다. 지식의 구조란 학문 · 교과가 가지고 있는 지식과 논리적인 사고체계를 이야기한다. 즉, 어떤 사물이나 현상을 이해하고 설명할 때 사용하는 논리적 사고체계를 말하는 것이다. 그는 학문들은 서로 비슷한 논리체계를 가지고 있기 때문에 학문 · 교과의 기본 원리와 개념에 대한 이해는 다른 학습에 쉽게 전이된다고 보았다. Bruner는 이러한 지식의 구조를 가르치는 방법으로 학자들이 연구하는 것과 같은 형태의 활동을 해야 한다고 주장하였다. 그는 학습자들이 이미 학문적 원리를 이해하고 학문적 원리에 따라 사고할 수 있는 정신 능력을 갖추고 있기 때문에 학자들이 연구하는 것과 같은 형태의 활동을 통해 학습해야 한다고 보았다. 그는 이와 관련하여 "물리학을 공부하는 초등학교 3학년 학생은 물리학자들이 하는 일과 똑같은 일은 해야 한다"고 하였다. 즉, 학생들은 이미 학문적인 원리와 구조를 발견할 수 있는 정신 능력을 갖추고 있기 때문에 학문 중심 교육과정은 학습자 내부에 이미 가지고 있는 학습과 교수의 방법을 학생들에게 가르치고 학생들은 그러한 원리를 학습하도록 해야 한다고 생각하였다. 이에 Bruner는 전문가들이 새로운 지식을 얻는 방법과 유사한 방법으로 어린이들을 가르쳐야 한다고 보았다. 그리고 어떤 학습 과제이든지 어린이의 발달정도에 맞도록 구조화해 제시한다면 누구든 효과적으로 학습할 수 있다고 보았다. 그는 지식의 구조는 초등학교에서부터 대학에 이르기까지 이해의 수준에 차이가 있을 뿐 어느 단계에서나 교육이 가능하다고 보았다. 이것은 어떤 교과든지 지적으로 올바른 형식으로 표현하면 어떤 발달 단계의 아동에게도 효과적으로 가르칠 수 있다는 것이다.

교수

학문 중심 교육과정에서 교수는 학생들이 학문 교과 지식을 배울 수 있도록 하는 기능을 의미한다. 그것의 목적은 지식이 마침내 학생들의 정신이 되는 것을 의미한다. 그리고 학생들은 그러한 정신 능력을 실제 생활에 적용시키고 그러한 지식을 후대에 전수하는 것이다. 따라서 학문 중심 교육과정에서 이러한 지식을 전수하기 위한 방법으로 교사를 교수의 절대적 수단이자 도구로 사용한다. 교사는 그러한 교수의 한 방법이며 교수의 구성원인 것이다. 그와 동시에 교사는 학습자에게 있어 가장 이상적인 모델이 된다. 학문 중심주의에서 교사는 교육과정을 학생들에게 연결시켜 주는 매개자이며, 학문적 원리를 전달하는 전달자이다. 따라서 학문 중심 교육과정에서는 교사가 교수에 있어 절대적인 위치를 차지한다. 그래서 교사는 학문 · 교과에 대한 해박한 지식을 갖춘 준전문가가 되어야만 한다.

학문 중심 교육과정에서 주로 사용하는 교수방법은 직접교수법, 반복학습, 소크라틱 세미나가 있다. 이러한 방법들은 학문 · 교과를 전달하는 중요한 매체이다. 그리고 이 세 가지 교육방법은 각각 서로 다른 특징을 가지고 있으며 각 방법의 부족한 부분을 보완해 줄 수 있다. 따라서 학문 중심 교육과정에서는 이러한 세 가지 방법을 적절하고 통합하여 사용할 수 있어야 한다. 각 교수방법에 대하여 좀 더 자세히 살펴보면 다음과 같다.

직접교수법. 학생들에게 직접 지식을 가르치는 강의식 교육을 의미한다. 이것은 인류가 축적한 학문적 원리를 가장 직접적으로 전달할 수 있는 방법이다. 하지만 학습자의 흥미나 인지 발달 단계를 고려하지 않는다는 단점이 있다. 하지만 학문 중심 교육과정에서 교수란 지식의 전달을 의미하기 때문에 가장 일반적으로 사용되고 있는 교수방법이라 할 수 있다. 이 방법은 주로 구두를 통해 이루어지는 강의의 형태와 문어체로 이루어진 교과서의 형태로 이루어져 있다. 그리고 좀 더 효과적인 지식 전달을 위해 사진, 도표, 다이어그램, 사진 등을 사용할 수 있다.

반복학습. 전수받은 학문 · 교과의 지식을 반복적으로 암기하는 방법을 말한다. 이 방법은 단순히 지식의 암기만을 강화시키는 것이 아니다. 암기를 통해 축적된 지식은 다른 학문 · 교과와 지식을 학습하는 데 전이가 일어나기 때문에 논리적으로 사고하는 정신 능력을 기르는 효과가 있다. 예를 들어, 구구단에 대한 반복적인 암기는 곱셈의 구조와 원리를 이해할 수 있도록 해준다.

소크라틱 세미나. 고대 그리스의 철학자 소크라테스가 무지를 깨닫는 방법으로 사용한 대화법(문답법)을 교수방법에 가져온 것으로 질의응답을 통해 학생들을 가르치는 것을 말한다. 이것은 가장 오래된 교육방법의 하나로 학생들이 스스로 지식을 깨닫게 한다는 특징을 가지고 있다. 하지만 이것은 학습자 중심 교육과정에서 말하는 능동적 학습활동을 의미하는 것은 아니다. 학습자는 학문 · 교과의 준전문가에 해당하는 교사에 의해 이루어지는 질문에 따라 지식을 전수 · 획득하게 된다. 즉, 교사는 적절한 질문과 학생들의 토론을 올바른 방향으로 이끌어 학생들이 지식을 습득할 수 있도록 한다는 것이다. 따라서 교사가 학습에 주도적인 역할을 한다는 점에서 학문 중심 교육과정의 대표적인 교수방법이다. 이러한 소크라틱 세미나의 장점은 질의응답과 토론을 사용하기 때문에 지식에 대한 좀 더 깊이 있는 이해를 돕는다는 것이다. 그리고 질문에 답하는 과정에서 자신이 이미 알고 있는 지식을 활성화하고 이를 통해 스스로 결론을 도출한다는 점에서 좀 더 높은 수준의 학습이 일어나도록 돕는다는 것이다. 이것은 비판적이고 논리적인 사고를 강화시켜 준다.

지금까지 살펴본 학문 중심 교육과정의 특징을 정리하면 표 7-5와 같다.

〈 표 7-5 학문 중심 교육과정의 특징 〉

강조점	학문 · 교과로부터 선정된 주제
교수	전문가로서의 교사 직접 교수법 다양한 교수 전략
학습	주제에 대한 통달 신참자로서의 학습자
학습주제	명백한 학문적 이슈들 전통적인 학문과 교과

학문 중심 교육과정의 예

이 절에서는 학문 중심 교육과정을 적용하여 만들어진 'UICSM(University of Illinois Committee on School Mathematics)'과 '국제 바칼로레아 학위 프로그램'을 구체적인 예로 소개하였다. 이 두 가지 사례는 학문 중심 교육과정의 실제적인 이해를 도울 것이다.

UICSM

UICSM(University of Illinois Committee on School Mathematics)은 제2차 세계대전 이후 미국의 기초학력 부족을 개선하기 위해 수학적 공식과 증명을 가르치려고 한 운동이다. 이것은 초등학생들에게 수학자들이 하는 것과 같은 수학적 사고능력을 기르는 것을 목적으로 하고 있다. 이에 이 교육과정에서의 핵심은 수학의 공식과 증명과 같은 수학적 논리를 가르치는 것이다. 그리고 이를 통해 논리적이고 체계적인 사고능력을 기르는 것이다. 이것은 수학 교과의 학문적 원리를 가르친다는 점에서 학문 중심 교육과정의 대표적인 사례라고 할 수 있다.

2차 대전이 끝날 당시 미국인들은 수학에 대한 기초 학력이 부족하여 수학을 학습하기가 힘든 상황이었다. 당시 대학 신입생들은 수학, 과학, 공학을 배울 수 있는 기초학력이 부족하였고 초・중・고등학교에서 배우는 수학 교육과정 역시 매우 낮은 수준이었다. 1800년대 이후로 수학에 대한 비중이 작아졌으며 가르치는 내용도 줄었기 때문이다. 그리고 대학에서도 수학적 지식을 중요하게 다루지 않았기 때문에 전반적인 기초학력이 낮을 수밖에 없었다. 이러한 시대상황을 극복하기 위해 새로운 수학교육과정에 대한 개발이 이루어졌는데 그것이 UICSM이다.

UICSM은 증명과 같은 수학적 논리와 그 이전에는 다루지 않았던 수학적 지식을 다루고자 하였다. 이에 수학자들에게 자문을 구하여 새로운 수학적 지식과 그 이전에 다루지 않았던 내용 중 중요한 지식을 수학 교육과정에 포함시켰다. 하지만 1948년 초 초등학교 수학 수준 저하와 같은 UICSM의 문제점 때문에 SMSG(School Mathematics Study Group)가 새롭게 만들어졌다. SMSG는 수학자들이 중요시하는 수학의 내용을 포함하고 있었다. 예를 들면, 미취학 아동들에게 집합 이론을 가르친다거나 초등학생에게 수학적 증명을 가르쳤다. 그리고 1957년 러시아의 최초 인공위성 발사에 위기를 느낀 미국은 SMSG를 기초로 NSF를 설립했다. 이것은 UICSM와 SMSG의 교육과정을 합친 것으로 지난 150년 간 수학자들이 발견해 온 수학적 개념이 결합된 것이다. 이 새로운 수학 교육과정인 SMSG는 1965년에 시작되었는데 그 당시 초등학교 4학년 교실의 수학 수업을 살펴보면 '만약에~ 그러면~' 와 같은 명제와 증명에 관한 수업이 이루어지고 있었다. 이 당시 교사들은 자신들이 대학 수학과정에서도 이해하지 못했던 내용들을 초등학생들에게 가르친다는 사실에 매우 흥분되어 있는 상태였다. 예를 들면, 곱셈을 가르칠 때 '7×20=140' 인 이유를 증명하였다 이 때 SMSG에서 이루어지던 수업 방법은 교사의 시범 후 학생들이 그대로 따라하는 것이었다.

국제 바칼로레아 학위 프로그램

국제 바칼로레아 학위 프로그램(The International Baccalaureate Diploma Program)은 고등학교 과정동안 대학에서 필요로 하는 교과와 학문을 공부하는 교육과정이다. 학생들은 고등학교 기간 동안 대학에서 필요로 하는 학문과 지식을 습득하고 평가를 통해 학위를 취득한다. 이러한 학위는 형식적인 것이 아니라 실제 학생의 자격과 능력을 나타내는 지표로 사용된다. 이 프로그램은 대학과의 연결 속에서 이루어지기 때문에 대학에서도 이 프로그램의 학위를 취득한 학생들은 일정한 수준의 자격을 갖춘 것으로 인정한다. 이 프로그램의 목적은 대학수업에서 필요로 하는 기초적인 학문과 지식을 학생들에게 가르치는 것이며, 학생들로 하여금 대학 생활을 준비할 수 있도록 하는 것이다. 결론적으로 이 프로그램은 대학에서 필요로 하는 학문과 지식을 가르친다는 점에서 대표적인 학문 중심 교육과정의 예이다. 이 프로그램의 목적은 다음 표에 잘 나타나 있다.

IBO 프로그램의 목표

- 세계 어느 곳에서든지 대학교육에 입학할 수 있는 국제적으로 인정된 자

격을 부여하 기 위함

- 국제적인 이해를 도모함
- 지적, 인격적, 감성적, 사회적 성장을 강조하는 전인교육을 위함.
- 연구와 사고 기술, 심사숙고하는 능력과 행동을 비판적으로 평가하는 능력을 개발하 기 위함.

이 프로그램은 IBO(International Baccalaureate Organization)에 의해 제공되는 고등학교 2,3학년을 위한 프로그램이다. 이 프로그램은 지식중심, 학문중심의 교육과정이며, 그 목적은 대학수업을 듣기 위한 기초학력의 신장이다. 따라서 이 프로그램은 세계 모든 대학에서 공통적으로 요구하는 학문 · 교과를 선정하여 가르친다. 그리고 이 프로그램을 이수하면 국제적으로 인정되는 자격을 부여한다. 2년 동안 가르치는 학문영역은 아래 그림과 같다. 이 표에서 알 수 있듯이 바칼로레아 교육과정은 핵심 주제와 그 주변에 여섯 개의 학문영역으로 이루어져 있다. 학생들은 2년 동안 프로그램의 핵심요소(지식의 이론, 광범위한 에세이, 창의성, 활동, 봉사)인 여섯 그룹으로부터 선정된 여섯 개의 주제를 학습한다.

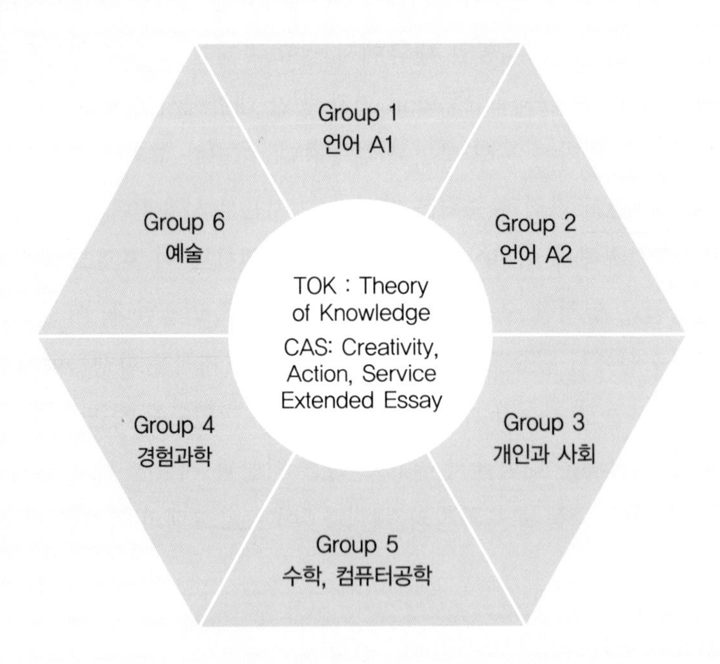

사회 효율성 교육과정

> *노동이란 삶과 생업의 위한 것이다. 유년기와 청소년기에는 이러한 성인 직업 사회에 필요한 노동을 배우는 데 많은 시간을 보낸다. 이에 교육과정의 최종 목적은 직업 사회에서 높은 생산성을 만들어내는 능력을 기르는 것이다(Drost, 1969, p.5.).*

사회 효율성 교육과정은 학교 교육을 통해 학생들이 미래 성인기에 사회가 필요로 하는 사회 구성원이 될 수 있도록 가르치는 교육과정이다. 이것은 학교를 미래 사회에 대한 준비를 하는 기관으로 여긴다. 그리고 학교에서 직업사회가 요구하는 기능을 훈련시키고, 이를 통해 높은 생산성을 갖춘 사회 구성원을 길러내는 것을 목적으로 한다. 즉, 사회적 효율성이라는 관점에서 높은 효율성을 갖춘 사회 구성원을 길러내는 것을 목적으로 하는 교육과정이다. 이와 관련하여 Schiro(2008)는 사회 효율성 교육과정의 목적을 다음과 같이 정의하였다. 사회 효율성 교육과정의 목적은 학생들이 미래 성인기에 사회 구성원으로서 기여할 수 있도록 기능을 훈련시키고, 이를 통해 사회의 효율성을 증진시키는 것이다. 그리고 그는 이에 대한 설명으로, 교육의 목적은 생산적인 삶을 살아가기 위해 그리고 사회의 기능을 준비하기 위해 젊은이들에게 그들이 직업공간과 집에서 필요로 하는 기술과 절차를 훈련시키는 것이라고 정의하였다.

따라서 사회 효율성 교육과정에서는 교육의 핵심을 수행능력과 기능적 활동에 둔다. 학생들은 사회적 생산을 위해 필요로 하는 기능을 학교에서 배운다. 교사들은 교육과정에 따라 학생들이 기능을 습득하도록 돕는다. 그리고 이러한 기술 습득을 돕기 위해 고안된 교육적 전략을 선택하여 가르친다. 이때 학습은 명확하게 정의된 행동적 목표의 안내를 받는다. 그리고 이러한 기술의 습득은 많은 연습과 반복적인 수행을 통해 이루어진다.

사회 효율성 교육과정을 만들 때 첫 번째로 이루어지는 과정은 사회적 요구를 결정하는 것이다. 그리고 이러한 요구들 중 사회적 효율성과 미래 사회에 필요하다고 판단되는 지식과 기능은 교육과정의 최종 목표로 선정된다. 여기서 말하는 교육과정의 최종 목표는 높은 생산 기능을 갖춘 사회 구성원을 의미한다. 이렇게 선정된 교육과정은 학교와 교실에서 가르쳐진다. 교사는 최종 목표를 충족할 수 있는 가장 적절한 교수방법을 찾아 학생들을 가르친다.

사회 효율성 교육과정에서는 교육 목표에 도달하는 가장 효율적인 방법으로 과학적인 절차와 프로그램을 사용한다. 이것은 산업화와 행동주의 심리학의 영향을 받은 것으로 공장의 상품 생산 공정을 교육과정에 가져온 것이다. 공장에서는 물건을 만드는 절차가 분화되어 있으며, 일련의 절차를 통해 상품이 만들어진다. 이러한 과학적인 생산 공정은 상품의 생산력을 극대화시키고 더 빠른 시간에 더 많은 상품을 만들어 낼 수 있게 해준다. 이와 마찬가지로 교육에서도 효율적으로 교육 목표(상품)를 달성하기 위해 과학적 방법에 따라 절차를 세분화하고 일련의 단계를 개발한다. 이러한 과학적 절차의 이론적 근간은 행동주의 심리학이다. 사회 효율성 교육과정에서는 인간 행동의 변화(학습)는 직접적인 원인-결과, 작용-반작용, 혹은 자극-반응과 같은 일련의 활동을 통해 발생한다고 가정한다. 이 개념은 사회 효율성 교육자들에게 원인, 작용, 자극(즉, 학습 경험)이 바라는 결과, 반작용, 반응을 이끈다고 보는 것이다. 그래서 교육자들은 그들이 학습시키고자 하는 내용에 따라 원인-결과, 작용-반작용, 자극-반응 사이의 관계를 사전에 결정하고 그 절차에 따라 수업을 진행해야 한다고 본다. 따라서 사회 효율성 교육과정에서 핵심 요소는 학습의 개념(인간 행동의 변화), 학습 경험의 배열(바라는 결과, 반작용, 반응원인을 이끄는 원인, 작용, 자극), 교육자들의 교육적 책무성에 있다.

사회 효율성 교육과정을 논의하는 데 있어 Bobbitt와 Tyler를 빼놓고는 이야기를 전개할 수 없다. 이 둘은 과학적 경영 기법을 교육과정에 가져와 수업과 교수 설계의 절차를 만들었다는 점에서 가장 대표적인 사회 효율성 교육학자들이라 할 수 있다. 이 두 학자들에 대한 좀 더 심층적인 이해를 원하거나, 그들의 이론을 자세히 알고 싶다면 앞의 2장(Bobbitt)과 3장(Tyler)에서 자세하게 다루고 있으니 참고하기 바란다. 그리고 Snedden은 이러한 사회 효율성 교육과정 아이디어에 기초하여 최초로 미국 고등학교를 인문계와 실업계로 나눈 대표적인 학자이다.

사회 효율성 교육과정의 대표적인 학자

Franklin Bobbitt, Ralph Tyler, Hilda Taba, Robert Mager Robert Gagne, Robert Marzano, David Snedden

목적

사회 효율성 교육과정의 목적은 학교에서 직업사회가 요구하는 기능을 훈련시키고, 이를 통해 높은 생산성을 갖춘 사회 구성원을 길러내는 것이다. 교육의 목적은 사회에서 요구하는 지식과 기술을 학생들이 기를 수 있도록 하는 것이다. 교육과정 개발자들은 사회가 요구하는 지식 중 필수적이라고 생각하는 지식과 기술을 교육과정의 목표로 설정하고, 이러한 교육목적을 달성하는 데 가장 효과적인 방법과 절차를 선택한다. 그리고 교육이 이루어지고 난 후 평가를 통해 교육목표에 얼마나 도달했는지를 측정하는 것을 목적으로 한다. 이 관점에서는 교사를 교육 프로그램을 실행하고 설계하는 엔지니어로 본다. 마치 산업 엔지니어들이 제품을 생산하기 위한 기계와 제품라인을 설계하고 만드는 것과 같다. 이런 유사함은 교육적 엔지니어와 산업 엔지니어 모두 의뢰인으로부터 그들의 작업을 얻는다는 가정을 포함하고 있다. 그리고 둘 다 의뢰인이 요구한 상품을 생산해야 하며 그 질에 따라 평가된다는 유사점을 가지고 있다. 즉, 마지막 평가는 둘 모두 의뢰인에게 맡기는 것이다. 따라서 이 둘은 모두 목적을 달성하기 위해 정밀하고, 과학적이며, 세분화된 공정과 절차를 가진다. 둘 다 명확하게 제시된 높은 성취기준(도달목표)을 계획한다. 그리고 둘 모두 엄격한 경험적 사건과 품질 기준에 관심을 가진다. 둘 다 복잡하고 정교한 과학적 기법의 사용을 가치 있는 것으로 생각한다. 그리고 둘 다 원재료를 완제품으로 만들기 위한 프로그램의 개발을 중요하게 생각한다.

사회 효율성 교육과정에서는 앞서 설명한 목적을 달성하기 위해 다음과 같은 활동을 한다. 먼저 그들은 사회가 요구하는 필수적인 지식과 기술을 밝혀내야 한다. 이것은 과학적 절차에서의 핵심적인 부분으로 완제품의 품질이나 성능의 기준이 엄격하게 정해지듯 교육이 추구하는 인간상이 무엇인지 그 기준을 명확하게 밝히는 작업이다. 그러고 난 후, 이러한 엄격한 기준에 도달한 학생들(엄격한 기준을 통과한 완제품)을 길러내기 위한 효과적이고 효율적인 절차를 설계하고 학습 경험을 선정하고 수행평가를 위한 평가기준을 마련한다. 이러한 각각의 절차들은 독립적으로 이루어져 있다. 하지만 이러한 학습의 과정과 절차는 중요한 것으로 여기지 않는다. 오히려 사회 효율성 교육과정에서는 학습의 결과를 중요하게 생각한다. 이 관점에서는 무엇을 달성하였는가도 중요하지만 그보다 얼마나 잘 달성하였는가(결과)가 더 중요하다. 즉, 그들이 원래 의도했던 교육목적이 잘 달성되었는지에만 관심을 둔다는 것이다. 그리고 이것은 마지막에 무엇이 달성되었는가, 좀 더 마지막에 목적이 달성되었는지에 대하여 더 많은 관심을 둔다는 것을 의미한다. 이 관점에서는 오직 효율성의 관점에서만 평가가 이루어지며, 그 중간에 일어나는 학습 경험과 과정은 중요한 것으로 여기지 않는다. 교육과정을 설계하는 과정에서든, 학습방법을 선정하고 실행하는 과정에서든 그 결과에 대한 평가는 오직 효율성에 관점에서만 이루어진다.

특징

다음에서는 사회 효율성 교육과정의 특징을 각 요소(지식, 학습, 학습자, 교사)별로 살펴볼 것이다. 이것은 사회 효율성 교육과정에서 정의하는 지식은 무엇인지, 가치 있는 지식은 무엇이며 가르쳐야 하는 지식이 무엇인지를 보여준다. 그리고 학습자와 교사는 어떤 역할과 가치를 가지는지 보여준다. 또한 이것은 사회 효율성 교육과정을 좀 더 깊이 있게 이해할 수 있도록 도울 것이다.

지식

사회 효율성 교육과정에서 지식은 크게 두 가지를 의미한다. 첫째, 이 관점에서 지식은 행동적 잠재력을 의미한다. 이것은 교육이란 행동 혹은 외적 변화를 의미하는 행동주의 심리학의 영향을 받은 것으로 지식의 본성을 학생들에게 가르칠 수 있는 행동적 잠재력으로 보는 것이다. 즉, 교육을 통해 변화시킬 수 있는 행동의 변화가 곧 지식을 의미한다고 보는 것이다. 따라서 사회 효율성 교육과정에서는 목표를 진술할 때에도 행동적 목표로 진술할 것을 요구하고 있으며, 교육의 정의 역시 인간 행동의 변화로 규명하고 있다. 이러한 관점을 가진 교육학자들은 공장에서 물건이 생산되는 공정(재료 투입 ⇒ 상품 산출)과 마찬가지로 교육 역시 적절한 요소들을 투입하면 그 결과로 반드시 행동의 변화가 일어난다고 보았다.

둘째, 이 관점에서 지식은 오직 관찰과 측정이 가능한 경험적 실재를 의미한다. 이것은 실증주의 사고가 강하게 반영된 것으로 객관적 관찰과 측정이 가능한 지식만을 가치 있는 것으로 여긴다. 따라서 사회 효율성 교육과정에서는 오직 경험적 실재 세계만을 다룬다. 사고나 생각과 같은 관찰과 측정이 불가능한 영역은 지식으로 간주하지 않는다. 이것은 부정이라기보다 무시에 가까운 것으로 이 관점에서는 오직 관찰할 수 있는 것만을 지식으로 다룬다. 즉, 인간 존재의 정신적인 차원은 다루지 않을 뿐만 아니라 교육의 대상으로 생각하지 않는다는 것이다. 그리고 이것은 자극과 반응의 관계로 정리되는 행동주의 심리학의 영향이 강하게 녹아 있는 것으로 보이지 않는 학습 결과나 내적 변화는 교육으로 볼 수 없다는 생각을 내포하고 있다. 즉, 자극과 반응의 관계처럼 반드시 교육의 결과는 외부적인 어떤 변화를 가져온다고 본 것이다. 하지만 이것은 인간의 인지에 의한 지식의 구조를 무시한다는 문제를 가지고 있다.

학습

학습에 대한 정의는 이미 지식을 설명할 때 언급하였듯 행동의 변화를 의미한다. 이것은 지식에서 설명한 학생 개개인의 행동적 잠재력을 외부로 드러나게 만드는 것을 의미한다. 학생들은 사회에서 요구하는 지식과 기능을 학습하기 위해 반복적인 암기와 실행을 한다. 그리고 이러한 지식과 기능을 수행할 수 있는 행동적 능력을 숙달시킨다. 이것은 그 이전에 학생들이 할 수 없었거나 혹은 미숙했던 행동을 학습한 것이다. 따라서 학습 결과에 대한 평가는 학습이 일어나기 이전에 가능했던 행동과 학습이 일어난 후 가능한 행동의 비교를 통해 이루어진다. 따라서 학습은 관찰 가능한 행동에 의해서만 일어나는 현상이다.

사회 효율성 교육과정에서 이러한 '학습' 은 다음과 같은 특징을 가진 것으로 본다.

첫째, 학습은 능동적인 행동 변화를 의미한다. 이에 대하여 Anderson(1996)은 "학습은 적극적인 활동이고 오직 능동적인 학습자만이 성공적인 학습자이다" 라고 하였다(p.18). 이것은 학습자란 자신이 학습할 수 있는 활동에 적극 참여하여 행동 변화를 만들어내는 존재여야 한다는 것을 강조한 것이다. Bobbitt는 이와 관련하여 '기능적 배움' 이라는 용어를 사용하였다. 이것은 인간의 행동을 기능에 비유한 것으로 기능을 숙달시키는 것이 학습이라고 본 것이다. Bobbitt는 학습은 기능을 습득하는 것이며, 이러한 기능을 습득하는 방법은 그러한 기능을 숙달시키는 것을 통해 가능하다고 보았다. 그리고 그 예로 타이핑 학습을 들었다. 타이핑에 대한 학습과 숙달은 반복적인 타이핑을 통해 이루어진다. 그리고 숙련된 실행은 경험의 결과로 반드시 기능의 숙련으로 이어진다(p.13).

둘째, 학습(기능)은 연습을 통해 숙달된다. 즉, 기능을 학습하기 위해서는 연습이 필요하다. Anderson(1996)은 이와 관련하여 "숙련된 기술은 광범위한 연습을 따른다" 고 하였다(p.12). 이것은 행동주의 이론이 녹아 있는 것으로 자극과 반응의 관계는 연습을 통해 강화된다는 것이다. 예를 들어, 타이핑하는 기능을 숙달시키기 위해서는 타이핑하는 활동에 참여하여 반복적으로 연습하고 이를 통해 기능을 강화시켜야 하는 것이다. 이때 유의할 점은 학습자에게 요구되는 연습의 양과 방법에 주의를 기울여야 한다는 것이다. 왜냐하면 학생에 따라 기능을 숙달하는 데 필요한 시간과 방법은 차이가 있는데, 만약 이러한 요인들을 고려하지 않으면 학생들은 흥미를 잃고 더 이상 연습을 하지 않기 때문이다. 따라서 학생들이 중간에 포기하지 않고 지속적으로 이러한 활동에 참여하도록 만드는 것은 중요하다. 이를 위해 학습의 양과 방법을 고려해야 한다. 그리고 이를 통해 학생들이 충분한 시간 동안 연습할 수 있도록 해주어야 한다.

셋째, 학습은 강화의 영향을 받는다. 강화는 행동주의 이론에서 말하는 행동 결과에 대한 반응을 말한다. Thorndike의 효과의 법칙이나 Skinner의 강화이론을 통해 잘 알려진 것처럼 학생들이 결과에 대하여 긍정적인 반응을 받을 때 그 학습은 강화된다. 이러한 강화의 방법은 다음 세 가지 전제를 가정하고 있다. (1) 행동은 결과에 대한 즉각적인 보상이 이루어질 때 강화된다. (2) 지속적인 보상이 이루어지지 않으면 이미 학습된 행동이라 할지라도 그 행동은 약해진다. (3) 복잡한 행동은 그 행동을 이끄는 바람직한 행동의 단계적인 학습을 통해 강화된다.

넷째, 학습된 행동은 특정한 자극의 통제 아래 습득된 것으로 자동적으로 수행된다. 다시 말해, 학습된 행동의 변화는 특정한 자극의 통제아래 습득된 것이기 때문에 그러한 환경이 주어지면 자동적으로 수행된다. 이것은 사회적으로 유용한 기능이나 지식이 어떻게 습득되는지를 설명해 준다. 즉, 인간은 사회라는 환경에 끊임없이 노출되기 때문에 자동적으로 사회가 바람직하다고 여기는 가치관과 지식을 습득하게 된다고 보는 것이다. 예를 들어, 현재 우리가 살고 있는 사회에서 바람직한 가치는 정해져 있기 때문에 인간은 사회 속에서 항상 비슷한 상황에 놓이게 된다. 그리고 그러한 상황에서 바람직한 행동과 가치관이 무엇인지를 자동으로 습득하게 된다고 보았다. 따라서 인간은 사회적으로 바람직하고 유용하다고 여기는 가치들을 자동적으로 학습하게 된다고 보았다. 그리고 이것은 사회가 안정적이고 바람직한 방향으로 나아갈 수 있는 원동력이 된다고 보았다. 즉, 사회 유지는 이러한 자극과 반응의 상황에서 자동적으로 이루어지는 것으로 본 것이다. 이것은 사회적으로 바람직하고 효율적인 행동은 학습자의 자동적 반응으로 가정한다. 또한 특정한 자극에 대한 반응은 이미 체계화된 상황에 대한 결과라고 본다. 즉, 하나의 행동을 배웠을 때 이것은 내부의 생각이나 판단에 의해 일어나는 것이 아니라 보편적이고 일반적인 법칙, 즉 이미 학습을 통해 습관화된 기억이 수행되는 것으로 생각한다.

다섯째, 지식과 기능은 상대적인 수준을 가진다. 이것은 상대적으로 학습하기 힘든 복잡하고 어려운 지식과 기능이 존재한다는 것을 의미한다. 이와 관련하여 Anderson(1996)은 대부분 기술들은 복잡한 구조를 가지고 있으며, 이러한 기술들은 그 수준에 따라 계층적 구조를 가진다고 말하였다. 이것은 특정한 조건 속에 요구되는 학습의 결과는 같다 하더라도 그 수준이나 난이도의 차이가 존재한다는 것을 의미한다. 앞서 언급하였듯이 사회 효율성 교육과정에서는 인간의 학습목표를 세분화하여 열거할 수 있는 것으로 생각한다. 하지만 개인적 능력 차이와 환경 차이로 인해 모든 학생들이 같은 수준에 이를 수 없다는 가정을 전제한다. 이것은 사회 효율성 교육과정이 추구하는 자신에게 맞는 기능을 수행하며 살아가는 인간을 길러내는 것을 뒷받침한다. 즉, 사회는 거대한 공장처럼 각자 자신의 능력에 맞는 역할을 담당했을 때 그 세계는 원활하게 유지된다는 것이다. 사회의 기능을 수행하기 위해 그리고 사람들을 사회의 각 분야에 적절하게 배치하는 데 이 전제는 매우 중요한 역할을 한다. 그리고 이 전제는 같은 교육을 받고도 다른 직업에 종사하며 다른 임금을 받는 것의 정당성을 뒷받침한다.

학습자

사회 효율성 교육과정에서는 학습자에게 큰 관심을 가지지 않는다. 그들에게 있어 학습자(아동)는 단지 성인기를 준비하는 하나의 과정에 불과하기 때문이다. Gagné (1966)는 사회 효율성 교육자들은 교육과정을 개발하고 실행하는 동안 학습자를 중요하게 다루지 않는다고 지적하였다. 그리고 그들이 학습자에게 관심을 보이는 것은 그 학생에 대한 관심이 아니라 사회가 필요로 하는 기능을 잠재적으로 가지고 있는 존재라는 점이다. 그들은 오직 교육을 통해 사회가 요구하는 능력과 기능을 가진 성인을 길러내는 것에만 관심을 둔다. 즉, 사회 효율성 교육과정에서 학습자는 교육을 통해 길러내야 하는 잠재적인 미래의 노동자인 것이다.

이 관점에서 학교는 사회가 필요로 하는 노동자를 생산하기 위한 하나의 거대한 공장이다. 이 곳에서 학생들은 사회가 필요로 하는 노동자로 길러진다. 교사는 이러한 노동자를 길러내기 위해 학생들을 관리하는 관리자이다. 교사는 관리자, 학생은 노동자라는 관점에서 Bobbitt(1913)는 학생들의 실제 능력은 교육에 의해 만들어진 제품이며, 이러한 제품을 만드는 것은 교사의 일이 아니라 학생의 일이라고 말하였다 (p.32). 졸업 후, 학생들은 똑같은 교육을 받게 되지만 자신의 능력과 환경에 따라 다른 능력을 갖춘 노동자로 성장하게 된다. 학생들은 각자 자신들이 가진 능력에 따라 적절한 사회적 위치로 진출한다. 따라서 차별적인 지위와 임금은 그들의 능력에 따른 합당한 결과이다. 그리고 이러한 관점에서 교육이란 상품을 생산하기 위해 투입하는 에너지이며 자원이다. 이 관점에서 교육은 미래의 노동자를 길러내기 위한 자원과 에너지의 투자이며, 투자에 대한 대가로 학교는 학생들의 능력(제품)을 생산해야 한다. 사회 효율성 교육과정은 학습자에 대한 이러한 관점을 가지고 있기 때문에 체계적이고 계획된 교육과 학습을 추구한다. 따라서 교육과정은 학생들이 도달해야 하는 표준을 설정하고 이러한 목표에 도달하기 위한 교육적 프로그램과 교수방법을 제공한다.

교사

교사는 계획된 교육과정을 학교와 교실 현장에서 실행하고 학습자를 훌륭한 노동자로 길러내는 관리자이다. Gagné(1970)의 표현을 빌면, 교사는 교육을 총괄하는 경영자이다. 교사는 먼저 학습자들이 학습할 수 있는 환경을 준비한다. 그리고 실제 학습 중에 일어나는 다양한 상황에 맞추어 교실과 수업의 환경을 조정하는 역할을 한다. 그리고 학습이 이루어지고 난 후 학습의 정도를 평가한다. 이것은 공장의 생산라인 관리자가 의뢰인이 요구하는 제품의 종류와 수량을 파악하고, 제품이 생산되는 과정을 총괄하고 완성된 제품을 검사하는 것과 같은 것이다. 하지만 학습은 대부분 학생들에 의해 이루어지는 것이고 교사의 주된 임무는 학생들이 그들 스스로 학습할 수 있는 환경을 준비하는 것이다. 교육과정은 학생들이 무엇을 학습해야 하는지를 안내하여야 한다. 이와 관련하여 Bobbitt는 교사를 관리자, 지도자, 안내자, 격려자라고 하였다.

사회 효율성 교육과정에서 일반적으로 이야기하는 교사의 역할은 다음 세 가지이다.

경영자로서의 교사의 역할. 교사는 공장에서 조립라인을 책임지는 한명의 관리자와 마찬가지로 교육과 관련된 일련의 과정을 통제한다. 교사는 학생들이 학습할 내용을 선정하고 그 내용을 조직하는 역할을 담당한다. 그리고 학생들이 기능을 익힐 수 있는 교육적 경험을 제공해야 한다. 그리고 수업이 끝난 후 학생들의 학습 상태를 평가한다. 하지만 교육과 관련된 교사의 역할은 이미 계획된 교육과정을 실행하는 것뿐이다. 그들은 이미 짜여진 모형과 프로그램을 실제 수업을 위한 형태로 재조직할 뿐이다. 이와 관련하여 사회 효율성 교육과정은 교사가 교육과정과 분리되어 있다는 비판을 받는다. 즉, 교사가 능동적으로 교육목표와 교육과정을 개발하는 것이 아니라 단지 계획된 교육과정을 실행한다는 것이다. 이러한 관점에서 교사는 교육과정자들이 만들어 놓은 목표를 달성하기 위한 수단이며 도구일 뿐이다. 이를 보완하기 위해서는 교육과정 개발 과정에 교사가 직접 참여하여야 하며, 교사들의 의견이 적극 반영되어야 한다.

목표달성을 위한 보증인. 이것은 특정 회사나 브랜드의 제품은 그 품질을 보증할 수 있다는 것과 유사하다. 즉, 교사는 이미 기능과 지식에 관하여 숙달된 준전문가이기 때문에, 이러한 교사들 밑에서 배우는 학생들은 사회가 요구하는 일정한 능력을 갖추고 있을 것이라는 믿음이다. 하지만 교사의 능력이 학생들의 능력을 보증할 수 있는 기준이 될 수는 없다. 학습을 위해 투입되는 자원에는 다양한 요소들이 존재하기 때문이다. 그리고 교사를 사회가 필요로 하는 지식과 기능을 완벽하게 갖춘 전문가로 보기 어렵기 때문이다. 하지만 교육과정의 최종결과를 평가할 때 교사의 자질과 능력은 중요하게 고려해야 하는 요소이다.

교육과정과 수업이 효율적이라고 믿음. 이것은 이미 개발되어 있는 교육과정이 학습에 있어 최적의 방법이라고 믿는 것을 의미한다. 즉, 이미 개발된 교육과정 모형과 프로그램을 실행하는 것이 학습의 효과를 최대한으로 끌어내는 방법이라는 것이다. 여기서 효율성의 개념은 경제학의 용어를 그대로 가져온 것으로 최대한 짧은 시간과 최소한의 노력으로 최대한의 교육적 성과를 만들어낸다는 것을 의미한다. Gagné(1970)는 이와 관련하여 "이 경영의 목적(가르침)은 배움이 효율적으로 일어나게 만드는 것이다. 즉, 학생 행동의 가장 많은 변화는 가장 짧은 시기에 일어난다" 고 하였다(p.325). 따라서 학습의 결과와 효과에 대한 평가 역시 효율성의 관점에서 이루어진다.

지금가지 살펴본 사회 효율성 교육과정의 특징을 정리하면 표 7-6과 같다.

〈 표 7-6 사회 효율성 교육과정의 특징 〉

강조점	사회적 관계 추구 바람직한 인간을 길러내기 위한 교육
교수	문제해결력 미래의 직업 사회를 위한 지식과 기술 사회의 구성원으로서의 인간 계획적이고 체계화된 교육과 학습
학습	그룹 프로젝트 협동적인 노력
환경	작은 사회로서의 학교 미래의 직업 세계를 위한 준비 장소로서의 학교

사회 효율성 교육과정의 예

이 절에서는 '초등학교 수학/과학 통합 교육' 과 '프로그램 교육과정' 을 통해 사회 효율성 교육과정이 실제 학교와 교실 현장에서 어떻게 적용되고 있는지 소개한다.

초등학교 수학/과학 통합 교육

초등학교 수학/과학 통합 교육(The Unified Science and Mathemetics for Elementary Schools: USMES)은 수학적 지식과 과학적 지식을 이용하여 현실 세계에서 일어나는 실제 문제를 해결할 수 있는 능력을 기르는 프로그램이다. 이것은 기능적인 측면에서 사회 문제에 접근한 프로그램으로 사회가 요구하는 문제들을 좀 더 효율적인 방법으로 해결하고자 한다는 점에서 대표적인 사회 효율성 교육과정의 예라고 할 수 있다. 이 프로그램은 National Science Foundation (NSF)에 의해 건의되고 시작되었다. USMES는 교사와 학생들이 함께 그들이 살고 있는 지역의 실제적인 문제를 해결하려는 의도를 가지고 있다. 이러한 문제들은 20개 이상의 서로 다른 도전들로 구성되거나 혹은 다음 표와 같이 교실, 학교 또는 지역사회의 이슈에 초점을 두고 통합교과로 이루어진다.

〈 표 7-8 사회 효율성 교육과정의 특징 〉

단원 제목	내용
탄산음료 디자인	해결과제는 사람들의 관심을 끌 수 있는 탄산음료의 디자인을 하는 것이다. 구체적으로 사용할 문구, 비용 분석, 영양, 광고에 대한 디자인을 하여야 한다.
제조업	해결과제는 탄산음료의 실제 제조와 매매를 위한 구체적인 아이디어를 기획하는 것이다.
소비자 조사	해결과제는 학생들이 스스로 자신이 소비하는 다양한 제품의 가치를 평가하는 것이다. 단, 이때 평가는 과학적인 방법에 의해 이루어져야 한다. 그리고 이러한 평가를 할 수 있는 과학적인 방법을 개발해야 한다.
방법 찾기	해결과제는 한 지역에서 다른 지역으로 갈 수 있는 가장 빠르고 안전한 방법을 찾는 것이다. 이 때 수학과 과학적 지식을 사용한다.
날씨 예측	해결과제는 날씨 예측하는 방법을 배우는 것이다.
자연관찰 산책로	해결과제는 자연관찰 산책로를 만드는 방법을 찾고, 실제 산책로를 만드는 것이다.
학교에서 식사	해결과제는 구내식당의 영양학적, 심미적 분위기를 향상시키는 것이다.
자전거 교통	해결과제는 학급이 자전거 안전을 조사하고 학교주변에서 학생들의 일반적인 자전거 사용을 개선시킬 수 있는 계획을 개발하는 것이다.
교통 흐름	해결과제는 학생들은 학교 모든 복도, 놀이터, 등을 포함하는 환경내의 교통 패턴을 학습하고 필요한 개선점을 제안하는 것이다.

USMES에서 교사는 학습의 안내자이다. 따라서 문제해결은 학생들에 의해 주도적으로 이루어져야 한다. 학생들은 문제를 해결하기 위한 적절한 연구방법을 결정하고, 각자의 역할을 분담해야 한다. 그리고 데이터 분석과 보고서 작성과 같은 문제해결의 전 과정에 적극적으로 참여해야 한다. 이를 위해 USMES에서 통합 교과를 전개해 가는 가장 핵심적인 방법은 학급 회의이다. 학생들은 학급 회의를 통하여 문제해결 과정을 재검토하고, 어려움을 토의하고, 초점을 유지 · 수정하고, 의견을 교환한다. 거의 매일 이루어지는 학급 회의는 학생들이 일상의 문제들을 함께 해결해 나가는 작은 민주주의의 장이 된다. 이런 점에서 USMES에서는 그룹을 강조한다.

USMES 교육과정의 한 가지 흥미로운 특징은 기능수업이다. 기능수업은 학생들에게 문제를 해결하기 위해 요구되는 기초적인 지식이나 기술을 가르치는 것으로, 강의나 교과서 중심의 시범과 같은 직접 교수법에 의해 이루어진다. 만약 수학과 과학에 대한 기초적인 지식이 없다면 일상에서 일어나는 문제를 해결할 수가 없기 때문이다. 그래서 교사는 사전에 문제 해결을 위한 지식들을 선정하고 조직하여 학생들에게 가르쳐야 한다. 예를 들면, 날씨나 학생들의 신체검사 기록을 그래프로 표현해야 하는 경우 교사는 먼저 선그래프 작성법에 대해 가르쳐야 한다. 선그래프에 대한 지식이 있어야만 학생들이 자신들이 수집한 자료를 그래프로 기록하고 발표할 수 있기 때문이다.

프로그램 교육과정

사회 효율성 교육과정이 적용된 또 하나의 대표적인 사례로는 프로그램 교육과정(Programmed Curriculum)이 있다. 이 교육과정은 컴퓨터 프로그램을 통해 사회가 필요로 하는 지식과 기능을 숙달할 수 있도록 구성되어 있다. 이 교육과정은 먼저 학생들의 흥미, 능력, 학습정도에 따라 적절한 프로그램을 제공한다. 그리고 학생들은 개별 컴퓨터를 이용하여 각자에게 주어진 프로그램을 실행하면서 학습하게 된다. 이 교육과정은 쉬운 것에서부터 시작하여 어려운 과제를 숙달할 수 있도록 설계되어 있다. 이 때, 교사는 이 프로그램에 대한 사용방법을 안내하고 학생들이 프로그램을 원활하게 실행할 수 있도록 관리만 하면 된다. 즉, 교사는 프로그램 실행과 관련한 관리자인 것이다. 그리고 학생들은 오직 프로그램 개발자들이 필요하다고 생각하는 지식과 기술만을 숙달하게 된다. 그들은 프로그램 된 교육과정 이외의 다른 지식과 기술들은 습득할 수 없다. 학생들의 학습은 오직 개발되어진 프로그램에 의해서만 관리된다. 이처럼 이미 만들어진 프로그램을 반복적으로 실행하여 지식과 기능을 숙달 시킨다는 점에서 프로그램 교육과정은 사회 효율성의 관점이 반영된 대표적인 사례이다.

David S. Snedden

David S. Snedden은 미국 학교교육 초창기의 대표적인 교육과정이론가이다. LA의 빈센트 대학에서 학사(1890)를 마치고 콜럼비아 대학 사범대학원에서 박사학위(1901)를 받았다. 10년 동안 그는 캘리포니아의 학교교사로, 교장으로, 관리자로 지냈고, 스탠포드에서 조교수(1901~1905)와 콜럼비아 대학 교육대학(1905~1909)에서 부교수를 역임했다. 그는 학위논문 「Administration and Educational Work of American Juvenile Reform Schools」(1907)에서 공립학교의 개선을 위한 모델로서 실용적이고 유용한 개혁학교의 교육을 나타냈다. 또한 그는 Samuel T. Dutton과 함께 첫 학교 경영서인 『The Administration of Public Education in the United States』(1908)를 공저하였다. 이 책에서 그는 민주적 인권의 보호책으로 학교의 운영진을 정치인이 아닌 전문가들로 대체할 것을 입법론적으로 주장했다.

1894년에는 Benjamin Kidd in Social Evolution으로 '사회적 효율성'이라는 용어를 대중화시키며, 역동의 시대에 저명한 교육자로서 주목받았다. 아동중심, 학문 중심, 그리고 사회 효율성의 경쟁적인 교육과정 설계 방법들이 존재하였던 1900년대 중기의 미국의 학교교육에서 사회 효율성의 이데올로기를 학교교육에 강력하게 반영한 대표적인 교육과정 연구자였다. 즉, 아이들의 능력과 흥미와 함께 산업화 사회의 요구를 조화시킨 학교교육의 재구조화와 교육과정 개발로 유명하다. 1909년 40대의 나이에 매사추세츠주에서 교육 최고 책임자 자리를 맡게 된 그는 사회적 능률은 학교시스템 교육에서 시작된다는 이론을 바탕으로 직업 교육의 중요성을 널리 퍼트렸다.

그는 미국의 학교체계가 소수의 대입을 목표로 하는 이론적인 학생들의 필요만을 충족하고 다수의 실용적인 성향의 학생들을 소홀이 하는 '비효율적' 이고 '비민주적'이라는 위원회의 의견에 동의했다. 즉, 다수의 학생들이 아무런 직업적 기술이나 지식이 없이 산업사회로 입문한다고 비평하면서 고등학교에서부터 직업에 필요한 기술과 훈련을 가르쳐야 한다고 주장하였다. 그 결과는 미국의 헌법에 명시되어 있는 모든 이들을 위한 평등한 교육이념에 어긋나는 직업계 고등학교의 설립으로 구체화되었다. 그리고 Snedden은 인문계밖에 없었던 미국의 고등학교 시스템을 대입을 위한 인문계 고등학교와 직업세계로 바로 나가도록 만든 직업고등학교의 두 개의 tracking system을 미국 교육역사상 최초로 정책화하고 실현시킨 대표적인 교육과정학자가 되었다. 이러한 그의 철학적 신념은 Frederick W. Taylor 그리고 Franklin Bobbitt의 과학적 경영관리이념에 대한 신봉에 기인한 것으로 추측할 수 있다. Snedden은 전통적인 방법, 추상적이고 비현실적이고 현학적인 교수법을 강조하였던 당대의 학습자 중심/경험중심의 교육과정학자들(John Dewey, Kilpatrick, Bode, Hullfish)과 역사적인 논쟁을 벌였었고 결국 승리하였다.

주요 저서

1908, The Administration of Public Education in the United States. New York: Macmillan.
1910, The Problem of Vocational Education, Houghton Mifflin, New York.
1920, Vocational Education. New York: Macmillan.
1921, Sociological Determination of Objectives in Education. Philadelphia: Lippincott.
1921, Objectives of Vocational Education?from Sociological Determination Objectives in Education, J.B Lippincott company, Philadelphia.
1922, Civic Education: Sociological Foundations and Courses. New York: World Book Company.
1922, Educational Sociology. New York: Century.
1969, Education for Social Efficiency, University of Wisconsin Press, Madison.

학습자 중심 교육과정

학습자 중심 교육과정은 학습자 개개인의 잠재적 능력을 발현시켜 주고 이를 통한 자아실현을 교육의 진정한 가치로 보는 관점이다. 이것은 인간의 존엄성에 기초를 두고 있으며, 개개인이 가진 능력과 잠재력은 다양하다는 전제를 깔고 있다. 그리고 개개인의 다른 사람들과는 다른 고유한 능력을 가지고 있다고 본다. 따라서 이 관점에서는 교육과정 또한 개개인의 가능성과 잠재력을 길러줄 수 있는 방향으로 설계되어야 한다고 본다. 또한 학교는 학습자가 가지고 있는 가능성과 잠재력을 개발할 수 있는 장소가 되어야 한다고 본다. 이것은 교육과정을 개발할 때 사회적 요구에 초점을 맞추는 사회 효율성 교육과정이나 학자들의 시각에 초점을 맞춘 학문 중심 교육과정과는 달리, 학습자 개개인의 관심과 요구에 초점을 둔다. 그리고 이를 통해 개개인의 성장을 중요한 교육과정의 목표로 본다. 학습자 중심의 교육과정에서는 학습자 개개인의 고유한 지적, 사회적, 정서적, 신체적 능력을 개발하고 조화시키는 것을 중요한 교육의 목적으로 보는 것이다. 이 관점에서 교사는 학습자들이 개개인의 가능성을 발현할 수 있도록 돕는 협조자가 되어야 한다. 즉, 개인의 존엄성에 대한 가치를 존중하며 학습자들이 그들의 가능성을 개발하고 성장시킬 수 있도록 도와야 한다.

학습자 중심의 교육과정에서는 학습과 관련하여 '성장'이나 '발현'이라는 용어를 많이 사용한다. 이것은 학습이란 학습자가 태어날 때부터 가지고 있는 고유한 능력을 끄집어낸다는 것을 의미한다. 이 관점에서는 학습이란 외부의 것을 가르치고 익히게 하는 것이 아니라 본래 학습자가 가지고 있는 고유의 능력을 개발시키는 것으로 본다. 이에 성장이나 발현이라는 용어를 통해 학습을 정의한다. 성장에 대한 가능성은 태어나면서 가지는 인간의 본연적 특성이다. 하지만 이러한 가능성은 적절한 자극과 환경에 노출되지 않으면 발현되지 않는다. 자신이 가진 가능성을 개발은 지적, 신체적, 사회적 상호작용이 활발하게 이루어질 때 이루어진다. 따라서 학교 교육은 학생들이 자신의 잠재적 가능성을 개발시킬 수 있는 적절한 학습 환경을 만들어 주어야 한다.

학생들은 이러한 사회와의 상호작용을 통해 의미를 생성한다. 그래서 학습자 중심 교육과정은 구성주의라고 부르기도 한다. 즉, 학생들은 사회와의 상호작용을 통해 스스로 지식을 구성하게 된다는 것이다. 이것은 사회 효율성이나 학문 중심 교육과정과는 달리 학습이 외부 결정자에 의해 주어진 것을 받아들이는 것이 아니라 학습자 스스로 발견하고 구성한다는 것을 의미한다. 하지만 학생들은 각기 다른 환경 속에서 다른 교육적 경험을 하게 되어 있다. 즉, 문화 맥락적 상황 속에서 각기 다른 교육적 경험을 하게 되는 것이다. 이것은 자연스럽게 학생 개개인이 각기 다른 의미를 구성하도록 만든다. 더 나아가 학습의 결과(의미의 구성) 역시 모두 다른 형태(자신만의 경험적 의미)로 나타나게 만든다. 따라서 교사는 학생들이 스스로 의미를 구성할 수 있는 환경을 만들어 주어야 한다. 이와 관련한 교사의 역할은 가르칠 내용의 선정, 학급환경 구성, 학습과제와 활동 조직 등이 있다.

학습자 중심 교육과정의 대표적인 학자

John Dewey, William Kilpatrick, Phillip Jackson, Carl Rogers, Johann Pestalozzi, Jean Rousseau, Abraham Maslow, Maria Montessori, Howard Gadner, Boyd Bode, Jean Piaget, Lev Vygotsky

목적

학습자 중심 교육과정의 목적은 학습자 개개인의 가능성과 잠재력을 개발시켜 주는 것이다. 이 관점에서는 인간을 모두 태어날 때부터 고유한 능력을 가진 존엄한 인격체로 본다. 그리고 인간은 이러한 자신의 고유한 가치를 개발하고 실현해 가는 존재로 본다. 즉, 인간의 존엄성 실현과 자아실현이 학습자 중심 교육과정의 궁극적인 목적이 된다. 따라서 교육과정은 교육 구성원들이 개개인의 고유한 능력을 발휘할 수 있는 환경을 만들어 주어야 하며 적절한 자극을 제공해야 한다. 이러한 적절한 자극을 제공하기 위해 교육과정을 개발은 교육과정 개발자들에 의해서만 이루어져서는 안 된다. 자아실현의 주체인 학생과 교사가 적극적으로 참여해야 한다. 학생중심 교육과정에서는 학습자의 흥미와 관심이 중요하기 때문이다. 따라서 교육과정을 개발할 때 학습자의 요구와 관심이 반영되어야 한다.

특징

다음에서는 학습자 중심 교육과정의 특징을 각 요소(학습자, 학습, 교사, 지식)별로 살펴볼 것이다. 이것은 학습자 중심 교육과정에서 정의하는 지식은 무엇인지, 가치 있는 지식은 무엇이며 가르쳐야 하는 지식은 무엇인지를 보여준다. 그리고 학습자와 교사는 어떤 역할과 가치를 가지는지 보여준다. 또한 이것은 학습자 중심 교육과정을 좀 더 깊이 있게 이해할 수 있도록 도울 것이다.

학습자

학습자 중심 교육과정에서는 학습자를 인간의 존엄성을 갖춘 인격체로 바라본다. 이 관점에서 아동은 각자 고유한 능력과 가능성을 가지고 있으며, 이러한 능력과 가능성을 성장시킬 수 있는 존재이다. 따라서 학교나 사회가 정한 기준에 따라 학생을 판단하지 않는다. 오히려 아동과 학습자의 고유한 능력과 가능성을 존중한다. 예를 들어 학력고사에서 낮은 점수를 받았다고 하여 그 학생을 무시하지 않는다. 그 학생은 예술이나 신체 운동적 영역에서는 뛰어난 능력을 발휘할 수 있기 때문이다. 또한 지금의 성적이 학생의 모든 잠재적인 가능성까지 측정한 것으로 볼 수 없기 때문이다. 시간이 지난 후에 그 학생은 뛰어난 성적을 받을 수도 있다. 학습자 중심 교육과정에서는 이러한 가능성의 공간까지 고려하여 학생들을 평가한다.

학습자 중심 교육과정에서는 인간의 본성과 능력을 선천적인 것으로 본다. 그리고 이러한 타고난 능력과 잠재적 가능성은 적절한 환경을 제공하면 개발하고 성장시킬 수 있는 것으로 본다. 따라서 그들은 현재 학습자가 가지고 있는 능력과 행동을 가지고 그 사람의 가치를 판단하지 않는다. 오히려 학습자가 미래에 할 수 있고 가지게 될 능력과 행동에 가치를 둔다.

학습자 중심 교육과정에서 아동은 스스로 의미를 만들어내는 존재이다. 즉, 학습자는 환경과의 상호작용을 통해 스스로 지식을 습득하고 그 의미를 구성하는 존재라는 것이다. 이것은 학습자가 자신의 능력과 가능성을 개발하고 성장시키는 것이 외부의 힘이나 교육을 통해서가 아니라는 것을 보여준다. 학습자는 스스로의 힘으로 의미를 생성하고 구성한다. 이와 관련하여 Barth(1972, p.20)는 학습자는 외부의 힘이나 성인의 힘을 빌리기보다는 스스로 호기심을 가지고 탐구하려는 본성을 가진 존재라고 말하였다. 즉, 아동의 성장 가능성과 학습에 대한 동기, 그리고 의미를 만들어내는 능력 이 세 가지는 그들의 본성인 지적 호기심과 탐구심에 기인하는 것이다.

그리고 학습자 중심 교육과정 학자들은 아동의 내부에 존재하는 지식의 상태와 내부에서 일어나는 지식 구성의 과정에 대해서도 언급하였다. 이것은 아동의 내부에서 일어나는 인지구조를 밝히고 설명한 것이다. 인지발달이론으로 잘 알려져 있는 이 관점은 지식의 형성이 인간의 정신과 같은 내적인 힘에 의해 이루어진다고 보았다. 즉, 아동은 정신을 사용한 내적 힘을 통해 사물을 바라보고 지식을 형성한다는 것이다. 이것은 자극과 반응이라는 특정 조건(환경)과 강화에 의한 학습을 주장한 행동주의 심리학과 상반되는 관점이다. 인지발달과 관련하여 가장 잘 알려진 학자로는 Piaget가 있다. 그는 인지발달이론을 통해 아동은 일련의 지적 발달 단계를 가지며, 인지 발달은 동화, 조절, 평형을 통해 이루어진다고 보았다. 그리고 아동은 자신의 인지를 사용하여 도식(schema)을 형성하고 구조화시킨다고 보았다.

결론적으로 학습자 중심 교육과정에서는 행동주의 이론처럼 자극과 반응 사이의 관계를 중요하게 생각하는 것이 아니라 아동의 내부에서 일어나는 지적 작용과 결과에 더 많은 관심을 둔다. 따라서 그들은 학생들이 무엇을 알고 있는지 무엇을 할 수 있는지 좀 더 그들의 지식과 행동을 가능하게 만드는 내적 작용과 지적 구조에 더 많은 관심을 둔다. 그 결과 그들은 아동의 인지 구조, 의미 생성 능력, 자존심, 자아 개념, 자부심, 창의력, 존엄성과 같은 변수에 더 많은 관심을 둔다. 즉, 아동이 사물을 접할 때 무엇을 느끼고, 그것에서 의미를 어떻게 구성하는지 그리고 그것을 어떻게 행동으로 옮기는지와 같은 것에 더 많은 관심과 흥미를 보인다.

학습

학습자 중심 교육과정에서는 학습을 인간의 인지구조를 사용하여 의미를 형성하는 과정으로 정의한다. 학습자 중심의 교육과정에서 의미의 생성은 상황맥락적인 것이며, 환경과의 끊임없는 상호작용의 결과이다. 이러한 경험과 환경의 끊임없는 상호작용을 통해 의미를 생성하는 과정이 학습인 것이다. Schiro(2008)는 학생들이 경험하는 사회적 · 물질적 세계의 상호작용 속에서 의미를 생성하는 동안 발생하는 지적 작용의 결과를 학습이라고 말하였다. 학습자의 성장은 경험을 통해서 얻어지는 것이다. 그리고 이러한 학습은 인간의 본성으로 학습에 대한 욕구와 학습 능력은 인간의 타고난 특성이다. 그리고 사람은 천성적으로 의미를 스스로 만들어가는 구성자이다. 따라서 학습은 그것 자체로 즐거운 것이며 본연적인 것이라고 본다. 따라서 학습은 자연적으로 일어나며 인간의 본성과 일치된 행동이다. 학습자는 그들이 가진 가능성과 잠재력을 의미 생성 과정을 통해 개발한다. 이러한 의미생성의 과정은 순간적이고 단편적인 활동이 아니다. 학습자는 자신이 처한 환경과의 상호작용을 통해 끊임없이 의미를 구성하고 형성시켜 간다.

의미의 구성과 생성이라는 관점에서 학습자 중심 교육과정은 구성주의 교육과정으로 불리기도 한다. 구성주의에서 학습은 그들을 둘러싼 환경과 접촉하고, 이러한 환경과 상호작용하면서 의미를 만들어 갈 때 발생한다. 흔히 구성주의에서는 학습이 일어나는 조건으로 다음 세 가지를 제시한다.

(1) 학습의 주체가 되는 학습자
(2) 학습자에게 상호작용을 제공하는 환경
(3) 직접적 경험을 위한 참여 활동

그리고 이 관점에서는 기억이나 체제적 교육과정을 중요하게 생각하지 않는다. 왜냐하면 학습은 기존의 생각이나 지식을 전수받고 숙달하는 것이 아니라 경험에 의미를 부여하는 과정이기 때문이다. 구성주의에서는 학습, 즉 의미를 생성하는 과정을 다음과 같이 설명한다. 먼저 학습자를 자극하는 환경이 존재한다. 여기서 학습을 자극하는 환경이란 학급 친구들, 교사, 책, 교구, 자연적인 현상이나 활동 등을 말한다. 학습자는 이러한 다양한 환경적 자극에 대하여 자신의 인지 발달 수준과 개인의 특성과 관심, 그리고 학습 스타일, 인지 구조에 따라 의미를 생성한다. 그리고 학습자는 이러한 의미를 생성하는 과정을 통해 자신이 가지고 있는 인지 구조를 확장하고 심화시킨다. 그들은 기존의 인지 구조에 새로운 인지 구조를 덧붙이기도 하고, 이러한 인지 구조들을 결합하여 새로운 인지 구조를 생성하기도 한다.

교사

학습자 중심의 교육과정에서 교사는 아동의 성장을 돕는 양육자로서 바라본다. 이를 위해 교사는 학생들의 흥미와 특성을 파악하여 적절한 교육적 환경과 방법을 제공해야 한다. 학습자 중심 교육과정에서는 이와 관련하여 교사의 역할을 크게 세 가지로 소개하고 있다.

학습의 관찰자 · 진단자로서의 교사. 교사는 학습자의 학습과 관련된 일련의 과정과 활동들을 관찰하고, 이를 통해 학생들의 특성과 능력을 파악(진단)할 수 있어야 한다. 학습자 중심 교육과정에서는 학생들은 각기 다른 능력과 특성을 가지는 것으로 간주한다. 따라서 학생 개개인의 고유한 특성과 능력을 개발해 주기 위해서는 학습자에 대한 정확한 진단이 필요하다. 교사는 관찰을 통해 수집된 자료를 바탕으로 학습자를 진단하고, 학습자 개개인에게 가장 적절하다고 판단되는 교육 환경과 방법을 제공할 수 있어야 한다. 이를 위해 교사는 관찰자 · 진단자가 되어 먼저 학생을 잘 알아야 한다. 학생의 흥미, 관심, 요구, 꿈, 생각 과정, 사고방식, 인지 발달, 사회적 기호, 감정, 신체적 능력과 같은 전반적인 특성을 알고 있어야 한다. 그러기 위해 교사는 관심을 가지고 지속적으로 학생을 관찰하고, 이를 통해 학생에 관한 정보를 수집해야 한다. 그리고 수집한 자료를 바탕으로 학생들의 능력과 특성을 파악하여 학습자 개개인에게 알맞은 학습 환경을 제공해 줄 수 있어야 한다.

학습 환경 제공자로서의 교사. 교사는 학습이 일어날 수 있는 적절한 학습 환경을 제공할 수 있어야 한다. 앞서 구성주의에서 학습은 환경과의 상호작용을 통해 이루어진다고 설명하였다. 따라서 학생들이 상호작용을 할 수 있는 적절한 교육적 환경을 구성하고 제공하는 능력은 교사에게 있어 매우 중요한 능력이다. 교사는 학생들에게 지적, 사회적, 정서적, 신체적 성장을 자극할 수 있는 경험을 제공하기 위해 교육과 관련된 전반적인 사항들을 모두 고려해야 한다. 이것은 개인적, 사회적, 물질적, 심리학적 요소들에 대한 고려로, 학습자의 능력과 심리 상태, 학습을 제공할 있는 환경과 제반 요소, 비용과 같은 교육에 필요한 전반적인 사항들에 대한 고려이다. 즉, 교사는 교육내용의 선정과 조직 그리고 교수방법에 대한 일련의 과정들을 고려한다. 교사가 고려해야 하는 사항들을 열거하면 다음과 같다. 무엇을 가르칠지, 어떤 자원을 활용할 것인지, 학생들의 참여와 흥미를 최대로 끌어내고 유지할 수 있는 방법은 무엇인지, 학습의 진도와 전체적인 학습일정은 어떻게 되는지, 학습 분위기와 환경을 조성하기 위한 규칙이나 활동에는 무엇이 있는지, 공동체 활동과 상호존중이 일어날 수 있는 학습 환경은 어떻게 만들 것인지.

학습 조언자 · 상담자로서의 교사. 교사는 학습자의 학습이 원활하게 이루어질 수 있도록 조언과 상담을 해 줄 수 있어야 한다. 이것은 교사가 학습자와 환경을 중재할 수 있어야 함을 의미한다. 먼저 중재에는 심리적인 것과 학습적인 측면이 있다. 심리적인 면은 학습의 흥미를 잃은 학생들이 지속적으로 학습활동에 참여할 수 있도록 돕는 것을 말한다. 학습적인 측면은 학습의 과정에서 직면한 문제를 해결하거나 좀 더 높은 수준의 학습을 돕기 위해 학습 방향을 안내하는 것을 말한다. 교사는 이러한 역할을 수행하기 위해 조언자 · 상담자가 되어야 한다. 그리고 이 밖에도 교사는 학습 환경을 중재할 수 있어야 한다. 학생들에 대한 진단을 기초로 하여 학습이 최대한 일어날 수 있는 환경을 중재할 수 있어야 하는 것이다. 그리고 교사는 학습하는 동안 일어날 수 있는 다양한 상황과 의문에 대해서도 적절하게 안내하고 지도할 수 있어야 한다.

지식

학습자 중심 교육과정에서 지식은 개인적 의미를 지니는 것이다. 학습자 중심 교육과정에서 지식은 학습자가 자신의 지식 구조를 통해 스스로 의미를 생성해 가는 과정이다. 그리고 그러한 능력이나 가능성은 개인에 따라 독특하며 고유한 특성을 지니고 있다. 따라서 학습자 중심 교육과정에서 지식은 이전에 습득한 지식을 바탕으로 한 다양한 상황과 경험에 대한 해석이다. 따라서 이러한 상황과 경험들에 대한 해석은 개인적인 의미를 가지는 것들이다. 즉, 똑같은 경험이나 사물에 대해서도 개인의 인지 구조나 발달 단계에 따라 다른 의미를 지니는 것이다. 따라서 지식은 철저하게 개인이 가지는 의미이며, 철저하게 개인이 경험하고 생성시킨 지식이라고 할 수 있다. 따라서 학습자 중심 교육과정에서 지식은 객관적이라기보다 주관적인 성격을 가지고 있다. 그리고 이러한 지식은 습득되는 것이 아니라 구성해 가는 것이다. 그 과정을 살펴보면, 먼저 개인이 경험한 것을 바탕으로 지식 구조를 만든다.

Piaget는 이러한 지식 구조를 '스키마(Schema)' 라고 하였다. 이러한 지식 구조는 개인적인 것이며 개인이 경험한 세계와 환경에 기초한다. 그리고 이러한 지식 구조는 새로운 환경을 경험하였을 때 사물을 인식하고 의미를 생성하는 데 사용된다. 학습자는 새로운 환경과 상황에 직면했을 때, 자신이 가지고 있는 기존의 지식 구조를 사용하여 새로운 의미를 생성한다. 그리고 이를 바탕으로 새로운 지식 구조를 생성한다. 이러한 과정은 개인의 내적 인지 작용을 통해 생성된다.

Vygotsky(1979)는 학습자가 지식을 구조화할 때, 그들이 가지고 있는 인지 구조

〈 표 7-7 학습자 중심 교육과정의 특징 〉

강조점	경험과 과정에 초점 통합 교육과정 학습자의 흥미와 관심 적절한 실행의 개발 실제 세계에 대한 관심
교수	간접적 교수 조력자로서의 교사 교수 방법의 다양성 관찰자로서의 교사
학습	학생들의 능력과 잠재력 협동 그룹 학습 공동체 참가 관계적/협동적 탐구학습/발견학습
환경	구성주의 팀 티칭 개방성과 유연성 평생 교육

(그들이 사용하는 언어, 그들이 가지고 있는 개념, 그들이 가지고 있는 사고방식)를 사용하여 학습 환경을 강화하고 또한 새로운 지식을 형성한다고 제안하였다.

지금까지 살펴본 학습자 중심 교육과정을 정리하면 표 7-7과 같다.

학습자 중심 교육과정의 예

이 절에서는 '레지오 에밀리아 교육' 과 '진보주의 교육과정' 을 통해 학습자 중심 교육과정이 실제 학교와 교실 현장에서 어떻게 적용되고 있는지 소개한다.

레지오 에밀리아 접근법

레지오 에밀리아 접근버(Reggio Emilia Approach)은 세계 2차 대전 후 이탈리아 레지오 에밀리아 지방에서 시작된 취학 이전의 아동과 초등학생을 대상으로 하는 교육철학이다. 전쟁의 폐허로 인해 그 지방의 부모들은 그들의 자녀들을 가르칠 수 있는 새롭고 빠른 교육법이 필요하다고 느꼈다. 그리고 아동의 인지발달과 인격형성은 발달의 초기 단계에 이루어진다고 느끼고 새로운 교육 프로그램 개발에 앞장섰다. 이에 그들은 존중감, 책임감, 공동체 의식을 길러 줄 수 있는 교육 프로그램을 개발하였는데 이것이 레지오 에밀리에 접근법이다. 이 프로그램은 기본적인 철학은 아동의 관심과 흥미를 존중하고 이를 바탕으로 학생들이 자신이 가진 잠재적 능력과 가능성을 발휘할 수 있도록 하는 것이다. 이에 레지오 에밀리에 접근법에서는 아동의 관심과 흥미에 바탕을 둔 탐구학습과 발견학습을 강조하였다. News(2000)은 레지오 에밀리아 교육의 목적은 불행했던 20세기 이탈리아 파시즘의 역사를 막고 새로운 민주주의 사회를 건설하는 것이다. 그리고 이를 실현하기 위해 비판적인 사고와 협동능력을 길러 주는 것이라고 말하였다(p.1). 이러한 레지오 에밀리아 접근법은 다음 4가지 원리를 추구하였다(Edmiaston, 2000, p.66).

(1) 협동적인 인간관계의 형성.
(2) 아동이 성장할 수 있는 교육적 환경 조성.
(3) 경험에 기초한 교육과정 설계와 프로그램 개발.
(4) 전인적 교육 실시와 아동의 학습 관찰과 기록.

레지오 에밀리아 접근법은 아동의 흥미와 관심에 기초한 비형식적 교육이다. 이 접근법은 아동이 교육의 중심이며, 아동이 주도적으로 자신의 능력을 개발하도록 돕는 것이 중요하기 때문에 국가에 의해 만들어진 교육과정의 범위와 계열을 따르지 않는다. 따라서 이 접근법은 읽기와 쓰기와 같은 과목들을 강조하며 교육하지도 않는다. 그들은 아동의 흥미와 적성을 고려하여 아동들이 교실에서 친구들과 함께 협동적으로 작업할 수 있는 교육적 환경과 기회를 제공하기 위한 교육계획을 세운다. 레지오 에밀리아 접근법은 기본적인 학습 방법으로 프로젝트 학습방법을 사용한다. 프로젝트 학습법은 학생들로 하여금 비판적인 사고와 탐구 활동을 할 수 있는 많은 기회를 제공한다. 그리고 이를 통해 학생들이 스스로 실제 삶의 문제를 해결할 수 있도록 한다. 그리고 학생들은 이 문제를 해결하기 위해 프로젝트에 참여하면서 자연히 학급동료들과 협동하는 능력을 기르게 된다. 대개 프로젝트의 주제는 학생들이 일상에서 가지는 관심사와 그리고 일상생활에서 경험하는 문제들로 구성한다. 프로젝트 주제와는 관계없이 성공적인 프로젝트는 아동의 비판적인 사고와 문제해결을 자극할 수 있는 것이어야 한다. 그리고 문제해결을 위한 다른 탐구 방법이 개방적이어서 아동의 호기심과 의문을 불러일으키는 것이어야 한다. 이를 요약하면, 레지오 에밀리아 접근법은 학생의 흥미에 기초하고 있으며 어린 아이들에 대한 현대연구에 의해 지지되고 있는 많은 특징들, 즉 비판적인 사고 탐구기회를 제공함으로써 실제 삶의 문제를 해결하게 하는 특징을 가지고 있다(New, 1993, p.2).

그리고 레지오 에밀리아 접근법은 '환경' 을 제3의 교사(third teacher)라고 부르며, 물리적 환경을 구성하는 것에 많은 관심을 가진다. 특히 학급간의 통합, 학교와 사회와의 통합이 이루어질 수 있는 물리적인 환경을 구성하는데 관심을 기울인다. 이것은 학습은 사회와의 상호작용 속에서 이루어진다는 관점이 반영된 것으로 학생들이 맺는 인간관계와 사회적 환경이 학습의 장이 된다는 생각을 반영한 것이다. 그래서 학생들 다양한 능력을 개발할 수 있도록 지역공동체와 구성원들은 긴밀하게 협조해야 한다. 그래서 이 접근법은 공동체로서 학급을 강조한다. 그리고 친구, 가족, 교사, 지역사회와 의 관계를 중요하게 생각한다.

레지오 에밀리아 접근법의 특징을 정리하면 다음 표와 같다.

〈 레지오 에밀리아 교육의 특징 〉

특징	내용
아동에 대한 이미지	모든 어린이는 스스로의 학습에 대한 잠재력과 구성 능력을 가지고 있으며 해낼 수 있음
지역사회와 시스템	아이, 가족, 교사, 부모와 사회가 서로 영향을 미치며 협력하기
환경과 아름다움에 대한 관심	학교와 교실은 아름다운 장소임
교사에 의한 협동	팀, 짝, 협동작업, 정보교환, 프로젝트 나누기
정해져 있지 않는 시간	아이들의 속도와 시간표를 존중, 교사와 몇 년 동안 머물며 유대관계가 변함없이 유지됨
주목을 끄는 교육과정/프로젝트	새로운 통찰력을 추가하기 위한 아동기의 흥미에 따른 아동 참여의 나선형교육과정
환경적인 동질성	활동, 곤란한 일, 발견과 다양한 미디어 사용에 대한 격려
문서화	아이들의 학습을 관찰, 기록, 사고, 보여주기

진보주의 교육과정

진보주의 교육과정(The Progressive Curriculum)은 19세기말에서 20세기 초에 시도된 Dewey의 아동중심 교육 철학을 말한다. 진보주의 교육과정은 학생이 자신의 흥미와 관심에 따라 학습을 계획하고 문제를 해결해 나갈 수 있도록 수업을 구성한다. 그리고 교사는 학생들이 이러한 문제를 해결하고 관심과 흥미를 유지할 수 있도록 돕는 것을 중요하게 여긴다. 이것은 학습자 중심 교육과정의 철학을 잘 반영한 것으로 이러한 진보주의 교육과정의 특징들은 다음과 같다.

먼저 교사의 특징은 크게 두 가지로 요약할 수 있다. 교사의 첫 번째 역할은 학습의 촉진자이다. 진보주의 교육과정에서는 교사는 지시자가 아니라 안내자이다. 즉, 교사는 직접 가르치기보다 학생들이 흥미를 가지고 문제를 해결할 수 있는 적절한 환경을 제공해야 한다. 이에 대해 Dewey는 '최선의 교육은 교사가 학습자가 되고 학습자가 교사가 될 때 일어난다' 고 하였다. 교사의 두 번째 역할은 학습의 관찰자/진단자이다. 학습자 중심 교육과정은 아동을 존중하기 때문에 아동의 관심과 흥미 그리고 특성과 능력을 중요하게 생각한다. 따라서 교사는 관찰을 통해 학생의 특성을 파악하고 진단할 수 있어야 한다. 그리고 이렇게 파악한 학생의 특성에 맞는 학습 방법과 활동을 선정하고 조직할 수 있어야 한다.

그리고 진보주의 교육과정은 학생이 중심이다. 이것은 학생이 스스로 학습을 계획하고, 결정하는 것을 의미한다. 이러한 진보주의 교육과정에서 학생에게 기대되는 역할은 다음과 같다. 첫째, 신체적인 움직임에서부터 학생들이 스스로 해결해야 하는 사회적 문제에 이르기까지 모든 분야에 적극적으로 참여하는 것이다. 둘째, 학생들이 단지 학문적인 지식과 기술을 습득하는 것에 그치지 않고 지식을 실제 생활과 문제를 해결하는 도구로서 하는 것이다. 학생들은 수학, 읽기, 과학, 지리 등의 과목을 학습하는 것이 중요하지 않다. 목수, 음악가, 예술가, 과학자들과 같이 자신들의 이러한 지식들을 구체적으로 표현하고 실현하는 것을 중요하게 생각한다.

George S. Counts

Counts는 1889년에 캔자스에서 태어났다. 그는 시카고에서 교육학을 전공하고, Charles H. Judd와 Albion W. Small과 같은 저명한 학자들과 함께 부전공으로 사회학을 공부했다. 그는 1916년에 시카고대학교에서 박사학위를 받았으며, 미국 교육계에서 사회적 재건주의 입장의 선도적인 대변인 역할을 하며 학자로서의 권위를 얻었다. 1926년부터는 시카고대학교에 출강하였는데, Counts는 이 기간 동안 Dewey의 진보적인 교육 모델을 선호했고 그에 대한 연구를 중요시했다. 콜럼비아 교육대학에서 근무하는 동안 Counts는 주목할 만한 연구 업적을 몇 가지 남겼으며 1955년 은퇴할 때까지 콜럼비아 교육대학에서 계속 연구하였다.

G. S. Counts를 재건주의 선구자라고 하는데 그것은 진보주의의 반성을 지적한 Counts의 1930년의 『문화에 대한 미국인의 길』(The American Road to Culture)과 1932년의 "학교는 감히 새로운 사회질서를 세울 수 있는가?"(Dare the School build a New social Order?)에서 비롯된 것이다. Counts는 이들 저서에서 진보주의의 사회중심적인 전향을 특히 주장하고 교육의 문화사회적인 역할을 새롭게 수립할 것을 제창하였다. 국제 연구소의 이사로 1927년부터 1932년까지 활동하였으며, 하버드, 일리노이, 미시간, 스탠포드 대학 등 주요 대학에서 수많은 강의를 했다. 또한 여러 전문가와 시민 단체 주최의 강의에 적극적으로 참여하였다. 특히 미국의 교육정책 및 사회과학협회, 미국대학교수협회, 미국시민자유연맹, 미국연방정부의 역사협회, 미국사회학협회, 뉴욕의 국립교육협회, 그리고 발전적 교육협회 등에서도 활발하게 활동하였다.

그의 급진적인 논문으로 인하여 그가 참여한 AERA 모든 회의가 취소되고 그의 논문을 중심으로 한 토론이 학술대회의 주요 의제로 상정되었다는 기록이 있다. 아동중심의 교육과정 연구중심이었던 그 시대에 사회의 문제 중심과 사회 변역을 강조한 그의 글은 아동중심 교육과정 연구자들에게는 하나의 큰 충격이었다. 러시아의 공산주의를 신봉하여 러시아를 비밀리에 여러 번 방문하였고 그로 인하여 미국 FBI의 추적을 받았다고 한다(필자의 박사학위 종합시험자료). 미국 학교교육의 비판과 사회재구성 교육과정의 이론을 정립시킨 학술지인 Social Frontiers의 주도적 학자였다. 아동만을 고려하고 사회의 문제들을 외면하는 당시의 미국 교육과정 이론의 방향에 대한 수정을 가하는 중대한 충격을 주었다. 사회과 교육과정과 학교 교과서 제작을 통하여 미국 자본주의 문제와 학교교육의 문제를 지적한 Harold Rugg와 함께 사회재구성주의 교육과정학자의 대표 인물로 꼽힌다.

주요 저서

1946, the Promise of America: Longman.
1952, Education and American Civilization: Greenwood Press.
1962, Education and the Foundations of Human Freedom.

사회 재건주의 교육과정

> *사회 재건주의 교육과정은 사회 변화를 강조한다. 이것은 개인과 사회가 더 나은 방향으로 변할 것이라는 믿음에 근거하고 있다(Ozmon & Craver, 1999, p.185).*
>
> *학교는 새로운 사회 건설을 장려하는 장소이어야 한다. 재건주의자들은 학교는 사회적, 문화적 위기를 해결할 수 있는 도구로 새로운 사회를 건설하는데 도움을 준다고 믿는다(Stanley, 1992, p.21).*

사회 재건주의자들은 현재 사회가 가지고 있는 불합리한 구조나 문제에 대하여 인식하고 있다. 일반적으로 사람들은 사회를 완전한 것으로 보고 그 구성과 기능이 합리적이고 체계적으로 구성되어 있다고 믿는다. 하지만 사회 재건주의 관점의 학자들은 현재 사회에 대한 비판적인 시각을 가지고 있으며, 사회가 가지고 있는 문제에 초점을 맞춘다. 그들은 이러한 사회문제가 인종, 젠더, 사회적 · 경제적 불평등에서 오는 것으로 정의한다. 그래서 그들은 이러한 사회 문제를 해결하려고 하며, 이러한 문제를 해결함으로써 지금보다 나은 사회를 건설해야 한다고 믿는다. 그들은 교육을 통해 모든 사회 구성원들이 만족할 수 있는 사회건설을 추구한다.

사회 재건주의 교육과정에서는 다음 관점에서 사회를 바라본다. 먼저 그들은 우리의 사회는 건강하지 않다고 간주한다. 사회는 많은 문제들에 의해 위협받고 있다고 본다. 이러한 문제로는 인종문제, 전쟁, 성문제, 빈곤, 인구폭발, 에너지 부족, 문맹, 건강, 고용문제 등이 있다. 그리고 그들은 학교 교육을 통해 사회 문제가 재생산되며, 사회 문제는 갈등을 통해 해결되고 좀 더 나은 방향으로 나아간다고 생각한다. 이것은 Marx의 사적 유물론(변증법적 유물론)이 반영된 관점으로 사회는 필연적으로 새로운 사회로 나아간다고 보았다.

사회 재건주의 교육과정에서 교육의 목적은 사회가 직면하고 있는 문제에 대한 통찰력을 기르는 것이다. 사회 문제는 표면적으로 보이는 것이 아니다. 현재의 사회는 완전해 보이며, 사회 구성원으로 살아가는 것은 아무 문제를 가지지 않은 것처럼 보인다. 따라서 사회에 대한 비판적 통찰력 없이는 사회 문제를 인지할 수 없다. 교육은 사회를 바라보는 이러한 비판적인 시각을 길러주며, 현재 사회가 가지고 있는 문제를 통찰할 수 있도록 해준다. 그리고 사회 재건주의 교육과정 학자들은 사회에 대한 비판적 통찰력은 필연적으로 새로운 사회 건설에 대한 의지로 이어진다고 보았다. 따라서 교육의 역할은 비판적 통찰력을 기르는 것에서 그치지 않고 새로운 사회 건설을 위한 비전과 실천의지를 기르는 것이라고 보았다. 그리고 교육은 사회를 재건하기 위한 수단이 된다고 보았다. 즉 교육은 더 나은 사회에 대한 비전을 길러주며, 현재 사회에서 새로운 사회로 나아가는 원동력이 된다고 보았다. 이와 관련하여 Ozmon과 Craver(1999, p.167)는 사회 재건주의 교육가정의 두 가지 중요한 전제를 다음과 같이 제시하였다. "사회는 끊임없이 변화와 새로운 구조를 요구한다.", "교육은 사회를 변화시키는 데 사용하는 도구이다."

사회 재건주의 교육과정의 관점에서 사회 변화와 관련한 절대적인 가치는 존재하지 않는다. 그들은 사회를 끊임없이 변화, 생성, 발전해 가는 존재로 파악하였다. 좋은 교육, 진리, 지식은 시대와 상황에 따라 변하는 상대적인 것이다. 따라서 이 관점에서 사회 문제는 고정된 절대적인 것이 아니라 사회 문화에 의해 결정된 것이며, 인간의 경험에 비추어 불편하고 바라지 않는 상황에 대한 인식이다. 그리고 이러한 불편하고 바라지 않는 상황을 해결하는 것이 사회를 재건하는 것이다. 이것은 Hegel의 변증법적 사고를 반영한 것으로 사회를 정반합(正反合)의 과정을 통해 끊임없이 변화하고 발전해가는 존재로 간주한다. 사회 문제와 새로운 사회에 대한 비전은 고정된 것이 아니며, 계속해서 변하며 발전해 가는 것이다. 이렇게 만들어진 새로운 사회는 정으로 굳어지며, 사람들은 새로운 사회에서 발생하는 새로운 사회 문제를 해결하기 위해 노력하며, 이를 통해 또다시 좀 더 나은 새로운 사회가 건설된다. 이러한 과정의 반복을 통해 사회는 모든 사회 구성원들이 만족할 수 있는 방향으로 나아간다.

사회재건주의 교육과정의 대표적인 학자

Gorge Counts, Harold Rugg, Michael Apple, Henry Giroux, Paulo Freire, Jean Anyon, Peter McLaren, Patti Lather, Michelle Fine, Elizabeth Ellsworth, Shirley Steinbeck, James Sears, Susan Talburt

목적

사회 재건주의 교육과정의 목적은 사회 문제를 인지할 수 있는 통찰력을 기르고 이러한 문제를 해결하여 좀 더 나은 사회를 건설하는 것이다. 그리고 이를 통해 모든 사회 구성원들이 물질적, 사회적, 정신적으로 행복하고 만족스러운 삶을 살 수 있는 사회를 만드는 것이다. 물론 이때 추구하는 사회적 가치는 인간의 존엄성이 실현되는 민주주의 사회와 절대 평등 사회이다. 이러한 목적을 달성하기 위해 사회 재건주의 교육과정에서는 교육을 통해 사회 문제에 대한 구성원들의 일치를 이끌어낸다. 그리고 사회 문제를 해결하는 방법에 대한 합의를 끌어내고 사회가 나아가야 하는 바람직한 사회적 가치가 무엇인지에 대한 합의를 끌어낸다. 즉, 교육을 통해 기존의 사회가 가지고 있는 문제를 인식시키며, 그 문제의 해결 방안과 바람직한 새로운 사회상을 가르치는 것이다. 이를 통해 사회 구성원들이 좀 더 자유롭고 평등한 사회에서 살아 갈 수 있도록 만드는 것이다.

특징

다음에서는 사회 재건주의 교육과정의 특징을 각 요소(학습자, 학습, 교수, 교사, 지식)별로 살펴볼 것이다. 이것은 사회 재건주의 교육과정에서 정의하는 지식은 무엇인지, 가치 있는 지식은 무엇이며 가르쳐야 하는 지식은 무엇인지를 보여준다. 그리고 학습자와 교사는 어떤 역할과 가치를 가지는지 보여준다. 이것은 학습자 중심 교육과정을 좀 더 깊이 있게 이해할 수 있도록 도울 것이다.

학습자

사회 재건주의 교육과정에서 학습자는 다음 세 가지 관점에서 논의된다.

사회적 산물로서의 학습자. 이것은 우리가 흔히 이야기하는 사회화를 말하는 것으로, 학습자는 사회화 과정을 통해 생겨난 사회적 산물이다. 그리고 문화적 재생산 이론과 자본적 재생산 이론에서 이야기하는 계급 재생산의 관점에서 학습자를 바라보는 것이다. 따라서 사회 재건주의 교육과정에서는 학습자를 사회적 대리인으로 생각한다. 하지만 단순히 기존의 사회적 가치를 답습하는 존재를 의미하는 것은 아니다. 학습자는 교육을 통해 사회에 대한 비판적 통찰력을 배우기 때문에 새로운 사회를 건설할 수 있는 사회적 대리인이다. 이와 관련하여 Giroux는 개인의 성장이 곧 사회의 성장이라고 보고 다음과 같이 말하였다. “학습자는 태어날 때 좋지도 나쁘지도 않은 존재이다. 그들은 다양한 방면에서 뛰어난 능력을 발휘할 수 있는 잠재적 꾸러미에 지나지 않는다. 그들은 자라면서 가족, 친구들 속에서 많은 것을 보고 느끼며 의미를 생성해 간다. 이것은 삶을 통해 더욱 완전한 인간이 되어 가는 과정으로 아동이 자신의 잠재성을 개발하는 것은 더 나은 사회를 만드는 원동력이 된다.”

의미 결정자로서의 학습자. 이것은 학습자를 그들이 살아가고 있는 문화와 환경에 따라 가치를 만들어 가는 존재로 보는 것이다. 학습자는 어떤 것으로부터 의미를 얻는 것이 아니라, 스스로 의미를 만들어 간다. 이것은 사회화의 과정이 단순히 기존의 가치를 답습하는 것이 아님을 보여준다. 학습자는 사회와 상호작용을 통해 바람직하고 의미 있는 가치를 스스로 만들어 간다. 그래서 아이들의 지각기능, 해석의 기능, 의미구조는 사회 재건주의자들에게 중요하다. 왜냐하면 이것들은 아이들이 실제를 지각, 해석, 구성하는 방식에 영향을 미치기 때문이다.

사회 그룹의 구성원으로서의 학습자. 학습자는 다른 사람과의 관계를 맺으며 살아가고, 사회적 공동체 속에서 살아간다. 학습자는 개인으로서가 아니라 사회 공동체의 구성원으로서 살아가는 것이다. 이러한 학습자들이 속하는 공동체에는 크게 두 가지 유형이 있다. 먼저 학교 밖 공동체이다. 이 공동체는 아이들이 그들의 삶의 대부분을 보내는 곳으로, 학생들로 하여금 새로운 사회를 건설하기 위한 행동을 요구한다. 다음은 학교 공동체이다. 학교 공동체는 단순히 교사의 통제 아래에 있는 환경을 의미하는 것이 아니다. 여기서 말하는 학교 공동체는 좀 더 복잡하고 폭넓은 상호작용이 일어나는 공간을 의미한다. 이에 사회 재건주의에서는 사회의 기능을 어떻게 학교 밖에서 학교 안으로 가져와 학생들을 가르치는 데 사용할 수 있는지, 학교에서 어떻게 실제 공동체 사회를 경험하게 할 수 있는지에 대한 해답을 찾고자 한다. 학교 밖에서 학교 안으로 아이들의 삶을 가져오는 것은 삶의 모든 측면들을 다루는 것으로, 그들의 경험, 생각, 느낌, 꿈과 같은 요소들을 포함한다.

학습

사회 재건주의 교육과정에서는 학습자 중심 교육과 마찬가지로 학습을 구성주의 관점에서 본다. 즉, 사회와의 상호작용에서 느끼는 경험을 통해 가치와 의미를 생성하고 구성한다는 것이다. 하지만 이것은 학습자 중심 교육과정에서 말하는 구성주의와는 차이를 가지고 있다. 학습자 중심 교육과정에서 학습은 학생들이 본래 가지고 있는 잠재적 가능성과 능력을 이끌어내는 것이지만 사회 재건주의 교육과정에서 학습은 경험을 통해 바람직한 사회 가치를 형성하는 것이다. 이것은 학습자를 바라보는 시각이 다르기 때문이다. 학습자 중심에서는 학습자를 내부에 본성적으로 잠재적 능력을 가진 존재로 본다. 하지만 사회재건주의에서는 학습자를 어떠한 가치나 의미도 지니고 있지 않은 존재로 본다. 따라서 학습자 중심 교육과정에서는 학습자가 가지고 있는 본래의 가치를 이끌어내는 것으로 보지만 사회 재건주의에서는 학습자는 가치 중립적이며 그가 가지는 경험과 환경에 의해 가치를 생성하는 것으로 본다. 즉, 이 두 관점은 의미를 생성하고 구성한다는 점에서는 같지만 내부의 가치를 외면화하고 외부의 가치를 내면화한다는 차이를 가지고 있다.

그들은 학습이란 의미 구조를 완성하기 위해 학습자들이 스스로 새로운 경험을 동화시키는 것으로 본다. 이것은 Piaget가 말한 지식 형성의 과정과 유사한 것이다. 하지만 Piaget가 내적 인지 작용에 의한 지식 형성만을 이야기했다면 사회 재건주의에서는 사회적 가치와 기준도 지식 형성에 중요한 역할을 한다고 본다. 이러한 학습에는 두 가지 중요한 요소가 있다. 첫째는 '의미 만들기' 이다. 이것은 학습자가 그들의 지각에서 벗어난 새로운 상황을 접하였을 때 새로운 의미를 생성하는 것을 말한다. 즉, 학습자가 자신의 경험을 자신이 가진 지식 구조와 사회적 타당성에 비추어 자신의 것으로 수용하는 과정을 말한다. 학습에 있어서 둘째 구성요소는 '의미 구조' 이다. 의미 구조는 학습자가 가지고 있는 기존의 지식 구조와 사회에 대한 가치, 기준을 의미한다. 이것은 새로운 상황을 접하였을 때 의미를 생성하는 기준이 되는 것으로 학습자는 의미를 생성할 때 이 의미 구조를 기초로 한다.

결과적으로 학습은 학습자가 경험하게 되는 상황과 환경적 맥락과 학습자가 가지고 있는 인식과 가치의 범위 내에서 일어난다. 학습자들은 이미 자신들이 가지고 있는 문화적 자원을 바탕으로 학습과정을 만든다. 따라서 교사들은 학습을 할 때 학생들의 언어, 역사, 경험을 고려해야 한다. 일상생활의 역동성과 학교에서 가르쳐지는 것들을 합산해야 하는 것이다. 학생들이 지역, 사회, 세계의 수준에 직면하도록 교육과정을 발전시켜야 한다.

교수

사회 재건주의 교육과정에서 교수방법은 직접 경험에 의해서이다. 사회 재건주의에서는 학습이 사회와의 상호작용 속에서 학습이 일어나는 것으로 본다. 따라서 학생들이 직접적으로 경험하고 상호작용할 수 있는 환경을 통해 가르치는 것을 이상적으로 생각한다. 이것은 전통적인 교실의 개념을 바꾼 것으로 강의식 수업에 의한 지식의 전달을 더 이상 중요한 교육방법으로 생각하지 않는다. 학습은 언어와 소통을 통해 일어나며, 경험을 통해서도 일어난다고 본다. 그래서 사회적 재건주의자들은 경험을 통학 학습을 강조한다. 역사와 같이 실제 경험할 수 없는 주제들은 그 상황과 가장 유사한 경험을 할 수 있도록 하여 가르친다.

사회 재건주의 교육과정에서 가르치는 것의 목적은 사회를 재구성하는 것이다. 학생들이 자기 자신을 재구성하여 그들이 사회를 재구성할 수 있게 자극하는 것이다. 이것은 의미와 의미 구조를 지각하고 해석할 수 있을 때 가능하다. 이에 사회 재건주의에서는 사회 문제에 직면했을 때 그것을 이해하고 분석하여 그러한 문제가 없는 더 좋은 사회를 설계할 수 있도록 가르치고 교육한다. 즉, 의미 그 자체를 받아들이는 것에 그치는 것이 아니라, 사회 현상을 분석하고 해석할 수 있는 비판적 통찰력을 기르는 것이다. 그리고 이러한 통찰력을 가지고 새로운 사회를 건설할 수 있는 구체적인 방안을 제시할 수 있는 힘을 기르는 것이다. 따라서 정형화된 과거와 현재의 문제에 대한 대응이 아니라 미래 문제에 접근하는 방식을 가르쳐야 한다고 생각한다. 이를 위해 사회 재건주의 교육과정에서는 다양한 교수 방법을 사용하는데, 여기에서는 토론법(discussion)과 경험법(experience method)을 소개한다.

토론법. 사회 재건주의 교육과정에서 많이 사용하는 교수방법이다. 이것은 사회 문제를 인식 및 분석하고 대안을 찾기 위해 다른 사람들과 의견을 교환하는 것을 말한다. 이 방법은 그룹의 구성원들이 가지고 있는 지식을 모으고 재구성하는 가장 이상적인 방법이다. 그 이유는 인간이 언어를 매개로 지각, 학습, 감정, 행동하기 때문이다. 학생들은 의견을 나누는 과정을 통해 그들이 미처 알지 못했던 문제에 대한 정보와 지식을 알게 된다. 그리고 자신의 의견을 발표할 때 자신이 알고 있던 지식의 의미를 새롭게 발견한다. 학생들은 다른 의견을 수용하고 자신의 의견을 새롭게 검토하면서 좀 더 정교하고 구조화된 지식을 얻게 된다. 그리고 사회에 대해 더 큰 통찰력을 얻게 된다.

학생 그룹이 대화에 몰입하는 것이라면 한편 교사는 학생들의 의견을 종합하여 의미를 도출하는 역할을 한다. 여기 밑바탕에 깔린 가정은 학생들은 스스로 자신들의 지식과 앎의 방식을 재구성한다는 것이다. 그들은 이미 알고 있는 지식을 다시 뱉어내어 토론을 통하여 재구성하고 검토하는 것이다. 그리고 토론은 학생들로 하여금 사회에 대한 이해를 그룹에게 말하게 함으로써 지식의 변형과 재건이라는 목표를 성취한다. 그리고 토론을 통해 지식은 그룹에 의해 재확인되며, 이러한 지식의 정교화는 학생들에게 큰 통찰력을 준다. 지식이 그룹에 의해 더 정확하고 적절해지는 것이다.

토론의 내용은 대화에 관련된 것들로부터 나온다. 토론 내용은 그들이 먼저 경험했거나, 새로운 방식으로 이해하고 싶은 것들이다. 따라서 실제적인 사회경험과 지식이 중요하다. 토론은 지식과 경험에 의해 결정되어야 하며, 지식을 가지고 있는 사람이 그것을 지각했을 때 그러한 경험을 설명해야 한다. 비록 토론이 자각된 지식과 경험에 의해 결정되는 것은 맞지만 그것에 국한되는 것은 아니다. 왜냐하면 토론 도중에 참가자의 경험이 늘어나고 새로운 것을 만들 수 있기 때문이다. 여기서 중요한 것은 그 사람이 현재 있는 곳에서 출발해야 한다는 것과 참가자의 이전 경험과 지식에서 출발해야 한다는 것이다. 즉, 토론과정에서 나오는 지식은 참가자의 이전 경험과 지식과 연관되는 것이어야 한다. 그리고 그룹 토론은 생각(Thought), 실행(commitment), 행동(action)이라는 세 가지 요소를 가지고 있어야 한다. 이중 하나라도 없으면 토론은 말 그대로 말하기에 그치게 된다.

경험법. 사회 재건주의 교육과정에서 그 다음으로 많이 사용하는 교수방법이다. 사회 재건주의에서는 사회적 경험, 그리고 사회적 위기에 대한 경험이 지금의 사회를 이해하고 더 나은 사회에 대한 비전을 갖게 한다고 본다. 사회 재건주의에서는 개인의 경험과 그와 관련된 지식이 매우 중요하다는 것이다. 그리고 만약 그러한 경험이 없을 땐 적절한 경험을 제공해야 한다고 본다. 즉, 개인들이 사회의 문제와 인식을 이해하기 위해 먼저 직접적인 참여를 할 수 있는 기회를 제공해야 한다는 것이다. 그리고 이러한 경험과 참여를 통해 학습자가 사회의 문제와 본질을 이해하게 되며 자발적으로 새로운 사회, 더 나은 사회를 건설하고자 하는 의지를 고취시킨다. 이러한 경험은 단순한 지식 이상의 의미를 학생들에게 제공한다는 점에서 중요하다. 이에 교사는 학습 공동체 경험과 현장 학습, 그리고 가상현실 참여 등을 통해 가르친다.

교사

사회 재건주의 교육과정에서 교사는 학생들의 동료이자 협력자이다. 교사는 권위적으로 학생들을 통제하지 않는다. 그들은 학생들과 다양한 상호작용을 나누며, 학생들이 사회적 가치를 형성할 수 있도록 돕는다. 따라서 이 관점에서는 교사를 모든 것을 아는 존재로, 학생들을 아무것도 모르는 존재로 보지 않는다. 교사와 학생은 자신들의 경험과 지식을 공유하며 함께 살아가는 사회 공동체의 구성원이다. 따라서 교사와 학생 간의 경험과 지식이 활발하게 공유될 수 있도록 토론과 상호작용을 중요하게 생각한다. 교사는 과거의 강의식 수업에서처럼 일방적으로 학습 내용을 선정하고 가르치지 않는다. 학생 역시 마찬가지로 수동적으로 받아들이지 않는다. 그들은 단순히 지식을 가르치고 받아들이는 관계가 아니라 토론을 통해 경험을 공유하면서 의미를 새롭게 구성해 가는 관계이다. 따라서 교사는 학생들과 함께 의미를 형성하고 지식을 구성해 갈 수 있는 동료이자 협력자가 되어야 한다.

지식

사회 재건주의에서는 현재 사회를 유지하는 데 필요로 하는 것을 지식으로 간주한다. 즉, 현재 사회를 구성하고 있는 그리고 역사적으로 축적되어 온 지배 집단의 논리와 가치를 지식으로 본다. 그들은 지식을 근원적으로 힘의 관계(power relation) 속에서 인식한다. 그것은 계급, 인종, 젠더와 같은 사회적 관계와 정의에 관한 문제이기도 하다. 하지만 이들이 말하는 지식은 여기에서 그치지 않는다. 그들은 기존의 지식이 만들어낸 사회가 가지는 문제를 인식하고 새로운 사회를 재건하는 데 필요한 지식을 찾으려고 노력한다. 즉, 사회의 구조적 모순을 생산하는 지식과 가치가 무엇인지 그리고 더 나은 미래 사회를 위해 가치 있고 필요한 지식이 무엇인지를 찾고자 한다. 이러한 사회 재건주의 교육과정의 지식은 크게 두 가지로 구성되어 있다. 진실로 밝혀진 '지식'과 도덕적 '가치'이다. 흔히 진실과 가치로 구성되어 있다고 이야기한다. 즉, 사회를 인식하고 재건하는 데 필요한 지식과 이에 상응하는 지식으로 존중받을 수 있는 도덕적인 내용으로 구성되어 있는 것이다. 이것은 지식이 가치와 연결되어 있는 것으로 지식이 단순히 지식에 그치는 것이 아니라 바람직한지 바람직하지 않은지와 같은 가치 문제와 연결되어 있음을 의미한다.

지금까지 살펴본 사회재건주의 교육과정을 요약 정리하면 표 7-8과 같다.

〈 표 7-8 사회 재건주의 교육과정의 특징 〉

강조점	사회를 재건할 수 있는 존재로서의 학습자 의미 결정자, 사회 구성원으로서의 학습자 능동적 주체
교수	사회 문제 의식을 위한 토론식 수업 사회적 행동
학습	문제의식 실천의지
환경	지배 집단의 이데올로기를 재생산하는 장소로서의 학교

사회 재건주의 교육과정의 예

이 절에서는 'Highlander 민속학교'과 '사회 재건주의 수학 교육과정'을 통해 사회 재건주의 교육과정이 실제 학교와 교실 현장에서 어떻게 적용되고 있는지 소개한다.

Highlander 민속학교

Highlander 민속학교는 사회 재건주의 교육과정의 철학을 직접적이면서도 강하게 반영한 학교이다. 이 학교는 당시 사회 문제를 산업화에 의한 빈부 격차와 고통스러운 노동자의 삶으로 보고 이러한 사회적 문제를 해결하고 노동자들을 돕기 위해 설립되었다. 그리고 교육과정과 수업 프로그램 역시 이러한 자신들의 목표를 달성하기 위해 설계되었다. 이것은 학교의 수업이나 프로그램과 같이 부분적인 개혁이 아닌 학교 전체를 사회 재건주의의 이념아래 설립, 개발, 운영하였다는 점에서 큰 의의를 가지고 있다.

Highlander 민속 학교는 1932년 myles hortor에 의해 Tennessee의 Morteagle mountain에 설립되었고 사회주의자들의 활동할 수 있는 장을 제공하였다. 이 학교는 산업혁명으로부터 발생되는 사회적 위기를 해결하기 위해 설립되었다. 학교는 미국에서 억압받는 모든 사람들이 그들의 억압에 도전하고 새로운 사회를 만들어 갈 수 있도록 교육하였다. 이에 학교의 교육방침은 기본적으로 경제적, 정치적으로 소외 된 가난하고 힘없는 사람들에게 새로운 이상 사회에 대해 가르치는 것이다.

이러한 목적을 달성하기 위해 hortor는 유능한 노동기관업자를 초빙하였다. 그들을 교육을 통해 미국에서 고통 받고 있는 노동자들의 삶을 이해할 수 있도록 가르쳤다. 그리고 그들이 고통 받지 않은 이상사회에 대한 비전과 영감을 불어 넣어 주었다. 그리고 억압 받는 노동자들을 도울 수 위한 구체적인 전략을 가르쳤다. 그리고 이러한 교육을 받은 노동자들을 공장과 농장 그리고 광산으로 돌려보냈다. 그리고 그 곳에서 탄압받는 노동자들과 함께 조직을 만들어 좀 더 나은 생활과 작업 환경을 위해 파업하게 하고 새로운 이상 사회를 설립하게 하였다.

이 학교의 교육과정은 6주간의 합숙으로 이루어져 있다. 그리고 이러한 약 25명의 유능한 노동자들에 의해 교육과정이 가르쳐진다. 이것은 교육과정을 이수한 노동자들을 다시 공장과 농장, 광산으로 돌려보내 탄압받고 있는 노동자들을 교육시키기 위한 것이다. 그리고 공장, 농장, 광산으로 돌아 간 노동자들이 그 곳의 다른 노동자들을 교육할 때 학교에서 사용한 교육과정과 똑같은 것을 사용하였다. 이 교육과정은 세 단계로 이루어져 있다.

첫 번째 단계는 문제에 대한 인식이다. 노동자들은 그들의 경험과 수집한 자료들을 바탕으로 그들이 겪고 있는 억압의 실체를 분석하였다. 두 번째 단계는 대안 수립이다. 자신들이 겪고 있는 문제를 인식한 노동자들은 이러한 억압에서 벗어나기 위한 구체적인 전략을 토론하게 된다. 토론을 통해 그들은 새로운 사회에 대한 그림을 그리고 실천의지를 기른다. 세 번째 단계는 실천의 단계이다. 여기서는 파업을 의미하는 것으로 앞의 두 단계를 통해 느끼고 알게 된 억압을 벗어나기 위해 구체적인 행동을 옮기게 된다. 그리고 그들은 파업과 함께 집으로 돌아가 그들이 배우고 느낀 것을 다시 그 지역사회에 퍼트린다.

사회 재건주의 수학 교육과정

이 책에 소개된 수학 교육과정은 사회 재건주의 교육과정의 영향을 받아 만들어진 것이다. 이 수학 교육과정은 그룹 프로젝트의 형식으로 이루어진다. 학생들은 사회에 이슈가 되고 강조되는 사회 문제를 조사하고 자료를 수집한다. 그리고 자신들이 수집한 자료를 바탕으로 문제를 인식하고 이러한 문제를 해결하기 위한 구체적인 계획과 방법을 실천하게 된다. 이것은 사회의 문제를 인식하고 좀 더 나은 사회를 재건한다는 사회 재건주의의 기본적인 개념과 일치한다. 사회 재건주의 수학 교육과정의 내용을 구체적으로 살펴보면 다음과 같다. 여기에서는 좀 더 쉬운 이해를 돕기 위해 대도시 공립학교의 중학교 수업시간에 이루어지는 활동을 중심으로 기술 하였다.

먼저 학생들은 기본적으로 사회의 이슈(샛별공원 구제하기, 환경 장애요소, 학교 붐비기, 알코올 가게 분배, 세계 건강 분배, 이라크 전쟁 비용, 무작위 교통정지)와 같은 사회의 문제를 해결하기 위한 프로젝트 수행한다. 먼저 활동과정에서 그동안의 강조되어 온 이슈와 가치를 조사하고 확인한다. 학생들은 자신이 참여하고 있는 프로젝트 분야에 직접 참여하고 시뮬레이션에 참여한다. 그리고 화자의 말 청취하기, 개인적 경험 교환하기, 역할놀이, 영화감상 또는 이슈를 어떤 방식으로 경험하기 등을 통해 개인적으로 그 속에 포함되어 방식을 체득하게 되며 지적이고 감정적으로 움직이게 된다. 교사는 학생들이 이슈와 연관된 데이터를 수집하고 조사하는데 필요한 수학을 소개하고 그러면 학생들은 교사에 의해 소개된 수학을 사용하여 데이터를 모으고 분석한다. 그들의 수학적 분석의 결과에 따라 학생들은 그 이슈를 잘 이해하기 위해서 좀 더 많은 토론의 시간을 가진다. 그리고 자신들의 문제를 좀 더 명백하게 만들어 간다. 그들은 토론 중에 사회 제도가 자신들의 활동을 제약할 수도 있고 활동을 촉진시켜 주기도 한다는 사실을 알게 된다.

모든 중학교의 프로젝트는 그들 지역사회에서 학생들이 가져온 것에서부터 경험한 것 까지 다양한 문제들을 종합하여 분석한 결과로부터 시작한다. 그러면 교사는 개인적 친밀함을 기초로 하여 학생들의 삶을 조명한 사건에 대한 신문을 소개한다. 이러한 사건들은 지성적으로든 감성적으로든 학생들과 연관되어 있으며 수학적으로 해결할 수 있는 것들이다. 다음으로 수학적 활동과 토론을 위한 경험을 수립한다. 어린이들은 morningstar 공원 필드여행, 환경적 위험요소, 분리수거 등과 같은 학교 프로젝트를 계획하고 참여한다. 그리고 학생들은 프로젝트를 경험하고, 분석하고, 토론한다. 이 때 그들은 사회적 상황들뿐만 아니라 그들이 그들의 세계를 어떻게 향상시킬 수 있는지를 토론하고 구체적인 실행의 출발점과 방법까지 토론한다. 이것은 문제를 이해, 개선을 위한 조사 항목 결정, 가치 분석, 그룹 비전과 같은 요소들을 포함한다. 이러한 과정의 한 부분으로써 학생들은 사회의 정의에 대한 그들의 의견을 레포트로 작성한다. 그리고 문제를 해결하고 좀 더 나은 사회를 건설할 수 있는 방향을 제시한다. 그리고 가족이나 친구들과 그들이 가진 의견을 공유하면서 자료를 수집한다. 그리고 학급으로 돌아가서 그 데이터를 모아 수집된 그래프를 사용하고 데이터를 분석한다. 이러한 방식으로 그들은 그들의 의견을 공유한 결과를 볼 수 있게 된다.

위의 프로젝트는 자회재건주의 교육과정의 한 예시이며, 이러한 수학을 포함한 모든 프로젝트는 학교 교육과정에서 다양한 형태로 나타날 수 있다.(정수, 소수 그리고 퍼센트가 있는 커리큘럼, 그래프와 대수학, 확률과 통계, 추정과 데이터 분석: 수학적 원인, 문제풀기, 의사소통 그리고 나타내기, 그리고 수학적 연결의 형태).

제8장

숙의 교육과정 개발: Deliberation

이 장의 공부할 내용

숙의의 개념
숙의의 특징과 성격
숙의에 기초한 교육과정 개발 모형
숙의가 적용된 실제 연구
성공적인 숙의를 위한 유의점

Joseph Schwab

우리에게 '숙의 교육과정의 선구자'로 잘 알려진 Schwab은 미시시피주 콜럼버스에서 태어났다. 그는 영특하여 시카고 대학교 학부를 15세에 입학하였고 영문학 전공으로 학부를, 동물학으로 석사를, 그리고 발생학으로 박사를 받았다. 그 이후 거의 50년 동안을 시카고 대학교에 머물렀고 시카고 대학교 교육학과와 자연과학부의 교수로 재직하였다. 교육과정 연구의 한 역사적 기록을 남긴 'The Practical'의 창시자로서 이론 중심인 기존의 교육과정 연구를 실제 중심의 이해와 분석 중심으로 변화시키는 데 기여하였다. Schwab의 연구는 20세기 후반의 가장 훌륭한 교육과정 연구서로 평가받는다.

교육과정 영역에 대한 그의 공헌은 1969년 미국전미교육학회(AERA) 연차학술대회에서 시작되었다. 그는 청중인 교육과정학자들에게 교육과정 영역은 이미 죽지 않았다면 병들어 있는 상태라고 비유하여 청중을 놀라게 하였다. 그에 따르면 교육과정 영역은 알 수 없는 이론들과 모델들을 가져다 학교 교육과정 연구에 접목시키고 있다고 지적하면서 교육과정 연구를 이론적 추구(theortical pursuits)에서 실제적 추구(practical pursuits)로 바꿀 것을 요청하였다. 그는 그 어떤 특정이론도 어떤 특정 주제와 관련시켜서 이해하려고 하면 불완전하고 그러한 이론은 문제가 되는 딜레마 상황이 갖는 복잡성을 지나치게 단순화시킨다고 믿었다. 그리고 추상화된 설명이나 모델은 이론의 가장 대표적인 악(vice)이라고 비유하면서 이론을 통한 이해는 실제 행위, 실제 교사, 실제 아동들을 이해하는 데 있어서 차이가 날 뿐만 아니라 그 원래의 상황을 이해하는 데 그 풍부함을 없애버린다고 평가하였다. 따라서 교육과정 영역은 그 자체적인 실제적 문제들이 무엇인지를 규명하고 해결해야 한다고 제안하였고, 그러한 제안은 교육과정 영역 연구에 대한 성격에 대한 논쟁을 격화시켰다.

교육과정에 대한 구체적인 이상이 잘 남겨져 있는 'The practical'은 총 6개의 논문으로 구성되어 있는데 이중에서 2편은 출판되지 못하였고 4편이 알려져 있다. 이 네 편의 논문들은 기존의 교육과정연구에 대한 비판에서부터 교육과정 연구자 집단의 구성과 기능까지 포괄하여 교육과정에 대한 이론과 실제의 문제를 다루고 있다. 그의 이러한 제안은 이후의 교육과정 연구자들로 하여금 교육과정 현상, 이론의 적절한 적용, 교육과정 전문가에 대한 새로운 정체성 문제들에 대한 새로운 시각과 이론을 개념화하는 데 실질적으로 기여하였다.

주요 저서

1969. Curriculum as institution and practice: Essays in the deliberative tradition. NJ: Erlbaum.
1969. College curriculum and student protest. Chicago: University of Chicago Press.
1978. Science, curriculum, and liberal education. Chicago: University of Chicago Press.
1983. The Practical 4: Something for curriculum professors to do. Curriculum Inquiry. 13(3). 239-265.

출처: Pereira, P.(1984). Deliberation and the arts of perception. Journal of Curriculum Studies, 16(4). 347-366.
그 외 인터넷 자료

1970년대 이전에도 꾸준히 계속되어 온 숙의에 대한 교육과정의 실제적인 연구는 1969년 Schwab(1969)이 "이론적인 것에만 집착하여 교육과정이 죽어가고 있다."는 충격적인 발표를 한 후 교육과정 분야에서 더욱 조명받게 되었다. 숙의(deliberation, 熟議)라는 방법은 Schwab, Reid, Walker를 비롯한 많은 학자들에 의해 연구되는데 이는 주로 이론에 치중하기보다는 교육의 실재에 기반을 둔 교육과정의 실천적인 연구이다.

이러한 숙의를 통한 교육과정 개발은 교육과정 개발의 역사에서 중요한 역할을 차지한다. 타일러 이후에 대안으로 제시된 숙의 교육과정 개발 모형은 기존의 목표모형과 전혀 다른 형태의 방법으로 이루어지는데 이 글에서는 그러한 숙의 교육과정 개발에 대하여 살펴보고자 한다. 따라서 이 글에서는 '숙의'의 개념과 숙의에 대한 주요한 학자들의 이론적 접근을 토대로 개발된 숙의 모형을 알아보고, 교육과정에서 숙의가 어떻게 적용될 수 있는지 알아보도록 한다.

숙의의 개념

'숙의'는 'deliberation'을 번역한 것으로 교육학 분야에서는 Schwab에 의해 고조되어 왔다. 이에 이 절에서는 교육과정 분야에서 주요한 학자인 Schwab(1969), Walker(1971), Reid(1978)의 숙의에 대한 접근을 살펴본다.

교육과정에서 숙의

- 실제적 문제를 해결하기 위한 과정
- 집단적으로 문제를 이해
- 문제에 대한 알맞은 대안적 해결책을 창출하여 비교 및 검토
- 그러한 대안의 결과를 고려하여 최상의 행동방향을 선택하거나 밝히는 과정

Schwab의 개념

- 교육과정 연구의 이론적 편향을 비판
- 이론적 편향의 비판으로 실천성을 주장
- 실천성을 다루는 방법으로 숙의를 주장

숙의 개념의 선구자인 Schwab은 오늘날 교육과정 이론가들이 구체적이고 일상적인 교육과정의 문제에 대한 해답을 추구하기보다는 교육과정 개발의 일반적인 이론에만 열중함으로써 교육과정의 연구가 제길을 잃고 있다고 주장한다. 그리고 교육과정 구성을 위한 다소 급진적인 방안을 제시한다. 그는 오늘날 교육과정의 연구 분야가 빈사상태에 놓여 있다고 말하며 현재와 같은 원리나 방법으로는 그 연구를 계속할 수 없다고 주장한다. 이는 교육과정 연구가 이론적인 것에 집착해 왔기 때문이라는 것이다. 이제 교육과정 연구는 이론의 추구에서 벗어나 실제적(practical), 준실제적(quasipractical), 그리고 절충적(electic)이라는 세 가지 방향으로 노력해야 할 때, 교육과정 분야에 르네상스가 있고, 교육의 질 향상에 기여할 새로운 능력이 생길 것이라고 Schwab은 주장한다.

Schwab이 제시하는 세 가지 대안적 방안은 교육과정 연구가 근본적으로 특수한 상황에 따라 적절한 대안적 행동을 모색할 수 있도록 해야 한다는 것으로 요약할 수 있을 것이다. 즉 어떤 한 문제를 이해하고 설명하기 위해서는 그 문제가 발생한 특수한 상황과 관련된 여러 사실이나 지식에 바탕을 두고 해석하여야 하며, 일반적인 행동의 법칙이나 이론만으로 파악할 수 있는 것이 아니라는 것이다. 구체적인 상황에 얼마나 유용하게 적용될 수 있는가가 이론의 좋고 나쁨을 판단할 수 있게 한다고 본다. 이런 특수한 상황에 대한 배려는 마치 배심원들이 주어진 여러 구체적인 증거들을 바탕으로 고심하여 판결을 내리듯이 '숙의(deliberation)' 라고 하는 과정을 통하여 가능한 것으로 Schwab은 보고 있다.

Schwab은 우리들에게 보편화된 일반 원리로 구성되는 교육과정의 이론을 추구하기보다는 구체적인 교육과정의 정책이나 실천의 사례에서 좀 더 좋은 결정과 행위를 찾도록 권하고 있다. 예컨대 치열한 선거전에서 어떤 후보가 당선될 것인지, 사람들이 어떤 배우자를 찾아 결혼하게 되는지, 또는 어떤 직업들을 선호하는지 등에 대하여 우리가 언제나 일관된 완전한 해답을 찾을 수 없듯이, 모든 교육과정 문제에 적용되는 일반적이고 추상적인 해결책을 갖기를 기대해서는 안 된다는 것이다. 우리가 어떤 배우자를 선택하고 어떤 직업을 갖는가 하는 것은 곧 우리의 삶을 결정하는 일이며, 그러한 일들은 우리의 최선의 지적인 노력을 필요로 하는 것이지 배우자나 직업 선택의 이론을 생활에 적용하는 것이 아니다. 마찬가지로 교육과정에 대한 의사결정도 교육과정 이론을 필요로 하는 것이 아니라고 Schwab은 주장한다(Walker & Solitis, 1997).

Walker의 숙의

교육과정 개발자인 Walker(1975)는 교육과정안을 구성하는 데 선행되고 또 그 기반을 이루는 탐구, 판단, 의사결정 그리고 행위라는 지적 과정에 관심을 두고서, 이러한 본질적인 문제에 관한 논쟁의 숙의라고 규정한다. 그는 이것이 판사가 판결을 내리기 전에 모든 증거와 논증을 토대로 행하는 작업과 유사하다고 하였다. 그에 따르면 숙의과정은 학생, 교과목, 사회에 관한 주어진 정보에서부터 교육과정 형식을 연역해 내는 과정이 아니다. 숙의가 기초하고 있는 정보는 과학적, 경험주의적이기보다는 교육과정 숙의참여자들의 일상적인 경험이며, 또한 구체적인 관찰로부터 자료를 얻을 때 그 관찰은 참여자의 작업과정 중에서 우연히 이루어지는 것이지 학생이나 학교 그 외의 다른 외적인 대상에 의해 인위적으로 이루어지지 않는다.

아울러 그는 많은 교육과정 학자들이 교육과정 개발에 있어 합리적-과학적 이상을 추종해왔음을 지적하고 있다. 이 합리적-과학적 이상이란 수단과 목적을 철저하게 분석하고 과학적 자료수집 및 분석의 기법을 적용하며, 실천적인 행위의 가치 지향적 측면을 첫 단계, 즉 성취될 최종적인 목적의 설정에 국한시킨다. 그리고 모든 부수적인 활동이 과학적이고 합리적인 요구에 엄격히 부합하도록 강제화함으로써 실천적인 과제를 수행한다는 것이다. 이러한 생각은 그의 연구(1975)에서 교육과정 계획의 자연적인 과정(natural process)이라는 아이디어에 반영되어 있다. 이 연구에서 가장 중요한 발견은 교육과정 개발의 핵심이 실천추론이라는 것이며 교육과정 개발은 그 나름대로의 합리성을 가지고 있기 때문에 비합리적인 편견이나 선호를 반영하지 않는다는 것이다.

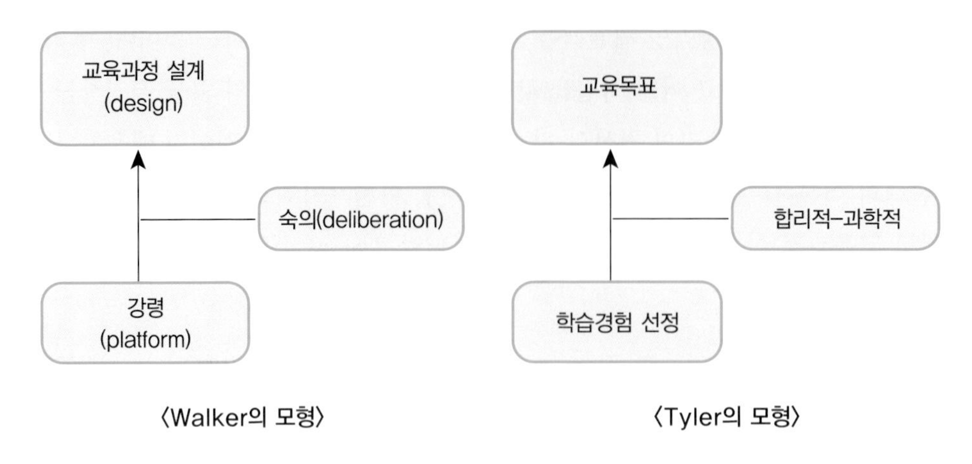

[그림 8-1 Walker의 상향식 모형과 Tyler의 하향식 모형]

Walker와 Tyler의 모형을 단순화하여 표현한 그림 8-1은 Walker의 숙의에 대해 잘 보여주고 있다. 실제로 교육과정을 개발하고 있는 집단들이 어떠한 과정을 거쳐 그 일을 수행하고 있는지 살펴본 Walker(1971)는 그들이 Tyler가 말하는 네 가지 단계(교육목표 설정-학습경험의 선정-학습경험의 조직-학습성과의 평가)를 그대로 따르고 있지 않다는 사실을 보고하고 있다. 많은 교육과정 개발 연구들은 전혀 목표를 진술하고 있지 않거나, 설혹 진술한다 하더라도 작업의 초기에 교육과정 개발의 기준으로 제시하기보다는 교육과정이 다 개발된 후에 교사들에게 그들의 의도를 설명하기 위한 방편으로 목표를 진술하는 경우가 많았다. 실제적인 교육과정 개발자들이 작업에 임하면서 갖고 있는 것은 구체적으로 진술된 목표가 아니라, 그들이 학교나 학생, 학습, 교실, 사회 등에 관해 갖고 있는 신념과 좋은 교육의 내용과 방법이 어떤 것인지에 대해 막연히 갖는 관념들이다. 따라서 그들은 그들이 공유하는 신념을 서로 나누고 분명히 하는 일에 많은 시간을 사용하고 있었으며, 이러한 과정을 통해 그들은 Walker가 소위 '강령(platform)' 이라고 이름 붙인 공통의 기본 가정을 가질 수 있다(조영태, 2008, p.6).

많은 경우 교육과정 개발 작업은 우선 교육과정 개발을 위해 해야 할 일이 무엇인가를 제안하고, 그 각각의 제안들이 갖는 이점과 문제점에 대한 찬반토론의 형식을 따르고 있었다. 따라서 이러한 토론들은 자연히 그 구성원들이 갖는 강령에 크게 의존하고 있었는데, 그것은 마치 배심원들이 주어진 법률에 따라 각각 다른 판결을 고려하듯이 교육과정 개발자들도 그들이 갖는 신념과 관념 체계에 따라 사고의 방식이 다른 것을 알 수 있었다. 그들은 또한 배심원이 결과적으로 유죄와 무죄를 결정하듯이 여러 상황과 사실을 고려하여 최선의 방안을 결정하게 되는데, 이때 그들은 Schwab이 말하는 숙의의 방법을 사용한다는 것이다.

Walker가 말하는 이상적인 숙의는 다음과 같은 다섯 가지 특징을 가지고 있다.

- 문제를 가장 옹호 가능한 방법으로 추정한다.
- 가장 전망이 밝은 대안을 고려한다.
- 각 대안의 장점을 완전히 고려한다.
- 결정에 이른 모든 관련자들의 가치와 관점을 포함시킨다.
- 공정하고 균형 잡힌 판단에 이르도록 한다.

Walker가 제시한 숙의의 과정은 자신이 다른 곳에서 밝힌 바 있는 실제적 이성(practical reasoning)의 활용 과정과 거의 일치한다. 그는 교육과정 개선에서 실제 적 이성의 사용 과정을 다음과 같이 제시하였다.

이상적인 숙의 과정

(1) 문제의 제기
(2) 문제해결책의 제안
(3) 문제해결책 각각의 찬성과 반대의 논증
(4) 논증과 관련되는 원리의 제시
(5) 논증과 관련되는 증거의 제시

첫째, 문제를 더욱 통찰력 있게 파악한다. 개발 집단의 리더는 문제의 기원과 원인을 분석한다. 일반적으로 집단은 문제를 분석하는 데 많은 시간을 할애하는 것을 꺼려 한다.

둘째, 유력한 문제해결책을 찾아낸다. 개발 집단은 대개 소수의 해결책을 제안 하는데, 대부분은 현재의 실제와 유사하다. 새롭고 근본적으로 다른 해결책은 집단에게 익숙하지 않기 때문에 모험적이므로 채택하지 않는 경우가 많다.

셋째, 매우 현명하게 문제해결책을 선택한다. 교실에서 현장실험을 한 후 일어난 일을 논의한 다음 문제해결책을 선택한다. 가장 그럴듯한 문제해결책의 부정적인 측면도 살펴본다.

넷째, 해결책들의 균형을 취한다. 문제해결책은 공통요소 중의 하나만을 염두에 두고 선택될 수 있다. 교육과정 전문가들은 전체를 보며, 다른 참가자들도 전체를 볼 수 있도록 도움을 준다. 균형 있는 문제해결책을 선택하기 위해서는 교육과정 개발과 관련 있는 모든 이해당사자의 말에 귀를 기울여 들어야 한다.

숙의의 특징과 성격

수많은 이론가들이 숙의의 과정에 대한 아이디어를 이론화하여 앞부분에서는 숙의에 대해 연구한 학자들이 제시한 숙의의 개념을 살펴보았다. 이 절에서는 숙의가 교육과정 개발 과정으로서 어떠한 성격을 갖고 있는지를 살펴보도록 한다.

Schwab

실제적 문제는 보편적인 해결방법이 있는 것이 아니라 특정한 상황에 알맞은 방법을 모색해 내어야 하는데 Schwab(1970)은 이를 기예(arts)라고 불렀다. 실제적인 문제를 해결하는 기예는 논의의 편의상 실제적 기예(arts of practical)와 절충적 기예(arts of eclectic)로 구분할 수 있다. 실제적 기예는 이론을 보충해주는 것으로서 실제를 위하여 이론이 할 수 없는 것을 해준다. 절충적 기예는 이론을 실제 문제의 해결을 위하여 사용할 수 있도록 준비하는 기예이다(Walker, 1990).

Schwab은 교육과정 개발의 과정을 숙의의 과정으로 보았다. 그는 교육과정 개발의 과정은 개발자들이 모여서 문제를 발견하고 문제해결을 위하여 발견한 것을 모으고 이를 활용하여 새로운 교육의 목표나 자료를 만들어가는 과정이며, 이러한 과정은 단계적으로 일어나는 것이 아니라 동시에 일어나며 나선형적인 운동을 한다고 하였다. 이러한 개발 과정에서 숙의는 두 단계로 이루어진다(그림 8-2 참조).

McCutcheon

McCutcheon(1995)은 숙의의 특성을 다음의 아홉 가지로 정리하였다.

첫째, 숙의자는 문제해결을 위한 가능한 해결책과 행위들을 생각해내고 그것들의

1단계

개발자들이 교과의 학문적 성격만을 중요하게 생각할 수 있으므로 학생이나 학습 환경 등의 다른 요인들에 중점을 두면서 시작, 개발자들이 교육에 대한 자신의 가치관과 포부 발견, 동료들의 가치관과 포부도 발견하며, 각자가 동료의 견해에 맞춰 자기 의견을 고치고, 문제를 효과적으로 해결할 수 있는 동료 관계 형성.

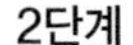

2단계

대안의 제시.
학문적 지식이 교육내용으로서 적당한가를 교사, 교수환경, 학생 등 여러 입장에서 대안을 검토, 이러한 과정으로 선택된 교육내용 중 그 의도와 구현하려는 가치에 비추어 선택하고 결정하는 과정. 이때 선택과 결정을 하면서 교과, 학습자, 교육환경, 교사의 네 가지 공통 요인에 비추어 보아야 한다.

교육과정 개발에서 숙의과정 참여자

(1) 학자이면서 교과전문가를 대표하는 사람
(2) 학습자에 대한 지식과 경험을 지니고 있는 사람(학습자 포함)
(3) 학교 안팎의 인적, 물적 환경과 그들 환경과의 상호관계를 잘 알고 있는 사람
(4) 교사에 대해 잘 알고 있는 사람(교사 포함)
(5) 교육과정 개발과정에 참여한 경험이 있는 사람(교육과정 전문가)

[그림 8-2 Schwab의 숙의 단계와 참여자]

중요성을 비교하여 검토한다.

둘째, 숙의자는 수단과 결과, 사실과 가치를 모두 중요하게 여긴다.

셋째, 숙의자는 문제해결책으로 제시된 안들이 지닌 잠재적 실행과 결과를 계획한다.

넷째, 숙의는 시간적 제한 속에서 이루어진다. 즉, 실행이 이루어져야 하므로 구체적인 시간 범위 내에서 의사결정을 하게 된다. 이러한 시간적 제약이 숙의에 해로운 결과를 미치기도 한다.

다섯째, 숙의는 도덕적 성격을 지닌다. 숙의는 객관적이고 가치중립적이며 완전히 합리적인 작업이 아니며 그래서도 안 된다. 숙의자가 목적을 가지고 합리적인 결정을 할 때 그러한 결정은 외부의 권력 기관이 부여한 책무성이나 객관적이고 기술적인 처방을 따르기보다는 가치관과 윤리관, 사회에 대한 책임의식, 더 나은 사회에 관한 비전 속에서 이루어진다.

여섯째, 숙의는 최소한 다섯 가지 요소를 지닌 사회적인 활동이다.

- 아동과 사회 전체에 영향을 줄 수 있는 사회적으로 책임감 있는 의사결정이다.
- 숙의의 과정에서 사람들은 서로 생각이 다를 때에도 계속해서 의견을 교환하고 함께 의사결정을 하는 방법을 배운다.
- 개별 숙의에서 교사들은 다른 교사들이 각자의 교실에서 무엇을 가르치는지를 고려해야 한다.
- 숙의는 교사의 기대와 학생들의 반응을 고려하는 사회적 특질을 지닌다.
- 숙의에는 미래 사회에 대한 예측이 필요하다. 교사들은 오늘 가르치는 내용뿐만 아니라 학새들의 미래의 삶에 만족을 줄 수 있는 기회를 제공해야 한다.

일곱째, 숙의는 선형적이거나 논리적인 과정이 아니다. 숙의는 가변적인 상황에서 다양한 요인들의 영향을 받는 복잡한 활동으로 숙의자들은 숙의 과정에서 생각, 견해, 행위 등에서 많은 변화의 과정을 겪으므로 숙의 과정은 역동적인 성격을 띤다.

여덟째, 숙의 과정에는 숙의를 촉진시키고 과정을 이끄는 것으로서 관심과 갈등이 존재한다. 숙의에서 관심이 연료라면 갈등은 엔진에 비유할 수 있다. 관심은 개인의 행동을 이끌어내는 독특한 특성으로서 관심이 없다면 숙의는 아예 시작될 수 없다.

아홉째, 숙의 과정에서 갈등은 개인 내, 개인 간, 집단 내의 부조화나 불일치를 가리킨다. Simmel(1995)는 교육과정 숙의와 같은 사회적 과정에서 개인은 부분적으로든 전체적으로든 동료들과의 갈등을 겪게 된다고 말한다. 그러나 이러한 갈등을 통해서 사람들은 다른 사람들의 입장을 더욱 명확하게 이해하게 되고 갈등 상황을 일으킨 사람들 간에 상호작용을 하게 함으로써 오히려 사람들을 통합시켜 주게 된다. 갈등 때문에 숙의의 시간이 오래 걸리고 비조직적인 것처럼 보이지만 사람들은 갈등을 통해서 문제해결을 위한 안들을 제안하고 같이 검토하게 된다.

McCutchan(2002)은 이와 같은 숙의의 특성을 바탕으로 개별 숙의와 집단 숙의를 제시한다. 개별 숙의는 '개인이 교육과정을 어떻게 결정하고 개념화하는가?' 라는 물음으로 시작된다. 이때 개인의 숙의 과정에 중요한 영향을 미치는 것이 한 개인인 교사의 실천적 이론의 행동이다. 따라서 교사의 실천적 이론 행동이 무엇이며 이 이론을 어떻게 적용시키는지 살펴보아야 한다. 집단 숙의에서는 집단 숙의의 네 가지 특징이 무엇이며 여기서 말하는 지식의 사회적 구성이 무엇인지 그 의미를 살펴보도록 한다.

개별 숙의

개별 숙의 과정에서 중요한 영향을 미치는 것이 개인 교사의 실천적 이론의 행동이라고 본다. 실천적 이론의 행동은 교사들이 작업에서 가지는 이미지와 개념, 믿음과 밀접하게 관련되어 있다. 즉, 실천적 이론의 행동은 교사가 가르치기 전, 가르치는 중, 가르친 후의 반성에 영향을 미친다.

교사의 실천적 이론의 행동 그 특유의 성질은 교사가 가르치기 전 개인적으로 경험한 것에 기인한다. 이 이론들은 문화의 성질이 교사들에 의해 공유되고 만들어지기 때문에 비슷한 문화 속에서 사람들이 자랄 때 공유된다. 교사의 실천적 이론은 교실에서 행동을 유발하고 교사의 계획과 결정을 내리는 데 기초가 된다. 어떤 점에서 교사의 실천적 이론은 개인이 학교에서 실제적으로 어떻게 구성되는지 보여주는 것이다.

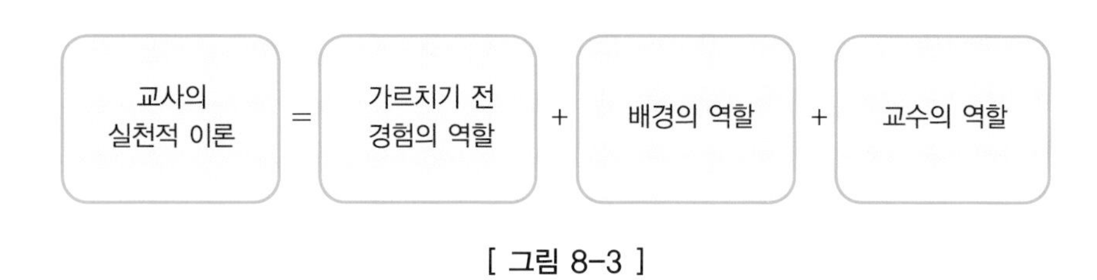

[그림 8-3]

가르치기 전 경험의 역할

교사들은 이 실천적 이론을 그들의 개인적인 경험에 근거해 발전시킨다. 개인적인 경험을 통해 사람들은 개인적, 사회적으로 세상에 대한 의미를 구성해 나간다. 자라는 동안 경험은 학교를 가거나, 여행을 가거나, 일을 하거나 모두 사람들과 상호작용을 하면서 사람들의 지식과 태도를 만들어 간다. 그 결과는 각 교사들의 실천적 이론의 행동이다.

배경의 역할

가르치는 내용이 다르기 때문에 역시 이 실천적 이론도 독특하고, 교사의 배경이 다르기 때문에 독특한 것이다. 배경은 다른 문제에 중요함을 부여하고 의미를 구성하는 기회를 제공해 준다. 배경의 차이는 다음을 포함한다: 행정적 실행과 정책, 원리 혹은 분야와 가르치는 학년의 특성, 가능한 자료의 특성, 교사의 실천적 이론은 교사가 결정을 내릴 때 여러 가지 문제를 다루기 때문에 다양하다. 배경은 교사의 실천적 이론에 영향을 미치는데 그 이유는 가르치는 그 자체가 교사가 실행을 할 때 사고에 중요하기 때문이다.

교수의 역할

교사의 실행 그 자체는 실천적 이론을 발전시키는 데 결정적인 자료이다. 교수는 교사가 작업의 특수한 부분에 초점을 두는 것을 가능하게 한다. 가르치는 동안 교사는 그들의 잠재력에 제한을 당하며 일하게 된다. 그들은 훌륭한 교육과정을 이루어 나가는 과정에서 학생을 가르치는 데 전문적 지식을 필요로 한다.

이 실천적 이론은 성공적인 가르침에 아주 중요하다. 왜냐하면 Reid(1978)는 교육과정 문제가 실천적 문제라고 말했기 때문이다. 즉, 이 문제들은 새로운 지식을 발견하거나 해결법을 찾는다고 풀리는 것이 아니다. 교사는 효과적으로 적절한 환경에서 해결법을 찾고 개발시켜야 한다.

개별 숙의 사례

- 1, 2학년을 가르치는 Karen Smith -

Karen은 어릴 때 책 읽기를 좋아했는데 아마도 그녀의 어머니가 어릴 적에 책을 많이 읽어주었기 때문일 것이다. 올해 Karen은 2학년과 3학년의 22개 통합수업을 가르치게 되었다. 그녀의 교실은 온통 책들로 가득 차고 바닥에도 책으로 가득한 두 개의 큰 박스가 있다. 하나는 Dr. Seuss의 책들이고 다른 하나는 눈에 관한 책들이다.

Karen의 행동 실천적 이론 중 굳건한 믿음은 어린 아이들에게 언어를 배우게 하는 것이 교육에서 아주 중요하다는 것이다. 아이들에게 문학은 Karen의 관점에서 볼 때 질 높은 교육 여건의 필수조건이다.

게다가 그녀는 아이들의 수많은 자기주도적 프로젝트를 보며 자기주도적인 학습자가 되도록 하는 것이 그녀의 바람이라고 하였다. 아이들은 각자 자신의 관점에서 작업하고 일을 하면서 그녀가 만든 틀 속에서 선택을 하고 기한에 맞춰 작업을 완성한다. 그리고 10주 정도의 긴 기간 동안 간단한 일지를 쓰며 Dr. Seuss 책에 대한 리포트를 쓴다. 아이들은 활동이 주어지지 않은 자유 시간 동안에도 작업을 하며 혼자 혹은 친구와 함께 독서를 한다.

다른 교사들처럼 Karen도 일년에 걸친 일지를 쓰는 것과 같은 몇몇 일상과정이 생겼다. 그녀는 역시 프로젝트, 일상과정 그리고 Dr. Seuss와 유명한 사람들의 프로젝트, 주머니와 눈 책들의 교훈과 같은 과거에 잘 되었던 작업들에서 개인적인 아이디어를 모아나갔다. 일상과정을 사용하고 적용하는 것은 계획을 할 때 도움을 주는데 그 까닭은 일상과정을 사용하고 적용하는 것을 통해 그녀가 상대적으로 문제를 덜 갖게 하기 때문이었다(McCutcheon, 2002, p.61-70).

집단 숙의

개별 숙의가 개인의 실제 현실에서 개인적인 구성을 개발해 나가는 것이라면 집단 숙의는 상호 주관적인 동의로 탐구를 통해 그들 실제의 사회적 구성을 개발해 나가는 것이다. 즉, 집단 숙의는 지식의 사회적 구성 기초를 바탕으로 한 집단에서 합의를 이뤄가며 의미를 찾아 나가는 과정이다.

집단 숙의에서 지식은 교육과정이 개발되는 동안 집단에서 만들어진다. 그것은 사회적인 과정이다. 왜냐하면 집단에서 개인들이 단계화된 연구 과정, 교육과정 지침 혹은 전반적인 교육 체계의 교육과정 자료에 따라 정책을 개발하기 때문이다. 각 개인들은 특유의 주관적인 실천적 이론과 관심의 잣대로 지식을 구성한다. 이와 같이 갈등은 각 개인마다 서로 다른 주관적인 실천적 이론과 관심의 잣대 때문에 일어난다. 집단에서 공통 목적을 정하는 동안 이 실천적 이론들은 목적에서 각 개인의 관점과 공통점, 교육과정 문제의 근언, 잠재적 해결법에 대해 알려준다. 대안에 점점 가까워짐으로써 갈등이 일어나며 그룹에서는 합의를 이끌어낸다.

여기서 집단 숙의에 대한 두 가지 물음을 제기해 본다. 첫째, 집단 숙의에서 중요한 특징은 무엇인가? 둘째, 집단 숙의에서 어떻게 갈등을 줄일 것인가?

[물음1] 집단 숙의의 네 가지 특징은 무엇인가?

동시성, 사회적 범위, 관심사의 기준, 갈등

동시성은 여러 가지 일들이 한 번에 일어나고 고려되는 것이다. 각 구성원들은 다른 구성원을 칭찬하며 누구의 아이디어가 가치 있고 강력하며 다른 누군가와 생각이 일치하는지 혹은 대립되는지 배운다. 이것은 집단 숙의에서 중요한 사회적 범위이다. 또한 사람들은 공통관심사에 대해 많은 일을 논의한다. 기본적으로 개인의 실천적 이론은 집단에 있는 숙의자들의 관심사 기준에 맞기를 바란다. 그리고 갈등은 개인들이 주관적인 해석에서 집단의 해석으로 이르도록 한다. 사람들이 서로 다름을 알고 갈등을 해결해 나갈 때 그들은 지식을 구성하고 함께 합의점에 이르게 된다(McCutcheon, 2002:15).

[물음2] 갈등을 어떻게 줄일 것인가?

갈등이 생긴 집단에서 화를 조절하는 것이 역설적으로 갈등으로부터 집단의 관점을 바꾸어주는 계기가 될 수 있다. Smith와 Berg(1987)는 사람들이 갈등을 겪는 과정에서 역설적으로 연관됨으로써 갈등을 조절할 수 있다고 보았다. 이는 사람들이 갈등을 합리적으로 해결하도록 허용하며 감정적인 충돌에서 벗어날 수 있게 해준다.

숙의에 기초한 교육과정 개발 모형

앞에서 살펴본 숙의의 특징과 성격을 바탕으로 Walker는 자연주의적 모형을 개발하였다. 여기서는 Walker의 자연주의적 모형이 개발된 과정에 대해 살펴본 후 모형에 대해 알아보도록 한다.

Walker(1971, 1975)의 모형개발 과정

Walker는 숙의의 질을 개선하고 숙의를 더 효과적으로 수행하는 방법을 연구하였다. 그가 중심이 된 숙의 사례(1971, 1975)는 정부기관과 연구재단으로부터 연구자금을 확보한 대학이 교과중심 교육과정, 더 구체적으로 미술 교육과정과 과학 교육과정 개발을 주도한 연구 프로젝트이다.

그는 1967년부터 약 2년 동안 Eisner와 함께 미술 교육과정에 대한 의사결정 방식을 관찰연구를 통해 살펴보았다. 여기서 그는 자신이 소속하고 있던 Kettering Project Team이 기존의 합리적-과학적 이상, 즉 주어진 교육상황을 검토하지 않은 채 적용되어 온 교육과정 개발전략과 자료수집 방법을 실제로 얼마나 따르고 있는지 알아보았다. 그 결과 그것은 부적합하며, 당시의 교육과정 문헌에 제시된 이론과 교육과정 개발 실제 간의 관계가 불일치한다는 것을 발견하였다. 그의 사례의 구체적인 특성은 다음과 같다.

- 이 연구팀의 작업은 수업 지원 자료의 개발과 숙의로 구성되며, 초기에는 숙의가 더 우세하게 진행되나 작업 완료 시까지 양자는 병행된다.
- 목표는 작업시초에 미리 진술되어 있지 않고 개발과정 중에 형성되고 진술되었으며, 그 대신 강령(platform)에 유사한 99개의 진술문이 있다. 이것은 주제에 따라 미술, 미술교육, 교사, 학생, 교육과정, 자료와 활동, 평가라는 일곱 개의 범주로 나누어지며, 교육과정에 관한 최종적인 결과를 제시해 주지는 않으나 주어진 과제의 목적과 방향을 제시해 주고 있다는 점에서 학생들에게서 요구되는 의도를 암시한다.
- 이러한 진술문은 그것이 제공하는 정보의 종류와 형태에 따라 다섯 가지의 진술 형식 즉 목적, 설명, 개념, 예시적 결과, 절차로 나누어진다. 여기서 다섯 가지 형식이 주어진 과제의 의도와 목적을 이해시키는 데 기여한 정보를 다섯 척도 평정법을 통해 검토한 결과, 목적은 30%를 초과하지 않았고 또 그것이 다른 범주의 진술형식보다 더 유용한 것으로 나타나지 않았다는 점에서 반드시 목적의 형식을 띤 진술이 다른 형식의 진술보다 유용한 것은 아님을 증명한 셈이다. 이 점에서 교육과정의 개발의 실제와 교육과정 개발의 이론, 즉 목표에 의거한 교육과정 개발 원리는 상치된다고 볼 수 있다.
- 강령은 개발 시초에 개발팀이 공유하고 있던 아이디어로서 공통된 신념, 유효한 원칙체계의 역할을 하지만 강령 그 자체의 불완전하고도 분명하지 못한 점

때문에 정책(policy)으로 바뀌어야 한다. 정책은 앞으로 전개될 의사결정을 안내하기 위해 주어진 상황에 비추어 여러 대안들 가운데에서 선정된 행동과정이자 행동방법이다. 강령을 실행의 성격을 띤 정책으로 바꾸는 방법은 논증(argument)이다.

- 이 작업에 중심이 되는 것은 숙의로서 그것은 교육과정 구성을 선행하고 또 근간이 되는 탐구, 판단, 의사결정, 행위라는 지적 과정이다. 교육과정 개발은 비합리적인 편견이나 선호를 반영하지 않고 결정 요인에 관한 주어진 사실로부터 교육과정 형식을 연역해 내지 않는, 그 나름대로의 합리성을 갖고 있다.
- 개발팀이 미술과 과학 교육과정 계획안과 교육과정 자료의 형식과 내용을 결정하는 절차를 명료화하기 위해 내용분석 체제를 적용하였다. 이 내용분석 체제는 실제로 그 프로젝트에 관한 협의 과정에서 기록된 논의 사항을 정리하기 위한 것으로서 그의 교육과정 숙의 사례의 가장 중요한 특성을 이룬다. 그 특성은 다음과 같다.

  - 숙의 과정에서 각 단계의 작업이 어떻게 전체적으로 연결되는지는 에피소드나 무브(move)의 전개과정을 통해 객관적으로 이해할 수 있다.
  - 교육과정 숙의 분석 체제(SACD, The System for Analyzing Curriculum Deliberation)는 참여자들의 논의에서 발견될 의미의 패턴을 구별하는 뚜렷하게 정의된 용어군으로 구성된다. 특히 이 용어군은 SACD의 세 단계에 적합한 세 개의 특징적인 용어군으로 구성된다(그림 8-4 참조).

이 연구 결과로 Walker는 많은 교육과정 이론가들이 추종해 왔던 과학적-합리적 이상, 즉 수단, 결과를 철저하게 분석하고 과학적 자료수집 및 분석의 기법을 적용하며, 실천적인 행위의 가치 지향적 측면을 성취될 최종적인 목표 설정에 국한시킴으로써 실천적인 개선을 보장한다는 것이 실제로는 불합리함을 증명한 셈이다. 결국 그의 주장은 교육과정 계획이라는 자연적인 과정을 인위적으로 처방해서는 안되며, 숙의를 통해서 이러한 자연적인 과정이 갖는 본질적인 특성을 부각시켜야 함을 강조한 것이다.

자연주의적 모형

Walker가 'naturalistic' 이라는 용어를 사용한 것은 그가 교육과정을 계획하는 것은

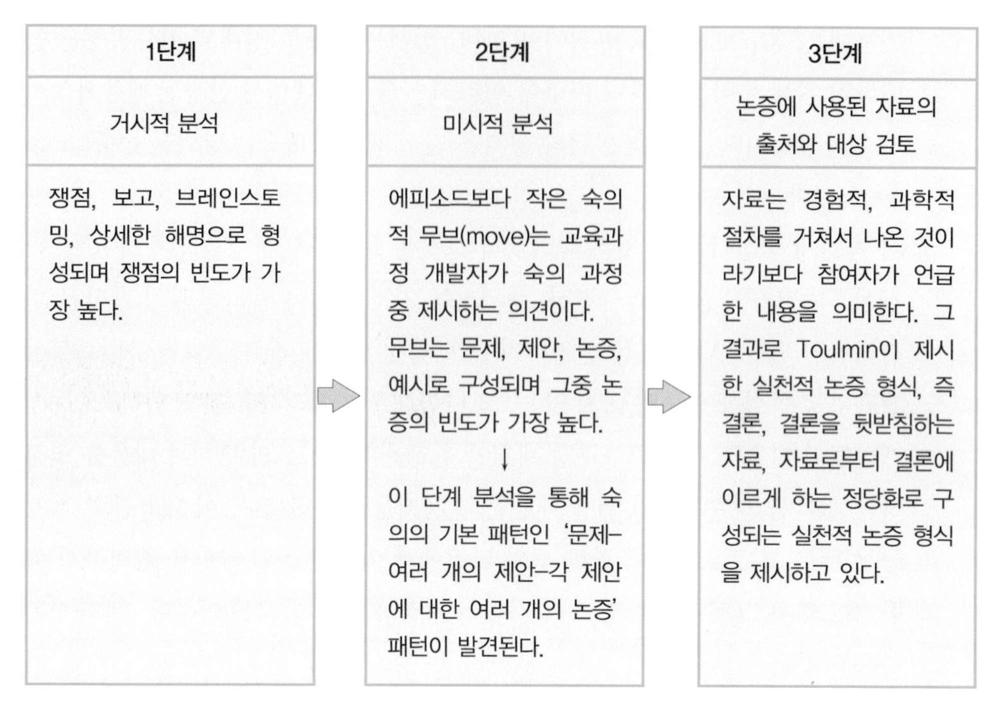

[그림 8-4 교육과정 숙의 분석 체제(SACD) 과정]

어떠어떠해야 한다는 규범적인 접근에서 물러나 사실상 교육과정 계획이 실제적으로 어떻게 일어나는지를 묘사하고 싶었기 때문이다. Walker가 제시한 '강령(Platform)—숙의(deliberation)—교육과정 설계(design)' 의 세 단계의 과정은 현직에 있거나 그 이전에 현직에 있었던 교사가 교육과정 개발의 다양한 단계에서 사용해 왔다. 이 모형은 그림 8-5와 같다.

교육과정 개발자들은 자신의 강령에 기초하여 현행 교육과정에 대한 여러 가지 대안을 제시한다. 하지만 대안의 정당성을 입증하기 위해서는 정보(data)의 탐색이 필요하다. 즉 개발자들은 제안된 대안이 강령과 일치하지 않을 때 강령을 변경하거나 새로운 정보를 찾으며 그 과정에서 대안을 수정하기도 한다. 교육과정 개발 상황이 이전과 동일할 때는 새로운 상황을 강령의 원리에서 정당화시키려고 노력할 필요 없이 전 단계에서 만들어진 요소인 정책(policy)을 활용하면 된다.

즉, 숙의자는 개별 강령으로 시작하여 때때로 주요한 쟁점에 대해 자료를 찾고 이를 활용하면서 교육과정 문제에 대하여 숙의를 한다. 숙의를 통하여 일부 문제에 대하여 협의하고 이들을 기존의 정책들과 연계하여 정합성 있는 교육과정을 만들어간다는 것이다.

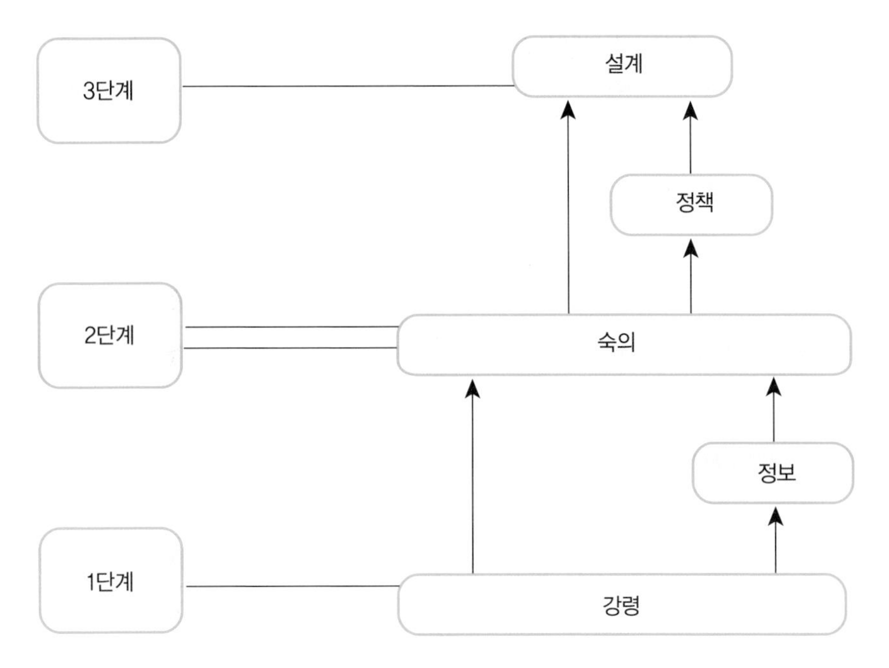

[그림 8-5 Walker의 자연주의적 모형 (Walker, 1972)]

강령

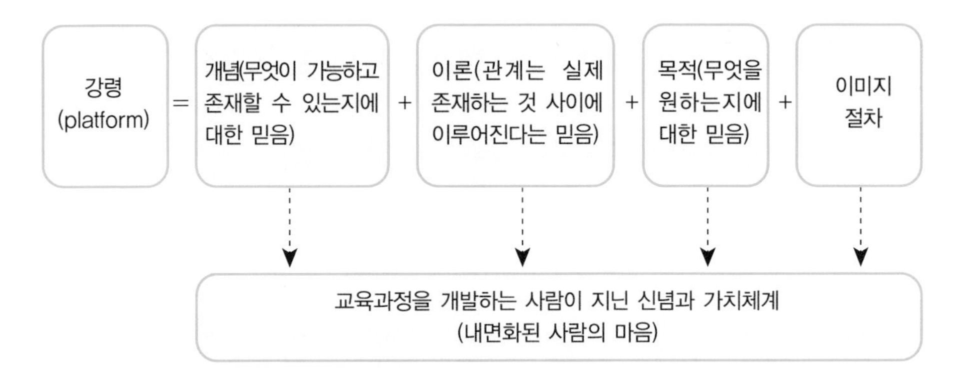

[그림 8-6 강령의 구성요소]

Walker는 교육과정 개발 활동에 참여하는 어떠한 사람도 신념과 가치를 가지고 과제에 접근한다고 보았다. 교육과정 개발 활동에 참여하는 사람들은 과제에 대한 특정한 인식을 가지며 주요한 문제에 관한 자기 생각으로 논쟁한다. 그렇기 때문에 준비하는 단계는 모든 사람이 참여하고 이야기를 나누며 논의를 하고 심지어 강령이 무엇인지, 무엇이어야 하는지에 대하여 논쟁이 이루어진다. Walker가 강령이라는 단어를 사용한 것은 이 단어가 미래의 논의에 대한 근간을 제공하며 벤치마크(benchmark)를 제공하기 때문이다.

강령은 내면화되어 있는 것이기 때문에 이는 내면화한 사람의 마음을 이루고 있는 것이다. 즉, 강령은 사람의 마음이므로 강령에는 정서가 포함된다. Walker는 강령이 전형적으로 다양한 개념(무엇이 가능하고 존재할 수 있는지에 대한 믿음), 이론들(관계는 실제 존재하는 것 사이에 이루어진다는 믿음), 그리고 목적들(무엇을 원하는지에 대한 믿음)로 이루어져 있다고 한다. 이들의 연관성은 깊이 숙고되고 잘 공식화된 것이다. 더불어 그가 이름 붙인 이미지(images, 특정한 것 없이 지칭하는 것), 절차(procedures, 왜 그것을 원하는지에 대한 특정함 없는 행동의 과정)은 교육과정 개발자들이 분명히 밝히지는 못하지만 그들이 지닌 신념과 가치체계가 반영되어 있다.

Walker의 자연주의적 모형은 강령에서 이루어지는 행위를 멈추고 다음 단계인 숙의 행위를 시작하는 시점을 명확히 하지 않는다. 그가 직선형의 선형 과정을 의도하지 않기 때문에 이 모형은 가능한 것이다. 추측할 수 있듯이 개인이 바로 참고하고 고려하는 강령 단계와 별개로 숙의는 부분의 아이디어와 정책을 수행하는 것을 추론하게 한다.

숙의

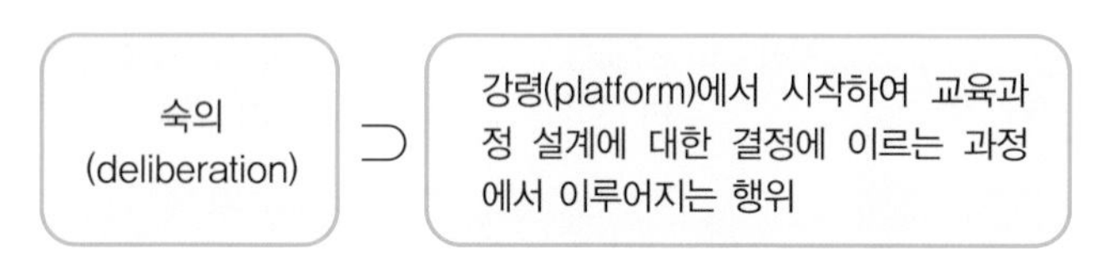

[그림 8-7 숙의의 구성요소]

숙의의 목적은 대안들 사이의 불일치를 조정하여 명확히 하기 위한 것이다. 숙의에 대해 Pereira(1983)는 "본질적으로 대안적인 해결법과 대안적인 문제들, 대안적인 인식들, 다양한 대안들의 적절한 공식화를 위한 체계적인 방법이다."라고 정의한다.

계속적으로 찾아 나가는 것은 숙의의 방법에 가치를 더해준다. 직선적인 토의형식은 실제적인 방법을 예측하게 하는 방법이 되기도 한다. 하지만 이런 방법에서 Walker(1972)는 "대안들은 종종 형식화되고 문제가 명확히 진술되기도 전에 정해진다."라며 아주 혼란스럽고 실망스러운 경험일 수 있다고 했다. 감정은 고조되며 개인의 기호는 이성적인 논쟁에서도 동시에 표현될 수 있기 때문에 주의해야 한다.

교육과정 설계

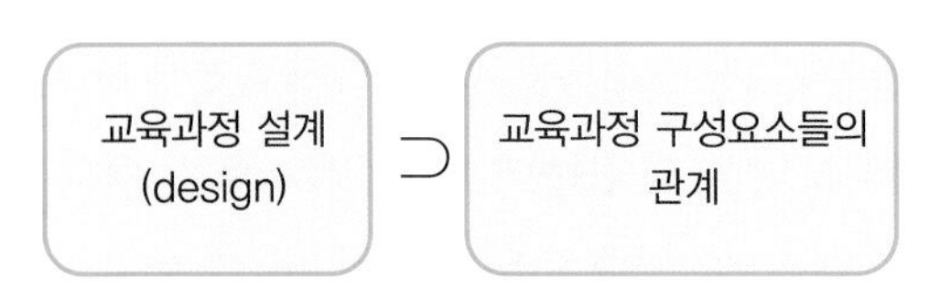

[그림 8-8 교육과정 설계의 구성요소]

숙의는 행동에 대한 결정을 하게 만든다. 교육과정 설계는 강령이 표현된 것으로 눈에 보이는 교육과정 자료나 수업 계획 그 자체가 아니다. 즉, 그러한 의미를 알고 있는 사람에 의해 사용되는 것이다. Walker는 교육과정 자료나 수업 계획 그 자체가 중요하다기보다 그 의미가 중요하다는 점을 강조하기 위해 '교육과정 설계'라는 용어를 사용하였다.

숙의를 통해 모든 논의로 최상으로 방어할 수 있는 해결법을 찾고 정리할 수 있는 대안을 강구한 후에 확실한 설계(explicit design)가 이루어진다. 확실한 설계는 이런 과정의 행위가 대안을 고려하지 않고 자동적으로 일어나도록 구성된다. Walker는 설계라는 말이 전형적으로 암시적이고 명백한 요소와 결정이 합리적인 논의로서 개인적인 기호에 영향을 받는다고 주장한다. 여기서 설계의 특이한 최고 행위는 바로 특정 교수 자료의 제공이다(March, 1992: 112-114).

숙의가 적용된 실제 연구

이 절에서는 여러 학자들에 의해 연구된 숙의가 실제로 적용된 사례를 살펴보도록 한다. 그중에서도 McCutcheon(1995), Orpwood(1984)의 연구를 소개하도록 한다(박순경, 1991).

McCutcheon(1995)의 숙의 사례

McCutcheon은 교과서 채택을 위해 모인 지역구의 각 학교 대표들과 교사 협의회 대표들 40명으로 구성된 팀의 집단 숙의 과정을 관찰하여 다음과 같은 사실을 밝히고 있다. 그 과정에 참여한 사람 중 적극적이고 대표적인 세 명을 선정하여 소개한다.

팀장이었던 쥬디는 교육과정 개발에 대해서는 잘 알지 못하지만 교육경영에 해박했으며 사람들로부터 존경을 받는 인물로 담당 국장으로부터 지명을 받은 사람이었다. 방과 후에 몇 차례의 모임을 가졌는데 McCutcheon은 팀의 숙의 과정에서 그중 몇 사람인 로빈, 로렌, 오데이 세 명과 인터뷰를 했다. 그 이유는 이들이 모임에서 다른 사람들보다 훨씬 더 적극적이었고, 여기서 제기된 관점들을 대표하는 사람이라고 보았기 때문이다.

로빈은 Apple Lane 학교에 근무하였는데, 이 학교는 열린 교육철학에 기반을 두고 종합적 언어 접근(whole-language approach)을 적용하고 있다. 이러한 영향으로 로빈은 읽기가 쓰기, 철자, 문법 등과 분리되어서는 안 되며 통합되어야 한다는 생각을 가지고 있었다. 로렌은 아이들은 언어능력이 매우 낮아서 재미있는 실제 이야기가 필요하다고 보았으며, 가정에서의 지도에도 문제가 있다고 생각하고 있었다. 반면 오데이는 이 회의에 자원봉사자로 참여하였으며 앞으로 교장이나 관리자가 되기를 희망하는 사람으로서, 학생들의 읽기 능력을 향상시키기 위해서는 그러한 기술을 기억하고 실제로 해 보는 것이 중요하다고 생각했다. 이러한 각기 다른 이들의 관심과 신념은 그룹 숙의 과정에서 잘 드러났다. 예를 들어, 로빈이 Holt 시리즈를 지지했을 때, 오데이는 Holt 시리즈에 있는 평가방법이 너무 주관적이고 아직 학교에서 적용하기에는 무리가 있다고 말했으며, 로렌은 이것이 너무 이상적이라고 불평을 했지만, 로빈은 그렇지 않다고 강경하게 의사를 표명하면서 교육위원회에서 승인할 만한 것을 선택하기보다는 최고의 프로그램을 선택하는 일이 중요함을 주장하기도 했다. 그러나 선정될 프로그램의 교사연수에 대해서는 로빈이 상당히 공감하는 것을 볼 수 있었다.

McCutcheon은 이러한 그룹 숙의과정이 계속적인 갈등을 통해 새로운 대안을 검토할 수 있게 해 준다고 말하면서 위의 예에서 숙의를 방해하는 몇 가지 요인으로 개선해야 할 점에 대해 지적하였다. 즉 쥬디는 지나치게 절차에 치중하려는 면이 강했으며 이러한 그녀의 태도는 숙의가 고조에 달했을 때 갑자기 교과서의 선정을 위한 투표를 실시하여 숙의를 중단시키는 결과를 초래하는 잘못을 범했다는 것이다.

Orpwood(1984)의 숙의 사례

Orpwood는 과학 교육에 관한 여러 가지 의견과 제안들을 분석하는 과정을 개념화하기 위한 연구에서 교수목표를 연역해 내기 위한 과학적 요구사정의 도구는 과학적 탐구 기준과는 일치하나 교육과정이라는 실천적인 분야에서는 적절하지 못함을 지적하였다. 그는 문제에 관한 실천추론이 교수목표 설정에 적합하다고 보고 Gauthier의 실천추론의 형식적 구조, 즉 대전제(가치전제), 소전제(상황전제), 결론에 입각하여 과학 교육목표에 관한 정책 문서를 면밀히 분석하였다.

또한 과학교육의 목적을 설정하기 위한 문서화된 기초자료와 과학 수업의 일반적 특성을 수집하고 캐나다의 과학교육의 역사를 분석하였으며 앞으로의 발전 방향에 관한 적극적인 숙의를 실행하기 위해 과학교육에 관한 대규모의 연구를 주도한 바 있다. 그 결과 과학교육을 연구하기 위한 하나의 전략으로서 '숙의적 탐구모델(deliberative inquiry model)'을 제시하였다. 그는 이 연구에서 과학교육의 질 개선에 관심이 있는 사람들로 하여금 과학교육의 문제에 관한 지속적인 숙의를 촉진하도록 강조하였다.

특히 그는 1985년 캐나다의 온타리오주 교육위원회의 새 과학교육과정 개발을 위한 숙의과정에 참여관찰자로서 참여하였다. 그는 교사중심의 숙의집단이 7~10학년용 과학교과의 단원을 개발하기 위해 전개하는 구두적 상호교환 과정에 주안점을 두고서 숙의를 분석하기 위한 틀을 개발하고 적용해 보임으로써 숙의의 개념은 숙의 실천 사례에 잘 부합하고 있음을 예증하려고 하였다. 그의 연구에서 발견되는 특성은 다음과 같다.

- 협의회 의장의 역할은 진행 중인 숙의과정과 그 결과에 대해 어떠한 영향을 주지 않으면서 자신과 다른 참여자들의 활동을 명료화하는 것이며, 또 자신이 현명한 판단을 내리게 할 개념적 렌즈를 요구한다.
- 교육과정은 구성되어야 할 구체적인 산물이 아니라 특정 상황에서 무엇을 가르쳐야 하는가에 대한 계획 혹은 지침이라고 할 수 있는 정책이다. 즉 교육과정 개발자들이 일반적으로 사용되도록 의도한 탈맥락적인 일련의 교육과정 자료가 아니라 특수한 맥락에서 사용되도록 그 맥락의 특징을 숙의과정에 잘 반영함으로써 나오게 된 일종의 정책 형태를 띤다. 예를 들어 교과서를 개발하기 위한 숙의는 교육과정 정책 결정을 위한 숙의와는 판이하다. 그러한 정책은 실천적인 행위에 관한 진술이며 그러한즉 의지의 실현이자 이성의 소산이다.
- 교육과정 정책 결정을 위한 숙의의 두 차원은 실천추론을 위해 타당한 결론을 도출해 내는 합리적 차원과 정치적인 문제에 대한 합의적 해결안을 제공하는

정치적 차원으로서 이론상 양자는 서로 구분되나 실제로는 관련되어 있다.

- 합리적 차원에서는 실천적 의사결정을 정당화하는 형식적 수단인 실천추론에 초점을 두고 숙의의 한 차원을 분석하기 위한 기초를 Gauthier와 Toulmin의 생각에 입각하여 모색하였다. 결국 교육과정은 실천적 논증의 결론으로 간주되며, 교육과정 숙의는 실천추론을 형성하는 구성요소들이 조합되어 가는 과정이다. 그 구성요소는 주어진 상황에 관한 사실, 신념, 정보로 구성되는 자료와 규범적 원칙, 욕구, 욕망으로 구성되는 증명, 그리고 수행되어야 할 행동에 대한 처방, 즉 결론이다. 합리적 차원에서의 실천적 논증 형식은 그림 8-9와 같다.

자료(data)
결론(conclusion)
증명(warrant)

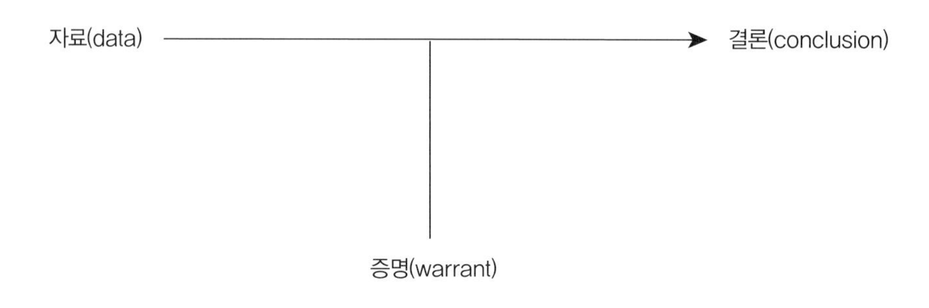

[그림 8-9 실천적 논증 형식]

- 정치적 차원은 교육과정의 정치적 효과를 인식함으로써 숙의를 더 효과적으로 수행하게 한다. 첫 단계에서는 적절한 고려사항의 목록을 작성하기 위해 사실에 대해 조사하고, 다음 단계에서는 고려사항의 비중을 가늠해 보고 장단점을 조사하여 가장 타당한 행동 대안을 결정한다. 여기서는 사실뿐만 아니라 일반적인 규범적 원칙, 구체적인 행동 대안도 조사되고 평가된다.

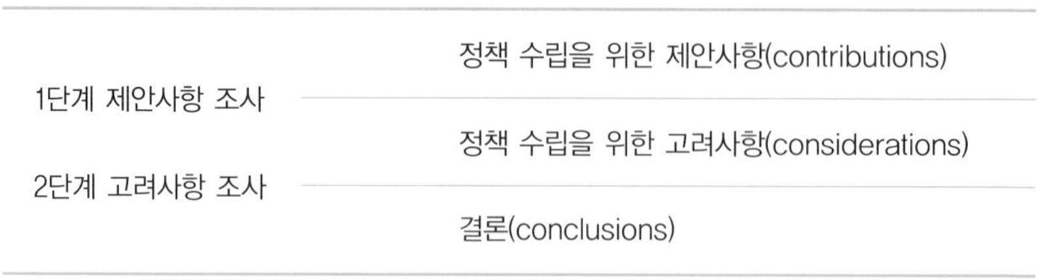

정책 수립을 위한 제안사항(contributions)
1단계 제안사항 조사
정책 수립을 위한 고려사항(considerations)
2단계 고려사항 조사
결론(conclusions)

[그림 8-10 숙의의 단계]

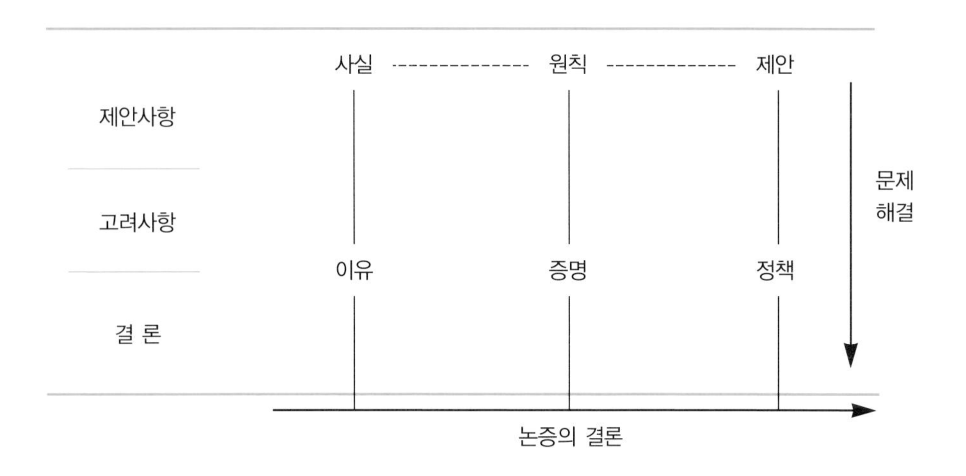

[그림 8-11 2차원의 숙의 분석 틀]

합리적 차원과 정치적 차원은 통합될 수 있으며 첫 단계에서는 사실, 원칙, 특수한 제안사항 등 정책을 결정하고 문제를 해결하기 위해 제안된 사항들을 수집하고 그 적합성 여부를 따져 본다. 여기서 적합한 것으로 판단된 것은 고려사항이 되며 그에 대한 숙의가 계속 전개되어 간다. 다음 단계에서는 특정한 행동방안을 결정하기 위한 타당한 이유를 모색하기 위해 고려사항이 갖는 장단점을 가늠해 본다. 여기서 도출된 결론은 실천적 논증의 결론이며 이는 곧 문제해결을 뜻한다.

성공적인 숙의를 위한 유의점

숙의가 이루어지는 과정에서 여러 가지 방해요소와 문제점들이 생기기도 한다. 이러한 일을 최소화하기 위해 숙의가 잘 이루어지도록 교사와 교육과정 개발자는 다음과 같은 부분에 유의해야 한다.

숙의를 방해하는 요소

Walker가 고안한 숙의 모형인 자연주의적 모형은 교육과정을 계획하는 동안 실제로 무슨 일이 일어나는지에 대해 정확하게 표현해준다. 그리고 다른 강령과 숙의를 책임지기 위해 이에 대하여 일어나는 초기의 대화에 상당한 시간을 투자하는 것이 중요함을 주지해야 할 것이다. 또한 서로 다른 의견대립과 논쟁은 어떤 교육과정 계획의 팀 안에서도 일어날 수 있다. 이를 바탕으로 숙의의 궁극적인 목표에 도달하여 이상적인 합의점을 찾아나가는 것이다. 하지만 숙의 과정에서 이를 방해하는 요소들이 있다.

숙의를 방해하는 요소는 먼저 문제와 그 해결책을 찾을 때 집단은 신념, 이론과 연구, 전문적 판단, 상식, 추측 등에 근거를 둔 부분적 이해 위에서 숙의를 하게 된다는 것이다. 둘째, 특수성(particulars of the situation)에 대한 지식의 부족. 셋째, 시간, 예산, 정보를 제공해주는 자료의 부족. 넷째, 권력의 제한, 이상적으로 말하면 개발 집단은 교육과정을 결정하고 실행에 옮기도록 지시를 하지만 실제로 숙의 집단은 결정을 실행에 옮기게 될 공식적인 집단에게 문제해결책을 추천하게 된다. 개발 집단의 결정 권한이 미약할 때는 문제해결책을 제시하는 것보다는 다른 사람에게 이를 설득하는 것 그 자체를 숙의의 목적으로 삼을 수 있다. 숙의 집단은 실천적인 문제해결책의 제시와 함께 권력 기반을 형성하고 유지하는 목표를 견지하고 있어야 한다. 다섯째, 가치관에 대한 합의의 한계, 교육과정 결정은 지식과 신념의 문제라기보다는 가치관의 문제에 달려있는 경우가 적지 않다. 이 문제는 숙의 과정에서 쉽게 해결되지 않는 어려운 부분이기도 하다.

숙의 과정에서 어려움을 줄이는 방법

숙의 과정에서 일어나는 어려움을 줄일 수 있는 방법은 다음과 같다.

첫째, 학교는 좋은 숙의에 필요한 자원이 부족하다. 즉, 교과전문가, 평가전문가, 심리학자, 출판업자 등 세계적 수준의 전문가를 채용할 수 없다. 따라서 교사들은 학습 그룹을 형성하고 학교 안팎의 교사들과 협력한다. 국내외의 혁신 전문가들과 대면, 전화, 전자통신을 통한 네트워크의 형성으로 아이디어를 교환하고 자문을 받을 수 있다.

둘째, 연구, 이론, 경험 등에 기반을 두고 건전한 출발점 행동을 형성한다.

셋째, 사례를 철저히 연구한다.

넷째, 자기 반성적이어야 한다.

다섯째, 전문가의 도움을 받는다.

여섯째, 지식을 잘 활용하여 논증한다.

일곱째, 신념과 가치갈등을 관리한다.

여덟째, 대안적 관점을 고려한다.

아홉째, 맥락을 고려한다.

숙의가 교육과정의 실제적 문제해결에 도움을 주는 것은 사실이다. 그러나 숙의를 교육과정의 모든 문제에 대한 적절한 해결법으로 생각해서는 안 된다. 또한 숙의를 잘하면 지식에 기반을 두고 여러 가지 점들을 고려한 의사결정을 할 수 있지만 그러한 결정이 원하는 결과를 가져온다고 말할 수는 없다. 생각하지 못했던 일이 일어나기도 하고 결정한 것을 실행에 옮기는 데 문제가 발생할 수 있기 때문이다(Walker, 1990).

종합 및 결론

숙의는 이론적인 틀에 맞춰 형식적으로 교육과정 개발이 이루어지는 것을 지양하고 교육현장과 연계하여 실제적인 문제를 직접적으로 해결하고 교육 실천가인 교사의 목소리를 직접 듣고 문제를 해결하여 교육과정 개발을 해 나갈 수 있도록 돕는다. 숙의라는 말 자체에서 느껴지듯 너무나 이상적이고 큰 개념으로 여겨져 자칫 현장에 적용하기에 무리가 따른다고 느낄 수도 있다. 하지만 숙의에 대해 진정으로 이해하여 숙의를 실천한다면 실제적인 교육과정 개발에 커다란 기여를 하게 될 것이다.

즉, 교육과정 개발에서 숙의란 실제적 문제를 해결하기 위한 과정이다. 그리고 집단적으로 문제를 이해하며, 문제에 대한 알맞은 대안적 해결책을 창출하여 비교 검토해서, 그러한 대안의 결과를 고려하여 최상의 행동 방향을 선택하거나 밝히는 과정이라고 볼 수 있다. 앞의 내용에서 언급한 McCutcheon(2002)의 개인 숙의(solo deliberation)와 그룹 숙의(group deliberation)에서는 실제 교육현장에 숙의가 잘 적용 될 수 있는 가능성을 보여준다. 교육 실천가인 교사는 자신의 사전 경험 및 배경, 수업 여건 등 다양한 요인에 기인하여 자신의 실천적 이론을 개발하여 교육과정 개발 및 수업에 활용해 나간다. 이는 개인 숙의의 한 방법이며 이러한 개인의 노하우가 교육과정 실천에 실제적인 영향을 미치는 것이다. 또한 그룹 숙의도 교육현장의 여건에 따라 달라지겠지만 교과협의회 및 쉬는 시간 등 수업시간 중간 혹은 수업이 끝난 후 교사들이 모여 자신의 학급에서 있었던 일 및 교육과정 구성상의 문제점, 수업을 위한 방법 등에 대하여 자신의 개인적인 경험에 기초하여 논의하기 시작한다. 물론 개인적인 배경 및 기본 생각이 다르기 때문에 간혹 약간의 충돌이 있기도 하지만 이러한 갈등이 숙의가 더욱 잘 이뤄질 수 있게 만드는 원동력이 되어 최적의 대안이 나오도록 합의점에 가까워지게 된다.

이러한 교육의 현장을 되돌아본다면 교육과정 개발에서 숙의의 활용은 단지 이상적인 방법이 아닌 우리가 이미 행하고 있는 것을 조금 더 다듬고 체계적으로 적용해 나간다고 보는 것이 맞을 것이다. 따라서 지금이 숙의에 대한 이해가 더욱 필요한 시점이다.

학습활동과 토의주제

1 McCucheon이 제시한 것처럼 교사나 교육과정 개발자 자신의 경험이 숙의 과정에 중요하게 작용하는 경우가 많다. 특히 개별 숙의의 경우 더욱 그러하다. 교육현장에서 직접적인 교육 실천가인 교사가 자신의 경험을 활용하여 숙의해 나가는 과정의 효율을 높이기 위해 자신의 경험을 어떻게 정립시키고 활용해 나가야 할지 그 방법에 대해 논의해 봅시다.

2 숙의라는 개념은 현장에서 이루어지는 교육활동과 무관하지 않다. 예컨대 티타임이나 교과협의회 시간에 서로의 의견을 교환하는 활동을 통해 동료교사 간에 서로 다른 생각을 나누며 공통 관심사를 찾아 나가고 갈등을 해결해 나가면서 하나의 궁극적인 해결점에 도달해 나간다. 이와 같이 교육현장에서 교사들 사이에 숙의가 이루어질 수 있는 때는 언제이며 교장, 교감, 교사 사이의 어떠한 관계 형성이 성공적인 숙의에 도달할 수 있게 하는지 논의해 봅시다.

3 숙의적 접근이 교육과정 연구에서 갖는 역사적 의미에 대하여 생각해 봅시다. 이와 관련하여 슈왑이 강조한 "교육과정은 죽어가고 있다"라는 말에 담긴 의미를 생각해 봅시다.

4 숙의적 교육과정 개발은 표면적으로 생각하였을 때 매우 현실적이고 실제적이라고 평가할 수 있다. 그러나 대학원의 수업과 현장교사들과의 수업에서 실제로 이러한 형식의 교육과정 개발이 학교에서 이루어지고 있느냐고 물었을 때 거의 부정적으로 대답하였다. 우리나라에서 이러한 현장지향 교육과정 개발 작업이 학교 차원에서 이루어지고 있지 않는 이유는 무엇인지 브레인스토밍을 하여 봅시다.

5 여러분이 한 학교의 교사 또는 행정가라고 가정하고서 숙의를 필요로 하는 한 가지

문제 상황을 가정해 봅시다. 그리고 그러한 문제를 해결하기 위하여 숙의의 과정을 단계별로 규명해 봅시다. 이를 위하여 조를 구성하고 숙의의 개발 과정을 차트나 표로 만들면서 해결책을 규명하는 작업을 하여 봅시다.

참고문헌

김영천 편(2006). After Tlyer: 교육과정 이론화 1970-2000년, 서울: 문음사.

박순경(1991). 교육과정 문제의 성격과 교육과정 '숙의' 의 한계성 검토. 이화여자대학교 박사학위논문.

조영태(2008). "타일러 모형의 대안들: 워커의 모형과 스텐하우스의 모형에 대한 검토". 교육과정연구, 26(1), 1-26.

Marsh, C. J. (1992). *Key concepts for Understanding Curriculum*. The Falmer Press.

McCutcheon, G. (2002). *Developing the Curriculum: Solo and Group Deliberation*. Educator' s International Press.

Pinar, W. F. (1975). *Curriculum Theorizing: The Reconceptualists*. Berkeley; McCutcheon Publishing Co.

Reid, William A. (1978). *Thinking About the Curriculum*. London; Routledg & Kegan Paul.

Walker, D. F. (1990). *Fundamentals of curriculum*. Harcourt Brace Jovanovich.

Walker, D. F. & Soltis, J. F. (1997). 교육과정과 목적. 허숙 · 박승배(역), 서울: 교육 과학사.

제9장

교사실천 중심의 교육과정 개발: Action research

이 장의 공부할 내용

실행연구에 기초한 교육과정 개발의 의미
실행연구의 현황
실행연구 방법
실행연구에 기초한 교육과정 개발의 예

Kenneth Zeichner

1970년대 교사 교육자와 국제 교사 협회에서 팀 리더로 사회생활을 시작하였고, 1976년에 Syracuse 대학교에서 '학교 조직적 행동과 변화 그리고 교사 교육'으로 현재 박사학위를 받았다. 현재 위스콘신 대학교 교육학과의 교수로 재직 중이다. 교육과정 연구의 새로운 연구방법론으로 널리 알려지고 있는 실행연구의 이론화를 시도한 대표적인 학자로서 Susan Noffke와 같은 이 분야의 선도적인 학자들을 길러냈다. 아울러 미국 교육행정가 학회장으로 선정되었다.

교육과정 분야에서 다소 그 영역이 협소한 그러나 매우 중요한 영역인 교사교육, 교사발달, 그리고 교사의 반성적 행위 등에 대한 연구에서 탁월한 업적을 남겼다. 때문에 그의 논문들은 교사교육과 교사연구분야에서 반드시 읽어야 할 자료로 인정받고 있다. 최근에는 사회정의와 평등의 문제에 관심을 갖게 되었고 다문화, 시민교육, 그리고 민주적 사회에서의 교육의 역할에 대한 연구들을 해오고 있다. 이러한 업적으로 인하여 2009년에 미국 서부의 University of Washington의 석좌교수로 초빙되어 자리를 옮겼다. 그리하여 James Banks, Geneva Gay와 함께 워싱턴대학교에서 다문화교육과 다문화 교육과정 연구의 새로운 학술적 자리를 이 대학에서 확산시킬 계획에 있다(James Banks와의 개인 면담자료).

주요 저서

1991, Teacher Education and the Social Conditions of Schooling.
1996, Reflective Teaching: Lawrence Erlbaum.
1996, Culture and Teaching: Lawrence Erlbaum.
2005, Studying Teacher Education: Lawrence Erlbaum.
2009, Teacher education and the Struggle for Social Justice: Routledge.

전대통적인 교육과정은 교육 정책가와 연구자들에 의해 큰 틀과 심지어는 구체적인 지침까지도 결정된 후 각 학교 현장의 교사와 학생에게 전달되어 실천할 수 있도록 하였다. 이런 교육과정 개발은 체계적이고 구조적이고 계획적이라는 장점이 있지만 역동적이고 현실적인 교육현장을 반영하지 못한다는 비난을 받아왔다. 그리고 실제적인 교육활동을 담당하고 있는 교사의 역할을 축소시킴으로써 점차 수동적 존재에 머물러 있도록 길들여져 교사의 목소리는 교육과정 개발 과정에서 점점 소외되고 있었다. 이 과정에서 교육개혁의 필요성과 함께 여러 학자들에 의해 교육과정의 개발에 교사가 참여해야 하며 학습내용에 관한 사항들을 언급함으로써 진일보한 이론을 내놓고 있지만 현장의 실제적 요구나 복잡·다양한 상황을 반영하는 데는 한계를 보였다.

이러한 기존 교육과정 개발에 대한 반성으로 등장한 실행연구는 교사 연구자라는 개념을 등장시키며 실제 현장의 요구를 반영하며 정체된 교사가 아닌 연구하는 교사라는 적극적인 이미지를 내놓았다. 실행연구는 '실행' 이라는 용어가 보여주는 그대로 실천, 연구, 적용, 과정 등의 의미를 포함한다고 할 수 있다. 더불어 궁극적으로는 개선을 목적으로 하는, 일회성이 아닌 반복적인 연구 방법이므로 항상 맞물려 반복적으로 진행되고 계획되는 교육과정의 개발과 적용에는 유용한 연구방법이라 할 수 있다. 이런 점들로 인해 새로운 교육과정 개발 방법으로서 실행연구가 대두되고 있으며, 교육현장 속의 교사들뿐 아니라 여러 분야에서도 연구방법으로 널리 이용되고 있다.

이에 이 장에서는 교육과정 개발을 위해 널리 이용되고 있는 연구방법의 하나로서 실행연구의 개념과 그 특징을 알아보고자 한다. 그리고 우리나라와 외국의 실행연구 현황을 소개하고, 교육과정 개발방법으로서의 실행연구 방법 및 그 사례를 통해 실행연구방법에 기초한 교육과정 개발이 갖는 의미와 함께 앞으로의 연구를 위한 지침을 제공하고자 한다.

실행연구에 기초한 교육과정 개발의 의미

실행연구는 그 특성상 교육현장의 실제적 문제를 해결하고 대비하기 위해 좀 더 발전적이고 구체적이며 효과적인 교육과정 개발을 주도한다고 할 수 있다. 따라서 이런 장점을 지닌 실행연구에 대한 간략한 정의와 그 중요성을 통해 실행연구에 기초한 교육과정 개발의 의미를 알아보자.

실행연구의 정의

실행연구는 수업과 실제의 질을 이해하고 개선하기 위해 실제 학교 또는 교실 상황을 연구하는 과정으로 정의한다(Hensen, 1996; McTaggart, 1997; Schmuck, 1997). 이것은 교사들이 실행의 문제 그리고 가능한 과정을 드러내기 위해 또는 그들의 실제를 관찰하기 위한 체계적이고 규칙적인 방법이며(Dinklman, 1997; McNiff, Lomaz & Whitehead, 1996), 계획 · 조직되어 다른 사람들과 공유될 수 있는 연구 유형이다(Foshy, 1998; Tomlinson, 1995). 따라서 현재의 실행연구는 객관성이나 이론 정립에 대한 관심보다 실천의 개선에 관심을 가지기 때문에 교육현장에 매우 적합한 연구방식이라고 할 수 있다.

실행연구의 대명제는 연구자와 연구대상의 일체성에 있다. 즉, 연구자 자신이 연구의 수행과정 및 결과의 혜택을 직접적으로 누린다는 것이다. 따라서 실행연구는 연구자인 행위 당사자가 주체가 되어 자신의 개인, 사회적 삶을 탐구하여 계속적으로 개선하려고 하는 과정지향적 탐구패러다임이다(이용숙, 2005). 즉, 실행연구를 통한 교육과정의 개발과 적용에 있어 교사는 스스로 계획을 세우고 실제로 행하면서 연구하는 역할을 수행하며 이를 통한 반복적인 연구는 어떤 현상과 과정에 대한 개선을 이룰 수 있다고 볼 수 있다. 이런 실행연구의 용어와 개념에는 자율적이고, 구체적인, 적극적인 실행 연구자로서의 이미지가 필요하다고 볼 수 있다.

그리고 실행연구의 중요한 특징 중의 하나는 연구가 단방향으로 진행되는 것이 아니라 연구와 실행이 순환적으로 전개되는 순환 과정(Patterson & Shannon, 1993)이라는 것이다. 그림 9-1처럼 다른 순서로 행해지거나 몇 번이나 이러한 단계가 반복될 수 있다.

실행연구의 중요성

실행연구는 교육현장에서 발생하는 실제와 연구자에 의해 도출되는 이론 간에 발생하는 차이를 좁힐 수 있고, 교육과정 개발 및 운영에 있어 교사에게 더 많은 권한을 부여한다는 점에서 중요성을 가진다 할 수 있다.

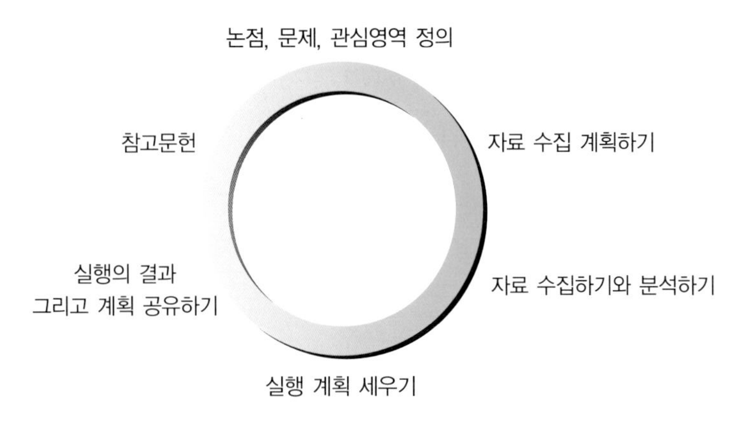

[그림 9-1 실행연구 과정의 단계]

우선 실행연구는 실제와 이론의 차이를 좁힐 수 있다. 연구는 교육에서 가장 좋은 실제를 결정하는 것을 돕는 이론을 만들기 위해 행해진다. 이러한 실제는 교사들이 효과적인 학습 경험을 창안해 낼 수 있도록 돕는다. 그러나 때로 연구자들이 수행하는 것과 실제 교육현장 사이에는 차이가 존재하며(hensen, 1996; Patterson & Shannon, 1993; Tomlinson, 1995), 연구자의 관심은 일반적인 데 반해 교사의 관심은 아주 구체적이라(Shulman, 1986, 1987) 할 수 있다. 즉, 학교에서 실제로 이루어지고 있는 다양한 일상과 교육과정, 교수학습 등의 요인이 연구에 그대로 반영되지는 못하고 있다.

이런 이론과 실제 간의 차이는 교육에서의 연구가 교사들의 실제적인 상황과 요구와 동떨어진 방법으로 이루어지기 때문이다. 교육학회 연구논문은 지나치게 기술적이고 교사들의 요구와 관련 없는 방법론적이고 가언적 개념에 초점을 둔다. 이것은 많은 교사들에게 교육연구가 실제적으로 적절하지 않다는 것을 의미함과 동시에 실제적으로도 도움이 되지 않는다는 것을 의미한다(Barone, Berliner, Blanchard, Casanova & McGown, 1996; Patterson & Shannon, 1993). 교육제도나 교육개혁안들이 전문가의 손에 의해 탈맥락화되었다가 다시 현장인의 손에 의해 재맥락화되는 과정을 거치는 동안, 현장의 구체적 사태와는 성격이 다른 형태로 되어 버린다는 것이다(최의창, 1998).

그리고 연구와 실제의 차이는 그림 9-2와 같은 모세 효과(Moses effect)의 결과라 할 수 있다. 이것은 연구자가 교사들이 관련 법규나 원칙에 있어 소극적 수취인이 될 것이라는 예상으로 이론과 연구에 의해 원칙을 위에서 아래로 내리고 있다고 볼 수 있다. 결과적으로 이것은 교사들의 관점이 가치 있지 않다는, 가르치는 것의 복잡성

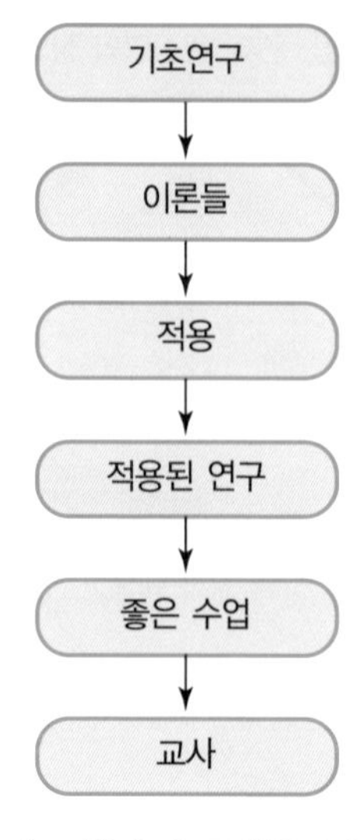

[그림 9-2 모세효과]

을 반영하지 않는, 구체적인 문제를 고려하지 않는 그리고 교사들이 교실에서 매일 겪고 있는 것에 관심을 두지 않는 정보를 다루게 된 것이다(Patterson & Shannon, 1993).

실행연구는 바로 이러한 차이를 좁혀주는 하나의 수단이라 할 수 있다(Hensen, 1996; Knignt, Wiseman & Cooner, 2000). 그림 9-3에서 보는 것과 같이 실행연구의 4분면은 실행연구에서 정보의 두 가지 방향을 설명한다. 좋은 수업과 관련된 이론과 연구는 교실환경에서 일어나고 있는 것을 이해하고 관찰하는 데 사용되며, 동시에 이러한 자료는 좋은 수업과 관련된 이론과 연구를 이해하거나 알리는 데 사용된다.

실행연구는 또한 교육과정 개발 및 운영에 있어 교사에게 권한을 부여한다는 점에서 중요성을 가진다. 교사는 그들이 학교와 교실에 어떤 결정을 내릴 때 그들 자신

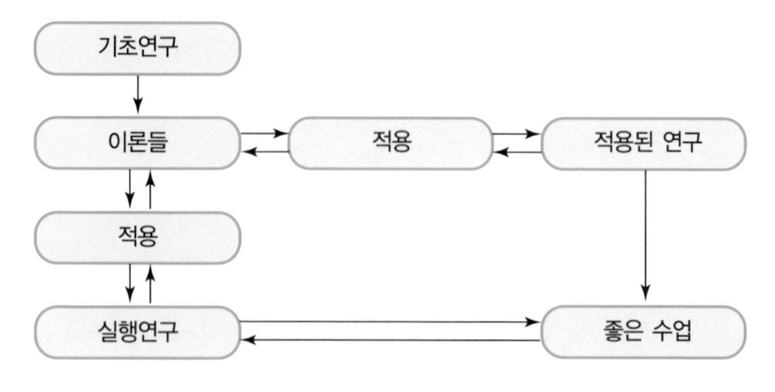

[그림 9-3 실행연구의 4분면]

의 자료를 수집할 수 있는 권한을 부여받는다(Book, 1996; Erickson, 1986; Hensen, 1996). 권한을 받은 교사는 학급경영에 창조적 생각과 경험, 재능을 사용할 수 있으며 학생들을 위한 최선의 프로그램과 전략을 사용할 수 있다. 교사들은 또한 자신만의 철학과 교수방법을 사용할 수 있다. 교사들이 교수학습과 관련된 변화를 추구할 수 있을 때 학생들의 성취도는 강화(Marks & Louis, 1997; Sweetland & Hoy, 2002)되고 학교는 더 효과적인 학습 공동체(Edtert, Louis & Schroeder, 2001)가 될 수 있다. 때로 학교를 관리하고 교실 문제를 해결하는 상명하달식 접근은 교사에게 권한을 주는 것을 억제하는 외부의 통제 때문에 학교의 효과성을 줄이게 된다(Book, 1996).

실행연구에서 교사를 교사연구자(teacher as researcher)라고 이름 붙이는 것은 교사의 수업활동이 스스로 연구되어야 하는 활동이라는 것과 수업 전문가로서 주체적인 자기발전 능력을 가지고 있다는 것을 전제하고 있는 것이다. 즉 교사의 연구자로서의 잠재 가능성을 믿고, 교육활동에 있어 좀 더 구체적이고 적극적인 탐구 자세를 가질 것을 기대하며 아울러 연구와 운영에 관한 권한까지 부여한다고 볼 수 있다.

실행연구의 현황

교육에서의 과학적 움직임은 19세기 후반에 Mill, Bain, Boone, Dewey, 그리고 Thorndike가 교육적 문제를 해결하기 위해 과학적인 방법을 사용해야 한다고 주장하면서부터 이루어졌다. Dawin은 과학적 흥미를 일깨웠고 이는 1900년경에 수많은 과학적 단체들의 교육과 교육과정의 문화와 그 특징에 영향을 미쳤다. 1879년에 스코틀랜드 사람인 Bain은 『과학으로서의 교육』을 발표하였다. 여기에는 그가 교육에 대한 과학적 방법 사용을 지지한다는 내용이 들어있다. 그리고 1904년에는 미국인인 Boone이 교육에 있어서의 과학을 논하였다(Jim McKernan, 1987).

이러한 교육에서의 과학적 연구의 움직임은 교실을 연구소로 간주하고 학생들을 위한 교사의 고민과 연구를 과학적 작업이라 여기면서 교사를 연구자로 정의하는 발전을 이룩하였다. 이러한 사고는 몇몇 진보주의와 재건주의 사상가들에 의해 가속화되었다. 이처럼 교사들을 능동적인 연구자로서의 개념을 갖게 한 가장 큰 영향력을 미친 책은 Buckingham이 쓴 『교사들을 위한 연구』이다. 이 책에서 Bukingham은

'가르치는 것과 연구는 고등교육기관뿐만 아니라 공립학교 교직원들에게 요구된 것이어야 한다' 고 주장하며 교사들이 가르치는 것뿐 아니라 교실 수업 개선을 위한 연구에도 참여해야 한다고 하였다. 이러한 현장 교사들의 참여를 통한 연구는 이후 실행연구라는 하나의 연구 방법론이 되었다(McKernan, 1987).

교육에서의 실행연구는 영미권 국가들에서 성장하고 발전하였다. Stenhouse (1975)는 교사를 주체로 한 교육과정 개발운동의 일환으로 교사는 단순한 교육과정 소비자가 아니라 교육과정 개발자 및 연구자가 되어야 한다고 보았다. Schon(1983)은 연구자로서의 교사 개념에 대한 관심을 이론적으로 환기시켰다. 1990년대 들어, Cochranv, Smith와 Lytle이 공동으로 저술한 '안/밖: 교사 연구와 지식' 에서는 학교와 대학(또는 교육부)의 관계를 더 이상 상명하달식(top-down)으로 보지 않으려고 하였다. 즉, 교육대학의 교수들, 또는 교육부 관자들에 의해 연구되고 주창된 이론을 현장 교사들이 그대로 적용하는 것을 비판하였다(성열관, 2006).

Mike Wallace(1987)는 『실행연구에 대한 역사적 고찰: 교사들이 자신들의 관리적 역할에 있어 교육을 위한 몇 가지 의미』라는 책을 통해 교육적 · 비교육적인 상황에서의 실행연구에 대한 역사적 개관을 보여주었다. 또한 John Elliott는 『실행연구: 학교에서의 자기평가를 위한 구조』를 통해 '학교 협의회 프로그램 2' 인 교사와 학생 간의 상호작용 그리고 학습의 질에 대해 연구하였다.

이들 외에 최근에 공헌한 교육 분야에서의 실행연구자는 Arhar, Holly, Kasten(2000); Atweh, Weeks, Kemmis(1998); Brown, Dowling(1998), Burns(1999); Burnaford, Fischer, Yprks(2000); Calhoun(1994); Carr, Kemmis(1986); Carson, Sumara(1997); Christiansen, Goulet, Krentz, Maeers(1997); Dadas(1995); Fals-Borda, Rahman(1991); Herson(1996); Hollingworth(1997); McClean(1995); McNiff(1995); Mcniff, Lomaz, Whitehead(1996); McTaggart(1997); Mills(2000); Noffke, Stevenson(1995); Reason, Bradbury(2001); Schmuck(1997); Stringer(1999); Wallace(1998); Wells 등(1994)이다(Stringer, 2004). 이러한 다양한 관심은 연구자들이 사용하는 다른 이론, 성취될 수 있는, 되어야만 하는 것에 대한 다른 가정, 그리고 그 결과 수반되는 적절한 실제에 기초를 둔다. 좀 더 실용적인 것으로 Calhoun(1994)은 교사집단의 협동적 작업으로서 개인 교사의 수준에서의 실행연구 참여 가능성에 초점을 두었다. 그러나 대부분의 작가들은 교실과 학교에서 다른 참여자들의 관점과 경험을 이해시킬 수 있는, 교실의 중요한 특징을 조명하는 반성적 과정에 교사의 참여를 구하는, 즉 연구에 대한 실천적 접근을 보여주었다(Stringer, 2004).

우리나라에서는 실행연구가 영미권 국가보다 훨씬 뒤늦게 이루어졌고 실행연구의 결과물도 그렇게 많지는 않다. 하지만 우리나라에서도 현장연구라는 이름으로 학교와 교실 현장에서 교사들에 의한 연구가 있어 왔다. 하지만 이러한 현장연구에 대해 교사들과 일부 교육학자들에 의해 문제점이 지적되면서 교육실제의 개선을 위한 실행연구가 그 대안으로 등장하기 시작하였다. 우리나라에서의 '액션 리서치'(action research)는 학자마다 다양한 이름으로 불렸으나 2007 한국교육인류학회의 논의 결과 '실행연구'라 명명하게 되었다. 이러한 실행연구에 대한 체계적 이해를 구축한 것은 교과교육자(이혁규, 2002; 최의창, 1998), 교육과정 학자(김영천, 1998; 성열관), 질적 연구자(이용숙, 2002)들로서 「교육인류학연구」와 「교육과정연구」지를 통해 이루어졌다(성열관, 2006). 또한 실행연구에 대한 방법론에 대한 저서로서 김영천(2006)이 편저한 『애프터 타일러-교육과정이론화』에서 전통적인 교육과정에 대한 비판적 이론의 하나로서 실행연구를 소개하고 있다. 여기에는 실행연구의 개념, 특징, 타당성에 대해 이야기하고 있다. 이용숙 외(2005)의 『실행연구방법』에서는 여러 명의 공동저자들이 실행연구에 대한 개괄적 이해, 실행연구 계획, 자료수집 방법, 분석방법 등을 망라하여 실행연구에 대한 방법론적 설명을 하고 있으며 더욱이 논문을 쓰는 방법까지 구체적으로 안내하고 있다. 이에 이 책은 실행연구를 처음 시작하는 많은 연구자들의 실제적인 길잡이가 되고 있다. 강성우 역(2005)의 『교사를 위한 실행연구』는 실행연구 개념, 의미, 방법을 비롯하여 외국의 실행연구 사례를 구체적으로 제시해 줌으로써 실행연구에 대한 실제적 이해를 돕고 있다. 이러한 이론서는 한국의 많은 교육대학원생들은 물론 대안적 연구 모델로서 실행연구에 많은 관심을 가지고 연구하는 이들의 지침서, 안내서로서의 역할을 하고 있다.

이러한 영향으로 교육대학원에서 실행연구를 방법론으로 하는 논문이 많이 나오고 있다. 교육대학원의 실행연구는 그 특성상 국어, 사회, 수학, 도덕 등 학교의 많은 교과와 그 외의 생활과 관련된 소재로 이루어지고 있다. 이는 많은 교육대학원을 다니고 있는 교사들이 자신들의 교실을 개선하고자 하는 의지를 가지고 있으며, 실행연구를 교실 개선과 연구를 위한 적합한 연구 방법론이라고 인식하는 것이 늘고 있는 예라고 볼 수 있다. 그리고 점점 이런 변화는 한국의 교실환경과 교사 자신의 역량과 가능성까지도 개선시키는 변화를 보이고 있다. 이러한 교육대학원생들의 실행연구는 그 해가 갈수록 다양한 분야에서 더 많은 빈도로 이루어지고 있으며 2000년 이후로 실행연구를 방법론으로 하는 학위논문과 학술지에 게재된 글은 그 수를 헤아리기도 힘들 정도라고 볼 수 있다. 그리고 학위논문뿐 아니라 교사의 수업 전문성 신장을 위해 한국교육과정평가원에서는 교사들을 위한 실행연구에 관한 컨퍼런스를 개최하고 있으며 '교실수업 개선 실천사례 연구대회' 라는 이름으로 교실 수업 신장을 목적으로 하는 교사들의 실행연구를 장려하며 이 명목으로 대회를 개최하고 있다.

실행연구 방법

연구에 참여하는 데 어려움 중의 하나는 교육적 문제를 연구하는 것과 관련된 방법의 급증이다. 30년 전에, '연구' 라는 용어는 '과학적 연구' 를 말하는 것으로 대학 또는 전문적인 상황에서 사용되었다. 또한 이러한 용어는 일반적으로 과학적 방법으로 보이는 '실험적 연구' 를 뜻하였다. 연구에 대한 이러한 관점에 의거하여 진실과 확실성을 위한 연구는 다양한 방법적 접근을 내놓았다. 이런 상황에서 연구를 처음 시작하는 연구자는 연구에 대한 관점과 접근이 증대함으로 인해 혼란을 겪고 있다. 이렇게 많은 연구의 방법과 절차는 어떻게 다른 것인가? 도대체 어떤 과정을 통해 연구는 이루어져야 하는가?

이러한 혼란은 실행연구에서도 마찬가지이다. 실행연구는 기존의 연구와는 다른 철학을 가지고 있기 때문에 전통적인 과학적 연구 모형과는 차이가 있다. 비록 실행연구가 학자와 과학자들이 관여한 전통적 실험 연구의 성향을 가지고 있다 할지라도 실행연구는 특별히 교실 참여자들과 관련된 것으로 질적인 결과물이라고 할 수 있다. 이에 Elliott(1982)는 실행연구를 실천의 질을 개선한다는 점에서 '사회적 상황에 대한 연구' 라고 설명하였다.

여기에서는 실행연구를 위해 충족시켜야 할 연구 조건인 실행연구의 특징과, 실행연구의 과정과 의미를 담고 있는 실행연구의 모형, 그리고 실행연구를 통한 교육과정의 개발 절차를 안내하고자 한다.

실행연구의 특징

실행연구는 기존의 양적 연구와는 다른 질적 연구이며 무엇보다 좀 더 나은 실제를 위한 참여자들의 연구이니만큼 이것만이 가진 고유한 특징이 있다. 변화, 반성, 참여, 공유, 이해, 반복, 실천이 바로 실행연구의 특징이라 할 수 있다.

변화(change)

실행연구는 앞서 언급한 것처럼 실제와 행동을 변화시킴으로써 이것들을 개선시키는 것을 목적으로 한다. 예를 들어서 학생들의 읽기 기술이 떨어진다고 판단되었을 때, 교사는 학생들의 읽기 기술을 개선시키기 위해 새로운 교수방법이나 자원을 사용하게 된다.

반성(reflective)

실행연구는 개선과 변화를 위해 사람들이 살아가고 있는 실제, 행동, 상황에 대해 깊이 생각하고 이를 반성한다. 학생들의 읽기 기술이 떨어진다면 왜 읽기 기술의 수준이 낮을까, 교사의 수업방법이나 기술에 문제가 있는가, 아니면 학생들에게는 어떤 문제가 있는가 등의 반성적 질문을 통해 개선을 위한 밑거름을 마련하게 된다.

참여(participation)

사람들은 그들 자신의 실제와 행동을 변화시키기 위해 연구에 스스로 참여한다. 연구와 관련된 사람들은 모두 실행연구의 참여자이며 이 사람들이 제공하는 정보는 실제와 행동 개선을 목적으로 하는 실행연구의 중요한 자원이다.

공유(sharing)

연구와 관련된 견해나 결과는 공유되어야 한다. 실행연구는 연구 현장에 있는 참여자, 행정가, 학부모, 지역사회 등과 연구과정에 대한 의견을 조절할 수 있어야 하고 연구결과에 대해 논의할 수 있어야 한다.

이해(understanding)

있을 수 있는 모든 관점과 경험에 대한 이해를 명백히 해야 한다. 실행연구는 질적 연구이기 때문에 정해져 있는 범위에서 변인을 통제하며 얻는 기계적 연구가 아니다. 때문에 연구자가 기존에 생각하지 못한 사건이 발생하거나 자신과 다른 관점을 발견하더라도 당황하거나 회피할 필요가 없다. 이 또한 연구의 소중하고 의미 있는 자원이 되기 때문이다.

반복(repeating)

실제의 개선이라는 문제를 해결하는 것이 목적이기 때문에 실제를 개선하기 위해 계획했던 자원, 철학, 투입, 프로그램을 통해 실제를 개선하지 못했다면 실행연구는 이 문제를 해결하기 위해 반복 과정을 거치게 된다.

실천(practice)

새로운 실천을 이행하기 위한 기초로서 실행연구에서 얻은 결과는 실천을 통해 테스트를 해야 한다. 실행연구가 전통적인 연구와 다른 가장 중요한 특징이라고 할 수 있는데, 실행연구는 학구적인 이론을 만들고자 하는 것이 아니라 새로운 실천을 위한 도구이다.

실행연구의 모형

실행연구의 지침과 모형은 수년간 많은 학자들에 의해 제시되어 왔다. 학자들의 실행연구 모형에 대한 설명은 약간씩 다르지만 이들 학자들이 공통으로 제기하는 것이 계획, 실행, 관찰, 반성의 순환과정이다. 또한 실행연구의 첫 단계는 계획을 위한 실제에 대한 탐구이다. 연구를 위해서는 반드시 개선될 것과 변화가 필요한 것이 무엇인지를 분명히 해야 하며 이를 위해 연구를 설계해야 한다.

실행연구의 모형과 지침의 역사를 간략하면 살펴보면 Kurt Lewin(1952)은 계획하기, 실행, 예비조사가 포함된 나선형의 순환 과정을 묘사하였고 Stephen Kemmis (1990)는 Lewin의 모델 특징을 포함하고 있는 실행연구 나선형을 발표하였다(그림 9-4). Kemmis의 모형은 예비조사, 계획, 첫 번째 실행단계, 모니터링, 반성하기, 재고하기, 평가의 단계를 포함한다.

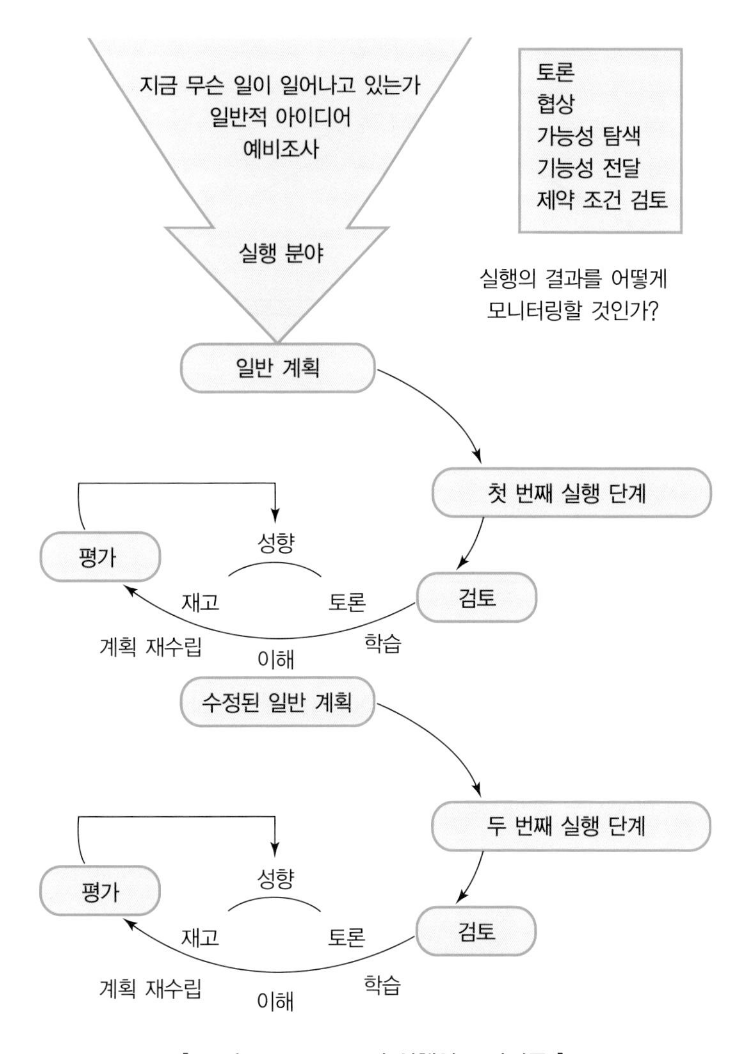

[그림 9-4 Lewin의 실행연구 사이클]

Richard Sagor(1992)는 문제 제시, 자료 수집, 자료 분석, 결과 기록, 실행계획을 포함하는 5단계 과정을 묘사하였으며, Emily Calhoun(1994)은 흥미 있는 영역 선택하기, 자료 수집하기, 자료 조직하기, 자료 분석하고 해석하기, 실행하기를 포함한 실행연구 사이클 그림 9-5를 설명하였다.

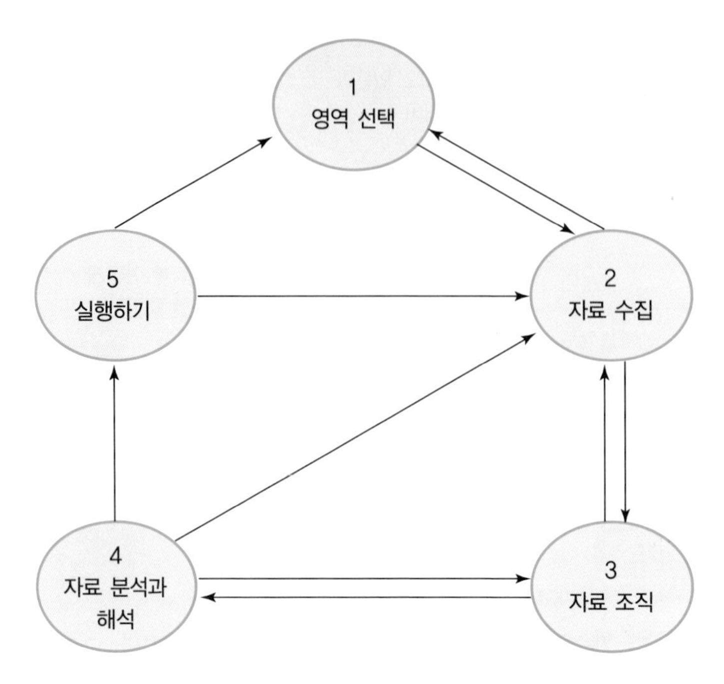

[그림 9-5 Emily Calhoun의 실행연구 사이클]

Gordon Wells(1994)는 관찰, 해석, 변화 계획, 실행 그리고 '실천가의 개인적 이론'을 포함한 실행연구 사이클의 이상적 모형으로 불리는 것을 고안하였다(그림 9-6).

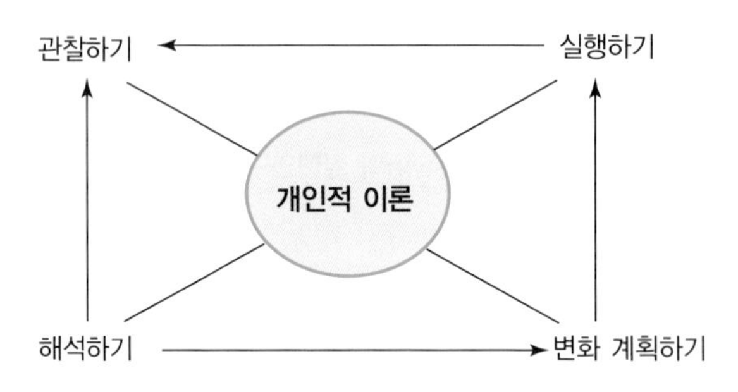

[그림 9-6 실행연구의 이상적 모형]

Kemmis와 Elliott(1982)는 그림 9-7과 같이 비슷한 용어로 반복되는 활동의 순서를 제시하였다. 이 그림은 변화된 실제의 이행과 실제의 분석 사이에 '나선형의' 관계로서 실행연구의 과정을 분명히 보여준다. Elliott(1982)가 말했듯이, 실행연구에서 이론은 독립적으로 그 정당성을 보장받지 못하며 실제에 적용되지 않는다. 이론들은 실제를 통해 정당성이 입증된다.

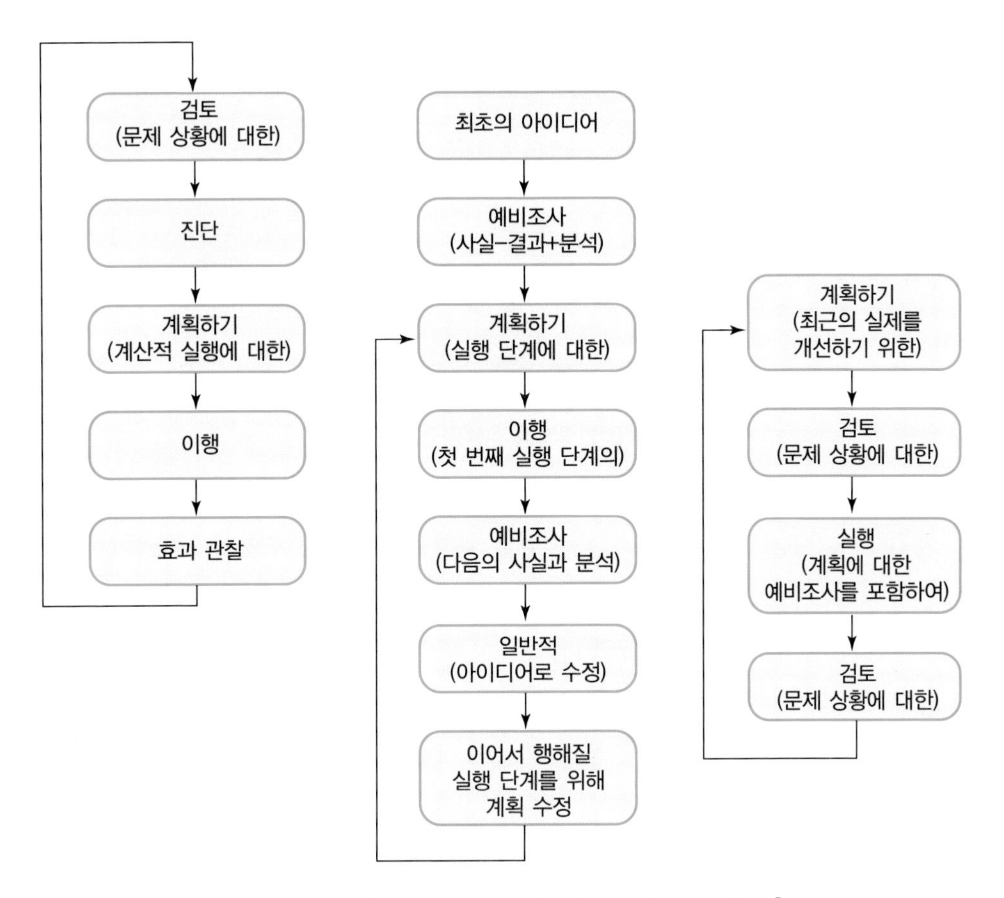

[그림 9-7 Elliott와 Kemmis에 의한 실행연구 사이클]

실행연구는 순환적, 반성적, 비판적인 탐구 과정을 거치게 되는데 이러한 과정을 통해 교사들은 실천적 지식을 산출하게 된다. 이러한 과정을 잘 설명한 Kemmis와 McTaggart(1998)는 나선형의 자기 반성적 연구 사이클 모형을 제시하고 있는데 이 모형은 4 단계의 연구 사이클을 반복함을 강조하고 있다(김영천, 2005).

Kemmis와 McTaggart의 자기 반성적 연구 사이클

- 1단계 : 문제 파악 및 변화의 계획
- 2단계 : 계획의 실천과 변화의 과정 및 결과에 대한 관찰
- 3단계 : 이러한 고정 및 결과에 대한 성찰
- 4단계 : 수정된 계획 → 실천과 관찰 → 반성의 반복

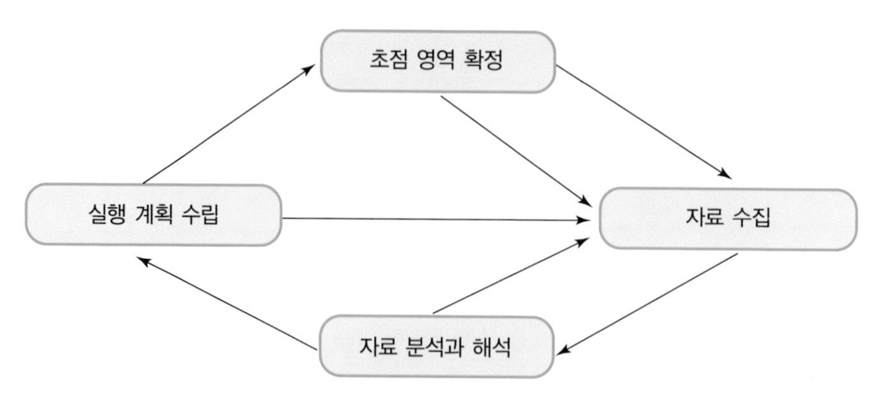

[그림 9-8 변증법적 실행연구 나선형 모형]

한편 그림 9-8처럼 4단계로 된 변증법적 실행연구 나선형 모형이 있다. 이것은 초점 영역 확정, 자료 수집, 자료 분석과 해석, 실행 계획의 단계를 거쳐 변증법적 나선형 형태를 띤다. 이 모형은 교사연구를 위한 실제적 지침을 제공하고 있으며 연구를 어떻게 진행해야 하는지를 잘 알려주고 있다. 이 모형은 교사와 학생를 위해 교사에 의해 행해지는 모형이다. 이러한 특징 때문에 다른 상황과 목적에 채택될 수 있는 역동적이고 유연한 연구모형이다(Wolcott, 1989).

실행연구에 의한 교육과정의 개발

실행연구에 의한 교육과정 개발 절차는 모형에 따라 진행되기 때문에 실행연구의 기본 개념, 원리, 절차만 준수한다면 연구자에 따라 달라질 수 있다. 때문에 어떤 개발 과정이 더 우수하고 덜 우수하다고 가치 판단을 내릴 수 없다. 이에 여기에서는 Ernie Stringer(2004: 36-180)의 'Action Research in Education' 에 안내된 절차를 설명하고자 한다.

실행연구가 일반적으로 교사들의 일상적 교실에서 사용되는 문제 해결하기와 계획 세우기이지만, 실행연구의 강점은 유기적으로 관련된 연구 과정의 체제적인 이행에 있다. 연구자들은 연구를 수행할 때 다음 단계를 따른다.

- 연구 설계하기 : 연구를 위한 문제를 주의 깊게 파악, 체계적 연구 과정을 계획하기, 그리고 작업의 타당성과 윤리 확인하기
- 자료 모으기 : 다양한 소스로부터 정보를 포함한
- 자료 분석하기 : 연구된 문제의 중요한 특징들을 확인하기 위해

- 의사소통하기 : 적절한 청중과 연구 결과를
- 사용하기 : 연구된 문제를 해결하기 위해 방향으로 작업한 연구의 결과를

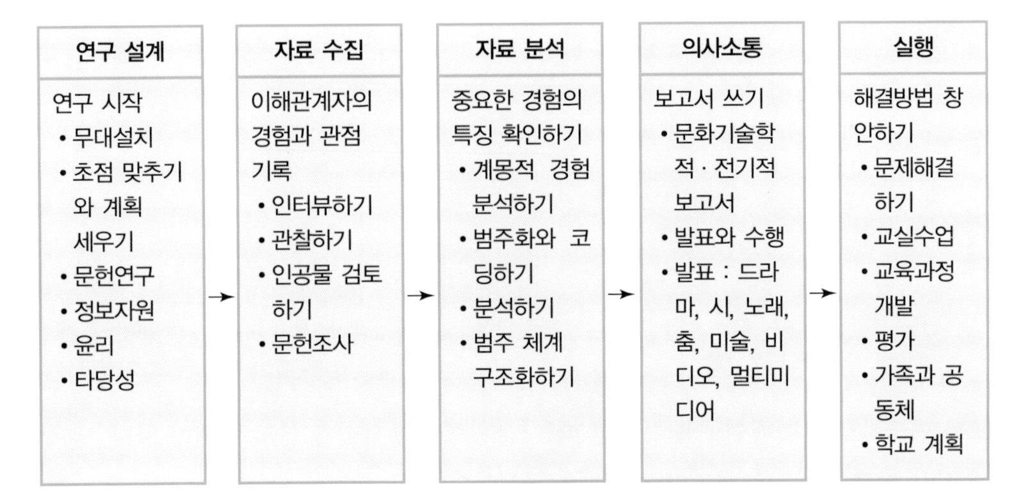

[그림 9-9 실행연구의 절차]

실행연구는 '실행' 이라는 용어가 사용됨으로써 기본 연구와는 차이가 있다. 기본적인 연구가 연구 상황에서 필수적으로 사용되지 않는 정보를 제공하는 반면, 실행연구는 직접적인 사용과 적용을 목적으로 한다. 실행연구는 순환적이기 때문에 연구 참여자들은 연구 문제에 대한 효과적 해결을 위해 작업을 함으로써 연구 과정을 계속적으로 반복한다. 다음 그림 9-10에서 보는 것처럼 실행연구는 순환의 개념으로 더 잘 알려져 있다.

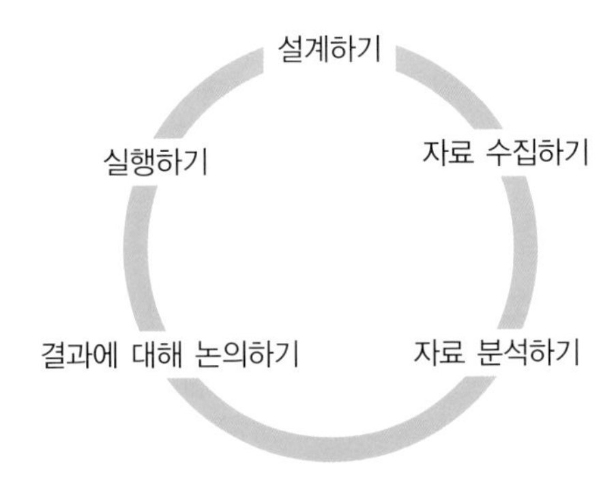

[그림 9-10 실행연구 사이클]

비록 실행연구가 교실 내의 불연속적인 문제와 이슈를 가지고 작업을 하지만 이것은 교실, 학교, 공동체를 넘나들며 좀 더 확대된 적용을 할 수 있는 잠재력을 가지고 있다. 참여자들은 연구 과정을 반복함으로써 이해를 증가시키게 되고 이를 통해 연구와 직접적으로 관련된 문제, 더 나아가 연구의 힘과 범위를 확대할 수 있는 생산적 기능을 가지고 있다.

연구 설계하기

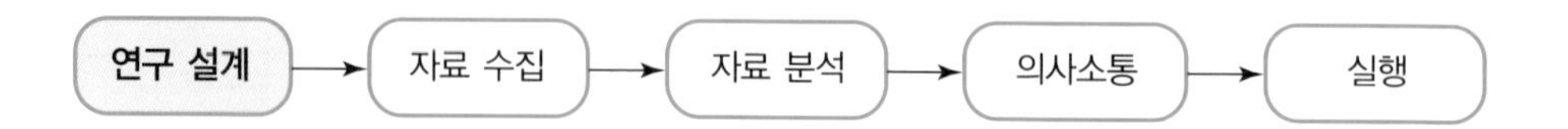

교사 연구자로서 실행연구에 참여할 때는 연구의 세부사항을 분명히 해야 한다. 당초에 교사 연구자는 프로젝트의 청사진을 구성하고 연구 활동의 더 구체적 내용들을 통합시키고 사건들을 정의하기 위해 다른 이해관계자와 함께 작업을 해야 한다.

교사 연구자들은 연구 작업에 착수할 때 연구를 설계하고 거쳐야 할 각 단계가 목록화되어 있는 실행 계획을 구체화해야 한다. 설계는 다음을 포함한다.

- 청사진 그리기 : 연구 문제와 문제에 영향 또는 문제에 의해 영향을 받는 사람들 정의하기
- 초점화 : 연구 문제, 연구 목적에 대해 상세히 진술하기
- 계획세우기 : 연구의 범위 지정하기
- 문헌조사
- 표본화하기 : 프로젝트 참여자들을 정의하기 위한 과정
- 정보/자료 자원 : 연구에 투입할 통계적 기록, 관련된 집단, 장소, 배경 그리고 다른 정보 기록물 정의하기
- 정보/자료의 형식: 연구를 위한 정보 유형-인터뷰 자료, 관찰 기록, 요약, 텔레비전 다큐멘터리, 공식 연구 보고서, 학교 보고서 등
- 자료 수집 과정 : 정보를 어떻게 수집할 것인가－인터뷰, 초점 집단, 관찰, 자원과 설비 등
- 자료 분석 과정 : 중요한 특징, 개념 또는 의미를 정의하기 위해 정보를 추출하는 방법－예를 들어 사건 분석, 범주화 그리고 코딩
- 윤리 : 연구에 참여함으로써 사람들에게 어떤 해를 끼치지 않는다는 것을 증명

하는 단계

- 타당성 : 연구의 힘을 강화하기 위해 사용되는 과정

실행연구자들은 연구의 목적과 본성에 대해 명확히 해야 한다. 교실과 학교는 교사, 학생, 행정가, 학부모 그리고 다른 사람들 사이에 무수히 많은 상호작용이 일어나고 있기 때문에 매우 복잡한 사회적 환경이기 때문이다. 또한 교사는 그들의 일에 계속적으로 영향을 주는 광대한 이슈와 문제를 갖게 되기 때문이기도 하다. 실행연구 초점 맞추기, 계획 세우기, 설계하기의 과정은 관찰, 반성, 실행의 사이클을 구성한다. 첫 번째 연구 사이클에서 교사 연구자들은 주의 깊게 교실과 학교를 관찰한 다음, 연구 문제를 분명히 하기 위해 그들의 관찰에 대해 반성한다. 이들은 연구의 범위를 그려봄으로써, 연구문제를 명확히 함으로써 연구와 관련된 사람과 문제를 명확히 정의한다. 그림 9-11과 같이 보기–생각하기–실행하기의 순환은 교사연구자와 다른 참여자들이 연구를 할 때 이러한 세부내용을 가다듬을 수 있게 한다.

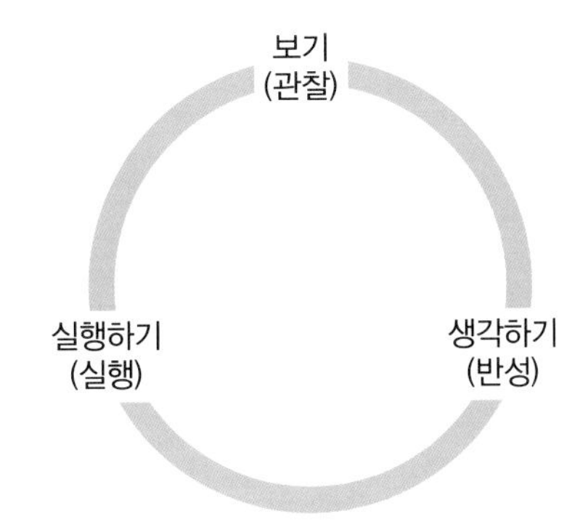

[그림 9-11 실행연구에서 보기-생각하기-실행하기 연구 사이클]

자료 수집하기

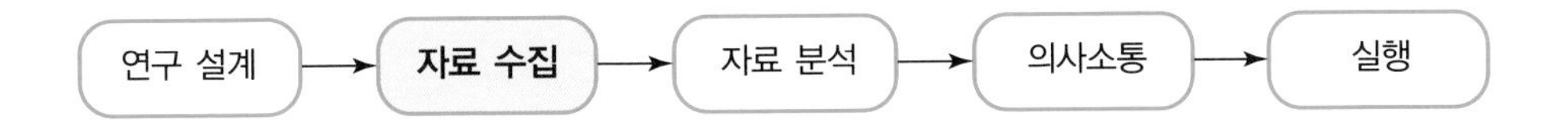

보기–생각하기–행동 연구 사이클의 첫 번째는 참여자들이 연구문제를 정의하는 것이며 연구를 규정하기 위한 계획을 세우는 것이었다. 이 사이클의 다음 단계에서는 참여자들이 자신들이 연구하고 있는 문제의 그림을 그리면서 시작한다(다양한 자원을 통해 정보를 얻기 위해 '보기' 단계에 집중함으로써). 이 정보는 사람들의 매일의 삶을 구성하는 행동, 활동, 사건, 목적, 감정에 대한 이해를 넓혀주는 데 사용된다.

연구의 이런 측면의 중요한 목적은 상호작용하고 있는 개개인의 경험을 이해하는 것이다. 예를 들어 교사들이 활동에 참여하지 않는, 흥미를 잃은, 버릇없는 행동을 하는 아이들과 함께 작업할 때, 교사들은 '이 아이들에게 무슨 일이 일어나고 있을까?', '이 상황에서 아이들이 이런 반응을 보이는 것은 무엇 때문일까? 라고 자문한다. 이와 같은 접근은 이런 행동에 대해 설명할 때, 행동 및 인격 장애의 측면에서 바라보는 심리학자들의 냉철한 관점과는 다르다. 실행연구에서는 학생들의 경험을 이해하기 위한 방법을 찾음으로써 아이들의 세계를 이해하고자 한다. 연구자들은 아이들의 경험에 입각해서 사건을 이해하고 해석하기 위해 아이들의 세계속으로 들어가 정보를 얻는다.

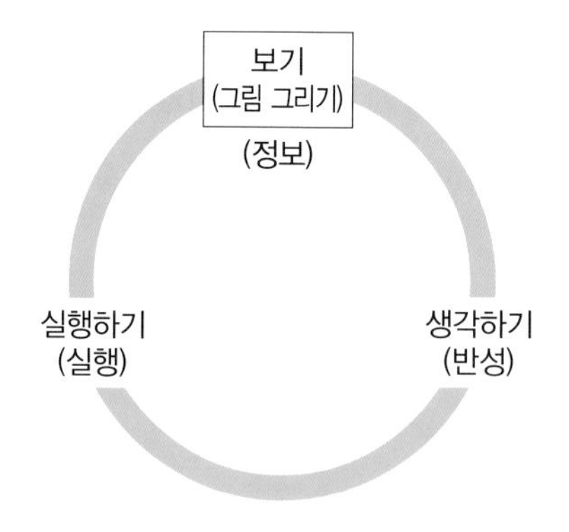

[그림 9-12 실행연구를 위한 정보]

실행연구에서 인터뷰는 사람들의 경험과 관점을 이해하는 중요한 수단이다. 또한 체계적으로 교실환경과 사건을 관찰하고 이슈와 관련된 기록물을 검토하며 관련된 자료와 설비를 시험한다. 이런 활동을 하면서 과거에 수집했던 다른 정보를 보완하는 유용한 통계적 정보를 얻는다. 또한 대학 연구 보고서, 전문 출판물 또는 공적 보고서를 포함한 관련 문헌을 찾는다. 이러한 정보의 유형들(인터뷰 녹음, 관찰, 기록물, 기사, 문헌 검토)은 각각 연구 과정에 큰 힘을 실어 줄 수 있는 잠재력을 가지고 있다.

사람들이 자신의 경험을 설명하는 것을 듣고 사건을 관찰하고 이에 참여하며 이와 비슷한 사건과 관련된 보고서를 읽는다면 연구 과정은 질적으로 풍부하게 된다. 다양한 자원은 독자적인 관점으로 연구의 결과를 결정할 가능성을 낮춘다. 다양한 자원은 문제에 대한 효과적인 해결방법을 강구하기 위해 다양한 재료를 제공한다. 이러한 자료의 트라이앵귤레이션은 연구 과정의 깊이와 정확성을 더해준다.

자료 분석하기

그림 9-13은 자료 수집에서 자료 분석으로의 이동을 보여준다. 실행연구의 보기-생각하기-실행하기의 관점에서 '생각하기' 요소는 수집한 정보를 참여자가 반영하기 위한 것이다. 그리고 너무 용량이 많고 다루기 힘든 정보를 직접적으로 적용할 수 있는 아이디어와 개념으로 바꾸는 것이다.

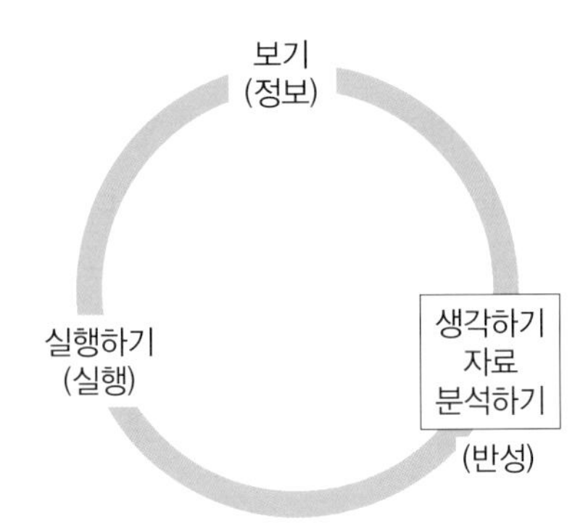

[그림 9-13 실행연구의 반성하기]

자료를 분석하는 과정은 연구하고 있는 문제와 가장 적절한 정보를 확인하기 위해 축적된 자료를 통해 거르는 것을 의미한다. 이러한 여과 과정은 사건에 대한 좀 더 큰 통찰과 이해를 가능하게 하는 아이디어와 개념을 조직하는 데 도움을 주는 자원을 제공한다. 이러한 분석과정은 연구와 관련된 사람들이 이해할 수 있는 개념과 아이디어를 찾음으로써 일반적인 문제 해결법을 찾을 수 있게 한다. 실행연구의 필수적 특징 중 하나는 자료의 성격을 모든 참여자들이 이해할 수 있게 일반화하기 위해서 참여자들의 경험과 관점을 살피는 것이다.

이것은 연구자들이 연구 상황과 과제와 분리된 자료를 분석하고 특별한 이론을 적용할 때, 범주와 개요를 공식화하는 일반적인 연구와는 다르다. 대부분의 연구에서 이론적 공식은 다른 참여자들의 목소리와 관점을 도외시하고 그 과정에 학구적 관점을 새김으로써 연구 과정을 주도한다. 비록 이런 유형의 연구가 아직 필요하지만 실행연구는 분석을 할 때 좀 더 현상학적인 접근에 관심을 가진다.

먼저 계몽적이고 중요한 경험을 사용함으로써 참여자의 관점을 보호하는 자료 분석을 해야 한다(Denzin, 1989). 근본적인 취지는 참여자들의 목소리를 듣는 것이고 이들의 중요한 경험과 일치하는 아이디어와 개념을 제공하는 것이다. 두 번째 과정은 방대한 자료를 좀 더 관리를 잘 할 수 있는 아이디어로 만들기 위해 자료를 범주화하고 코딩화하는 것이다. 이 과정의 목적은 사건이나 환경의 중요한 특징을 드러내는 자료의 주제와 양식을 나타내기 위해서이다.

의사소통하기

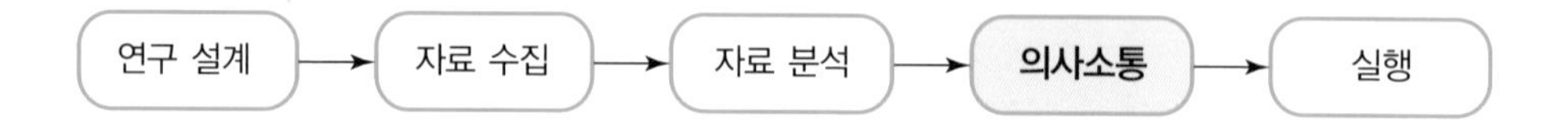

실행연구의 보기-생각하기-실행하기 구조에서 첫 번째 실행은 연구 참여자들과 관련된 다른 사람들과 함께 분석의 결과를 공유하는 것이다(그림 9-14). 이 과정의 목적은 연구 문제에 대한 해답을 찾기 위해 행해진 연구의 과정과 결과에서 나타나는 의미를 모든 사람과 함께 공유하기 위함이다. 참여자들은 모든 참여자들과 관련된 사람들을 위해 이해를 도울 수 있는 형식으로 정보들을 표현해야 한다.

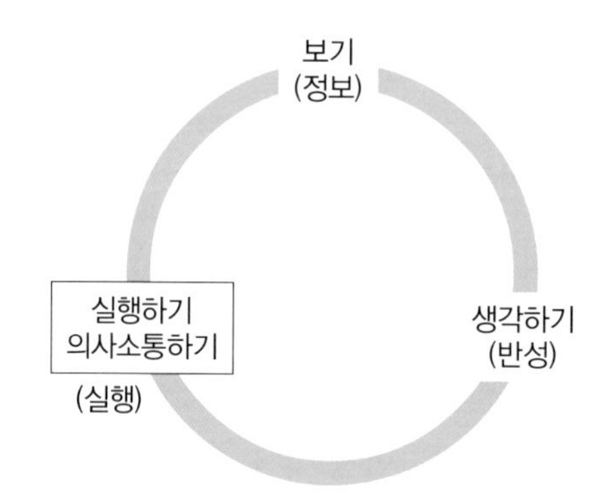

[그림 9-14 실행연구에서 의사소통하기]

의사소통을 하는 방법은 다양하며 이러한 의사소통은 참여자와 청중이 각각 연구 과정과 결과를 분명하게 이해할 수 있게 하는 장치이다. 따라서 연구 참여자들은 내러티브, 문화기술적, 자서전적 설명으로 다양한 청중과 이해관계자들에게 정보를 제공한다. 이들은 또한 의사소통의 효과적인 의미로서 발표 또는 수행을 공식화한다.

실행연구 과정을 통해 작업을 할 때 연구 과정 내내 연구 참여자들과 이해관계자들에게 정보를 주는 것은 필수적이다. 교실 연구에 관여하는 교사 또는 학생 집단은 교실에서의 그들의 활동을 다른 사람들에게 알려줄 필요가 있다. 만약 그들의 작업이 그들의 교실 생활에 중요한 변화를 가져오는 결과를 가져온다면 학교 행정가 그리고 학생들의 부모에게 정보를 제공할 필요가 있다. 새로운 교수 프로그램, 새로운 교육과정 개발, 학교 평가와 같은 좀 더 큰 프로젝트에서의 작업에는 다양한 이해관계자들 사이의 의사소통이 필요하다.

실행하기

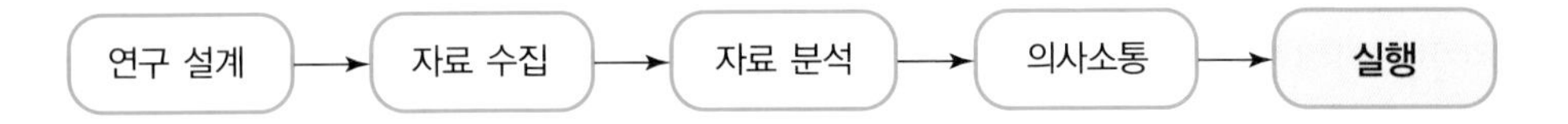

연구의 두 번째 '실행' 의 의미는 실제적 목적(연구가 초점을 둔 문제 또는 이슈에 대한 해결방법)을 위해 연구 문제에 나타난 지식과 이해를 적용하는 것이다. 때문에 이 두 번째 단계에서는 연구자들이 연구의 목적을 달성할 수 있게 필수적인 반성과 의사소통의 과정에서 실제적 실행으로의 이동이 중요하다.

'고무 타이어가 도로를 만나다' 라는 말처럼 연구자들은 교수 실제를 수정하기 위해서, 새로운 교실 수업 과정을 발전시키기 위해서 또는 새로운 학습 과정에 관여하기 위해 특별한 실행을 한다. 실행연구는 교육과정 계획하기, 프로그램 평가, 전략 계획하기, 정책 만들기와 같은 활동의 효과를 증대시키기 위해 학교, 공동체, 지역 수준에서 사용된다.

보기—생각하기—실행하기 사이클은 연구 참여자들이 자료 분석을 통해 나타나는 새로운 이해를 '보기' , 정보의 의미에 대한 '생각' , 적절한 교육과정적 또는 평가적 '실행' 을 계획하기를 의미한다.

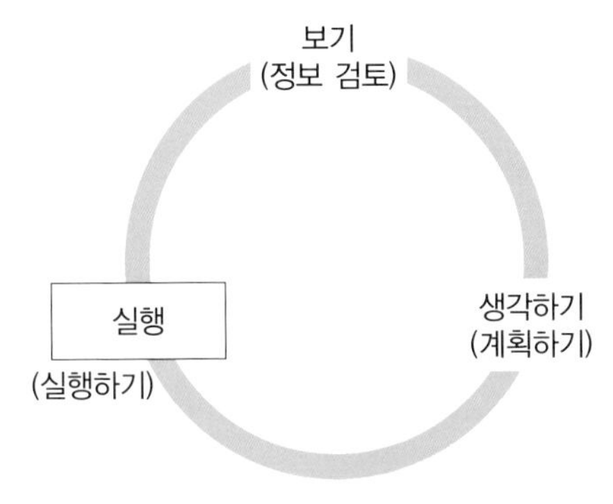

[그림 9-15 실행하기]

실행연구에 기초한 교육과정 개발의 예

지금까지는 실행연구의 개념과 특징 그리고 그 방법론에 대하여 살펴보았다. 이에 여기에서는 이러한 실행연구의 방법론을 통한 연구가 어떻게 진행될 수 있는지를 사례를 통해 보여주고자 한다. 이러한 작업은 실행연구를 처음 시작하는 연구자들에게 많은 도움이 될 것이다.

실행연구를 통해 교육과정을 개발하는 절차와 사례는 상당히 많다. 앞서도 이야기했지만 실행연구의 절차는 전체적 원리와 의미를 벗어나지 않는 선에서 다양하게 전개될 수 있다. 실행연구에 기초한 교육과정 개발의 사례로 교실 보조 교사로 일하고 있는 LouAnn Strachota의 실행연구와 교사 연구자인 장미남의 진주교육대학교 교육대학원 석사논문인 「초등학교 인성교육으로서의 나눔 프로그램 실행연구」, 마찬가지로 교사 연구자인 주영주의 진주교육대학교 교육대학원 석사논문인 「초등학교 국어과에서 소크라틱 세미나의 적용에 대한 실행연구」를 소개하고자 한다. 이를 통해 교육과정 개발을 위한 과정 속에서 실행연구가 어떻게 진행될 수 있는지 살펴볼 수 있을 것이다.

LouAnn Stachota의 실행연구

교실에서 보조 교사로 일하고 있는 LouAnn Strachota는 교사증명서를 얻는 과정에 있었다. LouAnn은 학생들의 교실에서의 행동을 연구하기 원하였다. 그러나 그녀는 어디에서 시작해야 할지 몰랐다. 이것은 처음 실행연구를 실천하는 연구자들이 겪는 일반적인 어려움이다.

연구 현장 : 고등학교 보건 수업

이 연구는 고등학교 보건수업에서 감정적 행동 장애(EBD)를 가지고 있는 4개의 반에서 과제 행동과 과제 외 행동 사이의 관계에 대한 실험이다. LouAnn은 학생들이 과제 행동과 과제 외 행동에 왜 차이가 있는지 파악하는 데 흥미를 느꼈다.

자료 수집

그림 9-16과 같은 자료는 5분 간격으로 과제 행동과 과제 외 행동을 체크리스트를 사용하여 관찰함으로써 얻어진 것이다. 이 보건 수업은 일주일에 5일, 10시 17분에서 11시 12분 사이에 진행되었다. LouAnn은 이 수업에 네 명의 학생들이 있었기 때문에 이 수업에서 학생들의 행동을 연구하기로 하였다: 세 명은 남학생, 1명은 여학생. 이 들 학생들 중 한 명은 17일간의 학교생활을 매일 관찰하였다. 각 학생들의 행동은 5분 간격으로 기록되었다.

학생들은 첫 번째 시간에 선생님이 자신들을 관찰할 것이라는 것을 전해 들었다. 며칠이 지난 후에 관찰된다는 의식은 사라졌고 학생들은 평소처럼 행동했다.

5분 간격으로 기록

과제 외 행동 학생은 :	10:30	10:30	10:40	10:45	10:50	10:55	11:00
누군가와 이야기하기						×	×
낙서하기							
다른 학생의 말 듣기							
자신의 책상 들여다보기							
열람용 책상에							
이외의 어떤 작업하기							
소란 피우기							
주변 돌아다니기							
다른 것							

관찰 : Don은 하루 정도 수업에 참여하지 않았다. 그러나 그가 수업의 마지막 10분 전까지는 작업에 충실히 참여하였다. 그후로는 교실 주변을 걸어다니고 다른 학생들과 말을 하였다.

[그림 9-16 과제 외 행동 체크리스트]

교실 구조 조정

이 EBD 교실은 교실 앞에 강낭콩 모양의 테이블 반 정도의 둘레에 10개의 책상과 의자가 놓여있었다. 교실의 뒤쪽에 개인용 열람석을 세 개 두었고 왼쪽 멀리에 선생님의 책상이 있었다. 행동에 대한 규칙은 교실 앞 차트에 붙여두었다. 개인용 열람석은 적절하지 못한 행동을 하거나 교실의 분위기를 흐리는 학생들이 앉는 곳이다. 만약 추가적으로 규칙을 위반하는 행동을 하면 학생들을 독립된 학습실에 보냈다. 다른 행동 관리 기술은 세 가지 교실 계약형태이다: 제한된, 기대된 그리고 특권. 각각의 계약은 학생들의 수준에 따라 변경된다.

자료 수집 및 분석

주목할 만한 관찰 중 하나는 학생들이 11시 즈음에는 배가 고파 그 시간에는 집중하기 힘들어한다는 것이었다. 학생들은 이 시간에는 종 치는 소리를 기다리면서 시계를 보기 시작하였다. 각 학생들에 대한 관찰 결과는 표 9-1과 같다.

〈 표 9-1 과제와 과제 외 행동 빈도 및 관찰결과 〉

학생	과제 활동	과제 외 활동
Don	85%	15%
Sally	90%	10%
Tom	80%	20%
Harry	83%	17%
평균	84.5%	15.5%
	관찰결과	
Don	Don은 출석률이 낮아 2번만 관찰하였다. 다른 학생들이 주어진 일을 하고 있을 때, Don은 과제를 잘하고 있는 것처럼 보인다. 수업의 마지막 20분 동안 그는 항상 다른 학생들과 이야기를 하고 있다.	
Sally	Sally는 4번 관찰하였다. 그녀는 대부분의 시간을 조력자와 함께 작업하는 시간으로 보냈다. 그녀는 관찰 기간 동안 3일간 학교에 오지 않았다. 그녀가 돌아왔을 때 그녀는 힘겹게 진도를 따라가려 하였다.	
Tom	Tom은 4번 관찰하였다. 그는 매일 학교에 왔으나 가끔 지각을 했다. 어느 날 그는 교실에 혼자 있었으며 산만함 없이 작업을 하고 있었다. 그러나 만약 그 누군가가 이야기를 하고 있다면 Tom은 쉽게 주의가 산만해졌다. Sally가 교실에 있을 때 그는 종종 그녀와 이야기를 하고 싶어하였다. 그는 또 다른 학생과 그가 그녀와 싸웠다고 말하였다. 그는 말하는 것을 멈추고 조력자 또는 선생님의 질문을 받았다. Sally가 교실에 없을 때 Tom은 15% 개선된 행동을 한다. Tom은 좋은 학생이며 그가 원할 때는 교실에서 학습을 잘 할 수 있다. 그러나 Sally가 있으면 쉽게 산만한 행동을 한다.	

(계속)

	관찰결과
Harry	Harry는 6번 관찰하였다. 과제활동의 가장 낮은 비율은 40%이고 가장 높은 비율은 100%이다. 가장 낮은 날에, Harry는 극도로 자신이 피곤한 것에 불평을 했으며 그는 어떤 작업도 하지 않겠다고 말하였다. LouAnn의 관찰은 또한 그가 피곤할 때 과제를 지속적으로 할 수 없다는 것을 보여주었다. 그는 피곤할 때 기분이 좋지 않으며 바닥에 눕고 싶다고 말하였다. 만약 Harry가 좋은 상태였다면 그는 매우 작업을 잘 했을 것이며 지속적으로 작업을 했을 것이다. Harry는 교실에서 친구들이 함께 작업을 하고 있을 때 과제 활동을 더 잘 하였다.

결론

과제 활동의 높은 비율은 작업 교실 규모가 작을 때 가능하였다. LouAnn의 관찰은 학생들이 더 적을 때 그들은 더 많은 작업 시간을 보낸다는 것을 보여주었다. 또한 학생들은 그들이 보조 교사 또는 선생님과 함께 직접 작업을 하고 있을 때 주어진 모든 일을 해내며 작업에 열중하였다.

과제 외 활동은 다음 상황에서 결과가 가장 높이 나왔다: 1) 학생들이 우울하거나 침울할 때 2) 학생들이 그들의 작업을 끝내고 다른 학생들을 방해했을 때 3) 교실에 더 많은 학생들이 있었을 때 4) 한 학생이 다른 학생을 좋아하거나 작업을 할 때 이야기하는 것을 좋아했을 때.

권고

이러한 관찰을 바탕으로 연구자는 다음과 같은 사항을 권고하였다. 첫째, 학생들은 그들이 작업을 끝냈을 때 또 다른 할 일과 읽을 것이 있어야 한다. 즉, 그들은 기계획된(preplanned) 일이 필요하며 그들이 지속적으로 할 수 있는 다른 어떤 것이 필요하다. 둘째, 학생들은 만약 그들이 이야기를 계속한다면 다른 학생들로부터 분리되어야 한다. 셋째, 주어진 일은 직접 경험할 수 있는 기회가 주어져야 하며 학생들에게 상호작용할 수 있도록 해야 한다. 넷째, 수업은 내용이 풍부한 활동을 사용할 때 더 흥미를 끈다.

장미남의 실행연구

연구 설계 및 자료 수집, 분석

평소 아이들이 다른 사람에 대한 배려나 나눔 의식이 부족한 것을 나눔 프로그램을 통해 해소할 수 있는지, 그리고 이에 대한 평가는 어떻게 해야 하는지에 대한 고민으로 초등학교 5학년 교육과정과 연계한 나눔 프로그램의 구안과 이 프로그램이 나눔 의식에 기여한 정도와 함께 그 수행능력을 평가하고자 하는 데 연구의 목적을 두었다.

참여관찰, 서술형 설문조사, 심층면담, 교사일지, 학습일지, 학습 결과물(포트폴리오) 검토를 통한 평가로 자료를 수집한 후 다양한 질적 분석 방법 중 주제별 분류와 주요 사례추출 방법을 사용하였다. 어느 정도 정리된 자료를 읽으며 코딩작업을 하고 각각의 코드의 관계 나타내기, 범주화 등의 작업을 통해 연구와 관련된 주제가 선정되었다.

의사소통 및 실행

장미남의 연구에서 의사소통의 작업으로서 첫째, 연구 참여자들의 자신의 수행에 대한 반성적 견해 및 수행결과물에 대한 발표 둘째, 연구자의 연구에 대한 전기적 문화기술학적 보고서 발표가 있었다. 첫 번째 작업을 통해 연구 참여자들은 자신의 참여 방향과 자세에 대해 반성하게 되며 더불어 발표라는 과정을 통해 자신감을 형성하게 된다. 두 번째 작업인 연구자의 보고서는 메일이나 대면을 통해 동료 교사와 다른 지역의 유능한 현장교사, 그리고 지도 교수이자 교육과정학자인 김영천 교수에게 전달되었고 이들로부터 다양한 아이디어와 조언을 들을 수 있었다. 이런 과정을 통해 실행과 관련된 다양한 것이 신생 또는 폐지 그리고 조정됨으로써 좀 더 향상된 실행을 가능하게 하였다.

실행 단계에서는 해결방법을 창안하여 교실수업을 비롯한 학교현장의 교육여건을 개선하는 것이다. 장미남 연구의 연구문제는 학생들의 인성을 함양시킬 수 있는 도구를 개발하고 이의 효능성을 검증하는 것이었다. 더불어 인성의 수준을 평가할 수 있는 도구를 개발하는 것이었다. 표 9-2에서처럼 장미남은 실행연구를 통해 이러한 문제를 해결할 수 있었고 더불어 학생들의 흥미와 동기를 유발할 수 있는 수업 팁을 얻음으로써 교실수업을 개선시킬 수 있었다. 뿐만 아니라 공식적 교육과정에서 교사가 의도하고자 하는 교육과정을 실행할 수 있었다.

〈 표 9-2 연구의 결과 〉

문제 해결	교실수업 개선	교육과정 개발
• 인성교육 프로그램 개발 • 학생들의 인성을 함양할 수 있는 나눔 프로그램의 가능성을 확인 • 인성의 수준을 평가할 수 있음	• 학생들의 흥미와 동기를 유발할 수 있는 수업 팁 얻음 • 학교에서의 경제교육의 가능성 확인	• 교육과정에 명시되어 있지 않은 내용 즉 교사의 의도된 교육과정을 공식적 교육과정에서 인정하는 교사 재량의 범위 내에서 실행할 수 있음 • 인성교육프로그램을 실행할 수 있는 교육과정이 평가도구와 함께 개발됨

주영주의 실행연구

연구 설계 및 자료 수집, 분석

주영주의 연구는 다인수 학급에서 소외된 아이들에게 수업의 기회를 골고루 제공하고, 고등사고력의 신장과 더불어 듣고 말하는 능력을 신장시키기 위한 목적으로 우리나라 초등학교 교실 수업에 적용할 수 있는 소크라틱 세미나의 모델 고안, 소크라틱 세미나를 적용한 수업의 효과, 그리고 평가도구로서의 루브릭 양식을 고안하는 데 초점을 두었다.

이를 위하여 참여관찰, 서술형 설문조사, 심층면담, 교사일지, 학습일지, 학습 결과물을 통한 평가로 자료를 수집한 후 다양한 질적 분석 방법 중 주제별 약호화와 주요 사례추출 방법 후 코딩작업, 각각의 코드의 관계 나타내기, 범주화 등의 작업을 통해 연구와 관련된 주제를 선정하였다. 지속적인 관찰과 자료의 분석으로 아동들의 독특한 반응과 행동, 프로그램 운영상의 문제점이나 프로그램 자체의 문제점 등을 도출하여 개선의 여지를 마련할 수 있었고 이를 토대로 지속적인 연구가 이루어졌다.

실행 및 연구 결과

연구 목적 달성을 위해 국어과에서 소크라틱 세미나를 적용하기에 적합한 단원을 추출하여 다양한 텍스트를 개발하고 수업을 계획하여 실행하였다. 실행 후에는 자기평가, 상호평가, 학습일지와 수업일지 등의 도출된 결과물을 토대로 반성하고 이를 수정하여 재계획하여 재실행하고 반성적 과정을 통해 또 반성하여 수정, 재실행하는 등의 꾸준한 연구 활동을 통해 표 9-3과 같은 연구 결과를 얻을 수 있었다.

〈 표 9-3 연구의 결과 〉

문제 해결	교수-학습 방법 개선	교육과정 개발
• 다인수 학급에서도 개개인의 수업활동 상황 파악 • 아동들의 적극적인 수업 참여 • 적극적인 교사와 책임감 있는 학생의 모습을 갖춤 • 아동들의 사고를 도움 • 교사로서의 긍정적인 태도 변화	• 평가방법과 수업 후의 반성적 과정을 통해 교사, 학생 모두에게 자기평가의 기회 제공 - 아동의 학습효과 상승 - 적절한 피드백으로 프로그램 수정, 보완을 통해 교수·학습 및 평가에 대한 개선점 찾음	• 공식적인 교육과정이 허용하는 범위 내에서 교사가 의도하고 신장시키고자하는 영역을 교육과정에 적극 반영하여 적용하고 끊임없이 수정하여 재적용하는 과정에서 효과적인 결과를 도출할 수 있음 • 다인수 학급형태인 한국의 초등학교 교실에 적용할 수 있는 소크라틱 세미나 모델과 적용 가능한 평가 기준을 개발함

종합 및 결론

앞서 언급했듯이 실행연구의 대명제는 연구자와 연구대상의 일체성에 있다. 이는 연구자인 행위 당사자가 주체가 되어 자신의 개인, 사회적 삶을 탐구하여 계속적으로 개선시키려 하는 '과정-지향적 탐구 패러다임'이라는 것이다. 즉 행위 당사자인 교사가 모종의 개선 계획을 실제로 행하면서 연구를 수행한다라고 풀어서 설명할 수 있다(이용숙, 2005). 실행연구는 개선을 궁극적인 목표로 연구와 실천이 순환적으로 동시에 이루어지므로 교사에게 권한과 책임을 동시에 지운다고 볼 수 있다.

실행연구를 통한 교육과정 개발은 기존의 교육과정 개발과 철학적 차이가 있다. 이는 좀 더 나은 교육을 지향한다는 것은 동일하지만 개발 절차나 개발자, 그리고 그 시기 등 많은 부분에서 차이를 보인다는 것이다. 기존 교육과정의 개발은 국가 주도의 교육과정 연구자 혹은 행정가들에 의해 계획되고 실천된다는 것이다. 교사를 배제한 채 계획된 교육과정의 큰 틀에서 일선 현장 교사들은 실천해야 한다. 이러한 경향은 일선의 다양하고 복잡한 상황을 고려하지 않은 것으로, 획일적으로 만들어진 교육과정은 생태적이고 역동적인 교실 현장에서 실천하기에는 큰 무리가 있었으며 교사들 또한 만들어진 교육과정에 안주하는 성향을 보이게 되었다.

기존의 교육과정 개발 이론에 대한 반성으로 나온 이러한 실행연구를 통한 교육과정 개발 모형은 기존의 교육과정 개발 이념과 큰 차이가 있다. 교실 현장의 특징을 가장 잘 알고 있는 교사들에 의한 교육과정 개발은 좀 더 현실적이고 직접적이며 효과적이라 할 수 있다. 실행연구는 머물러 있는 교사를 요구하지 않는다. 교사는 연구자로서, 교육 전문가로서의 적극적 태도를 가져야 하며 교사 연구자들에 의한 연구가 현장을 실질적으로 발전시킬 수 있는 것이다. 이런 경향으로 기존의 위에서부터 아래로(up-down)의 교육과정 실행의 관점에서 아래에서 위로(down-up)의 교육과정 실행의 관점으로 변화되었다. 또한 기존의 연구와는 달리 교육과정을 실행하는 중에도 교육과정을 수정 · 보완할 수 있다. 실행연구는 문제를 발견하고 이를 수정하여 좀 더 나은 방향으로의 성장을 도모한다. 이미 개발된 교육과정을 실행하면서 문제가 발견되면 이를 분석 · 반성하여 새로운 투입을 할 수 있다. 때문에 굉장히 역동적인 교육과정 개발 모형이라고 할 수 있다.

실행연구를 통한 교육과정 개발이 기존의 것에 대한 반성으로 나온 것이기는 하나 전통적인 연구방법보다 우수하다는 절대적 가치 평가를 하기는 어렵다. 때에 따라서는 기존의 전통적인 교육과정 개발 모형이 필요할 때가 있으며, 두 가지 방법을 혼합해서 활용될 수도 있을 것이다.

현재까지도 교육정책의 큰 틀은 위에서 아래로의 상명하달(上命下達)식 전달체계이지만 교육현장에서 이를 실천하고 개선할 수 있는 힘은 교사에게 있다고 할 수 있다. 좀 더 구체적이고 실제적인 교육과정은 교사의 끊임없는 연구와 실천을 통한 개선으로써 통해 이루어질 수 있을 것이며, 이를 위해 교사에게 끊임없는 권한과 여건을 부여해 주어야 할 것이다.

미국에서 발행된 「실행연구 핸드북」의 서문에서 Reason과 Bradbury(2001, p.1)

는 "실행연구는 우리가 역사의 현 시점에서 발현하고 있다고 믿는 참여적 세계관에 기반하여, 인간에게 가치 있는 목적을 추구하는 데 필요한 실천적 지식을 획득해 가는 참여적이고 민주적인 과정이다"라고 정의하고 있다. 가치 있는 지식은 자신의 실천을 통한 인식을 통해 얻은 지식으로 이는 가장 적합한 해결책이 될 수도 있는 것이다. 이런 반성과 실천은 실행연구의 중요한 요소이며 지속적인 반복을 통한 연구는 가치 있는 개선을 이룰 수 있도록 해준다. 이렇듯 실행연구를 통한 교육과정의 개발과 개선은 교사연구자로서 교사에게 전문성을 부여해줄 뿐만 아니라 구체적이고 실제적인 현장의 개선과 개혁을 이룰 수 있게 해줄 것이다. 이를 위해서는 무엇보다도 교사 스스로의 의지와 실행연구의 방법과 특징, 절차 등에 대한 구체적인 이해가 선행되어야 할 것이다.

학습활동과 토의주제

1 실행연구가 기존의 교육학연구와 어떻게 다르며 현장에 어떤 기여를 할 수 있 는지 논의해 보시오. 미래에 교사가 될 학생들과 연구자들은 왜 대학교수의 연 구방법과는 다른 형태의 연구인 실행연구를 해야 하는지에 대하여 상의해 보시오.

2 학교현장에서 교사가 실행연구를 하는 과정에서 겪게 되는 어려움들, 부담들은 다른 연구방법들과 비교하였을 때 어떤 특징들이 있을 수 있는지에 대하여 생각해 봅시다.

3 교사에 의한 실행연구를 강조하는 우리나라의 여러 학술단체(열린교육학회, 한국교총)와 교육부 교사연구대회 등에 대하여 알아봅시다.

참고문헌

강성우 외 역(2005). 교사를 위한 실행연구. 서울: 우리교육.

김영천 편(2006). After Tyler: 교육과정이론화 1970~2000년. 서울: 문음사.

성열관(2006). 교육과정 실행연구의 성장과 주요 특징에 대한 이론적 고찰. 교육과정학회지, 24(2). 87-109.

이용숙 외(2005). 교육현장 개선과 함께 하는 실행연구방법. 서울: 학지사.

이용숙 · 김영천 편(1998). 교육에서의 질적연구: 방법과 적용. 서울:교육과학사.

이혁규(2002). "현장연구지원제도의 현황과 개선방향", 교육인류학연구 제5권 제2호, pp. 115-155. 한국교육인류학회.

장미남(2006). "초등학교 인성교육으로서의 나눔 프로그램 실행연구", 진주교육대학교 교육대학원 석사학위논문.

조재식(2002). 교육과정 실행과 교사의 일: 현상학적 접근. 교육과정학회지, 20(1), pp. 229-252. 한국교육과정학회.

주영주(2004). "초등학교 국어과에서 소크라틱 세미나의 적용에 대한 실행연구", 진주교육대학교 교육대학원 석사학위논문.

최의창(1998). "한국교육의 개선, 교사연구자, 그리고 현장개선 연구", 교육과정연구 16, 2, pp. 373-399. 한국교육과정학회.

Herr, K., & Andson, G. (2005). *The Action Research Eissertation: A Guide for Students and Faculty*. California: Stage Press.

Johnson, Andrew P. (2004). *A Short guide to Action Research*. Person Education.

Kemmis, S., & McTaggart, R. (1988). *The Action Research Planner*. Deakin University.

Kemmis, S., & McTaggart, R. (2000). Participatory action research. In N. DenZin & Y. Lincoln(Eds.), *Handbook of Qualitative Research*. 2nd edition: Thousand Oaks, London: Sage Publication, Inc.

Noffke, S. (1989). The social context of action research: A comparative and historical analysis. ERIC 308 756.

Reason, P., & Bradbury, H. (2006). *Handbook of Action Research*. Sage Publications.

Shulman, L. S. (1986). Paradigms and research programs in the study of teaching: A contemporary perspective. In M. C. Wittrock(ED), *Handbook of research on teaching*(3rd ed.) (pp. 1-36). New York: Macmillan.

Shulman, L. S. (1987). Knowledge and teaching: Foundations of the new reform. *Harvard Educational Review*, 57, 1-22.

Stringer, E. (2004). *Action Research in Education*. Person Education.

Winter, R. (1989). *Learning from Experience: Principles and Practice in Action-Research*. The Falmer Press.

제10장

교사의 개인적 · 실천적 지식과 교육과정 개발 : Personal practical knowledge

이 장의 공부할 내용

교사의 실천적 지식 연구

실천적 지식의 연구 동향

교사의 실천적 지식을 활용한 교육과정 개발 모형

Jean Clandinin

캐나다 알버타 대학의 교육학과 교수로 재직하고 있으며 교육과정 분야에서 내러티브 탐구의 개척자로서 유명하다. 그의 스승인 토론토 대학교의 Michael Connelly와 함께 질적연구방법으로서 내러티브 탐구(Narrative inquiry)를 이론화시켰고 이 분야의 많은 학자들을 배출하였다. 그녀의 업적으로 인하여 AERA의 신진연구자상, 생애 업적상, 캐나다 교육협회 교육연구 위트워스상, 카플란 연구 공로상, 알버타 대학 최우수 연구상 등을 수상했다.

기존의 교육과정 탐구에 저항하면서 교육과정에 대한 연구를 교사의 경험과 지식으로 재개념화한 그녀는 교사의 개인적 · 실제적 지식이라는 개념을 코넬리와 창조하면서 교실수업에서 교사가 계획된 교육과정과는 달리 실제 수업에서 어떠한 사고과정과 판단과정에 기초하여 자신의 수업을 계획하고 실행하고 평가하는지를 연구하는 작업을 평생 해오고 있다. 이러한 노력으로 질적연구의 한 연구전통으로서 narrative inquiry라는 영역을 개척하였다. 코넬리와 공동으로 훌륭한 논문들과 저서들을 출판하였다. 최근에는 『Handbook of Narrative Inquiry』라는 책을 편집하여 narrative inquiry에 대한 기존의 모든 대표적 연구작업들을 집대성하였다.

❖ 주요 저서

1988, Teachers of Curriculum Planners Narratives of Experience.
2002, Narrative Inquiry Experience and Story in Qualitative Research: Jossey-Bass.
Handbook of Narrative Inquiry. Ca.: Sage.

PPK(Personal Practical Knowledge)는 교육과정과 수업 연구의 가장 최근 연구 주제 중의 하나이다. 이 연구의 핵심 내용은 교사의 교육과정과 수업개발의 방향이나 전제가 교육학/교육과정에 대한 이론의 학습으로부터 연유되는 것이 아니라 자신의 다양한 개인적 실제적 경험에 기초하여 만들어진다는 것이었다. 따라서 어느 교사가 왜 그리고 어떻게 교육과정을 설계하고 수업을 가르치는가를 이해하는 방법은 바로 그 교사가 가지고 있는 개인적 실천적 지식을 규명하고 이해하는 작업이라는 것이다. 즉, 한 교사의 PPK에 대한 지식 없이는 그 어떠한 교육과정과 수업의 개선이나 개혁은 현장에서 실현되기 어렵다는 점을 강조하고 있다.

이에 이 장에서는 1980년대 이후로 교육과정 개혁과 설계의 새로운 이론적 주제로 상정되어 온 교사의 개인적 실제적 지식에 대한 전체적인 이해를 소개하고자 한다. 이를 통하여 PPK를 이해하는 방식을 통하여 교육과정을 개선하고 개혁하는 일이 어떻게 이루어지는가를 설명하고, 교육과정 개발의 방식으로서 교사의 현장 이야기와 경험적 이야기들을 듣고 묘사하는 것의 중요성을 강조하고자 한다.

교사의 실천적 지식 연구

학교 개혁이 강조되고 있는 변화의 시기에 있어서 우리가 해야 하는 가장 중요한 과제는 교사에 대하여 알고, 교사의 이야기를 듣고, 교사와 함께 이야기하는 것이다(Goodson, 1992).

교사들의 삶의 중요성을 강조하는 주장들 중에서도 가장 중요시되는 연구동향 중의 하나가 '교사들의 실천적 지식에 관한 연구' 이다. 인식론적인 입장에서 볼 때, 교육과정을 통해 구성된 교육내용을 실천적이고 효율적으로 형성하고 실천하기 위해서는 교사들의 인식론적 개인 지식에 대한 이해가 필요하다는 주장과 지적에 대한 해결책으로 교사의 실천적 지식에 대한 연구가 제시되고 있다. 여기에서는 교사의 인식과 인지과정에 대한 연구는 교사가 교육과정을 효과적으로 학생들에게 적용하기 위해 교사 개인이 스스로 구성한 지식에 의해 교수 행위를 한다는 점에 주목한다.

교사의 실천적 지식과 관련한 연구물로는 교사의 사고(Clark and Yinger, 1977), 교사의 개인적인 실천적 지식(Clandinin and Connelly, 1995), 개인적인 실천적 지식:

교사가 운영하는 교실 현장에 대한 연구(Clandinin, 1985), 실천적 이론(Sanders and McCutcheon, 1986), 교사의 사고: 실천적 지식에 대한 연구(Elbaz, 1983), 실천적 지식(Yinger, 1987), 교육과정 개발: 개인 그리고 집단적 숙의(McCutcheon, 1995) 등이 있다.

교사의 삶에 대한 연구 패러다임의 변화

교사들이 가지고 있는 교육의 경험에서 생성되는 실천적 이론과 교수법적 개인 지식으로부터 교육과정을 이해하고자 하는 연구가 바로 교사에 대한 연구일 것이다. 교사들은 교육현장에서 중요한 실천적 교육실행가 중의 한 사람이다. 그러한 의도에서 교사의 중요성에 대한 강조는 이미 여러 학자들에 의해 주장되어 왔다(예, Freire, 2000; Giroux, 2000). 교사들의 삶에 대한 이야기를 통한 정체성의 이해는 교육적으로 커다란 가치가 있으며, 그러한 이해를 교육과정으로 포함시키기 위한 필요성은 아무리 강조해도 지나치지 않다. 더 나아가 교사들의 삶을 통한 여러 맥락적인 이해 그리고 삶의 이해를 통한 현 한국 교사들의 정체성 이해와 인식은 교육과정의 현실적, 실제적 연구에 커다란 영향을 미칠 것이며, 이것은 결국 학생들의 교육 성취도에 중요한 역할을 할 것이다.

교사에 대한 선행 연구의 예

- Ashton-Warner(1963) 『교사』
- Elbaz. F(1981) 『교사의 실천적 지식』
- Bullough(1989) 『초임교사: 사례연구』
- Bullough & Knowles(1990) 『교사 되기: 두 번째 직업으로서의 초임교사의 갈등』
- Goodson(1992) 『교사의 삶에 대한 연구』
- James(2002) 『욕망의 성취: 흑인 남성 교사의 이야기』

교사 교육에 대한 연구가 1970년대 이후로는 이전의 교사의 행동 중심에서 인지 중심으로 변화되었다(Zanting et al., 2003). 1970년대 이전에는 교사에 대한 연구가 교수의 효과성에 초점을 맞추어 과정-결과(process-prduct)의 틀로써 탈맥락적이고 과학적인 지표를 찾는 데 심혈을 기울였다. 1970년대 이후에는 교수의 연구 패러다임이 교사의 의사 결정이나 교사의 사고(思考) 과정 등의 내면적 인지를 강조하는 연구로 변화되었다(김경옥, 1997).

1980년을 기점으로 교사 연구는 외형적으로 관찰 가능한 교사의 행동에 대한 연구에서 점차 교사의 행동 이면에 놓인 인지과정, 인식론에 대한 연구로 나아가고 있다(Shulman, 1986). 교사의 인지과정 연구에서는 교사들은 학자들의 이론에 의존하여 자신의 교수행위를 결정하기보다는 자신이 구성한 지식에 근거하여 교수행위를 한다고 본다. Mcqulter(1986)도 교육실천의 개선을 위해서는 왜 교사가 그런 교수행위를 하는지, 어떻게 그들이 그런 결정을 내리는지에 대한 연구가 필요하다고 지적한 바 있다. 그런데 1980년대에 지금까지의 교수의 연구가 교실 외부의 교육전문가의 시각에서 이루어져 진정하게 교실 교수 상황을 설명할 수 없었다고 지적하며, 현장 교사의 교실에서의 삶에 초점을 두는 '교사의 실천적 지식' 을 탐구하는 방향으로 교사 연구는 발전되었다.

교사의 실천적 지식에 대한 정의

> *교사 교육 프로그램은 효과적인 교사 기술을 터득한 교사들을 배출하는 것이지만, 예비 교사 개개인이 가지고 있는 전기는 그들과 함께 교실로 은근 슬쩍 따라가며 그들의 수업에 영향을 끼친다(Bullough, 1989).*

교사의 실천적 지식은 한 교사의 개인적인 그리고 전문적인 경험이 자신의 교육과정과 수업활동의 의사결정 과정에 어떻게 잠재적으로 영향을 끼치는지를 분석함으로써 그 교사의 가르침의 배경지식으로 작용하는 지식의 내용이 무엇인가를 밝히는 것을 목적으로 한다. 따라서 한 교사의 현재의 가르침의 철학과 방법은 그 교사가 개인적으로 축척한 가르침에 대한 실제적 지식에 기초하고 있으며, 그러한 지식을 이해하고 논의하는 것이 한 교사의 특별한 교육과정의 행위들을 이해하고 개선하기 위한 기초적인 작업이라는 전제가 깔려 있다.

실천적 지식에 대한 연구는 연구자들로 하여금 현장의 교사들이 교사 직전 교육기관에서 배웠던 '가르침' 에 대한 훈련과는 다르게, 자신의 실천적 경험에 대한 반성을 통해 '가르침에 대한 실제적 행위 이론' 들을 개발하고 그 이론들을 가지고서 교육과정과 수업활동을 진행하고 있다는 사실을 깨닫게 만들어 주었다.

다음은 교사의 실천적 지식에 관해 연구해 온 대표적인 학자들의 실천적 지식에 대한 정의이다.

Elbaz : "실천적 지식이란 교사 개개인이 그가 가지고 있는 지식을, 그가 관계하고 있는 실제 상황에 맞도록, 그 자신의 가치관이나 신념을 바탕으로 종합하고 재구성한 지식이다."

Connelly & Clandinin : "교사의 개인적 실천적 지식이란 교수와 관련하여 현재상황의 긴박한 문제들을 다루기 위해, 미래의 어떤 의도를 재구성하기 위해 교사가 사용하는 특별한 방식이다."

Sanders & McCutcheon : "교사의 실천적 지식이란 교사 개인이 가진 신념이나 가치관이 녹아들어 가치 지향적이며 특정 장소와 상황과 관련된 맥락적인 성격을 지닌, 실제 교수 행위의 근거가 되는 지식이다."

교사의 실천적 지식은 교육 전문 연구자가 이론화한 공식적 지식과는 달리 현장 교사가 목적성 있는 행동을 수행하는 중에 직면하는 교실 상황과 실천적인 딜레마를 해결하는 과정에서 형성된 교사의 지식이다(Beijaaed & Verloop, 1996). 그것은 교육 실천에서의 교사의 행동을 결정하게 하고 안내한다. 그것은 개인적이며 직업적인 경험으로 형성된 것이며 교수 행동을 계획하거나 수행할 때 그리고 이미 이루어진 결정을 이해할 때 복잡한 방식으로 사용된다.

위에서 소개한 교사의 실천적 지식에 대한 연구와 관련해 아래와 같은 다양한 연구 용어들이 개방되어 연구되기 시작하였다.

- 개인적인 실천적 지식(Clandinin and Connelly, 1995)
- 교사의 이미지(Clandinin, 1986)
- 실천적 이론(Sanders and McCutcheon, 1986)
- 실제적 지식(Elbaz, 1981)
- 실천적 지식(Yinger, 1987)
- 교사의 사고(Clark and Yinger, 1977)

특히, Elbaz(1981) 및 Connely와 Cladinin(1990)은 개인적 실천적 지식(personal practical knowledge)이란 용어를 사용하며 교수 상황에서의 교사 지식의 개인적인 유일무이한 특성을 강조했다. 그들은 내러티브, 교사의 이야기 등과 같은 연구방법을 사용하며 전문 교육 연구자들에 의한 공식적인 지식과 관련짓지 않는 교사의 지식을 탐구했다(Zanting, 2003).

교사의 실천적 지식은 교육과정 및 교수 연구 분야에서 왜 중요한가

Beijaard와 Verloop(1996)는 두 가지 점에서 교사의 실천적 지식이 중요하다고 대답한다. 그 첫째는 교육과정 연구에서 현장 교사의 목소리가 진지하게 고려된다는 점이다. 지금까지 교육에 관한 전통적인 과학적 이론 연구가 학교(교육현장)와 연구자의 세계가 연결된 협동적인 모델로 대치되고 있다는 것이다. 교육적 과제들은 새로운 지식의 발견에 의해서가 아니라, 실용적 판단을 명확히 하고 활동함으로써 해결된다(Carr & Kemmis, 1986).

둘째, 실천적 지식의 강조는 현장 교사에 대한 재발견이다. 보통 사람과 전문직으로서의 교사를 구별하는 도구를 개발하는 것은 어렵다. 그렇지만 경험에 기초한 교사의 실천적 지식에서 전문직으로서의 교사의 특이한 자질이 뚜렷하게 존재한다. 전문교사-초보교사 비교 연구 결과에 의하면 교사를 전문가로 분명하게 구별하게 하는 실천적 지식은 통합성, 구체적인 교수 상황에의 적응성, 용이한 가용성 등의 특징이 있다.

교사의 실천적 지식의 내용

Shulman(1987)은 교사의 지식에 대하여 탐구한 결과, 그 범주를 교과 내용의 지식, 일반 교육학적 지식, 교육과정 지식, 교육학적 내용 지식, 학습자와 그들의 특성에 관한 지식, 교육맥락에 대한 지식, 교육목적, 목표, 가치관 및 그 철학적 역사적 배경에 관한 지식 등의 일곱 개로 나누고 있다. Shulman은 이 일곱 가지 범주 중에서도 교육학적 내용 지식이 특별히 교수 상황에서 구별되는 교사의 지식 체계임을 강조하고 있다. 그것은 교사로 하여금 교과 내용과 교육학을 혼합하여 특정 주제나 문제나 쟁점을 구성하고 제시하여 다양한 학생의 흥미와 능력에 부응시켜 수업을 하게 할 것인가를 알게 하기 때문이다.

Grimmitt와 MacKinnon(Munby et al., 2001)은 Shulman의 교사의 일곱 가지 지식 범주를 활용하여 새로운 교사 지식의 개념이 기예지식이란 개념을 만들어 내었다. 기예지식은 미학적 도덕적인 토대를 가지는 것으로 교사의 판단, 느낌, 학생과 학습에 대한 사랑을 중시하는 것으로 그들은 교육학적 학습자 지식이라고 명명했다. 그것은 교육학적 내용 지식과 일반 교육학적 지식으로 정의된다.

Hashweh(2005)의 교사 지식-교사의 교육학적 구성 개념

Hashweh(2005)는 교사 지식의 대표적인 범주인 교육학적 내용 지식에 대한 연구자들의 개념 정의들을 검토한 후 그들 사이의 혼란과 문제점이 있음을 지적하며 새로운 개념화를 시도했다. Hashweh는 교육학적 내용 지식이 다른 범주의 교사의 지식과 관련이 깊음을 고려하여 '교사의 교육학적 구성 개념' 이라는 새로운 개념을 만들어 교육학적 내용지식을 설명하고자 했다.

Hashweh는 새로운 개념을 사용한 교육학적 내용 지식 관련 개념을 다음의 일곱 가지로 정리하고 있다.

(1) 교육학적 내용 지식은 공공적, 객관적 지식이라기보다 개인적 사적 지식이다.
(2) 교육학적 내용 지식은 교사의 교육학적 구성 개념이라 불리는 더 적은 지식 단위들의 집합체이다. 교육학적 내용지식은 하나가 전체가 아니라 여러 개가 모여서 된 집합체이다. 화학적으로 비유하자면 그것은 하나의 새로운 화합물이 아니라 이질적인 분자의 혼합물이다. 이 점에서 교과 지식과 같은 한 분야에서의 깊은 지식과는 다르다.
(3) 교사의 교육학적 구성 개념은 주로 교수 계획의 과정에서 생기나 상호작용적 교수의 결과에서도 생기고 후속적 반성으로부터도 생긴다. 그런데 교육학적 내용 지식은 교사의 경험과 관련되므로 보통의 교사 양성 프로그램에서의 공부로는 개발되지 않는 것 같다.
(4) 교사의 교육학적 구성 개념은 대체로 교사 지식의 다른 범주들 사이의 상호작용 결과이다. 깊이 있는 교육학적 내용 지식은 하나의 지식 범주에서의 깊은 지식으로부터만 생기지는 않는다.
(5) 교육학적 구성 개념은 일반적인 사건 기반 기억과 구체적인 이야기 기반 기억의 두 가지 요소로 구성된다.
(6) 각 교육학적 구성 개념은 특정한 주제와 관련된다.
(7) 교육학적 구성 개념은 다른 범주의 교사의 지식이나 하위 범주의 지식과 다양하고 흥미로운 방식으로 연결되어 여러 상황에서 사용된다.

Elbaz(1983)의 교사의 실천적 지식의 내용

Elbaz(홍미화, 2005)는 교사의 실천적 지식을 그 내용, 정향, 구조의 양상에서 가장 포괄적이고 알기 쉽게 설명한다. 교사의 실천적 지식의 내용은 크게 교육과정 지식, 교과 내용 지식, 교수-학습 지식, 교사 개인 지식, 교수-학습 환경 지식 등으로 나뉜다. 교육과정 지식은 교육과정 개발과정과 방식 및 교육과정 재구성과 관련된 지식이며, 교과 내용 지식은 교사가 가르칠 내용에 대한 지식 및 기능과 관련된 지식이다. 교수-학습 지식은 학습의 의미와 학습자에 대한 이해 및 일반적인 교수에 대한 지식과 교과 교수법 지식을 포함한다. 교사 개인 지식은 교사 자신의 개인적 가치와 목적에 관한 이해, 전문인으로서의 교사가 자신을 바라보는 지식이며, 타인과의 관계 속에 놓인 자신을 이해하거나 판단하는 능력 등도 포함한다. 교수-학습 환경 지식은 교사가 위치한 학교 및 교실을 둘러싼 사회, 문화, 정치, 경제 그리고 지리적 환경에 대한 이해이며 교사가 갖는 지식의 범위와 질을 결정하는 지식이다.

교사의 실천적 지식의 정향은 암묵적 성격인 실천적 지식의 원천 혹은 형성 배경을 나타내며, 상황적, 개인적, 사회적, 경험적, 이론적 정향 등으로 나뉜다. 상황적 정향은 실천적 지식이 교사가 부딪히는 독특한 각각의 구체적인 상황에 의존함을, 개인적 정향은 실천적 지식이 교사 개인의 느낌, 목적, 가치, 신념 등과 밀접하게 관계됨을 의미한다. 사회적 정향과 경험적 정향은 교사가 처한 사회적 조건과 힘 혹은 교사 개인의 경험이 실천적 지식과 밀접하게 관계됨을 의미한다. 실천적 지식의 이론적 정향은 교사가 일반적인 교육 이론 혹은 연구에 대한 태도 견해를 의미한다.

교사 실천적 지식의 구조는 실천적 지식이 직접적으로 외부로 표현되는 측면으로 교사의 언어와 수업 행위 등으로 나타난다. 이는 실천의 규칙, 실천적 원리, 이미지 등으로 설명될 수 있다. 실천의 규칙은 교사의 구체적인 수업 행동으로 나타나는 교육목적이나 방법적인 지향이며, 실천적 원리는 과거의 여러 경험에 대한 오랫동안의 숙고와 반성의 결과로 형성된 신념과 기대이다. 이미지는 교사의 가치, 느낌, 요구 그리고 신념이 비명시적, 함축적, 총체적으로 은유되는 마음의 상이다. 즉 교사가 마음속에 그리는 좋은 수업, 좋은 교육 등의 상이다.

실천적 지식의 형성에 영향을 미치는 요인

실천적 지식의 형성에 영향을 주는 요소는 무엇인가? 위에서 살펴본 바와 같이 실천적 지식은 확고하게 정해진 지식이 아니라, 교사가 접하는 여러 맥락이나 반성적 사고 등과 맞물려 끊임없이 변화하는 지식이라고 볼 수 있다. 이에 Curt(1995)는 교사는 정체된 지식이 아니라 숙의를 통해 계속적으로 변화되어 가는 과정에 있는 지식을 소유하고 있다고 하였다. 이에 실천적 지식의 형성에 영향을 미치는 요소에 대한 연구가 이루어지고 있는데, 대체적으로 교사의 개인적인 삶, 교사 교육, 교수 경험, 교수적 맥락 등 다양한 요소가 논의되고 있다.

Elbaz의 교사의 실천적 지식의 정향은 실천적 지식의 형성 배경과 과정을 시사한다. 이를테면 사회적 정향은 실천적 지식이 사회적 조건에 의하여 형성되었음을 시사한다. 동일한 교사라 하더라도 학교를 이동하여 새로운 학교의 사회적 조건—예를 들면 교사 간의 관계나 학부모와의 관계 변화—이 바뀌면 그의 실천적 지식도 변화된다는 의미이다.

학자별로 정리한 실천적 지식의 형성 요인

Elbaz (1981)	• 사회적 정향 : 특정 교실 및 학습자의 요구 • 개인적 정향 : 개인적인 느낌, 목적의식, 관점 등 • 사회적 정향 : 사회적으로 바람직하다고 인정되는 요인 • 경험적 정향 : 교사 개인의 경험 • 이론적 정향 : 직전교사교육의 과정이 교사의 이론과 지식의 깊이를 좌우
McCutcheon (1995)	• 교사 이전의 개인적인 삶 : 학창시절, 성장경험, 여행경험, 직장경험, 대인관계 등 • 교수적 맥락 : 교육정책, 가르치는 학년, 사용하는 자료, 처한 환경, 동료교사의 실천적 지식, 학습자의 문화적 · 인종적 특징 등 • 교수 경험 : 실천적 지식 형성과 개선의 중요한 원천으로 효과적인 교육을 이루기 위한 교사의 노력, 반성적 사고를 포함.

『실천적 지식의 형성 요인에 대한 사례 연구』 예

Beattie (1995)	• 학창시절 학습경험, 교사로서의 교수 경험, 연간교육과정, 지역사회 환경 등 (※ 경쟁관계에 있는 학생의 협동하는 학습에 참여하는 교육환경 조성을 위한 교사의 실천적 지식의 형성 과정 연구)
Spodek & Yinghui(1995)	• 학창시절 학습경험, 동료 교사와의 협동 연구, 부모로서의 경험, 교사로서의 학생 지도 경험, 타 문화 연구 및 여행에 대한 개인적 관심 등

『실천적 지식의 중점적 형성 요인에 대한 사례 연구』 예

Hauser(1995) Spodek & Yinghui(1997)	• 교사의 개인적인 삶 : 개인적 삶이 학습자에게 문화적 가치의 전달 방식에 어떤 영향을 주는가?
Clandinin(1989) Orton(1996)	• 교사의 교수경험 : 가르치는 현장 경험이 실천적 지식의 형성에 어떤 영향을 주는가?
Diaz(1994)	• 교수적 맥락 : 학생을 가르치는 주변 환경 및 학교의 상황이 교사에게 어떤 영향을 주는가?

실천적 지식의 연구 동향

교육과 관련한 연구는 주로 교육과정 내용 구성이나 교육 심리, 인지 발달 등에만 치중하여 교육의 중요한 주체 중의 하나인 교사에 대한 연구는 소외되어 왔다. 그러나 최근 이러한 실천가이자 교육의 주체적인 개혁자로서의 교사에 대한 관심이 집중되고 고조되면서 교사의 개인적 실천적 지식과 관련한 여러 가지 연구들이 이루어지고 있다.

Shulman(1987)은 교사가 가르치는 행위에 대한 체계적인 연구는 미개척 연구 분야로 실제 교수행위의 역사를 통해 축적된 교사의 전문적 지식을 전문적으로 밝혀내는 노력이 필요하다고 주장하였다. 전문가 교사의 실천적 지식 연구는 교수 상황에 내재된 사회문화적인 맥락에 대한 이해보다 지식의 명료화에 치중하고 있다는 비판도 있으나(Sockett, 1987), 잘 가르치기 위해 필요한 요건을 밝혀냄으로써 교사가 전문가로서 인정받기 위해 갖추어야 할 요건에 대한 명료화에 공헌하였다.

교수 행위에서 발휘되는 실천적 지식은 직관 또는 반성적 사고의 경로를 거쳐 사용된다(Conelly & Dienes, 1982; Cornett, 1987, 재인용). 실제로 교사의 일생을 통한 경험과 직결되는 교사의 실천적 지식 자체를 밝혀내는 것도 중요하지만, 많은 연구자들은 실천적 지식이 교사의 개인적인 신념이나 가치관에 기반한다는 점에 주목하였다. 이에 McCutcheon(1995)이나 Cornett(1987), Conelly(1982) 등의 연구자들은 실천적 지식을 형성해 나가는 과정이나 개선을 위해서는 실제로 수업에 사용하고 있는 실천적 지식에 대한 반성과 토론의 기회를 제공하는 것과 이에 대한 연구가 필요하다고 지적하였다.

이와 같은 교사의 실천적 지식에 대한 연구들을 실천적 지식의 이해를 위한 접근과 실천적 지식의 개선을 위한 접근의 두 가지 경향으로 나누어 김자영(2002)은 표 10-1과 같이 정리하고 있다.

실천적 지식의 이해를 위한 접근은 실천적 지식이 교육과정 개발의 주요 원천이라는 점과 교수 경험을 통해 검증되고 축적된 지식이라는 점에서 실제 교수 행위에 묻혀있는 이러한 지식을 드러내는 데 목적을 둔다. 다음으로 교사의 실천적 지식의 개선을 위한 접근은 교사에게 자신이 가지는 실천적 지식에 대하여 자각하고 재평가할 수 있는 반성적 사고의 기회를 제공하여 그들의 실천적 지식의 개발을 도모하는 데 목적을 둔다(김자영 · 김정효, 2003).

〈 표 10-1 교사의 실천적 지식에 대한 연구 동향 (김자영, 2002, p.2) 〉

다양한 접근들		주요 연구	연구방법	시사점
실천적 지식의 이해를 위한 접근	교육과정 개발의 주요 원천	• Elbaz, 1981, 1983 • Clandinin, 1985 • Cornett, 1987 • McCutcheon, 1995	• 연구대상: 보통의 교사 • 자료수집방법: 질적연구	교사는 교육과정 전달자가 아니라 '교육과정 개발자' 이다.
	교수행위를 통해 검증되고 축적된 지식	• Shulman, 1987 • Tobin, 1987 • Lampert, 1990 • Mayer, 1995	• 연구대상: 전문가 교사 • 자료수집방법: 질적연구	교수행위는 교수 경험을 통해 축적된 전문적 지식을 토대로 이루어지는 전문적 행위이다. 교사의 실천적 지식은 교사 교육의 내용으로 제공되어야 한다.
실천적 지식의 개선을 위한 접근		• Cho, 1995 • Ponte et al., 1994 • 박은혜, 1996	• 연구대상: 보통의 교사 • 자료수집방법: 질적연구, 문헌연구	교육현장의 개선은 반성적 사고를 통한 교사의 실천적 지식의 개선에 의해 가능해진다.

외국의 연구 동향

1980년대 이후로 교사의 개인적인 경험이 교사 자신의 교육과정과 수업활동의 의사결정 과정에 영향을 미치는 교사의 개인적인 실천적 지식을 규명하고 개념화시키기 위한 연구들이 쏟아져 나왔다.

교육과정과 수업영역에 대한 새로운 탐구 주제인 실천적 지식에 대한 대표적인 연구로는 Elbaz(1983)의 『교사의 사고: 실천적 지식에 대한 연구』, Clandinin(1985)의 『개인적인 실천적 지식: 교사가 운영하는 교실 현장에 대한 연구』, Schubert & Ayers(1992)의 『교사의 지식』, McCutcheon(1995)의 『교육과정 개발: 그리고 집단적 숙의』, Ben-Peretz(1995)의 『기억과 교사의 가르침에 대한 설명 양식』 등이 있다.

Elbaz(1983)의 연구

개인적인 경험과 실천적 지식

Elbaz(1983)는 고등학교 영어 교사를 대상으로 한 실천적 지식 사례연구인 「교사생

각: 실천적 지식에 대한 연구」에서 교사가 교수 행위의 방향과 이미지를 결정하기 위해 주로 사용하는 실천적인 실행과 관련이 있는 일련의 이해체계를 가지고 있음을 발견하였다.

> 실천적 지식은 우선적으로 학습자의 학습방식, 흥미, 요구, 장점과 어려움 그리고 수업 기술의 측정과 교실운영 기술의 경험을 포함한다. 교사는 생존과 성공을 위해 학교와 사회 구조가 무엇을 요구하는지를 안다. 교사는 학교가 속해 있는 지역사회에 대해 알고, 그 지역사회가 용인하는 것과 그렇지 않은 것에 대한 감각을 갖고 있다. 이러한 경험적 지식은 교과, 아동 발달, 학습, 그리고 사회 이론과 같은 영역에 대해 교사가 갖고 있는 이론적 지식에 의해 영향을 받는다(Elbaz, 1983, p.5).

교사들은 교육에 있어서 수동적인 존재로서 주어진 교육과정 안에서 타인의 지식에 대한 전달 역할을 해왔기 때문에 교육의 참가자로서 성공하지 못할 수밖에 없었다는 점을 지적함과 동시에 교사의 경험에 의한 개인적 지식에 대한 형성과 실천적 지식을 통한 교수 행위를 강조하였다.

Clandinin과 Connelly(1987~2000)의 연구

개인적인 경험과 실천적 지식

Clandinin과 Connelly는 이야기 탐구라는 용어를 교육과정 영역에서 처음으로 이론화시킨 학자들로서 교사가 실제적으로 발전시키고 형성해 온 개인적인 지식이 수업현장에서 어떻게 사용되고 있는지에 많은 관심을 쏟았고, 교사의 실천적 지식에 대한 다양한 접근방법과 이론들을 제시하였다. 그들의 연구가 담긴 다양한 저서들과 논문들 중에서 '경험의 이야기들' 이라는 부제를 가진 『교육과정 계획자로서의 교사』라는 책이 대표적이며 2000년에 출간된 『이야기 탐구: 질적 연구에서의 경험과 이야기』에서 그동안의 자신들의 이론을 체계적으로 종합해 놓았다.

Clandinin(1985)에 의하면 교사는 교육과정 이론에 있어서 전문가가 아니므로 완전히 이론적이지도 못하며, 가르치는 학생들의 부모가 아니므로 학생을 안다는 점에서 볼 때도 완전히 실제적이지도 못하므로 교사의 지식은 특별한 지식이라고 하였다. 교사가 가진 지식을 탐구하기 위해 Clandinin(1989)은 초보 유치원 교사를 대상으로 이야기 탐구 방법을 사용해 1년 동안 교수 경험에서 주기적으로 실천적 지식을 형성시키고 발전시키는 과정을 연구하였다. 교육현장에서 초보 교사로서 겪게 되는 다양한 사건들과 교육 실천의 어려움과 긴장 등의 경험으로 얻게 되는 지식 등에 관한 것이었다.

특히 그들은 실천적 지식을 이해하기 위해 한 개인으로서 또한 교사로서 가지게 되는 경험의 역사에 집중하였다. Clandinin과 Connelly는 한 교사가 가지는 의식적이며 무의식적 경험에 영향을 받아 행동으로 표현되는 이 특별한 지식을 교사의 '개인적-실천적 지식(personal practical knowledge)' 이라고 명명하였다. 이 지식은 사람의 과거 경험 속에, 현재의 정신과 신체 속에, 긴박한 현재 상황의 문제를 다루기 위해, 과거나 미래의 어떤 의도를 재구성하기 위해 교사가 실제로 사용하는 특별한 방식이다(Clandinin & Connell, 1988, p.25).

이와 같은 맥락에서 Gary Knowles의 이야기 방법을 적용한 예비 교사의 삶에 대한 분석 연구는 매우 흥미롭다. 예비 교사 교육 프로그램보다는 유년시절의 경험, 초기 교사의 역할 모델, 교수 경험 그리고 의미 있는 다른 사람과의 상호작용 경험이 더 많이 교사의 수업의 실제에 영향을 주고 있다는 점이다.

McCutechon(1995)의 연구

반성적 사고를 통한 실천적 지식의 개선

교사의 교육과정 실행 과정과 관련한 연구를 꾸준히 해온 McCutechon은 사례 연구 및 생애사 연구방법과 Eisner의 미학적 비평과 숙의의 연구방법론을 차용하여 교사의 실천적 지식에 대해 연구하였다. McCutechon은 Ohio의 Columbus시 근처의 초 · 중등학교 교사들을 대상으로 학교에서의 '숙의' 에 대한 연구를 통해 교사가 자신의 교육과정을 계획하고 실행할 때 어떠한 기준에 근거하고 있는지 이러한 교사의 실천적 지식이 어디에서 발생하는지에 관심을 가지고 연구하였다. 이 연구 결과물인 저서 『교사의 숙의』(1995)에서 규명한 내용은 교사들의 '가르침' 에 대한 의사결정 행위가 그 교사가 내면화시킨 교사의 개인적인 실천적 지식과 관련이 깊다는 것이었다.

McCutechon은 여러 현장 연구 결과를 통해 실천적 지식에 대해 다음과 같이 정리하였다. 첫째, 교사들은 나름대로의 개인적인 실천적 지식에 근거하여 교육과정을 실천하고 수업을 개발하며 교실관리를 한다. 예를 들어 한 교실에서는 국어 수업이 강조되고 다른 교실에서는 자유로움과 개방성이 강조되는 이러한 차이가 존재한다는 점이다. 이에 McCutechon은 각 교사들에 따라서 무엇을 더 중요하게 가르치고 덜 중요하게 가르치는지, '가르침' 에 있어서 우선순위가 왜 개별 교사마다 달라지는지를 그 교사의 개인적인 실천적 지식의 차이로 설명하였다.

둘째, 교사의 실천적 지식을 구성하는 데 관여하는 여러 가지 요소들이 무엇인가에 대한 것으로, 요소들은 다음과 같다: (1) 교사가 되기 전에 그 교사가 겪은 다양한 경험들(성장과정에서 경험, 학창시절, 여행 경험, 일을 했던 경험, 사람들과 상호작용했던 경험 등), (2) 교사가 맡고 있는 수업의 조건들(가르치는 학년, 학생들의 능력, 학습자의 특성, 학습자의 문화적 인종적 특성, 처해있는 교실 환경, 교육정책, 동료의 실천적 지식, 전문적인 담화의 기회 등), (3) 교사의 교수의 경험.

따라서 실제 수업활동과 계획을 수립하는 데 교사가 갖고 있는 내재적인 신념과 준거가 중요한 역할을 한다고 밝히고 있다. McCutechon이 바라보는 실천적 지식은 개인이 가진 신념이나 가치관이 관여되어 현장에서 실행해 오면서 형성된 지식인 것이다. 따라서 교수 행위에 대한 반성적 사고는 실천적 지식을 개선하고 정교화시키며, 가르치기 전후나 가르치는 동안 전반에 걸쳐 이루어진다. 이에 교사의 노력이 필요하며 꾸준히 반성과 토론의 기회가 제공되어야 한다.

Clark와 Yinger(1977)의 연구

교사의 사고 과정을 통해 드러나는 실천적 지식

Yinger(1987)는 실천가인 교사의 말보다는 교사의 행위에서 드러나고 발견되는 것이 교사의 '실천적 언어' 이며, 이것은 실제 교수 활동을 해보지 않고는 얻어지지 않는 것이라고 지적한다. 이 언어에는 교사가 교수행위에 사용하는 어휘뿐만 아니라 효과적으로 가르치기 위해 하게 되는 사고 과정과 교수 방법에 대한 지식 등을 포함시키고 있다.

Clark와 Yinger(1997)는 『교사의 사고에 대한 연구』에서 교사의 사고방식과 사고과정을 알게 된다면 그 교사가 하게 되는 행동과 결정을 좀 더 쉽게 이해할 수 있다는 가정하에, 기존의 방대한 연구들을 종합하고 분석하여 교사가 가지고 있는 실천적 지식의 특징을 규명하였다. 이에 교사의 활동을 ① 교사의 계획, ② 교사의 판단, ③ 수업에서의 의사결정 ④ 교사의 신념이라는 네 영역에서 분리하여 교사의 행동에 대한 이론화를 시도하였다. 즉 교사의 사고방식과 사고 과정은 그들의 행동과 결정 등에 중요한 영향을 미친다는 것을 주장하면서 교사가 가지고 있는 실천적 지식에 대한 특징의 명료화를 위해 노력하였다.

이들의 연구결과에서 주목할 만한 실천적 지식의 특징을 언급하면 다음과 같다.

(1) 교사는 특정한 교육목적이나 목표에 따라서 계획을 세우지 않고 교과 내용이나 수업 방식에 따라서 계획을 수립한다는 것이다. 게다가 내용을 가르치는 데 수업 시간의 대부분을 보낸다는 점이다.

(2) 교사의 의사 결정은 수업이 원활히 진행되지 않을 때 이루어지는데, 대부분 교사들은 다른 대안들을 고려하지만 이러한 대안들을 실행하지는 않는다. 이는 수업이 잘 진행되지 않더라도 수업내용을 바꾸려고 하지 않는다는 것을 말해준다.

(3) 교사의 수업행동에 영향을 끼치는 중요한 원리들이 존재한다. 교사는 다음과 같은 다섯 가지 원리에 기초하여 사고하고 행동한다고 밝혀내었다.

- 보상작용의 원리(수줍음을 많이 타는 학생, 내성적인 학생, 학업 능력이 부진한 학생들에게 다가가려는 원리)
- 전략상 묵인의 원리(특별한 관심이 필요한 학생들이 교실의 규칙을 위반하는 것을 묵인하는 원리)
- 권력 공유의 원리(비공식적인 방법을 이용하여 학생들이 교사가 가지고 있는 권력을 사용하도록 허락하는 원리)
- 지속적인 점검의 원리(뒤처지는 학생들에게는 특별한 자극을 제공해 주는 원리)
- 감정 자제의 원리(가르치는 동안 교사가 느낀 개인적인 감정을 학생들에게 표현하지 않으려고 하는 원리)

(4) 현장교사는 다음의 네 가지의 신념 체계에 기초하여 교실에서 학생들과 상호작용한다고 보았다(교육과정에 대한 교사의 신념, 학생들의 요구와 감정에 대한 교사의 신념, 학생의 흥미와 선택에 대한 교사의 신념, 수업에서 학생과의 상호작용에 대한 신념).

우리나라의 연구 동향

우리나라에서 연구자들이 교사의 실천적 지식 혹은 교사의 이론을 다룬 연구는 극소수이다. 박현주(1993)는 문제 해결과정으로서의 실천적 추론을 중심으로, 교사의 사고 과정의 성격을 문제 해결과정에서 실천적 추론의 사고 과정이 실천적 지식에 근거하고 있는 것으로 다루었다. 그리고 Elbaz(Clark, 1986)의 교사의 실천적 지식을 토대로 다섯 가지 영역에서의 교사의 사고 경향을 87개의 문항으로 제작하고 이에 대한 응답을 분석하여 교사의 실천적 지식에 대한 연구 결과를 도출한 김두정(1995)의 연구도 있다. 한편 조덕주(2003)는 여러 가지 문헌 연구를 기초로 하여 현장 교사의 개인적인 관심과 지식을 교육과정 운영 지원을 위한 하나의 기초로 규정하였다. 교사의 실천적 지식을 수업의 중심으로 다루고 있는 연구로는 수학 수업을 중심으로 교사의 개인적인 실천적 지식을 연구한 김자영(2002)의 연구와 홍미화(2005)의 사회과 수업을 중심으로 살펴본 교사의 실천적 지식에 대한 연구가 있으며, 김수진(2006)의 초등 영어 수업에 나타난 교사의 실천적 지식 연구와, 초등 국어 수업에서 드러난 교사의 실천적 지식에 대한 안은숙(2007)의 연구 등 현장 교사들의 수업과 관련한 실천적 지식 연구가 활발히 이루어지고 있다.

최근에 이정선(2005)은 교수의 맥락에서 그 의미, 특징, 형성 방안 등의 측면에서의 연구의 동향을 중심으로 교사의 실천적 지식을 정리하고 있다. 홍미화(2005)는 교사의 실천적 지식을 사회과의 수업을 중심으로 한 연구결과를 기초로하여 논의하고 있다. 실천적 지식의 인식론적 의미, 교사 연구에서의 실천적 지식의 의미, 실천적 지식의 양상—실천적 지식의 내용, 정향, 구조—에 비추어 본 사회과 수업의 이해 등이 논의되고 있다.

박현주, 조덕주, 이정선, 홍미화 등의 연구 모두 한국과 다른 상황에서 이루어진 연구 결과를 중심으로 한 문헌 분석 연구로서 한국의 교육 상황에서의 교사의 지식을 직접 현장에서 탐구한 연구는 아니었다. 국내 연구의 대표적인 연구 두 가지를 살펴보면 다음과 같다.

김두정(1995)의 연구

집단 측정을 통한 교사의 실천적 지식의 존재 확인

김두정(1995)의 연구는 Elbaz(Clark, 1986)의 교사의 실천적 지식의 틀에 토대를 두고 교사의 수업에 대한 다섯 가지의 사고 경향을 한국 교사에게서 경험적으로 확인하는 연구이다. 다섯 가지 교사의 사고 경향을 집단적으로 측정하려는 도구가 개발되고 시행되어 한국 교사의 수업에 대한 사고 경향—즉 실천적 지식—이 확인되고 관련 집단 요인들이 검토되었다. 수업 관련 상황을 수업 계획, 수업 실천, 수업 관리 등의 영역으로 나누고 각 영역에 대한 교사의 사고 경향을 측정하는 87개 문항을 제작하여 400

여 명의 교사로부터 자기 보고식의 응답을 받았다. 연구 결과는 세 개의 수업 영역을 통합한 수업 일반에 대한 교사 사고의 경향과 각 수업 영역별 교사의 사고 경향을 분석한 것이다. 수업에 대한 교사 집단의 실천적 지식이라 불릴 수 있는 연구 결과가 산출되었다.

김두정의 연구는 한국 교사의 사고 경향—교사의 이론 혹은 실천적 지식—을 직접 파악하려 했던 점은 의의가 있으나 구체적인 수업 내용과 관련되지 않고, 또 교사 개인이 아니고 일반적 교사 집단의 사고 경향을 파악하려 했다는 점에서 진정한 교사의 실천적 지식에 관한 연구인가를 따져 볼 필요가 있다. 교사의 이론은 기본적으로 개별적이고(Hashweh, 2005) 구체적인 수업 내용과 관련되기 때문이다.

김자영(2002)의 연구

현장 교사의 실천적 지식에 대한 사례 연구

초등학교 교사의 수학 수업을 중심으로 실천적 지식을 연구한 김자영(2002)의 연구는 한 명의 초등학교 교사를 대상으로 그의 실제 초등 수학 수업 실행 과정을 중심으로 실천적 지식을 밝혀냈다는 점에서 교사의 실천적 지식 연구에 대한 효시 작품으로 손꼽을 만하다.

하지만 이 연구에서는 여러 가지의 관찰한 내용을 나열하고 있으나, 최교사 개인의 실천적 지식 형성 과정과 원인에 대한 중대한 사건이나 주제와 관련하여 깊이 있는 사고 과정을 담아내지 못하고 있다. 따라서 현장 교사가 실천적 지식을 어떻게 구성하여 왔는지, 그것을 왜, 어떻게 사용하는지에 대한 충분한 답변이 되기에는 아쉬움이 많은 연구이다.

교사의 실천적 지식을 활용한 교육과정 개발 모형

교사의 실천적 지식이라는 탐구주제의 대두는 대학 연구자로 하여금 현장 교사들이 교사 직전 교육기관에서 배웠던 '가르침'에 대한 훈련과는 다르게, 자신의 실천적 지식의 경험에 대한 반성을 통해 '가르침에 대한 실제적 행위 이론'을 개발하고 그 이론을 가지고서 교육과정과 수업활동을 진행하고 있다는 사실을 깨닫게 해 주었다(김영천, 2005, p.66).

교사들은 교육목표를 달성하기 위해 교육현장에서 다양한 교육적 경험을 선택하고 조직한다. 따라서 개인의 전기나 교육현장의 상황 및 상호작용 등의 영향을 끊임없이 받으며 형성하고 변화해 나가는 교사의 실천적 지식의 교육과정 개발 모형에 대한 이해가 필요하다. 따라서 연구자는 연구에 앞서 교사의 실천적 지식의 형성 모형에 대한 이해에 바탕을 둘 필요가 있다. 교사의 실천적 지식에 대한 이해는 개인적인 이론의 레퍼토리 위에서 각각의 경험이 종합되고 생겨나는 반성적 교수 모델을 요구하고 있다. 이러한 교사 개인에 대한 이론화 연구는 교사의 효과성과 맞물려 실용적인 사회과학적 특징을 반영한다.

교사의 실천적 지식의 개발 모형

Shulman(1987)

Shulman(1987)은 실천적 지식의 형성과 변화를 교사의 추론 과정으로 설명한다. 추론의 단계는 고정적이지는 않지만 대체로 이해, 변형, 수업, 평가, 반성 등의 순이다(그림 10-1). 이 단계들은 수업 중에도 계속하여 일어난다. 교수 자체는 행동을 위한 자극뿐 아니라 생각을 위한 자극이 되기 때문이다.

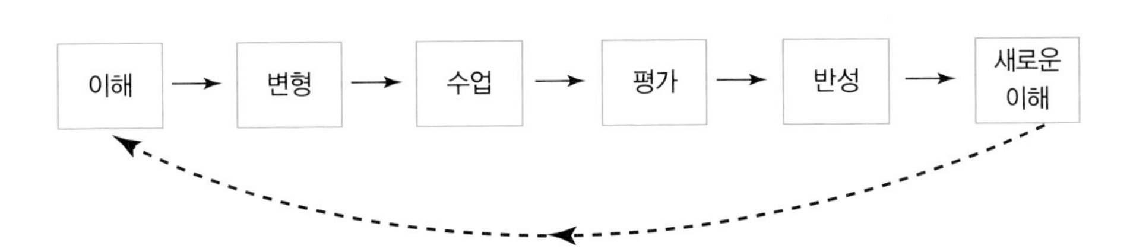

[그림 10-1 추론 과정으로 설명한 실천적 지식의 형성과 변화 과정 (Shulman)]

이 단계(실제로는 반복되는 사이클)들을 차례로 설명하면 다음과 같다.

이해

교사가 교과의 구조, 학문 내외의 아이디어(내용), 교육 목적에 대한 이해를 하는 국면이다. 가르친다는 것은 먼저 이해한다는 것이다.

변형(Chen & Ennis, 1995)

이해된 아이디어가 학생에게 가르쳐지려면 여러 방식으로 변형되어야 한다. 교사가 이해한 교과를 학습자의 마음과 동기와 관련하여 생각해 보는 국면이다. 변형의 측면에는 준비(교사 나름의 교과에 대한 이해를 토대로 자료를 검토하고 해석하는 것), 제시(교재의 핵심 아이디어를 생각하고 제시의 다양한 대안을 파악, 총체적으로 은추, 은유, 예, 시연, 모의 시뮬레이션 등), 수업(방법) 선택, 일반적으로 학생 특성에 맞게 제시 수정, 담당 교실 학생에게 맞추어 제시 수정 등이 있다.

수업

본래 추론의 국면은 아니나 수업 중에도 추론이 일어나므로 여기에 포함될 수 있다. 교실의 조직과 관리, 분명한 설명의 제시와 생생한 서술, 학습 과제의 배정과 점검, 발문과 후속 질문, 대답, 반응, 칭찬, 비판 등을 통한 학생과의 효과적인 상호작용 등으로 인한 생각이다.

평가

공식적인 시험과 평가를 통해서뿐 아니라 학생의 이해와 오해를 계속 점검하는 국면이다. 이를 위해서는 가르치는 자료와 학습 과정에 대한 깊은 이해가 필요하다. 평가 대상은 또한 자신이 가르치는 데 사용되는 단원 수업과 자료도 된다. 이 점에서 다음 국면인 반성과도 연결되어 있다.

반성

이미 지난 교수와 학습에 대해 다시 생각하여 사건, 감정, 성취 등을 다시 구성하고 마음속으로 재실행해 보는 국면을 말한다. 그것은 전문가가 지닌 경험으로부터 배우는 일련의 과정이다.

새로운 이해

반성 국면까지의 추론 후 교사는 나름으로 '사리 있는' 수업을 한다. 그래서 교사는 교육목적, 교과, 학생, 교육학 등에 대하여 새로운 이해에 도달한다. 새로운 이해 후 추론의 과정은 다시 시작된다.

Cho(1995)

Cho(1995)는 Ash, Conelly와 Clandinin, Cruickshank 등의 이론에 바탕을 두고 그림 10-2와 같이 교사의 실천적 지식의 형성 및 실천의 단계와 관련하여 반성적 교수 모델을 제시하였다.

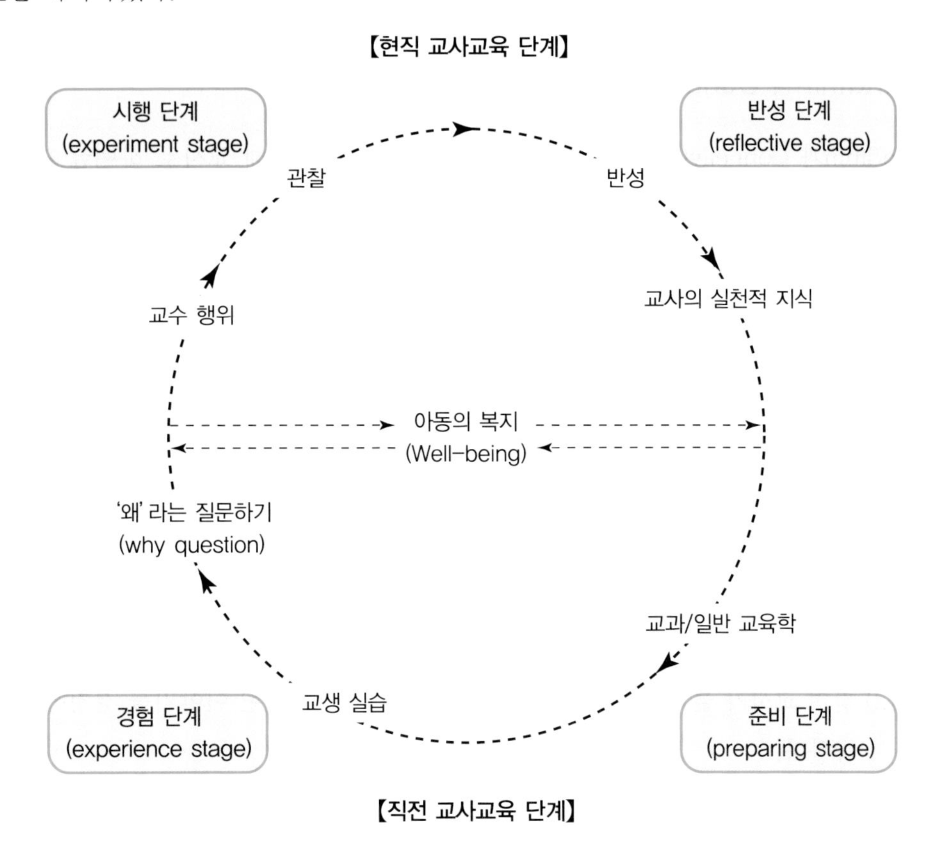

[그림 10-2 교사의 실천적 지식의 개선을 위한 반성적 교수 모델 (Cho, 1995, p.119)]

위의 모델에서도 알 수 있듯이 교사의 실천적 지식의 형성과 변화의 과정에서 필요한 것이 교사의 '반성적 사고' 이다. 이는 교사의 실천적 지식 자체가 변화의 연장선상에 있으며 개선을 위한 '반성적 사고' 에 의한 교사의 노력은 질적으로 우수한 실천적 지식 형성에 필요하다는 점이다. Spodek와 Yinghui(1995), Conelly와 Clandinin, McCutcjion(1995), May(1995), Tpbin(1997) 등의 연구자들은 교사가 수행하는 실천적 지식에 관여하는 교과 내용 지식이나 개인적인 지식 혹은 신념 등이 적절하지 않거나 합리적이지 않을 수도 있다고 언급한다. 이에 현장의 교사에게 주어지는 항상 자신이 실천하고 있는 실천적 지식에 대해 반성하고 개선할 수 있는 기회와 동기 부여가 바람직한 교사의 개인적 실천적 지식의 형성과 변화의 과정에 필수적인 요소로 꼽힌다.

교사의 실천적 지식의 발견 모형

Clandinin과 Connelly(1990)의 이야기 탐구 방법

Clandinin과 Connelly(1990)는 '이야기 탐구' 방법을 사용해 교사로 하여금 자신의 경험, 정신과 신체, 그리고 의도된 상황 속에서 자신의 이야기 등에 대해 이야기하도록 하고 같은 내용을 반복해서 이야기를 나누었다. 그리고 연구자는 그러한 이야기에 기초하여 새로운 이야기를 만드는 과정을 반복하는 과정을 통해, 한 교사만이 개인적으로 간직하고 있으나 명시적으로 노출되지 않았던 독특한 '교사의 실천적 지식'을 이해할 수 있다고 보았다.

Clandinin과 Connelly에 따르면 교사의 개인적인 실천적 지식을 발견하기 위한 가장 효과적인 방법은 이야기 탐구 방법인데 그 특징은 다음과 같다.

(1) 연구자는 협동적으로 교실 활동을 함께하고 충분한 시간에 걸쳐 다양한 방법으로 신뢰 관계를 구축한다.
(2) 참여 교사가 들려주는 교육 문제나 교실 생활과 관련된 이야기를 경청하고 존중한다.
(3) 발견된 주제를 중심으로 함께 글쓰기 작업을 하되, 계속해서 그 이야기가 살아 있도록 수정 · 보완 작업을 오랫동안 한다.
(4) 참여교사의 개인적인 실천적 지식을 중심으로 개인적으로 처한 실제 문제 해결에 필요한 통찰을 함께 모색하여 교실 변화에 기여함과 동시에 좀 더 넓은 차원에서 교육의 제반 문제와 관련된 일련의 해결점을 설득력 있게 교사 일인칭의 목소리로 이야기를 완성한다.

학습활동과 토의주제

1 교사의 ppk를 알았다면 일련의 비평가들이 주장하는 것처럼 대학의 교사교육이나 연수교육이 과연 어떤 의미가 있을 수 있는지, 대학의 교사교육이 미래 교사의 교사관이나 아동관에 얼마나 영향을 끼칠 수 있는지 생각해 봅시다.

2 미래 교사가 될/또는 이미 학교 현장에서 가르치고 있는 여러분이 가지고 있는 ppk에는 어떤 것들이 있는지 분석해 봅시다. 그리고 그러한 ppk가 학생들의 강의와 수업의 다양한 결정에 긍정적인 영향을 끼치는지, 부정적인 영향을 끼치는지 평가해 봅시다. 아울러 그러한 ppk의 원천이 어디에서 연유된 것인지 추적해 봅시다.

3 자신의 기억 속에 남아 있는 훌륭한 교사 또는 문제 교사들이 어떤 방법으로 수업을 해왔는지를 ppk에 근거하여 평가해 봅시다. 그러한 분석을 통하여 그 교사들은 교육과정과 수업, 평가, 나아가 학생지도에서 무엇을 가장 중요하게 강조하였는지/강조하지 않았는지를 규명해 봅시다. 그리고 그러한 ppk의 강조가 여러분의 수업을 어떤 방식으로 규정짓고 수업참여와 활동에 영향을 끼쳤는지 생각해 봅시다. (예, 개방적 교사 또는 전통적인 교사)

참고문헌

김경옥(1997). 교사교육 프로그램 개발을 위한 교사의 인지과정 연구, 교육과정연구. 15(2), pp.1-18.

김두정(1995). 한국학교교육과정의 탐구, 학지사: 서울.

김민환(1999). 교사의 교육과정 인식과 실천에 관한 연구. 교육과정연구. 17(1), pp.219-247.

김영천(2004). 교사의 삶에 대한 생애사적 연구 : 연구동향과 예들. 열린교육연구. 12(2).

김영천(2005). 별이 빛나는 밤 I : 한국 교사의 삶과 그들의 세계. 문음사.

김자영(2002). 초등교사의 수업 속에 나타난 실천적 지식의 이해-초등 수학수업을 중심으로. 한국교원대학교 박사학위 논문.

김자영 · 김정효(2003). 교사의 실천적 지식에 대한 이론적 탐색. 한국교원교육연구, 20(2). pp.77-86.

박현주(1993). 교사의 사고과정의 성격과 근거, 교육과정연구. 12(1), pp.188-202.

소경희(2003). 국가수준에서 개발된 교육과정 실행 양상에 대한 이해-초등학교 국어과 사례를 중심으로-, 21(1), pp.129-153.

손민호(2002). 교과내용으로서의 실천적 지식에 대한 이해와 오해, 교육과정연구. 20(3), pp.243-270.

양옥승 · 황윤세(2002). 유아교육과정의 패러다임 분석에 따른 교사교육과정의 탐구, 교육과정연구. 20(2), pp.253-279.

이정선(2005). 교사의 실천적 교수지식 및 형성 방안, 교육인류학연구. 8(2), pp.211-239.

조덕주(2003). 교육과정 운영 지원을 위한 기초로서의 교사의 개인적 관심과 개인적 지식 탐구, 교육과정연구. 21(4), pp.51-76.

조영달(1999). 한국 교실 수업의 이해, 집문당: 서울

조영달(2001). 한국 중등학교 교실 수업의 이해, 교육과학사: 서울.

홍미화(2005). 교사의 실천적 지식에 대한 이론적 논의-사회과 수업을 중심으로, 사회과 교육. 44(1), pp.101-124.

Carter. K. (1990). Teacher' Knowledge and Learning to teach, In Houston. W. R.(Ed.), Handbook of research on teacher education, New York: Macmillan Publishing Company.

Cladinin, D. J. (1985). Personal practical knowledge: Astudy of teachers' classroom images, Curriculum Inquiry 15(winter). pp.361-385.

Cornett, J. W. (1987). *Teacher personal practical theories and their influence upon teacher curricular and instructional actions: A case study of secondary social studies teacher*. Doctoral dissertation, University of Ohio state.

Connely, F. M., & Cladinin, D. J. (1987). On narritive Method, biography and narrative unities in the study of teaching. *The Journal of Educational Thought*, 21(3); 130-139.

Connely, F. M., & Cladinin, D. J. (1988). Studying Teachers' Knowledge if Classrooms: Collaborative Research, Ethics, and the Vegotiation of Narrative. *The Journal of Educational Though*, 22(2A): 260-282.

Connely, F. M., & Cladinin, D. J. (1990). Teachers as curriculum Planners, 2d ed. New York: Teachers College Press.

Connely, F. M., & Cladinin, D. J. (1994). Personal esperience methods, In N.K. Denzin and Y.S. Lincoln (Eds.) *Handbook of qualitative researc*h, 413-427, Thousand Oaks, CA: Sage.

Connely, F. M., & Cladinin, D. J. (2000). *Narrative inquiry*. San Francisco; Jossey-Bass, Inc.

Elbaz. (1981). The Teachers' Practical Knowledge: Report of a Case Study, Curriculum Inquiry, Vol. 11, pp.43-71.

Hashweh, M. Z. (2005). Teacher pedagogical constructions: a reconfiguration of pedagogical content knowledge, *Teachers and Teaching: theory and practice*, V11 N3, June, pp.273-292.

McCutcheon, G. (1882). How do elementary school teachers plan? The nature of planning and influences on it. In W. Doyle & T. Goods(Eds.), Focus on teaching: Readings from the elementary school journal(pp.260-79). Chicago: The University of Chicago Press.

McCutcheon, G. (1995). *Developing the curriculum, solo and group deliberation*, Longman publishers USA.

Shulman, Lee. S. (1995). Knowledge and Teaching: Foundations of the New Reform, In Allan C. Ornstein & Linda S. Behar(Eds.) Contemporary Issues in Curriculum. Needham Heights, Massachusetts.

Schubert, W. and Ayers, W.(Eds.) (1992). *Teacher lore: Learning from our own experience*. New York: Longman.

Zanting, A., Verloop, N., Vermunt, J. D. (2003), How do student teachers elicit their mentor teachers' practical knowledge?, *Teachers and teaching: theory and practice*, v9 n3, August.

제11장

교사의 삶과 전문성 발달: Teacher's life world

이 장의 공부할 내용

교육과정 연구에서의 생애사 방법의 확산과 그 가치

교사의 삶에 대한 생애사적 접근: 연구동향과 사례

- 초임 교사의 사회화
- 교직과 교사의 삶
- 교사의 실제적 지식
- 비판적 교사의 삶

별이 빛나는 밤 1과 2: 새롭게 생각해 보는 한국 교사의 삶이 장에서는 구미에서 대표적인 연구방법으로 자리 잡고 있는 생애사적 방법을 통해 이루어진 '교사의 삶' 과 '전문성 발달' 에 관한 연구들과 그것들이 가지는 의미를 살펴보고자 한다. 교육과정 연구의 재개념화 운동과 탈실증주의 연구패러다임이 확산되면서 교사의 삶에 대한 생애사적 연구와 접근은 구미의 교육학, 교육과정과 교사연구 분야에서 중심부로 부상하게 되었다. 이것들은 교육의 중요한 구성원인 교사들이 어떠한 생각을 가지고 무엇을 어떠한 방식으로 가르치고 있는지를 드러내 주며, 교사들이 학교, 교실에서 학생들과 어떤 커뮤니티와 문화를 형성해 가는지 이해하는 데 있어 반드시 필요한 작업들이다. 하지만 한국사회에서 이러한 교사의 삶과 전문성 발달에 대한 연구는 구미와는 달리 변방의 위치에 놓여 있었다. 이에 이 장에서는 교사들의 삶과 전문성 발달에 관한 서구의 연구들을 소개하고, 대표적인 연구방법으로 자리 잡고 있는 생애사적 방법을 소개하고자 한다. 먼저 교사의 삶에 대한 생애사적 연구가 교육과정 영역과 수업영역을 중심으로 부상하게 된 배경을 이 분야의 학자들의 견해를 통하여 알아보고자 한다. 둘째로 이 분야에서 이루어진 주요한 연구작업과 연구결과들은 무엇인지 살펴보고자 한다. 마지막으로 이러한 생애사적 연구 방법을 한국의 상황에 적용하여 한국 교사들의 삶을 그려낸 『별이 빛나는 밤 1과 2』을 소개할 것이다.

교육과정 연구에서의 생애사 방법의 확산과 그 가치

> *이야기 탐구 방법은 교사의 지식을 설명하고 이해하는 데 가장 적합한 연구방법처럼 보인다. 이 방법은 한 개인 교사가 가지고 있는 독특성을 찾기 위하여 아니면 다른 교사들 간에 나타나는 공통적 특징을 발견하기 위하여 한 개인 교사의 주관적인 실재를 연구하려고 한다 (Woods, 1987).*

이 절에서는 이 글의 주제인 '교사의 삶에 대한 생애사적 연구' 의 연구동향을 소개하기에 앞서 "교육과정 연구에서 왜 생애사 방법인가?" 라는 질문에 답하고자 한다. 이러한 논의는 교육과정 연구에서 교사의 삶에 대한 생애사적 연구가 왜 사용되게 되었는지를 이해하는 데 도움을 줄 것이며 나아가 다음 절에서 논의할 연구동향을 좀 더 심층적으로 종합하고 평가하는 데 기여할 것이다. 이에 이절에서는 교육과정 분야에서 생애사 방법의 의의와 필요성을 강조한 학자들의 글을 중심으로 생애사 방법의 가치를 살펴보고자 한다. 따라서 생애사 연구방법과 관련된 좀 더 근본적인 질문들(역사, 개념, 연구방법 등)에 대한 논의는 생략하기로 하며 이와 관련하여서는 이 주제를 좀 더 심도 있게 다룬 전문적인 자료들을 찾아서 읽어 둘 필요가 있을 것이다.

교육과정 연구 영역에서 생애사적 접근의 수용과 강조는 1980년대 초부터 시작된 것으로 보인다(Clandinin and Connelly, 2000; Barone and Eisner, 1997; Pinar and Grument, 1976). 지난 20년을 거치면서 '생애사 연구방법' 에 대한 교육과정 학자들의 창의적인 개념화와 이론화작업이 이루어졌다. 그 예로서 파이너와 그루메는 교육과정 연구 영역에서 정신분석학과 전기/자서전에 기초한 이야기 탐구라는 용어를 개발하였고, Butt와 Raymond(1990)는 협동적 자서전 연구방법이라는 용어를, Miller(1998)는 교사의 목소리 연구를, Clandinin과 Connelly(2000)는 교사의 실제적 지식에 대한 이야기 탐구라는 용어를, 그리고 Ben-Perez(1995)는 가르침에 대한 교사의 기억에 대한 연구라는 용어를 개발하였다.

이러한 용어들의 개발과 이론화의 열기 속에서, 생애사 연구방법이 교육과정 연구에서 갖는 가치와 그 중요성을 다룬 책들이 출간되었다. 그 대표적인 참고문헌으로는 Kriedel(1998)의 『교육 전기 쓰기』, Bllough와 Gitlin(1995)의 『교사가 되는 길: 자아와 학교에 대한 연구방법론』, Clandinin과 Connelly(2000)의 『이야기 탐구』, Hatch와 Wieniewski(1995)의 『생애사와 이야기』가 있다. 또한 생애사 연구방법의 의의를 잘 설명한 논문들이 출간되었는데 대표적인 예로는 Casey(1995-1996)의 「교육에서의 이야기 탐구연구 방법의 역사」, Bllough(1998)의 「삶에 대한 글 쓰기에 대한 생각: 교사교육에서의 전기와 사례연구들」, Pinar와 Pautz(1998)의 「전기에서의 자서전적 목소리」, Miller(1998)의 「전기, 교육, 그리고 개인적인 목소리에 대한 질문들」, Butt와 Raymond(1990)의 「삶에의 새로운 변화: 교사의 이야기와 전문성 개발」 등이 있다.

여기에서는 이 분야에서 선구자 역할을 한 다섯 명의 학자들의 주장을 소개함으로써 교육과정 연구에서의 생애사 방법의 가치가 무엇인지 설명하고자 한다. 첫째, Pinar는 교육과정 연구에서의 생애사와 자서전적 연구방법의 이론화의 중요성을 인정하고 그 새로운 논의영역을 개척한 대표적인 학자로서 이 분야의 확산에 크게 기여하였다. 「생애사와 교육역사」(1980), 「현상학적 그리고 해체적 텍스트로서 교육과정의 이해」(1992), 「자서전, 정치학, 그리고 섹슈얼러티」(1994), 「교육과정의 이해」(1995) 등의 논문과 책을 통하여 교육과정 연구가 왜 자서전적 그리고 생애사적인 방법으로 연구되어야 하는지를 이론화시켰다. 그의 이러한 새로운 연상작업은 무엇보다도 교육과정의 어원인 Currere의 개념을 전통주의 교육과정 연구자들과는 다르게 해석한 결과에서 출발한다. 그는 쿠레레는 말을 달려야 할 경주로로서 이해하기보다는 말이 주어진 코스를 따라 달리는 일(Running of the course), 또는 코스를 따라 달리는 개인적인 경험으로서 산출물 또는 목적지로서의 개념이 아니라 과정과 달리는 과정에서 개인이 갖는 경험으로 해석하였다(Pinar & Grumet, 1976, vii).

이는 명사적 의미로서 쿠레레가 아니라 동사적 의미로서 쿠레레를 해석한 것으로서 우리의 관심은 경마장에 그려져 있는 선이나 울타리, 결승점, 또는 경마의 규칙 등에 있는 것이 나리라, 경주의 도중에서 말과 마부들이 갖게 되는 실제적인 경험 그 자체의 이해에 초점이 주어지는 것이다(허숙, 1990, pp.164-166). 따라서 경주로(학교의 교육과정)에서 말(학생)이 갖게 되는 다양한 경험과 이해를 얻기 위해서는 실증적 연구방법론보다는 그 경험을 이해하고, 기술하고 노출시키고 분석할 수 있는 생애사와 자서전적 연구방법이 좀 더 적합하다고 강조하였다. 이에 Pinar(1978)는 학교의 교육과정 현상 속에서 한 개인이 갖는 구체적인 경험이 무엇인지를 연구의 초점으로 삼으면서 교육과정 연구는 한 개인이 학교경험의 역사를 통하여 자신이 누구이며, 자아의 의식과 억압을 성찰할 수 있는 해방적 기회가 되어야 한다고 강조하였다.

Pinar는 자서전의 역할에 대하여 다음과 같이 설명하였다.

> 자서전은 명상의 공간을 확대, 차지, 그리고 건설하기 위한 방법으로 봉사할 수 있다. 자서전은 자신의 기억의 가장자리로 다시 되돌아가게 해 주며, '잊었던', 억압받던, 그리고 거부되던, 그 무엇을 들추어낸다. 이렇게 하기 위해서는, 자신이 하는 이야기가 공식적 학회 같은 데서 흔히 들을 수 있는 것이어서는 안된다. 과거나 현재가 부풀려지고, 가장되어서는 안된다. 자아의 조경을 좀 더 복잡하게 만든 참된 자서전은 기억의 저편에서 나오는 것이며 자신의 이야기에대한 자기방어를 하지 않을 때 가능한 것이다(1975, p.217).

이에 Pinar는 개인의 교육적 경험사를 기술하고 해석하는 것이야말로 교육과정 연구의 진정한 의미라고 주장하면서 이를 통하여 한 개인의 삶에서 억압되고 체포된 의식을 노출시키고 고양시키는 것이 교육과정 탐구의 진정한 목적이라고 하였다. "자서전은 명상의 공간을 확대, 차지 그리고 건설하기 위한 방법으로 봉사할 수 있으며, 자신의 기억 가장자리로 다시 되돌아가게 해주면 잊었던, 억압받던 그리고 거부되는 그 무엇을 들추어낸다고 하면서 자아의 조경을 그리는 방법으로서 비유하였다(1975, p.217). 이에 한 개인의 교육적 경험을 분석하기 위한 방법적 틀로서 정신분석학에서 사용하는 네 단계의 해석방법(회귀, 전진, 분석, 종합)을 교육과정 연구에 이론화시켰다(김영천 · 조재식, 2001, pp.39-41). 나아가 자서전적 방법으로서 교수-학습장면에서 사용할 수 있는 세 가지 전략(자신의 교육경험의 글쓰기, 타인과의 경험의 공유와 토론하기, 타인의 경험에 대한 분석)을 제시하였다. 그의 자서전적 분석방법은 2004년에 출간된『교육과정이론이란 무엇인가?』에 그대로 적용되었다.

둘째, Miller의 생애사에 대한 강조는 교육과정 연구자들에게 설득력 있게다가온다. Miller(1998)는 실존적, 자서전적, 여성해방적 교육과정 연구 배경 속에서 '교사의 목소리' 연구의 중요성을 이론화시켰다. 그녀에 따르면, '교사의 목소리'는 기존의 교육과정과 수업분야에서 주요한 탐구주제로 다루어지지 못하였는데, 그러한 도외시는 교육연구자와 현장교사 사이의 거리를 확장시켰으며 교육과정 연구의 수준이 상처받게 되도록 하였다고 지적하였다. 그녀는 현장의 교사들이 생각하고 경험하는 것을 연대기적 방법 또는 자서전적 방법으로 기술하고 이해하는 것이야말로 교육연구자와 행정가들이 교실의 실제를 정확하게 알 수 있는 최적의 길이라고 확신하였다.

그녀는 교사가 쓰는 교육전기는 교육과정학자와 외부자로 하여금 교사의 내면세계와 삶을 이해시킴으로써 학교교육의 실제를 개선하는 작업으로 연결된다고 하였다. 그녀가 쓴 이 분야의 많은 글들 중에서 교육과정과 교사연구에서 생애사적 연구방법의 적절성을 가장 효과적으로 표현한 문장으로는 다음을 들 수 있다.

> 전기는 차가운 사실로부터 생애에서 삶의 따스함을 이끌어내려고 노력하는 섬세함이다. 이때 차가운 사실은 객관화된 학교의 현실이며 삶의 따스함은 그 속에서 살아가고 있는 교사들의 생활, 고통, 상호작용, 의식, 감정을 이야기한다. 전기는 차가운 사실들을 아른아른 빛으로 녹여주어 흐릿하게 보이던 한 개인의 관념과 진실을 들려 줄 수 있다(1998, p.225).

Miller 다음으로 교육과정 영역에서 생애사 탐구방법의 중요성을 강조한 학자는 코넬리와 Connelly와 Clandinin이다. 내러티브 탐구(narrative inquiry)의 개척자로서 더 널리 알려져 있는 이들은『교사의 전문적인 지식의 조경』(1996),『내러티브 탐구: 질적연구에서의 경험과 이야기』(2000),『교육과정 계획자로서 교사』(1988) 등의 저서를 통하여 생애사적 접근의 가치를 성공적으로 이론화시켰다. 이에 자신들의 개척적인 연구작업으로 인하여 AERA가 수요하는 평생 공로상을 받기까지 하였다.

이들은 교육과정 연구자가 가져야 하는 주요 관심은 교사와 학생들의 삶의 경험이며 내러티브 탐구방법이 그들의 삶의 경험으로부터 의미를 끌어낼 수 있는 연구방법이라고 주장하였다. 이에 교육과정 연구자는 교사와 함께 이야기하고 또는 교사로 하여금 자신들의 경험을 이야기하게 하여 기록하는 작업을 담당할 사람이라고 강조하였다. 이렇게 될 때, 교육과정 연구자는 교사가 실천하고 있고 개발해 놓은 '가르침' 에 대한 전문적 지식을 규명하고 이론화시킬 수 있다고 하였다(염지숙에서 재인용, 2003, p.125). 내러티브 탐구방법의 타당성에 대한 이들의 주장은 다음 문장에서 쉽게 찾을 수 있다.

> 교육과 교육연구는 경험의 한 형태이다. 내러티브는 경험을 표현하고 이해하는 데 있어서 최선의 방법이다. 우리가 연구하는 것은 경험이며 우리는 그것을 내러티브적으로 연구하는데 그 이유는 내러티브적인 사고가 경험의 주요 형태이며 경험에 대해 생각하고 글을 쓰는 주요 방법이기 때문이다(Connelly and Clandinin, 2000, p.18).

Miller 및 Clandinin과 Connelly 다음으로 생애사 방법의 중요성과 의미를 주장한 학자로는 Goodson이 있다. 그는 교육과정과 교수 연구의 역사에 대한 분석을 통하여 지난 50년간의 교육과정 연구의 역사에서 교수의 개인적, 전기적, 역사적 특징들에 대한 연구들이 심도 있게 다루어지지 못하였고 그 결과는 교육과정 연구자, 교육이론가 그리고 행정가들의 현장교사의 가르침의 실제에 대한 무지로 나타났다고 하였다(1992, p.234). 따라서 교육과정 연구자들이 교사의 삶의 모델, 그리고 전문성 발달과정에 대한 이론화를 시도하고자 한다면 가장 먼저 해야 할 일은 교사들의 목소리를 신중하게 듣는 것이라고 하였다. 그의 이 분야에 대한 관심은 그가 편집자로서 출간해 놓은 『교사의 삶에 대한 시리즈 간행물』에 잘 나타나 있으며 교사들의 과거 삶의 이야기를 기초로 하여 학교의 교육과정의 변화를 규명하고자 하는 '일대기적/연대기적 연구방법' 을 개발하였다.

앞에서 소개한 네 명의 학자와 함께 교육과정 분야에서 생애사 연구의 이론화에 노력한 학자로서 Robert Bullough가 있다. 미국의 진보주의 교육철학자인 Boyd Bode의 삶을 생애사적으로 연구하여 박사학위를 받은 Bullough는 자아에 대한 연구방법이 교육과정 분야를 활성화시킬 수 있는 새로운 탐구방법이 될 것이라고 확신하였다. 그의 이러한 정체성은 재개념주의 교육과정 학자들이 주도하여 만든 「교육과정 이론화 연구」(Journal of Curriculum Theorizing) 학술지의 제1권 1호에 "교육과정의 탐구의 활성화를 위한 개인 생애사 연구의 중요성" 이라는 논문을 발표하였다는 사실에 잘 나타나 있다. 그는 자신의 평생 연구작업에서 '생애사', 또는 '교육적 자서

전' 이라는 용어를 즐겨 사용하였으며 교사의 전문성 발달 분야에서 생애사 방법을 적용하고 이론화시킨 학자로 유명하다.

그에 따르면 이론이 추상적으로 교육실제에 강력한 영향력을 행사하는 것 같지만, 한 개인 교사가 실제적인 상황에서 내리는 결정은 그 교사가 경험한 인상적인 사례에 기초하여 이루어지며, 교사의 그러한 사례가 바로 판단을 위한 최후 자료로서 활용된다고 하였다. 더 나아가 전문가인 교사에게서 그의 자아를 분리시키는 것은 어려우며 그것은 가르치는 속성에서 역할자의 가면을 조각 내는 것과 같다고 하면서 인간으로서 교사는 자신의 생애의 역사에 상당한 영향을 받는다고 하였다. 아울러 교사의 그러한 삶은 그 삶 나름대로 본성, 정신, 의미, 리듬이 있고 교육현상을 알 수 있는 우리들의 한계를 확장시키는 역할을 한다고 강조하였다. 그러한 점에서 Bullough는 이론이 추구하는 경험의 유사성이 오히려 교육현상을 이해하는 한계점을 가져 올 수 있다고 믿었다.

이러한 점에서 Bullough는 교사 개인적인 생애의 역사가 교사가 자신의 세계를 해석하는 데 영향을 미치고, 어떻게 가르칠 것인지와 무엇을 가르칠 것인지에 영향을 끼치기 때문에 각 교사의 삶의 역사를 들추어내어서 분석하는 작업은 교사교육 연구와 교사발달 연구에 매우 중요하다고 하였다. "교사교육 프로그램이 전문적인 교사상을 강조하지만 교사가 수업을 하게 될 때, 그 교사가 가지고 있는 자아와 개인적인 삶, 그리고 비교수적인 자아들 역시 슬그머니 그 수업으로 들어간다"는 그의 표현은 그의 입장을 잘 드러내주는 대목이다.

교사의 삶에 대한 생애사적 접근: 연구동향과 사례

학교개혁이 강조되고 있는 변화의 시기에 우리가 해야 할 가장 중요한 과제는 교사에 대하여 알고, 교사의 이야기를 듣고, 교사와 함께 이야기하는 것이다(Goodson, 1981).

가르침의 비밀은 교사의 일상적인 삶 속 깊은 곳에 파묻혀 있다. 따라서 가르침이 무엇인가를 알려고 하는 사람들은 당연히 교사란 누구인가에 대하여 생각해 보아야 할 것이다 (Ayers, 1992, p.v).

앞 절에서는 생애사 연구방법이 교육과정 연구에서 강조된 배경을 이 분야의 대표적인 학자들의 주장을 근거로 살펴보았다. 이를 통하여 교육과정 연구에서 생애사 방법이 필요한 이유, 그리고 교사의 삶 연구가 왜 교육과정 연구에서 중요해졌는지를 이해할 수 있었다. 이 절에서는 이 글의 두 번째 연구내용인 '생애사적 연구방법을 통한 교사의 삶' 영역에 대한 연구들로는 어떤 것들이 있는지 소개하고자 한다. 그러나 이 분야에 대한 연구들이 다양하고 방대하게 이루어졌다는 점에서 그러한 시도는 이 글의 범위와 연구자의 능력을 벗어난다는 점을 지적하면서 연구자가 개념화시킨 다음 네 가지 주제를 중심으로 연구동향을 정리하고자 한다: ① 초임교사의 사회화 ② 교직과 교사의 삶 ③ 교사의 실제적 지식 ④ 교사의 비판적 삶. 이에 논의는 첫째, 각 주제들에 대한 개괄적인 소개, 둘째, 이 주제들에 해당되는 연구들, 셋째, 대표적인 연구와 연구결과들에 대한 요약으로 진행된다.

각 준거에 대한 개념화와 설명은 각 분야에 대한 연구자의 읽기와 분석을 통하여 이루어졌으며, 이를 위하여 각 분야에서 출간된 학술지와 저서, 그리고 이 연구동향들을 분석한 연구들을 참고자료로 사용하였다. 그러나 이 각각의 주제에 대한 연구가 방대하고 다양하기 때문에 이 글에서 개념화시킨 네 가지의 연구동향은 근본적으로 연구자 개인이 만든 해석체계에 근거하고 있다는 점을 강조하면서 다른 그리고 새로운 분류체계가 있을 수 있다는 것을 인정하지 않을 수 없다. 따라서 이 글에서 사용된 분류체계는 이 분야의 자료들을 읽고 연구하는 데 가장 기초적인 체계로서 이용되기를 바란다.

참고로 Pinar 외(1995)는 생애사/자서전적 텍스트로서 교육과정 연구에 대한 정리에서 교사의 삶에 대한 연구들을 나름대로 정리하였는데, 이 글이 그의 아이디어를 참고하였으며 이 글에서 소개된 많은 글과 아이디어들이 그의 교사의 삶에 대한 이론화(교사의 실천적 지식, 교사의 자서전적 삶, 비판적 교사의 삶 등)에서 도출되었다는 것을 밝힌다.

초임 교사의 사회화

이 분야의 첫 번째 연구동향은 초임 교사의 사회화로 정하였다. 초임 교사의 사회화는 초임교사가 전문교사로 어떻게 발달해 나가는지를 생애사 연구방법과 질적 방법 등을 통하여 연구하는 것을 말한다. 특히 사범대학을 졸업한 아마추어 교사가 전문지식을 갖춘 숙련된 교사로 성장하기까지 어떠한 발달 단계를 거치는지 그리고 그 과정에서 교사가 겪게 되는 경험의 양상과 특징, 그리고 그 딜레마는 어떠한 것인지를 기술하고 설명하는 것을 목적으로 한다. 한 인간의 발달 과정을 추적한다는 점에서 개인의 경험 이야기를 사용하는 생애사 탐구방법이 가장 적절한 것으로 보인다.

이 분야에서 초임교사의 사회화를 다룬 대표적인 연구로는 Knowles의 『교생의 일년 생활 연구』, Bullough의 『초임교사』, Britzman(1991)의 『실제가 실제를 만들어 낸다』가 있다. 아울러 이 분야의 대표적인 논문으로는 Bullough와 Knowles의 「양육자로서 발달해 가는 초임교사의 연구」, Bullough(1990)의 「두 번째 직업으로서 교사를 선택한 교사의 생애발달에 대한 연구」, Wildman(1989) 외의 「초임교사의 사회화에 영향을 미치는 네 가지 요인」, Britzman(1989)의 「교생실습교사의 목소리」, Zaichner와 Tabachnic(1985)의 「초임교사의 사회화에서의 사회적 전략과 제도적 통제」 등이 있다.

이 글에서는 이 분야의 대표적인 작품으로서 교생의 사회화 과정을 다룬 작품 두 개와 초임교사의 일년 생활을 다룬 작품 한 개를 소개한다. 먼저, 교생의 사회화 과정을 심도 있게 기술한 연구로는 Knowles 외(1994)의 『교생의 일년 생활 연구』와 Britzman(1991)의 『실제가 실제를 만들어 낸다』가 있다. 교생의 사회화를 다룬 훌륭한 작품들은 여러 가지 있지만 이 두 작품은 구미의 학자들에 의하여 대표적인 사례로서 평가되고 교사직접 교육기관의 수업에서 널리 읽히고 있다. 첫째, 놀스 외의 연구는 교생이 초임 교사가 되기 전 일년 동안 겪게 되는 의식의 변화과정을 뛰어나게 기술하였다. 놀스 외의 연구들이 모두 주목받을 만하지만, 우리가 흥미를 느낄 수 있는 한 가지 연구결과는 교사의 전문성 발달에 끼치는 실제적인 요인으로 대학교에서 받은 교사교육 프로그램의 효과보다 유년시절의 경험, 교사 초기에 경험한 훌륭한 교사들에 대한 기억, 실제적 교수 경험, 그리고 의미 있는 타인과 그들과의 경험이라는 점이다. 둘째, Britzman(1991)의 연구는 제이미와 잭이라는 연구참여자 두 명을 선정하여 이 두 명의 교생이 예비교사로서 어떻게 살아가고 생존해 가는지를 이야기식으로 서술해 놓은 작품이다.

그리고 교생의 교사경험에 대한 논의를 확장하여 실제 초임교사가 된 한 명의 여교사의 일년간의 사회화과정을 생애사적으로 연구한 작품으로 『초임교사』가 있다. 초임교사의 발달과 사회화의 영역에서 생애사 방법적 접근으로 유명한 Bullough에 의하여 쓰여진 작품이다. 이 작품에는 케리라는 한 여교사가 교직 사회에서 어떻게 일년을 보내는지 잘 나타나 있는데, 초임교사가 가지게 되는 여러 가지 영역에서의 딜레마들이 심층적으로 기술되어 있다. 이 연구의 가장 큰 매력은 "교사가 첫 일년 동안에 겪게 되는 경험과 감정, 발달은 무엇인가"라는 질문에 대하여 현장지향적인 답을 제공해 주고 있다는 점이다. 이에 이 책은 교사교육자, 교육행정가, 그리고 미래 교사가 될 학생들이 당면하게 되는 초임 교사의 일의 영역들(학생 관리 문제, 교육과정 개발과 수업 문제, 교사 개인이 느끼는 딜레마 문제)이 잘 서술되어 있다. '가라앉거나 아니면 헤엄쳐야 하는' 이라는 은유가 나타내주는 것처럼, 생존이라는 목표를 향하여 살아가야 하는 한 초임교사의 일년 이야기는 "초임교사가 업무에 대한 부담과 스트레스를 어떠한 전략들을 통하여 해결해 나가는지를 잘 보여준다. 아울러 이 책은 교사가 주어진 학교 환경 속에서 자신을 어떻게 변화시켜 나가는지 아니면 자신의 기대와 목표 달성을 위하여 자신에게 주어진 환경을 어떻게 변화시켜 나갈 수 있는지에 대한 진지한 문제를 성찰하도록 요구한다.

교직과 교사의 삶

교사의 삶의 생애사적 접근의 두 번째 연구동향은 '교직과 교사의 삶' 으로 정하였다. 용어가 의미하는 것처럼, 이 주제는 교사가 학교에서 어떠한 삶을 살아가고 있는가를 기술하고 이해하는 작업을 말한다. 최근 교사에 대한 생태학적 이해가 학교개혁을 이끄는 주요한 자원이 된다는 이론이 설득력을 얻으면서부터, 교사의 삶에 대한 연구들이 더욱 증가되고 있다. 이에 Cochran Smith(1999)는 지난 10년간에 이루어진 교사연구들을 종합적으로 정리해 주었다. 교사가 학교에서 어떻게 살아가고 있고 교사직이 아닌 직종의 삶과는 어떤 차이가 있는가를 묻는 것은 교사연구자라고 한다면 자연스럽게 제기할 수 있는 연구문제이기 때문에 이 연구주제는 교사 연구의 역사에서 가장 오래된 전통을 가지고 있다. 구미의 경우, 교사의 삶을 다룬 연구물들이 상당히 출간되어 왔으며 훌륭한 정전들은 교사직전 프로그램과 교사현직프로그램에서 읽기 자료로서 널리 이용되고 있다.

이 분야의 대표적인 작품을 나열하는 것은 매우 어렵지만 추천할 수 있는 작품으로는 다음과 같은 연구들을 들 수 있다: Ayers(1989)의 『훌륭한 유치원 교사』, Ball과 Goodson(1985)의 『교사의 삶과 직업』, Sykes(1985)의 『교사의 직업: 위기와 유지』, Lieberman(1992)의 『교사: 그들의 세계와 일』, Huberman(1993)의 『교사의 삶』.

이에 이 글에서는 여러 가지 작품 중에서 1980년대 이후에 이루어진 연구물들 중에서 대표적인 작품으로 평가되는 연구물인 Huberman의 연구, Lieberman의 연구, Sykes의 연구를 소개한다. 첫 번째로 소개할 연구는 Huberman의 『교사의 삶』이다. 이 연구는 스위스 제네바에 거주하는 30명의 중등학교 교사를 시작으로 나중에는 160명의 교사들을 대상으로 직업교사의 다양한 삶의 세계를 생애사 연구방법을 사용하여 그려냈다. 이에 학교별(초등학교, 중학교, 고등학교), 경력별, 성별, 교과과목별 등으로 구분하여 분석의 범주를 세분화시킨 다음에 각 범주에서 나타나는 전형적인 교사의 삶이 무엇인지를 밝히려고 하였다.

좀 더 구체적으로 제기한 연구질문으로는 다음 여섯 가지가 있다: ① 교사는 나이가 들면서 어떻게 변화하는가? ② 교사는 어디에서 만족을 얻는가? ③ 교직을 포기하게 만드는 요인들에는 무엇이 있는가? ④ 교사의 개혁성과 보수성은 나이와 어떤 관계가 있는가? ⑤ 초임교사는 어떤 문제들로 고민하는가? ⑥ 가르침의 숙달은 어떤 과정을 통하여 이루어지는가? 이 질문들에 충실히 답함으로써 Huberman은 현대의 교사들이 무엇으로 고민하고 있고, 어떤 지각과 감정을 가지고 자신의 직업을 바라보고 있으며, 어떻게 전문적인 교사로서 발달해 가는지를 다양한 통계자료, 내용분석 자료, 질적 자료들을 인용해 가면서 설명해 놓았다.

Huberman의 연구와 함께 이 시대의 대표적인 연구로는 Lieberman의 『교사와 그들의 세계』가 있다. 콜럼비아 대학교 교육학과 교수로서 AERA 회장을 지낸 Lieberman은 미국의 학교개혁과 관련하여 교육과정, 수업, 평가 영역에서 많은 새로운 연구물들을 제시한 학자이다. 미국의 실제 현장에서 학교 교육과정이 어떻게 변화되고 실행되는지를 사례연구와 질적 연구들을 통하여 평가한 이 분야의 선진 학자 그룹(Sizer, Linda-Darling Hammond, Deborah Meir) 중의 한 사람에 속한다. Lieberman의 대표적인 저서로 뽑히는 이 연구는 Huberman의 접근과는 다르게, 미국 초등학교와 중학교 교사들의 수업과 삶의 특징을 학교개혁과 개선을 위한 아이디어를 얻기 위한 방법으로서 연구하였다. 연구방법으로는 메타분석, 참여관찰, 사례연구, 심층 면접 방법 등 다양한 방법들이 사용되었다.

연구내용으로서 Lieberman은 다음 여섯 가지를 상정하였다: ① 교수의 사회적 특징, ② 교수의 일상성, ③ 초등학교에서의 수업의 특징, ④ 중학교에서의 수업의 특징, ⑤ 학교개선의 전략들, ⑥ 성인 학습자로서의 교사. Lieberman은 그녀의 현장교사들의 수업에 대한 관찰과 면담들을 토대로 결론을 내리면서 학교개혁이 이루어지기 위하여 고려해야 하는 시사점을 여섯 개 도출해내었다.

첫째, 교육행정가와 교육과정 연구자가 진정으로 학교개혁을 원한다면 각 학교가 가지고 있는 고유한 학교문화와 교직문화를 알아야 한다. 둘째, 많은 교사들이 학교 내에서 함께 생활하고 있지만 교사들이 느끼는 고립감과 격리감은 크다. 교장과 교사는 대립적이거나 종속적인 관계가 아니라 상호 지원하는 관계로 구조화되어야 한다. 셋째, 학교개선의 목표에 대하여 교육연구자가 생각하는 발상과 현장교사가 처해 있는 상황은 매우 큰 차이가 있다. 따라서 양자의 입장에 대한 조율이 필요하다. 넷째, 각 학교 나름대로의 독특성이 있기 때문에 학교마다 가지고 있는 다양성이 인정되어야 한다. 다섯째, 바깥에서 바라보는 학교의 생활과 실제로 학교 내에서 일어나는 생활에는 차이가 있다.

이 분야의 다른 연구로는 Sikes(1985)의 『교사의 삶의 주기』가 있다. 연구제목이 의미하는 것처럼, 교사가 늙어가면서 교사가 가지고 있는 인간적인 감정, 직업적 세계관 등이 어떻게 변화하는지를 생애사 방법을 통하여 이해하고자 하였다. 이를 통하여 교사의 삶이 어떠한 특정한 단계를 따라서 변화되는지, 변화된다면 각 주기마다 어떤 특징이 있는지를 규명하고자 하였다. 이에 Sikes는 중학교에 근무하고 있는 25세에서 70세 사이의 남녀 교사 48명을 선정하고 각 나이대의 교사들이 그들의 세계관과 직업에 어떤 의미와 평가를 부여하는지 분석하였다. 특히, 인간으로서 교사가 겪게 되는 사고와 감정의 변화를 발달적으로 이해하려고 한 연구목적은 이 연구가 다른 연구와 차별화되는 특징이라고 하겠다. 연구결과로서 Sikes는 교사의 발달 주기를 다음과 같이 다섯 단계로 구분하였다: ① 21~28세(고민의 시기), ② 28~35세(안정의 시기), ③ 30~40세(성취의 시기), ④ 40~50/55세(관리자의 시기), ⑤ 50~55세(은퇴 준비의 시기).

교사의 실제적 지식

> *교사교육 프로그램은 효과적인 교사기술을 터득한 교사들을 배출하는 것이지만 학생 개개인이 가지고 있는 전기는 그들과 함께 교실로 은근슬쩍 따라가며 그들의 수업에 영향을 끼친다 (Bullough, 1989).*

교사의 삶의 연구의 세 번째 연구동향은 교사의 실제적 지식으로 정하였다. 이 연구동향은 한 교사의 개인적인 그리고 전문적인 생활경험(교수 경험 포함)이 자신의 교육과정과 수업활동의 의사결정 과정에 어떻게 잠재적으로 영향을 끼치는지를 분석함으로써 그 교사의 가르침의 배경지식으로 작용하는 지식의 내용이 무엇인가를 밝히는 것을 목적으로 한다. 따라서 이 연구동향의 근저에는 한 교사의 현재의 가르침의 철학과 방법은 그 교사가 개인적으로 축적한 가르침에 대한 실제적 지식에 기초하고 있으며 그러한 지식들을 이해하고 논의하는 것이 한 교사의 특별한 교육과정의 행위들을 이해하고 개선하기 위한 기초적인 작업이라는 전제가 깔려 있다. 이에 한 교사가 일생동안 경험하고, 축적하여, 자신의 수업에 적용하고 있는 그 교사의 개인적인 실제적(실천적) 지식은 무엇인가를 규명하기 위해서, 그 교사의 개인적인 삶을 이해하기 위한 방법으로서 생애사 연구방법이 사용된다.

교사의 실제적 지식이 교육과정과 수업 영역의 새로운 탐구주제로 대두되었고, 이러한 연구동향의 대두는 대학 연구자들로 하여금 현장의 교사들이 교사직전 교육기관에서 배웠던 '가르침'에 대한 훈련과는 다르게, 자신의 실천적 경험에 대한 반성을 통하여 '가르침에 대한 실제적 행위 이론'들을 개발하고 그 이론들을 가지고서 교육과정과 수업활동을 진행하고 있다는 사실을 깨닫게 해 주었다. 그리하여 이러한 현장교사의 실제적인 지식에 대한 중요성에 대한 새로운 인식의 확산은 교사 연구와 교육과정 연구의 새로운 탐구주제로 간주되기 시작하였다. 이에 개인적인 실천적 지식(Clandinin and Connelly, 1995), 교사의 이미지(Clandinin, 1986), 실제적 지식(Elbaz, 1981), 실천적(Yinger, 1987), 교사의 사고(Clark and Yinger, 1977) 등의 다양한 연구용어들이 개방되어 연구되기 시작하였다.

이에 1980년대 이래로 현장교사의 실천적 이론들이 무엇인가를 규명하고 개념화시키기 위하여 이 개념에 대한 이론화들이 심층적으로 이루어졌고 새로운 연구저작과 출판물들이 간행되기 시작하였다. 이 분야의 다양한 연구 중에서 지도적인 연구물로는 다음이 있다: Ross, Cornett과 McCutcheon(1992)의 『교사 개인지식의 이론화』, Clandinin의 『교실의 실제』, Ben-Perez(1995) 『기억과 교사의 가리침에 대한 설명양식』, Schubert와 Ayers(1992)의 『교사의 지식』, Elbaz(1983)의 『교사의 사고: 실제적 지식에 대한 연구』, McCutcheon(1995) 『교육과정개발: 개인 그리고 집단적 숙의』. 이 주제의 확산과 그 연구 위상을 감안한 듯이, 『수업연구 핸드북』 제4판에서 Munby, Rusell과 Martin(2001)은 『교사의 실제적 지식』에 대한 방대한 연구결과들을 체계적으로 종합해 놓았다.

이 절에서는 교사의 실제적 지식에 대한 이해를 돕기 위하여 세 개의 대표적인 연구결과들을 소개하고자 한다. 첫째 연구는 '교사의 실제적 지식'을 교육과정 연구의 새로운 분야로 정립시킨 Connelly와 Clandinin의 연구이다. 이들은 내러티브 탐구라는 용어를 교육과정 연구 영역에 도입하여 처음으로 이론화시킨 학자들로서 평생을 이 분야의 연구에 바쳤다. 그들의 기여로 인하여 이들은 AERA 연차 학술대회에서 생애 공로상을 받기까지 하였다. 이들의 이론적인 설명은 다양한 저서들과 논문들에 잘 드러나 있다. 이중에서 『경험의 이야기들』이라는 부제를 가진 『교육과정 계획자로서의 교사』라는 책이 대표적이며 2000년에 출간된 『이야기 탐구: 질적연구에서의 경험과 이야기』 책은 그동안의 자신들의 이론을 종합한 연구서적이다.

이들은 '교사의 실제적 지식' 을 다음과 같이 설명하였다.

> 교사는 지식이 있고 아는 사람이란 것을 강조하기 위하여 개인적 · 실제적 지식(personal practical knowledge, 이하 PPK로 부름)이란 용어를 쓴다. …… PPK는 사람의 과거 경험 속에, 현재의 정신과 신체 속에, 그리고 미래계획과 행위 속에 있다. …… PPK는 현재상황의 긴박한 문제들을 다루기 위해 과거, 특히 미래의 어떤 의도를 재구성하기 위하여 교사가 사용하는 특별한 방식이다(1988, p.25).

Connelly와 Clandinin(1990)은 '이야기 탐구' 방법을 사용하여 교사로 하여금 자신의 경험, 정신과 신체, 그리고 의도 속에서 자신의 이야기를 하게 할 때, 다시 하게 할 때, 그리고 연구자는 그러한 이야기에 기초하여 새로운 이야기를 만들고 다시 만들게 될 때 한 교사만이 간직하고 있는 그러나 명시적으로 노출되지 않았던 독특한 PPK가 드러난다고 하였다.

둘째 연구는 McCutechon의 연구이다. 교사의 교육과정 실행과정에 많은 연구를 해온 그녀는 아이스너의 미학적 비평과 숙의의 연구방법론을 차용하여 한 교사의 수업에서 교사가 갖고 있는 내재적인 신념과 준거가 교사의 수업활동과 계획에 어떻게 직접적으로 영향을 끼치는지를 사례 연구와 생애사 방법을 통하여 연구하였다. 저서 『교사의 숙의』(1995) 연구를 통하여, 미국의 초등학교와 중학교의 교사들의 '가르침' 에 대한 의사결정 행위가 그 교사가 내면화시킨 PPK와 깊은 관련이 있다는 것을 규명하였다.

그러한 교사의 지식을 실행이론이라고 지칭하기도 한 그녀는 연구결과를 통하여 각 교사에 따라 무엇을 더 중요하게 가르치고 덜 중요하게 가르치는지, '가르침' 에 있어서 우선 순위가 왜 개별 교사마다 달라지는지를 그 교사의 개인적인 지식의 차이로 설명하였다. 예를 들면, 같은 초등학교의 교사이면서 교사 A는 왜 국어과를 더 강조하고 교사 B는 왜 암기능력을 더 강조하는지를, 또는 교사 C는 왜 자율적인 수업방법보다 통제 중심의 수업방법을 더 잘 쓰는지는 그 교사가 발달시킨 개인적인 실행이론과 깊은 관계가 있다는 것으로 이해하였다. 현장의 사례 연구들을 통하여 McCutcheon은 다음과 같은 시사점을 도출해 냈다. 첫째, 교사들은 나름대로 개인적인 지식에 근거하여 교육과정과 수업개발 그리고 교실관리를 한다. 둘째, 교사의 실제적 지식을 구성하는 요소들은 다음과 같다: ① 교사가 되기 이전에 그 교사가 겪었던 다양한 경험, ② 교사가 맡고 있는 수업의 조건(가르치는 학년, 학생들의 능력, 학습자의 특성 등), ③ 그 교사의 교수의 경험.

비판적 교사의 삶

교사의 삶에 대한 생애사적 접근의 네 번째 연구동향은 '비판적 교사의 삶'으로 정하였다. 이 연구동향은 비판이론과 해방이론의 관점에서 현장교사가 억압받는 타인들(하류계층 학생들, 여학생들, 유색 인종 학생들, 성 취향이 다른 학생들 등)의 복지와 권리, 해방을 위하여 노력한 현장교사들의 성공적인 삶의 이야기를 기술하고 의미를 추출하는 데 그 목적을 둔다. 따라서 교사는 사회적 약자의 편에서 학교교육(교육과정, 생활지도 등)을 통하여 이러한 집단의 학생들의 사회비판 의식을 고양하고 그들을 의식 있는 존재로서 발달시키는 실천적 지성인의 역할을 한다.

그러한 점에서 앞에서 설명한 세 개의 연구동향들과는 다르게, 교사의 삶에 대한 연구에서는 해방과 사회정의라는 비판 교육학의 목적에 따라서, 불평등, 억압, 차별, 편견이 난무하는 자본주의 사회에서 교실 생활 세계 속에서 살아가는 교사와 학생들의 이야기들을 주로 다룬다. 비판적 또는 해방적이라는 용어가 의미하는 것처럼, 이 연구동향에서 연구되는 교사의 삶은 정의롭고 평등한 사회를 만들기 위한 해방적 주체로서 그려진다.

비판적 교사의 삶을 다룬 생애사적 연구들은 역사적으로 다양하게 이루어졌는데 1980년대 이후에 오면서 비판 이론에 기초한 교육과정 연구의 재개념화 운동 속에서 더 활발하게 이루어졌다. 비판적 교사의 삶을 다룬 주요 작품을 이 글에서 소개하는 것은 무리라는 점을 지적하면서 이 분야에서 이루어진 대표적인 연구물을 소개하면 Kohl(1967)의 『36명의 아이들』, Kozol(1985)의 『어린 시절에의 죽음』, Ashton-Warner(1963)의 『교사』, Kidder(1989)의 『아이들 사이에서』, Grumet(1988)의 『씁쓸한 우유』, Casey(1993)의 『나의 인생으로 답하였다: 사회 해방을 위한 여성교사들의 생애사』가 있다.

아울러 이 분야의 대표적인 연구논문으로는 다음 작품들이 있다: Tierney(1993)의 「한 인디언 교사의 죽음」, Mclaughlin(1993)의 「소수 인종 학교에서의 교사의 해방교육학의 실천 이야기」, Ellsworth(1989)의 「대학 수업에서 비판교육학 강사로서 느끼는 좌절감」, Hooks(1994)의 「탈주를 위한 가르침」.

다양한 연구들 중에서 비판적 교사의 삶을 생애사적 연구방법을 통하여 성공적으로 표현한 작품으로는 Kohl의 『36명의 아이들』과 Kozol의 『요절』이 있다. 두 연구들 모두 미국의 인종차별주의가 만연해 있는 학교 속에서 인종 차별에 반대하는 백인교사의 일상적인 삶과 그들의 해방적 노력들을 내러티브 방식으로 그려나갔다. 차별이 초등학교의 교실에서 얼마나 적나라하게 일어나고 있는지를 기술한 현장교사의 소설적 문학작품인 이 두 연구들은 이 분야의 많은 연구자들에게 폭넓게 읽히고 있다. 현장교사의 일인칭 시점으로 인종차별을 미국 초등학교에서의 교사 생활을 통해 담담하게 그러나 인상적으로 그려나간 이 생애사 연구들은 백인 교사의 관점에서 흑인 아동에 가해지는 백인교사와 백인 문화 중심의 학교 교육과정의 숨겨진 이야기들을 감동적으로 써내려 갔다.

첫째 연구로 Kohl의 『36명의 아이들』을 살펴보자. 이 연구는 연구자가 현장 교사로 재직한 경험을 바탕으로 쓴 백인 교사의 생애사 기록으로서 미국의 맨하튼 할렘에 있는 초등학교에서의 기억을 책으로 승화시킨 것이다. 책은 Kohl이 담임 선생님이 되어 지도하게 된 흑인 학생 36명과의 만남, 그리고 그들과의 생존의 이야기들을 담고 있다. 내용은 Kohl의 일기를 중심으로 펼쳐지는데 그 일기에는 아무런 희망을 가지고 있지 않은 36명의 아이들을 무한한 잠재력을 가진 새로운 존재로서 바라보고 성장할 수 있도록 도와주는 필자의 사랑, 헌신, 기대가 펼쳐져 있다.

이에 공부에 관심이 없는 아이들을 위하여 Kohl이 어떠한 노력을 하였으며 아이들이 어떻게 변화되어 갔는지, 그리고 그러한 아이들이 나중에 훌륭한 성인(예술가, 교사, 은행원, 영화감독 등)으로 성장하는 내용이 그려져 있다. 일종의 백인 교사에 의해 쓰여진 흑인 아동의 성장사라고 할 수 있다. Kohl은 자신의 책에서 "사범대학의 어떤 교직 과목에서도 아이들을 관찰하는 것을 가르쳐주지 않았다"고 회고하면서 어린이들을 관찰하는 것을 배우지 않고 어떤 아이에 대하여 안다는 것은 하루에 5시간을 가지고 사는 것과 같다고 비유하였다.

둘째 연구는 Kozol의 『어린 시절의 죽음』이다. 이 연구 역시 흑인이 다수인 공립학교에서 나타나고 있는 흑인 아동들의 삶, 대부분이 백인인 교사들의 삶, 그리고 그 속에서 고민하는 Kozol이라는 백인 교사의 일상생활을 자서전적으로 기술하였다. 이야기, 관찰, 대화 등을 토대로 Kozol은 흑인 아동이 다니고 있는 초등학교의 비교육적인 물리적 · 사회적인 환경들을 기술하고 나아가 흑인 아동들에게 적대적인 백인 동료 교사들의 이야기를 적나라하게 표현하였다. 책의 제목, 『어린 시절의 죽음』이 나타내는 것처럼, 이 책은 인생의 초기를 인종차별적인 교실 속에서 살아가는 흑인 아동들이 20년이 지나서 어떻게 인생의 낙오자로서 전락하게 되었는가를 교사의 이야기를 중심으로 기술하였다.

세 명의 제자 이야기(길거리의 노숙자가 된 학생, 감옥에 있는 학생 등)를 통하여 Kozol은 미국의 초등학교가 아동의 잠재력 발달을 위한 역할을 하기보다는 백인과 유색인종이라는 준거에 기초하여 다른 사회화를 담당하고 있으며 백인 중심의 학교교육을 받은 흑인 아동들은 자연스럽게 도태될 수밖에 없다고 비평하였다. 이에 Kozol은 흑백문제가 심각하게 퍼져 있는 미국의 사회에서 학교교육이 갖는 진정한 숨겨진 기능이 무엇인지를 자신의 생활 이야기, 관찰 이야기, 아이들의 생활상을 토대로 여실하게 보여주었다.

별이 빛나는 밤 1과 2: 새롭게 생각해 보는 한국 교사의 삶

이 절에서는 앞 절에서 소개한 생애사적 연구 방법을 한국 사회에 접목하여 한국 교사들의 삶을 연구한 『별이 빛나는 밤: 한국 교사의 삶과 그들의 세계』를 소개하고자 한다. 『별이 빛나는 밤』은 한국 사회에서 다소 생소한 그리고 잘 알려지지 않은 생애사 연구를 통해 교사들의 삶을 처음 소개하고 접목하였다는 점에서 의의를 가진다. 그리고 항상 이론에 대한 소개에만 머물러 있던 생애사를 실천으로 옮겼다는 점에서, 생애사 방법이 어떻게 접목되고 사용될 수 있는지 보여준 구체적인 연구라고 할 수 있다. 그리고 이 작품은 서구의 작품을 읽으면서 느꼈던, 이것이 한국 교사들의 삶과 비슷할까라는 미묘한 거부감을 넘어 좀 더 가깝게 한국 교사들의 삶은 이렇다는 현실적인 느낌이 들게 해 준다.

모두가 그러하듯이 연구자가 한 개의 연구를 끝내고 나면 다음 연구를 어떻게 할까라는 생각을 한다. 그러한 감정은 마무리한 연구에 대한 심리적 긴장감을 잊고자 하는 인간의 본질적 특징이 아닐까 싶다. 그러한 점에서 『별이 빛나는 밤』 원고가 2004년 9월에 출판사로 넘겨졌고 2005년 2월과 3월에 출간되었기 때문에 저자에게는 이미 잊혀진 연구에 속한다. 가끔씩 타인의 논문에서 이 책이 인용될 때나 모르는 사람이 이 책에 대한 소감을 전자 메일로 보내줄 때면 잊혀졌던 복잡한 감정들이 느껴질 뿐이다.

아마도 이 책을 이해하기는 가장 효과적인 방법은 책을 읽고서 저자의 의도를 추론하고 반성해 보는 작업이라고 말하고 싶다. 특히 책을 읽을 때 텍스트 뒤에 숨겨져 있는 저자의 목소리(제목, 책의 구성, 내용 구조, 이야기 제목들, 반성 등)를 이해하려는 공감적 태도를 가지게 된다면 그러한 이해는 더욱 증진될 수 있을 것으로 추측한다. 이러한 점을 지적하면서 이 글에서는 이 책에 대한 여러 가지 비평이나 감상 중에서 이 책을 왜 썼는가라는 질문에 답하고자 한다. 이러한 '동기' 에 대한 노출은 텍스트에 공개적으로 나타나있지 않은 저자의 심리적인 의도를 기술하고 있다는 점에서 이 책의 가치와 의미를 좀 더 넓은 해석의 공간에서 바라볼 수 있는 기회를 제공해 줄 것으로 추측한다. 이에 이 글에서는 저자의 글쓰기 동기를 다음 네 가지로 소개하고자 한다.

첫째, 이 책을 쓰게 한 모티브는 우리나라에서 진행되고 있는 질적연구에 대한 담론과 방법론적 이론화를 한 차원 승화시켜야 한다는 인식이었다. 간단히 말하면 지난 10년에 걸쳐서 질적연구가 우리나라에서 확산되어 왔고 대중화되었지만 질적연구에 대한 이해가 '문화기술적 연구' 라는 명칭 또는 개념으로 한정되어 소개되고 있다는 점은 변화되어야 한다고 생각하였다. 질적연구를 공부한 사람이거나 질적연구자는 아니지만 질적연구 논문을 쓰는 교육연구자들은 자신의 연구논문 또는 보고서에 아무런 고민이 없이 '문화기술적 연구' 라는 용어를 일상적으로 쓰는 것 같다. 그러나 '문화기술적' 이라는 용어를 통하여 질적연구가 대중화되었다는 점에서는 더할 나위 없이 반가운 일이지만 '문화기술적' 연구가 아닌 질적연구들이 문화기술적 연구로 표현되거나 설명되고 있는 현실은 질적연구자에게 그리고 심지어 양적연구자에게 질적연구의 다양한 지적 전통과 방법적 다원성이 존재한다는 사실을 망각하게 만들 위험을 초래한다. 그리고 그러한 망각과 편견은 아직까지 소개되지 않고 이론화되지 못한 질적연구의 여러 가지 이론적 · 방법적 개념들과 전통들에 대한 소개와 토착화를 어렵게 할 위험성이 있다.

이제 문화기술지 중심의 질적연구에서 탈피하여 질적연구의 다양한 아이디어와 방법적 이상들이 우리에게 수용되고 연구되어야 할 때라고 생각한다. 그리고 그러한 노력으로 질적연구에 대해 폭넓게 이해하게 되고 다양한 연구배경과 방법을 구사할 수 있는 질적연구자를 길러낼 수 있으리라 생각한다. 이에 필자는 질적연구의 주요한 한 가지 연구전통이자 최근에 많은 이론화와 연구가 이루어지고 있는 '생애사적 연구방법' 을 우리나라의 질적연구 분야에 소개하는 노력이 필요하다고 느꼈다. 생애사적 연구방법' 이라는 용어를 필자가 이 글에서 선택하였지만 이 분야의 학자들에게 '자서전적 연구' , '구술사' , '일인칭 문화기술지' , '전기적 연구' , '자서전적 문화기술지' , '내러티브 연구' 등의 다양한 용어들이 나름대로의 차이점을 가지면서 비슷하게 사용되고 있다. 이에 '생애사적 연구방법' 을 『별이 빛나는 밤』이라는 책을 저술함으로써 미래의 질적연구자들에게 소개하고 공부하게 만들고 싶었다. 필자의 다른 여러 글에서 '생애사 연구방법'에 대한 이론적 소개들이 미미하게 소개되었기 때문에 이 책에서는 생애사 방법을 통하여 학교교육과 교육자를 연구하는 것이 어떻게 하는 것인지를 쉽게 풀어 이해시키고자 하였다. 이를 통하여 생애사 연구방법에 관심을 두고는 있으나 체계적인 자료나 훈련을 받지 못한 교육연구자들이 갖고 있는 질문들에 공식적으로 답하고자 하였다.

아마도 교육연구자 특히 현장교사들은 질적연구가 도래하면서 자신 또는 주위의 교육자에 대하여 연구하고 싶은 욕구를 가지게 되었을 것이다. 이에 저자는 여러 사람으로부터 다음과 같은 질문을 여러 번 받은 적이 있다: "한 사람을 연구해도 되나요?", "제가 초등학교 재직하는 28년간 현장 일기를 써왔는데 이 자료를 사용하여 박사논문을 써도 되나요?", "이런 연구를 대학 교수님께서 연구라고 인정해 줄까요?", "삶을 연구하는 것이 교육학 연구에 적절한가요?", "지나간 생애를 기록하는 것은 질적 연구에 속하나요?" 등.

저자는 그러한 질문들에 대하여 생애사 방법을 통한 교육적 삶의 연구는 질적연구의 대표적인 연구방법의 하나이기 때문에 그러한 연구가 국내에 없었다고 하여 두려움을 갖거나 미리 포기하기보다는 자신감과 개척정신을 갖고서 연구하기를 원하였다. 나아가 이러한 연구를 하려고 하는 연구자들에게 고흐가 자연을 벗삼아 자신의 새로운 그림 영역을 찾아낸 것처럼 "무소의 뿔처럼 혼자서 가라"는 자극을 주고 싶었다.

이 책을 쓰게 된 두 번째 동기는 우리나라의 교육학 분야에는 교사의 삶에 대한 현장지향적 연구들이 거의 없다는 점이다. 구미의 경우, 교사에 대한 연구와 교사에 의한 연구는 21세기 초의 구미 교육학 분야의 3대 연구 분야 중 하나에 속할 만큼 그 중요성이 강조되고 있고 많은 연구들이 이루어지고 있다(김영천, 2005). 특히 수많은 교육정책적 지원과 교육과정 개정에도 불구하고 학교개혁이 이루어지지 않는 이유 중의 하나가 현장교사의 일상적인 삶과 문화 그리고 그들의 발달과정을 이해하지 못한 채, 교육과정 개혁과 학교개혁을 시도하려는 이상과 현실의 괴리 때문이라는 인식이 확산되기 시작하였고 교사의 삶과 그들의 일을 이해하고 기술하려는 학구적 · 정책적 노력들이 심층적으로 이루어져 왔다.

이에 비추어 우리나라의 경우 교사의 삶에 대한 연구분야는 양적연구 패러다임의 독주로 인하여 거의 존재하지 않았으며 질적연구 분야에서도 교사의 삶에 대한 진정한 이해를 다루는 생애사적 연구는 심층적으로 이루어지지 않고 있었다. 최근에 와서 교사의 삶에 대한 질적연구들이 출간되고 있지만 우리나라의 현장교사들이 당면하고 있는 학교의 생활과 문화, 그리고 경험들과 발달을 다룬 연구들이 더욱 필요한 실정이다. 더 사실적으로 교사의 삶을 쓸 수 있는 최상의 위치에 있는 현장교사들이 대학원의 석사논문과 박사논문을 양적연구를 하거나 대학교수가 하는 이론검증이나 가설검증을 목적으로 하는 연구를 하고 있다는 것은 참으로 안타깝다. 필자는 교육연구자 특히 대학원을 다니는 현장 교사들이 자신들의 삶 또는 동료 교사들의 삶을 다룬 연구들을 논문 주제로 선정하여 숨겨진 교사들의 세계를 드러내기를 바랐고 이러한 연구수행을 도와주기 위한 방법으로 실증적인 연구작업 한 개를 제시하였을 뿐이다.

이러한 목적을 위하여 『별이 빛나는 밤』 제1권에서는 구미에서 수행된 교사의 삶에 대한 정전(canon)을 모두 종합하여 정리하였다. 제2권에서는 우리나라 현장 교사들의 삶의 단편을 들을 수 있는 32개의 이야기를 만들어냈다. 이를 통하여 교사의 삶을 연구하는 다양한 주제들이 어떤 것들이며 특히 한국 상황에서 필요한 주제에는 어떤 것들이 있는지를 압축하여 알려주고 싶었다. 그러나 필자 역시 외부자인만큼 한국적 삶을 살아가고 있는 교사의 세계에 대한 좀 더 근접한 주제들과 이야기들은 내부자들인 현장교사들에 의하여 더욱 잘 그려질 수 있을 것이라고 믿고 있다. 앞에서 소개한 것처럼 교사에 의한 연구(실행연구 또는 실천가 연구)가 교육학연구의 주류 연구세력으로 등장한 21세기의 교육학연구 분야에서 필자는 교육연구자인 교사들 그리고 교육학 전공의 대학원생들이 처녀지로 남아 있는 한국 교사들의 일상적이지만 숨겨져 있는 삶을 기술하고 이해하는 작업을 적극적으로 하기를 바랐다.

이 책을 쓰게 된 세 번째 동기는 질적연구에서 글쓰기의 방법과 새로운 표현 방법을 소개하는 데 있었다. 양적 연구와는 달리 질적연구가 언어 특히 표현적이고 예술적인 언어를 통하여 실재를 재현하는 작업인 만큼, 질적연구자에게 있어서 삶과 현상에 대한 효과적인 글쓰기를 이해하고 연마하는 작업은 양적연구자가 통계 패키지인 SPSS나 SAS를 실행할 수 있는 것 못지않게 중요하다. 그러한 점에서 필자는 질적연구자의 글쓰기와 글쓰기 양식은 어떠해야 하는지를 훌륭하지는 않지만 최선의 노력을 다한 『별이 빛나는 밤』을 통하여 경험하게 해 주고 싶었다. 특별히, 필자 역시 문학자가 아니며 글을 잘 쓰는 사람이 아니기 때문에 그러한 목적이 얼마나 달성되었는지를 알 수는 없지만 「질적연구를 질적으로 보이게 만드는 방법」 책을 저술하면서 고민하였고 이를 위하여 다양한 자료들과 이론들에 대한 공부를 하여 실험적인 글들을 만들었다.

이 책을 읽은 사람들은 느낄 수 있는 것처럼 이 책에는 질적연구의 여러 가지 글쓰기 전략들이 텍스트에 접목되어 있고 미숙하지만 인문학적 글쓰기의 기법들을 수용하고 활용하려는 노력을 하였다. 따라서 Crossover 또는 Blurred genre의 개념을 적용한 여러 가지의 현장 교사들의 이야기를 만드는 작업은 쓰고 또 쓰고, 다시 쓰고, 창의적으로 고민해 보는 작업이 핵심적인 글쓰기의 과제였다. 그 예로서 질적연구에서 타당도의 한 가지로 부상한 Lather(2001)의 탈주적 타당도(transgressive validity)의 개념을 반영하는 글을 만들기 위하여 한 가지 현상을 두 개의 시각으로 그려낸 교사 이야기(벚꽃 초등학교 대 초등학교의 군기)를 만들기까지 하였다.

아울러 이 책이 잘 읽힐 수 있도록 쉽게 쓰려고 노력하였다. 그러한 이유는 첫째 질적연구의 매력을 읽는 사람에게 전달하는 것이 목적이었지만 더욱 중요하게 이러한 유의 책이 교사직전 교육기관과 현직연수기관에서 더욱 많이 읽혀져야 한다는 생각 때문이었다. 필자의 기억에 비추어보면 그리고 교사와 관련된 과목들(교사론, 학급경영, 교육과정과 수업, 교육행정학 등)에서 강의법이나 교재의 선정 시 우리 교사의 삶에 대한 이야기와 논의는 거의 삭제된 채, 한 권의 개론서 교재로 수업을 하는 경우가 대부분이었다. 그리고 그러한 수업에서의 학습과 공부는 실제 한국의 교사들이 무엇을 경험하고 고민하고 있고 어떤 문화 속에서 살고 있는지를 토론하기보다는 외국의 학교행정이론을 외우게 하거나 아니면 실제와는 거리가 먼 "교사는 ... 해야 한다"라는 교조적이고 일방적인 설교식의 내용으로 진행되는 경우가 많았다.

그러한 점에서 필자는 교사론에서 다루어야 할 교사의 일 그리고 조직적 업무들을 이해하는 과제를 따분하게 읽게 할 것이 아니라 재미있고 쉽게 그리고 재미있어서 그만둘 수 없이 계속 읽고 싶은 욕구를 불러일으키는 그러한 텍스트를 만들고 싶었다. 자신의 이야기이지만 차마 자신의 이야기라고 말하기 어려운 경험을 옆집 교사의 이야기로 포장한 채 읽기를 바랐다. 이에 필자의 학구적 사명이 질적연구의 이론화 작업을 하는 것에 대한 관심보다는 (다른 미래의 연구자들이 그러한 작업을 맡아주기를 바라면서) 대신에 대중적인 질적연구(Pop pedagogy, Pop qualitative research) 작품을 만드는 것이 아닐까 여러 번 생각해 보았다.

이 책을 쓰게 된 마지막 동기는 실천으로서 연구(research as praxis)이다. 교육학의 다양한 연구분야에 종사하고 있는 교육연구자마다 연구의 목적이 다르고 그 가치 역시 다르다는 점을 인정한다. 그러한 다양성 속에서 필자의 연구목적은 교실에서 날마다 그들의 일에 최선을 다하고 있는 교육행정가와 교사들에게 자신들의 삶을 반성하고 문제 삼고 질문을 제기하여 최선의 방법을 탐구하고자 하는 변화정신을 자극시키는 데 있다. 이에 현장의 교사들이 스스로 어떻게 변해야 하는지 무엇을 변화시켜야 하는지를 지각하고 성장하는 것을 돕고자 하였다. 그 예로서 1997년에 쓴 『네 학교 이야기』는 초등학교 교사들로 하여금 자신들이 의문시하지 않았던 교실의 문화와 실제들을 객관적으로 바라보고 자신들의 일상적인 수업활동을 성찰하는 기회를 갖도록 만드는 것이었다. 모르는 어느 교사가 필자에게 보낸 "지난 15년간 생각해 보지 않았던 나의 가르침과 교실 생활, 내 등에서 차가운 땀이 흘러내렸다"라는 전자 메일의 문장은 나의 연구목적을 가장 잘 대변하는 증거이다. 『네 학교 이야기』처럼 『별이 빛나는 밤』 역시 현장교사들에게 우리의 교육현실과 교사의 삶을 이해하고 반성할 수 있는 학구적 자료로서 이용되기를 바랐다.

이에 『별이 빛나는 밤』은 실천으로서 연구가 갖는 해방적 목적을 달성하기 위하여 쓰여졌고 좀 더 구체적으로 두 개의 집단에 대한 의식의 해방을 위하여 만들어졌다. 첫 번째 해방의 목표는 외부자들이 교사들에 대하여 가지고 있는 진부한 그러나 이데올로기화된 편견을 거부하고 변화시키는 목소리를 만드는 것이었다. 즉, 교직은 단순히 교과서에 기술되어 있거나, 학부모가 이야기하는 것처럼, 또는 매스미디어에서 재생산하는 것처럼 천직(calling)으로서 당연히 모든 것을 해내야 하는 직업으로서만 이해되어서는 안 된다고 생각한다. 대신에 필자는 그 이전에 교사는 인간으로서 문화적으로, 역사적으로, 인간관계적으로 끊임없이 영향을 주고받는 상호작용 속에 살아가는 사회적 동물이라는 점을 강조하고 싶었다. 교사들은 다른 직업에 종사하는 직업인처럼 학교라는 조직 속에서, 가족이라는 조직 속에서, 또는 한국 문화의 특성 속에서 다양한 인간적 욕구와 욕망, 좌절과 시련, 조직문화, 그리고 생로병사 속에서 살아가면서 성장하고 발달해 나가는 사람이다. 그리고 그러한 인간적 · 제한적 · 주관적 · 역사적 · 문화적 삶의 특징이 그들로 하여금 어떻게 가르쳐야 하고 어떻게 생활하며 어떻게 교육을 인식해야 하는지에 직접적으로 영향을 끼친다.

이에 필자는 교직이 갖는 복잡성과 다차원성을 교직의 인간적 측면을 기초로 하여 외부자들이 잘못 인식하거나 와전된 교사 및 교직의 스테레오타이프를 변경하거나 재구성해야 할 필요가 있다고 생각한다. 변화하는 현장, 알려지지 않은 학교 문화 속에서 살아가고 있는 교사들의 삶에 대한 이해 없이 단순히 전통적인 교직의 이미지로만 교사들을 인식하고 평가하고 외부자들의 요구를 따르도록 강요하는 것은 교육의 개선에 도움이 되지 않으며 한국의 교사직업의 정체성과 직업문화를 정확하게 이해하는 데 기여하지 못한다.

교사는 다른 직업의 종사자들처럼, 경제적으로 어려움을 당할 때 가르침에 대한 여유가 없어지고, 자식이 아프거나 사별을 할 때, 수십 년 동안 자신을 지탱해 주었던 가르침에 대한 활력(vitality)은 순식간에 사라져 버린다. 특히 자신의 자식이 아닌 다른 사람의 자식에 대해 사랑이라는 이해하기 힘든 언어로서 모든 것을 희생하도록 요구하기에는 교사는 너무나 인간적이고 연약한 존재인 것이다. 이에 필자는 이 책을 통하여 교단 일기를 제외한 어느 전문 서적에서 표현되지 못하고 제외되고 삭제된 현장 교사들의 숨겨진, 그러나 진정으로 그들의 이미지를 드러내주는 삶의 여정들을 드러냄으로써 한국 교사의 현실적인 삶의 역사와 발달의 과정을 보여주고 싶었을 뿐이다. 교사들 역시 아프며, 외롭고, 대인관계 속에서 고통받으며, 학교장의 철학으로 인하여 자신의 가르침에 대한 전문성을 상실할 때 고통을 느끼며, 한 아이가 변화할 때 그 어떤 형태의 보상보다도 큰 기쁨을 느끼는 사람이다. 교사는 협동작업을 필요로 하지만 승진을 위하여 경쟁해야 하고 승진과 육아 속에서 또한 고민해야 하는 인간적 존재이다. 나는 교직에 대한 우리의 역사적 전통이 현재의 교사의 실제적 삶을 이해하는 데 충분한 도움을 주지 못한다는 점을 지적하면서 『별이 빛나는 밤』이 실상에 대한 몇 가지 단편들을 경험하고 교직에 대한 생각, 교사에 대한 이미지를 새롭게 정립하고 그들의 삶을 이해하려는 대중적 노력이 필요하다는 생각을 하였다.

둘째, 더 중요한 연구의 모티브로서 『별이 빛나는 밤』은 내부자인 교사들에게 자신들의 삶 속에서 살아가고 있는 다른 교사들이 하는 이야기들(승진, 가족의 아픔, 학부모와의 갈등, 초임교사의 적응 문제, 학교조직의 위계화 등)을 직접 읽음으로써 그들의 경험을 자신의 의식과 결부 짓는 반성적 작업을 할 수 있기를 바랐다. 필자는 개인적으로 한 개인의 의식의 변화와 발달은 공식적인 학습이나 연수가 도움이 되긴 하지만 그것보다는 개인적인 경험에 대한 해체와 반성 그리고 그러한 경험을 공유한 내부자들과의 연대의식과 비평작업을 통하여 더 잘 이루어진다고 믿고 있다.

필자의 이러한 주장을 강요하기는 어렵지만 필자가 가지고 있는 생활관, 교육관, 그리고 가장 중요하게 무엇이 가치로운 삶인가라는 해석은 학교공부나 대학교수의 수업으로부터 얻은 것이 절대 아니다. 오히려 나의 경험을 공유한 타인과의 대화와 비평, 또는 더욱 의미 있게 내가 겪지 못한 여러 가지 경험들을 공감시켜 주는 간접 경험들(영화, 다큐멘타리, 미니시리즈, 소설, 잡지 등)을 통하여 일어났다. 톨스토이의 『부활』, 눈물 흘리며 본 'Million Dollar Baby', 이광수의 『흙』, 백인 가수 에미넴의 '8마일', '발리에서 생긴 일' 등이 나에게 사랑, 교육, 인생의 가치, 믿음, 그리고 타인의 감정 읽기 등의 증진에 도움을 주었다.

그러한 점에서 필자는 교육학의 명저들 또는 대학의 교과서적 교재들이 교사의 발달과 성장에 도움을 주지만 아울러 그들의 일상적인 이야기를 기술한 『별이 빛나는 밤』과 같은 책들이 교사로 하여금 자신은 누구이고 어떻게 살고 있으며, 잘 살아가고 있는지, 어떻게 살아가야 하는지, 그리고 다른 교사들은 어떤 생각으로 가르침을 실행하고 있는지를 이해시키고 반성시키는 좋은 자극제가 될 수 있다고 믿는다. 즉 자신의 존재와 정체성 그리고 가르치는 사람으로서의 약속을 어떻게 지켜나가고 있는지를 스스로 인식하고 평가해 볼 수 있는 쿠레레(Pinar, 2004)를 제공해 줄 것으로 믿는다. 더 나아가 교사가 성숙한 인간으로서 성장하는 데 필요한 삶의 생활기술인 다양한 관점, 공감 그리고 자기에 대한 지식을 평가할 수 있기를 기대한다. Lather (1986)가 강조한 연구참여자들의 의식을 계몽하고 변화하도록 자극시키는 촉매적 타당도를 『별이 빛나는 밤』을 통하여 구현하기를 바란다.

종합 및 결론

이 장에서는 1980년대 이래로 구미의 교육과정 영역에서 주도적인 연구주제로 부상한 '교사의 삶에 대한 생애사적 연구접근'에 대한 연구동향을 정리하였다. 이를 위하여 첫째, 교육과정 연구분야에서 생애사 방법의 의미와 가치를 학자들의 주장들을 인용하면서 살펴보았다. 둘째, 이 분야의 연구동향을 네 가지로 구분하여 각 분야에서 이루어진 연구결과들을 ① 연구동향의 개념, ② 주요 연구물들, ③ 대표적인 연구결과의 종합 순으로 정리하였다. 그리하여 두 개의 연구내용을 정리함으로써 이 분야에 대한 기존의 논의와 이론화가 얼마나 진행되었는지를 전체적으로 이해할 수 있는 조감도를 제공하고자 하였다. 이러한 정리는 이 분야의 연구들이 어떻게 진행되어 왔는지, 어떠한 연구결과들이 도출되었는지를 종합적으로 이해하는 데 도움을 줄 것이다. 그리고 간접적이기는 하지만 생애사를 통해 교사들이 어떠한 삶을 살아가는지 그리고 자신들의 전문성을 어떻게 개발시켜 가는지를 이해하는 데 도움을 줄 것이다. 더 나아가 우리나라의 상황에서 교사의 삶에 대한 이해를 돕는 연구주제와 연구방법에 대한 아이디어를 제공해 주고 이러한 연구가 나아가야 할 방향과 지침을 제공해 줄 것이다.

학습활동과 토의주제

1 교사의 삶과 관련된 구미의 정전들(별이 빛나는 밤 1에 요약되어 있음)에 나타나 있는 교사들의 일반적인 삶과 세계는 어떤 특징이 있는지 분석하고 이에 대해 토론해 봅시다.

2 우리나라 교사의 삶과 관련된 일련의 작품들(네 학교 이야기, 미운 오리 새끼, 별이 빛나는 밤, 한 여름 밤의 꿈 등)을 읽고서 책에 나타나 있는 우리나라 교사들의 성장의 과정과 고통 그리고 희망은 무엇인지 이야기해 봅시다.

3 당신이 미래의 교사 또는 현직 교사라고 할 때, 현장교사들의 관점에서 대학연구자들이 써 내려간 작품들이 드러내지 못한 교사의 삶에 대한 이슈들은 무엇인지를 규명해 보고 그에 대한 이론화 방향에 대하여 정리해 봅시다.

4 교사의 삶과 그들의 세계에 대하여 아는 것이 왜 학교 교육과정 개발과 실행에 있어서 중요한지 생각해 봅시다. 인간으로서, 조직의 구성원으로 그리고 다양한 역할을 하는 사회인으로서 그들이 갖고 있는 임무와 사명감, 가치들이 학교 교육과정의 이해와 적용에 어떤 제한 요소로서(frame factors) 작용할 수 있는지 생각해 봅시다.

참고문헌

김대현 · 박경미(2003). 학교 교육과정 운영에 대한 교사의 내러티브 탐구. 「교육과정연구」. 21(2). 23-50.

김성례(1991). 한국 무속에 나타난 여성체험: 구술 생애사의 서사분석. 「한국여성학」. 제7집, 7-40.

김영천(1997). 「네 학교 이야기: 한국 초등학교의 교실생활과 수업」. 서울: 문음사.

김영천(2005). 별이 빛나는 밤 1: 한국 교사의 삶과 그들의 세계. 서울: 문음사.

김영천(2005). 별이 빛나는 밤 2: 한국 교사의 삶과 그들의 세계. 서울: 문음사.

김영천 · 조재식(2004). 「교육과정에서의 질적연구」. 김영천 · 조재식(편) 교과교육과 수업에서의 질적연구(제2판). 서울: 문음사.

김영천 · 이희용 · 이현철 · 최준호(2009). 한 여름 밤의 꿈: 제7차 교육과정 환상과 추락의 내러티브. 아카데미프레스.

고미숙(2000). 「우리의 삶을 이야기하는 서사적 접근의 도덕교육」. 교육철학, 24, 1-28.

고창규(2001). 초등학교 수업의 바로잡기(repair) 유형 및 계열연구. 「교육사회학 연구」, 11(3). 1-19.

권기현(1999). 교육분야에서의 전기적 방법의 가능성 탐색, 「교육원리연구」, 4(1). 89-110.

김자영(2003). 초등교사의 수업 속에 나타난 실천적 지식에 대한 이해-초등 수학수업을 중심으로. 「초등교육연구」, 16(1). 141-160.

김정원(1997). 「초등학교 수업에 관한 참여관찰 연구」. 서울대학교 박사학위논문.

아리스에겐(1994). 생활사 연구의 시각. 일상생활의 사회학, 박재환, 일상성. 「일상생활연구회 편」. 222-243, 도서출판 한울.진영욱(2004). 「농어천 초등학교의 학교문화 형성과정에 대한 문화기술적 연구」. 진주교육대학교 석사학위논문.

염지숙(2003). 교육연구에서 내러티브 탐구(Narrative inquiry)의 개념, 절차, 그리고 딜레마. 「교육인류학 연구」. 6(1). 119-140.

유관숙(1997). 「초등교사의 교직사회화과정에 관한 문화기술적 연구 : 교직지향성이 높은 40대 여교사를 중심으로」. 석사학위논문, 한국교원대.

유철인(1990). 생애사와 신세타령: 자료와 텍스트의 문제. 「한국문화인류학」. 제22집, 301-308.

윤택림(1994). 기억에서 역사로: 구술사의 이론적, 방법론적 쟁점들에 대한 고찰. 「한국문화인류학」 제25집, 273-294.

윤형숙(1994). 「생애사 연구의 발달과 방법론적 쟁점들」. 배종무총장 퇴임기념 사학논총, 515-530.

이정선 · 최영순(2004). 초등학교 수업 중 진도 나가기의 유형과 사회적 맥락. 「교육인류학 연구」. 7(1). 131-174.

이혁규 외(2003). 「초등 예비 교사의 실습 체험에 대한 내러티브 탐구. 교육인류학 연구」. 6(2). 141-196.

이지현(2002). 「초등학교 초임교사의 교직적응과 지원체제에 관한 연구」. 석사학위논문, 서울교육대학교 교육대학원.

정선숙(2003). 「초등학교 세 여교장의 생애사 연구」. 석사학위 논문, 진주교육대학교 교육대학원.

최상근(1992). 「한국 초, 중등 교사의 교직사회화 과정연구」. 박사학위논문, 학국교원대.

황기우(1992).「한국 초등학교의 교사문화에 관한 해석적 분석」. 박사학위논문, 고려대학교.

Ball, S. & Goodson, I. F. (Ed.). (1985). *Teachers' lives and careers*. London, Philadelphia and New York: Falmer.

Bergland, B. (1994). Postmodernism and the autobiographical subject. K. Ashley & L. G. Amherst ed. *Autobiography and postmodernism*(130-166). The University of Massachusetts Press.

Britzman, D. (1986). Cultural myths in the making of a teacher: Biography and social structure in teacher education. Harvard Educational Review 56(November). pp. 442-456.

Britzman, D. (1991). *Practice makes practice*. Albany: State University of New York.

Bullough, R. (1978). Persons-centered history and the field of curriculum. *JCT*. 1(1): 123-135.

Bullough, R. (1989). *First year teacher*. New York: Teachers College Press.

Bullough, R. (1996). *Professorial Dreams and Mentoring: A Personal View*. 257-267

Bullough, R., and Gitlin, A. (1995). *Becoming a student of teaching*. NY: Garland Publishing Inc.

Bullough, R. V., & Knowles, J. G. (1990). Becoming a teacher: struggles of a second-career beginning teacher. *Qualitative Studies in Education*, 3(2): 101-112.

Bullough, R. V., & Knowles, J. G. (1991). Teaching and nurturing: changing conceptions of self as teacher in a case study of becoming a teacher. *Qualitative Studies in Education, 4*(2): 121-140.

Bullough, R. V., & Pinnegar, S. (2001). Guidelines for quality in autobiographical forms of self-study. Educational Researcher, 30(3), pp.13-22.

Butt, R. and Reymond, D. (1992). Studying the nature and development of teachers' knowledge using collaborative autobiography. *International Journal of Educational Research*, 13(4), 402~449.

Casey, K. (1993). I answer with my life: Life histories of women teaching working for social change. London: Routledge.

Casey, K. (1995-96). The new narrative research in education. *In Review of Research in Education*, 21: 211-253.

Clandinin, D. J., & Connelly, F. M. (1988). Studying Teachers' Knowledge of Classrooms: Collaborative Research, Ethics, and the Vegotiation of Narrative. *The Journal of Educational Though, 22*(2A): 269-282.

Clandinin, D. J., & Connelly, F. M. (1994). Personal Experience Methods. In N. K. Denzin, & Y. S. Lincoln. ed. *Handbook of Qualitative Research*. Thousand Oaks, Calif.: Sage.

Clandinin, D. J., & Connelly, F. M. (2000). *Narrative inquiry*. San Francisco: Jossey-Bass, Inc.

Connelly, F. M., & Clandinin, D. J. (1987). On narrative method, biography and narrative unities in the study of teaching. *The Journal of Educational Thought, 21*(3): 130-139.

Connelly, F. M., & Clandinin, D. J. (1988). *Teachers as Curriculum Planners: Narratives of Experience*. New York: Teachers College Press.

Elbaz, F. (1983). *Teacher thinking: A study of practical knowledge*. New York: Nichols Publishing Company.

Ellsworth, E. (1989). Why doesn' t this feel empowering? Working through the repressive myths of critical pedaogy. Harvard Educational Review. 59. pp.297-324.

Feiman-Nemser, S., and Floden, R. (1986). Cultures of teaching, In Handbook of research on teaching(3rd edition). Merlin Wittrock(Ed.). AERA: Macmillan.

Goodson, I.F. (1981). Life history and the study of schooling, *Interchange*, Ontario Institute for Studies in Education, 11(4): 69.

Goodson, I. F. (1991). Sponsoring the teacher' s voice in Fullan, M. and Hargreaves, A. (Ed.). *Understanding teacher development*, London: Cassells and New York: Teacher' s College Press(forthcoming).

Goodson, I. F., & Walker, R. (1991). *Biography, identity and schooling*. London: Falmer Press.

Goodson, I. F. (Ed.). (1992). *Studying teacher' lives*. New Youk: Teachers College Press.

Huberman, M. (1993). *The lives of teachers*. NY: Teacher College Press.

Knowles, J.G., Cole, A.L., & Presswood, C.S. (1994). *Through preservice teachers' eyes: Exploring field experiences through narrative inquiry*. NY: Merrill.

Kohl, H. (1967). 36 children. New York: New American Library Kridel, C. ed.(1998). *Writing educational biography: Explorations in qualitative research*. Library of congress Cataloging.

Kotlowitz, A. (1991). *There are no children here: The story of two boys growing up in the other America*. New York: Anchor Books.

Kozol, J. (1985). *Death of an early age: The destruction of the hearts and minds of Negro children in Boston public schools*. Houghton.

Kozol, J. (1992). *Savage Inequality: Children in America' s school*. New York: Crown Publisher Inc.

Kridel. C., Bullough, R. V., & Shacer, P. (Ed.). (1996). *Teachers and mentors*. New York: Garland Publishing.

Lieberman, A. (1992). *Teachers - their world and their work: Implications for school improvement*. New York: Teachers College Press.

McCutcheon, G. (1995). Developing the curriculum: Solo and group deliberation, NY: Longman.

Phillips, D. C. (1994). Telling it straight: Issues in assessing narrative research. *Educational Psychologist, 29*(1), 13-21.

Pinar, W. F. (1994). *Autobiography, politics, and sexuality: Essay in curriculum theory, 1972-1992*. New York: Peter Lang.

Pinar, W. F., Reynolds, W.M., Slattery, P., and Taubman, P. M. (1995). *Understanding curriculum*. New York, NY: Peter Lang.

Polkinghorne, D. (1995). Narrative configuration as qualitative analysis. J. Hatch & R. Wisniewski ed. *Life history and narrative*(pp.5-25). London: Falmer Press.

Schon, D. (1983). *The reflective practive practitioner: How professionals think in action*. New York: Basic Books.

Woods, P. (1987). Life histories and teacher knowledge. J. Smyth ed. *Educating teachers: Changing the nature of pedagogical knowledge*(pp.121). London, Philadelphia and New York: Falmer.

제12장

교육과정의 어두운 그림자:
Hidden curriculum

이 장의 공부할 내용

학교 생활과 잠재적 교육과정

우리나라 초등학교의 잠재적 교육과정

여러분이 해야 할 선택: 얻는 것과 잃는 것

민주적이고 인간적인 초등학교의 학습문화를 지향하며

Michael W. Apple

Michael W. Apple은 교육사회학 분야에서 이 시대 최고 거장으로 꼽히는 대표적인 교육석학으로서 교육에서의 문화와 힘의 관계에 대한 연구 활동을 지속하고 있는 좌파 성향의 교육과정 학자이다. 학교를 자본주의 사회의 문화와 가치를 재생산하는 것으로 보는 그의 비판 이론과 이론을 설명하기 위한 '문화적 헤게모니'의 개념은 교육학과 교육과정을 해석하고 연구하는 데 지대한 영향을 끼쳤다. 즉, 기존의 교육과정이 학교 교육을 순기능적인 것으로 보고 체제 지향적이며 처방적인 성격에서 논의되고 있었던 것과는 달리, 그의 이론과 연구들은 사회의 부조리와 불평등이 학교를 통해 어떻게 유지되는지에 초점을 맞춘 연구라고 할 수 있다. 이것은 교육과정을 해석하는 새로운 시각을 제공해 준 것으로 표면적으로 드러나는 학교 교육의 현상을 다룬 것이 아니라 권력과 힘이 학교 교육을 통해 어떻게 재생산되며 유지되는지에 대한 본질적이고 심층적인 요인들을 드러내 준 것이다.

이러한 그의 이론은 그의 가난했던 어린 시절의 경험이 커다란 영향을 미쳤다. 노동자 계급의 가족에서 태어난 그는 수년 동안 낮에는 인쇄공과 트럭 기사로 일하면서 야간 학교를 다녀야 할 만큼 가난하였다. 그의 이러한 경험은 자연히 교육의 문제에서 실패하는 학생들에 대한 의문으로 이어졌다. 그리고 그는 학생들의 실패에 대한 책임이 학생이나 교사의 노력이 부족하였음이 아니라 그들이 속한 기관이나 사회 체제로부터 주어진 인식이나 제도에 더 크게 있음을 알게 되었다. 그래서 그는 신마르크스주의 이론에 바탕을 두고 그러한 외부적인 조건과 제약이 무엇인지를 밝히고 규명하려는 노력을 하게 되었다. 그리고 학교의 교육과정 속에 내재된 지배적 이데올로기가 무엇이며, 그 이데올로기는 우리의 사회적, 경제적 삶을 어떻게 통제하고 있는지, 그것이 학교 교육을 통하여 어떻게 재생산되고 있는지를 밝히고자 하였다. 그리하여 교육 문제의 사회적·정치적 배경을 이해하는 도구를 제시해주고 우리를 지배하는 신화적인 믿음을 비판적으로 꿰뚫어 보게 하는 것이다. 이는 불평등한 사회 구조 속에서 정치적, 경제적, 사회적으로 구속받고 있는 인간의 삶을 해방시키는 중요한 과제가 되는 것이다.

콜럼비아 대학교에서 교육과정 전공으로 박사학위를 받았고 1968년 위스콘신 대학교로 옮겼다. 현재 미국 위스콘신 대학교의 존 배스콤(John Bascom) 석좌 교수로 교육과정. 교수학과와 교육정책학과에서 교육과정 이론 및 연구에 대한 대학원 수업을 담당하고 있다. 1979년에 쓴 『이데올로기와 교육과정』(Ideology and Curriculum)은 '지난 100년 동안 교육학에 지대한 영향을 미친 세계적인 책 20권'에 선정되기도 하였다. 2004년에는 제1판 출판기념 25주년으로 제3판이 출판되었다. 미국 교육학회 교육과정 연구 분과에서는 평생업적상을, UCLA에서는 공로메달을 수여했다.

주요 저서

1995, Education and power. 2nd edition. New York: Routledge.
1996, Cultural politics and education. New York: Teachers College Press.
2000, Official knowledge: Democratic knowledge in a conservative age. Routledge.
2003, The State and politics of education. New York: Routledge.
2004, Ideology and curriculum. 25th anniversary 3rd edition. New York: Routledge.
2006, Educating the "right" way: Markets, standards, God, and inequality: Routledge.

학교가 공식적 교육과정이 의도하였던 것 그 이상의 것을 가르치는 장소라는 잠재적 교육과정 연구자의 주장과 연구결과는 학교를 통하여 학생이 진정으로 배우게 되는 '공식적 교육과정'의 목표를 벗어난 그 이외의 학습의 내용에는 어떠한 것들이 있을까를 문제제기하게 한다(김명희, 1986; 김종서, 1976; Apple 1993; Giroux, 1983; Jackson, 1968; Martin, 1979). 특히 학교의 잠재적 교육과정을 통하여 아동이 갖게 되는 학습의 경험과 결과가 순응과 경쟁심과 같은 교육의 이상과는 상반된 부정적인 것이라고 할 때, 학교개선에 관심을 두는 연구자는 첫째 그러한 잠재적 교육과정이 우리의 학교에 존재하고 있는지를 규명해야 할 것이고 둘째, 규명되었다면 개선하기 위한 구체적인 실천을 시도해야 할 것이다.

이에 이 장에서는 우리 초등학교에 존재하고 있는 잠재적 교육과정에는 어떤 것이 있는가를 규명하고 그 문제점을 논의하고자 한다. 초등학교가 의도하지는 않았지만 그리하여 공식적인 문서에는 진술되어 있지 않지만, 초등학교의 학생에게 은연중에 전달시키고 내면화시키고 있는 부정적인 학습경험이나 내용(지식, 가치, 태도, 세계관)에는 어떠한 것들이 있는가를 밝혀봄으로써 현재 일어나고 있는 초등학교의 현장개선 운동에 기여하고자 한다. 잠재적 교육과정의 학습결과가 부정적인 것이라는 점을 상기하여 잠재적 교육과정의 몇 가지 실체를 밝힘으로써 교육실천가와 행정가에게 이 주제에 대한 관심의 필요성을 강조하고자 한다.

이러한 연구목적하에서 이 글은 다음 세 가지 내용으로 구성되어 있다. 첫째, 잠재적 교육과정에 관한 이론적인 논의를 다룬다. '잠재적 교육과정'을 이론화시킨 다양한 학자의 견해와 아동의 발달에 있어서 잠재적 교육과정의 중요성을 부각시킨다. 둘째, 우리의 초등학교에 존재하고 있는 잠재적 교육과정의 종류를 규명하고 그것이 아동의 학교생활과 수업에 어떻게 깊이 매개되어 있는지를 논의한다. 잠재적 교육과정의 관점에서 초등학교의 교실조직과 생활이 갖는 문화적·역사적·사회적 특성을 규명한다. 셋째, 초등학교의 잠재적 교육과정이 아동의 학습과 인간발달에 어떻게 부정적으로 영향을 끼칠 것인가를 토론한다. 넷째, 그러한 잠재적 교육과정이 부정적으로 영향을 끼친다면 교육실천가와 행정가는 그것의 영향력을 줄이기 위하여 어떠한 구체적인 노력과 방안을 고려해볼 수 있는지를 제시한다.

학교 생활과 잠재적 교육과정

학교가 공식적인 교육과정의 목표 그 이상의 것을 은밀하고 효과적으로 가르치는 장소라는 관점은 교과목 또는 수업 수준에서가 아니라 학교생활과 학교문화라는 좀 더 큰 관점에서 학생의 발달을 분석하는 것이 필요함을 지적한다. 따라서 학생의 발달의 전체적인 장으로서 '학교생활' 또는 '학교에서의 일상적인 경험의 연속'이 학생으로 하여금 어떠한 가치와 태도, 지식을 습득하게 하는지를 논의하는 것이 필요하다. 이 글에서는 그러한 논의를 위한 기초로서 다음 세 가지 주제를 다룬다: ① 생활공간, ② 잠재적 교육과정의 개념, ③ 초등학교의 일상생활.

첫째, 생태학적 발달 심리학에서 사용되고 있는 생활공간의 개념을 소개한다. 생활공간이라는 개념은 아동의 발달을 아동이 처해 있는 환경적 특성과 그 영향에 대한 분석과 관련시킴으로써 학교에서의 생활을 아동의 발달에 영향을 끼치는 주요한 요인이자 환경으로 바라볼 수 있는 한 가지 시각을 제공해 준다. 둘째, 잠재적 교육과정의 개념을 소개한다. 그리고 잠재적 교육과정이 갖는 특징과 영향력을 아동의 발달과 관련하여 논의한다. 셋째, 우리나라 초등학교 생활의 실상을 설명해주는 학교연구의 예를 소개한다. 그러한 예는 한국의 아동이 어떠한 발달환경에서 생활하고 공부하고 있는지를 간접적으로 이해하는 데 도움을 준다.

생활공간

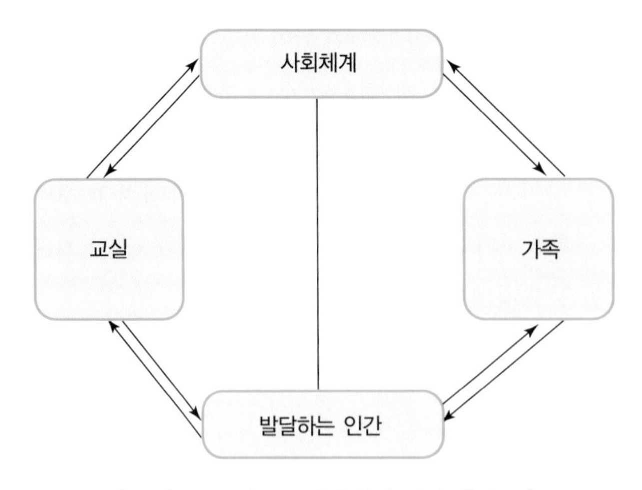

[그림 12-1 슐로츠키의 인간 발달 개념도]

학교의 잠재적 교육과정 연구의 중요성을 인정하는 중요한 연구관점으로서 그리고 잠재적인 교육과정 연구 방법론을 제시해주는 이론으로서 Lewin, Barker, Bronfenbrenner에 의하여 발달된 생태학적 심리학 발달이론을 들 수 있다(Barker, 1954; Lewin 1951; Bronfenbrenner, 1970a). 학교의 일상적인 생활을 통하여 다양한 태도, 가치, 신념, 생활양식 등이 학습된다는 점을 강조하는 잠재적 교육과정 이론가의 관점은 아동의 발달이 아동이 처하고 있는 생활공간과 아동이 참여하는 환경의 영향을 크게 받는 것으로 해석하고 있는 생태학적 발달이론가의 입장과 일치하고 있다. 이러한 점에서 인간발달의 환경적 영향력을 이론화시킨 Bronfenbrenner의 생태학적 발달이론이 주는 시사점은 크다 하겠다.

Bronfenbrenner에 의하여 완성된 생태학적 심리학 발달이론은 기본적으로 아동이 참여하게 되는 생활공간과 환경에서의 경험의 내용이 아동의 발달에 직접적으로 영향을 끼친다는 점을 강조한다. 이러한 환경의 중요성에 대한 지적은 교육실천가와 이론가로 하여금, 아동의 발달을 연구하는 데 있어서 아동이 학교에서 갖게 되는 전체적인 생활경험의 총체(인간관계, 역할, 활동)가 그 아동에게 심대한 영향을 끼친다는 점을 지각하도록 도움을 주고 있다. 그리고 교육과정 연구자에게는 학교가 아동에게 어떠한 생활경험을 제공하고 있는가를 분석해볼 것을 요구한다.

생활공간의 중요성을 강조하는 그의 이론은 아동이 발달하는 동안에 만나게 되는 다음 네 가지의 체계로서 설명되고 있다: ① 미시체계, ② 중간체계, ③ 외체계, ④ 거시체계.

첫째, 미시체계(microsystem)는 아동이 참여하는 가장 기초적인 체제를 말한다. 아동이 직접적으로 참여하는 가장 가까운 생활세계로서 가정과 동료집단이 이 체계에 속한다. 이 체계는 세 개의 요소인 활동, 역할, 대인관계로 구성된다. 활동은 아동이 하는 일을 말하며, 역할은 부모, 교사, 친구와 같이 특정한 지위에 부여되어 있는 기대되는 행위를 말한다. 대인관계는 사람들이 서로서로를 다루는 방식을 말한다. 한 아동의 발달은 이 세 가지 요소가 개별적으로 영향을 미치면서 또는 이 요소 간의 상호작용에 의하여 영향을 받는다.

둘째, 중간체계(mesosystem)는 아동이 적극적으로 참여하는 두 개 또는 더 많은 수의 환경들 간의 상호관계를 말한다. 아동의 경우, 가정과 학교의 관계, 가정과 동료집단과의 관계가 대표적인 예이다. 중간체계는 한 개의 미시체계와 다른 한 개의 미시체계 사이의 연결관계를 말하기 때문에 어떤 하나의 미시체계에서 일어나는 사건들은 다른 미시체계에서 일어나는 아동의 행동과 발달에 영향을 끼친다는 점에 있다.

셋째, 외체계(exosystem)는 발달하는 개인에 직접적으로 관여하는 발달의 장은 아니지만 아동의 발달에 간접적으로 영향을 끼치는 사건이나 장면을 말한다. 그러한 예로는 아동의 경우 부모의 직장, 손위형제가 다니는 학교, 학급, 이웃의 특징, 학교와 지역사회 간의 관계가 속한다.

넷째, 거시체계(macrosystem)는 아동의 발달에 영향을 끼치는 사회, 문화적 환경을 말한다. 앞서 설명한 세 가지 체계를 포섭하는 신념체계 또는 이데올로기라고 할 수 있다. 규칙, 규범, 기대, 가치, 역사 등이 여기에 속한다. 한 사회가 다른 사회와 다른 이유는 바로 이 거시체계가 다르기 때문이다. 여자로서 행동해야 하는 방법, 남에게 존경을 표현하는 방법이 각 사회마다 다른 경우가 이에 속한다. 소련에서 자라난 아동과 미국에서 자라난 아동이 여러 가지 면에서 다르게 행동하는 이유가 바로 여기에 있다. 그의 발달이론을 도식화해보면 그림 12-2와 같다.

생활공간과 환경의 역할을 발달의 중요한 요인으로 간주한 생태학적 심리학 발달이론은 잠재적 교육과정을 연구하기 위한 시사점을 두 가지로 제공해주고 있다. 첫째, 학생의 생활을 둘러싸고 있는 물리적, 심리적, 사회적 환경은 아동의 발달에 영향

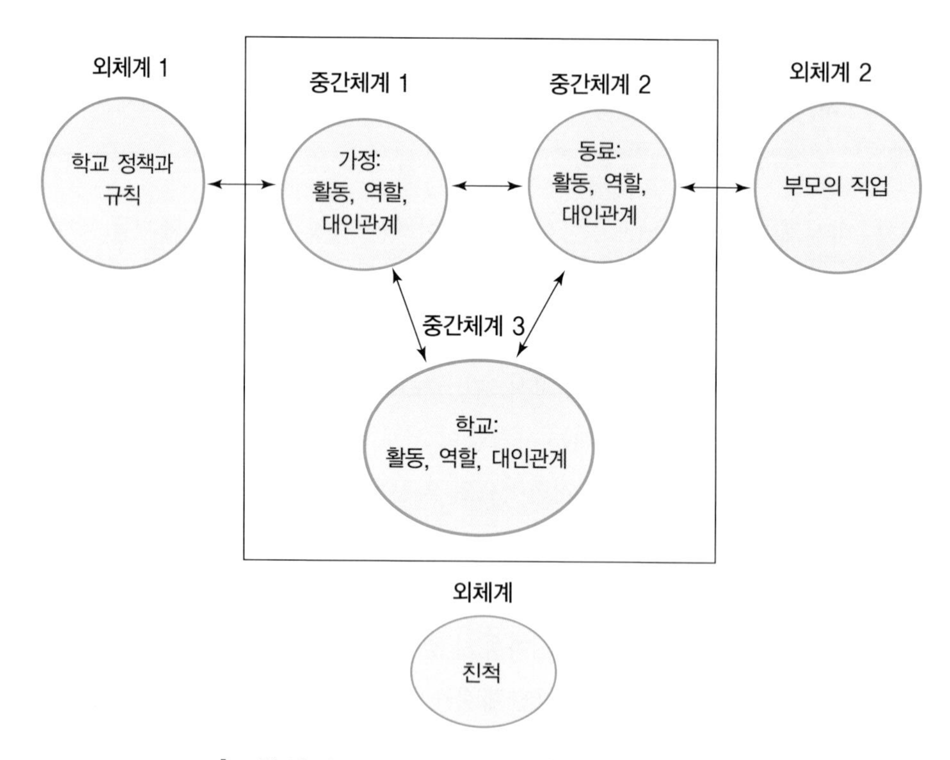

[그림 12-2 Bronfenbrenner의 생태학적 발달모델]

을 끼치는 중요한 요인임을 인식하게 해준다. 학교에서 아동이 경험하는 다양한 심리적, 사회적, 물리적, 대인관계적 환경에 대한 분석이 필요하다. 둘째 미시체계의 주요 구성요소인 활동, 역할, 인간관계는 아동이 갖는 특정한 생활과 경험이 발달에 어떻게 기여할 것인가를 평가해보기 위한 한 가지 준거로서 사용 가능하다. 이러한 점에서 잠재적 교육과정 연구자는 다음과 같은 질문을 제기해볼 수 있다.

(1) 초등학교에서 아동이 일상적으로 경험하는 학교의 활동에는 어떤 것들이 있으며 그 활동들이 갖는 특징은 무엇인가?
(2) 학교에서 아동이 담당하고 있는 일반적인 역할들은 어떤 것인가? 그리고 그 역할에는 어떠한 기대가 부여되어 있는가?
(3) 아동이 참여하거나 관여하고 있는 인간관계가 지닌 특징은 무엇인가?

잠재적 교육과정

이론적 논의의 첫 주제로서 생활공간과 생태학적 심리학 발달이론을 소개하였다. 이 절에서는 두 번째 논의주제로서 '잠재적 교육과정' 에 관한 제반 논의를 소개하고자 한다. 잠재적 교육과정의 용어를 대중화시킨 Jackson의 연구에서부터 그 연구용어가 현대학교교육을 비판하기 위하여 사용되고 있는 지금까지 '잠재적 교육과정' 에 관한 논의의 발전사를 간략하게 기술한다.

아동의 교실에서의 생활

Jackson은 1968년 저서 『아동의 교실생활』을 통하여 프리덴버그에 의하여 처음 사용된 잠재적 교육과정의 개념을 좀 더 구체적으로 이론화시켰다(deMarris & LeCompte, 1995). 시카고의 초등학교에 대한 현장연구를 통하여 초등학교에서 아동은 학교의 공식적인 교육과정의 목표 그리고 진술의 방향과는 다르게 여러 가지의 정서적인 차원에서 감정과 태도를 학습하고 있음이 밝혀졌다. 그 대표적인 학습의 내용을 '군집(crowd), '권력(power)' , '상찬(praise)' 의 세 가지로 특징화시켰고 이를 초등학생에게 은연중에 전달되고 내면화되는 공식적 교육과정에서 진술되지 않은 '잠재적 교육과정' 으로 명명하였다. 그리고 그러한 잠재적 교육과정의 존재가 아동의 교실생활과 학습, 태도에 어떻게 영향을 미칠 수 있는가를 설득력 있게 기술하였다.

잭슨의 잠재적 교육과정 연구는 교육현상을 새롭게 바라볼 수 있는 안목을 제공해준다. 그것은 공식적인 교육과정의 시각으로는 붙잡기 어려운 교실의 사실적 삶이 어떤 것인가를 깊이 이해하는 데 도움을 주고 있다. 교실이라는 장소를 교사의 권력이라는 관점에서, 교사의 평가라는 관점에서, 집단이 함께 생활하는 군중의 관점에서 해석할 수 있도록 하고 있다. 그러한 교실생활의 정치적 특성으로 인하여 아동이 자신의 교실생활을 어떻게 구조화시켜 나가고 있는지를 근접하게 보여주었다.

그의 해석에 따르면 이제 교사는 단순히 '가르치는 사람' 으로서만 이해되지 않는다. 교사가 하는 일상적인 활동은 시간과 공간을 관리하고 학생에게 특권과 자원을 배분하는 일의 연속이다. 그리고 수업에서 교사는 누가 말하고 누가 발표할 것인지를 결정하는 문지기의 역할을 하고 있다. 이와 함께 아동의 존재 역시 새롭게 이해되고 있다. 아동에게 교실은 많은 학생이 생활하는 복잡한 장소이며 '복잡한 공간' 에서 배우게 되는 첫 번째 교훈은 욕망의 '연기(delay)' 이다. 아동은 제한된 자원과 공간의 문제로 인하여 자신이 가지고 있는 욕망을 통제하는 법을 배워야 한다. 그리고 그러한 욕구의 통제는 기다림과 인내로 나타난다. 이와 함께 아동은 복잡한 교실에서 생활하는 법을 배우는데 그러한 상황에 대한 적응과 함께 교실상황에 대한 무관심을 배우게 된다. 아동은 자기 주위에 30～40명의 학우가 있음에도 불구하고 옆에서 어떤 일이 있어나도, 마치 아무 일도 없는 것처럼 자신의 일에 몰두하는 것을 배운다.

군집에 대한 학습과 함께 교실은 교사의 평가가 학생의 생활과 성취에 중요한 영향력을 행사하는 불평등한 인간관계로 구성되어 있는 사회적인 장소이다. 아동은 교사의 관심과 칭찬을 더 많이 얻기 위하여 자신에게 유리한 정보를 교사에게 제공하기도 하고 교사가 원하는 정보를 제공함으로써 긍정적인 평가와 칭찬을 얻고자 한다. 이 과정에서 아동은 고자질, 거짓말 등의 부정적인 행동을 학습하게 된다.

Jackson에 대한 추억

대학원 시절 교육과정 사회학의 전국적 확산 속에서 읽기의 시작은 Jackson의 '아동의 교실생활'이었다. 많은 교육과정 사회학자들이 잭슨의 잠재적 교육과정을 학교교육을 비판하고 공격하는 실증적인 자료로서 인용하고 탈색시켰기 때문이다. 그러한 기억이 있어서였을까. 쓰려고 한 것은 아닌데 오하이오주립대학교 박사학위 논문은 우리나라 초등학교의 교실생활과 학습문화에 대한 것이었고 자연스럽게 잭슨의 연구가 인용될 수밖에 없었다. 학위논문에는 교실수업연구를 한 다른 많은 연구자들의 연구가 인용되었고 잭슨의 연구는 큰 비중을 차지하지 못하였지만 한국판 『네 학교 이야기』는 잭슨의 연구와 비슷한 성격으로 구성이 되었다. 아울러 책 말미에 대부분 제시되어 있는 해결책이 없었던 이유로 인하여 독자로부터 그럼 무슨 일을 어떻게 해야 하는가에 대하여 비판을 받았고 「초등학교의 잠재적 교육과정이 밝혀진 후」라는 논문으로 행정가와 교사에게 필요한 실제적 지침을 제공하는 것으로 연구의 끝을 맺었다.

『네 학교 이야기』는 그러한 점에서 잭슨의 미국 초등학교 교실생활의 한국판이라는 생각이 들었고 기존의 교육과정 연구를 학교현장연구로 변화시킨 잭슨의 학술적 가치를 인정하여 책의 처음 부분에 그에게 헌정하는 문구를 집어넣었다. 그리고 그 책은 1998년 시카고대학교의 교육학과에 재직 중인 잭슨 교수에게 보내졌고 그의 친필이 적힌 답장을 받았다. 아울러 미국판 출판을 고려하라는 비공식 요청이 있었지만 한국의 부정적인 학교 이미지가 외국에 전달될까봐 제안을 거절하였다.

나는 1999년 시카고 대학교 부설 실험 초등학교를 연구하기 위하여 시카고 대학교를 방문하면서 그를 만날 수 있었다. 인자한 할아버지였다. 그의 연구실에서 시카고 대학교의 교육학과의 역사에 대하여 이야기하였고 그의 연구에 대한 여러 가지를 알게 되었다. 존 듀이의 흉상이 학과의 사무실 앞에 놓여 있었다. 아울러 그가 학부에서는 로만티시즘 소설을 강의하고 있다는 사실을 알게 되었고 그러한 예술성이 그의 교육과정과 수업에 대한 접근에 강하게 반영되었다는 것을 알게 되었다. 방문 당시 이미 시카고대학교 사범대학은 폐쇄 방침이 결정되어 있었기 때문에 여러 교수들이 은퇴하였고 Jackson 교수 역시 몇 년 후에 시카고대학교에서 은퇴하였다. 그리고 나중에 AERA 학술대회에서 잠깐 만나는 기회를 가질 수밖에 없었다.

Philip Jackson

1995년에 컬럼비아 대학교 사범대학에서 발달심리학 분야의 박사학위를 받았고 1955년에 시카고 대학교의 교육학과 교수로 채용되어 은퇴할 때까지 이 대학교에 머물렀다. 측정 통계 전공의 Irving Lorge 교수의 지도를 받았기 때문에 이 분야에 활약을 할 것으로 기대하였으나 시카고 대학교 교육학과에 재직하고 있었던 jacob Getzels의 사회학적 연구에 영향을 받아서 창의성과 같은 인지적 연구를 하기 시작하였다.

그러나 그를 역사적으로 유명한 교육학자로 남게 한 것은 그의 심리학적 또는 인지적 연구가 아니라 1960년대 중반에 시작된 현장학교의 교실생활에 대한 사회학적 분석이었다. 그는 기존의 주류 연구방법이었던 계량적 연구에서 벗어나 교실활동을 최초로 연구한 학자 중의 한 사람으로서 교실환경 속에서 발생하는 사태에 대한 해석과 기술을 시도한 역사적 교육과정 학자가 되었다. 그리고 그 연구결과들은 우리에게 너무나도 유명한 연구서적인 『아동의 교실생활』 그리고 『가르쳐지지 않은 수업』 등으로 출판되었다.

이에 잭슨의 교실생활의 질적연구는 그 이전에 실시된 루이 스미스와 윌리엄 제프리의 〈도시학교 교실의 복잡성〉의 선도적인 역할을 이어받아 학교문화, 교실생활, 그리고 교수활동에 대한 역동적인 복잡성과 참여자들의 생활세계를 연구를 1970년대 이후의 새로운 교육학 탐구의 새로운 동향으로 만드는 데 결정적 기여를 하였다. 그리고 이러한 연구방법론의 진화는 그의 글쓰기에 영향을 끼쳐 교육학에서 수필과 소설 그리고 다양한 형태의 문학적 표현과 형식을 적용하는 것으로 나타났다.

이러한 그의 학술적 명망으로 인하여 잭슨은 National Academy of Education 부회장을 역임하였고 AERA 회장을 역임하였으며, 1996년부터 1998년까지는 존 듀이 협회 회장을 역임하였다. 아울러 진보주의 교육의 대명사로 알려져 있는 시카고 대학교 부설 실험학교의 교장을 지냈다. 그러나 무엇보다 그가 교육과정/교육학에 남긴 업적은 교육현상과 교육적 문제를 조금 더 심층적으로 그리고 분석적으로 이해할 수 있는 연구태도와 연구기법을 우리에게 남겨주었다는 데 있다.

주요 저서

1968, Life in classrooms. New York: Rinehart and Winston.
1968, The teacher and Machine. Pittsburgh: University of Pittsburgh.
1986, The practice of teaching. New York: Teachers College Press.
1992, Untaught lessons. New York: Teachers College Press.

출처: Palmer, J. (편저). 조현철 · 박혜숙 공역. (2009). 50인의 현대 교육사상가. 학지사.
1992. (Eds.) Handbook of research on curriculum. Va: MacMillian.

잠재적 교육과정의 개념

『아동의 교실생활』에서 부각된 '잠재적 교육과정'의 개념은 공식적 교육과정의 범위를 벗어난 영역에서 학생이 갖게 된 학습 결과를 연구하기 위하여 관련된 연구용어가 다양하게 만들어지기 시작하였다. 그 예를 열거하면 다음과 같다: ① 문서화되지 않은, ② 연구되지 않은, ③ 의도하지 않았으나 학생에게 나타나는 학습결과나 경험, ④ 계획되지 않은, ⑤ 비형식적인, ⑥ 보이지 않는, ⑦ 비공식적인.

잠재적 교육과정을 나타내는 서로 유사한 의미의 용어의 개발과 함께 '잠재적 교육과정'에 대한 개념 정의 역시 다양하게 시도되었다. 그중에서 현재 일반적으로 통용되고 있는 몇 가지 정의를 소개하면 다음과 같다: ① 공식적인 교육과정에 일반적으로 포함되지 않았으나 학교의 경험 중에 학생에 의하여 학습되는 가치와 기대(Eisner, 1985), ② 의도되었거나 의도되지 않은 그러나 학습자에게 의식되지 않는 학습 상태(Martin, 1976), ③ 공식적인 문서에 명시되어 있지 않으나 체계적으로 일어나는 비학문적인, 그러나 중요한 학교교육의 결과(Vallance, 1973), ④ 학교와 교실생활의 사회관계와 일상사를 구조화하고 있는 주요 규칙을 통하여 학생에게 전달되고 학생에게 내면화되는 진술되지 않은 규범, 가치, 신념(Giroux, 1983), ⑤ 학생의 비학구적 학습과 관련된 것으로서 학교의 물리적, 사회적 환경을 의미하며 다분히 무의식적이며 비계획된 교육과정(Gordon, 1982), ⑥ 학교교육의 의도되지 않은 결과들(McLaren, 1992), ⑦ 학교의 물리적 조건, 제도 및 행정조직 그리고 사회 및 심리적 상황을 통하여 학생들이 가지는 경험 중에서 교과에서 의도한 바와 관련되지 않는 경험(김종서, 1976), ⑧ 학교교육의 공식적 의도나 목적과는 상관없이 교수-학습 활동을 포함한 학교생활 전반적인 경험과 관련되면서 학생들에게 무의식적으로 길러지는 사고방식, 행위의 원리, 가치관, 태도 등의 변화(김명희, 1986).

잠재적 교육과정의 영향력

> *잠재적 교육과정에 대한 인식이 없다면, 교사는 부주의하게 아동에게 시간을 지켜라, 너가 맡은 일을 잘하거라, 말을 잘 들어라, 지시대로 따르거라와 같은 활동을 아동에게 부주의하게 훈련시키게 될 것이다(McCutcheon, 1981, p.6).*

잠재적 교육과정에 대한 개념 정의와 함께 일련의 교육과정 연구자들은 학교의 잠재적 교육과정을 통하여 학생에게 전달되는 신념이나 가치가 무엇인가를 규명하기 시

〈 표 12-1 잠재적 교육과정 영향력에 대한 학자들의 견해 〉

학자	내용
Philip Jackson	순종, 유순함
Eisner	경쟁심
Jane Martin	유순함, 복종, 경쟁심
John Eggleston	미래사회의 지배계층을 점유할 공부 잘하는 학생들에 대한 존경심
Jean Anyon	차별적 사회화를 통해 미래에 맡게 될 사회계층에 적합한 태도와 행동양식
Bowles와 Gintis	자본주의 사회에서 작업장의 훌륭한 일꾼을 양성하기 위한 태도와 가치, 작업장에서의 대인간의 상호작용을 지배하는 사회관계와 교육체제의 사회관계에는 상응이 존재한다(시간 지키기, 청결, 보상에 근거한 노동, 성실)
Giroux	자본주의 사회에서 통치계급이 그들의 계급구조를 유지하는 데 도움을 줄 수 있는 기술, 태도, 가치

작하였다. 그리고 이 신념이나 가치는 한편으로는 학교가 의도하지 않은 학습결과로서 무비판적으로 해석되기도 하고 다른 한편으로는 학교가 위치하고 있는 더 큰 사회구조의 지배구조와 관련되어 비판적인 관점에서 해석되기도 하였다. 표 12-1은 다양한 시각을 가지고 있는 학자들의 관점을 '잠재적 교육과정' 이 학생에게 끼치는 영향이라는 측면에서 정리한 것이다.

이러한 학자들의 발견과 함께 잠재적 교육과정에 대한 연구는 잠재적 교육과정의 영향력이 갖는 특징을 다음과 같이 제시하고 있다. 첫째 아동이 배우게 되는 잠재적 교육과정은 학교의 공식적인 교육과정과는 상반된 부정적인 학습의 결과와 깊이 관련되어 있다. 앞에서 나타난 것처럼, 학교교육의 이상적인 목표로서 수용되기 어려운 '복종적 태도', '순종', '경쟁심' 과 같은 부정적인 가치들이 학생에게 전달되고 내면화되고 있다. 비록 Jackson의 잠재적 교육과정에 대한 초기 연구에서도 학교교육을 비평하기 위하여 그 용어가 사용된 것은 아니지만 그의 많은 글에서는 학교생활을 통하여 학생들이 부정적인 태도(거짓말 배우기, 평가 중심적 교실생활, 외적 동기화, 수동성, 교사와의 불평등한 인간관계, 교사의 욕망과 희망에의 동조와 복종 등)를 내면화시키고 있다는 점을 암시하고 있다.

둘째, 잠재적 교육과정은 학교의 공부에서 주로 배우는 인지적인 교과내용보다는 가치, 태도, 행동양식 등 주로 비인지적인 학습결과와 관계가 있다. 그런 점에서 잠재적 교육과정의 영향력은 아동의 비인지적 발달과 관련이 깊다(Giroux and Purpel,

1983; Martin, 1976; Vallance, 1973; 1982). 따라서 아동의 인간 발달, 정서 발달, 태도 형성, 가치관 확립에 직접적으로 영향을 끼친다.

교육과정 연구에서 잠재적 교육과정의 중요성

잠재적 교육과정의 개념이 학교교육의 부정적인 측면을 강조하기 위하여 사용된 것은 사실이지만 이 개념이 학문적으로 갖는 중요성 역시 간과할 수 없다. 그리고 그 중요성은 교육과정의 개념을 새롭게 정의함으로써 교육과정의 탐구영역을 확대시켰다는 데서 찾을 수 있다. 그리하여 Schrag의 말을 빌리면 잠재적 교육과정은 지난 20년 동안 교육과정 연구영역에서 교육과정 연구자의 깊은 관심과 토론과 주요한 주제로서 성장하였다(Schrag, 1992). 그리고 그 기여점은 다음의 세 가지 영역에서 교육과정의 개념을 확대하였다는 점이다.

첫째, 교육과정의 개념을 학교의 의도적인 계획과 노력이라는 전통적인 정의에서 벗어나 학교가 의도하지 않았던(원하지 않았던) 학습의 결과로까지 확대시켰다. 따라서 문서화되어 있지 않은 학교교육 프로그램의 학생의 학습에 대한 영향력 연구가 교육과정의 중요한 탐구주제로 부각될 수 있었다(Anyon, 1981; Dreenben, 1968, Eggleston, 1977, Jackson, 1968).

둘째, 교육과정의 개념을 의도하지 않았던(원하지 않았던) 학습의 결과로서 정의하고 그 배경을 학교의 생활과 관련시킴으로써 교육과정 연구자의 관심을 그러한 학습의 결과를 유발하는 학교의 특성에 대한 연구로 집중시켰다. 이때 학교의 특성에 대한 연구는 학교의 일상적인 활동, 인간관계, 상호작용, 평가실제가 학습자에게 끼치는 영향력을 연구하는 것이기 때문에 연구는 학교에서 학생이 갖는 생활경험의 총체를 연구하는 것으로 확대되었다.

셋째, 교육과정 연구의 방향을 교육과정 개발과 실천이라는 절차적이고 체계적인 연구과정으로서 정의내렸던 Tyler식의 전통적인 방법에서 탈피하여 인간의 경험이 일어나고 매개되는 학교현장에 대한 경험적인 연구로 승화시켰다.

이에 따라서, 학교문화, 경험, 학생의 해석, 상호작용, 실행, 의미체계, 학습풍토, 학습분위기, 교육과정 결정자로서 교사, 실행연구(action research), 실행된 교육과정(enacted curriculum), 교실의 대화(classroom conversation) 등이 교육과정 연구의 새로운 탐구개념으로서 발전할 수 있었다.

우리나라 초등학교의 교실생활

지금까지 이론적 배경의 주제로서 생활공간과 잠재적 교육과정에 대하여 소개하였다. 이론적 배경의 세 번째 주제로서 우리나라 초등학교의 교실생활을 참여관찰과 현장경험을 통하여 기술하고 있는 현장연구 네 개를 소개하고자 한다. 그 소개의 목적은 첫째, 한국 초등학교에서 아동이 갖는 경험의 내용이 어떤 것인지를 교실생활에 대한 간접적인 읽기를 통하여 이해할 수 있으며 그리고 그러한 이해로부터 초등학교의 아동이 어떠한 발달적 환경에 놓여서 생활하고 있는가를 잠정적으로 추정하기 위한 것이다. 둘째, 다음 절에서 논의할 초등학교에 대한 필자의 관찰과 해석을 여러 가지 점에서 비교하고 평가해 볼 수 있는 배경지식이 될 수 있기 때문이다. 네 개의 연구 중에서 첫 두 개의 연구는 잠재적 교육과정의 관점에서 초등학생들의 학교생활과 그 특징을 논의하고 있고, 나머지 두 개의 연구는 잠재적 교육과정의 관점이 차용된 것은 아니지만 우리나라 초등학교의 교실생활과 관련된 간접적인 주제(초등학교 교직의 특성, 수업의 특징)를 다룸으로써 아동의 초등학교 생활의 실상을 이해하는 데 도움을 주고 있다.

사례 1 : 김명희(1986)의 초등학교 사회과의 잠재적 교육과정 연구

잠재적 교육과정의 개념을 한국 학교교육의 실제를 비평하기 위하여 적용해 본 우리나라의 잠재적 교육과정 연구의 대표적인 한 예이다. 190명의 초등학교 교사에 대한 설문지조사, 초등학교 3, 4, 6학년의 네 개 반에 대한 총 12시간의 일반적 관찰과 체크리스트에 의한 구조화된 관찰작업, 네 명의 초등학교 교사와의 면담 등 총 세 가지의 자료수집 방법이 사용되었다.

초등학교 사회과의 교실수업의 특성을 밝혀보기 위하여 다양한 분석적 주제와 연구질문을 개발하였다: ① 교실에서 강조되는 행동유목, ② 교사의 행동과 학생의 행동비율, ③ 학생의 수업행동의 수준, ④ 교사별 강의의 수준, ⑤ 교사별 질문의 수준. 복수(multiple)의 자료의 사용과 분석을 통하여 연구의 결과로서 한국 초등학교의 사회과 교실에 존재하는 잠재적 교육과정 네 개를 밝혀주었다: ① 권위에 대한 복종, ② 집단적 사고, ③ 획일적 사고, ④ 목적제일주의. 비록 사회과수업의 현상을 집중적으로 연구한 경우이기는 하지만 그 비평적 시각은 비록 현장의 경험이 통계치로서 단순화되어 버리기는 하였으나 우리나라 초등학교의 교실수업의 전형과 문제점이 어떤 것인가를 추정할 수 있을 정도로 연구결과는 우리 초등학교의 수동적이고 권위적인 학습분위기를 드러내주고 있다.

사례 2 : 이용숙(1998)의 한국 학교문화와 잠재적 교육과정 연구

이용숙(1998)의 '한국 학교문화와 잠재적 교육과정연구'는 우리 초등학교의 학교문화가 어떤 특징을 띠고 있는가를 잘 보여주고 있는 현장연구이다. 서울에 소재하고 있는 8개의 초등학교를 연구대상으로 선정하여 약 9개월간 한국의 초등학교의 수업에서 나타나고 있는 초등교사의 수업방법들을 질적방법을 사용하여 연구하였다. 그 기본적인 연구목적은 학교현장에서 나타나고 있는 다양한 수업방법들을 기술하고 비교, 해석함으로써 초등학교 교사들의 수업개선을 위한 기초 자료를 제공하는 것이었다. 이 과정에서 초등학교의 학교문화의 특성이 자연스럽게 밝혀졌다.

연구결과에 근거하여 이용숙은 한국 학교문화의 포괄적인 특성을 획일주의(다양성이 없는 통일된 학교의 교육과정), 위계성(권위주의적 의사전달체계와 직무구조), 여유의 부족(아동과 교사 모두에게 바쁜 학교생활과 과제)으로 규정하고서 이에 근거하여 다시 한국 학교의 잠재적 교육과정의 내용을 네 가지로 제시하였다: ① 획일주의, ② 순종주의, ③ 체벌의 학습문화, ④ 비교적 우위와 경쟁적 동료관계.

사례 3 : 김정원(1997)의 한국 초등학교 수업에 관한 연구

미간행 박사논문인 김정원의 '한국 초등학교 수업에 관한 참여관찰연구'는 지방에 소재하고 있는 초등학교 한 개를 선정하여 약 3개월간의 현장작업과 5개월간의 추가 자료수집과 분석을 통하여 우리나라 초등학교의 학교생활과 관련된 다양한 교육학적 이슈들을 분석하였다. 논문에서 논의되고 있는 주요한 연구주제들은 다음과 같다: ① 한국 초등학교에서 학교장이 갖는 역할에 대한 직무과제의 분석, ② 교사문화의 특징, ③ 교사와 아동의 관계, ④ 교사와 학무모의 관계, ⑤ 교사의 하루일과, ⑥ 교실수업의 두 가지 형태(적극적 수업과 소극적 수업), ⑦ 아동 통제방법.

이 연구는 우리 초등학교의 학교교육이 지닌 많은 문제점들이 무엇인지를 여러 가지 주제에 걸쳐서 노출시키고 있다는 점에서 의의가 있으며, 그녀의 발견과 논의 중 몇 가지 내용은 우리 초등학교의 학교교육의 이해와 개선을 위하여 좀 더 심층적으로 분석해 볼 필요가 있을 만큼 귀중한 시사점을 담고 있다. 그녀의 발견 중에서 잠재적 교육과정의 논의와 관련하여 주목할 사항은 우리나라 초등학교의 학생들이 여전히 '평가이데올로기'의 문화 속에서 생활하고 있다는 점이었다.

사례 4 : 이치석(1997)의 어린 종달새의 죽음

한 현직 교사가 쓴 부끄러운 교단일기라는 부제가 붙여진 것처럼, 실제 초등학교 교사로서 활동하고 있는 교사가 자신이 경험한 문제점들을 고발하는 형식으로 쓴 글이다. 기대와는 달리 초등학교에서 아동이 갖는 학교경험에 대하여 기술하기보다는 초등학교의 교사와 행정가의 사이에서 일어나고 있는 대립과 반목, 그리고 교직의 부도덕적인 실상을 중심으로 이야기를 전개하고 있다. 주요한 내용으로는 초등학교에서 교장이 행사하는 엄청난 권력과 지배의 실상, 촌지, 학년 담임배정과 관련된 아동거래, 학교의 부정비리, 부도덕한 교사의 종류들이 있다.

우리나라 초등학교의 잠재적 교육과정

이 절에서는 우리나라 초등학교에 존재하고 있는 잠재적 교육과정이 무엇인가를 필자의 연구경험과 관찰사례에 근거하여 논의하고자 한다. 분석과 논의를 위하여 필자의 연구 『네 학교 이야기: 한국 초등학교의 교실생활과 수업』에서 쓰였던 사례가 다시 인용되었으며 1993년과 1994년에 수집된 원자료에 대한 새로운 분석(비디오테이프의 상호작용분석)을 통하여 수집된 자료 그리고 1998년에 시도한 면담을 근거로 한 새로운 자료가 이용되었다. 수집된 자료에 대한 분석과 『네 학교 이야기: 한국 초등학교의 교실생활과 수업』에서 그려져 있는 한국 초등학교의 교실생활의 특징에 대한 다시 읽기와 재검토를 통하여 초등학교에 존재하고 있는 잠재적 교육과정을 다음 세 가지로 구체화시켰다: ① 복종, ② 성차별, ③ 비교와 실패.

복종

초등학교에서 존재하고 있는 첫 번째 잠재적 교육과정으로서 '복종'을 선정하였다. 앞의 도입부 이야기에서 나타나 있는 것처럼 복종은 우리의 사회의 가장 중요한 인간관계의 가치이자 생활철학으로 자리매김하고 있다. 아랫사람이 윗사람의 뜻을 얼마나 성실하게 받들고 따르는가 그리고 그 사람이 윗사람에게 얼마만큼의 존경을 표현하는가라는 복종적 인간관계 문화는 서양의 새로운 생활윤리가 우리 사회에 수용되

영수의 이야기

초등학교 시절 학교에서 웅변대회에 참여한 적이 있었다. 웅변을 지도해 주신 선생님과 함께 일찍 서둘러 대회장으로 떠났는데 시간이 부족한 관계로 식사를 미처 하지 못한 상태로 대회에 참석했다. 대회가 끝나고 선생님께서는 잘했다는 칭찬과 함께 배고프지 않냐며 어린 나의 손을 이끌고 식당으로 데리고 가셨다. 막 음식이 나오려 할 무렵 선생님께서는 갑작스러운 연락을 받으시고 잠시 나갔다 오겠다며 먹고 있으라고 하셨다. 선생님께서 나가신 지 얼마되지 않아서 음식이 나왔다. 그러나 우리는 이미 어머니께서 당부해둔 것을 잊지 않고 실천했다. 선생님께서 오셔서 수저를 들기 전까지는 먼저 음식에 손을 대서는 안된다는 것을... 이윽고 선생님께서는 돌아오셨고 왜 먹지 않고 기다리고 있는지 이유를 물으셨다. 우리는 지체 없이 어머니께서 당부한 것을 마치 앵무새처럼 말씀드렸고 선생님께서는 칭찬을 아끼지 않으셨다. 학교에 돌아와서도 우리는 교장선생님으로부터 어제의 예의바른 태도에 대해 칭찬을 들었으며 다른 아동들도 이러한 행동을 본받도록 지시하셨다.

고 있는 시점에서도 우리 사회의 인간을 바라보는 대표적인 평가관으로서 그 역할을 충실히 하고 있다. 그러한 점에서 복종과 존경으로서 표현되는 우리의 사회문화적 특징은 아동의 발달에 깊은 영향을 끼치는 거시적 체계(macrosystem)로서 한국 아동이 직접적으로 참여하고 있는 학교생활에 깊이 영향을 끼치고 있다.

이에 이 글에서는 초등학교의 학교생활이 우리 사회의 중요한 문화적 가치인 복종의 미학을 학교의 생활과 과정을 통하여 어떻게 강조하고 있으며 학습자에게 내면화시키기 위하여 기능하고 있는가를 논의하고자 한다. 이를 통하여 학교라는 장소는 교과목의 지식을 암기하고 공부하는 장소일 뿐만 아니라 '윗사람을 존경하고 복종하는 생활태도와 행동양식을 은연중에 학습자에게 전달시키기 위하여 기능하고 있는 효과적인 문화재생산의 교육기관임을 보여주고자 한다. 그러한 점에서 우리 문화의 특성인 장유유서의 유교적 가치가 학교사회에 구체적으로 어떻게 반영되고 있는가를 문화비평적인 관점에서(최준식, 1997) 그리고 학교비평의 관점에서(이용숙, 1998) 논의한 기존의 연구들은 우리의 학교생활과 학교의 위계구조가 어떻게 우리 사회의 복종의 권위관계를 반영하는 형식으로 발전해 왔는지를 이해하는 데 도움을 준다. 한 예로서 이용숙의 연구(1998)는 장유유서의 규범에 근거한 권위적인 인간관계가 우리 학교 조직의 사회학적 특성으로서 자리잡고 있으며 그에 따라서 학교의 권력관계가 하나의 긴 위계의 고리(교장-교감-주임교사-교사-학생)를 근간으로 하여 성립되고 있다는 점을 보여주었다.

이 글에서는 위계에 근거한 학교조직의 구성이 갖는 조직적인 특성에 초점을 두기보다는 아동의 일상적인 생활에 복종의 가치가 얼마나 깊게 관여하고 있는가(학교의 생활이 복종의 가치의 영향을 어떻게 받고 있는가)를 중점적으로 논의하고자 한다. 이를 위하여 아동의 일상적인 활동이 얼마나 복종의 규범의 요구를 반영하고 있는지를 보여주고자 한다. 이를 위하여 첫째, 한국 초등학교에서 아동이 하게 되는 교사에 대한 문화적 규범으로서 다음의 두가지 활동을 분석의 주제로서 논의하였다: ① 인사 ② 말하기. 둘째, 그러한 복종을 강조하고 연습시키는 생활분위기와 문화적 수용이 한국 초등학교의 수업과 교실생활을 어떠한 특정한 학습풍토로 변환시키고 있는지를 살펴보았다.

바른 생활 : 복종의 시작

초등학교에서 복종의 가치는 바른 생활의 윤리에 구체화되어 있음을 쉽게 알 수 있다. 바른 생활에서 요구하는 가장 중요한 행동규범과 가치는 바로 '어떻게 윗사람에게 존경을 표하고 뜻을 따를 것인가' 로 정의되어 있다. 그리고 바른 생활의 주요 내용은 윗사람에게 존경의 감정을 외형적으로 드러내는 행동양식인 인사하기와 말하기의 학습으로 구성되어 있다. 그런 점에서 바른 생활은 복종의 가치가 명시적으로 표현되어 있는 이념적 지표이자 생활용어로서 이용되고 있다.

따라서 초등학교의 교실을 방문해보면 교사의 외침, 학교장의 훈화, 칠판의 판서, 학생의 일기장 등 학교생활의 모든 분야에 복종을 중심으로 한 바른 생활의 중요성이 강조되고 있다는 점을 쉽게 느낄 수 있다. 아울러 복종의 가치를 강화시키는 여러 가지의 물리적인 배열이 존재하고 있다. 그 예는 다음과 같다: ① 교사의 독립적인 교실공간, ② 교사가 사용하는 앞문. 또한 각종 표창장 수여, 글짓기, 웅변대회의 주요 주제 중의 하나는 어떻게 윗사람을 존경하고 예절 바르게 생활할 것인가이다. 교사는 학생에게 윗사람에게 어떻게 인사하고 어떻게 말해야 하는가를 끝없이 강의한다. 그런 점에서 존경과 복종은 초등학교의 명시적인 교육과정의 목표로서 인식될 정도이다.

복종을 강조하는 문화적 학습분위기는 아동이 초등학교에 들어가는 첫날부터 시작된다. 다음 상호작용 단편 1에 나타나 있는 것처럼 윗사람에 대한 공손한 인사와 공경어가 가미된 말솜씨는 1학년이 배워야 하는 초등학교의 중요한 공부내용이다(김영천, 1997).

상호작용 단편 1

여러분, 목을 90도로 구부려서 정중하게 선생님께 인사해 보세요. 또 여러분의 허리도 함께 90도로 굽히세요. 인사할 때, 팔은 몸에 붙여야 해요. 움직여서도 안되요. 그리고 "선생님, 안녕하세요?"라고 말해야 해요. 이해할 수 있겠죠? 좋아요, 그럼 함께 해볼까요?(이 인사를 잘 따라하지 못하는 몇몇 학생들이 있다.) 자, 그럼 다시 해봅시다.
(선생님은 1학년 학생들에게 20번 이상 인사연습을 시킨다)

이렇게 인사와 공경어를 통한 '바른 생활'과 복종의 학습은 학교생활과 교사의 주요한 관심사가 되면서 학생의 행동과 태도를 위한 훌륭한 평가준거로서 이용된다. 이제 교사는 어떤 학생이 착한 학생인지 그렇지 않은지를 구분하는 손쉬운 도구로서 이 두 가지 행동표현을 적용하게 된다. 따라서 예절 있게 인사하는 법을 잠시 잊어 버렸거나 아니면 인사하지 않은 아동은 교사의 질책의 대상이 되는 것과 함께 학교에서 찾을 수 있는 가장 가혹한 형태의 언어적인 비난(예, 건방진)을 받게 된다. 아울러 아동의 도덕적 감화를 윗사람의 중요한 임무로서 여겨온 우리 사회에서 윗사람의 역할을 담당해야 하는 연장자로서 교사는 계도의 입장에서 더욱더 아동의 인사와 말솜씨에서 나타날 수 있는 실수와 부정확을 강경하고 엄중하게 처리한다.

다음 상호작용 단편 2는 교사에 대한 인사가 교실교사의 아동평가와 관리에 있어서 얼마나 민감한 사안인지를 잘 보여주는 예이다. 인사는 단순한 감정의 표현을 나타내는 것이 아니라 신체의 정확한 표현으로서 완성되어야 하는 성취의 예식으로서 해석된다.

상호작용 단편 2

선생님 : 준이, 이리 나와 보렴. (준이가 교실 앞으로 나오자 선생님은 자신의 오른쪽 팔을 준이의 어깨에 놓는다.)
선생님 : 여러분 준이가 인사하는 모습을 자세히 보세요. 그리고 준이가 인사하는 모습이 바른 자세인지 아닌지 살펴보세요. (준이가 학급 전체에게 인사를 한다.)
선생님 : 여러분, 준이가 잘 했나요?
학생들 : 아니오. (매우 큰 목소리로 동시에)
선생님 : 준이의 자세에서 뭐가 잘못됐죠?
학생들 : 준이의 팔이 몸에 완전히 붙지 않았어요.

복종의 잠재적 학습은 인사하는 것과 함께 교사에게 해야 하는 존경어의 사용으로도 강화된다. 그런 점에서 존경어의 사용은 아동이 복종의 가치를 잘 내면화하였으며 생활화시켰는지를 측정해볼 수 있는 좋은 지시자로서 간주된다. 이제 아동들은 가정에서 하였던 비교적 자유롭던 말하기에서 벗어나 교사가 대화의 상대자(청취자)가 되는 교실상황에서 끊임없이 공경어로 말하고 표현하는 것을 배워야 한다. 아동들은 자신을 낮추는 다양한 표현을 써가면서 청취자인 교사의 존재를 높여주는 사회적/심리적 공간을 만들어가야 한다. 이를 통하여 장유유서의 사회 실재를 창조하는 데 적극적으로 참여한다. 그리고 그러한 적극적인 참여의 태도는 아동이 존경어의 잘못된 사용이 어떠한 결과를 가져오는가에 대한 경험과 기억을 통하여 효과적으로 내면화되고 연습된다. 즉, 아동은 공경어를 사용하지 않는 윗사람과의 대화의 결과가 자신에 대한 심한 질책과 부정적 평가로 이어진다는 사실을 경험함으로써 어떻게 말해야 하는가에 대한 나름대로의 문화적 지식을 쌓아가게 되는 것이다. 그리고 연장자인 교사는 아동의 문화적 지식의 증진을 위하여 감시의 역할을 성실히 수행한다.

이러한 대화의 권위적인 관계 속에서 아동은 교사에게 어떻게 말해야 하는가에 대한 하나의 사회적 상호작용에 관한 문화적 지식을 습득하고 있음을 알수 있었다. 필자의 관찰 결과 초등학교에서 아동이 배워야 하는 말의 규칙은 다음과 같다. 첫째, 자신의 이름이 불려질 때 '예'라고 대답할 것, 둘째, 선생님의 말씀을 주의 깊게 경청할 것, 셋째, 선생님이 말하는 도중에 절대로 말을 가로채지 말 것. 넷째, 선생님의 말과 질문에 대해서 이의를 제기하거나 '왜'라는 이유를 붙이지 말 것 등이다. 이 네 가지 사항 중에서 특히 세 번째와 네 번째 사항의 위반은 윗사람인 선생님의 권위와 존경에 대한 심각한 도전으로 간주되기 때문에 학생들은 이를 유념해야 할 필요가 있다.

복종의 언어규칙과 참여구조

교사와 학생 간에 형성되고 있는 초등학교 교실에서의 권위적인 상호작용 문화는 아동의 교실수업의 참여에서 교사에게 어떻게 말해야 하는가에 영향을 끼치고 있었다. 그리고 그러한 문화적 규칙이 지켜지지 않는 아동의 말(talk)과 대화는 교사에 의하여 부적절한 것 또는 문제가 있는 것으로 간주되었다. 그리고 그것의 영향력은 심각한 것이었기 때문에 학생의 말의 내용(응답, 교과지식)이 맞는 것이라 할지라도 아동의 말이 존경어를 통한 문화적 형태로서 포장되어 제시되지 않았을 때는 잘못된 것으로서 평가되는 상황을 연출하고 있었다. 다음의 세 가지 상호작용 단편은 아동의 말이 존경어의 형식을 통하여 표현되지 않음으로써 연장자와 교사에 의하여 부정적으로 평가되고 있는 현실을 보여주는 예이다.

상호작용 단편 3

1. 꼬마: (포카리스웨트 병을 쳐다보면서) 엄마! 베버리지가 뭐야?
2. 연구자: (질문하는 꼬마를 바라보면서 마음속으로) 음료수란다.
3. 꼬마의 엄마: (아들을 쳐다보면서) 뭐야가 뭐야, 다시 말해봐.
   (1998, 어느 음식점에서)

상호작용 단편 3의 사례가 보여주는 흥미로운 점은 첫째 줄에서 아들이 엄마에게 한 질문의 내용과 형식에 있다. 아들이 제기한 질문이 엄마에게는 아들이 요구한 문제사태(베버리지의 의미) 하나만 포함하고 있는 것이 아니라 또 다른 문제사태(윗사람에게 존경어를 쓰지 않은 사실)를 담고 있었다. 그리고 이 문제사태에 대하여 엄마가 선택한 대처양식은 우리 교육자와 문화연구자에게 흥미로운 시사점을 던져주고 있다. 엄마는 아들이 제기한 '질문의 내용' 이 갖는 문제사태에 반응하기보다는 줄 3에 나타나 있는 것처럼 질문의 형식이 갖는 문제사태를 가장 먼저 교정해야 하는 과제로서 선택하였다. 엄마는 아들이 원하는 대답, 즉 베버리지의 뜻이 무엇인지가 중요한 관심사가 아니라 아들이 연장자인 엄마에게 잘못 사용한 '반말' 의 문제점을 교정하는 것에 우선 관심을 보였다.

상호작용 단편 4

1. 교사 : 너는 지난주에 뭘했니?
2. 학생 : 나는 숙제를 했어요.
3. 교사 : 다시 말해 봐.
4. 학생 : 나는 숙제를 했어요.
5. 교사 : 그렇게 말해서는 안돼. "저는 숙제를 했어요"라고 말해야지.

상호작용 단편 5

1. 학생 : 2 더하기 2는 4이다.
2. 교사 : 뭐라구?
3. 학생 : 2 더하기 2는 4입니다.
4. 교사 : 좋아요.

다음 상호작용 단편 4와 5의 사례 역시 학생의 답이 '공경어' 의 양식을 통하여 표현이 되지 않았기 때문에 교사에 의하여 부정적으로 평가되는 상황을 보여주는 좋은 예이다(김영천, 1997). 두 사례에서 학생의 답은 그 내용에 있어서는 문제가 없었지만 정답의 문화적 · 사회적 조건인 '공경어' 로 포장된 진술문으로 제시하는 데 문제를 갖고 있었다. 그리고 그 결과는 자신의 수행이 부정적으로 평가되는 것으로 나타났다. 먼저 상호작용 단편 4의 둘째 줄에서 학생은 교사의 질문에 대하여 자신을 표현하는 단어로서 '나' 와 '저' 라는 두 개의 단어를 구분하여 사용하지 못함으로써 자신이 현재 대화하고 있는 청취자와의 대인관계를 위계적 · 권위적인 형태로 발전시키지 못하였다. 그리고 그 결과는 셋째 줄과 다섯째 줄에서 청취자의 계속적인 교정의 요구로 나타나고 있다.

상호작용 단편 5 역시 아동의 정답이 존경어의 형태를 취하지 않음으로써 자신의 수행이 인정되지 못하는 결과를 보여주고 있다. 첫째 줄에 나타나 있듯이 학생은 자신의 답을 제시하는 데 있어서 윗사람인 교사에게 해야 하는 존경어 대신 반말을 사용하고 있다. 그 결과로서 둘째 줄에서 교사는 그 표현의 부적절성을 지적하고 자신의 말이 가지고 있는 문제점이 무엇인가를 인식한 아동은 셋째 줄에서 진술의 문제점을 교정하게 된다. 그리고 그 교정된 아동의 대답은 교사의 긍정적인 보상과 함께 교실의 학생들에게 '성공적인' 것으로 공표된다.

위계적인 수업 상호작용

지금까지 앞 절에서는 복종이란 가치의 학습이 아동의 학교생활의 중요한 한 부분이 되고 있음을 초등학교 학생들의 일상적인 행동의 규범이 되고 있는 인사와 말하기를 통하여 밝혀보았다. 그리고 교사에게 존경어를 쓰는 말하기 방식이 초등학교 교실수업에서 수업내용을 이해하는 것과 함께(교과내용에 관한 지식) 중요한 참여지식으로서 아동의 수업활동에 영향을 끼치고 있음을 보여주었다. 이 절에서는 존경과 복종을 강조하는 초등학교에서의 생활문화와 참여자의 적극적 수용이 초등학교 수업문화의 중요한 한 가지 형식인 위계적이고 지시적인 교사중심의 수업을 만들어내고 있음을 논의하고자 한다.

이러한 논의의 목적은 복종의 가치를 강조하는 생활문화 속에서 복종의 정점에 위치해 있는 교사가 자신에게 부여된 존경과 위엄이 갖는 권력을 이해하고 연습을 통하여 초등학교의 수업을 교사중심의 위계적이고 지시적인 것으로 만들어 나가고 있음을 보여주는 데 있다. 그리고 그러한 위계적이고 지시적인 교사와 학생 간의 대인관계가 수업의 분위기를 교사의 힘과 명령 그리고 지시가 일방적으로 적용되고 수용되는 권위적인 학습의 세계를 양산하고 있음을 보여주는 데 있다.

관찰을 통하여 드러난 초등학교에서의 권위적인 학습의 세계는 교사가 사용하는 다음의 두 가지 방식을 통하여 만들어지고 있었다. 첫째는 교사의 통제적인/명령적인 언어의 사용이었으며 둘째는 체벌과 폭력의 등장이었다. 먼저 초등학교의 교실에서는 일반적으로 연장자가 연소자에게 할 수 있는 반말과 명령어가 자연스럽게 사용되고 있었는데 이러한 표현은 교실수업을 교사의 지시와 통제, 그리고 학생의 무비판적인 수용과 추종의 상응적인 참여관계로 구성하는 데 기여하고 있었다. 교사는 요구하고 지시하고 감독하고 통제하며 명령하고 비판하고 방향을 정해주었다. 학생은 시키는 대로 따라하고 조용히 듣고 있으며, 교사가 원하는 바가 무엇인지에 즉각적으로 반응하였다.

온건한 방식으로는 요구와 수용의 관계를 형성하고 있고 극단적인 방식으로는 지배와 피지배의 대립 관계가 만들어지고 있었다. 그리고 그러한 불평등한 수업의 상호작용 문화는 교사가 연소자에게 자유롭게 명령어와 반말을 쓸 수 있는 권리를 통하여 가능한 것이었다. 다음은 그러한 불평등하고 위계적인 수업의 참여양상을 만들어내는 데 기여하는 교사의 일상적인 교실수업 용어들의 예이다: 해봐, 해, 하지마, 안할래, 주목, 모두 조용히 해, 손 무릎에 xx, xx 조용히 안할래, xx 책 안 펴니 등. 그리고 명령형 형태의 언어는 종종 비평과 비난 그리고 질책의 용어로 그 정도가 심해지기도 하였다: 입 다물고, 꼼짝 말고 (책) 들고 있어, 딴 것 만지거나 딴 짓하지 말아요, 계속 다른 짓하는 사람 누구야, 글씨도 엉망진창으로 써가지고, 도대체 어른 말을 듣는 거야, 안들어, 너는 책 어디 갔니, 말을 끝까지 하세요, xxx 말 안들어, 다 썼냐, 근데 왜 다른 데 보고 있어요, 휴지 주워요, 우유 흘리면서 먹고 있어, 예쁘게 앉아 있어, xxx 머리 내려놔요, xxx 지금 뭐하는 거야, 줄이 안 맞았는데 왜 자꾸 (책상)을 당겨, 너는 몇 번을 말해야 알겠니, 귀가 먹었어, 까부는 것은 일등이지.

이 글의 목적은 교실에서 교사가 쓰는 다양한 형태의 아동비하적인 언어들의 예를 밝히는 것이 아니기 때문에 그러한 예의 더 이상의 서술은 생략하기로 하고 다음의 네 개의 사례를 통하여 교사에게 주어진 우월한 사회적 지위와 신분, 그리고 권력이 아동의 교실수업의 경험을 어떠한 것으로 만드는가를 보여주고자 한다. 이 사례는 교사의 의도와 달리 교사와 함께 같은 교실에 앉아 있는 아동에게 교실에서 생활하는 것 그리고 수업을 받는 것이 학교교육이 의도한 것과는 다른 어떠한 특정한 현상학적 심리적 상태를 아동에게 만들어내고 있는가를 보여주기 위하여 재구성한 것임을 밝힌다. 교사의 기대와 달리 그리고 교육자의 이상과 달리 다음의 아동에게 교실은 불안과 회피의 장소로서 다가오고 있다. 세 개의 이야기는 교대학생의 초등학교 경험을 재구성한 것이며 나머지 두 개의 이야기는 현재 초등학교에서 교사로 근무하고 있는 교사가 관찰한 '권위적인 교사' 에 대한 기술이다.

철수의 이야기

선생님이다. 우르르 꽝꽝.

어제 교실청소 누구야, 이걸 청소라고 했냐, 똑바로 해.

그러나 아이들 중에서 그저 매일같이 반복되는 성화에 누구도 관심을 가지는 사람은 없다. 에이 재수 없어, 쳇 맨날 그 소리.

아침부터 난리를 치르고 나서야 겨우 수업을 시작할 수 있었다. 첫째 시간, 책과 공책이 정리되지 않은 몇몇 친구는 선생님에게 매를 맞고 예습을 하지 않은 친구들은 가슴을 졸인다. 혹시 선생님과 눈이라도 마주칠까 해서이다. 아니나 다를까 지난 시간 복습문제가 터지고 만다. "야 야 뭐야 뭐" 아무리 곁눈질을 해도 꿈쩍도 않는 짝을 흘겨보며 주먹을 지어 보인다. 역시 별똥별을 보고서 말이다. 쉬는 시간, 혹시 선생님과 눈길이 부딪힐까 삼삼오오 슬금슬금 교실을 빠져나간다. 야, 근수야, 혹 몇 개니? 난 둘, "역시 우리 짱의 펀치는 알아줘야 해".

둘째 시간 수학이다. 아무리 생각해도 계산되지 않는 문제를 들고 고민하는 척한다. 선생님의 목소리는 더 커지고 있다. 앞자리에 앉은 몇 명을 제외하고는 그저 눈만 깜박이고 있다. "역시 우리 짱은 저 어려운 수학문제도 잘 푸셔" 아이들은 그저 감탄할 뿐이다. "이 문제들을 공책에 풀고, 인식, 광민, 수은, 혜선 나와서 풀어보도록. "휴 살았다" 나머지 학생들의 안도의 한숨과 지목된 학생들의 고민의 한숨소리를 우리의 선생님은 듣지 못하였다. 대신에 한켠으로 물러서 창 밖으로 긴 담배 연기를 날린다. 근수는 암만해도 풀리지 않는 문제를 들고 고민한다. "선생님께 물어봐" "아냐 괜히 매를 벌 필요는 없잖아" 결국 공책을 덮고 만다. 그리고는 선생님과 눈길를 피하기 위해 고개를 숙이고 열심히 만화를 그린다. 간간이 선생님의 동태를 살피면서. 숨소리조차 내지 못하는 긴 침묵의 시간이 흐르고, 마침내 운명의 시간이 다가왔다. "야 인식이, 너는 어떻게 생겨 먹은 애가 이런 문제도 못 풀어 엉", "너 도대체 몇학년이니?"

이때 수업의 끝을 알리는 종이 울린다.

순이의 이야기

선생님의 말씀이 모두 옳고 또 그것들은 모두 지켜야 되는 줄만 알았다. 그리고 그렇게 했던 것 같다. 선생님 앞에서는 큰 소리로 웃거나, 떠들지도 못했고, 선생님과 상담할 때도 편한 기분이 들기보다는 오히려 불편했다. 선생님에게는 언제나 깎듯이 인사해야 했고, 버릇없이 굴어서도 안되었고, 말대꾸를 할 엄두도 못냈었다. 지금 기억에 초등학교 선생님들은 편한 존재가 아닌 무서운 존재였던 것 같다.

영이의 이야기

어릴 때부터 난 인사 잘하는 착한 어린이라는 말을 들어왔다. 선생님이 나에게 인사를 하라고 시켰기 때문에 난 인사를 했고, 공부할 내용을 가르쳐주며 열심히 공부하라고 했기에 그 내용을 열심히 공부했다. 그래서 학교에서 나는 모범생이었다. 선생님이 시키는 대로 했기 때문에 나는 어떤 일을 해나갈 때 선택을 하거나 결정을 내릴 필요가 없었다. 이러한 나의 생활태도는 어떤 일을 해나갈 때 남을 의지하게 만들었고, 나 스스로 일을 찾아서 하기보다는 맡겨진 일에 충실한 아주 수동적인 학생으로 머무를수 밖에 없었다. 새로운 일에 도전적이기보다는 안정적인 것을 좋아하고 불안정한 것을 기피하는 나의 소극적인 모습 또한 발견할 수 있었다. 초등학교 때는 그저 선생님의 칭찬이 좋았고 벌받는 아이와 비교해 내가 우수해 보였기 때문에 그것이 즐거웠다. 선생님과 다른 견해를 표현하는 아이는 버릇없는 아이에서 문제아로 낙인찍히기 때문에 감히 교사의 권위에 도전하지 않았다.

선생님이 말해주는 것이 진리였고 참명제라고 믿었다. 하지만 이러한 생각은 현재 나의 사고활동의 장애로밖에 여겨지지 않는다. 분명 하나의 문제에는 다양한 해결책이 있으며 개인에 따라 그 처리방법이 다름에도 불구하고 교사들은 아동들이 자신과 같기를 바란다. 가르쳐주는 대로 시키는 대로 하길 바란다. 그런 교사의 뜻에 따랐던 나는 그것이 버릇이 되어 나 스스로 무엇을 할 때마다 두려움을 느낀다. 누군가 결정해 주었으면 하는 나약한 생각을 하게 된다. 대학생이 된 지금, 초등학교 때부터 지도해주셨던 분들이 사라지자 나는 정말 힘이 들었고 다행히 지금 이 상태가 되기까지 무척 많은 시행착오가 있었음을 밝힌다.

이 선생님의 이야기

수학시간이다. 이 선생님은 원의 개념과 구성요소 그리고 실제로 원을 그리는 것을 이번 수학시간의 수업목표로 정했다. 모둠별로 만들어진 책상배치를 일제식으로 바꾸고 한치의 흐트러짐 없이 줄을 맞추게 한다. 그리고 거의 사용하지는 않지만 길다란 나무 회초리를 오른손에 불끈 쥔다. 그리고는 공연히 칠판을 한번 '꽝' 하고 치는 것이다. 과히 그 소리만으로 아이들을 움찔하게 만든다.

"이번 시간은 매우 중요한 내용을 배우게 됩니다. 여기에서 선생님의 설명을 놓쳤다간 나중에 큰 코 다치게 될 것입니다." 역시 아이들이 얼마 못가 부시럭댄다. 이것을 놓칠 리 없는 이 선생님은 "흠 좋아, 승윤이 아는 게 많은 모양이군. 그럼 어디 질문을 해볼까."

승은이는 손톱을 물어뜯으며 바짝 긴장하고 있다. 이 선생님은 일부러 매우 어려운 용어를 써 가며 승윤이를 몰아세운다. 당연히 대답을 하지 못하는 승윤이다. 이때 이 선생님은 앞에 놓인 책상을 나무 회초리로 또 한 번 내리친다. 아이들은 감히 눈을 떼지 못하고 과연 선생님이 승윤이에게 어떤 벌을 내릴 것인지 지켜보고 있다. 교실에는 긴장감이 흐르고 아이들은 선생님과 눈이 마주치지나 않을까 두려워한다. 비로소 이 선생님은 회심의 미소를 지으면서 수업에 들어간다. 산만한 아동 없이 모든 개념을 완벽하게 설명했다고 자부하면서 말이다. 그리고 선심쓰듯 말한다.

"음 오늘은 좀 어려운 공부를 하는 것이므로 잘 이해가 안되는 것은 당연합니다. 한 번 더 설명을 해주었으면 하는 어린이는 손을 들어보세요."

"알겠습니까"

"예"

그리고 이제는 교과서에 나오는 응용문제를 풀게 한다. 교실을 전체적으로 순시하는 이 선생님. 아이들은 책상에 바짝 엎드린 채 문제를 푼다.

이 선생님은 비로소 만족해 하며 "모르는 사람은 손을 들면 선생님이 다시 설명해 줍니다. 자 모르는 것은 부끄러운 것이 아닙니다. 모르는 것을 숨기는 게 부끄러운 거죠." 한층 밝아진 교사의 음성에 비로소 한두 명씩 손을 들기 시작한다. 몇몇은 어쩔 줄 모른 채 선생님의 눈치만 보면서 앉아 있다.

김 선생님의 이야기

1998년 나는 초등학교 3학년을 담임으로 맡게 되었는데 학교에서는 2학년 때 같은 반에 있었던 학생들을 그대로 3학년의 같은 반으로 편성하게 되었다. 그런데 A, B, C, 세 반 중에서 아주 특이한 반이 있다는 사실을 발견하였다. 그 반에는 교사가 없어도 운동장에 주저앉는다거나 줄을 이탈하는 아동이 한 명도 없었다. 뿐만 아니라 쉬는 시간에 일어서서 돌아다닌다거나 큰 소리로 떠드는 경우도 없었다. 자유활동 시간에도 운동장에 나가서 공을 차거나 으레 아동 사이에 일어나는 사소한 싸움도 없는 것이었다. 저학년의 신체발달 상황과 특징으로 미루어 볼 때 거의 있을 수 없는 일이었다. 쉬는 시간에 신발을 신고 운동장에 가서 실컷 뛰어놀다 오라고 말했는데도 그 아이들은 그 말을 무척 의아하게 받아들였다. 더구나 교사의 말에 대꾸를 한다거나 새로운 생각을 스스로 발표하려는 아동이 거의 없었다. 나는 그 이유가 너무나 궁금하였고 이 학생들이 다녔던 2학년 교실에서 어떤 일이 있었는가를 물어보게 되었다.

위계의 정점 : 체벌과 폭력

복종의 학교문화가 만들어내는 첫 번째 결과로서 교사중심의 통제적인 수업분위기를 논의하였다. 이번에는 그 두 번째 가시적인 결과로서 체벌과 폭력의 등장에 대하여 언급하기로 한다. 복종의 문화에서 자연스럽게 잉태되는 교사와 아동 간의 불평등한 위계관계는 교사로 하여금 교실 내에서 전권을 행사할 수 있는 분위기를 만들어 준다. 그러한 문화적 후원과 분위기 속에서 교사는 여러 가지의 이유를 위하여 연약한 아동에게 육체적 고통을 가할 수 있는 욕망에 빠지게 된다. 그러한 욕망은 장유유서의 기본 정신(윗사람이 아랫사람을 가르치고 지도해 주어야 하는 도덕적인 책임)으로 인하여, 체벌이 교육을 위한 바람직한 문화적인 방법으로 인정되어 왔던 전통으로 인하여, 그리고 군사부일체라는 교사에 대한 높은 존경심과 사회적인 지위로 인하여, 교사가 택하기 쉬운 교실관리의 방법으로 떠오른다. 그러한 욕망은 욕망 이전에 교사가 살아온 우리 사회의 한 가지 문화적 과정이므로 자기생활의 연장선 속에서 아동에게 자연스럽게 실시되기도 한다.

우리나라 초등학교의 교실에서 체벌과 폭력이 어떻게 구체적으로 수업상황에서 그리고 수업관리방법으로서 인정되고 빈번하게 이용되는지를 이해하기 위한 방법으로서 이 주제를 다루고 있는 두 개의 연구 결과를 인용하기로 한다: ① 김혜선(1994)의 연구, ② 김영천(1997)의 연구. 먼저 김혜선의 연구는 한국 초, 중등학교에서의 체벌의 실태를 설문지 방법을 이용하여 조사하였다. 그녀의 현장조사연구에 따르면, 우리나라의 초등학교의 교실에서는 표집(N=200)의 약 60.5%가 체벌을 받은 경험이 있는 것으로 나타났다. 그 체벌의 경험정도는 초등학교에서부터 중학교(85.5%)와 고등학교(81.3%)로 올라갈수록 더 높아지고 있다. 체벌의 형태로는 초등학교의 경우 다중응답을 사용한 결과, 엎드려 뻗쳐(43%), 회초리나 자로 손바닥 때리기(58.7%), 회초리로 엉덩이를 때리기(31.4%), 회초리로 종아리 때리기(21.5%), 손으로 뺨 때리기(16.5%)가 있었다. 교사를 대상으로 한 조사에서는 초등학교 교사의 약 89%가 체벌을 실천한 경험이 있음을 보여주었다.

두 번째 필자의 연구(1997)는 초등학교에서 일어나고 있는 체벌의 실상을 그 종류별로 정리하였다. 표 12-2는 그 내용을 종합한 것이다.

〈 표 12-2 초등학교 교실에서 실시되는 체벌의 종류 〉

방법	형태
서 있기 (움직임 없이)	좌석에서/좌석 옆에서/교실의 한 공간에 서 있기 눈을 감고 서 있기 손을 들거나 앞으로 뻗은 상태로 서 있기 머리를 90도로 숙이고 서 있기
무릎 꿇고 앉아 있기	책상에서 교실 앞 또는 교실 뒤에서 교실 바깥에서 눈 감고 앉아 있기 교실 바닥에서 눈 감고 앉아 있기 앉았다 일어났다를 반복하기
손들고 있기	눈 앞쪽 방향으로/머리 위로/책을 들고서/책가방을 들고서
군대식 체벌	머리를 교실 바닥에 박고 벌 받기(원산폭격) 다리를 뻗은 상태에서 팔로 교실 바닥에서 받치고 있기 팔굽혀 펴기 운동장 달리기 PT 체조하기 토끼 뜀뛰기
교사의 신체 사용	꼬집기/머리털 뽑기 때리기(뺨, 머리) 누르기(코/목)
물체의 사용	도장/막대기/몽둥이/빗자루/자/책

이와 같은 두 개의 경험적 연구의 결과는 체벌이 교육현장의 요구를 반영한 것이든지 아니면 학습자에게 부정적인 영향을 끼치는 것으로 평가하든지에 관계없이 우리나라 초등학교의 교실에서 아동의 학교생활의 중요한 경험의 일부로서 실시되고 있는 현실을 보여주고 있다.

성차별

우리나라 초등학교에 존재하고 있는 잠재적 교육과정으로서 첫 번째로 '복종' 에 관하여 언급하였다. 이 절에서는 초등학교에 존재하고 있는 두 번째 잠재적 교육과정을 '성차별' 로 개념화시키고자 한다. 그러한 이유는 필자가 수집한 다양한 자료와 관찰로부터 우리나라의 초등학교가 남학생과 여학생에게 상이한 학습경험을 제공하고 있다는 결론을 얻을 수 있었기 때문이다. 학교의 생활을 여성해방적 시각에서 비판적으로 해석하고자 하는 이러한 시각은 초등학교의 생활이 여성에 대한 차별적인 사회화를 재생산하는 인간발달의 환경임을 강조하기 위한 것이다. 따라서 학교는 첫째 여학생에게 남학생이 경험하는 것과 동일한 수준에서의 학교경험을 제공하지 않는다는 점에서 여학생의 발달에 최적으로 유리한 발달공간이 아닐 수 있음을 시사하는 것이며, 둘째 우리의 학생들에게 여성에 대한 차별적인 이미지를 수용하고 내면화시키도록 부추기는 교육기관임을 시사하기도 한다. 이러한 시사점은 다른 한편으로는 우리의 학교가 우리 사회의 중요한 문화적 규범으로 전승되어 온 남존여비와 부부유별의 가치를 확연하게 재생산시키고 있는 효과적인 문화전승의 도구로서 작용하고 있음을 알 수 있는 증거이기도 하다. 그리고 기존의 연구에서 우리 학교교육의 성차별적 실제가 실존하고 있음이 밝혀졌다(이진분 외, 1995; 한국여성연구회, 1994).

이 절에서는 성차별의 실제와 가치가 초등학교의 교실생활과 수업의 과정을 통하여 어떻게 전달되고 내면화되고 있는가를 기술하고자 한다. 이를 위하여 다음 세 가지의 영역에서 일어나고 있는 여성의 성차별의 실제와 과정을 소개하고자 한다: ① 남성 중심의 위계구조 ② 교육내용 ③ 학급경영과 관리.

남성 중심의 학교조직

가정을 떠나서 아동이 관여하는 발달의 직접적인 장소를 학교라고 할 때, 학교의 조직이 지닌 권력적 특성은 남성과 여성의 능력에 대한 암시적인 지식을 전달하는 데 효과적으로 작용하고 있을 것으로 추정할 수 있다. 초등학교에서 아동이 매일 관찰하고 경험하는 초등학교의 학교조직은 남자를 중심으로 한 가부장제적인 통치구조로서 있다는 점에서 학교조직에 대한 아동의 경험은 조직에서 성공하고 지도력을 행사하는 사람은 곧바로 여성이라기보다는 남성이라는 관점을 발달시킬 가능성이 높다. 특히 초등학교에 재직하고 있는 남교사에 대한 총 여교사의 수치(64%)를 고려해 보았을 때 그리고 아동의 여성화를 우려할 정도로 여교사의 수가 많다는 사실을 인정해볼 때, 그 수와는 상관없이 학교조직의 위계에서 높은 직위를 차지하는 여성의 비율(5.7%)이 미미하다는 점은 놀라운 것이라 하겠다(윤종건, 1998).

남교사와 행정가에 의한 학교조직에서의 권력의 점유는 교실의 아동생활과 조직에도 자연스럽게 반영되고 있다(이용숙, 1997). 초등학교 교실의 공식적인 행정조직인 임직원제도는 그것이 민주화되었다고 할지라고 여전히 남학생 중심으로 전개되고 있으며 행정조직의 정점에 있는 '반장' 직은 대부분 남학생으로 구성되어 있다. 그리고 이러한 현상은 교실 교사가 가지고 있는 반장직에서의 '남아선호' 사상에 의하여 교묘하게 그리고 은밀하게 만들어지고 있다. 다음의 상호작용 단편은 초등학교의 남학생 중심의 통치구조가 교실 교사에 의하여 어떻게 재생산되고 있는지를 단적으로 보여주는 사례이다(김영천, 1997). 학급의 체육부장을 선출하는 과정에서 교실 교사는 최다수의 득표자가 여학생이었음에도 불구하고 단지 여자라는 이유를 들어 민주적인 절차를 통하여 나타난 선거결과를 거부하고 남학생을 체육부장으로 정해 버리는 성차별적이고 비민주적인 결정을 내리고 있음을 보여주고 있다.

상호작용 단편 6

선생님 : 좋아, 지혜가 체육부 부장으로 선출되었지만 지혜는 여자에요. 여러분들은 지혜가 이 일을 잘 해낼 수 있으리라 생각해요? 그래서 체육부장을 두 명 선출하겠어요. 지혜와 혜성(두 번째로 득표수가 많은 남학생)이가 체육부의 부장이 되는 것이에요. 지혜는 여학생과 관련한 일을 하고 나머지 체육부의 일은 남학생인 혜성이가 맡도록 하세요.

후보자	성	득표 수
성수	남	0
지혜	여	20
혜성	남	16
상현	남	2

이러한 남성 중심의 학교 위계구조에서 생활하고 있는 아동이 배울 수 있는 잠재적인 학습 중의 하나는 바로 여성의 능력에 대한 특정한 시각일 것이다. 아동은 자신의 여자 담임선생님이 학교에서는 높지 않은 지위에 있다는 사실, 그리고 학교사회에서는 남자교사만이 학교의 우두머리와 지도자가 될 수 있다는 생각을 자연스럽게 가지게 될 것이다. 그러한 점에서 은행, 사무실, 공장, 연구실, 병원, 대학교에서 찾아볼 수 있는 남성중심의 권력구조가 초등학교의 조직에도 그대로 드러나 있는 셈이다.

교과서에 나타난 여성의 위상

학교조직의 남성 중심적 지배구조는 교과서에 나타난 여성에 대한 기술에서도 찾을 수 있다. 그리고 교과서가 아동의 학습에 끼치는 중요한 영향력을 행사한다는 점에서 인간을 어떻게 바라보고 평가할 것인가에 지대한 영향력을 끼친다는 점에서 그러한 기술은 아동의 남성관과 여성관에 심각한 영향을 행사할 것으로 기대할 수 있다. 그리고 교과서의 내용을 여성해방적 시각에서 분석한 연구들은 우리나라 교과서에서 여성의 관점과 존재가 상대적으로 편협하게 기술되거나 왜곡되어 있음을 지적해 주었다.

교육내용에서 여성의 존재와 그 능력이 어떻게 차별적으로 묘사되고 있는가의 예를 살펴보면 다음과 같다.

첫째 교과서에서 인물로 등장하는 남성의 수는 여성보다 훨씬 많다. 최재성과 강성혜의 연구(1995)에 따르면 초등학교 1학년을 제외하고서 초등학교의 교과서의 내용은 60%부터 83%까지 남성편향의 인물묘사로 이루어져 있다. 이러한 현실은 우리의 생활과 역사가 여성보다는 남성에 의하여 수행되고 있다는 묵시적인 가정을 반영하는 것으로 해석할 수 있다. 이것은 미국의 역사교과서에서 여성의 역사가 생략되거나 평가절하되었다는 애니옹의 연구결과를 상기시키는데 우리의 학교교육과 교육내용이 객관적이거나 절대적인 진실이 아니라 기존 사회의 지배적 질서인 가부장제도적 지배구조를 그대로 반영하는 매우 상대적이고 역사적인 산물임을 입증한다.

둘째 교과서에서 기술되고 있는 여성의 역할은 전통적인 가정에서 주부가 담당했던 책임과 비슷한 것으로 소개되고 있다. 현대의 산업사회에서 여성이 담당하고 있는 새로운 형태의 다양한 사회적 역할과 직업선택의 현실은 상대적으로 생략되거나 왜곡되어 있다. 그러한 사례는 초등학교 교과서에서 쉽게 찾을 수 있는데 다음이 그러한 예에 속한다.

> ① 여성의 역할은 항상 앞치마를 두르고 있거나, 청소를 하고 있거나, 남편과 자식들 옆에서 과일을 깎고 있는 것으로 묘사되어 있다(초등학교 2학년). ② 배웅하는 사람은 거의 어머니이며(초등학교 2학년) 아버지에게는 신문을, 어머니에게는 가사 도구가 주어져 있다(초등학교 2학년), ③ 삽화에는 회의시간 동안 최고의장 자리에는 남학생이 앉아 있고 서기 자리에는 여학생이 자리하고 있다(초등학교 5학년), ④ 삽화에 나와있는 동네 잔치에서 남자들은 모두 밖에서 놀고 있는데 여자들은 부엌에서 일하고 있다(초등학교 5학년).

학급관리에서의 여성

> 점심시간에 우리 선생님은 여자인데도 불구하고 남학생들이 있는 곳에서 식사하세요. 지금까지 거의 1년 동안 우리 여학생 자리에서 식사한 적은 몇 번밖에 없어요(초등학교 5학년 여학생).

여성의 차별이 실시되고 있는 중요한 생활영역은 교실관리와 학급운영 측면이었다. 이 영역에서 일어나고 있는 성차별의 실태를 분석하기 위해서는 학교조직, 그리고 교과서에 대한 분석보다 훨씬 집중적인 관찰이 요구되었다. 분석 결과 교실관리와 학급운영에서 일어나고 있는 성차별의 실제는 다음의 세 가지로 구체화되고 있었다: ① 성별에 따른 집단의 조직, ② 교실의 일, ③ 교사의 신념.

성별에 따른 집단의 구성

초등학교의 교실조직에서 가장 쉽게 발견할 수 있는 주목할 만한 현상 중의 하나는 학생집단을 성별에 따라서 두 개의 집단으로 만들어 내는 것이었다. 이러한 집단분리 작업은 필자가 관찰하였던 학교의 1학년 첫날부터 시작되고 있었다. 아동들은 자신의 성별에 따라서 남자 1번 여자 1번으로 불리면서 학교생활을 시작하였다. 특정한 교사의 경우에는 출석부의 기재방식을 남자와 여자 2개조로 구분하여 실시하고 있었다. 학교생활의 첫날에 시작된 집단화작업은 다양한 목적을 위하여 교실생활의 여러 영역에 확대되어 이용되고 있었다. 아동은 남자의 집단으로서 아니면 여자의 집단으로서 복도를 걷게 되고 노래를 부르며 점심을 먹는다. 특히 좁은 교실에서 함께 생활하고 함께 앉아서 공부하던 아동들이 넓은 학교식당에서 남자는 남자끼리 여자는 여자끼리 점심을 먹고 있는 광경은 참으로 놀랍다.

물리적으로 격리되어 성별에 근거한 사회적 공간은 이제 교사가 사용하는 다양한 비교와 경쟁의 방법을 통하여 한 차원 높은 심리적 · 대립적 공간으로 승화된다. 이제 남자 대 여자라는 대립과 차별화의 심리적 공간이 남학생과 여학생의 마음속에 형성된다. 교사의 비교 방법인 "남학생이 더 잘하나 아니면 여학생이 더 잘하나?"의 문장은 초등학교의 교실에서 쉽게 들을 수 있다. 성별이 수업의 중요한 사회적 조직으로서 사용되는 경우, 아동의 참여는 상대적으로 높아진다. 이제 수업은 나 개개인의 것이 아니라 남자로서 아니면 여자로서 잘해야 하는 성취의 대상으로서 발전한다. 조용히 과묵하게 앉아있던 남학생들이 교사의 성별에 근거한 수업참여방식에서 '여자에게는 져서는 안된다'며 엄청난 목소리로 악을 쓰며 노래를 부르는 모습이 초등학교의 교실을 또 다르게 색칠한다.

교실의 일에서 여성

성별에 따른 집단의 구성이 학생들을 남성과 여성의 두 집단으로 구분하는 기초적인 역할을 담당하였다면, 교실의 일(classroom job)은 남성으로서, 여성으로서 해야 하는 역할에는 어떤 것이 있는가를 내면화시키는 역할 사회화를 담당하고 있다. 사회화라고 지칭한 이유는 교실에서 아동이 하게 되는 일의 성격이 우리 사회에서 남성과 여성이 담당하게 되는 일의 성격과 유사하는다는 점에서 교실에서의 일의 경험이 사회에서 점유하게 될 남성의 직업과 여성의 직업에서 요구되는 가치와 태도를 내면화시키고 연습시킨다는 점에서 효과적으로 기여하고 있다고 생각하기 때문이다.

이에 교실의 일 중에서 어떠한 일과 과제가 여학생에게 부과되는지 분석하였다. 분석을 통하여 나타난 결과는 교실의 일 역시 여학생으로 하여금 전통적인 여성이 수행해왔던 역할이나 일을 담당하는 데 필요한 태도와 가치를 내면화시키는 데 기여하고 있다는 사실이었다. 초등학교의 교실에서 여학생은 다음과 같은 일을 하고 있었다: ① 선생님 점심을 준비하는 일, ② 화초를 가꾸는 일, ③ 선생님에게 커피 물을 가져다 드리는 일, ④ 교실 청소.

상호작용 단편 7은 교실의 일과 관련하여 여성이 어떠한 일을 해야 하는가를 잘 보여주는 사례이다(김영천, 1997). 교사는 교실을 청소하고자 하는 남학생들과 여학생들 자원자 중에서 청소하는 역할을 모두 여학생에게 일임하였다. 그리고 자원한 남학생에게 그의 그러한 생각과 선택이 적절하지 않은 것이었음을 공개적으로 지적하고 있다.

상호작용 단편 7

선생님 : 좋아, 누가 1학년 교실을 청소할래?
학생들 : (남학생들과 여학생들이 손을 든다.)
선생님 : 철수(남학생), 네가 1학년 교실을 청소하고 싶다고? 선생님은 그렇게 생각지 않아.
(학급 학생들이 그를 보고 웃자, 철수는 멋쩍어 조용히 손을 내린다)

선생님 : 좋아. 미숙이, 은진이, 정아가 1학년 교실을 청소하자. 여학생들이 깨끗하고 성실하니까.

교실을 청소할 때, 남학생들이 교실을 청소하면, 선생님은 관심이 없어요. 그러나 여학생들이 교실을 청소하게 되면, 우리에게 좀 더 오래 깨끗이 하라고 요구하세요. 어느 날 우리 여학생들은 한 시간이 넘게 교실을 청소했어요. 남학생들이 하는 경우에는 20분 내지 30분 정도에요. 매우 공평하지 못한 것 같아요.

즉, 교실의 일은 성별에 따라서 분업화가 분명하게 이루어지고 있었다. 교실의 일의 할당과 분업은 남성과 여성의 역할에 대한 성고정적인 해석에 근거하여 실시되고 있었다. 교실청소의 경우, 일반적으로 교실청소는 여학생의 일이라고 인정되는 상황이기는 하였으나 남학생이 참여하게 되는 경우에 청소의 일은 성별에 따라서 그 역할이 크게 구분되고 차별화되었다. 그 결과, 여학생이 담당하는 교실의 일의 종류에는 걸레질, 빗질, 창문 닦기, 컵 씻기 등이 속하였다. 남학생이 담당하는 종류에는 높은 창문 닦기, 밀대질, 물 나르기, 책걸상 옮기기, 쓰레기통 비우기, 소각장 청소, 화단 가꾸기(가지치기, 김메기), 페인트칠하기 등이 해당된다.

성별에 따른 분업화는 그 이외의 교실의 일에서 찾아볼 수 있다. 교실에서 하게 되는 사무적인 일이 대부분 여학생에게 부여되는 것, 글씨를 쓰거나 문서를 정리하는 일, 시험지 채점하는 일, 성적 정리 등 비서적인 작업들이 주로 여학생의 임무로 할당된다. 성역할에 따른 교실의 일의 분업화가 극명하게 일어난 대표적인 사례는 자연시간 동안에 일어났다. 남학생의 과제는 개구리를 잡아오는 것이었고 여학생의 과제는 식물을 채집해오는 것이었다. 이러한 성별에 근거한 작업의 사회화는 수렵시대에서 동물을 잡아오는 역할을 담당한 남성과 들에서 풀과 열매를 채집하였던 여성의 역할 전통이 현대의 학교사회의 교실에서 아무런 변화 없이 답습되고 있음을 보여준다.

교사의 신념

이렇게 교실의 일에 남성과 여성의 참여를 상이하게 규정하고 실천하는 데 중요하게 작용하는 원인 중의 하나는 교사가 가지고 있는 여성에 대한 특정한 신념이었다. 교사는 그러한 신념에 근거하여 교실을 관리하고 있었는데 그 신념의 중요한 내용은 사랑스러운 여성, 여성다운 여성, 육체와 표현이 절제된 여성이었다. 그러한 교사의 신념은 교실의 관리와 학급운영의 여러 측면에서 적용되고 있었다.

한 예로서 여학생에게는 항상 '예쁘게' 라는 요구와 찬사가 따라다녔다. 따라서 여학생이 글을 이쁘게 쓰지 못하는 경우에 교사는 '너는 왜 그렇게 글을 못쓰느냐' 라고 지적하기보다는 '여자애가 글씨가 이게 뭐야' 라고 지적하였다. '예쁘게' 의 미덕은 앉을 때에도 적용되었다. 남학생에게 바르게 앉도록 요구할 때는 '똑바로' 를 사용하였고 여학생에게는 '예쁘게' 라는 용어가 사용되었다. 아울러 여학생들은 낮은 목소리로 귀엽고 부드럽게, 그리고 예쁘게 말해야 하며 남학생이 쓸 수 있는 거친 말들을 사용해서는 안되었다. 이러한 교사의 기대가 극명하게 나타난 것은 여학생이 떠든 경우 교사는 '떠들었다' 는 사실이 아니라 '여학생이 큰 소리를 내었다' 는 점에 분개하는 것 같았다. '예쁘게' 의 미학은 여학생의 신체적인 표현에도 적용되었다. 여학생들의 행동거지(걸음거리)는 교사의 주요한 관심과 평가의 대상이 되었다. 다음 상호작용 단편 8은 교실생활에서 예쁘게 걷는 것의 미덕을 강조하는 우리 초등학교의 문화를 잘 보여주는 사례이다.

상호작용 단편 8

복도에서 할 수 없이 빨리 뛰어가다가 선생님에게 들키면 선생님은 이렇게 말씀하세요. "너는 어떻게 그처럼 뛸 수 있니? 너는 여학생이야. 너는 예쁘고 얌전하게 걸어야 해!" 선생님은 무슨 굉장한 일이 벌어졌거나, 큰 실수를 저지른 것처럼 말씀하시는데, 제가 알고 있기로는 남학생이 그랬을 경우 여자들에게 화를 내는 것처럼 말을 하시지는 않아요.

차별의 탄생: 성차별적 수업 상호작용

남성중심의 위계구조, 교과서, 학급관리 영역에서 나타난 여학생에 대한 성차별적인 이데올로기의 재생산은 수업의 상호작용의 과정에서 극명하게 드러나고 있다. 그리고 그 결과는 수업에 참여하는 기회의 차별로 나타났다. 여학생이 수업참여과 상호작용에서 얼마나 차별받고 있는가를 예증하기 위하여 초등학교 수업을 비디오 분석방법을 통하여 밝혀보았다. 그 결과로 다음 다섯 가지의 초등학교 수업에서 남학생과 여학생의 수업발표와 참여의 차이를 표 12-3에 제시하였다. 분석을 위하여 "여학생이 남학생에 비하여 수업에 참여하는 비율은 어느 정도인가?" 로 연구질문을 하였고 배

〈 표 12-3 성별에 따른 차별적인 수업 상호작용 〉

학년 및 과목	분석의 결과
1학년 말하기와 듣기	반장: 여자. 발표횟수: 남자 35회 여자 10회. 책읽기: 모두 남자 3명. 듣기 테이프에서 나오는 동시의 낭독자: 여자 2명
6학년 국어	교사의 질문: 총 44번. 남학생에게 22번, 여학생에게 22번. 질문의 내용으로 단순한 오류를 묻는 질문: 여학생 위주, 한 차원 높은 질문: 남학생. 시낭독: 여자 먼저 모범을 보임 그리고 다음에 남자. 시낭독을 제외한 질문과 관련하여 여자가 먼저 손을 들어도 남자를 먼저 시킴
2학년 읽기와 즐거운 생활	반장: 여학생. 발표횟수: 총 14회 중에서 남자 9번 여자 5번. 글의 줄거리 요약: 2명의 남학생을 시키고 학급 전원에게 이것을 모범답안으로 참고할 것을 요구
2학년 수학	교사는 수업 중에 오직 남학생들과만 농담을 주고받음. 수학문제의 단답형은 보통 여학생에게 질문하였고 "어떻게 하여 이런 답이 나왔을까요? 와 같은 고차원적인 수준의 질문은 남학생에게 하였음. 학생과의 의사소통의 양: 남학생은 9번, 여학생은 6번.
1학년 수학	질문하였는데 아무도 손을 들지 않을 때는 대체적으로 남학생을 지명하였다. 책 내용의 전체적인 줄거리 같은 어려운 과제는 남자를 먼저 시킨다. 책읽기 역시 손들어서 학생을 선발하는 것이 아니라 남학생을 선발하여 읽기를 시킨다. 발표 후, 남학생이 질문에 대답을 하지 못하면 더 생각해보라고 이야기하였고, 여학생이 대답을 잘 못하면 바로 다른 학생을 선발하였다.

경정보로서 좌석배치, 입은 옷의 색깔의 종류, 교사의 학생호명의 수에서 나타나는 차이를 교실수업을 녹화한 비디오테이프의 분석내용으로 삼았다.

비교와 실패

우리의 초등학교 교실생활을 구성하는 잠재적 교육과정으로서 지금까지 복종, 성차별을 언급하였다. 이 절에서는 초등학교에 존재하는 세 번째 잠재적 교육과정으로서 경쟁과 비교를 선정하였다. 이미 우리의 학교현장이 초등학교까지 지나치게 경쟁적이어서 그것의 해악을 줄이기 위한 여러 가지 구체적인 방법들이 교육부를 중심으로 한 교육개혁을 통하여 실천됨으로써 다행스럽게 과거에 비하여 학교 내에서의 경쟁지향적 생활과 학습분위기는 상대적으로 사라졌다고 할 수 있겠다. 그러나 한 연구결과인 1997년의 김정원의 초등학교연구는 여전히 우리 초등학교의 주요한 생활의 특징으로서 평가지향적 수업방법, 학생 간의 비교, 학생의 성적에 보답하는 보상 등이 잔재하고 있음을 보여주고 있다. 그리고 외국의 평범한 학교의 교실수업에 비교해 보았을 때 여전히 우리나라 초등학교의 교육과정과 수업의 과정은 평가지향적이고 점수지향적인 특성을 강하게 띠고 있음을 부인하지 않을 수 없다. 아울러 극도의 경쟁의 잔재와 불씨는 우리의 고등교육의 선발제도가 완전한 최종적인 형태로 정착되어 있지 않다는 점에서 다시 언제 어떻게 불타오를지 예측할 수 없다.

이에 이 절에는 우리나라 초등학교의 생활에서 평가와 성적의 강조, 비교와 경쟁, 그리고 성공과 실패가 명확하게 구분됨으로써 경쟁심과 비교우위라는 공식적인 교육과정의 목표로서 상정되지 않았던 다양한 부정적인 정서를 경험하고 있음을 보여주고자 한다. 즉, 학교는 아동으로 하여금 학교공부에서 중요한 것은 (그리고 인생에서 중요한 것은) 그 어떤 다른 목적보다도 '경쟁에서 이기는 것', '남들보다 더 잘하는 것' 의 생활심리학을 내면화시키는 학습장소로서 기능하고 있음을 보여주고자 한다. 이를 통하여 실패감과 무능감이 학교생활의 또 다른 잠재적 학습으로서 발전될 가능성이 있음을 보여주자 한다. 초등학교에서의 생활이 아동에게 이러한 실패감과 무능감을 어떻게 내면화시키도록 그 학습의 분위기를 조성하고 있는가를 보기 위하여 다음 두 가지의 사실을 중심으로 논의하고자 한다: ① 성공과 실패의 명시화, ② 실패의 공개화, ③ 차별적 보상, ④ 관리와 수업의 방법으로서 경쟁과 비교.

성공과 실패의 명시화

초등학교 교실에서 일어나고 있는 평가의 실제를 보고 있노라면 학교평가와 학습자 평가의 진정한 목표가 무엇인가에 대한 의문이 들 정도로 초등학교의 일상적인 평가가 갖는 특징은 학생들의 학업성취도를 측정하고 그에 근거하여 적합한 범주나 명칭을 부여하는 선발과 분류의 성격을 띠고 있다는 느낌을 갖게 된다. 학생들의 능력을 공개적으로 노출하여 그 능력에 따라서 학생을 분류하고 보상해주는 전통적인 검사의 목적이 강하게 반영되어 있음을 알 수 있다. 이러한 분류와 능력변별의 기능은 교실수업의 처음부터 끝까지 지속적으로 일어나며 교사는 그러한 변별과 검토의 작업에 수업의 상당한 시간을 할애하는 듯하다. 검토의 방법으로는 손들기와 교사에 의한 '검사' 가 이용되었다(김영천, 1997).

상호작용 9

교사 : 지금까지 100점 맞은 사람 있으면 손 들어봐요.

손들기와 함께 학생들의 성취정도와 능력을 공개적으로 평가하고 점수로서 확인시켜 주는 교사의 평가작업은 '검사'와 '확인'이었다. 교사들은 수업의 상당 시간을 학생들의 과제를 검사하고 평가하는 데 할애하고 있었는데 교사는 자신이 정한 성공의 수준을 달성한 학생들을 나타내기 위하여 아니면 그들의 성실성을 보상하기 위한 가시적 방법으로서 다양한 인정의 형식(도장, 교사의 사인, 스티커)을 사용하고 있었다. 그리고 그러한 인정의 형식을 주는 방식으로 두 가지가 사용되고 있었다: ① 각 학생의 책상을 순서대로 방문하면서 학생들의 학업성취도를 측정하고 검사하는 방법, ② 교사의 책상에서 검사하는 방법. 후자의 경우 학생들은 교사의 확인 과정을 통과하기 위하여 교탁이나 교사의 책상을 중심으로 긴 줄을 만들어 나간다. 그런데 손들기와 검사를 통한 학생평가의 문제점은 학생들의 수행정도가 지나치게 공개적으로 교실의 다른 학생들에게 공개된다는 점이다. 그런 점에서 교사의 평가작업은 각 개인의 성취와 능력을 지나칠 정도로 교실의 모든 학생들에게 주의집중하게 하고 판별하게 하는 기능을 하고 있었다.

상호작용 10

교사 : 빨간색 크레용을 표시해 보세요.
학생들 : (파란색 크레용을 표시한다.)
교사 : 파란색 크레용을 표시한 사람 손 들어 보세요.

실패의 공개화

교사의 검사와 확인 작업이 갖는 공개화는 곧바로 학생의 실수와 실패를 명시적으로 드러내는 역할을 하고 있다. 이제 교실은 공부 잘하는 아이와 공부 못하는 아이가 존재하는 명확한 두 개의 능력집단으로 구분되는 듯이 보인다. 그리고 실패의 결과가 어떤 것인지를 모든 학생들이 목격할 수 있도록 다양한 교실관리방법들이 이용된다. 그 한 예로서 교실 내에서 과제를 성공적으로 수행하지 못한 학생들에게는 여러 가지 교실관리방법이 사용되고 있는데 다음은 그 예이다: ① 공부 못한 학생의 이름을 호명함으로써 학급학생들이 그들을 주목하게 만드는 것, ② 의자 위나 의자 앞에 일어서도록 하는 것, ③ 학생들의 부적당한 자질(낮은 지능)이나 성격(게으르고 정신 집중하지 않는 태도)을 비난하는 것, ④ 학생의 권리나 기회(수업에 참가)를 박탈하는 것, ⑤ 체벌. 다음 사례들은 학생의 실패가 학급의 학생들에게 어떻게 구체적으로 공개되는지를 보여준다(김영천, 1997).

상호작용 11

교사: 5분 동안 서 있어(틀린 대답을 한 두 학생에게).

상호작용 12

교사: 좋아, 너희(틀린 대답을 한 두 학생에게)는 교실 앞으로 와서 칠판 밑에 앉아 있어. 맞는 답을 얻을 때까지 거기 앉아서 공부해.

상호작용 13

교사: 좋아, 칠판에 현우의 틀린 답을 쓰겠어요. 현우가 어디에서 틀렸는지 알아내 보세요(교사는 현우의 틀린 답을 칠판에 쓴 후에 학생들을 나오게 해서 잘못된 부분을 고치라고 지시한다).

상호작용 14

교사: 너, 왜 우리가 어떻게 이걸 볼 수 있는지 말해 봐.
학생: (대답을 못하고 일어서 있다.)
교사: 이 학생은 답을 몰라요. 누가 이 학생을 위해 큰 소리로 답을 말해 볼 사람?

차별적 보상

초등학교 교실에서 나타나고 있는 비교와 성취중심 평가작업이 갖는 또 다른 특징은 교사의 기대와 준거에 속하는 '공부 잘하는 학생' 과 그렇지 못한 '공부 못하는 학생' 에 대하여 교사가 사용하는 보상이 차별적으로 적용되고 있다는 점이다. 초등학교 교실에서의 교사의 평가작업은 평가 자체로 끝나기보다는 학생의 노력의 결과 여부에 따라서 명확한 보상이 주어지는 삶의 장소였다. 따라서 학생의 과제성취가 성공적인지 아니면 성공적이지 않은지에 따라서 다양한 방식의 보상이 제공되었다. 교사는 성공적인 집단의 학생들에게는 다양한 호의적 기회를 경험하게 하는 반면에 성공적이지 못한 집단의 학생들에게는 그들의 이익에 제한을 가하는 방법을 사용하고 있었다. 우리의 초등학교 교실에서 성공집단에 속하는 학생들은 노력과 학업수월성에 대한 보상으로서 다음과 같은 혜택을 누렸다: ① 교실의 자료(책 또는 장난감)를 소유할 수 있는 자유시간을 갖는 것, ② 정규시간표에 따라 활동할 수 있는 활동의 자유(쉬는 시간에 화장실에 갈 수 있는 것), ③ 교사가 부여한 다음 과제를 미리 시작하는 것. 이와는 달리 성공적이지 못한 집단의 학생들은 부정적인 보상의 결과로서 수업이 끝날 때까지 그 과제를 계속하거나 아니면 학교수업이 마칠 때까지 모두 끝내야했다.

학급에서 과제를 끝낸 학생들만 지정된 시간에 집에 갈 수 있어요. 그렇지 않으면 방과 후에도 남아서 학교에서 과제를 끝마쳐야만 해요(김영천, 1997).

교사가 영어로 지시하면 그대로 움직이는 수업이었다. 마침 4교시였고 다음 시간은 식사시간이었다. 교사는 지시하는 대로 잘 움직이지 못하는 조가 맨 마지막으로 점심을 먹게 될 거라고 했다. 자기 조에 영어를 잘하는 아이가 많은 조는 좋아했다(1998년 초등학교 3학년 영어시간).

교사는 정해진 시간에 과제를 끝마치지 못한 학생들을 위하여 때로는 그러한 학생들의 자유시간을 제한시키는 경우가 있었다. 그리고 그러한 자유시간의 제한이라는 학생에 대한 권리의 박탈은 초등학교 교실에서 자연스럽게 수용되었다. 따라서 수업 중에 일어났던 성공과 실패에 의한 두 집단의 생성은 수업이 끝나버린 시점(쉬는 시간, 때로는 점심시간)에서도 계속 유지되는 경우가 있었다. 한 집단은 놀면서 자유시간을 즐기는 데 반하여 다른 집단은 머리를 책상에 수그린 채 과제를 하느라 바쁘다.

관리와 수업의 방법으로서 경쟁과 비교

성공과 실패를 강조하는 초등학교의 교실이 갖는 또 다른 특징은 성공을 동기화시키는 방법으로서 다양한 형식의 비교와 경쟁을 부추기는 방법이 이용되고 있었다. 이러한 비교와 경쟁은 학습효과를 목적으로 하기도 하였지만 그 범위가 교실관리와 학생생활의 지도 영역에까지 확대되어 있었다. 비교와 경쟁은 때로는 개인적으로 일어나기도 하였고 집단을 기본으로 하여 일어나기도 하였다. 교실에서는 '누가 제일 잘했는가', '누가 누구보다 잘했는가 못했는가' '누가 교실에서 가장 못했는가' 라는 교사의 언어가 자연스럽게 들리고 있었다. 교실의 수업과 활동의 상당부분(발표, 탐구, 과제수행, 평가 등)이 경쟁의 방법을 통하여 아니면 비교전략을 통하여 이루어졌다.

비교와 경쟁이 교실관리와 학업동기화에 쓰이는 사례는 초등학교의 교실 곳곳에서 쉽게 찾아볼 수 있다. 비록 평가의 횟수가 줄어들어 시험을 통한 경쟁과 비교의 수업문화는 예전과 같은 것은 아니지만 교실에서 교사가 선택하는 그리고 행사하는 다양한 형태의 상벌제도를 통하여 여전히 아동들 간의 비교와 경쟁을 부추기고 있다. 초등학교 교실에서 아동의 참여와 더 높은 성취를 위하여 일반적으로 쓰이는 방법으로는 교사가 실시하고 있는 담임상을 들 수 있는데 담임이 수여하는 상은 아동으로 하여금 한편으로는 적극적인 참가와 동기화를 다른 한편으로는 친구 간의 비교와 경쟁을 북돋우고 있다. 한 초등학교의 교실에서 실시하고 있는 상의 종류를 살펴보면 다음과 같다: ① 저축, ② 독서, ③ 글쓰기, ④ 친구 도와주기, ⑤ 수학, ⑥ 일기 쓰기, ⑦ 청소, ⑧ 발표, ⑨ 그림 그리기. 그런 점에서 초등학교에서 아동이 하게 되는 모든 활동은 곧바로 교사의 평가 그리고 보상과 직접적으로 관련이 있는 듯이 보인다.

한 아이가 떠들었다. 그 아이는 이번 평가에서 낮은 점수를 받은 아이였다. 교사는 그 아이에게 OO아! 너는 50점밖에 못 받은 애가 왜 그렇게 떠드냐, OO 봐라 이번에 100점을 받고도 조용하게 또 공부하고 있잖아. 조용히 해(1998년 초등학교 6학년).

조별로 게임을 하고 있었다. 문제를 맞추면 자기 조에 종이꽃을 달아주었다. 서로 자기 조가 더 많은 종이꽃을 얻고자 했다. 그래서 자기 조 아이가 문제를 맞추지 못하면 그 아이는 같은 조 아이들에게 야유 소리를 들었고, 다른 조 아이들은 기분 좋아했다. 이렇게 되자 교실이 아주 소란스러워졌는데 그때 교사가 떠들거나 자세가 나쁜 조는 감점으로 종이꽃을 한 개씩 뗄 거라고 하자 교실이 아주 조용해졌다(1998년 초등학교 2학년 체육시간).

여러분이 해야 할 선택: 얻는 것과 잃는 것

지금까지 이 장에서 우리나라 초등학교의 학교생활을 통하여 묵시적으로 배우게 되는 잠재적 교육과정을 세 가지로 개념화시켜 보았다: ① 복종, ② 성차별, ③ 비교와 실패. 이러한 논의를 하게 된 배경은 첫째, 필자의 저서 『네 학교 이야기: 한국 초등학교의 교실생활과 수업』에서 깊게 다루지 못하였던 한국 초등학교의 학교생활의 특징과 그 문제점을 잠재적 교육과정의 시각에서 정리해보는 것이었다. 둘째, 현재 진행되고 있는 학교개혁이 진정으로 이루어지기 위해서는 학교현장에 깊숙히 배어있는 학교의 지배적인 · 부정적인 생활문화를 변화시킬 필요가 있는데 그러한 점에서 잠재적 교육과정의 시각이 한국 학교의 문화가 가지고 있는 특성과 문제점이 무엇인가를 지각하는 데 도움을 주기 때문이다. 특히 잠재적 교육과정의 학습결과가 교육개혁이 의도하고 있는 이상적인 인간상(창의적인 인간, 합리적인 인간, 자율적이고 개성적인 인간)과는 상반된 것이라고 할 때 초등학교의 잠재적 교육과정에 대한 비판적 논의는 우리의 학교문화를 개선하기 위한 실제적 아이디어를 제공해 준다고 하겠다.

학교의 생활과 문화 연구와 그 개선의 중요성은 이미 존듀이에 의하여 오래전에 지적되었다. 비록 잠재적 교육과정의 개념을 사용한 것은 아니지만 학교의 도덕적 · 윤리적 분위기를 아동의 도덕적 성장과 깊게 관련이 있음을 강조하였다. 그에 따르면 학교에서 도덕적 교훈은 직접적인 수업을 통하여 이루어지기보다는 매순간 교사가 하게 되는 학생과의 사회적 상호작용에 의하여 효과적으로 가르쳐진다고 하였다. 즉, 학교의 학습분위기야말로 아동의 도덕적 · 사회적 · 정서적 발달을 유도하는 가장 효과적인 자원이다. 애니옹은 존듀이의 입장에서 한 걸음 더 나아가 학교비평의 관점에서 '잠재적 교육과정' 의 분석의 필요성을 해방의 관점에서 언급하고 있다. 다음의 애니옹의 지적에서 찾을 수 있는 것처럼, 잠재적 교육과정을 학교교육의 숨겨진 정치적 기능을 담당하는 효과적인 기제로서 확대해석하지 않더라도 그녀의 지적은 우리나라의 학교의 학습풍토를 이상적으로 조성하기 위하여 생각해 볼 수 있는 의미 있는 언급임이 틀림없다.

> 다양한 학교의 일상적인 생활을 통하여 우리 사회에 존재하는 불평등한 권력의 질서들이 학생들의 의식속으로 정당한 것으로 학습된다. 날마다 하고 있는 학교생활의 일상적인 참여와 경험을 통하여 우리 사회의 구조가 가지고 있는 불평등한 권력의 형태들은 당연한 것, 타당한 것, 그리고 그렇게 될 수밖에 없는 어쩔 수 없는 것이라는 생각이 학생의 마음속에서 자리 잡는다(Anyon, 1988, pp.178-179).

이에 이 절에서는 잠재적 교육과정에 관한 논의가 학교개선을 위하여 필요하다는 주장의 이유로서 '잠재적 교육과정이 학생의 학습과 발달에 어떠한 영향을 끼칠 수 있는가' 에 대해 구체적으로 논의하고자 한다. 그리고 이 논의를 통하여 잠재적 교육과정이 아동의 생활과 발달에 부정적으로 작용하고 있음을 부각시킴으로써 교사와 행정가의 관심을 불러일으키고자 한다. 복종, 성차별, 비교와 실패라는 세 가지 잠재적 교육과정을 통하여 아동에게 나타날 수 있는 부정적인 발달적 특징이 무엇인가를 제시한다.

권위주의적 학교문화 속의 아동

복종과 권위를 강조하는 초등학교의 생활문화가 아동의 발달에 끼칠 수 있는 부정적인 효과를 일곱 가지로 규명해 보았다.

위계적인 대화양식. 권위주의적 교실에서 일어나는 아동과 교사 간의 상호작용의 형식은 대화와 토론을 일방적이고 지시적인 형태로 만들 것이다. 교사가 수업의 주체가 됨으로써 교사중심의 수업이 이루어질 확률이 높다. 교사가 교실대화의 많은 부분을 담당할 것이며 아동은 청취자, 방관자, 또는 방문자로서 수업에 참여할 것이다. 아동은 질문을 자주 하지 않을 것이며 교사의 질문에 역시 적극적으로 호응하지 않을 것이다. 수업은 탐구(inquiry)와 연구(research)의 과정이라기보다는 전달(delivery)과 교화(indoctrination)의 형태를 띠게 될 것이다.

심리적 긴장상태. 교사의 위계적인 행동과 지시는 아동을 심리적으로 불안한 상태에 놓이도록 만들 것이다. 교사의 요구가 무엇인지를 파악하여 추종해야 하는 심리적인 상황은 긴장감과 심리적인 위축을 가져올 것이다.

수동적인 태도. 학교생활과 수업에서 교사가 의사결정권을 갖게 되기 때문에 아동은 스스로 판단하거나 결정해야 할 필요도 없고 그럴 기회도 주어지지 않는다. 종속적이고 의존하는 행동이 바람직한 것으로 수용된다. 교사가 지시하는 일 이외에는 특별히 능동적으로 행동할 필요가 없기 때문에 수동적인 생활태도와 방관자적인 인성을 형성할 수 있다(Lott, 1987, pp.35-67). 따라서 적극성이나 진취성과 같은 사고방식이 아동의 생활에서 발전하기는 어려우며 또한 그러한 선택을 하는 데 있어 큰 심리적 긴장감을 느낀다.

사고의 정형화. 교사의 존재가 절대적인 것으로 받아들여지기 때문에 교사의 생각과 사고관이 아동에게 가장 우수하고 정당한 것으로 수용된다. 아동의 독창적인 생각이나 관점이 개발되거나 지지되기보다는 교사의 생각과 답을 추종하고 찾고자 노력한다. 아동의 생각은 교사의 생각을 그대로 반영한 정형화되고 획일화된 형태로 나타나기 쉽다. 아동은 교사가 원하는 답, 교사가 생각하는 훌륭한 답이 무엇인가를 항상 염두에 둔다.

약한 공감대. 교사가 교실의 주인이자 중요한 도덕적인 훈계자로서 학생의 생활에 관여하게 된다. 따라서 권위적인 입장에 있는 교사가 아동의 숨겨진 심리상태를 이해하기도 힘들고 이해하고자 노력하기도 힘들다. 대화와 관심은 자칫 교사가 가지고 있는 도덕관을 주입시키려고 하거나 그렇지 않으면 교사의 선입관이 아동을 이해하는 과정에서 부정적으로 작용한다. 대화와 상호신뢰에 필요한 감정이입이나 라포가 형성되기 어렵다.

민주적인 의사소통 능력의 부족. 교사의 말과 생각을 수용하고 따르는 비민주적인 대화 참여와 경험은 아동으로 하여금 민주적인 의미에서의 대화(communication) 능력을 발전시키는 것을 저해한다. 교사의 말을 수용하고 동의해야 하는 일방적인 대화관계 속에서 자신의 생각을 당당하게 표현할 수 있는 자신감과 표현력을 기르지 못할 것이다. 어떻게 상대방에게 자신의 감정과 생각을 효과적으로, 설득력 있게 전달해야 하는지도 학습하기가 힘들다. 그리고 이러한 대화경험에서 성장한 아동은 연장자로서 연소자와 대화하는 경우에 역시 비슷한 오류를 범하게 될 수 있다. 그 아동 역시 권위적인 대화을 만들어가는 주체가 될 수 있다. 본인도 모르는 사이에 위계적이고 권위적인 대화방식을 재생산하면서 그것을 당연한 것, 편안한 것으로 받아들인다. 연소자의 관점보다는 자신의 관점을 우세한 것, 좀 더 강력한 것으로 만들어야 한다는 강박관념과 통제의 욕망에 시달린다. 자신의 관점을 수용해주지 않는 상대방의 입장을 '불편하고' '건방진' 것으로, 그래서 '교육을 잘 받지 못한' 것으로 폄하하거나 도덕적인 잣대를 들어 비난하게 된다.

평등하고 합리적인 대화가 주는 매력, 그리고 대화 자체가 주는 즐거움을 느끼지 못한다. 누구에게나 많은 것을 배울 수 있으며 타인과의 대화를 통하여 본인 자신이 진정으로 성장할 수 있다는 관점이 싹트기 어렵다.

형식주의 생활방식. 언어와 육체를 통한 외형적인 표현을 중요시하는 복종의 문화는 아동으로 하여금 형식을 의사표현에 있어서 중요한 준거로서 받아들이고 가치화시키는 사고방식을 발전시키게 한다. 표현의 내용이 가질 수 있는 진실성보다는 외양을 가치화하는 생활방식과 인생관을 부추긴다. 인간의 진실성과 성실성이 외형적인 표현과 형식이라는 한 가지 준거에 의해서만 평가될 수 있는 위험에 빠질 수 있다.

성차별 학교문화 속의 아동

성차별적 학교문화가 아동의 발달에 끼칠 수 있는 부정적인 영향을 네 가지로 정리하였다.

부정적인 자기개념. 여성이 남성보다 열등한 존재라는 인식은 여학생으로 하여금 부정적인 자기개념과 자기이미지를 형성하게 한다. 남성의 관점과 흥미가 우선적으로 선택되고 수용되는 학교생활을 통하여 여성이 열등하거나 여성으로서 살아간다는 것이 바람직하지 못하다는 생각을 갖게 될 수 있다.

낮은 동기화. 그러한 부정적인 자아개념의 형성은 인생의 성공과 성취에 있어서 낮은 동기화를 유발시킬 것이다. 충분한 능력이 있거나 가능성, 잠재력이 있는 여성의 존재가 평가절하되거나 무시됨으로써 인간 잠재력의 개발이라는 교육의 기본적인 전제에 비추어보았을 때 바람직하지 않다. 여성이 사회에 기여할 수 있는 공헌과 역할이 부정됨으로써 사회의 복지와 발전에 기여할 수 있는 기회가 소멸된다.

비건설적 인간관계. 남성과 여성의 지위를 우월과 열등이라는 불평등한 이분법적 잣대로 설정해 버림으로써 협조와 공유가 만들어 낼 수 있는 이득과 생산성의 효과를 저해할 수 있다. 다양성과 타협, 그리고 공존과 공감이 요구되는 복잡한 현대의 조직적 요구에 비추어 보았을 때, 남성중심의 대화와 지배구조는 참여와 평등의 인간관계 속에서 발아될 수 있는 다양한 긍정적인 결과들이 상대적으로 감소될 수 있다. 여성을 대화의 상대자로서 인정하지 못하는 잘못된 차별의 심리학이 남성과 여성의 대화의 근저에 깊게 깔린다.

의사소통 능력의 저해. 우월감에 근거한 여성에 대한 차별적인 상호작용과 태도는 여성에 대한 진정한 이해를 방해함으로써 여성에게 어떻게 대화해야 하는지를 배우는 것을 어렵게 만든다. 여성과 대화하기보다는 남성과 차라리 대화하거나 함께있는 것을 편안한 것으로 생각하게 만든다. 이성과의 대화에 긴장감과 불안감, 불편함의 감정이 수반됨으로써 진정한 의미에서의 대화와 교우가 이루어지지 않는다.

비교와 실패의 학교문화 속의 아동

학교교육의 문화로서, 수업방법으로서 경쟁이 학습자의 발달에 끼치는 부정적인 효과는 효과에 의하여 자세하게 언급되고 있다. 여기에서는 비교와 실패의 연속적 경험이 학생의 발달에 끼치는 부정적인 영향을 다섯 가지로 정리하였다.

불안정한 심리관계. 비교와 평가중심의 수업 과정은 아동에게 불안감과 긴장감을 유발함으로써 학습의 과정에 대한 진정한 몰입과 함께 공부에서 찾을 수 있는 즐거움을 빼앗아 간다. 최근의 뇌연구, 동기이론, 성취동기이론은 비교와 경쟁, 평가중심의 학습이 갖는 단점을 제안하고 있다. 흥미가 창의적인 행동과 사고를 불러일으키는 전제조건이라는 점을 상기한다면(Cohen, pp.25-26) 심리적 안전이 보장되지 않는 경쟁과 비교의 교실분위기에서 좀 더 높은 수준의 욕구를 달성하고자 애쓰기는 힘들다.

낮은 자존감. 비교를 통하여 열등한 학생으로 전락한 아동은 패배감과 자신감의 상실을 경험한다. 그리고 낮은 자아개념을 형성하게 되고 학습과 인생의 목표추구 역시 낮게 설정될 것이다. 그러나 가장 중요한 영향은 인생의 후반기에 발아될 수 있는 잠재력의 가능성이 초기에 경험한 실패 그리고 그에 따른 부정적인 자아개념으로 인하여 사전에 차단되어 버릴 수 있다. 그러한 점에서 최근의 학습연구와 인간의 창의성의 연구에서 인간의 성공과 관련하여 중요한 탐구주제가 '열정' 에 집중되어 있음을 상기할 필요가 있다. 학교에서 능력이 부족하다고 평가받았지만 이후에 뛰어난 업적을 쌓아 성공한 사람의 배경에는 삶에의 엄청난 의지와 열정이 있다는 사실을 지각하는 것이 중요하다. 학업성취 점수 외에 인생의 성공을 이끄는 요인은 너무나 많다는 사실을 항상 염두에 두는 것이 필요하다.

창의성의 저해. 맞는 답과 틀린 답, 그리고 맞아야 한다는 강박관념 속에서의 공부는 진취적인 학습태도, 모험적인 사고방식을 추구하기보다는 실수가 없는 답을 찾는 학습태도를 양산한다. 아동으로 하여금 도전적인 과제를 수행하는 것을 회피하게 만들고 어렵고 복잡한 학습과제 역시 포기하도록 유도한다(Elliot & Dweck 1988). 창의성을 고양하고자 하는 태도와 기술 역시 개발되지 않는다. 창의성이 보장되는 최적의 학습분위기는 실수가 허용되고 실수에 따른 부정적인 보상이 부여되지 않는 학습분위기여야 한다는 사실은 '맞음' 과 '틀림' 으로 지속되는 초등학교의 교실수업의 특성이 좀 더 고등적인 교육목표와 학습의 결과를 양산하지 못하게 만든다는 사실을 인식하는 것이 중요하다.

인간의 다양한 잠재적 능력의 부인. 인간의 능력에 대한 새로운 해석은 전통적인 평가관에 근거하여 '공부 잘하는' '공부 못하는' 인간으로 낙인찍는 것이 매우 위험하다는 점을 지적하고 있다. 가드너(1993)의 '다중지능이론' 의 기본 전제는 '인간은 여덟 개의 다양한 지능을 가지고 있으며 아동은 이중 어느 한 두 가지 지능에서 높은 가능성을 가지고 있다' 는 사실을 상기시키고 있다. 언어적 지능과 수리적 지능을 중심으로 이루어지고 있는 학교의 평가가 그렇지 못한 아동들의 발달의 가능성을 낮게 평가해 버릴 수 있는 위험이 있음을 시사한다.

협동적인 인간관계의 소멸. 인간을 대립적인 양분된 관계로 설정하고 그에 따라 인간을 해석함으로써 협동적인 인간관계의 형성이 어렵다. 현재 우리사회에 만연하고 있는 엘리트주의는 사회합의와 결속에 큰 걸림돌로 작용하고 있다. 평가지향적인 인간관이 사회구성원으로 하여금 인간을 오직 '학업성취점수' 라는 한 가지의 편협한 준거만을 가지고 바라보게 함으로써 인간에 대한 차별적인 태도와 감정을 만들어 낸다. 아울러 인간의 이해에 절대적으로 필요한 공감의 관계가 이러한 외적인 준거로 인하여 방해되어 형성되지 않는다.

민주적이고 인간적인 초등학교의 학습문화를 지향하며

이 절에서는 초등학교에 존재하고 있는 잠재적 교육과정이 아동의 발달에 끼칠 수 있는 부정적인 영향력을 총 16가지로 요약해 보았다. 그러한 요약을 시도한 이유는 한국의 학교문화가 아동의 발달에 부정적으로 영향을 끼칠 수 있음을 인식시키고 설득하기 위한 것이었다. 요약을 통하여 얻을 수 있는 시사점은 다음과 같다.

첫째, 학교에서 존재하고 있는 다양한 차별의 이념과 실제가 제거되어야 한다. 복종의 가치는 연소자 차별로, 남성 중심의 학교 교육과정은 여성차별로, 비교와 실패는 공부 못하는 아동에 대한 차별로 연결되는 것이기 때문에 그리고 그러한 학교의 경험의 우리 사회의 차별의 문화를 형성하는 기틀을 마련한다는 점에서 그 개선방안이 진정으로 시도되는 것이 바람직하다. 둘째, 초등학교의 교실문화는 좀 더 민주적이고 평등하며 인간적인 학습의 장소로서 성숙되어야 한다. 차별의 실제가 제거됨으로써 아동이 민주적인 이념의 문화 속에서 생활할 수 있도록 인간적인 학습 분위기를 조성해 주어야 한다. 셋째, 인생의 후반기에 있을 성공과 발달에 필요한 심리적 안정감이 어떠한 전제조건 없이 초등학교의 아동에게 제공되어야 한다. 심리적 · 발달적인 관점에서 아동이 누릴 수 있는 권리를 이 시기에 누리도록 허용해 주어야 할 것이다. Elkind가 지적한 것처럼 현대의 학교생활에서 유아와 아동이 경험하고 있는 아동기의 상실이 아동의 미래의 발달에 끼치게 될 부정적인 결과를 인지하는 것이 중요하다.

이에 이 글에서는 이러한 주장을 구체화하기 위한 방안이자 제안으로서 그리고 이 절에서는 설명한 잠재적 교육과정의 부정적인 영향력을 줄이기 위한 노력으로서 초등학교 행정가와 교사가 고려해볼 수 있는 실천적인 방안을 다음 아홉 가지로 정리하였다. 한마디로 개념화시킨다면 한국 초등학교의 학습의 인간화와 민주화를 위한 제안이라고 말할 수 있을 것이다. 한편으로는 필자의 저서 『네 학교 이야기: 한국 초등학교의 교실생활과 수업』에서 자제되었던 한국 초등학교를 개선하기 위해 생각해 보아야 할 실천사항이 무엇인가를 구체화시켰다는 점에서 그 책을 읽고서 답답함을 느꼈던 독자들에게는 부분적인 해답을 제공하게 될 것이다.

아홉 가지의 개선 전략

(1) 초등학년기가 아동으로 하여금 자신을 무가치한 존재 또는 무기력한 존재로 느끼도록 만들게 해서는 안될 것이다. 아동의 실패와 단점을 평가의 주안점으로 삼아서는 안되며 아동이 현재에 보여주고 있는 조그마한 가능성을 극대화시키고 아동의 독특성을 칭찬하고 인정해주는 교육적 안목이 필요하다. 최적의 발달은 초등학교에 나타나서 끝나는 것이 아니라 일평생 적절한 환경이 제공되었을 때 발아된다는 점을 이해하는 것이 중요하다. 인간능력과 창의성에 관하여 가드너가 최근에 제시한 다중지능이론의 시사점을 수용할 필요가 있다(김명희 · 김영천, 1998). 학습자의 독특성을 인정하기 위하여 지나친 비교와 평가지향적인 교사의 수업관리기법과 언어의 사용은 개선되어야 한다.

이와 관련하여 다음 사항들을 유념하는 것이 이 목표를 달성하는 데 도움이 될 수 있다(Meredith & Evans, 1990). 첫째, 너무 높은 기대나 비현실적인 준거를 제시하지 말 것, 둘째, 학생의 실수에 지나치게 연연해하지 말 것, 셋째, 학생의 행동을 비관적으로 평가하지 말 것, 넷째, 학생을 비교하지 말 것, 다섯째, 소외감과 차별을 강조하는 능력별 평가보다는 협동적인 학습분위기를 통하여 학생들로 하여금 더욱 책임감을 느끼게 하고 소속감을 느끼게 할 것.

(2) 교사가 은연중에 가지고 있는 차별에 대한 이데올로기를 스스로 분석하고 제거하는 것이 필요하다. 차별의 이데올로기는 교실에 있는 많은 아동들 중 소수에게만 관심과 사랑을 베푸는 편애로 나타날 수 있다. 그리고 그 편애는 아동의 학교생활을 가장 힘들게 하고 학교의 경험을 부정적인 것으로 매도하게 하는 원인이 되고 있다. 사랑받지 못하는 것보다 더 자신의 존재를 비참하게 평가하게 하는 것은 없다는 사실을 명심하자. 그런 점에서 성적에 따라서, 아동의 가정배경에 따라서, 학생의 성별에 따라서, 교사가 행하게 되는 편파적인 교실관리와 생활지도의 실제는 개선되어야 한다. 편애가 종종 교실에서 교사가 아동에게 위임하는 일의 형태를 통하여 표현된다는 점에서 모든 학생을 사랑하는 방식으로 교실의 일과 활동을 어떻게 재구조화시킬 것인지를 생각해보아야 한다(Rodgers & Freiberg, 1994, p.240).

(3) 교실을 민주적인 학습분위기로 바꾸고자 노력하자. 그 해결책으로서 다음의 방법들이 실시될 필요가 있다. 첫째, 교실의 활동과 의사결정에 아동의 관점과 생각, 의견을 가능한 한 많이 반영하자. 교실수업, 교실활동의 방향과 내용을 결정해야 하는 과정에서 교사만이 독단적으로 결정을 내리기보다는 학생과의 상호협의 기회를 자주 갖는다. 교사의 지나친 참여와 주도권을 약화시키는 것이 중요하다. 생각할 질문을 제시해주고 '어떻게 생각하고 있는지' 물어 본다. 그리고 좋은 생각이 있으면 제안하도록 제시한다. 이를 위하여 교실의 일을 교사와 학생 간의 상호책임으로 승화시킨다. 그 한 예로서 한국 초등학교의 복잡한 교실에서 나타날 수 밖에 없는 교사의 엄격한 교실질서의 요구를 교사 혼자서 수립한 규칙을 통해서가 아니라 학생 간의 상호협의를 통하여 만들어 보는 것도 중요하다. 이때 Willima Glaser(1984; 1990)의 교실회의(classroom meeting)는 좋은 예가 될 것이다. 아울러 수업내용과 선정에서 아동의 참여를 확대하는 것이 필요하다.

또한 교실의 자리배치 형태도 전통적인 교사중심의 중앙통제식보다는 민주적이고 개방적인 형식으로 전환해보는 노력이 필요하다. 아울러 교사의 책상과 공간을 교실의 제일 앞부분에 권위적으로 위치시키지 말고 다른 방법을 생각해보자. 아울러 교사중심의 수업에서 벗어나 학습자중심의 수업방법과 평가를 실시하는 것이 필요하다. 이를 통하여 학습을 교사의 책임이 아니라 학생자신의 책임으로서 인식하게 하는 것이 필요하다. 이를 통하여 자기 자신의 행동과 선택에 자율적으로 반응할 수 있는 학습분위기를 조성하는 것이 중요하다. 친구 간의 비평(peer review), 협동학습, 무학년제 학습방법 등을 통하여 교사 일방적인 수업 방식으로부터 탈피하여 평등한 형태의 인간관계와 의사결정 과정을 경험하는 것이 필요하다.

(4) 아동을 존경하자. 교사는 아동이 말하는 내용에 대하여 신중하게 경청하는 태도를 보여주고 주의 깊게 듣는 연습을 하는 것이 필요하다. 이를 위하여 아동에게 역시 존경어를 사용하는 것도 요구된다. 연장자가 연소자에게 상대방을 존중해 주면서 자신의 의사와 의견을 표현할 수 있는 민주적인 감정관리와 의사소통기법을 연마하는 것이 필요하다. I-message의 대화방법이 좋은 예가 될 것이다. 체벌은 가능한 한 지양되어야 하며 그것이 필요한 경우 다른 방식의 지도방식으로 대체하거나 육체적 고통과 심리적 굴욕감을 느끼지 않는 범위 내에서 실행되어야 한다. 비록 미국의 연구결과이기는 하지만 진정으로 존경받는 교사는 진정으로 아동의 말을 들어주고, 성실하게 자신의 입장을 전달하며, 서열을 구분하지 않고, 권위적이지 않은 사람이라는 지적은 많은 시사점을 준다.

(5) 지나친 경쟁심과 실패감을 줄이기 위하여 봉사학습의 기회를 증가시킨다. 이를 통하여 타인을 이해하고 타인의 존재에 대한 중요성을 인식하도록 도와주어야 한다. 타인의 행복과 복지를 위하여 아동이 실천했던 조그마한 노력과 희생을 높게 평가하는 교사의 높은 안목이 필요하다. 현대 직업사회의 성공적인 구성원이 가져야 하는 능력 중의 하나가 협동적으로 작업하는 점을 고려하였을 때 경쟁과 능력에 의한 학습조직보다는 협동학습과 봉사학습을 통한 대인관계 소통능력, 협상능력, 멤버십정신을 길러주는 것이 또한 중요하다.

(6) 새로운 대안적 평가방법을 실천하자. 아동의 숨겨진 가능성과 능력을 찾기 위하여 개별화된 평가방법을 실시함으로써 전통적인 평가방법으로 규명하기 어려웠던 학습자 개개인의 독특성과 장점을 발견하여야 한다. 이를 통하여 학생의 자신감과 높은 동기화로 연결시키는 것이 필요하다. 학습자의 능력과 진도에 맞는 교육과정과 수업설계를 통하여 학습에서의 즐거움을 느끼도록 도와주어야 한다.

(7) 학년간의 상호작용의 기회를 늘리고 이를 통하여 평등하고 민주적인 학습경험

을 갖게 하자. 초등학교 역시 아동의 학년과 연령의 차이에 따라서 위계와 복종이 심각하게 학습되고 실천되고 있다는 점에서 그 부정적인 영향력을 줄이기 위하여 학년 간의 평등한 상호작용의 기회를 늘려보자. 연령이 다른 학년 간의 대화와 참여의 기회를 증가시킴으로써 아동으로 하여금 초등학교 기간에 학습될 수 있는 연령별에 근거한 세계관과 의사결정 방식을 탈피할 수 있는 경험을 제공해주는 것이 필요하다.

(8) 경쟁과 성공을 위하여 사용되고 있는 다양한 보상의 방식을 철폐하자. 비교의 방법으로서 교실의 한 아동을 모델링의 대상으로서 극도로 칭찬하거나 극단적으로 비평하는 방법을 자제해야 하며 교실에서의 대인관계를 경쟁관계로 만들기보다는 협조적인 우호 관계로 만들자. 아울러 학습을 위한 내재적 동기를 느낄 수 있는 보상의 방법을 개발하고 실천해야 한다. 칭찬, 영예, 성적과 같은 외적인 보상방법은 실제적으로 아동의 학습에 악영향을 끼치는 것으로 나타나고 있다(Lepper & Greene, 1978). 따라서 현재 실시되고 있는 교실에서의 여러 가지 상벌의 실제(담임이 평가하여 주는 무수한 형태의 상과 상장들)들을 개선하는 것이 필요하다. 이를 통하여 격려가 넘치고, 포근하며, 심리적으로 안정감을 느낄 수 있는 인간관계가 조성되어야 한다.

(9) 복종적인 태도와 사고방식을 제거하기 위한 방법으로서 학교생활 전체를 선택과 자유의 이념이 들어간 교육활동으로 구성하자. 스스로의 해석과 참여 그리고 실천을 통한 반성의 과정은 교사결정이라는 일변도의 학교생활이 가져올 수 있는 수용적이고 수동적인 행동을 내면화시킬 수 있는 단점을 극복하는 데 도움을 준다.

선택과 실천

이와 같은 아홉 가지의 교실 실천전략은 이 장의 제언임과 동시에 초등학교의 잠재적 교육과정의 부정적인 영향력을 줄이기 위하여 교사와 행정가가 자신의 학교와 교실에서 실천해 볼 수 있는 방안을 정리해본 것이다. 열린교육을 중심으로 한 교육개혁의 성공적인 진행으로 인하여 우리나라 초등학교의 교실문화가 민주적이고 개방적으로 바뀌어가고 있다는 점에서 이러한 전략은 초등학교의 많은 교실에서 구체화되어 있다고 생각한다.

이러한 점을 인정하면서 앞에서 제시한 전략과 신념이 좀 더 인간적이고 민주적이며 평등의 이념을 추구하는 학습의 문화를 형성할 수 있도록 그리고 확산될 수 있도록 초등학교의 여러 가지 활동영역에서 적용되고 접목될 수 있기를 희망해 본다. 교육이 국가의 최상안보로 인정되고 세계의 많은 선진국이 학교개혁과 교육혁명에 전념하고 있는 이때 우리가 생각하는 이상적인 인간양성을 위하여 교육자의 책임감이 어느 때보다도 필요하다. 그리고 항상 아동과 함께 생활하고 있는 교사와 학교행정가야말로 그러한 막중한 임무를 담당할 수 있는 중요한 위치에 있다고 하겠다. 이를 위하여 아동의 학교에서의 경험이 어떠한 윤리적 · 사회적 · 정서적 발달에 영향을 끼치고 있는가를 심각하게 바라볼 수 있는 관찰력, 자기반성 능력, 변화를 가져오고자 하는 의지, 상상력이 그 어느 때보다 필요하다.

참고문헌

김명희(1986). 한국 국민학교 사회과 교육의 잠재적 교육과정에 관한 연구. 미간행 박사논문. 연세대학교.

김명희 · 김영천(1998). 다중지능이론: 그 기본 전제와 시사점. 교육과정연구, 16(1). pp.299-330.

김영천(1996). 질적/후기 실증주의 연구작업에서 고려해야 할 방법적 이슈들, 교육과정연구, 14(2). 42-71.

김영천(1996). 교실질서의 성취와 회복: 한국 초등학교 교실에서의 관리/통제에 대한 미 시문화기술적 연구, 교육사회학연구, 67-92.

김영천(1997). 질적연구의 지적 전통과 그 예: 문화기술지에서 포스트모더니즘까지. 교육학연구, 35(1), 225-251.

김영천(1997). 네 학교 이야기: 한국 초등학교의 교실생활과 수업. 문음사

김영천(1997). 학교 교육현상 탐구를 위한 질적연구의 방법과 과정. 교육학연구, 35(5), 135-170.

김영천(1998). 열린학교의 평가기준. 교육부 전문장학사 연수자료. 3월 교육부 연수원.

김영천(1998). 새로운 천년을 향하여: 중등학교를 위한 새로운 대안적 평가방법. 교육부 중등 열린교육 전문가과정 연수자료. 10월 덕성여자대학교.

김영천(1998). 질적연구패러다임과 포스트콜로니얼 교육과정연구: 11가지 질문.

김정원(1996). 초등학교 수업에 관한 관찰연구, 미간행 박사논문, 서울대학교.

김종서(1976). 잠재적 교육과정. 서울:익문사.

김혜선(1994). 체벌의 정당성 여부에 관한 연구, 미간행 박사논문, 성신여자대학교.

윤종건(1998). 포스트모던시대의 교육행정과 학교경영. 원미사.

이용숙(1998). 한국의 학교문화와 잠재적 교육과정.

이용숙 · 김영천 편 (1998). 교육에서의 질적연구: 방법과 적용, 교육과학사.

이진분 외(1986). 성평등 문화를 여는 교육. 또하나의 문화.

이치석(1998). 어린 종달새의 죽음. 삼인.

임정빈 · 정혜정(1997). 성역할과 여성. 학지사.

정진일(1997). 유교의 이해. 형설출판사.

조혜정(1990). 한국의 여성과 남성.

최준식(1997). 한국인에게 문화는 있는가? 사계절.

한국 여성 연구회(1994). 여성학 강의. 동녘.

Anyon, J. (1979). Ideology and United States History Textbooks, *Harvard Educational Review*, Vol.49. No.3. pp.361-386.

Anyon, J. (1988). Schools as agencies of social legitimation, In W. F. Pinar(Ed.), *contemporary curriculum discourses*(pp. 175-200). Scottdale, AZ: Gorsuch Scarisbrick.

Apple, M., & King, N. (1977). What do schools teach? *Curriculum Inquiry* 6(4). 348-353.

Barker, R. G., & Wright, H. F. (1954). *Midwest and its children: the psychological ecology of an American town*. Evanston, Ill.: Row, Peterson.

Bowles, S., & Gintis, H. (1976). *Schooling in capitalist America: Educational reform & the contradictions of economic life*. New York: Basic Books.

Bronfenbrenner, U. (1970a). *Two worlds of childhood: U. S. and U. S. S. R.* New York: Russell Sage Foundation.

Cohen, L. (1988). *Developing children's creativity, thinking, and interests*. 31(7). Oregon School Study Council.

deMarris, K. B. & LeCompte, M. D. (1995). *The way schools work*. New York: Longman.

Eisner, E. (1985). *The educational imagination: On the design and evaluation of school programs*. New York: Macmillan. pp.74-92.

Elliot, E. S., & Dweck. C. S. (1988). Goals: an approach to motivation and achievement. *Journal of Personality and Social Psychology* 54, 5-12.

Evans, T. (1996). Encouragement: The key to reforming classrooms. *Educational Leadership*, (September).

Giroux, H. (1983). *Theory & Reistance in education: A pedagogy for the oppositions*, Mass.: Bergin & Garvey Publishers, Inc.

Glasser, W. (1984). *Control theory in the classroom*. New York: Harper and Row.

Glasser, W. (1990). *Quality sxhool: Managing students without coercion*. New York: harper and Row.

Gordon, D. (1982). The concept of the hidden curriculum, *Journal of Philosophy of Education*, Vo. 16, No. 2, pp.187-198.

Lakomski, G. (1988). Witches, weather gods, and phlogiston: the demise of the hidden curriculum. *Curriculum Inquiry* 18(4). 453-463.

Lepper, M. R., & D. Greene. (1978). *The hidden costs of reward: new perspectives on the psychology of human motiation*. Hillsdale, N.J.: Lawrence Erlbaum Associates.

Lewin, K. (1951). *Field theory in social science, selected theoretical papers*. New York: Harper.

Lewis, C., Schaps, E., & Watson, M. (1996). The caring classroom' s academic edge, *Educational Leadership*, (September).

Lott, B. (1987). Infancy and childhood: Learning how to be a girl. *In Women' s lives: themes and variations in gender learning*, pp.35-67. Pacific Grove, CA: Brooks/Cole.

Martin, J. R. (1976). What should we do with a hidden curriculum when we find one?, *Curriculum Inquiry* 6(2).

McCutchoen, G. (1981). On the interpretation of classroom observations, *Educational Researcher*, 10.

McLaren, P. (1993). *Life in schools an introduction to critical pedagogy in the foundations of education*. New York: Longman.

Meredith, C. W., & Evans, T. (1990). Encouragement in the family. *Individual Psychology* 46, 187-192.

Rogers, C. R., & Freiberg, H. J. (1994). *Freedon to learn*. Columbus: Merill.

Schrag, F. (1992). Conceptions of knowledge. In Philip Jackson(ed.). *Handbook of research on curriculum*. New York: Macmillan Publishing Company.

Vallance, E. (1973). Hiding the hidden curriculum: An interpretation of the language of justification in nineteenth century educational reform. *Curriculum Theory Network* 4(1), 5-21.

Willis, P. (1977). *Learning to labour*. Lexington, Mass: D.C. Heath.

| Apple에 대한 추억 |

아마도 한국의 1980년대 교육과정 영역의 재개념화 운동을 불러일으킨 학자로는 Michael Apple을 먼저 손꼽을 것이다. 그는 자신이 재개념주의자로 불리는 것을 싫어하였지만 그의 책 『교육과 이데올로기』는 우리 사회의 1980년대의 정치적 상황과 잘 맞아 교육과정 분야의 재개념화의 전국적 확산에 가장 크게 기여하였다. 그 당시에는 Apple의 이론과 책들이 번역되고 널리 읽혔다. 1985년에서 1987년까지 석사과정 대학원생이었던 필자 역시 그의 책을 원서로 읽는 것을 행복해 하였고 서울대학교에서 있었던 그의 한국 강연을 경청한 기억이 있다. 그의 논문과 책을 통하여 보르디외, 그람시 등의 존재에 대하여 알게 되었다. 아울러 그가 쓴 책들과 인용한 논문들을 읽는 것이 대학원 생활에서 많은 부분을 차지하였다.

그가 쓴 여러 권의 책들이 우리말로 번역되었고 위스콘신대학교에서 그의 문하에서 공부한 학자로는 박부권 교수, 김미숙 교수, 성열관 교수, 강태중 교수, 이제봉 교수 등이 있다. 미국의 경우에도 그의 제자들이 전국적으로 활동하고 있다. 최근에는 『Ideology and curriculum』의 제3판을 출판 25주년 기념으로 출간하였다. 그러한 노력으로 인하여 교육에서의 비판적 연구 부분에 Apple은 Paulo Freire, Joe Kincheloe, Shirley Steinbeck, Peter McLaren, Henry Giroux, Elizabeth Ellsworth, Patti Lather 등과 함께 대표적 학자로 인정받고 있다.

그럼에도 불구하고 항상 그의 책을 읽을 때마다 그리고 그가 한국에 끼친 영향을 생각할 때마다 의아하고 걱정스러운 것은 그의 이론이 우리의 상황에서 얼마나 토착화되었는지에 대하여 의심이 든다는 점이다. 즉 그의 훈련을 받은 제3세계의 학자들이 자신들의 국가로 돌아가 비판적 교육과정이론들을 토착화 또는 창조화시키는 데 어떤 역사적 발자취를 남겼는지에 대하여 확신하지 못하고 있다는 점이다. 이에 필자는 새로운 연구주제로서 비판적 교육과정 연구를 제1세계에서 공부한 박사과정 학생들의 의식이 자국으로 돌아갔을 때 어떻게 달라지는가가 우리나라의 교육사회학 또는 교육과정학 분야의 국제적 연구주제로 상정될 필요가 있다고 생각한다. 필자는 존재가 의식을 결정하는 것일까, 아니면 중산층이 되어버린 대학교수에게 있어서 비판교육학은 자신의 진로와 사회적 성공에 걸림돌이 되는 방해물인가라는 생각을 항상 한다.

제13장

구미교사들이 이야기하는 좋은 수업방법: Best practice

이 장의 공부할 내용

좋은 수업의 배경 및 원리

각 교과목에서의 수업 원리

- 읽기 수업
- 쓰기 수업
- 수학 수업
- 사회 수업

좋은 수업을 위한 일곱 가지 구조

이 장에서는 Steven Zemelman, Harvey Danies, Arthur Hyde가 공동으로 집필한 『Best Practice』를 중심으로 하여 최근 강조되고 있는 구성주의 수업이론에 근거한 교과 수업의 원리와 수업의 예들을 소개하고자 한다. 그들은 저서에서 최근 몇 십년 동안 교육학자들과 관련 여러 연구 기관들 간에 이루어진 강력한 합의로서의 의미를 지닌다고 하였다. 『Best Practice』는 원래 의학, 법학, 건축학에서 사용하는 용어로서 각 분야의 훌륭하고 평판이 매우 좋은 수작(秀作)이라는 의미를 가진다. 'Good Practice' 혹은 'Best Practice' 는 가장 최근의 발전, 기술, 지식을 잘 나타내고 있다는 것을 의미한다. 혹자는 교육 그리고 교육자들이 변화에 가장 둔감하다고 하지만 저자들은 만약 교사들이 최근의 연구결과, 인류의 진보 등에 관심을 가지고 교육에 임한다면 그들을 'Best Practice Teacher' 라고 할 수 있다고 하였다. 따라서 우리는 이 장에서 'Best Practice' 를 '좋은 수업' 이라 칭한다.

『Best Practice』의 저자들은 그들의 저서를 통하여 훌륭한 수업의 원리와 실제는 어떠해야 하는지를 정의하고 대표적인 예들을 자세하게 설명하고 있다. 이 장에서는 좋은 수업의 일반적인 원리, 각 교과에서의 좋은 수업의 원리, 그리고 이러한 좋은 수업을 실천하기 위한 교실과 수업은 어떠해야 하는가에 대해 소개하고자 한다.

Steven Zemelman, Harvey Danies는 『Best Practice: Today's Standards for Teaching & Learning in America's Schools』 작업 이후 그들의 경험을 바탕으로 Marilyn Bizar와 더불어 도전적이며 혁신적인 모험에 뛰어들었다. 그것은 'Best Practice' 에 기초하는 학생들을 위한 고등학교를 만드는 일이었다. 그들은 약 30명의 교직원과 440명의 학생들, 몇몇 진보적인 가족과 지역사회의 도움을 받아 새로운 중등학교를 개발하고 2001년에 『Rethinking High School: Best Practice in Teaching, Learning and Leadership』이라는 이름으로 출간하였다. Daniel은 그들의 거대한 프로젝트를 시작하면서 "우리는 지금 비행기를 만들면서 날아가고 있어요"라고 이야기했을 정도로 새롭고 혁신적인 도전이었다. 고등학교의 Best Practice는 이 서적에 잘 소개되어 있으며, 우리의 다음 작업은 고등학교의 Best Practice를 포함하게 될 것이다.

좋은 수업의 배경 및 원리

이 장에서 소개하는 예나 원리들이 Best Practice의 최상의 형태라고 주장하기는 어렵다. 엄밀히 말하면 '좋은 수업'은 한 문장의 정의나 상황적 설명으로 표현할 수 없기 때문이다. Best Practice로 대표되는 수업 연구에 대한 최근의 노력들은 지난 약 40년간의 수업관련 연구의 종합이라고 볼 수 있다. 좀 더 정확하고 종합적인 이해를 위해 수업 연구의 역사적 발전을 알아볼 필요가 있다. 한국교육과정평가원(2006)은 외국 수업 연구의 역사적 변천을 표 13-1과 같이 분석하였다.

〈 표 13-1 외국의 수업 연구의 역사적 변천 〉

<table>
<tr><th>시기</th><th colspan="2">수업 연구 동향</th></tr>
<tr><td>1950년대</td><td>• 특성 연구
(교사의 목소리, 표정, 신뢰성 등)</td><td>• 특성들과 학생 학습 간의 상관관계를 입증할 증거는 충분하지 않다</td></tr>
<tr><td>1960년대</td><td>• 교사 효과성 연구 : 상관관계 연구
• 임상 장학</td><td rowspan="2">• 교사 효과성 연구는 실험 연구로 전환되었고, 행동주의 심리학 이론에 기초한 헌터 모형이 확산되었다. 헌터 모형은 교사의 의사결정과 학생 학습을 증진시키기 위해 고안된 일련의 처방적인 수업 실천 형태를 개발하였다.</td></tr>
<tr><td>1970년대</td><td>• 헌터 모델
• 학습 양식</td></tr>
<tr><td>1980년대</td><td>• 교사 효과성 연구 : 실험 연구
• 기대 연구
• 학문 모형
• 헌터 계열 연구
• 협력 학습
• 두뇌 연구</td><td>• 1980년대 초에 헌터 모형(교사 중심, 구조화된 교실 운영을 강조하는 접근)에 기초한 수업 중심 교원 연수 프로그램들이 개발되었고 현재까지 지속되고 있다. 이는 교사 수업 효과성을 단순한 행동 목록으로 환원하여, 체크리스트 등을 통해 특정한 행동이 나타났는가를 관찰한 결과에 따라 수업의 질을 평가하는 관례를 형성했다는 지적을 받는다.</td></tr>
<tr><td>1990년대</td><td>• 비판적 사고 • 내용 지식
• 내용 교수법 • 대안적 평가
• 다중 지능 • 협동 학습
• 인지학습 이론 • 구성주의 교실
• 참 교수 • 참여적 교수 학습
• 이해를 위한 교수</td><td rowspan="2">• 인지 심리학 등 인간의 복잡한 사고 활동 연구와 더불어 교수-학습에 대한 새로운 관점(구성주의, 학생 중심, 비판적 사고, 문제해결 등의 고등 정신 활동 강조)이 대두되었다.
• 교사 중심의 지식 전달 위주의 수업 방식만으로는 학생들의 고등 정신활동을 이끌어내기 어렵기에 학생들의 학습 및 인지 과정에 대한 이해의 필요성이 대두되었고, 좋은 수업을 보는 관점에도 영향을 미치기 시작하였다.</td></tr>
<tr><td>2000년대</td><td>• 참 교수법
• 참여적 교수 학습
• 이해를 위한 교수</td></tr>
</table>

미국의 경우 입법부, 교육부 등 교육 당국자들이 교육의 세부계획을 서투르게 개혁하는 동안, 한편에서는 학교 개혁을 시도하는 운동이 꾸준히 전개되어 왔다. 국가교육과정 연구센터들, 전문가협회, 많은 유능한 개인 연구자들 그리고 수천 명의 교사들은 각각의 과목에서 '무엇을 가르칠 것인가'를 결정하기 위해 그리고 각각의 교수 분야에서의 '좋은 수업'에 대한 명확한 정의를 만들기 위해 노력해 왔다. 이들(연구센터들, 전문가협회, 개인 연구자, 교사들)은 미국의 학교들이 성실한 개혁을 원한다면 학생들이 가장 효과적으로 그 내용에 몰두할 수 있는 교실 활동과 교육과정 내용에 대해 실제적 정의를 내려야 한다는 데 의견을 모았다. 이러한 새로운 노력에 힘입어 좋은 수업을 위한 일반적인 원리가 도출되었는데 그 배경과 일반적인 원리들을 소개하고자 한다.

좋은 수업의 배경

10년간의 소란스러운 국가적 논쟁은 비록 그것이 교수와 교육과정에 완전히 초점을 맞추었다고 할 수 없지만 이러한 영역에 대한 연구를 자극시키는 역할을 해왔다. 최근 연구 노력의 결과로서 모든 분야에 있어 좋은 수업에 대한 강력하고도 합의된 정의를 이끌어 내게 되었다. 예술, 과학, 수학, 읽기, 쓰기, 사회과학 등 서로 다른 분야의 전문가와 실천가들이 그들 자신의 분야에서의 좋은 수업에 대한 정의를 하게 되었고, 그 결과 이상적인 교실에 대한 몇 개의 다른 관점, 과목의 문제를 조직하는 대조적인 방법, 좋은 교사가 하는 것과 관련된 다른 모델 등을 제시하는 등 교과별 대조적 모습을 보였다. 그러나 사실 이러한 양극적인 것이 이 보고서들의 특징은 아니다. 권고사항들이 미국 수학교사협의회(NCTM), 읽기연구센터, 미국 글쓰기 프로젝트, 미국 사회과학협의회, 과학 발전을 위한 미국과학협회(AAAS), 미국국어협회(NCTM), 미국 어린이 교육협회, 국제읽기협회(IRA)에서 제시된 것이지만 교수와 학습에 대한 그 기본적 관점은 매우 비슷하다. 표 13-2는 미국의 교육과정 보고서의 공통적인 권고사항들(Common Recommendations of National Curriculum Reports)이다. 이것은 전체 교육과정을 통한 교수와 학습의 일관성 있는 패러다임을 정의하는 특징과 보편적 결론의 목록이라고 할 수 있다.

구성주의라는 이론적 배경을 진하게 깔고 있는 좋은 수업의 원리는 학습자에게 지식을 전수하는 교육이 아니라 학습자들이 지식을 창조할 수 있도록 돕는 교육개혁 운동의 일환이라고 할 수 있다. 이러한 아이디어는 실제로 미국에서 1960년대나

〈 표 13-2 미국의 교육과정 보고서의 공통적 권고사항들 〉

줄여야 할 것	늘려야 할 것
• 전체 교실, 교사 주도적 수업 • 학생의 소극성/수동성: 교실에 앉아 있기, 수업에서의 정보 듣기, 받아들이기. • 학생에 대한 교사의 일방적인 정보 전달 • 교실에서의 침묵에 대한 칭찬과 상 • 수업시간을 연습문제, 복사물, 워크북의 빈칸 채우기, 앉아서 하는 작업으로 보내기 • 학생들을 교과서와 기본적인 읽기자료를 읽게 하는 데 시간을 보내게 하기 • 각 교과의 영역에서 많은 자료를 단순 나열하기 • 사실과 세부내용의 기계적 암기 • 학교에서 친구들과의 경쟁과 성적 강조하기 • 능력에 기초해 학생 분류하기 • 특별 프로그램 대용하기 • 표준화된 검사결과에 의존하기	• 경험적, 귀납적, 실천적(hands-on) 학습 • 출석학생들의 활동과 이야기, 협동하는 움직임과 소음을 동반한 교실에서의 활동적 학습 • 조력, 설명, 예시 등 다양한 교사의 역할 • 고차원적 사고의 강조 : 각 분야의 주요 개념과 원리의 학습 • 작은 주제의 심도 있는 연구 • 실제 텍스트의 읽기 • 과제 수행에서의 책임감 부여: 목표설정, 기록, 공유하기, 전시하기, 평가하기 • 학생을 배려한 선택(책, 작문 주제, 팀 파트너, 연구 프로젝트 선택 등) • 민주적 원리 절차에 따른 학교/학급 활동 • 각 학생들의 다양한 지능에 대한 배려 • 협동학습의 강조 • 물리적인 분리가 아니라 개별 학생들의 요구를 충족시킬 수 있는 특성화된 교실 • 교사, 학부모, 행정가들의 다양하고 협력적인 역할 • 학생의 성장에 대한 교사의 기술적인 평가의 신뢰성: 관찰기록, 일화기록, 컨퍼런스 노트, 수행평가 루브릭

1970년대에 유행했던 것이다. 이것은 과목 간의 경계를 넘어 광범위하게 인지된 것이며 분야를 넘어서 주목할 만한 일관성을 가지고 있다. 그러나 이러한 합의는 각각의 다른 교과목들과 완벽하게 균형을 이룬 것은 아니라는 것을 주지할 필요가 있다. 즉, 모든 교과목에서 내용적, 과정적 측면에서 일치를 보이는 것은 아니다.

좋은 수업의 일반적인 원리

좋은 수업은 좀 더 일반적이고 진보된 교육 패러다임으로 성적 수준과 내용의 경계를 넘어서 발현된 것이다. 이러한 성격은 좋은 수업(Best Practice)이라는 말이 '전체적 언어(Whole Language)', '통합적 학습(integrated learning)', '간학문적 연구(interdisciplinary studies)' 의 용어로도 쓰이고 있다는 것에서 알 수 있다. 좋은 수업의 의미가 이상적인 수업의 모습을 띠고 있지만 사실 쉽게 실천할 수 있는 것도 아니며 일정하게 짜인 규칙이 있는 것도 아니다. 하지만 '좋은 수업(Best Practice)' 을 실천하기 위해 갖추어야 할 최소한의 원리는 있다. 따라서 학교교육은 이들 13개의 원리—학생중심, 경험적, 전체적, 실제적, 표현적, 반성적, 사회적, 협동적, 민주적, 인지적, 발달적, 구성주의자, 도전하기—에 입각하여 교수-학습을 전개하도록 노력해야 한다.

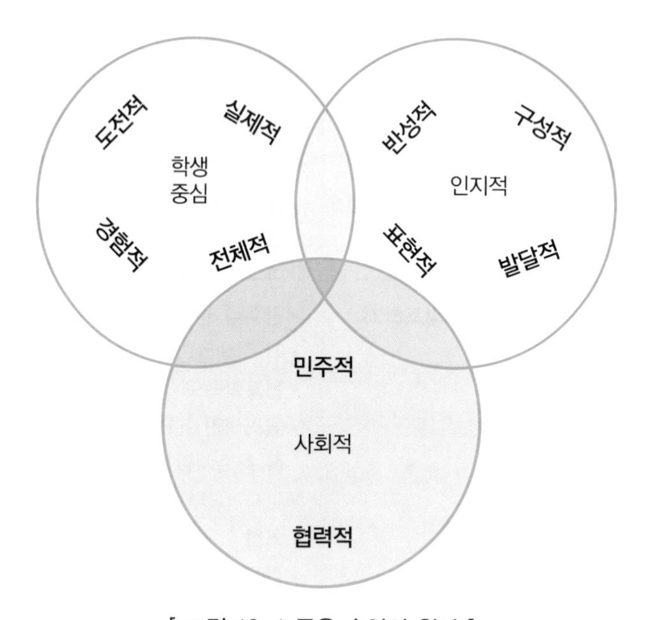

[그림 13-1 좋은 수업의 원리]

학생중심 교육. 학생들의 흥미와 관심, 그리고 호기심으로부터 교수내용의 단서를 취해야 하며, 학생들의 발달 단계적 특성을 고려해야 하고 학생들의 관심분야를 교실에서 가르치고자 할 때에는 학생들의 나이에 맞는 적절한 수준을 고려해야 한다. 반드시 학생들의 요구를 따르는 것과 학생들을 이끄는 것과의 균형을 고려해야 한다.

경험학습 중시. 학생들은 '일방적인 듣기' 보다 '스스로 직접 하는 것(doing)' 에서 더욱 교육적인 효과를 보인다. 이 '하는 것(doing)' 은 각 과목의 특성에 따라 다르게 나타나지만 학생들이 수행하는 데 있어 깊이 생각할 수 있도록 도움을 준다는 공통점이 있다.

전체적인 학습. 부분에서 전체로의 접근(part-to-whole approach)은 학습동기를 저하시키는 요인이 된다. 학생들은 부분을 학습하면서 자신들이 무엇을 하는지를 알지 못한다. 즉, 작문을 하기 위한 단어암기나 적절한 근거에 의해 평가하기 등과 같은 기술에 불과한 접근이다. 반면 전체에서 부분으로의 접근(whole-to-part approach)은 전체에서 부분의 의미를 알게 함으로써 전체뿐만 아니라 부분에 대한 이해도 완벽하게 할 수 있다. 인용이나 예시를 사용한 간단한 수업보다는 연극을 위한 대본을 학생들에게 직접 쓰게 할 때, 가장 빨리 학습되고 그 효과가 오래 지속된다.

실제적 학습활동. 교실에서 사용하기 위하여 지나치게 간략화되거나 과소평가되어 만들어진 자료나 상황들은 실제의 생활과 같지 않은 가공의 상황이 되며 교육적으로 가치가 없다. 여기서 '실제적(authenticity)' 이란 용어는 학생들의 실제 학교 밖의 생활과 직접 관련된 것을 탐구하고 계산하고 읽고 쓰게 하는 것을 의미한다. 학생들에게는 과제가 주어져야 한다.

능동적인 표현을 보장하는 학습 형식. 학생들이 수업에서 얻은 것을 이해하고 기억하기 위해서 학생들은 단순히 받아들이는 것뿐 아니라, 그것들을 표현해야 한다. '표현이 풍부한 교수(expression-rich instruction)' 가 되어야 한다.

반성적 기회를 제공하는 교수-학습. 학습은 학습자들이 그들이 배운 것을 다시 되돌아보는 시간을 가질 때, 더 강하게 일어난다. 배운 것을 요약해 보고 간단히 보고해 보고, 좀 더 넓은 이론들과 비교해 보고 그들의 수행이 적절한지 평가해 보는 등 학습에의 어려움을 직접 경험해 보고 이를 이겨내는 방법을 터득하는 시간이 필요하다.

사회적 상호작용의 힘을 활용하는 학습. 많은 연구물들이 가족이나 커뮤니티 안에서의 사회적 상호작용(social interaction)이 어떻게 초기 언어 학습을 돕는지를 보여주었다. 이것은 가족이나 또래 집단 속에서 무의식적이고 자연스럽게 일어난다. 아기들은 언어를 직접적인 교수 없이 즉각적이고 효과적으로 배우는데 그 이유는 그들은 가족들과 상호작용하기 위한 그들의 요구를 도와주는 단어나 구조를 배우기 때문이다.

협동적 학습. 협동 작업은 학습자들이 한 교사로부터 피드백을 얻는 데 그치지 않고 동료 학생들로부터 폭넓은 피드백을 받을 수 있게 해준다.

민주적인 교실. 민주적인 과정은 학습을 좀 더 효과적이고, 교실 전체에 폭넓게 퍼지게 하며 단순히 교실 수업에 그치는 것이 아닌 평생교육적인 측면에서 긍정적인 결과를 가져온다.

인지적 경험 학습. 교사가 반성할 수 있는 논의나 질문들을 할 때, 아이들은 자신의 인지과정을 의식할 수 있고, 그들의 작품이나 사고를 좀 더 잘 모니터링할 수 있다. 이러한 자기 지각은 학생들이 그들의 과제 수행, 결정, 그들의 작품 수정을 위한 인지적 전략을 좀 더 효과적으로 발전시킬 수 있도록 돕는다.

학습을 '발달'로 접근. 발달을 고려하는 교사는 아이들의 능력과 관련하여 학급이나 그룹, 아이들에게 접근하며, 아이들의 학교 수행의 차이의 다양함은 발달의 차이로 온 결과라는 걸 인식한다.

구성주의적 학습. 사람들은 끊임없이 세상의 정신적 모델을 만들고 수정함으로써 그들이 직면한 것이 무엇이든지 새로 창조해낸다. 구성주의적 교사는 아이들이 그들의 배경지식에서 발견하지 못한 것일지라도 수학, 독서, 글쓰기를 통해 재창조할 수 있다고 믿는다.

도전적인 교실. 어떤 사람들은 경험주의적이고, 협력적이고, 자기 선택 과제가 학생들에게 더 쉬울 것이라고 생각하지만 '좋은 수업'을 실천하는 교사들은 그 반대라는 것을 안다. 능동적인 학생들은 그들 스스로 글쓰기 주제를 선택하고 그들의 과제를 더 어렵게 만든다. 실제로 학생들은 자신의 학습에 있어서 책임감, 자신의 선택 그리고 실제로 도전적인 과제를 수행할 때 가장 잘 학습한다.

한국교육과정평가원(2006)에서는 설문조사를 통해 우리나라 교사들이 '좋은 수업'이라고 여기는 수업의 특징을 유형화하여 다음과 같이 제시하였다.

우리나라 초 · 중등 교사들이 생각하는 좋은 수업의 특성

- 수업준비와 계획이 철저한 수업
- 수업목표에 도달하는 수업
- 흥미 있고 재미있는 수업
- 학생들이 적극적으로 참여하는 수업
- 교사-학생 상호작용이 활발한 수업
- 학생을 이해하고 눈높이에 맞추는 수업
- 효과적인 수업모형/방법 적용 수업
- 내용이 분명하게 전달되는 수업
- 수업자료, 교수 매체 등이 잘 갖추어진 수업
- 평가를 통해 학생의 이해와 흥미를 높이는 수업

- 교실환경이 잘 정비되고, 효과적인 학급운영
- 교사가 반성하고 연구하는 수업

많은 수업의 원리들과 특성들이 있지만 그것들이 교실의 수업 속에 녹아들기 위해서는 교사의 끊임없는 노력이 반드시 필요하다. 좋은 수업을 이끌어가는 교사는 교사의 교수법이나 결정에 의존하여 되풀이하면서 가르치지 않는다. 그들은 궁극적으로 그들이 우선시하는 학생들의 능력(학생들의 두뇌 활용의 향상, 탐구활동, 수행을 기록하고 평가하기)을 길러주는 목표를 가진다. 그래서 그들은 학생들에게 책임감을 갖기를, 학습 목표를 세우기를, 그들 스스로 자신의 학습을 모니터링하기를, 그들의 능력을 잘 적용하기를, 그들 자신의 기록을 유지하기를, 그들이 무언가 끝냈을 때 단지 여백을 채우기보다는 무언가 새로운 프로젝트를 만들어 내기를 기대한다.

각 교과목에서의 수업 원리

각 교과별 좋은 수업은 특징에 따라 수업의 전개 방법에는 차이가 있지만 기본적으로 학습에 대한 구성주의적 관점에 있다. 이 관점에 따라 학생들은 스스로 지식을 구성하는 존재이기 때문에 학생들의 학습에 최선의 환경은 학생들 개개인에게 스스로 지식을 구성하고 조직할 수 있는 기회를 주어야 한다는 것이다. 이러한 기회를 주기 위해 구안되고 개발된 것이 교과목에서의 좋은 수업 원리이다. 따라서 이 절에서는 각 교과목에서의 좋은 수업의 원리, 좋은 수업의 실제적 사례를 소개하고자 한다.

읽기에서의 좋은 수업의 원리와 수업의 예

과거에는 두꺼운 기초 읽기 교과서를 주로 돌아가며 낭독하고(round-robin oral reading) 틀리게 읽는 경우 많은 학생들 앞에서 즉시 고쳐주는 방법으로 읽기 수업이 이루어졌다. 때문에 읽기가 재미가 없고 두렵기조차 한 교과였고 읽기 수준에 따라 등급화된 그룹을 만들어서 학생들을 부끄럽게 하였다. 1950년대와 1960년대에는 시간을 낭비하는 파닉스 교육과정이 주류를 이루었는데 이는 성적에도 반영될 만큼 그 중요성을 인정받았지만 실제로 읽는 내용과는 연관도 없는 것이었다. 이러한 고전적 방법인 기초읽기 프로그램이 아직도 읽기 교육의 중요한 위치를 차지하고 있다. 이에 대한 비판이 근거를 가지고 제기되어 왔기 때문에 새로운 읽기 방법에 대한 연구는 계속되고 있다. 이에 여기서는 이러한 반성적 연구의 결과로 Zemelman, Daniels, Hyde가 제시한 읽기에서의 좋은 수업의 원리와 이 원리가 반영된 Marianne 교사의 읽기 수업을 소개한다.

읽기에서의 좋은 수업의 원리

Zemelman과 그의 동료들은 읽기에서의 좋은 수업의 원리들을 제시하였는데 그중 중요한 것을 나열하면 다음과 같다.

인쇄된 글자로부터 의미를 찾는 것. 읽기는 철자 읽기, 어휘, 음절 또는 다른 '기능' 자체가 아니라 이러한 것과 관련된 유용한 활동이다. 읽기의 주요 관점은 이러한 활동을 통하여 의미를 구축해 가는 과정이며, 저자의 말과 독자의 마음 간의 교류를 의미한다.

의미 형성의 과정. 읽기 전, 중, 후에 각각 다른 전략이 관여되는 능동적, 인지적, 창조적 고등사고 활동이다. 학생들은 읽기 과정을 통해 어떻게 하면 숙련되고 경험적인 독자로서 이러한 과정을 효과적으로 수행할 수 있는지 배우게 된다.

낭독 듣기. 이 연습은 전 학년을 통틀어서 가정에서 학교로 확산되어야 한다. 교사는 낭독을 위해서 매일 시간을 계획해 두어야 한다. 학생들의 관심도가 높은 좋은 문학을 선택해야 한다.

인쇄물과의 상호작용. 이러한 것은 이야기 듣기를 포함한, 책 읽는 경험을 서로 공유하기, 언어 · 경험적 이야기와 책 만들기, 연극을 통해서 이야기 구성하기, 공연 준비 및 시연하기 등을 통해 가능하다.

읽기의 실제적 방법은 읽기. 학교 내외에서 스스로 읽는 활동은 읽기 성취도 향상과 상관관계가 높다. 학생들의 읽기 실력을 향상시키는 효과적인 교사는 학생들에게 매일 묵독할 시간을 주고 다양한 목적을 위한 읽기를 제공하며 문학에 대한 학생들의 창의적인 반응을 발전시켜 줄 수 있다.

다양한 읽을거리. 재미있고 유익한 책을 접하는 일은 성공적인 읽기 프로그램으로 가는 열쇠 중 하나다. 교실에는 시, 신문, 일반서, 잡지 등 다양한 종류의 인쇄물을 비치해 두어야 한다. 또한 소설, 비소설이나 아이들의 흥미와 수준을 고려한 것이어야 한다. 그리고 아이들이 자신들의 수준에 맞게 혼자서도 읽어서 이해할 수 있는 것도 있어야 하며 스스로 읽기에는 어려움을 느끼는 도전적인 것도 있어야 한다. 각 교과의 교사들은 일반도서와 교재를 함께 섞어서 사용해야 하고 학생들이 학습 단원 내에서 스스로 주제를 선택할 수 있는 환경을 만들어 주어야 한다.

선택은 문학 활동의 필수 부분. 학생들에게 자신의 읽기 자료, 활동, 글의 이해를 표현할 방법에 대한 선택권을 주어야 한다. 읽기 기술과 전략은 모든 읽기 상황에 보편적으로 적용될 수 있는 규칙이라기보다는 선택이어야 한다. 교사들은 학생들에게 읽기와 쓰기를 할당하는 것이 아니라 읽기와 쓰기를 할 수 있는 자극을 주어야 한다.

교사의 읽기 시범. 교사는 스스로 책의 의미를 어떻게 구성하는지, 책은 어떻게 선택하는지를 설명하거나 자신들이 어떻게 책, 작가, 장르를 선택하는지를 말함으로써 학생들과 함께 책을 읽는 과정에 동참해야 한다. 학생들이 매일 다양한 방법이 들어 있는 읽을거리를 읽음으로써 훌륭한 독자들의 독서를 관찰하는 것은 중요한 일이다. 이러한 모델링은 학생들의 읽기를 북돋을 뿐 아니라 기술적인 읽기가 포함된 복잡하고 정신적인 과정을 설명할 수 있다. 특히 교사들이 자신의 과정을 자문자답하는 형식으로 보여줄 때 학생들은 더욱 잘 이해할 수 있다.

학습을 위한 도구로서 읽기와 쓰기 활용. 학생들은 전략을 배웠을 때 그 전략을 사용할 수 있다. 교사들은 내용과 관련된 수업을 하는 동안 의미 있는 읽기와 쓰기를 할 기회를 제공함으로써 읽기와 쓰기의 유용성을 설명할 수 있다. 과제를 제시하기 전에 질문에 대한 브레인스토밍하기, 도서관 연구 프로젝트 수행하기, 학습일지 쓰기를 통한 쓰기와 읽기 통합하기 등의 학습방법이 필요하다.

위협감이 적은 환경. 아이들은 스스로에게 흥미 있는 것에 고무된다. 읽기 교사들은 아이들이 어떤 이야기의 다음에 올 내용을 예상하기, 결론 추측하기, 그리고 그들이 세운 가설의 정당성을 증명하거나 그 부당성을 증명하기 등의 방법이 오류를 지적하는 것보다 더 효과적인 읽기 전략이라는 것을 알아야 한다. 교사들은 정확한 답을 묻는 질문을 삼가야 하며 대신에 다양한 반응을 이끌어 낼 수 있는 질문을 해야 한다.

구조화된 소리와 철자의 관계(파닉스) 교육. 읽기 입문자 즉 유치원생이나 초등학교 1학년 학생들에게 글의 소리와 상징의 관계를 가르치는 것은 무엇보다 필요하다. 사실, 만약 아이들이 알파벳 기호를 해독하지 못한다면 읽기는 이루어질 수 없다. 그래서 기술적인 교사들은 아이들이 소리와 상징의 대응관계를 이해하고 조작하고 사용할 수 있게 돕는 다양한 활동들을 어린 아이들에게 제공한다. 그러나 교사들이 이러한 중요한 경험을 제공할 때 그들은 또한 파닉스가 본질적으로 과제가 아니라 오히려 하나의 도구라는 것을 마음속 깊이 새길 것이다.

읽고 쓴 내용에 대한 공유와 논의. 공유 시간을 통해서 교사는 읽기 전략이 가치 있다는 것을 아동들에게 이해시킬 수 있어야 하며 계속적으로 새로운 읽기 전략을 소개해야 한다. 공유 시간, 동료 가르치기 활동, 협동적인 연구 프로젝트는 학생들이 목표에 도달할 수 있게 한다. 이러한 작업에 대한 관찰은 교사들이 학생들의 과정을 가다듬는 데 많은 정보를 제공할 것이다.

워크북이나 기술 학습지 사용 줄이기. 이러한 활동들은 읽기와 관련되어 있기도 하지만 학습 시간을 소모하는 활동이라 할 수 있다. 효과적인 교사들은 소위 말하는 '기술 활동(skill activities)' 을 학생들에게 제공하기 전에 비판적으로 그것을 평가해 보고 이들 활동에 문제가 있다면 적절하고 창의적인 활동으로 이를 대체한다.

글쓰기 경험 제공. 효과적인 교사들은 글쓰기를 위한 새로운 장르, 주제, 형식을 시도할 수 있게 도울 수 있는 글쓰기 활동과 글쓰기 워크숍, 저널과 같은 개인적인 글쓰기와 같은 다양한 글쓰기 활동을 균형 있게 활용한다.

교실의 실제와 부합되는 평가. 최근의 표준화된 읽기 성취와 기초 시리즈 테스트의 대부분은 읽기의 세분화된 하위 기술에 초점을 맞추고 우리가 읽기에서 진정으로 가치 있게 여기는 것을 강조하지 않는다. 진정한 평가는 교사들이 진정한 목적을 위해 실제적인 텍스트를 읽을 때 학생들을 관찰하거나 학생들과 상호작용할 때 이루어질 수 있으며, 학생들의 발전하는 읽기에 대한 목표, 기술, 문제점, 변화의 일화적인 기록을 통해 이루어진다.

이러한 원리에 근거하여 Zemelman과 그의 동료들은 읽기 수업에서 늘려야 할 것과 줄여야 할 것을 다음과 같이 제안하였다.

〈 표 13-3 읽기 수업에서 늘려야할 것과 줄여야할 것 〉

늘려야 할 것	줄여야 할 것
• 교사가 좋은 글을 크게 읽어주기 • 스스로 읽는 시간 • 학생들이 읽기 재료 선택 • 다양하고 풍부한 문학에 노출시키기 • 초기에는 이해를 강조하기 • 과정으로 읽기 가르치기 – 선지식을 활성화하는 전략 사용하기 – 학생들이 예견하고 이를 테스트하게 돕기 – 읽은 후 적용하게 하기 • 많은 토론과 상호작용이 수반된 사회적, 협동적 활동 • 흥미와 책의 선택에 따라 그룹화하기 • 묵독 후 토론하기 • 전체적이고 의미 있는 문학의 맥락에 대한 기술 가르치기 • 읽기 전과 후에 글쓰기 • 학생의 글쓰기에서 쓴 철자 인정하기 • 내용이 있는 것 읽기(예를 들어, 사회과학분야의 역사 소설) • 전체적이고 고등사고 과정 강조하기 • 학생들의 읽기 습관, 태도 그리고 이해를 가지고 읽기 프로그램의 성공 여부 측정하기	• 큰 소리로 읽도록 하고, 실수를 지적하거나 점수 매기기 • 전체 교실 활동 혹은 읽기 그룹 활동의 지나친 강조 • 교사가 모든 읽기 자료 선택하기 • 학습자들의 선택에 의존하기 • 교사의 읽기에 대한 개인적인 습관이나 기호에 의존하기 • 초기 읽기 교수법으로 파닉스, 낱말 분석, 분철법과 같은 읽기 하위 기술 강조하기 • 혼자서 자습하기 • 읽기 수준에 따라 그룹화하기 • 돌아가며 읽기 • 파닉스 학습지 또는 반복연습과 같이 개별적 기술 가르치기 • 쓸 기회를 조금 주거나 아예 주지 않는 것 • 학생의 초기 글쓰기에서 틀린 철자에 대해 벌하기 • 읽기 시간에 분리된 읽기 활동 • 개인적, 하위 기술에 중점을 둔 평가 • 오직 테스트 점수에 의해 읽기 프로그램의 성공 여부 측정하기

좋은 읽기 수업의 예

새로운 읽기 방법을 적용하고 있는 'Marianne 교사의 읽기 수업'을 통해 읽기에서의 좋은 수업의 방법을 살펴보고자 한다. 또한 Marianne은 '문학 동아리'를 운영하면서 각 그룹이 읽고 싶은 책(소설, 만화, 영화, 지루한 내용의 교양서)을 함께 읽고 토의 · 토론을 하게 하였다. 그리고 이들 책의 종류, 작가, 어휘, 삽화가 등 형식적 내용도 알아보게 한다. 이때, 교사의 역할은 함께 대화에 끼기도 하고 잠깐 돌아보기도 하는 그룹 활동의 촉진자이다. 즉 과거의 읽기 지도에 있어서 읽기의 중심적인 역할을 한 질문자로서의 교사가 아니라 학생들의 사고를 자극하는 조용한 촉진자의 역할로 전환된다. 반면 학생의 역할은 서로 읽을 부분을 나누거나 읽기에서 필요한 역할을 정하고 질문 거리를 만들고 말하고 활동하는 것이다. 그리고 읽기 그룹은 그 시간마다 홍미 · 관심에 따라 즉석에서 구성되기도 한다. 이러한 읽기 수업에 적용하기 좋은 활동은 그림 13-2와 같다.

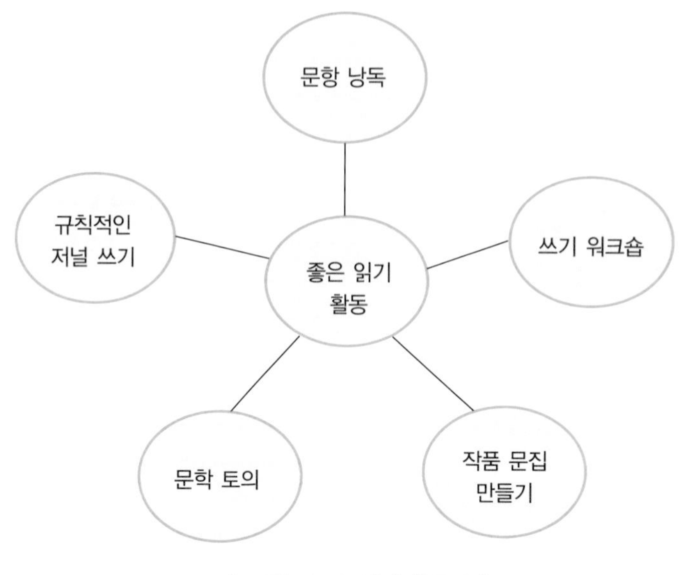

[그림 13-2 읽기 활동들]

쓰기에서의 좋은 수업의 원리와 수업의 예

그동안 쓰기 학습과 관련된 보고서에는 '이래야 한다', '저래야 한다' 라는 모델이 없었다. 학생들의 글쓰기 작품의 특별한 독자가 없었고 그 작품에 대한 비평이나 질문도 없었다. 또한 아이들은 글쓰기를 시작할 때 어떤 도움도 받지 못했다. 글쓰기 시간은 매우 지루한 시간이었고 끝없는 활동지를 완성하고 문장을 만드는 시간이었기 때문에 글쓰기는 벌과 동일시되기도 하였다. 글쓰기는 가능한 한 빨리 수행해야 하는 일로 여겨졌으며, 그렇지 않으면 글쓰기는 철자 퀴즈를 의미하였다.

이에 대한 반성으로 글쓰기에 대한 교육학 실험과 연구가 증가하면서 효과적인 쓰기 프로그램에 대한 명확하고도 일치된 그림이 그려졌다. 이러한 그림은 과거 30년 동안 일반화된 연구(George Hillocks의 Research on Written Composition, Zemelman and Daniels의 'A Community of Writers')에 의해 뒷받침되고 있다. 여기에서는 이러한 연구 결과물을 반영한 Zemelman, Daniels, Hyde가 제시한 쓰기에서의 좋은 수업의 원리와 이 원리가 적용된 Tina 교사의 쓰기 수업을 소개한다.

쓰기에서의 좋은 수업의 원리

Zemelman과 그의 동료들은 읽기에서의 좋은 수업의 원리로 다음 열 가지의 예를 제시하고 있다.

모든 학생들에게 글 쓸 기회 제공. 대부분의 아이들은 유치원에 가기 전부터 글쓰기를 시작한다. 글을 쓸 줄 모르는 아이도 모방을 통해 글쓰기를 시작할 수 있다. 따라서 교사가 자신의 언어 스타일이나 보편적인 관습을 고집하기보다는 학생들에게 귀 기울여 개개인의 언어 능력을 아는 것이 중요하다.

글쓰기의 진정한 목적을 이해. 학생들은 주제가 자신들에게 중요하다고 인식할 때, 그들의 생각을 표현하기 위해 열심히 노력하고 그들의 작품을 다듬거나 수정하기 위해 시간과 노력을 기꺼이 투자할 것이다.

소유 의식과 책임감이 필요. 글쓰기는 선택을 의미한다. 교사가 선택을 많이 할수록, 학생들의 책임감은 적어진다. 학생들은 글쓰기 주제를 스스로 선택할 수 있어야 한다. 이는 학생들 스스로가 자신의 작품이 계속할 만한 가치가 있는가를 결정하고, 자신의 작품을 비판적인 시각으로 바라보고 그들 스스로의 목표를 세우는 데 도움을 준다.

완전한 글쓰기 과정. 많은 학생들은 글쓰기 과정에 단계가 있다는 사실을 모른다. 교사들은 각 단계에서 적절한 교실 활동을 함으로써 학생들이 글쓰기 단계를 수행하고 내면화하도록 도와주어야 한다. 교사들은 학생들이 개인에 따라 그리고 다양한 글쓰기 과제에 따라 과정이 다양할 수 있다는 것을 알려주어야 한다.

교사의 도움과 자극. 학생들은 글의 주제에 대한 풍부한 아이디어를 발달시킬 수 있는 도움이 필요하다. 또한 교사가 제시한 주제가 있을 때, 주제와 자신의 논점 사이의 연결고리와 수많은 아이디어를 생성할 수 있는 도움을 받을 수 있다. 숙련된 교사는 다음과 같은 미리 써보기 활동을 통해 학생들이 글쓰기를 위한 자료를 모으고 조직할 수 있도록 돕는다.

- 다듬어지지 않은 생각을 목록화하기, 차트나 망(web)으로 표현하기, 분류하기
- 그룹 브레인스토밍 / 자유롭게 글쓰기(자유로운 아이디어 생성을 위한 구체적인 과정)
- 대그룹 또는 소그룹 토론과 파트너 인터뷰

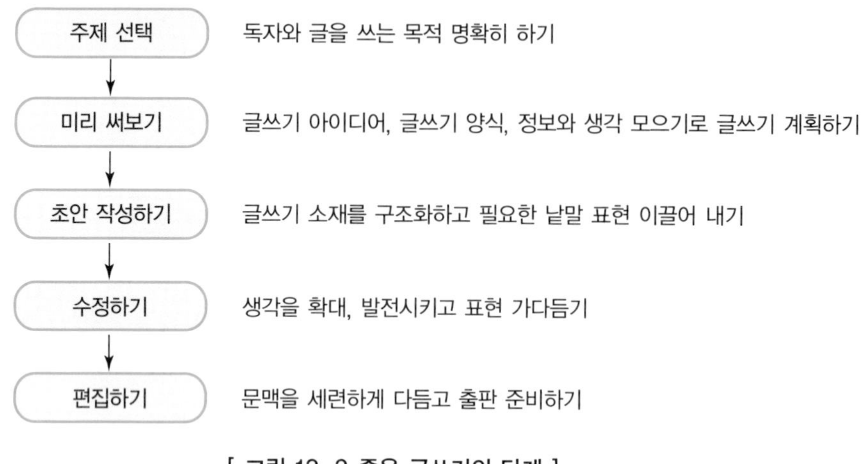

[그림 13-3 좋은 글쓰기의 단계]

글 수정하기. 학생들은 흔히 주어진 주제에 대해 빨리 글을 쓰는 것이 글쓰기 능력이 우수하다고 생각하며 글을 한번 완성하면 그것으로 글쓰기 작업이 끝났다고 생각하는 오류를 범한다. 하지만 좋은 글쓰기에는 빨리 글을 쓰고 마무리하는 것이 아니라 쓴 글을 다시 한 번 읽고 수정할 것이 없는지, 더 좋은 표현은 없는지, 독자를 생각하면서 썼는지 등의 반성의 과정이 필요하다. 때문에 교사는 학생들이 수정 과정이 왜 좋은지를 알게 하기 위해, 샘플을 주어 그룹으로 하여금 수정해보게 해야 한다. 더 나아가 학생들은 그들의 작품을 수정하는 방법을 배울 필요가 있다.

- 자신의 작품을 검토하고 의도한 대로 잘 표현되었는가를 비교하기
- 다양한 시각을 가진 독자나 이 주제를 전혀 모르는 독자의 관점에서 용어 살펴보기
- 아이디어를 명확하게 하는 다양한 설명방법과 전략이 있음을 알기
- 다양한 선택사항들을 모으고, 가장 적절한 것을 선택하기

실제 글쓰기 상황에서의 문법과 기교. 수십 년 동안 독립적인 문법 수업은 실제적인 쓰기 수행으로 연결되지 못하였다. 때문에 문법은 문법 수업을 통해, 글쓰기는 글쓰기 수업을 통해 분리된 활동으로 이루어져 왔다. 세련된 글쓰기를 위해서는 문법과 기교가 지은이의 생각과 밀접하게 통합되어야 한다.

실제적인 독자와 공유된 교실 상황. 교사만이 합법적인 독자라는 진부한 생각은 학생들에게서 다양한 독자들의 다양하고 풍부한 반응에 따라 글을 쓰는 사람의 기술이나 동기를 키워주는 기회를 빼앗아 버린다. 학생 작가(writer)와 다양한 독자와의 연결은

단지 사람들에게 편지나 책을 보내는 것 이상을 의미한다. 교실 안에서 협력적으로 작업할 수 있는 상황을 만들고 글쓰기를 공유하는 것은 아마도 교사가 학생들의 글쓰기를 촉진할 수 있는 가장 중요한 방법일 것이다. 책으로 만들거나, 학교 도서관에 학생들의 작품을 배치하거나, 교실이나 학교 복도, 지역 도서관, 이웃 상점 심지어 치과나 병원 대합실에 전시하는 방식으로 학생들의 작품을 발행 · 전시할 수 있다.

교육과정 전반에 걸친 글쓰기. 학생들은 글쓰기 활동이 다른 학습 활동의 한 부분이 될 때, 글쓰기를 가치 있게 여기며 그것을 더 잘 사용한다. 다른 과목들과 연관된 글쓰기는 수업 시간을 많이 할애하거나 많은 글쓰기 결과물을 만들어낼 필요가 없다. 교사는 아래와 같은 간단한 활동들로 학습을 좀 더 효과적이며 매력적으로 만들 수 있다.

- 사고 자극 활동 : 새로운 주제를 시작할 때나, 학생들이 그들이 이미 알고 있는 주제를 상기시키는 수업에서 2~3분간 자유로운 글쓰기 하기
- K-W-L 목록 : 학생들이 주제에 대해 아는 것(Know), 그들이 알기 원하는 것(Want), 그리고 그들이 이미 배운 것(Learned) 목록화하기
- 자연스러운 시작과 마무리 : 수업 시작 시점에 이전 시간에 배웠던 것, 읽었던 것을 요약하여 몇 문장으로 글쓰기. 배운 것, 이해가 되지 않았던 것을 수업 마지막에 적어보기
- 저널 대화하기 : 읽거나 토론한 자료에 대한 반응으로 학생들은 각각의 아이디어를 짝을 이루어서 또는 교사와 함께 써보기
- 멈추었다 쓰기 : 교사가 발표하거나 읽는 동안 학생들은 그들의 생각, 그들이 가진 질문 또는 다음에 올 것이 무엇인지에 대해 간단히 적을 수 있을 때 잠시 멈추기

구조적이며 효과적인 평가. 좋은 교사는 시험지 속의 붉은색 마크가 전하는 메시지가 아이들을 낙담시키고 있으며 실제로 학생들의 수행을 수정하고 교정하는 데 효과적인 도움을 주지 못한다는 것을 안다. 이들은 또한 비판보다는 칭찬에 의해 학생들이 더 잘 성장할 수 있다는 연구 결과들을 잘 알고 있고 이에 따라 교수를 평가한다. 학생들의 글쓰기에 대한 발전적인 평가 활동은 다음과 같다.

- 작품의 다양한 단계에서 간결한 구두 회의하기
- 한 번에 한 개나 두 개 정도의 오류에 집중하기
- 오직 선택된, 완전히 수정된 작품에 한해서 공식적으로 성적 매기기

- 목표 설정과 평가에 학생들을 참여시키기
- 반성적인 포트폴리오를 사용하고 교사와 정기적으로 상담하기

좋은 쓰기 수업의 모범 프로그램

좋은 쓰기 수업의 예로 Tina 교사의 Hendricks Academy의 3학년 글쓰기 프로그램을 소개하고자 한다. Tina 교사는 '동화 쓰기 워크숍' 을 준비하였는데 이 수업의 특징은 다음과 같다. 첫째, 학생들의 창작 욕구를 북돋우는 활동을 준비하였다. Tina 교사는 신데렐라의 다양한 버전을 읽고 각각 자신만의 신데렐라 이야기를 만들어 내게 하였다. 둘째, 학생들의 창의적 사고를 자극하기 위해 다양한 자료를 준비하였다. Tina 교사는 세계 각국에 있는 신데렐라와 비슷한 이야기를 찾아 아이들에게 들려주었다. 셋째, 아이들의 다양한 아이디어를 자극하기 위해 토의 활동을 하였다. 그림 13-4는 Tina 교사의 동화 쓰기 워크숍 과정을 간략하게 소개한 것이다.

이야기 도입하기. 교사 Tina는 매일 학생들에게 신데렐라의 여러 버전을 읽어주었다. Frances Minter의 'Cinder-Elly' 로 이야기를 시작하였다. 처음 두 버전을 들은 뒤, 학생들은 이야기의 요소들과 새로 창작하고 싶은 것에 대해 토론하기 위해 네 개의 그룹을 만들었다. 학생들은 유사성, 차이점 그리고 그들이 가장 좋아했던 부분에 대해 논의하였다.

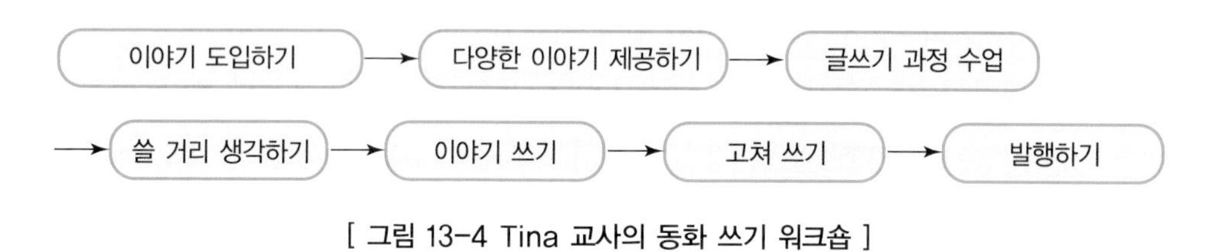

[그림 13-4 Tina 교사의 동화 쓰기 워크숍]

다양한 이야기 제공하기. Tina는 또 다른 버전의 책 대신에 신데렐라와 관련된 시 두 편을 읽어주었다: Shel Silverstein의 '신데렐라 조사에서' 와 Judith Viorst의 '유리구두' . 이 시를 읽고 아이들은 시의 각 구절에 대해 활발한 토의를 하였다. 3주가 지난 후 Tina는 전 세계의 서로 다른 신데렐라 이야기를 공유하였다.

Amy Ehrlich의 고쳐 쓴 신데렐라(Cinderella, retold)
Frances Minter의 신데렐리(Cinder-Elly)
John Steptoe의 Mufaro의 아름다운 딸들(Mufaro' s Beautiful Daughters)
Shirley Climo의 이집트 신데렐라(The Egyptian Cinderella)

Ellen Jackson의 신데에드나(Cinder Edna) 등

글쓰기 과정에 대한 수업. Tina는 글쓰기에 관한 다양한 책을 읽고 스스로 글쓰기 과정에 대한 전략과 용어들을 학습하였다. Tina는 이러한 용어들(초고, 편집, 교정, 수정, 출판)에 대해 각 단계에 이르렀을 때, 소규모 수업(mini-lesson)을 했고 쉬운 참고문헌들을 게시판에 걸어두었다.

쓸 거리 생각하기. 마침내 학생들은 그들이 쓸 이야기와 관련된 것에 대해 브레인스토밍을 했다. 그들이 읽은 수많은 신데렐라를 만든 작가들처럼 그들은 선택 가능한 주인공 성격, 환경, 문제, 해결, 신발, 운송수단 등을 목록화하였다.

이야기 쓰기. 학생들은 신데렐라를 자신의 버전으로 쓰기 위한 아이디어로 넘쳐났다. 학생들은 쓰고 또 썼으며 수정하고 또 수정하면서 결국 그들의 첫 번째 이야기를 완성하였다.

이야기 고쳐 쓰기. 학생들이 처음 쓴 글은 고쳐 쓰기를 통해 계속 발전시켰고 좀 더 체계적인 고쳐 쓰기를 위해 Tina는 이야기의 내용과 기교를 위한 체크리스트나 평가지를 활용한 동료 편집 그룹을 만들었다. Tina는 학생들이 두 번째 초고를 마친 뒤 이에 대해 약 15분간 각각의 아이들과 작품에 대해 논의하였다.

이야기 발행하기. 마지막으로 아이들은 자신의 작품을 발행할 준비를 했다. Tina는 아이들에게 책 커버를 어떻게 디자인하고, 페이지를 어떻게 꾸미는지에 대해 안내해주었다. 마침내 아이들은 책을 발행했다.

교사 Tina의 쓰기 수업에 대해서 교사 정정훈은 다음과 같이 평가하였다.

> 우선 많은 읽을거리들 중에서 적절한 것을 선택해서 제공해 준다는 점에서 그렇고, 다른 한편으로는 학생들이 과제를 수행하는 동안 교사의 지속적인 상담과 피드백이 필요하다는 생각이 들었습니다. 이것은 소개된 수업을 읽고 느낀 점입니다. Tina 선생님 수업의 좋은 점은 학생들로 하여금 실제 문학작품을 창작하게 함으로써 성취감과 자신감을 줄 수 있다는 점, 학생들의 상상력과 창의력을 자극한다는 점, 그리고 무엇보다 우리가 간과하기 쉬운 다시 쓰기, 고쳐 쓰기가 쓰기 활동에서 반드시 필요하며 아주 중요한 작업이라는 것을 알게 해 준 점입니다.
>
> (2009년 4월 정정훈과의 인터뷰에서)

수학에서의 좋은 수업의 원리와 수업 예

전통적으로 수학은 대부분의 사람들에게 필요하고 학습되어야 할 것이 아니라 몇몇 훌륭한 사람들을 위한 것이라는 오해를 받고 있다. 이러한 수학에 대한 잘못된 인식은 수학에 대한 잘못된 신화를 만들어 버렸다: '수학을 한다는 것은 하나의 정답을 빠르게 도출하는 것', '수학은 규칙, 법칙, 절차를 기억하기 위해 축적하는 것', '수학은 실제적으로 더 크고 복잡한 수를 가지고 작업하는 산술법'. 수학에 대한 이러한 오해는 많은 교사와 학부모로 하여금 '수학을 가르치는 것은 각 페이지에 따라 연습문제를 풀고 과제를 제출하는 것' 이라는 잘못된 수학 교수-학습 관념을 가지게 하였다. 때문에 새로운 수학과 교수-학습 방법에 대한 요구는 끊임없이 제기되어 왔다. 이에 여기에서는 이러한 요구에 발맞춰 Zemelman, Daniels, Hyde가 제시한 수학에서의 좋은 수업의 원리와 이 원리가 반영된 Mary Fencl 교사의 읽기 수업을 소개한다.

수학에서의 좋은 수업의 원리

Zemelman과 동료들은 좋은 수학 수업의 원리로 다음 열한 가지의 예를 제시하고 있다.

모든 학생들의 수학적 능력 발달. 교사는 학생들이 수학적으로 사고하고 수학적 아이디어를 사용하여 수학의 의미와 개념을 이해할 수 있도록 도와야 하고, 학생들은 이를 통해 수학적 개념과 절차에 대한 이해를 발달시켜야 한다. 수학적 능력은 수학에 재능이 있는 사람에게만 필요한 것이 아니라 보편적으로 가지고 있어야 할 것임을 교사와 학생 모두 인식해야 한다.

실제적 문제 해결과 관련된 수학 경험. 학생들이 실제 실험을 통해 수학을 접하게 된다면 수학 개념을 훨씬 쉽게 받아들일 수 있으며 이를 실제 생활에서 부딪히게 되는 문제에 적용할 수 있는 힘을 기를 수 있다.

수학적 아이디어 이해. 최근 수학과 학습에서는 수학과 계산연습을 위한 과제, 기계적 암기보다 실제 상황에서 학생들이 수학적 능력을 활용할 수 있는 활동을 강조하고 있다. 이를 위해 수학과에서도 계산이라는 활동에 국한하지 않고 탐구, 토론, 질문, 설명이라는 교수학습 방법을 장려하고 있다. 왜냐하면 이러한 활동이 학생들이 다양한 계산 능력을 언제 어떻게 사용해야 할지 알게 하는 최고의 방법이기 때문이다.

통합된 전체로서의 수학. 수학은 패턴과 관계의 과학이다. 수학적 능력의 주요한 부분은 이러한 패턴을 인식하고, 이해하고, 사용하는 것이다. 일반적 이론의 적용과 개념 사이의 연계성을 발견할 수 있어야 한다. 매일의 수학 경험과 실제 상황이 관련됨으로써 학생들은 수학적 아이디어가 유용함을 인지하게 된다.

문제해결 중심. 문제해결은 모든 수학 활동의 필수적인 부분이다. 학생들은 문제를 해결하고 작업하기 위한 전략을 스스로 발견하거나 창안하여 이를 적용할 수 있어야 한다.

수학적 의사소통. 수학적 아이디어에 대한 토론, 쓰기, 읽기, 듣기 활동은 수학에 대한 이해를 심화시킨다. 많은 수학적 아이디어들이 수학자들의 숱한 수학적 대화 속에서 발견되었던 것처럼 학생들에게도 많은 수학적 대화의 기회가 주어져야 한다.

추론의 과정. 수학학습에서는 기억된 규칙이나 절차의 묶음을 요구하는 것이 아니라 수학적 개념 또는 아이디어를 이해했다는 것이 중요하다. 다양한 추론의 과정을 적용하고 논리적 결론을 도출함으로써 자신들이 가지고 있는 추측을 정당화할 수 있는 기회가 필요하다.

실세계와 관련된 참된 문제. 단순한 연산이나 계산과 같은 기계적 문제풀이가 아니라 실세계와 관련된 참 문제를 요구하고 있다. 실제 적용과 관련된 문제를 개발해 내야 하고 수학적 정보처리를 위한 다양한 도구를 창안해 내야 한다.

구체적인 자료와의 관계 발견과 실험을 통한 기하학과 측정법의 개념 학습. 학생들이 기하학과 측정법에 대한 그들 자신의 지식을 구성할 때, 그들은 실제 세계 상황에서 자신의 기초적인 이해를 더 잘 사용할 수 있다. 특히, 공간에 대한 감각은 실제의 사물을 가지고 한 탐구를 통하여 두세 가지의 범주에서 발달한다. 뿐만 아니라 측정의 개념은 현실의 경험을 통해 가장 잘 이해될 수 있다는 것을 주지해야 할 것이다.

실세계의 적용을 통한 통계학, 데이터, 확률의 이해. 수적 정보에 기초한 의사결정의 요구는 사회를 두루 포함하는 것이고 실제 자료의 작업에 대한 동기를 제공한다. 학생들은 자료 수집, 조직, 제시(그래프나 표), 분석에 기초한 결정을 포함하는 문제의 명료한 진술과 해결을 통해 수학 능력을 발달시킬 수 있다.

학생들이 아는 것과 교수-학습 활동에 대한 의미 있는 결정을 위한 평가. 수학의 학습정도를 평가하기 위해서는 다양한 평가방법을 모색해야 한다. 쓰기, 말하기, 형식 제시하기 등을 포함하여 평가해야 한다. 수학적 지식의 모든 측면과 그것의 연계성은 평가되어야 하고, 교사가 교수-학습 활동을 조직하는 데 도움이 될 것이다.

이러한 원리에 근거하여 Zemalman은 수학학습에 대한 오해와 잘못된 관념을 줄이고 학생들을 위한 진정한 수학 수업을 위해 줄여야 할 것과 늘려야 할 것을 표 13-4와 같이 제시하고 있다.

〈 표 13-4 수학 수업에서의 늘려야 할 것과 줄여야 할 것 〉

늘려야 할 것	줄여야 할 것
실제 수업에서	
조작활동 / 협동그룹작업 / 수학의 토론 /질문과 추측 /사고의 증명 / 수학에 대해 쓰기 / 문제해결 접근 / 내용 통합 / 계산기와 컴퓨터의 사용 / 학습의 촉진자 되기 / 학습 평가	기계적 연습 / 공식과 법칙의 암기 / 정답을 찾는 단일한 방법 / 연습 문제의 사용 / 반복적인 쓰기 연습 / 말하기를 통한 교수 / 맥락에서 벗어난 계산법
문제 풀이로서 수학	
해결방법과 구조의 다양성을 가진 문제 / 일상생활의 문제와 적용 / 문제해결전략 / 개방형 문제와 확장된 문제해결 프로젝트 / 문제 상황에서 질문을 조사하고 명확화하기	한 단계 문제 / 기계적인 연습 / 유형에 의해 분류된 문제의 연습 의사소통으로서 수학
추론으로서 수학	
논리적 결론 도출하기 / 정답과 해결절차를 증명하기 / 귀납적, 연역적 추론	교사나 정답에 의지하기
수학적 연관	
수학과 다른 교과목, 실제 세계와 연계하기 / 수학 내에서의 주제와 연계하기 / 수학의 적용	독립된 주제 학습하기 / 맥락에서 벗어난 기술 발달시키기
수/조작/계산	
수와 연산에 대한 감각 발달 / 주요개념의 의미 이해 / 다양한 계산 전략 / 기본적 사실을 위한 전략 / 복잡한 계산을 위한 계산기 사용	상징 기수법을 초기의 사용 / 복잡하고 장황한 지필형 문제 계산 / 이해 없이 규칙과 절차 암기하기
기하학/측정	
공간적 감각 발달시키기 / 측정의 단위와 관련된 개념과 실제로 측정하기 / 문제해결에서 기하학 사용하기	사실과 관계를 암기하기 / 기하학의 법칙을 암기하기

(계속)

늘려야 할 것	줄여야 할 것
통계/확률	
자료의 수집과 조직 / 기술, 분석, 평가, 의사결정을 위해 통계적 방법 사용하기	법칙 암기하기
규칙/함수/대수	
패턴의 인지와 설명 · 기술 / 함수관계를 사용하고 확인하기 / 상황을 기술하기 위한 규칙과 그래프, 표 사용하기 / 관계를 표현하기 위한 다양한 변인 사용하기	절차를 암기하고 연습하기
평가	
교수의 중요한 부분이 되는 평가하기 / 광범위한 부분에 초점을 맞춘 수학적 과제와 전체적 관점을 갖춘 수학 / 많은 수학적 아이디어를 적용할 수 있는 문제 상황 개발하기 / 다양한 평가방법 사용하기	학년에 맞는 유일한 과제의 목적을 달성하기 위한 시험에서 정답의 수를 세는 단순한 평가하기 / 한두 개의 기술을 요구하는 연습문제 사용하기 / 단순한 쓰기 시험 사용하기

좋은 수학 수업의 모범 프로그램

좋은 수학 수업의 예로 Mary Fencl 교사의 2학년을 대상으로 한 '수학부(math stations)' 를 소개하고자 한다. Mary Fencl 교사는 자신의 수학 수업을 위해 6개의 '수학부' 를 만들었다. 이곳은 학생들의 수학수업이 이루어지는 곳이며 모든 학생은 6개의 부서 중 한 곳에서 모둠활동을 하게 된다. 주 2회 '수학부' 수업을 진행하는데, 학생들은 3주간 모든 '부(station)' 를 이용하게 되며 모든 과정이 끝난 후에는 새로운 '부' 가 만들어진다. Mary는 그 '부' 에서 학생들이 이전에 배웠던 개념들을 생각해 낼 수 있게 하고 그중 몇 개는 현재 탐구하고 있는 주제에, 또 몇 개는 앞으로 탐구할 주제에 초점을 맞춘다. '부' 수업을 하지 않는 3일 동안은 정상적인 기존 교육과정에 따라 수업을 진행한다.

이 수업을 통해서 Mary는 아이들이 어려워하는 설명이나 개념을 발견하게 된다. 이럴 때엔, 학생들에게 보충 설명이나 조작적 활동을 통해서 학생들이 어려워하는 부분을 이해시킨다. 이에 학생들은 자신들의 수학 활동의 경험을 통해서 사고를 하게 되고 선생님의 설명을 통해 자신들이 알아야 하는 수학적 아이디어에 대해 더 깊게 혹은 더 쉽게 이해할 수 있다.

Mary는 이 수업을 하기 전에 반드시 아이들에게 '부' 활동에 대해 충분한 설명을 한다. 이러한 사전 활동이 수업의 효과성을 극대화시킬 수 있다는 것을 명심해야 한다. 표 13-5는 3주 동안의 '부' 활동이다.

〈 표 13-5 3주 동안의 부 활동 〉

부(station)	활동 내용
지리적 방향이 있는 주사위를 사용한 보드게임	이 게임의 목표는 각 학생들이 얼마나 주사위를 굴려야 보드의 중심에서 가장자리까지 움직일 수 있는지를 알아보는 것이다.
퍼즐놀이	아이들이 퍼즐을 완성하면 일정한 모양을 완성하게 된다.
분류하기와 벤 다이어그램	학생들은 크고 다양한 박스에서 물고기 모양을 그룹화하기 위한 자신의 카테고리를 생각한다. 상호간에 겹쳐도 되는 곳에 물고기를 떨어뜨릴 수 있도록 범주를 재정의하기도 한다.
평균내기	학생들은 다양한 활동을 수행한다(그들의 이름을 필기체로 서명하기, 구멍 속에 밧줄 던져 넣기, 병속에 빨래집개 떨어뜨리기, 플래시카드를 가지고 숫자 더하기). 학생들은 3분 내지 4분 내에 주어진 활동을 몇 번 완성했는지를 세고 난 다음 각 그룹마다 각 활동의 점수 평균을 낸다.
배열하기	아이들은 세 가지 방법으로 학습을 한다. 3가지 재료로 된 아이스크림, 4개의 층으로 된 케이크, 5개의 재료로 만든 피자. 이 활동의 목표는 학생들이 각각의 음식을 만들기 위해서 얼마나 다양하게 그 재료들을 재배열할 수 있는가를 보는 것이다.
점심메뉴	학생들은 20달러의 게임 돈과 식당의 메뉴판을 받는다. 빈칸이 있는 차트 위에 아이들은 자신의 이름과 모둠원의 이름을 쓰고 각각 무엇을 주문할지 결정한다. 모둠원의 저녁식사로 주문한 음식의 총가격이 20달러를 넘지 않게 주문한다.

우리나라 초등학교 교사 정정훈은 Mary의 수학수업을 다음과 같이 평가하였다.

학생들의 흥미와 수학적 호기심을 자극하는 조작활동으로 수학적 힘을 기를 수 있도록 한다는 점에 점수를 많이 주고 싶습니다. 한편으로 걱정이 되는 것은 학생들이 물리적으로 분리된 각각의 공간에서 활동을 하므로, 일부 학생들이 동료의 작업을 단순 반복할 수도 있겠다는 생각이 들었습니다. 그에 대한 대책이 필요해 보입니다. 또한 활동방법에 대한 자세한 안내와 약간의 훈련도 필요할 것 같습니다. 무엇보다 모든 활동들이 조작활동 중심이고 실제적인 상황(문제)을 제공하고 있다는 점이 좋습니다. 너무 교과서 중심적이며, 때때로 계산법을 지나치게 강조하는 저의 수학수업에 대해 많은 생각을 하게 됩니다.

(2009년 4월 정정훈과의 인터뷰에서)

사회에서의 좋은 수업의 원리와 수업의 예

사회에서의 좋은 수업의 원리

Zemelman과 그의 동료들은 사회에서의 좋은 수업의 원리로 다음 열 가지의 예를 제시하고 있다.

심도 있는 주제 탐구의 기회 제공. 모든 사회과 영역에 대한 학습은 만분의 일인치 두께의 페인트로 벽을 도색하는 것과 같다. 진정한 학습은 인간 존재의 복잡성에 대한 심층적 이해를 필요로 한다. 이에 미국 역사교육의 국가수준의 규준(National Standards for United States History)에서는 교과서를 제외한 한 가지 이상의 자료 즉, 교과서 외의 다른 책, 다양한 역사 문서와 논문 등을 활용해야 한다고 강조한다.

스스로 주제 선택. 사회과 학습은 학생들에게 민주적인 시민의식을 위해 준비시키는 것이다. 때문에 활동적인 참여가 필요하다. 이에 좋은 교사는 학생들의 선택을 위해 중요한 주제의 목록을 펼쳐 놓고 학생들에게 무엇을 공부할 것인지를 직접 선택하도록 한다.

학생들의 사고를 자극하는 개방적 질문 탐구. 단지 학생이 교과서를 읽는 활동이나 교사 자신이 고른 결론으로 학생들의 학습을 이끌고 확인하는 것보다 교사는 어떻게 하면 학생들의 사고를 자극할 수 있는 질문을 개발할 수 있는지를 고민해야 한다.

교실뿐만 아니라 더 넓은 공동체에의 능동적인 참여. 사회과에서의 개념은 학생들을 비롯하여 개인이 생활하면서 맺게 되는 사회적 관계와 경험하게 되는 사건과 결과물과 관련되어 있다. 이를 학습하는 진정한 의미는 개인이 사회생활을 좀 더 원만하게, 좀 더 적극적으로 참여하면서 행복을 누릴 수 있게 하기 위함이다. 이러한 사회과 교육의 궁극적 목표를 생각한다면 사회과 교수-학습에서는 학생들이 직접 자신이 경험할 수 있는 공동체 속에 능동적으로 참여할 수 있는 기회를 제공해야 한다.

평생학습 그리고 주체적으로 학습하는 태도와 기능을 기르기 위해 독립적인 탐구와 협동학습을 구현. 프로젝트의 주제가 정해지고 이를 협동학습 체제로 운영하면 사회과 학습을 하는 교실에서는 학생들의 참여가 저절로 이루어지게 된다. 협동학습에서는 개인과 집단 모두가 제 역할을 할 때에만 성공적 학습이 될 수 있다. 때문에 개인과 집단작업 사이에 시간과 노력의 균형이 이루어져야 함을 반드시 생각하여야 한다.

읽기, 쓰기, 관찰, 토의, 토론 활동. 강의와 퀴즈 그리고 또 다른 학습 모델을 통합하는 것은 학습 주제에 대한 학생들의 이해의 깊이와 폭을 확장시킬 수 있다.

학생들의 삶과 공동체에 대한 선행지식 정립. 사회과를 통해 학생들의 지식수준을 확인하는 작업이 학생들이 삶을 살아가거나 공동체에 적절하게 참여하는데 그 어떤 도움도 주지 못하였다. 따라서 최근의 교육학자들은 학생들에게 그들이 이해할 수 있는 형태로 역사, 지리 그리고 그 밖의 주제를 소개하기 위한 다양한 방법을 사용할 것을 권고한다.

문화의 다양성 탐구. '우리의 공통 유산' 대 '개별 민족 집단'의 격렬한 논쟁은 불행히도 후자를 선택할 때 그 의미가 퇴색되어 버린다. 역사, 정치, 경제, 문화, 민속 이들 모두는 과거에 부모, 조부모, 이웃 그리고 그들이 알고 있는 다른 어른들과 함께한 경험과 사건에 대한 인터뷰를 통할 때 더 의미가 있게 된다. 소수계층의 아이들은 그들의 삶과 그들의 세계와 관련되지 않았던 과제를 많이 접했기 때문에 교실에 있는 학생들의 다양한 문화를 드러내는 것은 매우 중요하다. 한번 이러한 모습이 전개되면 다른 문화 집단에 대한 연구는 다양한 그룹의 공통적인 염원과 열망에 대한 이해와 그들의 풍부한 특수성에 대한 존중을 낳을 수 있다.

우열반 제도 피하기. 많은 연구 보고서를 보면 우열반 학급에 있는 우수한 학생들조차 이러한 제도는 학습에 전혀 이익이 되지 않는다고 지적하고 있으며 이러한 제도는 학생들의 학습에의 용기를 빼앗고 결국에는 낮은 성취도를 보여줄 것이라 믿고 있다. 특히 사회과에서는 다양한 배경의 학생들이 공동체를 이루는 생활이 무엇보다 중요하기 때문에 이러한 제도의 운영은 피해야 한다.

학생들의 사고를 촉진하고 책임감 있는 시민으로서의 자질을 갖추게 하는 평가. 사회과 평가는 무엇보다 교사와 학생 사이의 대화를 반영해야 한다. 민주적인 시민을 양성하는 것이 사회과 학습의 목표이기 때문에 학생들과 무엇을 어떻게 평가할 것인지 평가기준에 대해 서로 이야기할 수도 있다.

이러한 원리에 근거하여 Zemelman과 그의 동료들은 사회 수업에서 늘려야 할 것

〈 표 13-6 사회 수업에서 늘려야 할 것과 줄여야 할 것 〉

늘려야할 것	줄여야 할 것
• 심도 있는 탐구활동, 인간관계의 복잡성 발견을 위한 활동 • 학생들이 가질 수 있는 문제와 중요한 인간문제에 대한 문제해결 • 공동체의 복지를 위한 책임감을 공유할 수 있는 사건에의 참여 • 모든 수준의 학생들이 함께하는 협동학습 • 사회과 학습과 관련된 부분을 통합 • 역사, 지리, 심리학, 사회학 등 다양한 사회현상을 교실로 가지고 오기 • 국제적 역사, 역사와 파생된 사회집단의 문화, 그를 둘러싼 환경과 학생의 가치와 감각 연결하기 • 교육과정에 학생의 주인정신을 촉진하기 위하여 그들이 속한 문화 집단에 대한 학생의 요구, 학교와 공동체 대표의 참여 • 더 나은 학습을 포함하는 평가의 사용과 책임 있는 시민의식 촉진 그리고 생각의 열린 표현	• 주제에 대해 깊이 있게 이해할 시간이 없는 융통성 없는 교육과정의 피상적인 적용범위 • 교과서에 분절된 사실 암기 • 책임 있는 시민의식의 실제 연습으로부터 고립; 단지 시민의식에 대한 읽기 • 학생이 수동적으로 앉아있는 강의; 능력이 낮은 학생을 분류하여 학습기회 박탈 • 교과서 읽기와 시험 치르기를 포함하는 좁은 사회과 활동 • 학생은 무시되거나 사회과에 제기된 문제에 관심 없다는 가정 • 중학교 학년까지 중요한 교육과정의 연기 • 우세한 한 문화 유산의 제한된 교육과정 • 학생들의 삶과 연결시키지 않고 사회과 주제에 대해 흥미 없는 교육과정 사용 • 단원 끝이나 등급을 매겨야 할 때만 평가를 함; 단순지식 또는 교과서 정보 암기

과 줄여야 할 것을 표 13-6과 같이 제안하였다.

좋은 사회 수업의 모범 프로그램

좋은 사회 수업의 예로 Yolanda Simmons 교사와 Prtricia Bearden 교사의 '문화적으로 여러분을 알아가기' 의 수업을 소개하고자 한다. 이 단원의 목적은 학생들에게 다문화주의에 대해 생각하게 하기 위함이었다. 이 수업의 활동은 학교의 모든 교과목 영역을 통합하고 학생들의 삶에서 진실로 관심이 있는 주제들을 학생들에게 제공한다. 이를 위한 학습 활동에는 인터뷰, 쓰기, 리서치, 개별적 작업, 작은 집단, 전체 학급에게 구두 보고하기 등이 있다. 이 활동은 학생들이 진정한 학습 공동체를 만들 수 있게 도와주어 교실 분위기를 부드럽게 만들어주며 많은 지역에서 필요로 하는 집단 간의 이해의 깊이를 높여준다.

문화적 다양성 알아가기

첫째 날. 학생들은 파트너를 선택하고 다음 질문으로 서로를 3분 동안 인터뷰한다: 태어난 곳은 어디입니까? / 누구 이름을 따랐으며 이름의 의미는 무엇입니까? / 당신의 조상은 미국 내 어디에서 왔습니까? / 그들은 미국이 아닌 다른 곳에서 왔습니까? / 그들은 언제, 왜 고향을 떠났습니까?

학생들은 인터뷰한 내용을 정리하여 자신의 파트너를 '문화적으로' 소개한다. 이때, Simmons는 학생들이 발표하기 전에 발표 모델을 직접 제공한다. Simmons는 학생들이 발표하는 동안 조상의 기원을 미국의 안과 밖 두 영역으로 나누어 가족의 출신을 기록할 수 있게 벽에 종이를 붙인다.

학생들이 스스로 몇 개의 질문에 대한 답을 할 수 없다는 것을 깨달았을 때, Simmons와 Bearden은 '부모님 또는 조부모님과 인터뷰하기'와 같은 정보 수집하기 단계를 소개한다. 학생들은 인터뷰 질문을 만들어내기 위해 브레인스토밍하고 모든 학생들은 그들의 가족 역사와 관련된 자료를 얻기 위해 집에서 이 과정을 수행한다.

둘째 날. 학생들은 빠뜨린 정보에 대해서는 서로 질문과 답하는 과정을 통해 그 정보를 얻는다. 그런 다음, 선생님이 나눠준 종이에 사진을 붙일 공간을 남겨두고 인터뷰한 내용을 쓴다. 그리고 선생님이 나눠주는 사진을 붙인다. 이 자료는 몇 주 동안 친구들에 대한 다양한 정보를 제공한다.

셋째 날. 4명으로 구성된 그룹은 인터뷰한 내용 중 한 개의 질문에 초점을 맞춘다. 이들은 자신들의 조사 결과를 차트로 만들거나 비율을 보여주거나 시각적인 표현을 사용한 포스터를 준비한다.

넷째 날. 학생들은 벽에 붙어 있는 '영어', '언어학', '수학', '과학', '사회학', '체육' 등의 머리말을 가진 용지 중에 관심이 있는 분야를 선택한다. 여기에는 빈 종이도 있는데 이것은 '춤', '음악' 등과 같이 학생들 자신이 카테고리를 만들 수도 있다. 학생들은 여기에 있는 질문에 대해 브레인스토밍을 한다. 다음은 몇 개의 전형적 질문들이다.

- 영어 : 이곳에서 유명한 작가들은 누구였습니까? 그들은 여러분이 선택한 조상이 살아있을 때 무엇을 썼습니까?
- 사회학 : 여러분이 선택한 조상에게 영향을 끼친 역사적 사건은 무엇입니까?
- 과학 : 여러분의 조상이 살았던 지역에서 그때에 발병했던 질병은 무엇입니까?

- 수학 : 이 지역에서 그 시대에 있었던 다양한 인종 집단에 대한 인구통계, 그들 간의 비교 그리고 경향은 무엇입니까?

다섯째 날과 여섯째 날. 각 그룹은 자신들의 차트에 목록화된 연구문제 중 하나를 선택하고 각 집단에서 조상의 기원 장소와 관련된 질문에 대한 답을 찾는다. 학생들은 Simmons 교사와 사서에게 도움을 요청하기도 한다. Simmons는 낮은 성취를 보이는 학생을 도와준다.

일곱째 날. 학생들은 연구 보고서를 쓰고 각 집단은 자신의 주제영역과 관련된 정보가 있는 책을 수집한다. 이러한 책들은 다른 학생들이 보고서를 쓰거나 쓰기나 정보를 획득하는 데 참고할 수 있도록 교실에 둔다.

여덟째 날과 아홉째 날. 각 그룹은 가족사진, 그래프, 비디오, 게스트 강사로서 가족 구성원 등을 사용하여 학급 학생들을 대상으로 구두 보고를 한다.

열흘째 날. 마지막에 학생들은 짧은 토론 시간에 그들의 조사 작업에 대해 이야기를 한다. Simmons 교사는 학생들에게 "ㅇㅇㅇ 작업을 할 때 어떤 느낌이 들었습니까?", "왜 우리는 그러한 과정을 거쳤다고 생각합니까?"와 같은 질문을 통해 학습 활동에 대한 반성을 하게 한다.

> 제가 근무하는 지역에도 다문화 가정이 참 많은 편입니다. 다문화는 설명이나 읽기 활동으로 이해하고 내면화하기 어려운 주제입니다. Yolanda와 Prtricia의 다문화 이해교육은 개념에 대한 이해뿐만 아니라 자신과 다른 문화와 그 문화권의 사람들을 이해하고 다름을 받아들일 수 있도록 도와주도록 구성되어 있다는 점이 좋았습니다. 때때로 사회과는 사실들의 암기, 개념의 이해에서 그치는 경향이 있는데 나아가 실제 사회와 연결시키려는 더 많은 노력이 필요하다고 생각합니다. 한 가지 주제와 관련하여, 조사, 토론, 기술, 분석 등 다양한 활동으로 학생들의 과제수행 능력을 향상시키려는 노력을 볼 수 있었습니다.
>
> (2009년 4월 정정훈과의 인터뷰에서)

좋은 수업을 위한 일곱 가지 구조

앞에서 좋은 수업과 관련한 일반적인 수업 원리와 각 교과목의 수업 원리를 살펴보았고 많은 교실 수업의 예시를 통해 각 교과에 맞는 좋은 수업의 모습을 소개하였다. 그렇다면 좋은 수업을 위한 특징적인 교실 활동이나 구조가 있을까? 좋은 수업은 하나의 철학이다. 학습에 대한 조화롭고 실제적인 이론의 모음이라고 생각하면 된다. 즉 좋은 수업은 오늘날의 교육자들이 교육학 도서에서 앞다투어 소개하는 학생 중심, 경험적, 표현적인, 반성적인, 실제적인, 전체적인, 사회적인, 협동적인, 민주적인, 인지적인인, 발달적인 구성주의자 그리고 도전적인 것과 관련된 학습의 철학이라고 정의내릴 수 있다. 따라서 좋은 수업을 위한 정형화된 모델은 없다. 그렇다면 자신이 실제로 좋은 수업을 행하고 있다고 말하는 교사들은 일반적으로 어떻게 교실 수업을 하고 있을까? 교육 실천가들은 좋은 수업의 철학을 교실에 펼쳐놓기 위해 무엇을 하고 있을까?

지금까지 우리가 기술한 좋은 수업에 대한 예들은 상당히 복잡해 보일 수 있다. 그러나 어떤 부분들에 대해서는 단순하다. 이러한 뛰어난 수업들의 이면에 반복되어 나타나는 몇몇 구조들(학생들을 조직하는 기본적인 방법, 시간, 공간, 교수학습 자료, 도움)이 있다. 사실상 표본이 될 수 있는 교사들은 자신들의 아이디어를 구체화하기 위해 상당히 단순하며 기본적인 활동들과 반복되는 활동들을 조직한다. 그림 13-5에 제시한 일곱 개의 활동이 Zemelman, Daniels, Hyde가 주장한 '좋은 수업의 교실 구조' 이다.

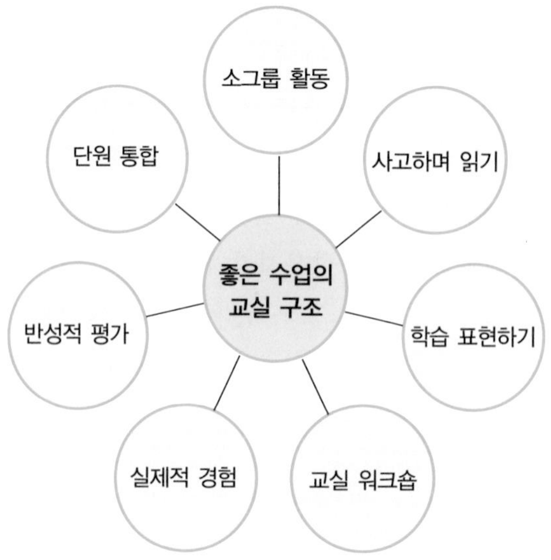

[그림 13-5 좋은 수업의 일곱 가지 구조]

각 활동은 아주 효과적인 성취를 위한 방법이 될 수 있다. 그러나 이러한 활동을 교실에서 실현시키기 위해서는 학생들이 각 활동에 적응할 수 있는 훈련이 필요하다. 복잡한 활동일수록 긴 훈련시간이 필요하다. 당연히 훈련을 받는 동안 학생들은 사회적 기술의 습득과 학습도 이루어진다. 최근 Harvey와 Bizar(2004)는 일곱 가지 수업의 구조를 소개하였다. 우리는 이를 참고로 여기에서는 그들의 일곱 가지 구조를 간단한 설명과 예를 들어 소개하고자 한다.

소그룹 활동

좋은 수업은 교실의 방법적 측면에서 큰 변화를 의미한다. 새로운 교육과정은 교사들의 강의나 권위가 줄어든다는 것을 의미한다. 학생들의 능동적인 학습, 학생들의 끊임없는 움직임, 분산된 그룹 활동을 더 많이 하게 된다. 좋은 수업 교실에서 학생들은 교사의 지속적인 감시 없이, 소그룹을 형성해서 효과적으로 함께 작업을 한다. 우리는 참된 교육과정의 의미를 실행하기 위해서 이처럼 효과적인 협동학습 구조를 적용해야 한다. 사실 아이들은 그룹으로 학습할 때 데이터, 사실, 법칙을 효과적으로 발견할 수 있다. 그림 13-6은 학생들이 고등사고를 할 수 있게 하는 협동 학습을 위한 몇 개의 활동 예이다.

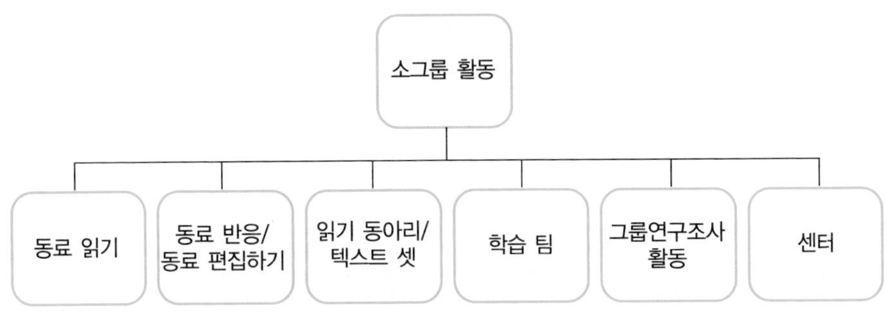

[그림 13-6 소그룹 활동 모형]

동료 읽기. 두 학생은 이야기책이나 교재를 서로에게 큰 소리로 번갈아가며 읽어 준다. 이들은 교실 밖에서 같은 부분을 읽고 읽은 것에 대해 함께 토론할 수 있다. 또는 서로 다른 부분을 읽고 서로에게 문제를 내고 그것을 알아맞히는 활동도 할 수 있다.

동료 반응과 편집하기. 서로의 초고에 대해 비평적으로 피드백을 할 수 있는 그룹 만들기. 학생들이 그들의 작업을 위한 작업 관리 도구(예를 들어 교실에 있는 모든 사람들이 자신의 파트너가 들을 수 있도록 빠르게 말하는 방법)와 작업 과정에 사용되는 기술(예를 들어 비평만 하는 것이 아니라 학생들을 한 명의 작가라고 생각하고 작가가 성장할 수 있게 작품에 대해 질문하는 방법)을 개발하기 위해 서로를 돕는 연습을 할 수 있다.

문학 동아리/독서 동아리. 4명 또는 5명의 학생을 그룹으로 만들어 같은 기사, 책 또는 소설을 읽게 한다. 교실 밖에서 읽기 활동을 한 후 그들은 몇 개의 특별한 토론 역할놀이를 준비한다. 각 동아리는 각 회기에서 토론 역할을 교대로 하며 정기적인 모임을 갖는다. 그들이 한 권의 책을 끝낼 때, 그 동아리는 전체 교실을 대상으로 하는 간단한 보고서를 작성한다. 각 동아리 활동이 마무리되면 다른 그룹에 소속된 구성원들을 서로 맞바꾼다. 학생들은 더 많은 읽기를 하기 위해서 새로운 동아리로 계속 움직인다(Daniels 2002; Daniels and Steineke 2004).

학습 팀. 그룹에 있는 모든 학생들이 성공적인 작업을 수행했을 때, 모두가 최대의 이익을 얻는다는 보상 시스템을 제공하는 상호의존적 그룹을 형성하기 때문에 아이들은 자신들의 과제를 스스로 분배하고 그 작업을 공유하고 뒤처지는 구성원을 돕는다.

그룹 연구 · 조사 활동. 이 구조는 연구를 위한 하나의 문제를 제시하고 정의하는 것과 함께 시작된다. 첫 번째 단계인 전체 수업은 그 주제를 연구하기 위해서 그 주제를 토론하고 선 지식을 공유하고 가설을 일반화하고 질문을 제기하고 목표를 세우고 연구 · 조사계획을 작성한다. 역할과 과제는 학생들의 호기심과 기술에 근거하여 서로 다른 그룹을 나눈 다음 각각의 학생에게 부여된다. 그런 다음 그 연구 · 조사활동은 소그룹별로 진행된다. 이때 교사는 아이들의 활동에 필요한 시설과 자원을 제공해 주는 역할을 한다. 이 연구 · 조사 활동이 완성되면 학생들은 전체를 대상으로 자신들의 결과물을 공유하고 이에 대해 전체적으로 논의한다.

센터. 센터는 학생들이 일정한 순서로 센터를 따라 아이디어를 만나고 탐구할 수 있는 교실 안 또는 주변에 교사가 만들어 놓은 학습 장소이다. 센터에서 개인뿐 아니라 소그룹별로 능동적인 탐구를 할 수 있으며 전체 수업 발표로 대신할 수도 있다. 많은 사람들은 아이들이 많은 다른 활동들이 균형 있게 혼합되어 있는 교수-학습을 제공받을 때 학교에서 가장 잘 배울 수 있다는 것에 동의한다. 센터는 하루 일과 중 교수를 위한 가장 중요한 동력으로서가 아니라 교실 공간의 한 공간이자 다양한 스케줄의 한 장소라는 것을 명심해야 한다. 앞서 소개했던 Davis와 Mary Fencl 교사처럼 많은 교사들이 좋은 수업을 실천하기 위해 일반적으로 교실에 4개에서 5개의 센터를 두고 이 센터를 교대로 운영하기도 하고 센터에서의 활동을 45분이나 1시간 30분으로 설계한다.

> 문학 동아리/독서 동아리 활동을 제외하고, 여기서 소개하는 다른 소그룹 활동들은 저에게 전혀 새롭거나 생소하지 않습니다. 왜냐하면 평소 수업할 때 자주 사용하는 활동들이며 저의 반 학생들 또한 좋아하고 훈련이 잘 되어 있는 활동들이기 때문입니다. 살펴보니 소그룹 활동들은 한 개의 활동만 한 차시의 수업에서 이루어지는 것이 아니라, 교사는 두 개 혹은 세 개의 활동을 연이어 구성할 수도 있는 것으로 생각됩니다.
>
> (2009년 4월 정정훈과의 인터뷰에서)

교사 정정훈의 말처럼 교실 수업에서 소그룹 활동은 거의 매일 사용되고 있다고 해도 과언이 아니며 그 형태 또한 다양하다. 어느 과목에 어떤 활동을 선택하는가도 중요하지만 각 차시의 학습목표 달성을 위해 선택되는 활동에 따라 때로는 한 가지 혹은 두 가지 이상의 소그룹 활동을 사용할 수 있다.

사고하며 읽기

어린 독자들은 두 개의 목적을 가지고 있다. 즉 읽기 위해 배우기, 배우기 위해 읽기가 그것이다. 학생들은 성장하면서 점차 어려운 글을 접하게 된다. 따라서 그들은 매우 복잡하게 생각하며 읽는 몇 가지 전략들을 발달시켜야만 한다. 현명한 교사들은 학생들이 학교에서 직면하는 텍스트들(학생들 문학의 이해, 과학적 · 역사적 · 수학적 그리고 모든 종류의 텍스트들)을 명료하게 하기 위해 특별한 방법을 사용한다. 전략적 읽기 혹은 사고전략으로서의 읽기 등으로 알려져 있으며, 섬세하게 구조화된 상호작용 활동에는 학생들이 좀 더 잘 이해할 수 있도록 하는 토론, 글쓰기, 그리기 등이 있다. 이러한 독특한 활동들은 학생들이 숙달된 독자들처럼 자신들의 정신적 전략들을 효과적으로 사용할 수 있도록 돕는다. 우리가 여기에서 소개하는 읽기 과정의 세 개의 범주로 분류할 수 있으며 직선적이라기보다 순환적으로 일어날 수 있다.

읽기 활동을 다음과 같이 세 단계로 나누고 각각의 단계에서 학생들을 돕는 것은 전통적인 읽기지도와 비교했을 때 비교적 많은 시간과 노력을 필요로 한다. 이 새로운 접근은 학생들로 하여금 텍스트를 완전히 이해하도록 하는 데 많은 시간을 필요로 한다.

읽기 전 활동. 읽기 전 활동에서 중요한 것은 다음과 같다.

- 학생들이 읽기 활동에 흥미를 가지고 집중할 수 있도록 돕기
- 읽기 목적 명료화하기
- 학생들을 읽기 내용 그리고 그것과 관련된 개념이나 이슈에 집중시키기
- 학생들의 사전 경험과 연관 짓기

이 활동에는 KWL(Know, Want, Learned) 세 개의 단계가 있다. K(Know)는 학생들이 주제에 대해 알고 있는 것을 나타내며, W(Want)는 학생들이 그 주제에 대해 알고 싶어하는것을 나타내며, L(Learned)은 읽은 후 알게 된 것을 나타낸다.

K 단계에서 학생들은 그들이 알고 있는 것을 생각해 내고 교사는 그 생각을 나열한다. '왜?' 라는 질문을 통해 학생들의 생각이 중요한지 아닌지를 고려할 수 있다. 이를 통해 학생들은 좀 더 쉽게 텍스트를 이해할 수 있다. 학생들이 관련이 적은 혹은 잘못된 생각을 이야기하더라도 문제 되지 않는다. 잘못된 개념은 학생들의 읽기를 통해 바로잡아질 것이기 때문이다. 이는 교사가 '틀렸다' 라고 이야기하는 것보다 나은 피드백이다. W 단계에서 학생들은 자신들의 무지를 드러내기를 꺼리는 경향이 있기 때문에 주저하는 경우가 많다. 이때 교사는 적절한 질문으로 학생들이 무엇을 알고 싶어하는지를 끌어낼 필요가 있다. 이러한 과정이 끝나면 학생들은 효과적으로 책을 읽기 위해 자신들이 알고 있는 것, 원하는 것을 분류하여 범주로 묶는 작업을 한다.

읽는 중 활동. 학생들의 생각을 구성하고, 발전시키며 의문점을 갖도록 돕기.
좋은 독자들은 과학적 실험, 역사적 사건 혹은 이야기 속에서 무엇이 일어나고 있는지 시각화한다. 그들은 주제에 대해 의문점이 있다는 것을 인지하며, 자신의 경험뿐만 아니라 그들 주변의 좀 더 넓은 세계와 그들이 읽는 이야기의 부분들과의 관련을 찾아 연결 짓는다. 그들은 이야기가 암시하는 숨겨진 의미를 찾아 추측하며, 무엇이 주가 되는 생각이고 무엇이 부수적인지를 알아낸다. 또한 그들은 자신들이 이해하거나 이야기 연결의 단서를 잃어버렸을 때, 자신들이 잘 이해하고 있는지를 알아차린다. 좋은 독자의 마음은 수동적으로 주는 것을 받아들이는 스펀지와 같은 것이 아니라 매우 활동적이며 기민하다.

능률적인 독자들은 글을 읽는 동안 자신에게 필요하거나 기억하고자 하는 것들을 표시하거나 기호화(text coding)한다. 그들은 색연필로 표시하기, 밑줄 긋기, 단어에 동그라미 그리기, 물음표, 느낌표 등의 표시를 한다. 게다가 이러한 표시들은 아주 단

순하고 실용적이며 실제로 독자들에 의해서 널리 이용되고 있다. 불행히도 학생들은 학교에서 자신들이 사용하는 책에 이러한 코딩을 사용하는 것을 요구받지 못했다. 더구나 어려운 텍스트들(과학 혹은 역사)을 읽을 때 이 효과적인 방법을 상대적으로 덜 사용한다는 점이 매우 안타깝다.

학생들이 글을 읽을 때 코딩하는 것은 어렵거나 복잡하고 새로운 정보들이 많은 책을 읽을 때 더 필요하다. 그러한 기호들은 학생들이 표면적인 의미를 통과해서 숨겨진 의미를 찾고 자신이 읽으면서 가졌던 생각을 효과적으로 표시할 수 있다는 점에서 매우 중요하다. 많은 교사들은 Vaughan & Estes(1986)의 INSERT 시스템을 사용하고 있다.

'INSERT' 코드

√	생각한 것 확인함
×	내 생각과 대조함
?	의문점이 떠오름
??	잘 이해되지 않음
★	중요해 보임
!	새롭거나 흥미 있음

교사는 이 기호들을 그냥 나누어 주어서는 안되며, 간단한 글을 큰 소리로 읽으며, 자신이 생각하는 곳에서 정지하여 적절한 기호로 표시함으로써 기호들을 어떻게 사용하는지 보여주어야 한다. 전체 학급에서 혹은 작은 그룹에서 텍스트 코딩이 끝나면 교사는 "첫 번째 단락에서 ?가 있는 학생 있습니까? 정확하게 어디에서 표시했죠?" 등의 질문을 하며 학생들의 코딩과 생각을 점검할 수 있다.

읽기 후 활동. 독서 후 학생들이 그들의 생각을 표현, 통합, 공유할 수 있는 활동들. 이것은 학생들이 독서 후 자신들이 읽은 것과 자신들이 가지고 있던 경험들 간의 아이디어들을 통합하는 것이다. 이를 통해 좀 더 나은 추론을 하고, 관련성을 찾을 수 있다. 학생들은 질문과 목적을 좇으며, 자신들이 찾는 답인지 아닌지를 생각하고, 새로운 것을 발견하고, 주제와 관련한 새로운 상관관계를 찾았는지에 대해 고민하게 된다. 또한 그들은 자신들의 생각을 급우들과 공유하게 된다.

읽기 후 활동의 하나로 쓰기대화(written conversation)를 소개한다. 우리는 종종 읽기를 마친 후 그것에 대해 학급전체 토론을 한다. 그럼 학급전체 토론이란 무엇인가? 그것은 보통 한 학생이 이야기하고 30명 혹은 그 이상의 학생들은 앉아서 듣는 척하며 자신의 차례가 돌아오지 않기를 바라고 있는 것이다. 그것은 단지 일상적인 활동이며, 학생들이 실제적으로 참여하는 활동이 아니라 전형적인 수동적 교수의 표본이다. 왜냐하면 대부분의 학생들은 주어진 과제에 몰입하고 있지 않기 때문이다. '쓰기대화' 로 모든 학생들이 동시에 조용하지만 능동적이며 활발하게 토론에 참여하도록 할 수 있다.

그것은 이렇게 이루어진다. 학생들이 읽기의 중요한 부분을 읽은 후, 학생들은 파트너의 쓰기대화를 확인한다. 교사는 먼저 그 활동을 설명하는 데 그 활동방법을 설명하면 아래와 같다.

- 학생들은 주어진 부분에 대한 쓰기를 동시에 쓴다.
- 교사가 지시할 때 2~3분마다 쓰기 노트를 바꾼다.
- 주어진 시간의 양에 따라 이 활동을 2~4번 정도 반복한다.
- 학생들은 정숙한 가운데 활동을 진행한다.
- 학생들은 주어진 시간 안에 쓰기를 끝내야 한다.
- 학생들은 주어진 글에 대해 단어, 구, 문장, 관련성, 생각, 의문 혹은 다른 학생이 써 놓은 글에 대한 답을 쓸 수도 있다.
- 문법이나 철자는 중요하지 않다.

교사는 주제를 약간 벗어날 수도 있고, '무엇을 이해하고 이해하지 못했습니까?', '여기에서 가장 중요한 생각이 무엇입니까?', '당신은 저자의 생각에 동의합니까? 동의하지 않습니까? 그 이유는 무엇입니까?' 등 자신이 정한 질문을 할 수도 있다. 각 학생은 동시에 쓰기를 하는 동안, 교사는 시간을 확인하고 노트를 교환할 때를 알려주어야 한다. 교사는 학생들에게 그들이 이야기할 때와 같이, 짝의 글을 읽고, 대답이나 느낌, 이야기, 자기 생각과의 관계, 혹은 파트너에게 질문을 할 수도 있다는 것을 상기시켜 주어야 한다.

두세 번의 쓰기대화가 끝나면 학생들은 다시 2~3분 동안 주제에 대해 큰 소리로 파트너와 이야기한다. Jerry와 Randy처럼 모든 학생들은 할 이야기를 가지고 있기 때문에 교실은 혼잡해질 것이다. 파트너와의 토론 후에 하게 되는 학급전체 토의는 모든 학생들이 신선한 아이디어를 가지고 있기 때문에 좀 더 생산적이고 능률적일 것이다. 교사는 몇몇 학생들에게 그들이 논의한 것들 중에서 가장 중요한 것만 발표하도록 한다.

교사가 처음 이 활동을 하는 동안 학생들은 종이를 바꾸면서 서로 이야기를 주고받을 수 있다. 교사는 이야기를 하지 않고 글로 써야 한다는 것을 활동이 이루어지는 동안 계속해서 강조해야 한다. 아무리 안내를 잘 해도 어떤 학생은 단 두 개의 단어만 쓰고 나머지 2분을 그냥 허비할 수 있다. 교사는 주어진 시간 내내 써야 한다는 점을 강조해야 하며 때때로 몇몇 학생들을 위해 약간의 시간을 더 줄 수도 있다. 학생들이 쓰기를 마치고 이야기할 시간이 되면, 학생들의 주의를 모으기가 어렵다. 왜냐하면 학생들은 자신이 읽은 글과 서로의 생각에 몰두해 있기 때문이다.

학습 표현하기

많은 교사들은 이미 1970년대와 1980년대에 교사 작가인 Peter Elbow(1973)와 Toby Fulwiler(1987)에 의해 개발된 '학습을 위한 글쓰기의 개념' 에 익숙하다. 이 아이디어는 간단하다. 글쓰기는 학습 활동의 한 결과물일 뿐 아니라 사고의 도구가 될 수 있다는 것이다. 현대 학습 이론은 우리에게 학생들이 비형식적이고 임의적인 글쓰기를 사용함으로써 정보를 습득하거나 학습할 때 실제로 학교에서 배운 것을 더 많이 이해하고 기억한다는 것을 보여주었다.

학습을 위한 글쓰기가 단지 단어를 쓰는 활동만은 아니다. 그리기, 스케치하기, 대강 적어두기, 지도 그리기, 그리고 다른 예술적인 그래픽 표현도 같은 가치를 가지고 있다. 그리고 단어를 조합할 때 종이 만들기, 의미묶음으로 표 만들기, 만화 그리기 같은 전략은 교육과정에 대한 학생들의 사고에 강력한 영향을 미칠 수 있다. 이러한 활동의 효과는 많은 연구를 통해 입증되었기 때문에 학습을 위한 글쓰기의 중요성을 알리기 위해 '학습을 위한 표현하기(representing-to-learn)' 란 새 이름을 붙이게 되었다(Daniels and Bizar 1998).

학습을 위한 표현하기 전략은 전통적인 학교의 수동성을 극복하고 학생들이 더 활동적이고 그들 자신의 학습에 책임감을 가질 수 있게 한다. 모든 교과의 교사들은 학생들에게 스케치북과 학습일지를 준비하게 할 수 있다. 거기에 학생들은 자신들이 공부하고 있는 내용에 대해 정기적으로 짧고 임의적이고 개인적인 그림을 그리거나 글쓰기를 한다. 학습지에 있는 빈칸을 채우고 교재에 있는 질문에 짧게 답하기를 하는 대신에 학생들은 좀 더 소수의, 좀 더 넓은, 좀 더 개방적인 자극에 반응한다: 만약 링컨이 여섯 달 더 빨리 총을 맞았다면 어떻게 되었을까? 일지에, 교사들은 학생들에게 교육과정에서 어떤 아이디어에 대해 반응하고 기록하고 깊이 생각하고 비교하고 분석하고 또는 종합하게 한다. 이때 학생들은 문법 또는 예술적인 능력을 평가받기 위해 글쓰기를 하지 않는다. 오히려 아이디어를 추구하고 생각을 충분히 살피기 위해 글쓰기를 한다. 이러한 활동의 결과물이 들어 있는 공책은 아이들의 지성을 흐르게 하고 아이들의 사고를 관찰하고 습관적이고 구체적인 반성을 하게 하는 도구가 된다. 이것은 결과물을 윤택하게 하는 것이 아니라 사고를 위한 글쓰기와 그리기이다.

교실 워크숍

믿을 수 없게도 문학 교육에서 가장 중요한 새로운 전략은 읽고 쓰기 워크숍이다. Donald Graves, Nancie Atwell, Lucy Calkins, Linda Rief, Tom Fomano, 그리고 그 밖의 학자들은 워크숍을 하는 교실에서 학생들은 그들 자신의 읽기 쓰기 활동을 위해, 읽기를 위해 책을, 쓰기를 위한 주제를 선택하고 시간을 커다랗게 묶어서 사용한다고 하였다. 학생들은 자유롭게 친구들과 협동하고 필요한 기록을 하고 자기 평가를 한다. 교사들은 새로운 역할을 가지게 되는데 그들 자신의 글쓰기와 읽기 과정을 모델링하고 학생들과 일대일로 협의하고 적절한 시기에 맞춰 학생들에게 짧은 강의를 제공한다. 성숙한 워크숍 교실에서는 교사들이 '가르칠 만한 시간' 을 기다리지 않는다. 언제 어느 곳에서든 그들은 가르칠 준비를 하고 있다.

학교에서 워크숍은 읽기, 쓰기, 수학, 역사 또는 과학 등 한 과제의 주요 활동을 하는 정기적으로 예정된 시간(1시간 또는 그 이상) 덩어리이다. 워크숍은 적어도 일주일에 한 번씩 정기적으로 이루어진다. 진정한 워크숍의 정의는 선택이다. 개개의 학생들이 읽기를 위해 자신의 책과 글쓰기를 위한 주제, 조사를 하기 위한 프로젝트를 선택한다. 학생들은 워크숍 기간 동안 심사숙고하여 선택한 학습의 실제를 위해 연속적인 활동을 하게 된다. 워크숍 시간에는 작업과 관련된 제반 활동을 하게 된다. 그래서 그들이 한 결과물, 한 작품 또는 한 구절을 완성할 때, 학생들은 워크숍을 위해 '다 했다' 라고 하지 않는다. 대신에 아이들은 과제와 주제에 대한 그들 자신이 작성한 목록에 있는 아이디어를 기초로 하여 새로운 무엇인가를 시작하거나 그 활동과 관련된 것을 교사와 함께 논의한다. 워크숍에서는 학생들 간의 작업내용 공유하기와 협동하기를 위해 정기적이고 구조화된 기회를 제공한다. 학생들은 또한 작업을 하는 데 홀로 많은 시간을 보내기도 한다.

오늘날 새로운 교육적 방법을 개척하는 교사들은 읽기와 쓰기에서 워크숍 모델 외형을 확장하기 시작했다. 교사들은 모든 교과에 있어 학생들에게 깊고 폭넓은 배움의 기회가 어떤 한 분야에 정통하는 데 중요하다는 것을 인정하기 때문에 워크숍을 선택하고 있다. 표 13-7은 45분의 워크숍을 위한 일반적인 시간 계획이다.

〈 표 13-7 워크숍을 위한 시간 계획의 예 〉

5분	**교실 컨퍼런스.** 각 학생은 이 기간에 작업할 것과 관련된 몇 개의 단어 발표
30분	**작업 시간/컨퍼런스.** 학생들은 그들의 계획에 따라 작업을 한다. 작업은 규칙과 규정에 의거하여 읽기, 글쓰기, 다른 사람과 이야기하기 또는 작업하기, 도서관에 가기, 전화하기, 현미경 사용하기를 포함한다. 이때 교사는 그 과제를 하는 것을 모델링하기 위해 스스로 실험하고 글을 읽고 글쓰기 활동을 학생들처럼 할 것이다. 그런 다음 교사는 주요한 워크숍 활동을 다시 한다: 일대일로 안내하기 또는 아이들의 작업에 대해 아이들과 함께 소그룹 토론하기. 이 토론에서 교사의 역할은 공명판, 중재자, 코치가 된다. 가끔 비평가 또는 교수자가 될 수도 있다.
10분	**공유하기.** 그날에 했던 것에 대해 학생들이 토론할 수 있는 마지막 몇 분이다. 글을 쓴 학생은 큰 소리로 작품을 읽을 것이고 읽기를 한 학생은 요약한 책 리뷰를 제공할 것이고, 과학자가 되어 본 학생은 화학적 반응을 설명하고, 사회과학 팀은 그들의 여론조사 결과를 보고할 것이다.

실제적 경험

사실상 과거 10년 이상, 발표된 모든 표준화 문서들은 교사들에게 학생들이 만져서 알 수 있는, 진짜의, 실제적인, 실세계 사물 그리고 경험을 제공하는 것을 포함한 '실세계에 맞게' 라는 간청을 해왔다. 이러한 도전은 몇 가지 면에서 문제가 있다. 학교 자체가 '현실적' 이지 않다는 것이다. 학교는 삶, 사람, 작업, 공동체와 의도적으로 분리되어 있다. 만약 우리가 교육의 '실세계' 를 원한다면 우리는 학교 속에 세계의 일부를 보냄으로써 또는 아이들을 세계 속으로 데려옴으로써 그러한 분리를 극복해야 한다. 학교의 문은 두 가지 방법에 열려있다. 그러나 '방법' 부분은 미묘하다.

미국 교육 과학 표준안(National Science Education Standards)의 한 이야기는 '현실적' 인 한 가지 버전을 제공한다. Ms. F. 교사는 자료를 수집하고 조사하는 수업을 운동장 옆의 한 공터에서 땅속에 사는 벌레에 아이들이 매료되었다는 것에서 시작하게 된다. 그녀는 학생들이 그 벌레가 필요로 하는 서식지가 어떤 곳이라는 것을 이해하기를 바랐다. 아이들은 태양과 흙, 나뭇잎, 풀로 가득 찬 곳과 실내 재배용 유리 용기 속에 비슷한 환경을 만들기 전에, 그 벌레가 살 수 있는 조건을 실험하는 데 열정적인 며칠을 보냈다. Ms. F. 교사는 아이들에게 몇 마리의 벌레를 땅속 집에서 아이들이 마련한 새로운 집으로 옮기도록 했다. 2주 동안 학생들은 벌레를 관찰했고 벌레의 행동을 기록했고 이러한 활동을 통해 자신들이 알고 싶은 내용으로 질문을 만들기 시작했다: 그들은 얼마나 많은 새끼를 낳나요? 그들은 정말 어두운 것을 좋아하나요? 그들의 몸집은 얼마나 커지나요? 그들은 얼마나 오래 사나요? 이러한 과정을 거쳐 아이들은 그들이 실험하기를 바라는 가장 흥미로운 질문에 대한 해답을 얻기 위해 자연스럽게 소그룹을 형성했다. 그 그룹은 자신들이 조사를 어떻게 할 것인지를 결정할 수 있는 시간을 할당받았고 다음주까지 그 조사는 계속되었다. 이러한 실제적 과학 실험은 학생들의 흥미롭고 자연스러운 호기심으로 시작되었으며 그들은 땅에 사는 벌레에 대해 가르쳤던 것보다 훨씬 더 많은 것을 알게 되었다. 그들은 연구자가 되었다: 자료 수집하기, 변수 조작하기, 질문하기, 답 발견하기, 더 많은 질문하기. 학생들은 성인 과학자들이 협동 작업을 하는 것처럼 협동하여 작업했다.

이러한 모범 활동은 실제로 '실제성'과 관련된 몇 가지를 포함하고 있다. 첫째, Ms. F. 교사는 아이들이 실제로 흥미를 느꼈던 것에서 수업을 시작했다. 둘째, 그녀는 진짜 과학자들이 하는 것처럼 진짜 연구에 아이들을 참여시켰다. 셋째, 그녀는 아이들이 팀을 나누어 협동적으로 연구를 하게 도와줌으로써 아이들에게 진정한 책임감과 선택권을 주었다. 그리고 분명히 그녀는 학생들에게 진짜 벌레를 가지고 작업하게 했다.

다음은 실제적인 학습을 위해 필요한 것들이다.

학교 안에서

- 학생을 교육과정 구성에 참여시키기(주제의 선택, 시간계획, 기록하기 등)
- 학생들의 관심과 관련한 광범위하고, 간학문적인 단원 구성하기
- 현실생활과 관련되고 실제적이며 만질 수 있는 자료 활용하기
- 조용히 앉아서 듣는 학습이 아닌, 하면서 배우는 활동하기
- 현재의 사건과 현상을 교육과정과 관련 짓기
- 학생들의 다양한 인지적 성향, 지능과 관련되는 활동 포함시키기
- 작가들에 의해 조작된 기초적인 글보다 실제적인 책과 글 활용하기
- 교과서 이외에 관련된 다양한 서적 활용하기
- 지역사회 전문가 초청하기
- 발표, 컨퍼런스 등을 위해 지역 전문가 초청하기
- 동료 작업, 간학년 프로젝트, 특정 교육을 위해 다양한 학생 그룹 만들기

- 융통성 있는 시간 구성하기
- 학습목표와 자기평가 강조하기
- 정기적으로 일대일 면담시간 갖기
- 학부모와 지역 인사들을 초청한 발표회와 전시회 개최하기

학교 밖에서

- 가족과 지역사회와 상호작용할 수 있는 과제 내기
- 교육과정을 보강할 수 있는 예술 공연이나 현장학습을 정기적으로 계획하기
- 지역 정부, 회사, 서비스센터 등을 방문하고 공부할 기회 제공하기
- 지역사회 문제에 관심 갖기: 재활용, 안전, 어린이를 위한 프로그램 등
- 지역의 꾸미기 혹은 예술 프로젝트에 참여하기
- 학교 밖 교육, 생태환경, 야생, 그리고 탐험 프로그램 제공하기
- 편지르 통하거나 사람을 만나 특정 주제에 대한 조사 연구하기
- 봉사활동 기회 제공하기
- 광범위한 과제의 구상, 계획, 평가에 학생 포함시키기
- 학생들의 과제 수행 결과를 지역사회, 학부모들과 공유하기

반성적 평가

좋은 수업이 이루어지는 교실에서 교사는 단순히 학생들의 성취도를 채점하고 성적표를 옮기는 작업을 하지 않는다. 그들은 학생들이 배운 기술을 사용하거나 그들이 알고 있는 양을 측정하는 데 관심을 두지 않고, 학생들이 어떻게 실제적으로, 완전하게 고차원적인 활동들(책을 읽고 교정하기, 과학적 탐구를 수행하고 보고서 작성하기, 실제 상황에서 수학적 문제 해결하기)을 수행하는가에 관심을 둔다. 진보적인 교사들은 학생들의 학습에 관해 좀 더 깊고 실제적인 정보를 원하기 때문에 학생들의 발달 정도를 다양하고 복잡한 방법으로 관찰한다. 점점 더 많은 교사들이 기술적, 질적인 탐구(관찰, 인터뷰, 질문지, 수행과 현상의 수집과 해석)에 적응하고 선택하고 있다. 그들은 얻어진 정보를 보고서에 기록하기 위해서가 아니라 다음 수업을 구성하고 학생들을 성장을 돕는 데 사용되는 매일 매일의 중요한 결정을 내리기 위해 사용한다. 무엇보다 그들은 평가가 학생들이 목표에 도달하는 것을 돕고, 그들의 작업을 관찰하며, 학생들의 노력 정도를 평가하기 위한 것이라 간주한다.

또한 교사는 학생들로 하여금 다양한 방법으로 사진의 과제 수행을 나타내도록 한다. 학생들은 교사와 함께 주기적으로 자신들의 과제 수행과 발생한 문제점을 되돌아보고 다음주 혹은 다음달의 목표를 정한다. 이러한 자기 평가는 고등사고와 학생들의 의무를 강조한다는 점에서 매우 가치가 있다. 학생 포토폴리오는 자기 평가 방법들 중 가장 효과적인 방법의 하나이다.

평가와 학습을 분리하는 대신에 평가를 학습과 동시에 실시하는 것은 또 다른 효과적인 평가방법이다. 교사는 한 학생과 쓰기에 대해서 가르치고 이야기하는 동안에 학생의 발달 정도를 알고 기록할 수 있다. 마찬가지로 학생과 교사가 평가 루브릭(발표, 과학실험, 설득적 글쓰기)에 관해 논의하는 동안에, 학생들은 자기 자신을 평가하고 효과적인 과제 수행 요소들을 명확히 할 수 있다. 이러한 노력을 통해 교사는 폭넓고 효과적인 평가 방법들을 차별화시킬 수 있다.

통합적 단원

좋은 수업이 이루어지는 학교나 교실에 있는 교사들은 주어진 단계나 구성의 학습활동들로 만족하지 않는다. 그들은 내용은 문제를 가지고 있어야 하며 학생들에게 어떤 의미를 느끼게 만들 수 있는 것이어야 한다고 생각한다. 그러므로 교사들은 학생들과 직접적으로 공동계획을 세움으로써 과제의 흥미와 중요성을 정의한 다음 그러한 주제들과 관련된 확장된 단원(unit)을 만든다. 초등학생들을 대상으로 고래, 탐사하기, 성, 오스트레일리아, 동화 또는 홈즈와 같은 주제들로 구성된 몇 주 과정의 교육과정을 만드는 교사가 있다. 예를 들어 학생들이 흥미 있어 하는 고래에 관한 단원을 그림 13-7과 같이 구성할 수 있을 것이다.

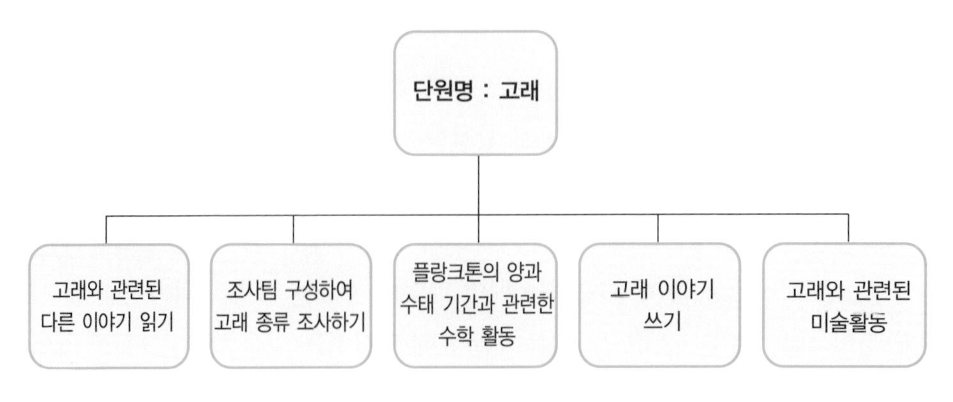

[그림 13-7 통합 단원의 활동 예]

이러한 교수방법의 주요한 이점은 이러한 교수방법을 통해 아이들은 즐거운 학교 생활을 하고 학교에서 하는 다양한 활동에 능동적으로 참여하는 데 필요한 참된 책임감, 도전, 연속성, 선택을 제공받을 수 있다는 것이다. 단원 학습은 대부분 교사들에 의해 설계되고 아이들의 발전과 관련해서 아이들 자신의 목소리와 더불어 아이들에게 전해진다. 만약 그 교사가 '옳다' 고 판단하고 동시에 많은 아이들이 진실로 고래에 대해 흥미를 가지고 있다면, 이것은 오래되고 지리멸렬한 교육과정보다 훨씬 나은 단계의 학습이 될 수 있다. 그리고 학생들을 수업에 더 빨리 더 깊게 참여시키기 위해서는 예를 들어 주제 정의하기, 질문 개발하기, 연구 계획 짜기, 과제 나누기, 정보 수집하기, 전체 과정 공유하기 등과 같은 활동을 학생들과 함께 할 수 있다.

이 일곱 가지의 활동에는 한 가지 공통점이 있다. 바로 교사를 지식의 전달자, 전문가, 발표자, 강사의 활동에서 한 걸음 뒤로 물러서게 한다는 점이다. 교사는 전통적인 교사역할에서 벗어나 조력자, 협력자, 보조자, 구성자, 관찰자의 역할을 하게 된다. 그렇다고 이런 교실에서 교사가 전혀 가르치지 않는다는 의미는 아니다. 교사는 자신의 역할을 계획해서 역할 간의 균형을 유지하는 것이 중요하다.

종합 및 결론

지금까지 우리가 소개한 이러한 견해들이 단순한 유행과 같이 냉소적으로 보일 수 있으나 지금까지 설명한 바와 같이 Best Practice는 한때의 유행 그 이상이다. 혹자는 Best Practice를 1960년대의 열린 교육 혹은 1990년대의 총체적 언어와 같이 금방 나타났다 사라지는 유행이 아니냐는 의문을 제기하기도 한다. 우리가 말하는 Best Practice는 지난 30년간 학교의 베테랑 교사들의 공통적인 움직임이다. 지난 60년대 90년대의 교육적 움직임 또한 우리가 하고 있는 지금의 논의에 영향을 끼쳤다고 볼 수 있다. 이것은 학생들이 배우는 것과 그 방법에 있어서 무엇이 중요한가에 대한 광범위한 합의를 나타낸다고 볼 수 있다. 이러한 접근은 역동적인 학습과 교육심리 등에 관한 연구들의 긴 역사를 포함하고 있다. 또한 미국 전역에 있는 우수한 교사들의 경험들을 포함하고 있다.

이러한 접근은 단순하지 않으며 가능한 한 많은 정보(학생, 학교, 교사 등) 수집을 필요로 한다. 우리는 특정한 학교 혹은 특정한 학생들에게 어떠한 교수 전략이 효과적인지 고민해야 한다. 또한 교사는 자신의 교수법이 효과적인가에 대해 지속적으로 고민하고 점검해 나가야 한다. 이것을 통해 우리는 어떤 방법이 효과적인지를 알게 됨은 물론 만약 효과적이지 않다면 무엇이 필요한지도 알게 된다. 학생들과 학교 그리고 교육 환경이 다양하기 때문에 어떤 확실한 신념을 갖기는 어렵지만 확실한 것은 지난 몇 십년 동안 수행된 연구들과 교육 결과를 볼 때 전통적인 교육에 비해 진보적이고 효과적인 방법이라는 것만은 확실하다.

> 그들의 책에서 소개하고 있는 각 교과에서 필요한 수업의 원리, 늘려야 할 것과 줄여야 할 것을 보면서 감탄을 금할 수 없었습니다. 저를 비롯한 우리나라의 교사들 또한 같은 고민을 하고 있지만 개별 교사들의 개인적인 고민으로 끝나버리기 쉽습니다. 각각의 교과 수업에서 중요한 원리들을 정리해 놓았으며, 그 원리들이 아주 구체적이고 수업 계획과 수업에 적용할 수 있을 정도로 유용하다고 생각합니다.
>
> (2009년 4월 정정훈과의 인터뷰에서)

교사 정정훈이 인터뷰에서 이야기한 바와 같이 이 장에서 소개한 원리와 수업의 예시는 당장 우리나라 교실에 적용해도 부족함이 없을 정도로 정교화되어 있으며 구체적이다. 이러한 구체적이고 실제적으로 교수-학습의 탐구는 현장의 교사들과 미래의 교사들의 수업관을 정립하고 자신과 학생들에게 적합한 활동을 찾아가는 데 큰 도움을 줄 수 있을 것이다.

학습활동과 토의주제

1. 최근 십년 혹은 그 이상 동안 우리나라에서 강조되고 있는 구성주의와 이 장에서 소개하고 있는 접근 혹은 교육방법을 비교해 봅시다. 어떤 점이 같으며, 차이가 있다면 어떤 점에서 차이가 있다고 생각합니까?

2. 이 장에서 소개하고 있는 교육관과 수업에 대한 태도는 이전의 열린 교육처럼 한 시대에 교실을 스쳐 지나가는 유행과는 다르다고 하였다. 여러분은 그 의견에 동의합니까? 동의하거나 그렇지 않다면 그 이유에 대해서 토론해 봅시다.

3. 교사로서 혹은 예비교사로서 좋은 수업(Best Practice)의 형태로 추가하고 싶은 형태나 그 예에 대해서 의견을 나누어 봅시다.

4 교실과 학교에서의 전통적인 교사의 역할과 우리가 강조한 교사의 역할은 분명히 다르다. 단순히 교사의 역할 변화(지식 전달자에서 조력자, 안내자로의 변화)의 관점뿐만 아니라 구체적으로 교사에게 요구되는 능력이나 노력에는 어떠한 것들이 있는지 논의해 봅시다.

참고문헌

한국교육과정평가원(2006). 수업 전문성 일반기준과 활용 방안. 서울: 한국교육과정평가원.

Allen, Janet (1999). *Words, Words, Words: Teaching Vocabulary in Grades 4-12*. Portland, ME: Stenhouse.

American Association for the Advancement of Science (1989). *Science for all Ameri- cans: A Project 2061 Report on Literacy Goals in Science, Mathematics, and Technology*. Washington, DC: American Association for the Advancement of Science.

American Association for the Advancement of Science (1993). *Benchmarks for Science Literacy*. New York: Oxford University Press.

Atwell, Nancie (1998). *In the Middle: Writing, reading, and Learning with Adolescents*. Portsmouth, NH: Bounton/Cook.

Bransford, J., A. Brown, and R. R. Cocking (2000). *How People Learn: Brain, Mind, Experience, and School*. Washington, DC: National Academy Press.

Calkins, Lucy McCormick (1994). *The art of Teaching Writing(Second Edition)*. Portsmouth, NH: Heinemann.

Carpenter, T. P., and T. A. Romberg (2004). *Powerful Practice in Mathematics and Science*. Madison, WI: National for Improving Student Learning and Achievement in Mathematics and Science.

Daniels, Harvey, and Steven Zemelman (2004). *Subjects Matter: Every Teacher's Guide to Content-Area Reading*. Portsmouth, NH: Heinemann.

Ma, L (1999). *Knowing and Teaching Elementary Mathematics: Teacher's Understanding of Fundamental Mathematics in China and United States*. Mahwah, NJ: Lawrence Erlbaum.

Martin, M. O., et al (2000). *TIMSS 1999 : International Science Report.* Boston, MA: International Study Center, Boston College.

National Council for the Social Studies (1994). *Expectations of Excellence: Curriculum Standards for Social Studies*. Washington, DC: National Council for the Social Studies.

Ohio Department of Education (2004). *Ohio Graduation Tests: Writing Practice Test for Ninth Graders*. Columbus, OH: Ohio Department of Education.

Paratore, Jeanne R (2001). *Opening Doors, Opening Opportunities: family Literacy in an Urban Community*. New York: Allyn and Bacon.

Robb, Laura (2003). *Teaching Reading in Social Studies, Science and Mathematics*. Jefferson City, MO: Scholastic.

Schmidt, W. H., C. C. McKnight, and S. A. Raizen (1998). *A Splintered Vision: An Investigation of U.S. Science and Mathematics Education*. Hingham, MA: Kluwer Academic Publishers.

Smagorinsky, Peter (1996). *Standards in Practice: Grades 9-12*. Urbana, IL: National Council of Teachers of English.

Wilhelm, Jeffrey D (1996). *Standards in Practice: Grades 6-8.* Urbana, IL: National Council of Teachers of English.

제14장

수행과 평가 중심의 교육과정 설계: Backward design

이 장의 공부할 내용

Grant Wiggins와 백워드 설계
이해로서의 교육과정
백워드 설계의 단계적 과정
백워드 교육과정 설계 모형 사례

Grant Wiggins

Grant Wiggins는 하버드대학교에서 교육학 박사학위를 취득하였고 대학교수로 활동하였다. 그러나 대학에서의 강의에 만족하지 못한 그는 대학 교수직을 포기하고 자신의 목적을 달성할 수 있는 연구소를 설립하였고(CLASS), 이 연구소는 미국을 포함한 구미 지역에서 수행평가와 성취기준에 기초한 교육과정 개발과 수업설계의 대표적인 연구기관으로 자리 잡았다.

계속적인 출판과 강연을 통하여 21세기 가장 영향력 있는 교육과정 개발 전문가의 명성을 획득하였고, 많은 학교들을 대상으로 한 현장 중심의 자문과 지도를 펼치고 있다. 현장교사들과 교장들의 엄청난 관심을 받은 그의 대표적인 책 『Educational Assessment』와 『Understanding By Design』과 『The Understanding By Design Handbook』은 최근 미국과 서구의 교육과정 개발 분야에서 가장 널리 읽히고 있는 책이다. 그 기여도로 인하여 출판서상을 받았으며 그로 인하여 여러 연구재단(Pew Charitable Trusts, the Geraldine R. Dodge Foundation과 National Science Foundation)으로부터 연구지원을 받았다.

본문에 소개가 된 것처럼 그가 자신의 책에서 개념화시킨 Backward Design은 성취기준과 수행평가에 기초한 새로운 학교교육의 방향 속에서 교사가 수업을 어떻게 설계하고 가르쳐야 하는지를 가장 잘 구현해 놓은 수업모형이다. 평가가 강조되고 사회에서 요구하는 실제적 지능이 강조되고 있는 이 수업설계는 구미의 교사들이 가장 연수받고 싶어하고 자신의 수업에서 적용하고 싶은 모델로 각광받고 있다. 때문에 그는 학교 현장교사와 행정가 중심의 모임인 ASCD 연차 학술대회의 주요 초청강사이며 청중을 위한 워크숍을 매년 개최하고 있다. 그의 다양한 업적과 연구활동 그리고 강연의 내용은 그의 인터넷 사이트 CLASS에서 쉽게 찾을 수 있다.

주요 저서

1998, Educative Assessment : Designing Assessments to Inform and Improve Student Performance. John Wiley & Sons Inc.

1999, Assessing Student Performance : Exploring the Purpose and Limits of Testing. John Wiley & Sons Inc.

2005, Understanding By Design[Paperback | 2 Expanded]. Assn for Supervision & Curriculum.

Grant Wiggins는 21세기 구미의 대표적인 교육과정 학자이자 현장전문가이다. 그가 이론화시킨 다양한 영역에서의 개척적인 작업들(교육과정 설계 모형, 대안적 평가, 학교 기반 참평가 도구 개발 등)은 미국을 포함한 선진국의 학교개혁의 주요한 지침으로 활용되고 있다. 특히 그가 오랫동안 이론화시킨 백워드 교육과정 개발 모형은 Tyler의 모형과 Bruner의 모형을 혼합하여 새롭게 개발한 것으로서 성취기준 중심의 1980년대 이후의 미국과 서구의 학교 현장에서 널리 활용되고 있는 모델이다. 이에 이 장에서는 그의 교육과정 모형에 대하여 좀 더 자세하게 살펴보고자 한다. 수행과 실제적 지능, 고차원적 사고기술 목표를 강조하고 있다는 점에서 이 모형은 과거의 교육과정 모형과는 다르게 평가받고 있으며 미국의 많은 학교들에서 적용되고 있다. Tyler의 모형이 교육과정 개발 과정에 초점을 두었다면 Wiggins의 모형은 수업단원 설계에 치중하고 있다는 점에서 수업단원을 개발하는 차원에서 우리에게 더 많은 시사점과 방법적 아이디어를 제공해준다.

이 장에서는 가장 먼저 Wiggins의 백워드 모형이 무엇인지를 먼저 살펴볼 것이다. 이는 백워드가 Tyler의 모형을 어떻게 계승하고 발전시켰는지를 설명할 것이다. 교육과정 개발에서 첫 단계로서 평가를 강조한 배경을 이해하는 데 도움을 줄 것이다. 다음으로 백워드에서 강조하는 학교교육의 목표로서 이해의 개념과 이해의 여섯 가지 요소들을 살펴볼 것이다. 이 이론은 Bloom이 제시한 교육목표분류학에 기초하지만 새로운 사회상황과 학습심리학에 기초하여 학교가 가르쳐야 할 목표의 위계와 내용을 구체화시킨 것이다. 백워드에서는 학생들이 알고 있다는 것은 이해하고 있다는 것으로 간주하고 학생들이 이해하고 있다면 바로 이 이해의 이론에서 소개하고 있는 목표를 달성할 수 있어야 한다는 점을 시사한다. 그리고 이 장의 마지막에서는 백워드 디자인의 세 단계 개발 절차에 대하여 살펴 볼 것이다. 앞 서 두 가지가 백워드의 개념을 설명한 것이라면 이 세 번째 내용은 구체적인 개발과 실행에 관한 설명이라고 할 수 있다.

Grant Wiggins와 백워드 설계

백워드 설계(backward design)는 교육과정 설계 초기 단계에 교육이 추구하는 '목적'과 그러한 목적이 달성되었는지를 알 수 있는 '평가'를 고려하는 교육과정 개발 모형이다. 즉, 교사가 추구하는 특정 목적을 달성하기 위하여 그러한 특정 목표를 고려하여 교육과정을 설계하는 모형을 말한다. 이것은 교육평가를 가장 나중에 고려하는 일반적인 교육과정 모형과는 다른 것으로 교육목적과 그 평가의 요소들을 교육과정 설계의 처음 단계에서 고려하는 것이다. 쉽게 이야기한다면 일반적인 교육과정 설계의 모형은 '교육목표의 설정 → 학습내용 선정 → 학습경험 조직→ 평가' 의 단계로 이루어져 있으며 평가는 교육과정을 설계하는 데 있어 가장 나중에 생각해야 하는 요소라고 생각한다. 하지만 백워드 설계는 이러한 일반적인 교육과정 설계와 달리 가장 마지막에 고려해야 하는 것으로 인식되던 교육평가를 설계의 처음 단계에 고려한다. 그리고 이러한 교육의 목적과 평가가 무엇인지에 따라 교육과정을 개발하고 실행한다는 점에서 백워드 설계로 명명되었다. 이러한 백워드는 목표지향적인 Tyler의 교육개발 모형을 계승하고 발전시킨 것으로 평가를 개발의 초기에 둠으로써 교육의 목적과 방향을 큰 틀에서 바라볼 수 있도록 한다.

교육과정 설계의 최우선 순위 단계로서의 평가

교육과정 개발 초기에 평가를 고려하는 것은 교육과정 설계와 실행에 있어 매우 중요하다. 학습이 이루어졌는지를 진단하는 평가를 설계 초기에 고려하는 것은 교육과정 설계와 실행을 성공적으로 이끈다. 평가는 교육이 이루어지고 난 후 학생들이 무엇을 알고 있는지, 무엇을 할 수 있는지를 통해 이루어진다. 따라서 평가는 학생들이 알아야 하는 것과 할 수 있어야 하는 것을 밝힌 교육목적과 상응하는 개념이라고 할 수 있다. 따라서 이러한 교육평가에 대한 고려는 교육목적에 대한 고려라고 할 수 있다. 이러한 점에서 백워드는 교육과정 개발의 이러한 점에서 백워드는 교육과정 개발의 초기에 평가를 고려함으로써(무엇을 평가할 것인지를 먼저 명시적으로 제시함으로써) 교육과정 개발을 좀 더 성공적으로 이끌 수 있는 것이다.

백워드 설계에서는 평가의 지위와 역할이 기존의 Tyler의 교육과정 개발 모형보다 중요하다는 것을 알 수 있다.

아울러 이 모델에서 평가를 우선적으로 수업설계의 첫 단계로 강조하는 일은 자신이 무엇을 할 수 있어야 하는지 명확하게 알 수 있도록 해준다. 이와 마찬가지로 교육과정 설계 초기에 이러한 평가의 항목들을 고려하게 되면 교육과정이 추구하는 목적이 무엇인지, 어떤 내용을 가르쳐야 하는지, 어떠한 방법으로 가르쳐야 하는지를 명확하게 설정할 수 있다. 즉, 학습이 일어난 후 학생들이 알고 있어야 하며 할 수 있어야 하는 것을 나타내는 평가에 대한 고려는 교육의 내용, 방법, 방향을 안내한다는 점에서 교육목적을 달성하는 데 효과적인 방법이 된다.

이해로서의 교육과정

Wiggins는 백워드 설계를 이론화하면서 교육과정 목표로 이해의 개념을 제시하였다. 그리고 이해의 개념을 위계 관계를 가지는 여섯 가지의 하위 목표로 분류하였다. 이것은 Bloom의 교육과정 목표분류학과 마찬가지로 위계관계를 가지며 교육의 목표를 좀 더 명확하게 새롭게 이론화한 것이다. 그는 이해의 개념을 학생이 정말로 이해하고 있다면 실질적인 상황에서 구체적인 언어의 사용이나 행동으로 보여 줄 수 있어야 하는 것으로 설명하였다. 그리고 교육목표와 관련지어 학생들이 이해하고 있다면 구체적으로 무엇을 말하고 할 수 있어야 하는지 평가할 수 있는 구체적인 기준을 제시하였다. 이 내용은 뒤에 절을 옮겨 자세히 살펴볼 것이다.

전문 설계자로서의 교사

Wiggins와 McTighe(1998)는 교사를 다른 분야의 전문적인 설계자들과 비교하여 교육의 전문적인 설계자로 비유하였다. 그들은 교사는 교육을 설계하는 교육 설계자이자 평가를 설계하는 평가 설계자라고 정의하였다. 그들의 주장에 따르면, 교사의 본질적인 행위는 특정 목표를 달성할 수 있는 교육과정과 학습경험을 설계하는 것이다. 또한 교사는 특정 목표를 달성하기 위하여 학생들에게 학습할 내용이 무엇인지, 학습경험은 무엇인지를 안내하고 진단하기 위해 무엇을 어떻게 평가해야 하는지를 고려해야 한다. 이러한 평가는 우리가 학습해야 하는 것이 무엇인지, 무엇을 통해 그러한 학습목표를 달성할 수 있는지를 안내한다는 점에서 중요하다. 따라서 교사는 평가에 대한 설계자가 되어야 한다.

또한 교육 설계자는 건축 설계자나 그래픽 아트 설계와 같은 다른 전문적인 설계자들과 마찬가지로 고객의 입장에서 생각해야 한다. 이러한 분야의 전문가들은 특히 고객 중심적이다. 왜냐하면 이들은 고객들이 추구하고 만족하는 목적을 달성하는 것이 가장 중요하기 때문이다. 교육에서는 명백하게 학생들이 가장 핵심적인 고객이라고 할 수 있다.

따라서 학생들이 추구하고 만족하는 학습 결과가 이루어졌을 때 교육은 성공적이었다고 말할 수 있다. 따라서 교사는 자신의 수업설계가 모든 가르침이 끝난 후에 학생들의 학업성취를 잘 도와주었는지를 고객 입장에서 확인하고 평가해보아야 할 필요가 있다고 하였다.

다른 전문적인 설계자들과 마찬가지로 성취기준(standards)은 작업의 형태와 정보를 알려 준다. 따라서 미국의 국가 차원에서 만든 각 교과의 성취기준들은 무엇을 설계할 것인가, 어떻게 설계할 것인가를 결정하는 데 실제적으로 도움을 준다. 예를 들어, 건축에서는 빌딩의 특징과 예산 그리고 미적인 요소에 의해 그 건축물의 규모나 형태가 결정된다. 마찬가지로 교사들 역시 가르치는 내용을 마음대로 선정할 수 있는 것이 아니다. 그들은 학생들이 알아야 하고 할 수 있어야 하는 것을 규명해 놓은 국가 수준의 성취기준, 주 수준의 성취기준, 지역 혹은 학교 수준의 성취기준에 의해 가르치는 내용을 선택해야 한다. 이러한 성취기준들은 가르치고 학습해야 하는 내용을 선정할 때 우선적으로 선택해야 하는 것이 무엇인지 결정하는 데 도움을 준다. 또한 교육과정과 평가를 설계하는 데 도움을 준다.

백워드 설계의 세 단계

Wiggins와 McTighe(1998)는 이러한 백워드 설계를 구체적으로 적용하고 실행하기 위해 백워드 설계 모형을 그림 14-1과 같이 제시하였다(p.9).

백워드 설계 모형에 대해서는 절을 옮겨 자세히 다룰 예정이기 때문에 이 절에서는 그 개념과 관련하여 간단하게 살펴보도록 한다. 첫째 단계인 '바라는 결과 확인

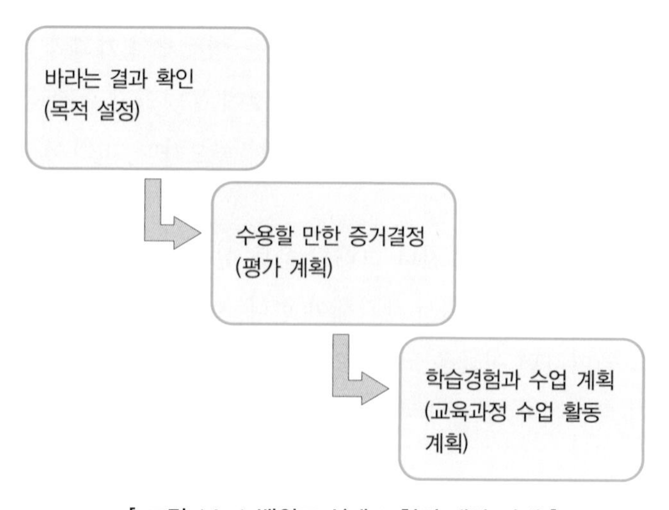

[그림 14-1 백워드 설계 모형의 개발 단계]

(목적 설정)' 은 목표를 고려하고, 확립된 내용 성취기준을 검토하고, 예상되는 교육과정을 살펴보는 단계이다. 이 단계에서는 학생들에게 가르쳐야 하는 내용을 결정하는 데 있어 우선순위로 '영속적인 이해(enduring understanding)' 에 해당하는 내용을 가르쳐야 하며 이러한 지식을 필터링하는 네 가지 원리를 제시하고 있다. 둘째 단계인 '수용할 만한 증거 결정(평가 계획)' 은 바라는 학습이 성취되었는가를 입증하고 확인할 수 있는 평가의 증거와 관련해서 단원이나 과정을 살펴보는 단계이다. 하지만 이러한 단원이나 과정을 단순히 교과서 안의 내용과 일련의 활동만으로 구성해서는 안 된다. 그리고 교사는 교육과정과 수업을 설계하기 전에 평가자가 되어 생각해 보아야 한다. 셋째 단계인 '학습경험과 수업 계획(교육과정 수업 활동 계획)' 은 명확하게 확인된 결과(영속적인 이해들)와 적절한 이해의 증거들을 가지고 교육자들이 수업 활동을 계획하는 단계이다. 이러한 교수에서는 목적을 달성하기 위한 수단으로 교사는 바라는 결과와 평가가 확인된 후에 수업계획(교수방법, 수업순서, 자원과 재료)을 선택하고 구체화시킨다.

이해로서의 교육과정

Wiggins는 백워드 설계를 이론화하면서 학교교육의 목표로서 이해의 개념을 제시하였다. 그리고 이해의 개념을 하위의 여섯 가지 목표로 분류하고 위계화시켰다. 이것은 Bloom의 '교육과정 목표분류학' 과 마찬가지로 교육과정이 추구하는 목적을 이해라는 용어를 통해 새롭게 분류하고 제시한 것이다. 학생들이 이해하고 있다면 실제적인 상황에서 구체적인 수행할 수 있고 설명할 수 있다는 측면에서 Wiggins는 학생들이 추구해야 하는 진정한 이해에는 어떠한 것들이 있는지를 소개하였다. Wiggins의 이해의 개념은 최근에 와서 구미의 학교교육의 새로운 목표 분류학으로 점차 그 영역을 넓혀 가고 있다. 이 절에서는 백워드 설계에서 이야기하는 이해의 개념을 설명하고 이해의 여섯 가지 영역들을 살펴볼 것이다.

이해의 개념

앞 절에서 살펴보았듯이 교육과정을 설계하는 데 있어 처음으로 고려해야 하는 것은

[그림 14-2 교육목적과 평가 방법의 우선순위 결정 틀]

교육의 목적을 규명하고 이해의 가치를 가지고 있는 것은 무엇인지를 결정하는 것이다. 하지만 무엇을 가르쳐야 하는지를 결정하는 것은 쉬운 일이 아니다(Wiggins & McTighe, 1998, pp.14-15). Wiggins와 McTighe는 교육목적과 평가 방법의 우선순위를 결정하는 데 유용한 틀을 그림 14-2와 같이 제시하였다(p.14-15).

교육의 목적과 평가 방법을 결정할 때 교사가 가장 먼저 하는 일은 '단순히 알 필요가 있는 내용' 을 선정하는 것이다. 그림 14-2에서도 알 수 있듯이 이러한 내용은 그 범위가 매우 넓다. 범위가 매우 넓기 때문에 자연히 여기에는 중요하지 않은 지식과 내용도 포함하게 된다. 그래서 교사는 그중에서 중요하다고 생각하는 내용을 선정하게 된다. 이것은 그림에서 중간 크기의 원에 해당하는 것으로 교사는 '알아야 할 중요한 내용' 을 선정하게 된다. 이 중간 원에 해당하는 단계에서는 학습 단원과 과정이 진행되는 동안 검토되어야 하는 가능한 내용의 영역(주제, 기술, 자원)들에 대하여 선정을 하게 된다. 즉, '단순히 알아야 할 내용' 중에서 교수와 학습에 필요한 주제와 기술, 자원을 선택하는 단계이다. 그리고 마지막으로 '알아야 할 중요한 내용' 중에서 가장 중요하고 필수적인 내용을 선정하게 된다. 이것은 그림에서 가장 작은 원에 해당하는 부분으로 '영속적 이해(enduring understanding)' 의 영역이다. 영속적 이해는 Bruner가 말하는 지식의 구조 혹은 학문 중심 교육과정에서 말하는 학문 · 교과의 핵심적인 개념과 원리를 의미한다. 교사는 '알아야 할 중요한 내용' 을 선정한 후, 핵심적인 개념과 아이디어가 되는 내용을 선정하여 교육목적과 평가 방법의 우선순위를 결정하게 된다. 영속적 이해는 핵심적인 지식(사실, 개념, 원리), 핵심적인 기술(진행과정, 전략, 방법)과 같은 내용들로 구성된다.

백워드 설계에서는 이러한 영속적 이해에 해당하는 지식을 선정하고 가르치는 것을 중요하게 생각한다. 이에 백워드 설계를 '이해로서의 교육과정' 이라고 부르기도 한다. 교육목적에 해당하는 '알고 있는 것' , 교육평가에 해당하는 '할 수 있는 것' 은 학생들이 그 내용이나 기술에 대하여 충분히 '이해' 했다는 것과 같은 의미이기 때문이다. 백워드에서는 학생들이 무엇을 이해하여야 하는지, 이해하고 있는 것을 어떻게 평가할지 고려하는 교육과정 설계 모형이다. 따라서 백워드 설계에서 말하는 '이해' 의 개념에 대하여 정확하게 이해할 필요가 있다. Wiggins와 McTighe(1998)는 교육의 목적을 규명하고 내용을 선정하는 구체적인 방법을 '이해' 라는 개념을 통해 설명하고 있다. 하지만 이해란 말은 일상생활에서 가장 빈번히 사용되면서도 명료하게 정의내리기 힘든 용어이다. ' ... 이해한다' 란 말은 과연 어떤 심리 혹은 정신 상태를 가리키는지 정의하기가 어렵다. 일찍이 Tyler(1949)는 이해한다는 말만큼 애매한 교육학 용어가 없었다고 말하였다. 왜냐하면, 이해란 말은 명시적 행동 용어가 아닌 추상적인 용어이며, 계량적인 척도로 측정할 수 없기 때문이다(Wiggins & McTighe, 1998, p.38).

백워드 설계에서 이해의 의미는 학문 중심 교육과정에서 말하는 학문 · 교과의 지식과 개념에 대한 이해를 의미한다. 이것은 절대적인 진리에 해당하는 것으로 핵심적이고 원리적인 내용을 이해하는 것을 말한다. 따라서 학습자가 이해를 했다는 말을 한 가지 맥락에서 판단하여 '애매하다' 거나 '추상적이다' 라고 단정 짓지 않는다. 그 대신, 교과 내용을 이해했다면 어떤 실질적이고 응용적인 수행(외적인 행동을 포함하여)을 학습자는 직접 보여줄 수 있다고 본다. 또 평가자인 교사는 어떠한 구체적인 수행이나 평가 방법을 통해 학습자가 그 교과 내용을 이해한 것으로 판단을 내릴 수 있느냐가 단원 목적 설정의 핵심이다. 그리고 단원 목적 설정으로서 바라는 결과의 확인은 가르칠 가치가 있는 지식을 다양한 이해의 맥락 속에서 찾아보는 것이다. 즉, 학생들이 알아야 하는 내용은 무엇인지, 무엇을 할 수 있어야 하는지는 학생들이 이해하고 있어야 하는 것이 무엇인지로 귀결된다고 보았다.

이해의 여섯 가지 영역

이 연구자들은 학교교육의 새로운 목표로서 '영속적 이해' 를 가장 우선적으로 선택해야 한다고 주장하였다. 그들은 학생들에게 가르쳐야 하고 학생들이 할 수 있어야 하는 내용에 대하여 이해라는 개념을 통해 설명하면서 이러한 이해의 영역을 여섯 가지(설명, 해석, 적용, 관점, 연민, 자기지식)로 제시하였다. 이것은 학생들이 실질적인 수행을 보여줄 때 나타나는 이해를 여섯 가지 측면으로 나눈 것이다. 즉, 학생들은 자신이 정말로 이해를 했다면 여섯 가지 영역와 관련하여 실제로 '설명' 할 수 있고, '해석' 할 수 있고, '적용' 할 수 있다와 같이 나타난다. 그리고 '관점' 을 가질 수 있으며, '연민' 을 할 수 있고, '자기지식' 을 가질 수 있다와 같이 나타난다. 즉, 이것은 수행(이해)의 질을 판단하는 데 사용되는 각기 다른 성격을 가진 요소들을 분류한 것이라고 볼 수 있다.

또한 이것은 Bloom의 교육목표분류학과 마찬가지로 이해의 측면을 각 성격에 따라 여섯 가지로 분류한 것이다. 따라서 이것은 교육의 목표와 수행을 효과적으로 수행할 수 있도록 그 목적과 범위를 명확하게 해 준다. 또한 '영속적 이해' 에 속하는 요소에는 어떠한 것이 있으며 이러한 요소들은 어떠한 특징을 가지고 있는지 보여준다. 그리고 이를 통해 백워드에서 중요하게 생각하는 평가는 어떻게 이루어져야 하는지를 보여준다. 즉, 백워드 설계에서 교육목적을 규명하고 선정하는 데 있어 어떠한 이해의 영역들이 선정되어야 하는지 그리고 학생들의 각 영역에 대한 이해는 어떠한 방법으로 평가할 수 있는지를 보여준다. 표 14-1은 여섯 가지의 이해의 종류와 사례들이다(Wiggins & McTighe, 1998, pp.45-60).

〈 표 14-1 이해의 여섯 가지 요소 〉

이해의 영역	정의
자기지식	자신의 무지를 아는 지혜 혹은 자신의 사고와 행위를 반성할 수 있는 능력
연민	타인의 감정과 세계관을 수용할 수 있는 능력
관점	비판적이고 통찰력 있는 견해
적용	지식을 새로운 상황이나 다양한 맥락에 효과적으로 사용하는 능력
해석	의미를 제공하는 서술이나 번역
설명	사건 그리고 아이디어들을 '왜' 그리고 '어떻게' 를 중심으로 서술하는 능력

이해 1 : 설명

설명(explanation)은 어떤 사건이나 사실이나 텍스트(원문)나 아이디어를 설명하거나 해석할 수 있는 능력을 말한다. 정말로 이해하고 있는 학생은 설명을 할 수 있다. 그런 학생은 세련된 설명력과 통찰력을 보여주기 때문에 다음과 같은 것을 할 수 있다. 어떤 사건이나 사실이나 텍스트(원문)나 아이디어를 설명하거나, 해명할 수 있는, 복잡하고, 통찰력 있고, 설득력 있는 근거들—훌륭한 증거와 논거에 기반을 둔 이론들과 원칙들—을 제공한다; 유용하고, 분명한 지적 모델들을 사용하는, 체계적 설명을 제공한다. 섬세하고, 미묘한 구별을 하고 자신의 선택지들을 적절하게 제한한다. 중심적인 것—목적(의도)과 중요한 순간들과 결정적인 증거와 주요 질문 등등—에 대한 의견을 개진한다. 훌륭한 예측을 한다. 흔한 오해와 피상적이거나, 극단적으로 단순화된 관점을 피하거나 극복한다. 예를 들어, 지나치게 단순화되거나 진부하거나 부정확한 이론이나 설명을 피함으로써 나타난다. 어떤 주제에 대한, 개인화되고, 사려 깊고, 조리 있는 이해를 드러낸다. 이것은 복잡하고 통찰력 있고 설득력 있는 이론과 원칙을 제공한다. 또한 유용하고, 분명한 지적 모델들을 사용하는, 체계적 설명을 제공한다.

학생들이 '설명' 의 측면을 이해했다는 것을 나타내주는 단어로는 '설명하다, 정당화하다, 일반화하다, 예측하다, 지지하다, 입증하다, 증명하다, 성립시키다' 와 같은 것들이 있다.

이러한 설명은 사실에 대한 지식뿐 아니라, '왜' 와 '어떻게' 에 대한 지식을 포함한다. 즉, 남북전쟁이 발발한 사실을 알고 있고, 연대학에 인용할 수 있다. 그러나 왜 그 전쟁이 발발하였는가에 대한 지식을 포함한다. Dewey(1933)는 이와 관련하여 어떠한 것을 이해한다는 것은 다른 것의 관계 속에서 어떠한 것을 보는 것이라고 정의하였다. 이것은 그 어떠한 것이 어떻게 작동하고 기능하는가를 아는 것과 그것으로부터 나타나는 결론이 무엇인지를 아는 것 그리고 그것의 원인을 아는 것을 의미한다.

이러한 이해의 결과로, 표면적으로 다른 사실로부터 일관성 있고, 이해할 수 있고, 조명할 수 있는 설명을 도출할 수 있게 된다. 그리고 원하지 않았거나 기대하지 않았던 결과의 예측이 가능하며, 기대하지 않았던 경험을 조명할 수 있게 된다. 이것은 근대 물리학에서의 성공적인 이론을 만든 Galileo, Kepler, Newton, Einstein과 같은 과학자들에게서 찾아볼 수 있다. 떨어지는 사과로부터 혜성에 이르기까지의 물리적 사물의 운동에 대한 설명을 할 수 있는 이론을 발전시키고, 이 이론을 통해 행성이나 혜성의 위치와 흐름을 예측할 수 있게 되었다. 또한 시냇물, 물, 얼음이 표면적인 모양은 다르지만 그 화학적 물질이 같다는 것을 설명할 수 있는 학생은 그것을 설명할 수 없는 학생보다 H_2O에 대해 더 잘 이해했다고 할 수 있다. 설명의 예로는 다음과 같은 것들이 있다.

이해 1 : 설명의 구체적인 예

- 요리사는 오일과 식초가 섞일 수 있도록 약간의 머스타드를 왜 첨가했는지 설명했다. 머스타드는 윤활제로 사용된다.
- 역사수업을 듣는 학생은 미국 혁명의 경제적, 정치적 원인에 대해 보수적 관점을 배운다.
- 10학년 학생은 Boston Tea Party와 the Stamp Act에 대한 사실뿐 아니라, 왜 그러한 일이 벌어졌는지 그리고 그들이 이끌어 냈던 것이 무엇인지에 대해 안다.

이해 2 : 해석

해석(interpretation)은 의미 있는 증명과 설득을 할 수 있는 해석과 이야기를 말한다. 이것은 학생에게 수긍할 수 있고, 의미 있는 해석과 말하기를 제공한다. 그래서 다음과 같은 것들을 할 수 있다. 텍스트(원문)들과 언어와 상황들을 효과적이고 섬세하게 해석한다. 예를 들어, '행간을 읽고' (언어의 의미를 알고), 어떤 '원문' (책이나 상황이나 인간 행동)이건, 그것의 가능한 많은 목적과 의미에 대한 그럴듯한 설명을 제공할 수 있는 능력으로 나타낸다. 그리고 복잡한 상황과 사람에 대한 의미 있고 계몽적인 설명을 제공한다. 예를 들어, 그런 학생은 역사적이고 전기적인 배경지식을 제공하여, 더 이용하기 쉽고, 타당한 아이디어들을 만드는 데 도움을 줄 수 있는 능력을 가진다. 이것은 설명과 비슷해 보이나 설명의 영역은 아니다. Bruner(1996)는 이해는 우리가 통제된 방법에서 필수적으로 논쟁할 수 있지만 불완전하게 실증 가능한 제안을 조직할 때 발생한다고 설명하였다. 즉, 설명이 사실에 대해 설명하는 것이라면 해석은 그러한 사실에서 의미를 찾거나 발견하여 설명하는 능력을 말한다.

해석은 우리가 모든 사건의 결과라고 생각하는 의미와 각각의 사실에 대한 우리의 이해와 인식을 변형시키는 것이다. 이러한 이해를 가지고 있는 학생은 사건의 중요성을 보여줄 수 있고, 사고의 중요성을 드러낼 수 있거나 깊은 인식과 반향(여운)의 코드를 떠오르게 하는 해석을 제공해 줄 수 있다. 보는 사람에 따른 다양한 의미를 가질 수 있는데 아동학대에 대한 다양한 인식(어머니, 경찰관, 양부모 집에 사는 청소년)을 다양한 입장에서의 다양한 해석적 관점에 따라 이야기할 수 있는 것이다. 좋은 이야기는 명확하고 설득력 있는 서술-의미 발견에 도움이 되고 우리의 삶과 우리를 둘러싸고 있는 것들을 이해하고 기억할 수 있도록 도움을 준다. 또한 좋은 이야기는 우리의 삶을 좀 더 이해할 만하고 집중할 만하게 만들어 준다.

이러한 해석을 가르치기 위해서 교수 측면에서의 도전과제는 학습과 토론을 통하여 나타나는 것에 의해 교과서에서 삶으로 확대하는 것이 필요하다. 학생들은 논리성 · 합법성을 발견하기 위한 교과서와 그들의 경험 사이에서 이해를 해야 한다. 그리고 그러한 이해를 통해 해석과 미래의 통찰력을 변환시킬 수 있어야 한다. 교과서, 사람, 사건에 대한 모든 이해는 깊이와 넓이의 통찰력에서 같지 않다. 그러나 모든 해석은 개인적인, 사회적인, 문화적인, 역사적인 맥락에서 이해되어야 한다. 대표적으로 Sulloway(1996)는 사실 속에 있는 것이 아닌 진화라는 큰 그림 속에 있는 다윈의 작업에 대한 혁명적인 관점에 대해 강조하였다. 같은 물리적 현상에 세 가지 다른 이론의 존재는 받아들일 수 없지만 같은 이야기와 인간 사건에 대해 그럴듯하고 투영하는 해석에 대한 많은 차이점은 받아들여진다. 해석의 예로는 다음과 같은 것들이 있다.

이해 2 : 해석의 구체적인 예

- 할아버지가 비 오는 날의 절약의 중요성을 설명하기 위해 지반의 함몰에 대해서 이야기하셨다.
- 11학년생들은 어떻게 걸리버 여행기가 단지 상상의 요정에 대한 이야기가 아닌, 영국의 지식인들의 삶에 대한 풍자작품으로써 읽힐 수 있는가를 보여준다.
- 중학교 학생은 스페인어의 문장의 모든 단어를 번역할 수 있으나 그 의미를 이해할 수는 없다.

이해 3 : 적용

적용(application)은 지식을 새로운 상황이나 다양한 맥락에 효과적으로 사용하는 능력을 말한다. 정말로 이해하고 있는 학생은 응용할 수 있다. 그런 학생은 맥락에서 지식을 이용하고, 실제적 기술, 노하우를 가지고 있다. 그래서 다음과 같은 것을 할 수 있다. 다양하고, 근거가 있는, 실제적으로 뒤섞여 있는 맥락(전후관계) 속에서 자신의 지식을 효과적으로 사용한다. 참신하고 효과적인 방법으로, 자신이 알고 있는 것을 확장하거나 응용한다. 즉, Piget(1973)가 '이해하는 것은 창작하는 것이다' 에서 논의했던 바와 같이, 혁신적이라 할 수 있는 것을 창작해낸다. 자신이 수행하는 것만큼 효과적으로 자기를 조정한다. 이러한 적용은 수행평가를 강조하게 된 이론적 근거이기도 하다.

적용은 이해, 사람의 사고 또는 행동과 맥락을 결부시키는 것을 포함한다. 이것은 실제 상황에서의 지식에서의 아동심리학의 이론적 지식에 반대되는 개념이다. 다른 제한과 사회적 맥락, 목적 그리고 청중과 협상을 할 때, 이해는 수행의 노하우, 과제를 성공적으로 성취할 수 있는 능력으로써 나타난다. 이해의 적용은 평가에서의 새로운 문제와 다양한 상황에 사용하도록 요구되는 상황-의존적인 기술을 통해서이다. 따라서 학교 수업에서는 우리가 학생들을 위해 개발한 문제들이 학자, 예술가, 엔지니어 또는 다른 전문가들이 그러한 문제에 착수했던 그 상황에 가능한 한 근접해야 한다. 적용의 예로는 다음과 같은 것들이 있다.

이해 3 : 적용의 구체적인 예

- 젊은 커플은 저축과 투자를 위한 효과적인 금융 계획을 위해 그들의 경제적 지식을 사용한다.
- 7학년 학생들은 학생자치회에서 판매할 캔디를 위한 비용과 요구를 엄밀하게 계획하고 공급하기 위해서 그들의 통계 지식을 사용한다.
- 물리학 교수는 깨진 램프의 원인을 규명하지만 고칠 수 없다.

이해 4 : 관점

관점(perspective)은 비판적이고 통찰력 있는 견해를 말한다. 진정으로 이해하는 학생은 긴 안목으로 관찰한다. 그런 학생은 다음과 같은 것을 할 수 있다. 어떤 견해를 논평하고, 정당화하여, 그것을 하나의 관점으로 보고, 단련된 회의적 태도와 이론의 검토를 포함하는 기술과 성향을 이용한다. 어떤 아이디어의 역사를 알아서, 맥락 속에 논의와 이론을 넣는다. 연구된 지식이나 이론이 어떤 대답이나 해결책이 되는 질문들이나 문제들을 안다. 어떤 아이디어나 이론이 기반을 둔 가정을 추론한다. 어떤 아이디어의 영향력은 물론 그것의 한계를 안다. 당파적으로나 이데올로기적으로, 치우친 논거나 언어를 간파(이해)한다. 어떤 아이디어의 중요성이나 가치를 알고 설명한다. "다른 사람들이 의심할 때, 우리는 믿고, 다른 사람들이 믿을 때 우리가 의심하는 경우에, 우리는 더 잘 이해할 수 있다"는 금언에 의해 요약된 어떤 능력인, 비판과 믿음 모두를 지혜롭게 사용한다.

관점에서 이해하는 것은 공정하고 이해관계에 얽매이지 않은 시각을 갖는 것이다. 이러한 이해의 유형은 학생들의 각각의 관점에 대한 것은 아니고 어떤 복잡한 질문에 대해 심사숙고한 대답에 대한 것이다. 따라서 답은 종종 그럴듯한 많은 설명 중의 하나가 될 수 있다. 이론이나 탐구에서 인정된 것, 간주된 것, 조사된 것 또는 억지 해석된 것에 대한 주의, 관점은 때론 질문하는 능력을 통해 나타나기도 한다. 이러한 관점이 좀 더 발달된 형태로 나타나면 비판적 사고의 의미에서 관점을 가진 학생들은 의심나거나 검증되지 않은 가정, 결론, 내포된 의미를 드러낼 수 있다. 관점은 예로는 다음과 같은 것들이 있다.

이해 4 : 관점의 구체적인 예

- 10살 난 소녀는 상품의 판매의 촉진을 위해 명물을 사용하는 TV 광고의 허위성을 인지하고 있다.
- 학생은 가자지구에서 벌어지고 있는 새로운 거주지를 위한 이스라엘과 팔레스타인의 분쟁을 설명한다.
- 영리하지만 완고한 학생은 총포규제에 대한 다른 방법을 생각하려고 하지 않는다.

이해 5 : 연민

연민(empathy)은 타인의 감정과 세계관을 수용할 수 있는 능력을 말한다. 정말로 이해하고 있는 학생은 공감을 나타낸다. 그녀는 섬세하게 지각할 수 있는 능력을 가진다. 그런 학생은 다음을 할 수 있다. 스스로를 다른 사람의 상황에 내던져 그 상황을 느끼고, 판단한다. 심지어 명백하게 이상하거나 애매한 설명이나 원문이나 사람이나 아이디어들이, 그것을 이해하기 위한 작업을 정당화하는 식견(통찰력)을 포함할 수도 있다는 가정을 가지고 일한다. 불완전하거나 결함이 있는 관점들이 다소 부정확하거나 진부하다 할지라도, 그런 관점들이 그럴듯하고, 심지어 통찰력을 가지고 있는 경우를 안다. 어떤 아이디어나 이론이 다른 사람들에 의해 얼마나 쉽게 오해받을 수 있는지를 알고 설명한다. 다른 사람들이 그렇지 않은 것에 자주 귀 기울인다.

이러한 연민은 감정을 이입하는 것이다. 감정이입은 다른 사람의 신을 신고 걷는 능력으로 표현된다. 자신의 감정적 반향을 피하고 다른 사람을 이해하기 위한 수단이다. 이러한 감정이입은 이해를 표현하는 가장 보편적이고 구체적인 용어이다. 다른 사람의 관점으로 세계를 이해하기 위해 학습된 능력을 말하기도 한다. 감정이입은 상황을 재고해 볼 수 있게 할 뿐 아니라, 이전에 우리가 이상한 것이라고 이해했던 것에 대한 심경의 변화를 갖게도 한다. 감정이입은 통찰력의 형태로 의미 있는 것을 발견하기 위해 보기에 이상한 것들을 넘기는 능력을 포함하고 있기 때문에 학생들은 편견 없는 이해, 경험, 텍스트를 얻는 방법을 학습해야만 한다. 훌륭한 해석가와 역사가들은 특히 이러한 감정이입 능력을 필요로 한다. 연민의 예는 다음과 같은 것들이 있다.

이해 5 : 연민의 구체적인 예

- 모든 이스라엘 청소년들은 팔레스타인 청소년들의 제한적이고 강제적인 생활 양식을 강조한다.
- 최근 영국 국가 시험에서 나온 "로미오와 줄리엣에서의 act 4. 당신이 줄리엣이라고 상상하고 왜 그렇게 절박한 행동을 해야만 했는지를 설명해 주는 당신의 생각과 느낌을 쓰시오."와 같은 문제
- 뛰어난 선수 출신의 야구 코치는 그가 게임을 익히기 위한 그들의 고군분투를 자신과 관련시킬 수 없기 때문 종종 선수들을 꾸짖는다.

이해 6 : 자기지식

자기지식(self-knowledge)은 자신의 무지를 아는 지혜 혹은 자신의 사고와 행위를 반성할 수 있는 능력을 말한다. 정말로 이해하는 학생은 자기인식을 드러낸다. 그런 학생은 다음을 할 수 있다. 자기 자신의 편견과 스타일과 그것들이 이해에 어떤 영향을 주는지를 인식한다; 자기중심주의와 자기 민족 중심주의와 현재의 중심과 향수와 양자택일적 사고를 알고 극복한다. 효과적인 초인지에 몰두한다; 지적 유형과 장점과 약점을 인식한다. 자신의 신념들에 의문을 제기한다. 소크라테스처럼, 정당화된 지식에서 더 강한 믿음과 관습을 분류해내고, 지적으로, 정직하고, 알지 못하는 것을 받아들일 수 있다. 정확하게 자기 평가하고, 효과적으로 자기 조절한다. 지나친 자기 방어 없이 피드백과 비판을 받아들인다.

깊은 이해는 결국 자기 자신을 찾고 의미를 발견하는 것과 관련된다. 세계를 이해하기 위해서 우리는 먼저 자신을 이해해야 하며 자기지식을 통해 우리가 이해하지 못한 것을 또한 이해할 수 있다. 따라서 자기지식 이해의 측면의 핵심이다. 이해의 발달을 위해 스스로 질문하도록 요구하기 때문에 자기지식은 이해의 핵심적인 단계라고 할 수 있다. 그것은 우리의 사고의 측면에서 필연적인 맹점이나 착오를 발견하거나 찾게 하는 훈련을 요구한다. 그리고 효과적인 습관, 선입관이 없는 자신감, 강한 신념, 완전한 세계관 등의 이면에 숨겨진 모순과 불확실성에 대면할 수 있는 용기를 가지는 것을 요구한다. 자기지식에 대한 주의: 자기반성을 더 잘 가르치고 평가해야 함을 의미한다. 인식론에 해당하는 철학적 능력인 지식을 알고 이해하기 위한 것을 의미하는 것과 이해를 설명하는 것을 말한다. 그리고 지식이 신념과 의견에 비해 어떻게 다른가에 대한 설명을 하는 것이다. 자기지식의 예로는 다음과 같은 것들이 있다.

이해 6 : 자기지식의 구체적인 예

- 어머니는 그녀의 딸의 숫기 없음이 자신의 어린 시절로부터 왔다는 좌절감을 이해한다.
- 많은 학생들이 시각적 학습자라는 사실에 유념하여 중학교 교사는 심사숙고하여 시각적 조직과 이미지를 포함한다.
- 당신이 가지고 있는 모든 것이 망치일 때, 모든 문제는 못에서 기인한 것처럼 보인다.
- 내가 누구인가가 어떻게 나의 관점을 결정하는가?

백워드 설계의 단계적 과정

이 절에서는 백워드 설계 모형의 개발 세 단계를 소개할 것이다. 앞서 이 세 단계에 대하여 간단하게 소개하였지만, 여기에서는 실질적으로 교육과정을 설계하고 실행할 수 있도록 자세하게 소개하고자 한다. 그리고 백워드의 학문적인 근거와 기초적인 이론들이 어떻게 적용되고 발전되었는지를 보여 줄 것이다. 또한 이것은 학교 현장에서 교사와 교육설계자들이 교육의 목적과 평가의 방향을 좀 더 명확하게 설정하고 실행할 수 있도록 도와 줄 것이다. 이를 위해 이 절에서는 설계의 세 단계가 가지고 있는 개념과 특징에 대해서 살펴보고 구체적인 실행과 관련하여 자세하게 다루고자 한다.

백워드 교육과정 설계 모형의 단계는 첫째, 바라는 결과의 확인, 둘째, 수용할 만한 증거 결정, 셋째, 학습 경험과 수업계획이다.

단계 1 : 바라는 결과 확인하기. 학생들이 무엇을 알아야 하고, 이해해야 하고, 할 수 있어야 하는가? 이해를 위해 어떤 내용이 가치가 있는가? 어떠한 영속적인 이해가 바람

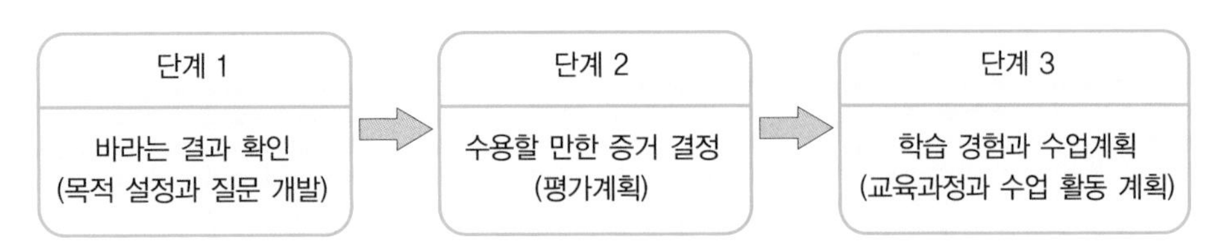

[그림 14-3 백워드 설계 모형의 개발 세 단계]

직한가? 단계 1에서는 목표를 고려하고, 설정된 내용 기준을 설명하며, 교육과정의 기대를 검토한다. 일반적으로 가능한 시간 안에 합리적으로 다룰 수 있는 것보다 더 많은 내용을 가지고 있기 때문에 선택을 해야 한다. 설계 과정의 첫 단계에서 우선순위를 분명하게 할 필요가 있다.

단계 2 : 수용 가능한 증거 결정하기. 만약 학생들이 바람직한 결과를 성취했다면 그 사실을 어떻게 알 수 있는가? 학생들의 이해와 능숙함에 대한 증거로서 무엇을 수용할 수 있는가? 백워드 교육과정에서 지향하는 것은 단순히 일련의 무의미한 학습활동이나 피상적인 내용을 강조하는 것이기보다는, 오히려 문서에서 요구하는 수집된 평가 증거에 따라 단원과 학습내용에 대해 생각하고, 바람직한 학습이 성취되었는지 입증하기를 제안하는 것이다. 이러한 접근법에서는 특정한 단원이나 단시수업을 설계하기 전에 교사와 교육과정 계획자가 우선 '평가자처럼' 사고해야 한다. 그리고 학생들이 바람직한 이해를 얻었는지를 교사가 어떻게 판단할 수 있는지에 대해서도 고려해야 한다. 이 단계에서는 수행 과제 제작과 활용 방안에서 형성 평가 및 종합 평가 문항 개발, 그리고 자기 평가 방법에 이르기까지 모든 시나리오가 개발되어야 한다. 사실, 차시별 수업 계획 이전에 풀 코스 평가 문항들을 개발한다는 것은 "많은 교사들에게 쉽게 이해되기 어려운 점"(Wiggins & McTighe, 1998: 65)이다. 교과서를 잘 활용하고 자료를 적절히 만들고, 수업을 아주 재미있게 하는 소위 '훌륭한 교사'의 이미지가 이 백워드 교육과정 설계 모형에서는 별로 인정받지 못한다. 백워드 설계 모형은 다양한 평가 도구를 타당하고 신뢰롭게 개발할 수 있는 '평가 전문가'(p.68)가 '훌륭한 교사'의 이미지로 설정된다.

단계 3 : 학습 경험과 수업 계획하기. 이 단계는 분명히 입증된 결과와 적절한 이해에 대한 증거를 염두에 두고 가장 적절한 수업활동에 대해 충분히 생각해 보는 것이다. 이 단계에서 몇 가지 주요 질문을 고려하여야 한다. 어떤 지식(사실, 개념, 원리)과 기능(과정, 절차, 전략)들이 바라는 결과를 성취하고 효과적으로 수행하기 위해 학생들에게 요구되는가? 어떠한 활동이 학생들이 필요로 하는 지식과 기능에 적합한가? 무엇을 가르칠 필요가 있고, 코치해야 하며, 수행 목표에 비추어서 어떻게 가르치는 것이 최상인가? 어떤 자료와 자원이 이러한 목표를 성취하는 데 가장 적절한가? 수업계획의 구체화—교수방법에 대한 선택, 단시수업의 계열 그리고 자원 자료 등—는 바라는 결과와 평가를 분명히 한 후에야 비로소 성공적으로 성취할 수 있고, 바라는 결과와 평가가 무엇을 암시하는지 고려할 수 있다. 교수는 결과를 위한 수단이다. 분명한 목표를 가지는 것은 계획하기에서 중심을 분명히 하도록 돕는 것이고, 의도된 결과를 향한 유목적적인 행위를 안내하는 것을 돕는다.

제1단계 : 단원 목적과 질문 개발

백워드 교육과정 설계 모형의 첫 단계는 단원 목적과 질문을 개발하는 것이다. 학생들에게 가르쳐야 하는 수많은 지식 중 필요한 교육목적과 질문은 '영속한 이해' 에 속하는 것이 우선되어야 한다. 앞 절에서 살펴보았듯이 '영속한' 말의 의미는 학문의 중심부에 있는 기본적이고 중요한 아이디어, 개념, 혹은 원리를 가리키며, 시간이 지나도 그 가치가 그대로 있는 불변의 지식을 말한다. 앞서 설명하였듯이 백워드에서는 이해를 목적으로 한다. 즉, 어떤 실질적이고 응용적인 수행을(외적인 행동을 포함하여) 학습자가 직접 보여줄 수 있느냐, 또 평가자인 교사는 학습자가 그 교과 내용을 이해한 것으로 판단을 내릴 수 있느냐가 단원 목적 설정의 핵심이다. 단원 목적 설정으로서 바라는 결과의 확인은 가르칠 가치가 있는 지식을 다양한 이해의 맥락 속에서 찾아보는 것이다.

그림 14-4와 표 14-1은 이해의 여섯 가지 종류와 사례들이다(Wiggins & McTighe, 1998: 45-60).

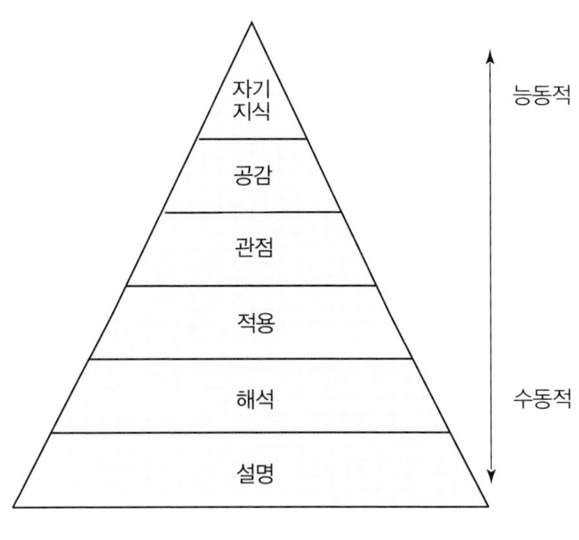

[그림 14-4 이해의 종류]

〈 표 14-2 이해의 여섯 가지 영역과 각 영역의 정의 〉

자기지식	자신의 무지를 알고 자신의 사고의 행위를 반성하는 능력 예) 왕따 가해학생들에게 자신들의 행동을 찍은 비디오를 보여주자 미처 자각하지 못했던 자신의 잘못을 깨닫고 반성할 수 있다.
공감	다른 사람의 감정과 세계관을 수용하는 능력 예) 자신을 인어공주로 생각하고 인어공주가 왜 왕자를 찌르지 못했는지 설명
관점	비판적이고 통찰력 있는 사고방식 예) 가자 지구의 새로운 협의안에 대한 이스라엘과 팔레스타인의 관점을 설명
적용	새로운 상황과 다양한 정황에서 지식을 효과적으로 사용하는 능력 예) 통계를 배운 학생이 자신이 치른 시험 성적의 평균을 구할 수 있다.
해석	의미를 제공하는 서술이나 번역 예) 흥부, 놀부를 읽고 흥부가 비현실적이고 무능력하다고 보는 학생
설명	사건, 그리고 아이디어들을 '왜'와 '어떻게'를 중심으로 서술하는 능력 예) 6 · 25 전쟁은 왜 발생하였는가?

단원의 목적을 설정할 때 설계자는 이 여섯 가지 이해 가운데 관련되는 몇 개를 구체적 학습 목적과 내용에 적용시켜 학습자들의 이해를 유도하여야 한다. 어떤 학습 목적과 내용은 학습자가 설명만 충실히 할 때, 그것이 곧 이해했다는 증거이며, 어떤 학습 목적과 내용은 타당한 관점을 선택하여 자료들을 잘 뒷받침할 때, 혹은 어떤 학습 목적과 내용은 학습자 자신의 사고와 행동을 변화시킬 수 있을 때, 백워드 설계 주창자들은 '이해했다'는 것으로 확신할 수 있다고 주장한다. 요약하자면, 내용 성취기준에서 '영속한 이해'나 '큰 개념'을 분석하면서 설계자인 교사는 구체적으로 어떤 개념이 어떤 종류의 이해를 바탕으로 하는지 확인하고 단원 목적을 설정한다.

이 작업과 병행하여 고려해야 할 사항은 단원 문제를 진술해 보는 것이다. 백워드 설계의 한 특징이기도 한 단원 문제 개발은 내용 성취기준/벤치마크가 포괄적인 내용으로 진술되었기 때문에 필요한 것으로, 설계자는 '영속한 이해' 혹은 '큰 개념'을 포섭할 수 있는 질문, 즉 본질적 질문을 먼저 던져 봄으로써 단원 전체를 구조화할 수 있는 방향성을 얻을 수 있다. 그런 후, 설계자는 몇 개의 구체적인 내용 중심의 단원 질문을 진술한다. 이런 질문들의 개발은 일반 연구 논문의 연구 문제 진술처럼 쉽지 않지만, 설계자와 행정가 혹은 학습자들 사이에 궁극적인 학습목표가 어떤 것들인지 분명하게 의사소통을 하는 데 도움이 된다. 표 14-3은 본질적 질문과 단원 질문의 개념과 사례이다(Wiggins & McTighe, 1998: 29-32).

〈 표 14-3 교육과정 단원 설계를 위한 본질적 질문과 단원 질문 〉

본질적 질문	단원 질문
1. 학문의 중심부에 있다 2. 개인의 학습과 학문의 발달 과정 속에 계속 반복되어야 할 질문 3. 다른 중요한 질문을 연상케 하는 것	1. 본질적 질문에 이르는 구체적 주제를 제공 2. 분명한 정답이 없는 것 3. 학습자의 흥미를 자극하고 계속적으로 유지하도록 진술할 것
"빛이란 무엇인가?"	고양이는 어두운 데서 어떻게 보는가? 빛은 분자인가 파장인가?
"이야기는 도덕성, 영웅, 그리고 악역 등과 같은 요소들을 포함하여야만 하는가?"	홀로코스트의 도덕성은 무엇인가? 허클베리 핀은 영웅인가?

제2단계 : 평가 계획

이 단계는 앞에서 계획한 선정한 목표에 기초하여 필요한 평가방법과 기준을 규명하고 진술하는 과정이다. 그러므로 구체적인 이해의 특성에 맞추어 적절한 평가 계획을 세워야 학습자가 지금 어느 정도의 이해 수준에 도달해 있는지 가늠할 수 있다. 이것은 곧 평가의 타당도에 해당한다. 우선 여섯 가지 이해의 종류에 맞추어 평가 방법들을 정리해 보면 표 14-4와 같다(Wiggins & McTighe, 1998: 85-97).

〈 표 14-4 이해의 종류와 평가 방법 〉

이해의 종류	평가 방법
자기지식	① 과거와 현재의 작품을 자가 평가, ② 소크라테스가 말한 것처럼 '자신이 무엇을 모르는지를 아는 지혜가 있는가'에 대한 평가
연민	① 타인의 심정을 헤아릴 수 있는 능력, ② 성향이 매우 극단적인 인물들을 공부하면서 다양한 세계관과 감정을 이해하는 능력, ③ 변증법적인 대화를 통해서, 아니면 다양한 생각을 가진 사람들 앞에서 특정한 세상의 아이러니나 연민을 직접 가르쳐 봄
관점	① 가치롭고 중요한 것에 대한 질문, ② 대답의 충실도와 완곡한 표현의 정도를 평가에 반영, ③ 비판적 관점, ④ 저자의 의도
적용	① 실제적 목적, 상황, 그리고 청중을 고려한 적용, ② 루브릭을 사용, ③ 피드백에 대한 자기수정 능력, ④ 반드시 이해하였으면서 수행을 하는지 확인
해석	① 좋은 글을 여러 각도에서 해석하는 능력, ② 글의 저변에 깔린 이야기의 이해
설명	① 대화 혹은 상호작용, ② 반복적인 중핵적 수행 과제, ③ 오개념의 활용, ④ 이해의 정교성을 수직선상에서 평가, ⑤ 중요한 이론과 관련된 본질적 질문에 초점, ⑥ 큰그림을 잘 유추하는 통제력, ⑦ 학생들의 질문, ⑧ 폭과 깊이를 따로 측정

여섯 가지 이해의 종류가 각 교과나 과목에 따라서 분명하게 구별되는 것은 아니다. 각 교과나 과목의 단원 특성을 잘 살려서 하나의 이해에 초점이 맞추어질 수도 있고 두 가지 이상의 이해들이 관련을 지으며 단원의 목적을 형성할 수도 있다. 따라서 '설명', '해석', '적용', '관점' 등과 같은 이해의 종류들이 주로 국어, 수학, 과학, 영어, 사회 등 대부분 교과의 단원 목적과 평가의 대상이 되는 것이 사실이지만, '연민'과 '자기지식'과 같은 심동적인 이해 영역이 반드시 윤리나 도덕 혹은 예술 교과에만 국한되어 사용되어야 한다는 것은 아니다.

이제 목표와 평가 지침이 확인되었으면 구체적인 교육과정 내용을 선택하여 우선순위를 결정하는 일과 아울러 구체적인 평가 방법과 도구를 개발하는 일이 남았다. 그림 14-5는 이제까지 논의한 다양한 이해의 성격에 따른 단원 목적의 확인에 비추어 구체적인 내용의 개발이 어떻게 평가 전략으로 연결되어야 하는지 보여준다(Wiggins & McTighe, 1998: 14-15).

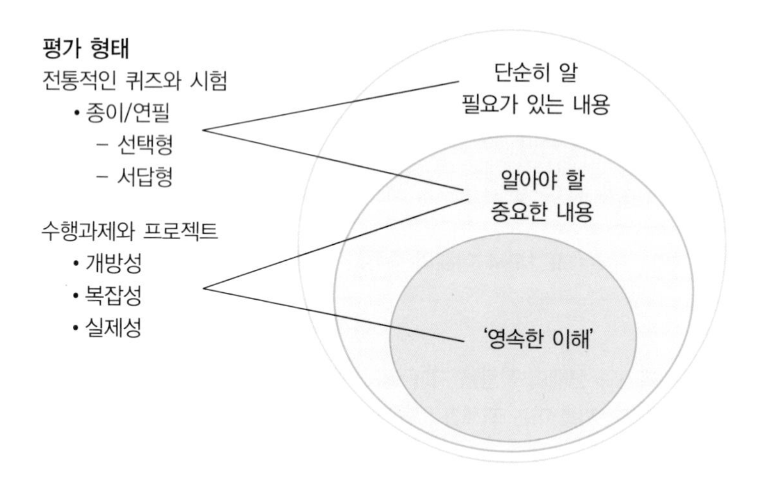

[그림 14-5 성취기준의 삼차원적 분석과 평가 방법]

이 그림에 잘 나타나 있듯이, 원의 정중앙에 있는 '영속한 이해'를 가장 핵심적인 아이디어, 개념, 혹은 원리로 두고, 중요하게 알아야만 하는 내용과 주변적이고 사실적인 내용을 잘 구별하여야 한다. 사실 이런 가르칠 내용의 선정과 우선 순위의 결정은 백워드 설계의 제1단계에서 확인되었어야 하는 작업이다. 그러나 제1단계의 궁극적 목적은 '영속한 이해'의 확인에 있으며, 그에 따른 관련 내용을 추출하는 데 있다. 제2단계인 평가가 제1단계에서 확인한 학문지향적 교과 학습내용을 학습자들이 충분하게 습득하였음을 입증하는 구체적인 증거 수집 단계인 만큼, 위의 표에서처럼, 질적으로 차별화된 개념과 사실, 그리고 기능들을 크게 두 가지의 평가 방법(지필 고사/수필, 수행 과제)에 대비시켜 그 적합성과 실제성을 따져보고, 구체적인 평가 도구들을 개발하여야만 한다. 여기에 평가 도구와 방법의 다양성을 쉽게 짐작할 수 있다.

제3단계: 학습 경험과 수업의 전개 내용의 개요

백워드 설계의 세 번째에 '해당하는 학습 경험과 수업 계획' 은 아이디어를 의미로 승화시키는 단계이다. 지금까지 설명한 첫 번째와 두 번째 단계를 거치면서, 교사 설계자 혹은 평가자로서의 교사는 매우 포괄적으로 진술된 성취기준을 선정하여, 단원의 주제, 목적, 그리고 질문들을 진술하였고, 이의 확인을 위해 구체적이고 다양한 평가 계획을 수립하였다. 이제 백워드 설계자는 학습자들의 흥미를 이끌어 내어 어렵지만 배울 가치가 있는 '큰 개념' 을 오랫동안 기억하고 실생활에 활용할 수 있도록 지도안의 개요를 개발하는 단계에 와 있다. 후방위 설계가 단원 수준인 만큼 여기서 지도안은 핵심적 아이디어들과 단계를 열거해 놓은 내용 개요와 같다. 학습 경험과 수업의 내용 개요는 그림 14-6에 예시한 것과 같이 WHERE의 절차적 원리를 따른다(Wiggins & McTighe, 1998: 115-128).

[그림 14-6 WHERE의 절차]

방향(Where). W는 우리가 추구하는 방향이 어디인지 그리고 왜 그러한 방향을 추구하는지를 소개하는 단계이다. 학습의 목적과 방향을 학생들에게 알려 주는 단계이다. 이 단계에서는 학생들에게 마지막에 할 수 있어야 하는 것이 무엇이며 그러한 수행은 어떠한 평가를 통해 이루어지는지를 소개하는 단계이다. 즉, 학생들의 이해를 판단하는 기준이 어떤 수행과 작업을 통해 이루어질지를 알려주는 것이다.

관심(Hook). 학생들의 흥미와 관심을 끄는 시작점을 결정하는 단계이다. 일반적인 수업 실행에서 이야기하는 동기 유발과 유사한 단계이다. 시작점은 학습의 본질적인 질문과 단원의 핵심에 접근할 수 있는 난이한 문제, 복잡한, 포커스화된 경험, 그리고 도전들로 잡는 것이 좋다. 그리고 또한 이러한 시작점은 핵심적인 개념과 마지막의 구체적인 수행과도 그 초점과 방향이 맞도록 결정되어야 한다.

탐구(Explore). 학생들이 학습의 본질적인 개념과 질문들을 발견할 수 있도록 돕는 학습 경험에 참여하는 단계이다. 학생들은 본질적인 개념과 문제들을 해결하기 위해 직접 수행 과제를 탐구하게 된다. 이를 통해 학생들은 능동적으로 목적을 달성하고 핵심적인 개념과 문제를 찾게 되며, 결과를 도출하게 된다. 이 단계에서 학생들은 교사에 의해 안내되는 수업과 지도를 통해 마지막에 수행할 수 있어야 하는 지식과 기술들을 습득하게 된다. 그리고 이러한 개념과 기술에 대한 능동적인 경험은 실제적인 일상생활에서 적용하고 사용할 수 있도록 만들어 준다.

반성(Reflect). 주제와 학습에 대한 깊이 있는 이해를 위해 반성과 피드백을 제공하는 단계이다. 이 단계에서 학생들은 본질적인 질문과 결과를 근거로 자신의 수행을 평가하고 판단하게 된다. 그리고 필요에 따라서는 학습과 이해를 교정하고 다듬으며 새로 수행해 보기도 한다. 이러한 반성의 과정을 통해 학생들은 이해를 내면화하게 되며 본질적인 개념을 깊이 있게 이해할 수 있다.

전시(Exhibit). 학생들의 이해를 드러내 주는 최종 수행과 과제를 전시하고 평가하는 단계이다. 학습의 내용을 완전히 이해했다면 학생들은 실제적인 상황에서 구체적인 수행을 보여 줄 수 있다. 이 단계에서 학생들은 자신이 알게 되었고 익힌 기술들을 보여 줄 수 있는 구체적인 산물을 전시하게 되며 교사는 이러한 학생들의 최종적인 결과물을 통해 학생들이 이해를 하였는지를 평가하게 된다.

사실 WHERE 수업 내용 개요는 단시 수업에서도 사용될 수 있다(도입−전개−정리처럼). 그러나 대부분은 전체 단원의 전개 흐름을 정리하는 데 사용된다. 단원이 8차시로 구성되었다면 차시별 전개와 발달의 과정을 W(1차시, 목표 제시와 가치 설명), H(2차시, 흥미거리를 제시하며 동기 유발과 수행 과제 결정), E(3-5차시, 수행 과제 해결), R(6-7차시, 중간 발표와 피드백 제공), E(8차시, 과제 전시와 종합 평가)에 맞추어 단시 수업들의 주안점을 잘 살릴 수 있다. 여러 가지의 작은 수준의 평가 방법들, 예를 들어, 쪽지 시험, 관찰, 간단한 개념 지도 그리기, 수필 등은 WHERE 과정의 곳곳에서 투입되고 실행되어야 한다. 교사는 꼭 알아야 할 정보와 기능들을 가르쳐야 하며 그 즉시 형성 평가를 실시하여야 한다. 수행 과제와 같은 큰 평가 방법은 단원 전개의 핵심이므로 세 번째인 E 단계에서 집중적으로 다루어져서 영속한 이해에 도달할 수 있도록 계획하여야 한다. 즉, 모든 학습자들이 주어진 개념을 확실히 이해하고, 실생활에 적용시켜 문제를 해결한 후, 자신감 있고 효과적으로 과제를 설명할 능력을 직접 보여 주는 수행을 성취하도록 조력하여야 한다. 이런 이해의 수행 증거는 마지막 단계에서 학부모나 과제와 관련된 외부 인사를 초빙하여 발표 및 전시를 통해 수행 성취기준(performance standards), 즉 내용을 이해한 수준이 '어느 정도 되어야 정말 잘 한 것인가?(How good is good enough?)' 에 비추어 평가받는다(주로 4 단계 등급, 최우수–숙달–기본–부족함의 평가 기준표 혹은 루브릭을 사용하며 '숙달' 이상의 등급을 받아야 충분히 잘한 것으로 판정한다). 표 14-5와 14-6에는 수학과 기하학 단원에서 WHERE를 적용한 수업설계와 식습관과 관련된 단원에서 WHERE를 적용한 예를 각각 제시하였다.

〈 표 14-5 예 1 : 수학과 기하학 단원 〉

WHERE 단계	내용
방향(Where)	• 기하학을 발견하고 만들어낼 수 있는가? 과제: 에세이를 적고 리서치를 하시오.
관심(Hook)	• 비유클리드 기하학을 통한 미스터리 문자에 대한 문제 기반 학습 경험: Geoge Brett의 소나무 배트의 구성성분 소개.
탐구(Explore)	• 대안적인 기하학의 공리를 증명하는 작업: 기하학적 문자를 해독하기 위해 필요한 조사와 이슈 • 핵심 가정과 공리: 공리 5. 평행선의 공리
반성(Reflect)	• 기하학의 공리와 핵심
전시(Exhibit)	• 기하학을 발견하고 만들어 낼 수 있는가? • 시간이 지나면서 답이 왜 변하였는가? • 답에는 어떤 차이가 있는가? • 기하학을 이용한 문제 해결 사례를 적용하여 보고서 제출

〈 표 14-6 예 : 2 식습관 관련 단원 〉

WHERE 단계	내용
방향(Where)	• 게시판에 본질적인 질문을 공고한다. • 영양소에 대한 지식과 학생들의 현재 식습관을 알 수 있는 사전, 사후 테스트를 실시한다. • 지난해에 선배들이 했던 샘플 중 잘 된 것을 게시판에 붙인다. • 요구되는 수행과제와 기한 그리고 체크리스트, 평가 기준에 관한 핸드아웃을 나누어 준다.
관심(Hook)	• 신선한 야채와 과일을 먹지 못하는 뱃사람들의 질병에 대한 문제 기반 학습을 통해 시작한다. • 학생들에게 "몸에 좋은 음식은 쓰다."라는 말에 대한 학생들의 반응으로 시작한다.

계속

WHERE 단계	내용
탐구(Explore)	• 탐구: 여러 나라의 건강한 식습관에 대하여 조사하라. 영양분에 대한 웹 조사를 하라. 그리고 다이어트, 학교 결석과 학문적, 운동적 수행 사이의 상관관계를 조사하라. • 필요한 능력습득: 조사한 것을 보고서를 제출하는 능력, 발표하는 능력, 조사하는 능력.
반성(Reflect)	• 학생들은 서로 다른 균형잡힌 영양 식사에 대한 평가를 위해 그룹으로 작업한다. 그리고 나서 그들과 그들 가족의 식습관을 반성한다. 그리고 좋은 식습관에 대한 이해를 확장 시키기 위해 가족 식사를 바꾸어 본다.
전시(Exhibit)	• 학생들은 식단을 작성는 것을 드러낼 수 있는 핵심 과제와 수행에 대한 자기평가를 한다. • 학생들은 건강한 식사에 대한 실행을 평가한다. • 건강한 식습관과 식단을 계획한다.

백워드 교육과정 설계 모형 사례

지금까지 백워드 설계 단계에 대하여 살펴보았다. 하지만 이러한 이론적인 개념과 절차는 다소 추상적인 것이다. 이에 수학과와 과학과에서 개발된 수업 시나리오를 통해 백워드 설계의 개념에 대한 이해를 돕고자 한다. 앞서 제시한 이해의 여섯 가지 영역에서 각 영역에 대한 목적의 설정과 평가를 개발하는 구체적인 방볍, 그리고 그러한 평가의 근거는 어떻게 설정하였는지를 보여 준다. 그리고 마지막으로 이러한 목적과 평가에 대한 설계가 이루어진 후에 구체적인 학습 계획과 활동은 어떻게 적용해야 하는지를 보여 준다. 이 절에서는 수학과에서 이루어진 사례와 과학과에서 이루어진 사례를 소개하였다.

수학과에서의 백워드 교육과정 설계 모형 사례

이 시나리오는 여섯 가지 이해의 요소들 중 '이해' 의 영역을 교육목적으로 하는 수학과의 교육과정 설계 과정을 구체적으로 제시한 것이다. 이 단원에서는 이산 수학의 개념을 다양한 실제 상황에서 적용하고 사용할 수 있도록 하는 것을 목적으로 한다. 표 14-7에서 보듯 처음의 단계에서는 '이해' 와 관련된 이산 수학의 요소들을 설정한

〈 표 14-7 수학과에서의 백워드 설계 모형 〉

<table>
<tr><td colspan="2">성취기준 : 모든 학생들은 다양한 실제 상황에서 해결방안을 구상하고 조사할 수 있게 이산수학의 개념과 수단을 적용한다.</td></tr>
<tr><td colspan="2">바라는 결과</td></tr>
<tr><td colspan="2">이해</td></tr>
<tr><td colspan="2">▷ 때때로 수학적으로는 최선인 답안이 '실제 세계'의 문제들에 대해서는 최선의 해결책이 아닌 경우도 있다.
▷ 3차원을 2차원으로 나타내면 (또는 2차원을 3차원으로 나타내면) 일그러진다.
▷ 인류의 문제들에 수학적 모델과 발상을 적용하기 위해서는 그 결과로 나타날 영향에 대해서 신중하고 예민하게 판단해야 한다.</td></tr>
<tr><td>본질적인 질문</td><td>지식과 기술</td></tr>
<tr><td>▷ 어떻게 하면 순수한 수학 공식을 복잡한 현실에 잘 적용시킬 수 있는가?
▷ 수학적으로는 최선인 답안이 문제 해결책으로는 최선이 아닌 것은 어떤 경우인가?</td><td>a. 여러 가지 3차원 도형들의 표면적과 부피를 구하라.
b. Cavalieri의 법칙을 알아보고, 이를 부피를 비교하는 데 적용해 본다.
c. 부피와 표면적을 구하는 다른 공식들에 대해 알아보고 이를 형태를 비교하는 데 적용해 본다.</td></tr>
<tr><td colspan="2">평가의 근거</td></tr>
<tr><td colspan="2">▷ 화물 포장 : 다량의 M&M 초콜릿을 선박에 적재할 때, 비용효율을 높이기 위한 가장 이상적인 형태의 포장 용기는 어떤 것인가? (이 문제에서 수학적으로 최선의 답안인 구체를 이용하는 것은 최선의 해결책이 되지 못한다.)
▷ 세계 지도를 2차원으로 나타내는 방식 중 논쟁의 요소가 가장 적은 것을 결정하여 UN에 권고하라.
a. 전체 단원 연습문제 중 홀수 번호 문제들, 516-519쪽.
b. 발달 단계 자기 평가, 515쪽.
c. 숙제 : 각 소단원의 3번 문제. (풀이과정도 적으시오)</td></tr>
<tr><td colspan="2">학습활동</td></tr>
<tr><td colspan="2">▷ 다양한 용기들의 표면적과 부피의 관계에 대해 조사해 보자.
(예, 참치통조림, 시리얼 상자, 프링글스, 사탕 포장지 등)
▷ 여러 지도들에서, 지도의 수학적인 정확성을 결정하는 투영법의 차이를 조사해 보자.
(예, 뒤틀림의 정도)
a. UCMSP 기하학의 10단원을 읽는다.
b. 탐구 22, 504쪽.
c. 탐구 22, 482쪽.
d. 탐구 25, 509쪽.</td></tr>
</table>

다. 그리고 본질적인 질문들을 통하여 필요한 지식과 기술이 무엇인지를 결정한다. 그리고 이를 통해 학생들이 이해를 하였다면 구체적으로 어떤 것을 말할 수 있고 할 수 있어야 하는지를 결정한다. 마지막으로 설정한 교육목적과 평가를 달성하기 위하여 필요한 구체적인 학습 활동을 구성한다.

〈 표 14-8 과학과에서 백워드 설계 모형 〉

주제 : 사과와 수확기 성취기준 : 생명체의 생애 주기를 묘사할 수 있다. 사람들이 물리적 환경에 얼마나 의존하는지 설명할 수 있다.	
바라는 결과	
이해	
▷ 모든 사람은 자연계와 밀접한 관계를 맺고 있다. ▷ 자연계의 삶은 탄생–생장–사멸로 이어지는 순환을 따른다. ▷ 어떤 지역의 자연 자원은 그 지역 사람들의 삶과 일의 방식에 영향을 미친다.	
본질적인 질문	지식과 기술
▷ 어떻게 하면 자연이 인간의 삶에 영향을 미치는지 알 수 있는가? ▷ 최선인 답안이 문제 해결책으로는 최선이 아닌 것은 어떤 경우인가?	a. 사과의 삶의 주기를 설명하여라. b. 자연계의 모든 생명이 사과와 유사한 생애 주기를 가진다는 것을 이해한다. c. 구체적으로 다른 자연계의 생명체의 생애 주기를 비교하고 적용해 본다.
평가의 근거	
사과의 생애 주기와 사과가 사람들에게 어떻게 사용되는지를 보여주기 위해 '사과로서의 나의 삶'이라는 제목으로 이야기를 쓰고 이를 설명하라. ('배고픈 애벌레'를 예로 들 수 있다.)	
학습활동	
Johnny Appleseed를 읽고 사과에 관한 창의적인 이야기를 써 보시오. 잎들을 모은 다음 붙여서 콜라주 작품을 만드시오. 사과와 수확기에 관한 노래들을 배우시오. 사과소스의 조리법을 모든 3학년 학생들 수에 맞게 비율에 따라 계량하시오. 지역의 사과 과수원으로 견학을 가서 사과 주스가 만들어지는 과정을 보고, 저녁에는 건초 피크닉(건초를 실은 트럭을 여럿이 타고 가는 밤 소풍)을 가시오. 3학년 '사과 축제' : – 사과소스 만들기 – 종이에 무작위로 쓰인 글자 중 'apple' 단어 찾기 대회(word search) – 줄에 매단 사과를 입으로 먹는 게임 – 사과농장 경영에 관한 수학 문제지 풀기	

과학과에서 백워드 설계 모형 사례

이 시나리오는 여섯 가지 이해의 요소들 중 '이해' 의 영역을 교육목적으로 하는 과학과의 교육과정 설계 과정을 구체적으로 제시한 것이다. 표 14-8에서 보듯 처음의 단계에서는 '이해' 와 관련된 자연계 생명체의 생애 주기를 이해하는 데 필요한 것이 무엇인지를 결정한다. 그리고 본질적인 질문들을 통하여 필요한 지식과 기술이 무엇인지를 결정한다. 그리고 이를 통해 학생들이 이해를 하였다면 구체적으로 어떤 것을 말할 수 있고 할 수 있어야 하는지를 결정한다. 마지막으로 설정한 교육목적과 평가를 달성하기 위하여 필요한 구체적인 학습활동을 구성한다.

종합 및 결론

이 장에서는 교육의 목적과 평가를 교육과정 개발의 핵심으로 보는 백워드 설계에 대하여 자세하게 알아보았다. 백워드에서는 새로운 형태의 교육목표로서 이해라는 개념을 도입하여 학생들이 알고 있다면 실제 상황에서 구체적인 행동이나 언어로 나타낼 수 있어야 한다고 강조하였다. 그리고 이러한 이해를 어떻게 판단하고 알 수 있는지 그 평가 방법을 구체적으로 제시하고 있다. 이것은 교육의 목적과 평가를 교육과정 개발 초기에 둠으로써 교육과정 개발을 성공적으로 이끈다. 학생들이 무엇을 할 수 있어야 하는지는 교육의 목적과 밀접한 관련을 맺고 있기 때문이다. 따라서 이러한 백워드 설계는 교육과정을 설계하는 데 있어 좀 더 명확한 교육목적을 설정할 수 있도록 돕는다. 그리고 사전에 학생들이 무엇을 알고 있어야 하는지에 대한 평가를 고려하기 때문에 좀 더 큰 개념과 이해의 틀 속에서 교육과정을 개발하고 실행할 수 있도록 돕는다.

교육의 목표 지향적인 활동이라고 보았을 때, Wiggins가 제시한 백워드는 그러한 교육의 목적을 좀 더 분명하게 밝히는 데 도움을 줄 수 있는 좋은 아이디어이다. 또한 교육의 목적을 분명하게 밝힐 수 있다는 것은 교육과정 개발과 실행에 있어 분명하고 명확한 방향을 설정할 수 있도록 도울 수 있다. 그리고 그가 제시한 새로운 교육과정 목표로서의 이해의 여섯 가지 요소는 학생들이 이해를 했다면 무엇을 할 수 있어야 하는지를 안내해 준다. 따라서 백워드의 아이디어를 실제 교육과정 개발과 실행에서 적용한다면 성공적인 교육과정 개발과 실행이 가능할 것이다. 그리고 백워드 설계 모형 이론은 우리나라의 단원 설계 및 교수-학습 지도안을 연구하는 데 도움이 될 것이다. 우리나라에서 단원 설계와 지도안 작성에 대한 연구가 아직도 본격적으로 이루어지지 않은 상황인 만큼, 이 백워드 설계안은 여러 측면에서 흥미로운 아이디어를 제공할 수 있다고 믿는다. 백워드 설계 모형의 최대 강점은 국가 수준의 교육과정 속에 내포된 큰 개념을 추출하는 준거와 방법이 구체적으로 제시된 점이다.

학습활동과 토의주제

1. 백워드 교육과정 설계가 왜 나타났는지에 대하여 시대의 흐름, 그리고 21세기 정보화 사회에서 요구하는 능력의 특징 등과 관련하여 논의해 봅시다.
2. Grant Wiggins가 강조한 이해의 교육목표를 우리가 수용한다고 하였을 때 교사와 학생들의 학습의 목표와 방향은 기존과 어떻게 달라져야 하는지를 생각해 봅시다. 특히 상위의 이해의 목표들을 가지고 생각해 봅시다.
3. 우리나라의 제7차 교육과정은 수행과 평가를 강조하는 교육과정 개혁이었다. 그런데 이 백워드 교육과정 설계를 실행하는 데 있어서 우리의 학교에서의 실제들(수업지도안 작성방법)은 이 목표와 부합되는지 아니면 어떻게 달라져야 하는지에 대하여 규명해 봅시다.
4. 백워드 교육과정 설계의 가장 큰 핵심은 수행평가이다. 이와 관련하여 우리 학교에서의 수행평가가 어떻게 이루어지고 있는지를 수업의 내용과 방법 그리고 평가측면에서 비평해 봅시다.

참고문헌

강현석(2009). 거꾸로 생각하는 교육과정 개발: 이해편. 서울: 학지사.

김영천(1998). Grant Wiggins 백워드 설계 워크샵 자료. 미간행자료.

김영천(2002). 미국 수행평가 연구 방향에 대한 분석적 고찰: 우리에게 주는 시사점. 열린교육연구, 10(1), 131-162.

김영천(2007). 현장 교사를 위한 교육평가. 서울: 문음사.

McTighe, J., & Thomas, R. (2003). Backward design for forward action. *Educational Leadership*, 60(5), 52-55.

McTighe, J., & Wiggins, G. (1999). *Understanding by design: Handbook.* Alexandria, VA: Association for Supervision & Curriculum Development.

McTighe, J., & Wiggins, G. (2004). *Understanding by design: Professional development workbook.* Alexandria, VA: Association for Supervision & Curriculum Development.

Wiggins, G. (1998). *Educative assessment.* San Francisco: Jossey-Bass.

Wiggins, G., & McTighe, J. (1998). *Understanding by design. Alexandria*, VA: Association for Supervision & Curriculum Development.

Wiggins, G., & McTighe, J. (2000). *Understanding by design* (2nd Ed.). Alexandria, VA: Association for Supervision & Curriculum Development.

Wiggins, G., & McTighe, J. (2000). *Understanding by design: Study guide.* Alexandria, VA: Association for Supervision & Curriculum Development.

Wiggins에 대한 추억

미국 오하이오주립대학교 교육평가학과에서 들었던 대안적 교육평가 과목에서 처음으로 Grant Wiggins에 대하여 알게 되었다. 그리고 한국으로 돌아온 후 그가 주창해 온 수행평가가 제7차 교육과정과 밀접하게 연계되어 있고 전국이 수행평가로 몸살을 앓고 있다는 사실을 알게 되었다. 이 주제 역시 필자에게는 익숙하지 않았기 때문에 더 배워야 한다는 생각에 그에게 편지를 보냈다. 답장이 왔고 1997년에 그의 연구소를 방문하려고 하였으나 여의치 않아 다음으로 미루었다. 그 다음해 1998년 12월에 연락을 하고 그를 방문하였다. 그 당시 IMF가 터졌기 때문에 포기하려고 하였으나 약속을 지켜야 한다는 생각에 할 수 없이 뉴욕 공항에 도착하여 뉴저지로 향하였다.

그러한 후회는 잠깐, 그를 만나고 나서는 결정을 잘하였다는 생각이 들었다. 그와 그의 스태프들 모두 나를 환대해 주었고 나의 여행 목적을 달성하기 위하여 모든 도움을 제공해 주었다. 연구자료, 학교 방문, 교사들과의 면담 등. 참으로 좋은 교육적 기회였다. Wiggins는 하버드 대학교 교육학과를 졸업하고 대학교수가 되었으나 적성이 맞지 않아 교수직을 그만두고 대신에 독립연구자로 활동하기로 하였단다. 이에 자신의 연구소(CLASS)를 설립하였고 이 연구소는 전 세계적으로 대안적 평가와 참평가 부분의 선도적인 연구와 교육기관으로 자리 잡았다. 뉴저지

South Junction 부근에 있는 아담한 동네에 자리 잡은 3층짜리 건물에 미국의 대안적 평가의 새로운 패러다임을 확산시키는 에너지가 담겨 있었다.

그의 이름은 이미 10년이 흐른 최근에 더욱 유명해졌다. 매년 미국 전역의 교사들과 행정가들을 위한 대안적 평가와 교육과정 개발 워크숍으로 바쁘며 미국의 학교행정가와 교사들의 연수와 새로운 정보 제공에 가장 큰 영향력을 행사하고 있는 ASCD(Association for Supervision and Curriculum Development)의 주요 초청 발표자로 활동하고 있다. 아울러 학교별 맞춤 평가방법을 제공해주는 자문 역할과 함께 단위 학교를 방문하여 한 학교의 교사들을 대상으로 한 소규모 집단 교사 워크숍을 실행하고 있다. 미국의 많은 주(State)의 교육평가 개발에 관여하였으며 자문역할을 하고 있다. 최근에는 『Understanding by design』을 통하여 새로운 교육과정 개발 모형을 확산시켰다. 또한 매년 연구소 주최하에 전국 교사들을 대상으로 좋은 수업단원 개발하기 컨테스트를 개최하여 교사들로 하여금 새로운 수업 시나리오 개발을 장려하는 지도적인 역할을 하고 있다.

약 2주 동안 그의 연구소에 있으면서 아마도 가장 좋았던 것은 대안적 평가와 관련된 국제적 자료들이 모여 있는 그의 도서관을 마음껏 이용할 수 있었던 것이다. 아마도 2주 동안 복사기 앞에 서 있으면서 그렇게 오랫동안 복사를 한 적은 처음이었을 것이다. 아울러 그의 조언에 따라 Wiggins가 박사가 자문하고 있었던 뉴저지 근처의 대표적인 대안적 평가 실행 학교들을 방문할 수 있었다. 이론을 학교 상황에서 확인할 수 있는 참으로 좋은 교육적 기회였다. 아직까지 기억나지만 Constable Elementary School, Monmouth Junction School에서의 교육적 경험은 참으로 소중하고 우리나라의 대안적 평가의 문화 확산에 여러 가지 점에서 기여할 것으로 생각한다.

그의 여러 가지 도움으로 진주교육대학교 초등교육연구소의 "초등학교 수행평가 도구 개발"이 4년에 걸쳐서 성공적으로 이루어졌고 우리 현장의 새로운 아이디어들과 방법들이 국내 최초로 소개되었다.

제15장

개념 중심 교육과정 설계:
Concept-based design

이 장의 공부할 내용

개념 중심 교육과정의 이해
개념 중심 교육과정의 단원 설계 양식
개념 중심 교육과정의 예

개념 중심 교육과정은 미국의 Montana대학교에 재직 중인 H. Lynn Ericson 교수에 의해 고안된 교육과정 모형이다. 이는 우리가 일반적으로 알고 있는 개념 중심 교육과정과는 많은 차이를 보이고 있다. 기존의 개념 중심 교육과정은 과학이나 수학에서 많이 활용되고 있으며, 학습의 개념 즉, '여러 사실로부터 추출된 공통된 속성'을 바탕으로 자연의 사물 현상에 관한 지식을 일반화하고 과학이나 수학적 지식을 좀 더 쉽게 이해하는 데 중점을 두는 교육과정이다. 이와는 달리 Ericson에 의해 고안된 개념 중심 교육과정은 지식의 가장 낮은 수준인 사실이나 이해를 가르치자는 것이 아니라 개념에 초점을 두고 가르쳐야 한다는 것이다. 궁극적으로 이러한 개념을 바탕으로 통합적인 사고과정과 다른 지식으로의 전이, 나아가 실제 세계에서 필요로 하는 지식과 기능을 가르치자는 것이다. 따라서 이 모형은 개념적 이해와 비판적 내용지식, 수행 능력의 발달을 강조하는 교육과정이다. 그러한 점에서 고등사고기술과 실제적 수행을 강조하는 최근 직업 상황과 학교교육의 목표에 부합되는 교육과정 모형이라고 할 수 있다. 이에 이 장에서는 Ericson의 개념 중심 교육과정이란 무엇이며 어떠한 특징을 가지고 있는지, 그리고 수업에 어떻게 적용할 수 있는지 소개한다.

개념 중심 교육과정의 이해

개념 중심 교육과정의 등장배경

세계 경제의 중심에서 미국경제가 주도권을 가지고 있을 때에도 교육에 대한 미국 정부의 관심은 뚜렷하지 않았다. 그러나 과학과 교통, 통신의 발달이 경제의 국면을 변화시키고, 자국 경제가 국제적 주도권을 쥐게 되자 미국 사업가들은 국제무대에서 경쟁하기 위해서는 노동자들에게 좀 더 높은 수준의 과학기술이나 전문 지식이 필요하다는 것을 깨닫게 되었다. 또한 부모들은 자녀가 진학이나 취업을 위해 준비되지 않은 것을 걱정했고 이에 좀 더 높은 교육적 성취기준이 강하게 요구되었다.

교육에 대한 관심이 커져 감에 따라 부시 행정부 아래 1990 National Education Goals가 시작되었고, 1991년 The America 2000 법안이 시행되었다. 이런 개혁 노력은 클린턴 대통령 행정부 아래 The Goals 2000법안이 통과되면서 지속되었다. 이 법안은 거의 모든 학문 분야에서 성취기준 발달의 도약판이 되었다. 또한 각 분야의 교수와 전문가 집단에 의해 발전된 이 문서들은 각 주와 지구에서 그들의 교육과정 틀을 구축하는 데 도움이 되었다. 그리고 미국의 여러 연방정부는 각 교육기관별 성취기준을 마련하였고 실제 세계와의 연관성을 고려하여 직업세계에서 필요로 하는 지식과 기능을 습득하고 좀 더 높은 고등사고기술을 요구하는 교육과정을 개발하였다. 개념 중심 교육과정 역시 이러한 시대적 상황에 맞추어 개발된 모형 중 하나이다.

〈 표 15-1 기존의 교육과정과 개념 중심 교육과정 비교 〉

기존의 교육과정	기준	개념 중심 교육과정
↓	⋮	↓
사실과 주제에 맞춘 교육과정 설계	교육과정 설계	개념적 구조에 기초한 교육과정 설계
↓	⋮	↓
단순한 개별적 사실과 주제에 대한 이해	학습 결과	통합적 교육목표 달성 고차원적 지적 통합 수준 높은 사고

우리나라 역시 통합적 교육목표 달성을 위해 개념에 초점을 맞춘 교육과정에 관심을 가질 필요가 생겼다. 만약 개념에 초점을 맞추지 않는다면 우리는 단지 사실과 주제에 맞춘 활동을 늘어놓을 뿐이며 좀 더 높은 수준의 교육과정과 지적 통합에 도달하기 어렵기 때문이다. 역사 교육의 예를 들어보자. 우리는 학생들이 과거를 배움으로써 패턴을 발견할 수 있고 나아가 미래를 이해할 수 있다고 말한다. 하지만 현재의 교육과정은 시간과 문화를 가로지르는 역사적 사건의 메타분석을 위한 구조를 제공하지 못하고 있다. 그 결과 학생들의 수준 높은 통합적 사고를 기대하기 힘든 상황이다. 또한 학생들은 역사과목을 가장 귀찮아하는 실정이며 따분한 과목으로 치부하는 경향이 높다. 역사뿐만 아니라 많은 교육과정들이 핵심적인 개념을 다루지 않고 사실이나 주제에 맞추어 교육과정을 설계하고 있다. 이는 학생들에게 개별적 사실과 주제만을 다루어 줄 뿐 고차원적인 지적 통합을 이루는 데 아무런 도움이 되지 못한다. 따라서 우리는 개념적 구조에 기초한 교육과정을 설계해야 하며 학생들에게 그들의 기존 지식과 새로운 지식을 통합하여 좀 더 수준 높은 이해에 도달할 수 있도록 기회를 제공해야 한다.

개념의 눈

'개념의 눈' 이란 교수-학습의 초점이 되는 일련의 단원목표를 의미한다. 기존의 교수-학습과정이나 학습단원이 단편적인 지식이나 사실에 근거한 것이라면 개념의 눈은 학습에 특정한 주제나 사실을 대신하는 목표에 해당한다.

지식이 폭발적으로 증가하고 지식의 수명이 급격히 짧아지는 현대 사회에서 교수-학습의 초점은 수많은 사실이나 단편적인 지식을 암기하기보다는 새로운 문제 상황에 적용하고 활용할 수 있는 능력을 기르는 데 두어야 한다. 즉, 학생들의 생각을 좀 더 더 큰 상위의 개념으로 통합함으로써 새로운 지식을 과거의 지식에 적용할 수 있는 개념의 구조를 형성하도록 도와주어야 한다는 것이다. 학생들이 새로운 문제 사태에 부딪치고 새로운 예를 접할 때 이를 개념의 도식에 통합함으로써 좀 더 효율적이고 체계적으로 문제를 해결함과 동시에 실제 직업 세계에서 요구하는 고등사고기술을 습득할 수 있다.

다음은 왜 교육과정 설계가 주제에서 개념으로 그 초점이 옮겨져야 하는지를 보여주는 주요한 이유이다.

- 현대 사회에서 지식의 폭발적인 증가와 더불어 지식의 수명이 점점 짧아지고 있다. 그러나 이러한 지식을 모두 교과서에 담을 수 없기 때문에 학생들은 많은 데이터의 원천에 접근하는 기술과 정보를 동화시키고 분류 · 모방하는 비판적 · 창조적 · 통합적인 사고를 적용하는 기술을 배워야 할 필요가 있다.
- 빠르게 변화하고 국제적 상호작용이 빈번한 세계에서 시민들은 점점 복잡해지는 사회, 정치, 경제적 관계를 이해하기 위해 개념적 사고 능력을 필요로 한다.

지식의 구조에 있어 낮은 수준의 지식인 사실과 이해를 지양하고 높은 수준의 지식인 개념을 가르쳐야 한다는 것이 학습에 있어 개념을 중시해야 하는 이유이다. 전통적 교육과정모형은 주제, 사실과 관련된 하위 인식 단계를 강조한다. 우리가 지금껏 배우고 가르치는 데 있어 100년 이상 적용되었던 이 교육과정 설계는 더 이상 유용하지 못하다. 높은 성취기준을 요구하는 교육과정에서 전통적인 교육과정으로는 학생들의 높은 성취 수주을 기대하기 어렵기 때문이다.

그림 15-1에서 사실은 직접적인 관찰이 가능해야 하며, 시범을 보일 수 있는 것이라고 정의할 수 있다. 예를 들어 '울산은 공업도시이다' 는 하나의 사실이 될 수 있다. 주제는 개별 사실들의 단순한 집합이라 볼 수 있다. 여러 사실로부터 추출된 공통의

속성을 개념이라고 하는데 개념은 정확한 의미를 갖는 생각, 아이디어 또는 용어라고 할 수 있다. 예를 들어 과학적 개념은 자연의 사물과 현상 속에서 공통적이고 보편적인 요소를 추출하고 그 속성을 기준으로 하여 다른 사물 현상과 구별할 때 사용된다. 원리는 여러 개의 사실들이 어떤 공통점이나 관계성을 보일 때 이를 일반화시킨 것을 말한다. 최상의 단계인 이론은 포괄적으로 관련된 원리들로서 어떤 현상에 대한 설명을 제공한다. 또한 이론을 설명하고 관련시키며 예상하는 데 사용된다.

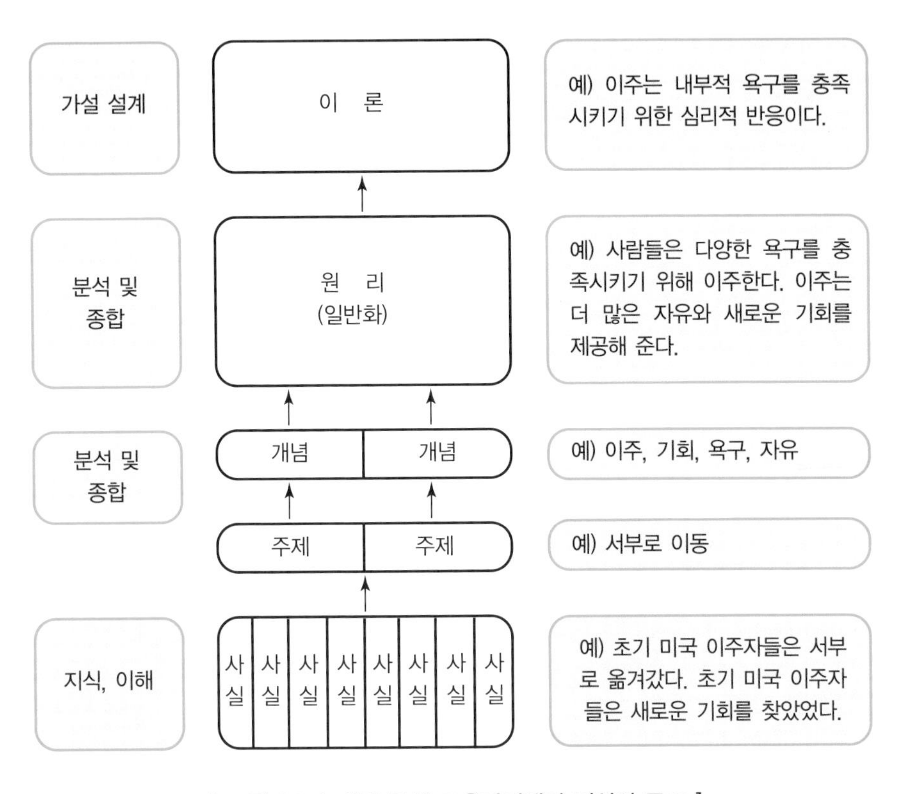

[그림 15-1 개념 중심 교육과정에서 지식의 구조]

이처럼 지식의 구조는 위계를 가지고 있다. 이에 우리는 하위 단계인 사실을 거쳐 최상위 단계인 이론에 이르는 교육과정을 구성해야 한다. 만약 전통적인 교육과정이 강조하는 단순한 사실의 암기나 주제만을 다루는 교육과정이 이루어진다면 급변하는 사회 속에서 실제 직업세계에서 요구되는 지식이나 기능을 학생들에게 가르치기 어렵다. 즉, 현대 사회에서 요구하는 교육과정은 지식의 암기나 이해가 아니라 개념을 중심으로 하여 실제적으로 수행할 수 있는 능력을 원하고 있는 것이다. 개념 중심 교육과정은 이러한 요구를 만족시켜 줄 수 있는 모형의 하나인 것이다.

개념 중심 교육과정의 저자인 Ericson은 자신이 실제 단원 설계자가 되어 실제 학습에서 사용될 개념의 눈에 대하여 설명하였다. 다음은 Ericson이 제시한 개념의 눈에 대한 예이다.

'국제 사회에서의 미국 무역'이라는 단원을 개발한다면, 무역을 어떤 시각으로 바라볼지를 결정해야 한다. 즉, 무역을 국가 간의 상호협력으로 바라볼 수도 있고, 국가 간의 총성 없는 전쟁으로 바라볼 수도 있다. 이처럼 무역을 어떤 시각으로 바라보느냐에 따라 개념의 눈이 결정되며 이러한 개념의 눈은 교수–학습의 방향과 사고의 과정을 결정한다. 아래의 단어는 미국의 무역에 대한 단원을 설계할 때 사용할 수 있는 '개념의 눈'의 예이다.

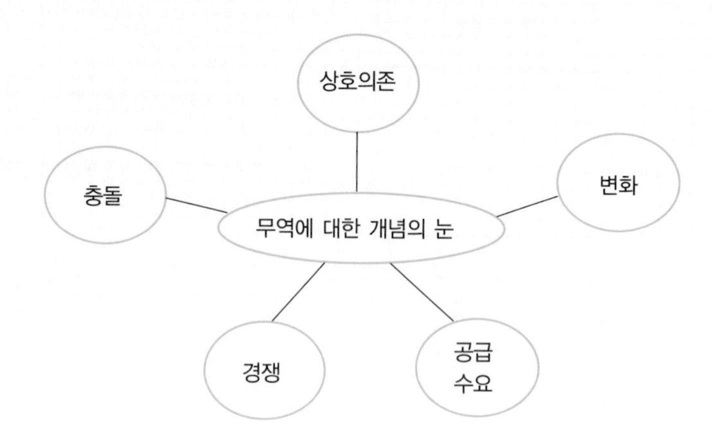

만약 충돌이라는 눈을 택했다면 학습을 위해 선택되는 모든 주제는 충돌과 관계를 지어 개념을 기술할 필요가 있다. 예를 들어 무역과 관련된 국제 분쟁이라든지 FTA와 같은 시사 자료를 이용하여 단원을 고안할 수 있을 것이다. 또한 변화와 충돌이라는 두 가지 개념의 눈을 사용했다면 시대에 따라 변하는 무역 관계에서 국가 간의 충돌이 어떻게, 왜 관계되어 왔는가를 주제로 하여 단원을 설계할 수 있다. 또 다른 흥미로운 방법은 학생들과의 토의를 통하여 모둠별로 개념의 눈을 정한 후 이를 토의해 보게 하는 것도 좋은 방법이 될 수 있다. 어떤 집단은 무역의 주제를 상호의존의 눈을 통해 볼 것이고, 또 다른 집단은 힘의 균형이라는 눈을 통해 볼 것이다.

이처럼 Ericson은 한 가지 학습주제에서 다룰 다양한 개념의 눈을 제시한다. 여기에서 중요한 것은 자신이 선택한 한 가지 개념의 눈만을 사용한 것이 아니라 두 가지 이상의 개념의 눈을 선택하였다는 것이다. 학생들은 다양한 개념의 눈을 통해 기존의 지식과 새로운 지식을 통합하게 하고 편협한 주제에서 벗어나 좀 더 다양하고 넓은 안목을 가질 수 있게 된다. 결국 이러한 지적 수행을 바탕으로 실제 세계에서 요구하는 다양한 지식과 기능을 효율적으로 습득하고 빠르게 적응할 수 있는 능력을 키울

〈 표 15-2 주제 영역 개념들의 예 〉

과학	사회	문학	수학	음악	시각예술
순서	갈등/협동	시간	숫자	리듬	리듬
구조	유형	공간	비율	멜로디	선
집단	인구	상호작용	몫	하모니	색
체제	체제	변화	대칭	음색	가치
변화	변화/지속성	신념/가치	확률	높이	모양
진화	문화	동기	도형	양식	유형
순환	혁명	갈등/협동	규칙	박자	내용
상호작용	문명	지각	수량화	음조	형식
에너지/일	이주/이민	유형	순서	양식	공간
평형	상호의존성	체제			각도

수 있게 된다.

그러나 교사들이 개념의 눈에 근거한 단원을 지도할 수 있는 정보를 찾아 이를 구조화하기란 쉽지만은 않은 일이다. 교사 역시 책, 잡지, 신문, 인터넷, 텔레비전 등의 다양한 정보의 원천을 보고 읽음으로써 동시대의 화제에 관해 배우는 학습자이다. 이런 점에서 볼 때 교사 역시 개념과 개념 사이의 논리적 관계를 파악하고 이를 통합하여 지도할 수 있는 능력과 시각을 기를 수 있는 다양한 연수와 연구가 필요할 것이다.

개념 중심 교육과정 단원 설계

개념에 근거한 단원을 고안하기 위해서는 여러 가지 지식에 근거하여 단원을 설계해야 한다. 다음은 단원 설계와 관련된 지식들이며 이러한 지식들은 실제 개념에 근거한 단원을 설계할 때 유용하게 사용할 수 있다.

[그림 15-2 개념 중심 교육과정의 단원 설계 과정]

단원의 주제

단원의 주제란 교수-학습에서 다루게 될 중심이 되는 문제를 말한다. 단원의 주제를 정하기 전 반드시 개념과 주제에 대한 차이점을 확인해야 한다. 개념이란 광범위하고 추상적이며 시대를 초월하고 보편적인 한두 단어로 이루어진 것을 말한다. 그리고 주제란 대화나 연구에서 중심이 되는 문제를 뜻한다. 한 주제는 '공룡' 또는 '남북전쟁' 처럼 시사적일 수 있다. 또는 '공룡과 멸종' 그리고 '남북전쟁 동안의 갈등' 처럼 개념적일 수 있다. 여기서 어떤 주제의 유형이 더 높은 수준의 사고를 유발할 수 있는

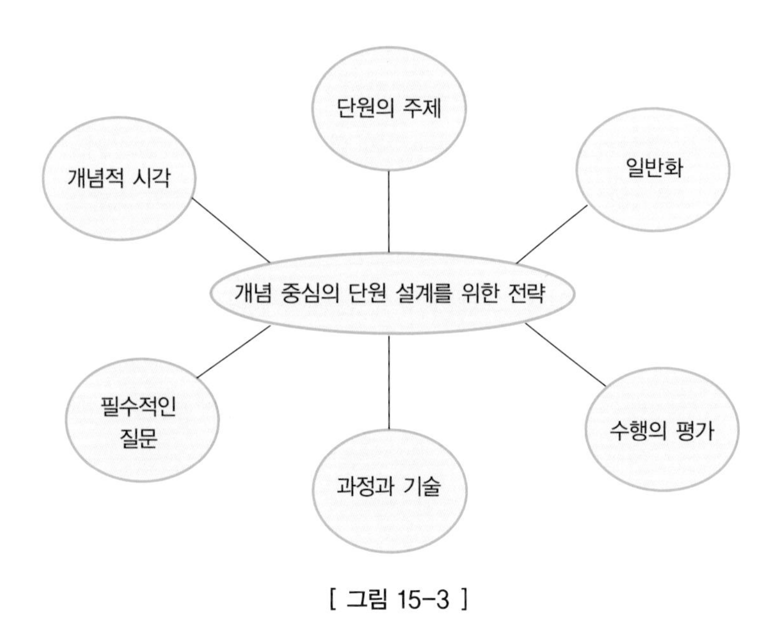

[그림 15-3]

지 고민해 보아야 한다. 즉, 지도하려는 단원의 중점인 시사적인 주제로서 진술할 수 있다. 그러나 높은 수준의 통합을 위해서는 그 단원의 개념적 시각으로 진술하는 것이 효과적이다.

단원의 주제는 학습 내의 중심 생각, 화제, 문제 또는 질문이다. 대부분의 교사는 주어진 시간 안에 학습을 마치기 위해 그 단원의 주제를 제한하려 한다. 일주에 한 단원 혹은 그 이상일 수도 있다. 만약 교사가 'AMERICA' 라는 단원을 수업한다고 가정해보자. 대부분의 교사는 AMERICA라는 너무도 광범위한 주제로 인하여 수업 시간 내내 매우 바쁘게 수업을 진행해야 할 것이다. 그러나 만약 '20세기 미국정책' 이라는 주제로 한정한다면 교사는 짧은 시간에 효과적으로 수업을 진행할 수 있도록 적합한 주제를 정한 것이다.

단원주제를 더 많이 첨가하면 할수록 수업시간은 산만해지며 교사는 매우 바쁘게 수업을 진행해야 한다. 만약 초등학교에서 '새' 라는 단원을 가지고 수업을 한다고 해보자. 단지 새라는 생물을 가지고 수업을 한다면 새의 보편적인 특성을 이야기할 것인지 혹은 새의 종류, 습성, 서식지, 먹이 등을 다룰 것인지 불분명할 뿐만 아니라 단원의 주제가 너무 광범위해진다. 그러나 '태평양 북서부지역의 철새' 라는 주제는 바쁜 시간의 틀에서 새에 관하여 효과적인 수업을 할 수 있도록 해준다.

일반적으로 단원에 포함된 주제가 많을수록 제목은 더 폭넓고 더 추상적으로 된다. 예를 들어 '자석의 힘' 이라는 단원의 주제를 힘의 개념적 시각에서 설명한다고 가정해 보자. 이때의 힘은 자석과 같은 물리적인 힘이라는 공통된 속성에서 다루어야 한다. 즉, 마찰전기나 전자석 등이 좋은 예이다. 그러나 만약 '자석의 힘' 단원 내에서 사회적 연구를 포함하여 '우리 세계에서의 힘' 과 같이 더 추상적이고 폭넓은 주제를 만든다면 이것은 너무 명확하지 않은 주제를 만들어 학생들의 집중을 이끌어 내기 어렵고 그 단원은 통합성이 결여될 것이다. 우리는 과학, 사회 체제, 문학 등에서 본질적으로 다른 예를 볼 수 있다. 그래서 항상 단원에서 다른 주제를 포함시킬 때에는 공통된 속성 안에서 다루어야 한다.

개념적 시각

주제를 다루는 데 있어 교사는 사실과 이해를 뛰어넘어 개념을 다루어야 한다. 만약 개념의 눈이 없다면 학생들은 낮은 인식 수준에 머물게 될 것이다. 즉, 학생들은 단지 주제와 관련된 사실만을 암기하고 이해하는 수준에서 학습하게 된다. 개념의 눈은 통합수준의 사고에 미치기 때문에 학생들은 개념적 수준에서 패턴과 연결성을 확인하며 개념의 눈을 통하여 좀 더 넓어진 학습의 틀 안에서 주제와 연결시킬수 있게 된다. 그리고 개념에 초점을 두면 깊은 이해로 촉진시킬 수 있으며 다른 지식과의 전이를 수월하게 해준다. 이와 같은 이유에 근거하여 우리는 학습의 주제에서 개념을 다루어야 한다.

그렇다면 우리는 어떻게 적당한 개념의 눈을 선택할 수 있을까? 첫 번째 단계는 배웠던 사실 및 개념과 주제 속에서 배웠던 사실 및 개념의 다른 점을 인식하는 것이다. 예를 들어, '시민투쟁' 과 같은 단어는 남북전쟁보다 더 추상적이다(좀 더 추가적인 설명 필요). 두 번째 단계는 단원의 주제를 보고 사고과정을 위한 지침을 제공하기 위해 적당한 개념적 눈을 선택하는 것이다. 예를 들어 초등학생에게 '양의 크기' 를 가르치기 위해 양이란 주제를 셀 수 있는 사물로 볼 것인지 아니면 물질의 고유한 특성인 밀도 혹은 온도로 볼 것인지를 선택하는 것이다.

때때로 교사가 수업하려는 단원에서 가장 특별하고 중요한 개념이 있다면 대부분의 교사들은 학생들이 그것과 관련된 학습의 개념에 집중하기를 원한다. (예를 들어) 대부분 '책임감' 또는 '협동' 과 같은 인간의 가치 범주와 같은 단원을 가르칠 때 (무엇이?) 일어난다. 예를 들어 '협동하는 사람일수록 더 많은 친구를 가진다.' 또는 '만약 당신이 책임감이 있다면 성공할 것이다.' 등의 가치 범주 단원을 더욱 효과적으로 만들기 위해서는 사회적 가치의 중요성을 고려하고 학습의 주제와 관련된 개념에 중점을 두어야 한다. 예를 들어 한 단원과 관련한 책임의 개념적 시각이 책임, 시민정신과 강한 공동체의식일 수도 있다. 협동의 관점에서 그 단원의 주제는 '가족 공동체의 힘과 협동' 일 수도 있다. 이들 주제는 더 깊은 사고를 유발하고 더 강한 이해를 전달할 수 있다.

적합한 개념의 눈 선택 기준

- 배웠던 사실 및 개념이 주제 간에 서로 다른 점을 인식하는 것
- 단원의 주제를 통해 사고과정을 위한 지침 제공에 적당한 것

일반화(필수적인 이해)

일반화(필수적인 이해)는 학생들에게 필수적인 이해가 가능하게 한다 학생들은 일반화를 통해 수준 높은 지식을 습득하고 다른 지식으로 전이할 수 있다. 이에 일반화는 여러 가지 특성을 가지고 있는데 그 특성을 살펴보면 다음과 같다.

우선 일반화는 사고의 종합적 수준에 해당한다. 그리고 일반화는 필수적 이해라고도 부른다. 왜냐하면 그것들은 사실중심학습으로부터 출발하여 지식의 수준이 깊고 전이가 가능하기 때문이다. 또한 일반화는 개념적인 관계의 진술이다. 일반화는 시간과 문화를 초월한다. 그것들은 기본적인 사실을 통하여 실증되지만 이례적인 예들을 초월하기도 한다. 마지막으로 일반화는 광범위하고 추상적이며 일반적으로 지속성과 보편성을 갖는다. 이는 개념과 비슷한 특성이기도 하다.

학생들이 처음 학습을 시작할 때 교사가 가르치려는 단원의 일반화된 문장을 만들어 진술하는 것은 매우 중요하다. 즉, 학습의 단원으로부터 나온 두 쌍 혹은 그 이상의 개념에 의해 문장을 만들어 시간이나 문화를 초월하는 문장을 완성하는 것이다.

일반화를 쓸 때 학습에 대한 교사 주관의 주제를 언급하면 안 된다. 다시 말해 고유명사나 개인적인 명사를 사용하지 말라는 것이다. 교사 주관에 의해 주어지는 예들을 뛰어넘어 시간과 문화를 초월할 수 있는 것을 찾아야 한다. 예를 들어 '미국 남서부 원주민의 문화적 신념과 예술로 본 가치' 로 표현하여 가르치는 것보다는 '문화는 예술을 통하여 가치와 신념을 표현한다.' 처럼 더욱 포괄적으로 전이할 수 있는 아이디어로 일반화하는 것이 좀 더 효과적이다. 학생이 폭넓은 생각을 위한 특별한 예를 설명하기 시작할 때 그들은 새로운 예를 만남으로써 시간을 초월하는 이해와 개념의

깊이를 체계적으로 세울 수 있다.

일반화를 기술할 때 시간을 뛰어넘어 현재에도 변함없는 현재시제의 동사를 사용해야 한다. 그리고 수동적인 동사와 과거시제를 피해야 하며 '할 수 있다' 와 같은 동사 역시 피해야 한다. 또한 개념적 관계 진술의 일반화를 쓸 때 개념의 간단한 해석을 쓰는 함정 역시 피해야 한다. 예를 들어 '축척은 영토를 측정하는 것을 가능하게 해주는 가치가 있다.' 이 진술문에는 여러 개의 개념들이 있다. 그러나 그것은 대부분 축척의 개념에 대한 정의일 뿐이다. 과다하게 개념에 대한 정의를 내리는 것과 개념적인 아이디어를 놓치는 것은 깊고 무게감 있는 지식을 학습하는 데 큰 장애물이 될 수 있다.

만약 일반화가 모든 예를 아우를 수 없다면 한정어(만약, 종종 등)를 사용하면 된다. 그러나 여전히 일반화에 있어서 이해는 중요한 요소이다. 일반화를 진술할 때 두 개나 그 이상의 다른 개념을 함께 놓아야 한다. 만약 자신의 아이디어의 목록을 추가하기를 원한다면 다른 개념을 사용할 수도 있을 것이다. 또한 일반화를 진술할 경우 다음과 같은 질문을 고려해야 할 것이다.

- 폭넓은 문맥을 당신의 생각으로 학생에게 이해시킬 수 있겠는가?
- 당신은 행동의 사용과 현재 시제를 기억하는가?
- 당신은 완벽한 문장을 구사하는가?
- 당신은 고유명사, 개인적 명사의 사용을 피할 수 있는가?
- 중요한 일반화가 모든 예시에 적용되지 못했을 때 한정어를 사용했는가?

일반화는 개념 간의 관계에 대한 진술을 예시로 전달한다. 그렇기 때문에 일반화는 계속적으로 진실인지 시험해봐야 한다. 왜냐하면 일반화는 항상 유지되는 것이 아니기 때문이다. 어떤 일반화는 시대를 초월해서 시험되기도 한다. 원리는 항상 진실이고 학습에서 중요한 역할을 한다. 하지만 일반화는 학습의 구조에서 원리만큼이나 중요하다고 생각되지 않는다. 그러나 일반화는 이해와 학습에서 지식을 적용하는 데 기초가 되는 중요한 요소이다.

우리는 정교화를 더 하는 것과 덜 하는 것에 대한 차이를 어떻게 일반화하여 말할 것인지도 고려해야 한다. 만약 우리가 '정교화의 단계' 에 따라서 일반화를 생각해 본다면 우리는 덜 정교화하는 것(단계1)과 정교화된 것(단계3)의 독특한 차이점을 알 수 있을 것이다. 다음에 제시된 일반화는 초등학교 수준에 적합한 것으로 단계에 따른 정교화의 차이를 보여준다.

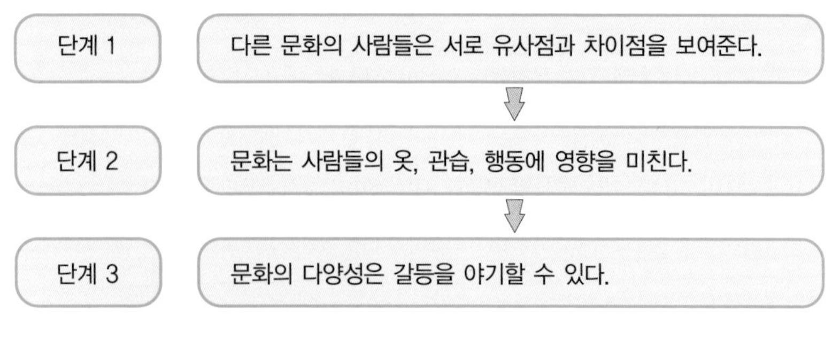

[그림 15-4 일반화(필수적 이해)의 3단계 예 (초등학교 수준)]

1단계에서 나아갈수록 일반화는 명확해지고 개념은 비중이 커진다. 단계가 높아짐에 따라 이해하기 위해 개념에 대한 배경지식 정보가 더 필요해지며, 문장에서 많은 수의 개념을 찾을 필요가 없지만 아이디어의 이해는 좀 더 인지적 도전을 받게 된다. 다음에는 좀 더 발전된 고등학교에 적합한 일반화의 단계를 살펴보기로 하자.

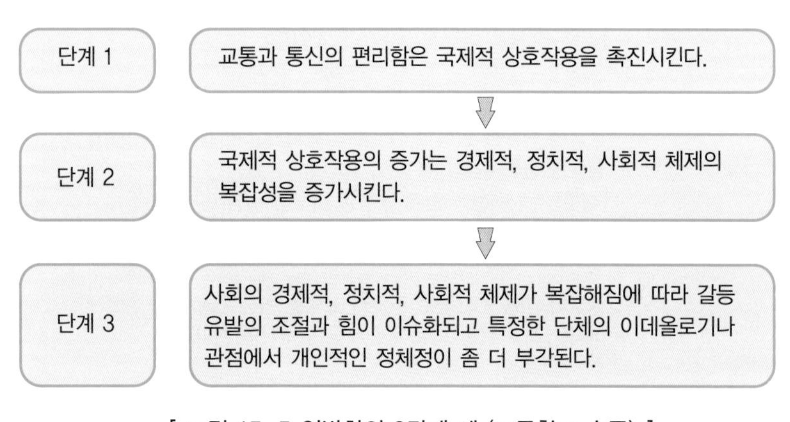

[그림 15-5 일반화의 3단계 예 (고등학교 수준)]

좀 더 정교화된 수준으로 일반화하기 위해서 어떤 발판적 사고를 할 수 있을지 생각해보자. 더 정교화된 수준으로 사고하기 위해 일반화하려면 수업에서 개방적이고 필수적인 질문을 사용하는 것이 도움이 된다. 그림 15-6의 예시에서 각 일반화에 따르는 필수적인 질문을 살펴보자. 질문들은 '어떻게' 혹은 '왜' 라는 의문문 형식이다('무엇' 은 사용하지 않는다). 단원 계획 과정에서 교사는 필수적인 질문을 했을 때 나올 수 있는 대답과 좀 더 정교화된 필수적인 이해(일반화)의 양식으로 사용될 수 있는 개념에 주의를 기울여 논의해야 한다. 필수적인 질문에 대답하는 것을 일반화시키고 다른 단어로 앞의 일반화를 재진술하는 오류는 범하지 말아야 한다.

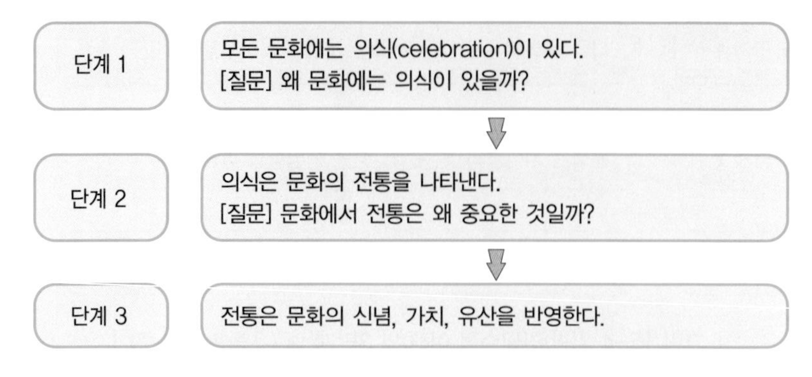

[그림 15-6 일반화의 3단계 예 (초등학교 수준)]

비록 개념을 이해하기 위해 더 많은 배경 지식 정보가 필요하지만 높은 단계로서 특정한 개념이 나타나는 그림 15-7의 일반화 예를 살펴보자.

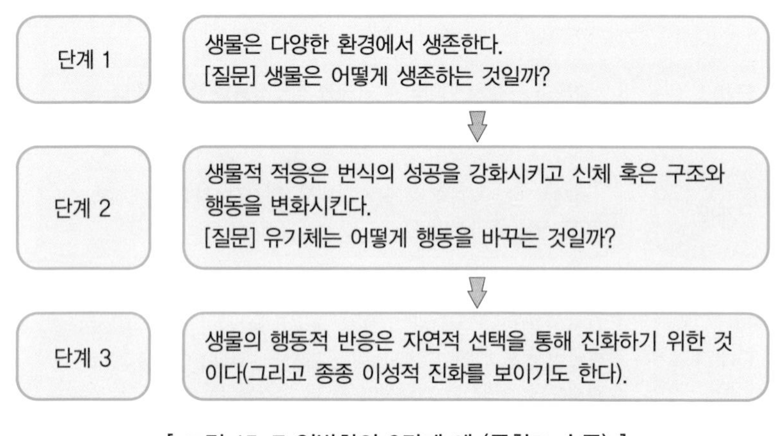

[그림 15-7 일반화의 3단계 예 (중학교 수준)]

3단계에서 4단계의 일반화를 이끌어 낼 수 있는 부가적인 질문을 적어보자.

1단계의 일반화에서는 낮은 단계에서 다음 단계로 사고할 수 있도록 하는 '어떻게' 와 '왜' 의 질문을 할 수 있다. '될 것이다.' 라는 동사를 사용한 그림 15-8의 1단계 일반화 예시를 보자. 이런 사용은 주로 1단계에서 이루어지는데 그 이유는 아이디어가 단순하고 개념적 사실 진술이 상당히 명확하기 때문이다. 일반화가 좀 더 정교화될수록 더 큰 생각을 표현할 수 있는 힘이 있는 동사를 사용하게 된다. 그래서 1단계에서 '~이다', '~된다' 를 사용한다.

대부분의 교사는 2단계에서 3단계로 가는 복잡한 과정을 경험해보지 못했을 것이다. 그 이유는 기존의 전통적인 교육과정은 1단계 혹은 2단계를 뛰어넘는 복잡한 사

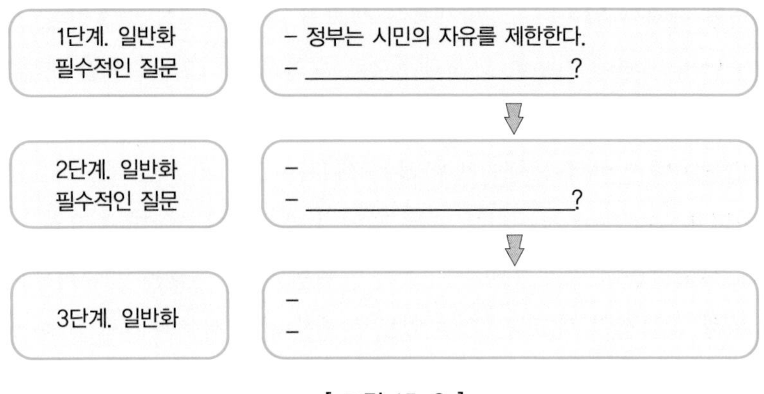

[그림 15-8]

고를 요구하지 않았기 때문이다. 그래서 여기서 3단계에 도달하는 데 도움을 줄 수 있는 조언을 하고자 한다. 2단계의 일반화를 기술한 후 '그래서 왜?'라는 중요한 질문을 한다. 사회적으로 혹은 개인적으로 무엇이 중요하고 의미 있는 이해인지를 살펴보아야 하는 것이다. 의미 있는 논의와 생각을 마친 후 3단계의 일반화를 기술해야 한다.

일반화는 지나치게 추상적인 것은 아닐까, 그렇다면 명확하고 확실한 주제가 더 중요한 것은 아닐까 등의 의문을 가질 수 있다. 대부분 특정한 정보는 사실이다. 그러나 그러한 지식을 습득하는 것이 학습의 끝이 아니다. 교수와 학습을 위해 요구되는 목표는 무엇인지 고려해봐야 한다. 과연 개념 중심 교육과정에서 사실의 역할은 무엇일까?

그림 15-9에 제시된 일반화에서 밑줄 그어진 개념을 적어보자. 단순하게 보이는 일반화의 힘을 낮게 평가하지 말자. 일반화에서 나오는 질문들은 더 깊은 단계로 나아가는 토론과 사고를 자극시킨다. 일반화는 고차원적인 사고의 요약이며 학습의 종착지이다.

그런데 왜 단원마다 여러 개의 일반화를 정해야 하며 학생 자신이 일반화를 내리는 것이 허용되지 않을까? 만약 학생들이 모둠 토의에서 일반화를 이끌어 냈다고 하

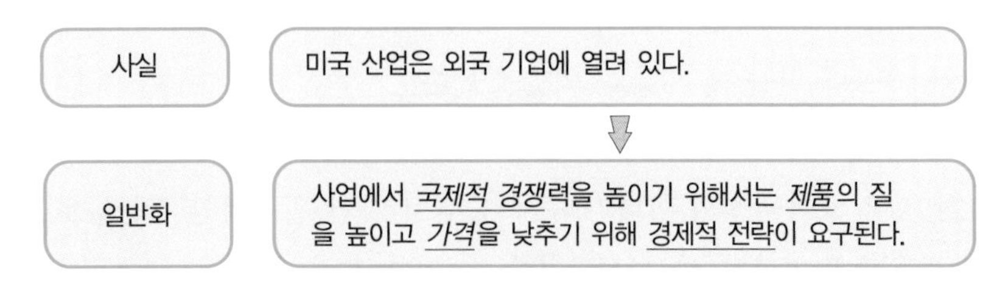

[그림 15-9 사실과 일반화의 예]

면 그것은 정말 축하할 일이다. 그 학생들은 생각을 하는 학생들인 것이다. 하지만 만약 수업자가 단지 개념에 기초한 교육과정으로 수업을 했다면 그 수업 시나리오에서 학생들은 사실 안에 갇혀 그 속에서만 사고하게 될 것이다.

교사가 단원마다 일반화를 확인해야 하는 이유는 교사 스스로 개념적으로 연습이 필요하며 어떻게 사고해야 하는지를 배우고 있기 때문이다. 좀 더 중요한 것은 학생들이 어떻게 사고하는지 체계적으로 가르치기 위함이다. 이것은 궁극적으로 필수적인 이해를 통해 직접적인 사고를 할 수 있도록 필수적인 질문과 활동을 이용하는 귀납적 사고 모델이다. 학생들이 개념적으로 어떻게 사고하는지 가르치기 위해 우리는 사고를 어디서 해나가야 하는지 적어도 방향을 알고 질문을 계획해야 한다. 교사는 분명한 방향으로 토의하여 질문할 때나 커다란 아이디어를 학생들이 발견했을 때의 가르칠 수 있는 상황에서 학생들에게 지나치게 엄격하게 하지 않는다. 하지만 학습 단원에서 필수적인 이해를 조명하고 개념적 사고를 가르치기를 원하는 상황에서 학생들이 하려고 하는 것을 마냥 보고 기다릴 수만은 없다. 그래서 교사의 일반화 확인 절차가 필요한 것이다.

필수적인 질문

필수적인 질문은 교수학습을 위한 비판적인 방향을 제시해 준다. 필수적인 질문은 학생이 학습을 계속해 나가게 하고 기초 수행활동을 하게 하는 것과 관계가 있고 심도 있는 개념의 이해를 가능하게 한다. Heydi Hayes-Jacobs(1997)은 『Mapping the Big Picture』에서 언급하기를 "필수적 질문은 개념 학습에 있어 의무이자 책임이다."라고 했으며 학생들에게 도움이 될 수 있는 훌륭한 교수기술은 필수적 질문 안에 함축적인 개념을 포함하여 학생들이 학습하고자 하는 단서를 제공해 주는 것이라고 했다. 학습에 있어 필수적 질문이 필요한 이유를 살펴보면 다음과 같다. 첫째, 효과적인 질문을 사용하여 학생들은 개인적 의미를 세울 수 있고 패턴을 발견할 수 있다. 둘째, 필수적인 질문은 귀납적인 교수를 하도록 해준다. 셋째, 필수적인 질문은 학생들이 복잡한 단계를 생각하도록 하는 데 가장 큰 역할을 한다.

필수적인 질문은 교육과정에서 전통적인 목표보다도 더욱 강력하다. Hayes-Jacobs(1997)은 교육과정의 형태가 주제 중심이 아닌 필수적인 질문들로 이루어졌을 때 학생들에게 명확한 메시지를 전할 수 있다고 하였다. 표 15-3을 살펴보도록 하자.

〈 표 15-3 4학년 목표의 예시 1 〉

온순한 북서지역의 지리적 지역과 문화
• 문화의 개발에서 지리적 지역의 충동에 대한 이해 • 지리적 지역의 확인 • 워싱턴 지역과의 비교 • 각 지역의 지리적 형태 • 기초적인 필요에 따라 사람들이 어떻게 땅을 이용하는지 묘사하라. • 이번 학습에서 당신의 열망을 확인하라.

위의 목표들은 학습을 하는 데 있어 학생들의 강력한 힘을 발휘시키지는 못할 것이다. 각 목표들은 서로 유사성도 없이 단지 나열되어 있는 상태이며 단순한 사실과 기술만을 요구할 뿐 다른 지식과의 전이와 같은 높은 수준의 사고를 요하지도 않는다. 이번에는 위와 같은 주제로 만든 필수적인 질문을 살펴보도록 하자(표 15-4).

〈 표 15-4 4학년의 필수적인 질문 예시 2 〉

온순한 북서지역의 지리적 지역과 문화
• 왜 지역마다 차이가 나는가? • 북태평양에 있는 지역들은 어떻게 다른가? • 왜 다른 문화권에서는 땅을 다르게 사용하는가? • 미국 원주민들의 문화 예술은 자연 환경을 어떻게 반영하였는가? • 왜 미국 원주민들의 예술은 종종 자연을 반영하는가? • 문화는 지리의 영향을 얼마나 받는가? • 지리는 문화의 영향을 얼마나 받는가?

아마도 위의 질문들을 읽으면서 여러분은 목표와 질문이 어떻게 다른지를 느꼈을 것이다. 예시 1의 목표들을 읽을 때는 단지 자동적으로 글을 읽었을 뿐 아무런 사고과정이 일어나지 않았다. 하지만 예시 2의 필수적 질문을 읽으면서 여러분은 아마 일련의 사고과정을 거쳤을 것이다. 이와 같은 필수적인 질문의 예처럼 학생들에게 스스로 자신의 지식과 관점에 근거하여 그 질문에 답하기를 요구해야 하며 또한 이런 과정을 거치면서 학생들은 점점 학습에 흥미를 가질 것이다. 지금까지도 우리는 기존의 교육과정을 버리지 못하고 단순한 주제만을 열거하여 학습에 대한 열정을 창출해 내지 못하고 있다. 아마도 주제를 다루는 것이 객관적인 평가와 점수를 매기기에 더 편했기 때문일 것이다. 하지만 이제부터라도 학생들이 꼭 공부해야 하는 것, 내용으로부터

이끌어 낼 수 있는 필수적인 이해, 핵심과정과 기술 등을 확인하여 교육과정을 설계해야 할 것이다.

우리는 하나의 주제와 관계된 질문을 매우 많이 할 수 있다. 결과적으로 학습 주제와 관계된 대부분의 질문은 '무엇' 이라는 물음이다. 그러나 '무엇' 의 물음을 강조하는 것은 더 깊은 사고를 이끌어 내기 어렵다. 교사들이 필수적인 질문을 사용하는 데 어려움을 겪는 이유 중 하나는 질문이 맞추어야 할 초점에 관한 개념을 굳이 확인하지 않았기 때문이다. 결국 질문은 특정한 주제를 향하게 된다. 개념에 근거한 교육과정에서 특정한 주제와 관련된 사실만을 가르치는 것으로는 충분하지 않다는 것을 기억해야 한다. 개념의 이해 수준에서 사고할 때 질문을 이용하는 것이 바람직하고 학생들이 지식 전달을 위한 도식을 만들어 내는 것을 돕기를 바란다. 그리고 사고 확장을 위해서는 '왜' , '어떻게' 라는 질문을 할 필요가 있다.

효과적인 단원 설계 Tip

Q: 어떻게 하면 더 높은 수준으로 사고할 수 있도록 할 수 있을까?
A: 필수적인 질문이 필요하다.

필수적인 질문을 만들기 위하여 다음과 같은 두 단계를 거친다.
① 단원에서 일반화를 기술하기
② 일반화를 질문(어떻게, 왜)으로 바꾸기

효과적인 단원 설계를 위해 질적이고 필수적인 질문을 만드는 것은 힘든 일이다. 이때 다음에 제시한 글이 도움이 될 것이다. 먼저 단원에서 일반화를 적은 다음, 일반화를 질문으로 바꾸어야 한다. 예를 들면 '사회 구성원들은 각각의 역할이 있다.' 라는 2학년 사회 학습의 일반화가 있다면 '왜 사회 구성원들은 역할을 가질까?' 라는 물음을 제기할 것이다. '물체의 질량은 속도에 비례하여 증가한다.' 라는 수학, 과학에서의 일반화가 있다면 '왜 물체의 질량은 속도에 비례하여 증가하는가?' 라고 질문할 것이다. 그 질문에 대한 대답은 '속도는 에너지를 발생시키고 그것은 질량으로 전환된다.' 라는 더 정교한 일반화를 가능하게 한다.

표 15-5는 미국의 Redmond에 있는 Lake Washington 학교의 사회 수업에서 발췌한 필수적 질문의 예시이다. 이 표를 읽고 질문의 어떤 특성이 사고의 개념 수준을 유발하는지 판단해 보자.

〈 표 15-5 사회과의 필수적 질문 (전문가 4단계, 9~10학년) 〉

- 국가는 어떻게 자기 보존을 장려하였는가?
- 국가는 어떻게 개인간의 상호작용을 국가 범위 내에서 변화시켰는가?
- 자유로운 사회 안에서 개인 권리의 가치를 어떻게 촉진시켰는가?
- 문화의 가치는 개인의 권리와 규칙에 어떻게 영향을 미치는가?
- 개인의 욕구와 사회는 어떻게 충돌하는가?

필수적인 질문을 적는 것이 어려운 한 가지 이유는 사실에 근거한 정보뿐만 아니라 사실에 근거하여 흘러나온 개념에도 초점을 맞추어야 하기 때문이다. 만약 교사들이 단원 계획에 있는 사실을 넘어 개념을 확인하지 못했다면 필수적인 질문을 적는 것은 어려울 것이다. 우리는 특정 사실에 관해 질문을 적는 것에 잘 훈련되었다. 이 질문들은 대개 '무엇' 으로 시작한다. 교육에 앞서 교사들의 개념 이해를 요구하는 것은 '어떻게' 와 '왜' 의 질문이다.

사실에 근거한 질문이 지식의 기초를 다지는 데 중요하다 할지라도 사실을 넘어 학생들의 사고를 유발하는 것은 자유롭게 사고하여 대답할 수 있는 개념에 근거한 질문이다. 두 개 혹은 그 이상의 개념을 포함하는 개방적인 질문은 대개 끼워진 문장으로서 필수적인 이해를 일일이 나열한다. 위에 제시된 학교 교육과정의 힘은 자유롭게 사고하여 대답할 수 있는 개념에 근거한 질문에 있다. 학생들이 깊이 이해하도록 돕는 것은 주제와 관계된 질문이다. 특정하고 개방적인 필수적인 질문은 과정과 기술을 발달시키는 활동과 함께 학생들을 끌어들이는 데 사용되고 내용과 개념의 이해를 돕는다.

과정과 기술

과정과 기술의 차이점을 정의하면 다음과 같다. 과정은 '복잡한 수행' 으로 생각할 수 있다. 교수들이 연구를 수행하는 것을 생각했을 때, 그들은 능력과 지식을 요구하는 복잡한 수행을 해나간다. 기술은 더 넓은 범위의 복잡한 문제를 수행하기 위해 학습되어야 하는 특별한 능력이다. 즉, 기술은 과정에 알맞은 것이어야 한다.

국가적 기준을 살펴보면 과정과 기술이 명확하게 하나씩 열거되어 있음을 알 수 있을 것이다. 왜냐하면 그 학문 분야에 근거한 수행 사고 방법을 배우지 않았다면 수학자나 과학자, 사회학자가 되는 것이 불가능하기 때문이다.

또한 우리는 일반적인 언어 기술을 교육과정의 틀에 넣고 그것을 광범위하게 적용해야만 한다. 전통적으로 특히 중등학교의 경우 우리는 교육과정에서 학과를 뛰어넘지 못하였다. 이러한 특성은 과거의 전통적인 설계에서 나타난다. 그러나 이러한 교육과정에는 두 가지 문제가 있다. 첫째로 중등학교에서 학과에 근거한 교사는 과정과 기술을 언어 과목 교사의 일로 보고 자신의 영역으로 보지 않는다. 그들은 자신의 학과에만 관심을 가지고 그 학과의 내용이나 특별한 기술만 고려할 뿐 다른 학과에는 관심을 갖지 않는다. 둘째로 과목 간의 경계를 넘어 아는 것과 수행하는 것에 대한 다른 방법을 발달시키려 한다면 실제 직업세계에서 다루어지는 과정과 그것을 구성하는 기술을 가르쳐야 한다. 만약 아이들이 과학자와 예술가 등과 같이 사고하고 수행하도록 가르칠 수 있다면 우리는 학생들에게 다차원 세계에 적용할 수 있는 가치 있는 능력을 길러 주는 것이다.

교육활동

교육활동은 학생들이 교육적인 환경 아래 아는 것과 행하는 것을 결합시키는 것이다. 교사는 학생들에게 복잡한 수행과 핵심 기술을 연습할 기회를 주기 위하여 활동을 고안해야 한다. 그리하여 학생들은 비판적이고 사실에 근거한 지식과 사실을 초월하는 필수적인 이해를 증명하고 발달시킬 수 있을 것이다.

또한 교육활동은 학생들의 지식과 이해의 발달을 위하여 시종 일관된 기반을 가진 단원으로 통합해야 한다. 다시 말해, 활동과 질문, 이해 사이에는 일관성 있는 연결고리가 있어야 한다는 것이다. 그러기 위해서는 필수적으로 가르치려는 단원에 대한 교사의 철저한 이해가 뒷받침되어야 한다. 그리고 항상 교사는 학생들의 마음을 끌 수 있는 적절하고 필수적인 물음과 상호 관련을 맺어야 한다.

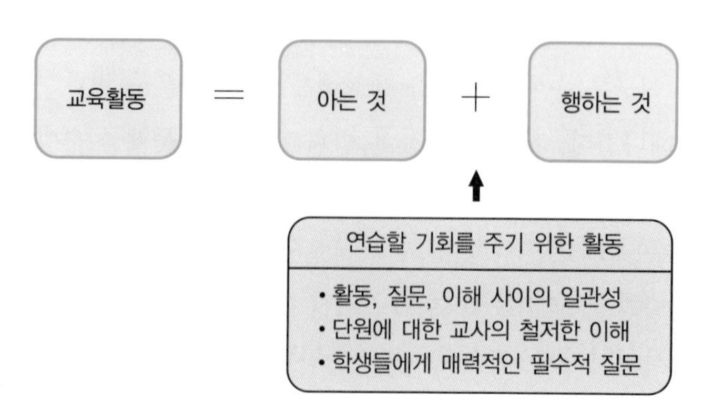

[그림 15-10 교육활동의 요소]

교육활동에서 각각의 교과에 있는 중요한 기술과 과정을 이끌어 내는 것 역시 중요한 일이다. 이는 전문가협력 학습모형을 통해 학생들에게 좀 더 효율적으로 가르칠 수 있다. 전문가협력 학습모형이란 3~4명의 모둠원끼리 각자 전문분야를 맡고 자신이 맡은 전문분야의 전문가들이 모인 전문가집단에서 연구하고 온 다음 다시 모둠원이 모여 서로의 연구주제에 대하여 토의하고 설명해 주는 것이다. 이러한 활동을 통해 학생들은 단원에 있는 전반적인 학습을 경험할 수 있으며 학생들은 높은 차원에서 지식을 통합할 수 있는 능력을 기를 수 있다.

수행능력-개념 중심 교육과정의 궁극적 목적

수행능력 측정은 학생들이 지식과 개념적 사고를 얼마나 잘 전이시키고 그들이 학습한 내용을 얼마나 잘 수행할 수 있는지를 마지막으로 평가할 수 있게 해준다. 그것은 '교사가 학생들이 얼마나 알고 이해하고 있으며 단원 학습의 결과로서 어느 수준의 수행능력을 갖길 원하는가?' 에 대한 답일 것이다. 우리는 비판적 구성 지식과 복잡한 수행을 통한 증명으로 단원의 한 가지 혹은 그 이상의 중요한 아이디어(일반화)에 대한 이해도를 평가할 수 있다.

평가의 방법이 굳이 포트폴리오 혹은 작품제작과 같은 수행평가가 아니더라도 다른 평가 방법으로 충분히 수행능력을 평가할 수 있다. 면담, OX문제, 객관식 문항, 논술, 구술발표, 프로젝트 등과 같은 방법으로 학생이 획득한 학습의 성취수준에 대한 정보를 제공받을 수 있다.

여기서 중요한 문제는 오늘날 많은 수행평가들이 종종 편협하거나 깊은 이해를 보여주지 못한다는 것이다. 이것은 기존의 전통적인 교육과정이 오직 피상적인 주제와 사실만을 취하고 있기 때문이다. 그렇다면 어떻게 깊은 이해를 위한 평가를 기술할 것인가? 표 15-6은 궁극적 수행의 증명을 위한 기술을 나타낸 것이다. 이러한 구성은 깊은 이해에 대한 평가를 하는 데 도움을 줄 수 있다.

표 15-6에서 살펴본 바와 같이 '어떻게' 는 학습의 이해에 대한 증명이다. 이러한 증명은 실제 직업세계에서 이루어지는 지식과 기능을 바탕으로 하여 진술되어야 한다. '왜' 에서 진술된 문장 '기술이 인간 생활의 편리와 발달에 어떻게 영향을 미치는가를 이해하기 위해서...' 를 증명하기 위하여, 다시 말해 '왜' 의 진술문에 대한 이해를 입증하기 위하여 실제 학습자에게 편리한 기술을 바탕으로 한 발명품을 제작하도록 하는 것이다.

〈 표 15-6 〉

형식	예
• 무엇을(What) • 왜(Why) • 어떻게(How)	• 분석, 평가. 조사 등 • ~하기 위해서 • 이해의 증명에 의해

구체적인 설명	
무엇을	이러한 진술은 높은 수준의 사고 동사, 즉, 분석, 평가 그리고 조사와 같은 동사와 단원의 주제를 직접적으로 묶을 수 있도록 진술되어야 한다. 만약 단원의 주제가 '미국의 교통발달: 1920~2010'이라면 진술은 '1920년부터 2010년까지의 미국의 교통발달 분석'이 될 수 있다.
왜	학습에 있어 의미 있고 중요하며 주제를 뛰어넘을 수 있는 생각에 의해 진술된다. 예를 들어 '기술이 인간 생활의 편리와 발달에 어떻게 영향을 미치는가를 이해하기 위하여...'라고 진술될 수 있다.
어떻게	'왜'에서 진술된 문장을 학생들이 얼마나 이해하고 있는지를 증명할 수 있도록 진술되어야 한다. 즉, 이해에 대한 학생들의 증명인 것이다. 만약 학생들의 깊은 이해를 측정하고 싶다면 '왜'에서 진술된 것을 증명하도록 '어떻게'에서 진술하면 된다. 예를 들면 다음과 같다. "당신은 새로운 물건을 디자인하려고 고군분투하는 발명가입니다. 주 재정위원회는 기술에 근거한 발명품 발표 대회를 열 예정입니다. 당신은 사회적 요구와 최근 유행하는 디자인에 맞게 제품을 설계해야 합니다. 또한 기존의 제품보다 기술적 진보와 획기적 디자인 그리고 사용자의 입장에 맞춘 편리함을 갖추어야 합니다. 당신의 디자인이 채택될 수 있도록 성심을 다해 디자인하기를 바랍니다."

개념 중심 교육과정의 단원 설계 양식

교육과정의 설계 시 단원 설계지를 만들어 활용하면 좀 더 효과적으로 교육과정을 설계할 수 있다. 단원 설계지 안에 학습자가 반드시 학습해야 할 개념과 그 개념에 수반하는 필수적 이해 그리고 필수적 질문을 기술하여 학생들에게 메타인지를 할 수 있도록 수업을 고안할 수 있다. 또한 단원 설계지의 형식은 초등학교와 중등학교에서 큰 차이를 보인다. 초등학교의 단원 설계지를 살펴보면 가드너의 다중지능이론을 활용하여 각 과목에서 중시하는 활동들을 기술하도록 고안되어 있고, 중등학교의 단원 설계지에서는 필수적 이해와 필수적 질문 그리고 연구주제 또는 활동들을 기술하도록 고안되어 있다.

〈 단원 설계지 1 〉

주제 분야 : ______________________________

개념	학년수준	단원주제	필수적 이해	필수적 질문
구조:				

〈 단원 설계지 2 〉

개념 : ____________________ 단원주제 : ____________________

과정(복잡한 수행)	기능

〈 초등학교 단원 설계지, Gardner의 다중지능: Code to Activities 〉

단원 주간 계획 – 초등학교 수준

개념 : ____________________ 단원주제 : ____________________

	1주		2주		3주		4주	
필수적 이해								
필수적 질문	Code[1]		Code[1]		Code[1]		Code[1]	
사회과								
과학과								
시각미술								
음악								
문학, 영어								
수학								

〈 중학교 단원 설계지 〉

단원 주간 계획 – 중등학교 수준

개념 : ______________________ 단원주제 : ______________________

	1주	2주	3주	4주
필수적 이해				
필수적 질문				
주제 분야 활동 (강의, 소집단, 개별 활동, 전체 집단, 연구과제, 발표)				

앞의 표 네 가지는 개념교육과정의 단원을 활용할 때 사용할 수 있는 단원 설계지이다. 중등학교 단원 설계지는 초등학교 단원 설계지를 기초로 하여 제작된 단원 설계 형식이다. 이 설계지는 앞에서 살펴본 통합단원 설계 단계와 관련이 있다. 아홉 개의 단계는 이 모형을 설계한 Ericson의 저서 『Stirring the head, heart and soul: Redefining Curriculum and Instruction』(1995)에도 자세하게 언급되어 있다. 아홉 개의 단계는 모형의 개발과정과 비판적 질문에 대한 답을 쉽게 이끌어 줄 수 있는 추가적인 정보를 제시해 준다. 일반적인 이 모형은 초등학교부터 중등학교까지 쉽게 적용할 수 있다.

개념 중심 교육과정의 예

앞에서 지금까지 살펴본 내용을 바탕으로 개념 중심 교육과정에 따른 단원계획을 어떻게 수행하여 수업을 할 수 있는지 그 예를 살펴보고자 한다. 그리고 미국의 매사추세츠 주 글로체스터에 소재한 글로체스터 고등학교 교사들이 고안한 미국사와 수학에 대한 개념 중심 교육과정 모형의 예를 제시한다. 각 교과들에서 개념의 눈의 초점을 어디에 맞추었고 개념에 근거한 필수적 질문, 활동 등이 어떻게 고안되었는지를 살펴보고 여러분이 직접 개념에 근거한 교육과정을 편성할 때 활용할 수 있기를 바란다.

〈 표 15-7 사회 교육과정 구성 (전문가 - 2수준, 3~5학년) 〉

시간, 공간, 연속, 변화		사고와 학습	
필수적 이해	필수적 질문	필수적 과정	기술
인간성과 심리적 특성이 범위를 정한다.	• 심리적 특성이 그 영역과 범위를 어떻게 규정짓는가? • 미국과 세계의 영역은 어떻게 관련되어 있는가? • 예술은 인간의 조건과 시간, 장소를 어떻게 반영하는가? • 사람들은 어떻게 문화, 성격, 생각을 반영한 장소를 만들어 내는가?	현재의 이슈, 역사적인 주제, 사건을 조사하여 구성하라.	• 알고 있는 것과 모르는 것이 무엇인지 확인하라. • 정보를 수집하여 질문을 만들어라. • 정보의 관련성을 확인하라. • 유형과 경향을 확인하라.

〈 표 15-8 수학 교육과정 구성 (전문가-4수준, 9~10학년) 〉

필수적 이해	필수적 질문	필수적 과정	기술
수감각과 공간감각 • 닮음, 회전, 변형, 확장하여 기하학적 모형으로 변형하기 • 기하학적 변형을 합동과 다양한 모양의 비율과 연관시킨다.	수감각과 공간감각 • 모양의 비율은 합동과 유사함을 어떻게 만드는가? • 모양을 분석할 때 어떻게 모양의 속성을 변화시킬 것인가, 그렇게 하지 않을 것인가? • 모양의 유사성 사이에서 어떻게 비율을 나타내는가?	수학적 이유 • 다양한 자료에서 정보를 비교, 대조, 해석, 인용하라(표, 그래프, 모형, 인쇄한 자료 등). • 반례를 찾거나 만들어라. • 결론, 편견, 해석의 합당한 변화, 다양성에 대해 주장을 만들어라.	수감각과 공간감각 • 두세 가지의 다양한 모양을 나타내는 모양과 크기의 속성을 사용하라. • 적당한 도구를 이용하여 비율을 그리고 기하학적 모형을 구성하라. • 기하학적 구성을 위해 컴퓨터 소프트웨어나 콤파스를 이용하라. • 2-D에서 3-D를 표현하라. • 합동과 유사성 차이를 규명하라.

(계속)

비판적 내용	
수감각 • 수체계의 구조 • 실수(real number) • 실수의 조작(operation) • 실수의 비율 • 비와 비율 • 거듭제곱과 루트	**공간관계** • 2-D와 3-D의 비와 특성 • 변형: 닮음, 회전, 해석, 확장 • 대칭, 닮음, 합동 • 좌표법 • 도구: 콤파스, 각도기, 자, 컴퓨터 소프트웨어

〈 표 15-9 단원 설계의 예 (1수준) 〉

<table>
<tr><th>개념</th><th>학년수준</th><th>단원주제</th><th>필수적 이해</th><th>필수적 질문</th></tr>
<tr><td>문화의 다양성과 화합</td><td>1</td><td>가족 문화의 화합과 다양성</td><td rowspan="2">• 문화는 가족의 일상에 영향을 끼친다.
• 가족 의식은 문화의 전통을 나타낸다.
• 지리적 위치는 가족이 사는 방법에 영향을 미친다.
• 다른 기후는 휴양의 유형에 영향을 미친다.
• 가족구성원은 다른 지역에 살 것이다.
• 가족들이 사는 사이의 거리는 다른 대화 수단을 필요로 할 것이다.
• 가족들은 대에 걸쳐 변한다.
• 경제적 사회적 변화는 새로운 규칙과 의무를 만든다.
• 가족들은 다른 방식으로 필요와 욕구를 충족시킨다.
• 가족들은 음악, 미술, 문학, 춤으로 유산을 나타낸다.</td><td rowspan="2">• 문화는 휴일과 전통에 어떻게 영향을 미치는가?
• 어떤 휴일에 가족들과 모여 기념하는가?
• 어떤 행사에 가족들과 기념하는가?
• 지리적 위치가 전통에 어떻게 영향을 미치는가?
• 지리적 위치가 가족의 일상에 어떻게 영향을 끼치는가?
• 여러분의 가족 유산은 무엇인가?
• 다른 문화를 허용하는 것이 왜 중요한가?
• 여러분의 가족은 필요와 욕구를 어떻게 충족시키는가?
• 대에 걸쳐 가족들은 어떻게 변화하는가?
• 다른 지역에 사는 가족들은 어떻게 대화하는가?</td></tr>
<tr><td colspan="3">내용 구조:
문학
• 다문화 저자와 이야기
• 가족 이야기
• 민속
문화
• 관습/전통
• 휴일
• 비교/대조
• 음식, 옷, 음악
가족 문화의 화합과 다양성
경제
• 필요/욕구
• 부모님의 직업
• 용돈
역사
• 가족 내력
• 유산
• 의식의 다양성
지리
• 가족구성원의 지리학적 위치
• 다른 환경에서 욕구 충족
음악/미술
• 가족음악
• 미술과 음악의 문화적 다양성</td></tr>
</table>

다음은 앞에서 언급한 대로 혁명과 변화를 주요 개념으로 삼은 미국 역사와 확률을 개념적 주제로 삼은 수학의 단원 설계를 살펴보도록 한다.

미국 역사

(1) 주제: 미국독립전쟁

(2) 초점개념: 혁명과 변화

(3) 비판적 내용: 미국독립전쟁

- 세금과 관세
- 식민지의 반대
- 주요 배경
- 주요 전투

(4) 일반화(필수적 이해)

- 혁명은 기존의 정치적 혹은 경제적, 사회적, 종교와 같은 불만에 기인한다.
- 혁명은 기존의 정치, 경제 체제의 경직에 기인한다.
- 혁명은 사회적, 경제적, 정치적, 종교의 극적인 변화에 기여할 수 있다.
- 정치적인 혁명은 정해진 목표를 방해할 시도에서 한쪽 혹은 양쪽에서 폭력이 자주 사용되는 특징이 있다.
- '급진적인' 정치 지도자는 여러 가지 선전 기술을 극단적인 반응을 만들기 위해 사용한다.
- 혁명의 특징은 고무적이며, 지도적이고 변화에 관계된 당을 통솔하는 카리스마적 지도자이다.

(5) 필수적 질문

- 미국독립혁명이 일어난 원인은 무엇인가?
- 자유와 독립의 원리는 어떻게 혁명의 움직임을 만들어 냈는가?
- 미국은 왜 승리하였는가?
- 어떻게 미국독립전쟁이 1700년대 말부터 1800년대 초까지 정치, 경제, 사회의 발전에 영향을 주었는가?
- 미국독립전쟁은 왜 핵심적 미국정치 체제 기초의 제도를 만들고 실시하였는가?

- 어떻게 미국헌법과 권리장전의 원칙과 이상이 미국 민주주의를 대표하는가?
- 혁명은 왜 폭력을 자주 초래하는가? 사회적, 정치적, 경제적 체제의 '경직'은 체제의 기능에 어떻게 영향을 미치는가?
- 분쟁은 다른 폭력을 통해서 해결되는가?
- 왜 혁명 중 지도자가 나오는가? 혁명적 지도자의 특징은 무엇인가?
- 혁명은 항상 정치적 · 사회적인가? 미국 사회에서 발생한 다른 종류의 혁명은 무엇인가?
- 컴퓨터 혁명은 어떻게 미국사회에 영향을 주었는가? 컴퓨터 혁명의 리더는 누구인가?
- 컴퓨터혁명의 리더들과 정치적 혁명의 리더들은 어떻게 같고 다른가?

(6) 활동

- 미국 혁명에서 중요한 사건의 연대기표를 만들어라.
- 미국독립전쟁에 기초를 둔 독립선언을 분석하라.
- 협력 그룹 안에서 오늘날 우리 사회 안에서 변화를 위한 촉매가 될 수 있는 '획기적 아이디어' 를 만들어라.
- 미국독립전쟁의 중요한 모습의 자서전 줄거리를 조사하고 제시하라.

(7) 과제

- What : 미국독립전쟁의 리더 한 명을 선택하고, 리더의 중요한 모습을 과거와 현재의 다른 혁명 리더와 비교하라.
- Why : 카리스마적 지도자의 힘과 특징을 알기 위하여.
- How : 논증적 이해의 두 명 지도자에 대한 특성을 비교/대비하는 명확하고 통찰력 있는 에세이를 쓰고 그들이 혁명의 이상과 방향에 어떻게 영향을 주고 형성했는지 설명하여라.

(8) 다른 평가 방법들

- 미국독립혁명의 기본 지식에 대한 객관식 시험과 퀴즈
- 대체 평가(프로젝트, 면담, '혁명과 변경' 의 개념과 관계 있는 더 깊은 이해를 보여주는 토론)

수학

(1) 과정 : 대수의 소개

(2) 개념적 주제 : 확률

(3) 개념 : 확률, 비, 비율, 측정, 독립적 · 종속적 사건, 순열

(4) 일반화(필수적인 이해)

- 데이터를 비교하기 위해 비를 이용한 비율
- 비율은 측정을 바꾼다.
- 사건의 확률은 0과 1 사이이다.
- 독립적이고 종속적인 사건은 실험유형을 결정한다.
- 순열은 배열을 만든다.

(5) 필수적인 질문

- 비율을 만들기 위해 우리는 어떻게 두 개의 비를 세우는가?
- 어떻게 우리는 한 개의 측정으로 비율을 다른 것으로 전환하는가?
- 하나의 단위에서 다른 하나로 측정을 전환하는 것은 왜 필요한가?
- 단위는 왜 비율 안에 해당하는가?
- 발생하고 있는 사건의 가능성을 찾기 위해서는 무엇이 필요한가?
- 왜 확률은 0과 1 사이에 있는가?
- 우리는 어떻게 독립적인 사건과 종속적인 사건을 구분하는가?
- 어떻게 순열은 가능한 결과의 수를 찾는 것을 도와주는가?

(6) 활동

- 주어진 같은 사건의 다른 두 부분을 두 개의 비로 비교하고 그것들의 비율이 어떤지 결정하여라.
- 특정 범위 안의 자료를 모으고 이론적 확률을 이용하여 결론을 만들어라.
- 동전과 주사위를 사용하여 표본공간과 사건 발생 확률을 찾아라.
- 새로운 사건을 만들고 각각 독립적, 종속적 사건을 분류하고 확률을 산출하라.

(7) 과제

- What : 일정수의 결과를 가지고 있는 상황으로 실험하라.
- Why : 확률의 이론에서 주어진 결과를 예측하라.

- How : 동전 던지기와 주사위 굴리기를 논리적으로 이해하고 결과를 예측한다. 자신의 추론을 설명하라.

제16장

인지과학이 알려주는 교수-학습의 비밀: Brain-based design

이 장의 공부할 내용

뇌기반 학습의 출현
뇌기반 학습의 개념
뇌의 학습 원리
뇌기반 학습에 영향을 주는 요소
뇌기반 학습의 이론과 적용

Eric Jensen

Eric Jensen은 샌디에이고 주립대학에서 영어 학사학위를 취득하였고, 인간발달에 관한 연구를 하여 박사학위를 취득했다. 그 후 초등학교와 중학교, 고등학교에서 교사로 활동하였다. 자신의 연구에 기초하여 뇌기반 학습에 관한 교육과정 설계와 수업방법에 대한 탐구를 계속함으로써 이 분야에서 선구적인 자취를 남겼다. 그 결과로서 Jensen은 세계에서 처음으로 〈Jensen Learning〉이라는 학습 훈련 회사를 설립하여 운영하고 있으며, 그곳의 고객은 10개국의 학교, 기업, 40개 주에 걸친 군부대까지 다양하다. 홍콩과 같은 아시아 지역의 많은 학교들과 기관들에서 그의 뇌기반 학습이론과 교수법을 배우려는 작업이 한창이다.

이러한 결과로 인하여 1983년 미국이 선정한 저명한 젊은 인사상, 1995년에는 Whose who World 인명사전에 등재되었으며, 1998년부터 현재까지 뉴욕 과학아카데미, 1999년 최우수 도서 『How-to book』으로 샌디에이고 도서상을 받았다. 최근 2000년에는 최고의 뇌 관련 도서를 선정하는 샌디에이고 도서상을 수상했다. 현재 Jensen은 Quantum Learning이라고 알려진 학습 캠프의 계획자이자 간부로 활동 중이며, 10개의 기사와 26권의 책을 출판하는 등 활발한 저술활동을 하고 있다.

주요 저서

2001, Learning Smarter (with Mike Dabney) Corwin Press, Thousand Oaks, CA.

2001, Arts with the Brain in Mind Association for Supervision and Curriculum Development, Alexandria, VA.

2004, Brain-Compatible Strategies (2nd Edition) Corwin Press, Thousand Oaks, CA.

2005, Teaching With The Brain in Mind (2nd Edition) Association for Supervision and Curriculum Development, Alexandria, VA.

2006, Enriching the Brain Jossey-Bass/Wiley, San Francisco, CA.

2007, Introduction to Brain-Compatible Learning (2nd Edition) Corwin Press, Thousand Oaks, CA.

2007, Bright Brain Video Enrichment Program (2nd Edition) Corwin Press, Thousand Oaks, CA.

2008, Brain-Based Learning (2nd Edition) Corwin Press, Thousand Oaks, CA.

인지과학 연구(cognitive science)는 21세기 교육학 분야 3대 연구주제 중의 하나이며 이 분야의 결과를 개념화시킨 뇌기반 학습이론은 서구의 학교 교육과정과 수업의 방향에 새로운 시사점을 제공해 주고 있다. 즉, 과거에 알 수 없었던 뇌활동의 구체적인 특징들 그리고 어떤 환경에서 뇌의 학습이 활성화되는가에 대한 경험적 연구들은 교육자들로 하여금 검은 상자로 간주되었던 학습의 내면적 과정을 좀 더 심층적으로 이해할 수 있는 지식을 제공해 주고 있다. 그리고 이러한 지식은 교육과정학자, 학습심리학자, 교사들로 하여금 뇌기반에 기초한 학습이 활성화될 수 있도록 뇌에 대한 이해, 뇌에서의 학습과정, 학습이 잘 일어날 수 있는 학습환경 등에 대하여 새로운 변화와 방법을 개척할 것을 요구하고 있다. 이에 이 장에서는 뇌기반 학습과 관련된 일련의 연구들과 이론들을 살펴보고 그러한 연구들로부터 어떠한 시사점과 방향감을 우리 교육자들이 획득할 수 있는지를 살펴보고자 한다. 이를 통하여 좋은 교사, 좋은 수업방법, 좋은 평가방법, 그리고 좋은 교실의 환경 등은 어떠해야 하는가에 대하여 새롭게 생각해 볼 수 있는 기회를 가질 수 있을 것이다.

뇌기반 학습의 출현

뇌기반 학습이론은 1990년대 이르러 뇌에 관한 기술력이 급속도로 발달함에 따라 뇌에 대한 연구가 급성장하고 최첨단 뇌 촬영 기법이나 뇌를 연구하는 과학기술의 발달로 출현하게 되었다. 과학기술의 발달과 더불어 학습에 대한 패러다임의 변화가 뇌기반 학습이론에 대한 연구를 활성화시켰다. 즉, 지식기반 사회가 도래하고 교육의 기제가 교수자의 '지식의 전달'에서 학습자의 '학습'으로 전환됨에 따라, 학습에 대한 관심이 증대되었다. 사실 전통적인 학교 교육에서는 산업사회의 요청에 따라 획일적인 기술을 모든 학습자가 동시에 획득할 수 있는 공장시스템과 같은 교육이 진행되었다. 그러나 산업사회가 지식기반 사회로 전환되면서 획일성에 기초한 산업의 구조화가 다양화·특성화의 구조로 탈바꿈하였다. 결과적으로, 교육의 목표도 지식기반 사회에 적합한 개방적이고, 비판적이며, 창의적인 인재를 양성하는 것으로 전환되었다. 이와 같이, 지식정보화 사회의 물결 속에 교육도 교수(teaching) 중심의 패러다임에서 학습(learning) 중심의 패러다임으로 전환되었으며, 자기주도적인 학습, 협력적 학습문화와 학습 공동체를 강조하는 교육이 부각되었다.

뇌기반 학습이론은 뇌 촬영기술의 발달과 학습자 중심의 교육 패러다임의 전환으로 출현하였고, 뇌의 학습 원리에 적절한 교육을 실행하기 위한 가이드라인을 제시해 주었다. 이러한 초석 위에 학습자의 뇌에서 일어나는 학습의 원리와 과정이 발견되었고, 이는 교육과정 개발과 교수-학습에 지침을 제공하였다. 다시 말해 이 이론은 뇌가 어떻게 학습하고, 어떤 상황에서 가장 효과적으로 활동하는지 그 원리를 밝혀줌으로써 학습자에게 최적의 교육 서비스를 제공할 수 있는 기반을 조성하였다.

뇌기반 학습의 개념

뇌는 원래부터 학습을 위해 원래부터 설계되어 있으며, 모든 학습은 뇌에서 몇 가지 방법으로 연결되어 있다. 이러한 설명은 "무엇이 뇌에 가장 좋은가?" 라는 기본적인 질문에 근거하는 접근이다. 이 질문에 대답하기 위해서는 우선 뇌에 근거하는 소위 '뇌기반 학습' 의 정의와 뇌에서 학습이 일어나는 원리에 대해 살펴보아야 한다.

뇌기반 학습의 정의

뇌기반 학습(brain-based learning)이란 뇌의 학습 원리에 대한 연구 결과를 학습과 교육현장에서 구현하고자 하는 시도로서 뇌 친화적 학습(brain-compatible learning), 뇌기반 교수(brain-based teaching) 등의 용어로 정의된다(문승호, 2004). 이 용어들 중 '뇌기반 학습' 이란 뇌 과학의 연구를 바탕으로 뇌의 학습 원리를 발견하는 데 주력한다. 이는 화학, 신경학, 물리학, 사회학, 유전학, 생물학, 컴퓨터 신경생물학, 인지심리학, 교육심리학, 신경심리학 연구를 통해 밝혀진 인간의 뇌에 관한 정보를 학습에 적용하기 위한 원리를 도출하는 데 초점을 맞춘다. 특히 Caine과 Caine(1994)은 '의미 있는 내용을 찾아 학습하는 뇌의 기본원리를 파악하여 이를 교수-학습에 적용하는 것' 을 뇌기반 학습으로 정의하였다.

뇌기반 학습이론의 학습 패러다임의 특징

뇌기반 학습이론에서는 교육을 기존의 교수에서 학습으로 재정립함으로써, 이를 새로운 시각으로 바라보고 있다. 이 이론에서 학습자는 지식을 전달하고 이해하는 전통적 교육 대신, 적절한 탐구과정과 문제해결 과정을 거쳐 창의적 사고능력을 체득하게 된다. 결과적으로 학습자는 경험으로부터 지식을 습득하고 이를 활용하는 능력을 기르게 된 것이다(이정모, 2003). 뇌기반 학습의 패러다임과 전통적 학습의 패러다임을 비교하면 표 16-1과 같다.

〈 표 16-1 전통적인 학습과 뇌기반 학습의 패러다임 비교 (이정모, 2003) 〉

	전통적 학습의 패러다임	뇌기반 학습의 패러다임
학습 속성	• 정보의 습득과 개념의 조화 • 내용 중심	• 정보의 활용과 도구의 조작, 내용, 가치, 의미 중심 • 경험을 통한 학습
학습 방법	• 지식 전달 위주 • 강의, 설명 중심	• 문제해결 중심 학습 • 적은 내용을 심도 있게 가르치기
표현 방식	• 말, 글, 그림 위주의 표현방식	• 다중지능 활용, 다양한 표현방식(노래, 몸짓 등) • 다양한 시각적 요소를 활용한 기억력 향상
교실 분위기	• 훈육, 조직적, 정숙함 • 책상에 앉아서 앞을 보는 제한된 수업	• 표현의 풍부, 변화의 다양 • 학습자가 자유롭게 움직일 수 있는 분위기
정서적 요인	• 학습을 위한 긴장과 스트레스	• 낮은 스트레스와 높은 즐거움, 몰입 • 음악을 통해 학습자의 긴장 완화 • 간단한 체조나 신체활동을 통한 두뇌 자극
수업의 구성	• 1교시 40~50분 단위의 수업	• 블록 수업을 통한 수업의 지속성을 유지하고 뇌의 통합적인 활동 증진

뇌기반 학습이론의 가장 중요한 부분으로 간과할 수 없는 것이 학습에서 정서의 중요성을 강조하는 것과, 선택권을 통해 학습자 자신의 강점을 살릴 수 있는 교육활동을 제시하는 것이다. 학습자는 적정 수준의 스트레스를 통해 즐거운 학습과 몰입을 경험하게 된다. 예를 들어 그래픽 조직자, 음악, 게임, 체조와 같은 이미지와 활동 안에서 정서와 인지를 직접적으로 연결시키게 된다. 또한 학습자 자신만의 학업유형이나 특성에 맞추어 제시된 다양화된 교육목표를 실현하는 가운데 자아효능감이 향상된다. 평가에 있어서도 전통적인 그것과는 달리 수행중심, 과정지향의 평가를 통해 학습자의 이해를 측정하고, 이들에게 자신의 과제에 대한 성찰과 반성의 기회를 제공한다.

뇌에 대한 이해

여기에서는 뇌에 대한 구조적 이해를 위하여 해부학적 관점, 신경학적 관점, 기능적 관점, 지능이론의 차원을 설명함으로써 뇌기반 학습의 이해를 돕고자 한다.

해부학적 관점에서 본 뇌의 구조와 기능

해부학적 관점에서 본 뇌의 구조로서 첫째, MacLean(1990)의 삼위일체 뇌 이론은 뇌를 쉽게 이해하는 한 방법이다. 이 분류에 의하면 사람의 뇌는 뇌간, 변연계, 대뇌피질이 세 층을 이루고 있으며 과제에 따라 개별적으로 또는 협동적으로 각종 사고와 행동을 주도한다.

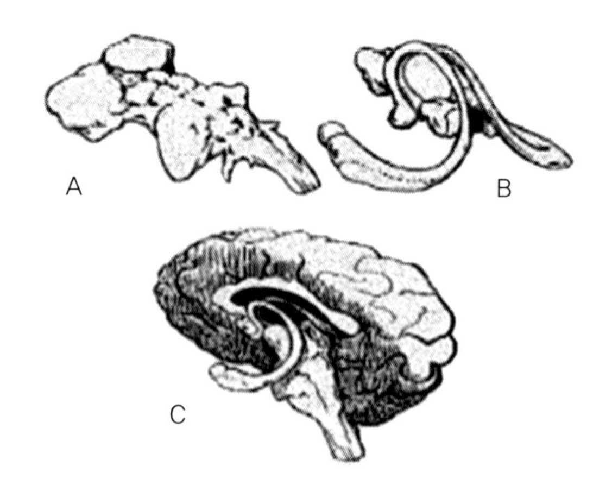

〈 표 16-2 삼위일체 뇌 이론 〉

삼위일체 뇌 이론	기능
A. 뇌간	가장 원시적인 뇌로서 호흡과 체온 조절 등 생존에 직결되는 기능을 조절함.
B. 변연계	희로애락의 감정이나 성욕, 식욕 등을 유발하거나 학습, 정서, 동기 등을 담당함.
C. 대뇌피질	뇌의 약 80%를 차지하고, 감각 수용정보를 수용하고 처리하며, 사고, 언어, 기타 인지적 정보를 처리함. 운동계획 등의 일을 담당함. 또한 대뇌피질은 창의성을 발휘하여 계획을 세우기도 하는 부위임.

둘째, 뇌의 편재화는 대중적으로 가장 잘 알려진 뇌의 구조라고 할 수 있다. 뇌는 교량을 중심으로 좌반구와 우반구로 나뉘는데 두 반구의 기능이 동일하지 않다(한덕

웅 외, 2002). Sperry(1968)는 분할 뇌 연구를 통해 좌 · 우반구가 담당하는 심리적 기능이 서로 다르다고 밝혔다. 즉 좌반구는 수학, 언어, 과학, 저술, 논리적 기능을 주로 담당하는 반면, 우반구는 음악, 미술, 조각, 무용, 사물의 지각, 환상과 같은 예술적이며 직관적인 기능을 담당한다고 하였다.

신경계의 구조와 기능

생리복합성 모델은 뇌의 각 구조가 신체적, 화학적, 전기적, 주변적으로 서로 연결되어 있다는 전제 아래, 뇌가 어떻게 학습을 하고 대상을 인지하는지 연구한다. 이 모델은 뉴런과 뉴런의 접합부인 시냅스 사이의 정보 교환 외에 신경전달물질을 통한 정보 전달에 중점을 둔다. 뇌의 어느 부위에서 어떠한 기능을 담당하는지에 대한 연구와 논의보다 구체적 상황, 정서적 분위기, 연령, 건강상태, 과거 경험 등과 같은 전체적인 맥락이 뇌의 기능을 결정하는 주요 요인으로 부각된다(이복임, 2000).

머리의 좋고 나쁨을 결정하는 것은 신경세포의 많고 적음이 아니라 수상돌기를 통한 다른 세포와의 연결정도이다. 뇌에서 이루어지는 신경전달 정보의 전달 방식은 크게 세포 내 전달 방식과 세포 간 전달 방식 두 가지로 나누어진다. 세포 내 전달 방식을 전기적 전달 또는 직접적 전달 방식이라 부르는데, 이는 축색돌기막을 포함한 모든 세포막에서 그 안팎의 전위차의 변화를 이용하여 신경정보를 전달한다.

뇌의 기능적 조직화

사람의 뇌는 유전적 특성과 환경과의 상호작용을 통해 고유한 특성을 지닌다(이정모, 2003a).

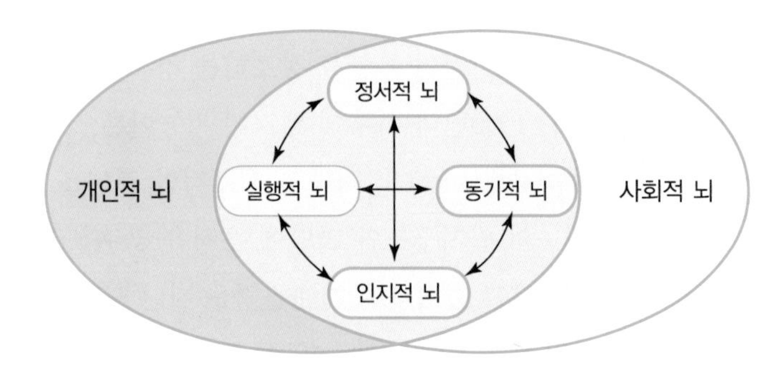

[그림 16-1 뇌의 기능적 조직화]

뇌는 활동의 단위에 따라 우선 개인적 뇌와 사회적 뇌로 구분된다. 개인적 뇌는 한 개체 안에서 이루어지는 뇌의 활동을 가리키는 반면, 사회적 뇌는 다른 개체와 변화를 탐지하고 대응책을 공유하는 활동을 가리킨다. 특히 사회적 뇌는 다른 개체와의 의사소통의 과정을 통해 얻어지는 산물이다. 한편, 뇌가 총체적으로 활동하는 영역은 인지적 뇌, 정서적 뇌, 동기적 뇌, 실행적 뇌라는 네 가지로 분류되며, 각 기능은 표 16-3과 같다.

〈 표 16-3 뇌의 기능적 조직화에 따른 기능 〉

뇌의 기능적 조직화	기능
인지적 뇌	외부 환경으로부터 입력되는 정보를 처리하여 의미를 구성하는 기능
정서적 뇌	탐지된 정보를 연합된 정서적 가치 차원에서 평가
동기적 뇌	유기체의 생존과 안전과 관련된 생물학적 수준에서부터 다양한 사회, 문화적 수준을 거쳐 가치로 존재한다.
실행적 뇌	다른 뇌로부터 정보를 수합하여 정보를 처리하고 조절하는 기능을 한다. 일을 계획, 관리, 평가

지능 이론을 통한 뇌의 조망

앞에서 뇌의 구조와 기능에 대해 살펴보았다. 뇌를 이해하기 위한 중요한 방안 중 하나는 지능 이론을 통한 접근이다. 20세기 초만 하더라도 지능을 바라보는 관점이 다양하지 않았다. 전통적인 지능이론에서는 논리적, 수학적, 언어적 능력을 바탕으로 IQ 검사 점수를 통해 지능을 설명하였다. 그러나 20세기 후반에 접어들어 인지심리학자와 교육자들의 지능에 대한 해석이 다양해지면서, 뇌를 이해하는 패러다임이 전환되었다. 지능에 대한 패러다임의 전환은 지능을 문화적이고 사회적인 측면에서 재조명하는 다중지능이론(Gardner, 1983), 지능의 실제적인 요소를 강조하는 삼위일체 지능(Sternberg, 1986), 지능의 정서적인 부분을 강조하는 정서지능(Goleman, 1985) 등의 출현을 가능하게 하였다. 1990년대 이후에 제기된 지능이론으로는 가치와 윤리적인 면을 부각하는 도덕지능(Cole, 1997), 지능의 맥락적인 측면을 강조하는 생리-환경적 지능(Ceci, 1990), 지능의 인지구조와 발달에 초점을 맞춘 Anderson(2002)의 인지발달 지능이론, 비판적인 사고 능력과 문제해결력을 지닌 사람의 특성을 바탕으로 지능의 성격을 제시한 지적 행동이론(Costa, 1991) 등이 있다.

다양한 학자들의 이와 같이 다양한 지능에 대한 이론은 뇌가 가진 다양한 기능을 조명한다. 예전의 지능 패러다임이 언어, 논리, 수학적 지능만을 강조했다면 최근에는 그러한 지능들이 더욱 많은 영역으로 확대되고 있다. 이것은 학습자에게 어떤 학습을 어떻게 제공해야 할 것인가를 결정하는 중요한 요소로서 주목받고 있다.

지금까지 해부학적 관점, 생리학적 관점, 기능적 관점, 지능이론의 차원에서 뇌를 조망해 보았다. 뇌에 대한 활성화된 연구는 뇌의 학습 원리를 더욱 정교화하고 구체적으로 이해하는 계기가 되었다. 즉, 최적의 학습을 위한 조건과 학습의 과정에 대해 포괄적으로 이해할 수 있는 기회가 된 것이다.

뇌의 학습 원리

학습이 일어나는 동안 뇌는 모든 신체를 통해 들어오는 자극의 중간역으로서 작용한다. 모든 감각의 투입은 뇌에 의해 잠재의식 수준에 분류되고, 우선순위화되고, 진행되고, 저장되거나 버려진다. 이러한 뇌의 학습 원리에 대해서는 여러 학자들 간에 다양한 논의가 있으나, 여기서는 Caine과 Caine(1994), Jensen(1988c)이 제시하는 바를 중심으로 고찰하고 정혜선(2003)에 의해 새로이 정립된 뇌의 학습원리를 살펴보고자 한다.

Caine과 Caine의 학습 원리

Caine과 Caine은 다음과 같이 뇌의 학습 원리 12가지를 발견하였다.

(1) 뇌는 병렬처리체이므로 동시에 많은 기능을 수행한다.
(2) 생리 상태가 학습에 영향을 준다.
(3) 의미 탐색은 본능적이다.
(4) 유형화를 통해 의미 탐색이 이루어진다.
(5) 정서는 학습에 필수적인 요소이다.
(6) 뇌는 부분과 전체를 동시에 지각한다.
(7) 학습은 집중적인 주위와 주변적인 지각을 모두 수반한다.
(8) 학습은 의식적, 무의식적인 처리과정을 동시에 지닌다.

(9) 뇌의 기억체계는 공간기억체계와 사실기억체계로 구별된다.
(10) 사실기억이 공간기억체계에 자연스럽게 저장될 때 가장 잘 기억된다.
(11) 학습은 지적 도전의식에 의해 강화되고 위협에 의해 억제된다.
(12) 각 개인의 뇌는 독특하다.

Ornstein과 Sobel(1987)에 따르면 인간의 뇌는 사고, 감정, 상상 등 여러 가지 기능을 동시에 수행할 수 있다. 전체 시스템이 환경과 상호작용하고 정보를 교환하는 것처럼, 사고 · 감정 · 상상 · 성향 · 생리학 등은 동시 · 상호적으로 작용한다. 뇌는 부분만 탐색해서는 이해할 수 없는 하나의 총체적인 시스템인 것이다. 또한 Hart(1983)에 의하면 뇌는 사물을 지각할 때 부분과 전체를 동시에 지각하고, 집중적인 주위와 주변적인 지각을 수반하며, 의식과 무의식의 처리과정을 동시에 지닌다는 것이다.

Jensen의 뇌의 학습 원리

Jensen(1998c)은 다음과 같이 뇌의 학습 원리 12가지를 제시하였다.

(1) 학습자 개개인의 뇌는 서로 다르다.
(2) 위협과 과도한 스트레스는 학습에 악영향을 준다.
(3) 뇌의 발달 단계에 따라 학습이 이루어진다.
(4) 풍부한 학습 환경은 학습을 촉진한다.
(5) 정서는 학습에 절대적이다.
(6) 기억과 인출에는 다양한 경로가 있다.
(7) 학습은 신체와 정신의 결합으로 이루어진다.
(8) 유형화를 통해 학습이 이루어진다.
(9) 뇌는 의미를 추구하며 학습한다.
(10) 뇌는 의식적으로 학습할 뿐만 아니라 무의식적으로도 학습한다.
(11) 뇌는 사회적이다.
(12) 뇌는 개인의 경험에 따라 환경에 적응해 나간다.

Jensen은 뇌의 발달단계에 따른 뇌의 다양성, 사회적인 뇌, 뇌의 적응성에 대해 심도 있게 논의하였다. 즉, 발달단계에 따라 학습이 이루어진다는 점, 개인의 경험에 따라 환경에 적응해가는 뇌의 가소성, 타인과 상호작용하는 가운데 뇌의 발달이 촉진된다는 점을 강조하였다.

정혜선(2003)의 뇌의 학습원리

정혜선(2003)은 Caine과 Cain(1994), Jensen(1998c)이 제시한 뇌의 학습 원리를 통합하고 보완하여 좀 더 신경 생리학적인 관점에서 뇌의 학습 원리를 재조명하였다.

개인마다 뇌의 프로파일이 다르다: 뇌의 개별적 차이성

학습자는 개인마다 다른 뇌 구조와 크기를 지닌다. 뇌의 크기뿐만 아니라 내부에서 뉴런이 연결되어 있는 방식 역시 다르다. 뇌는 물리적, 신경 조직, 신체 화학적 반응, 발달 정도에 따라 차이가 생기기 마련이다. 뇌는 태어날 때부터 다른 DNA 구조를 갖기도 하지만, 경험에 따라 뇌가 변화하기 때문이다. 학습은 뇌의 구조 자체를 변화시키므로, 학습의 내용과 질에 따라 뇌의 특성은 더욱 차별화된다. 학습자들은 태어날 때부터 다른 뇌를 가지고 태어나며 환경적 요소에 의해 뇌가 변화해가므로 서로 다른 뇌의 프로파일을 지니게 된다고 할 수 있다. 또한 과제를 수행하는 과정에서도 뇌를 활용하는 방식이 다르다고 할 수 있다.

뇌는 병렬처리체이다: 풍부한 학습 환경과 뇌

뇌는 집중적인 것과 주변적인 것, 부분과 전체를 동시에 처리해 나간다. 즉 뇌는 여러 가지 활동을 동시에 처리해 나갈 수 있다는 말이다. 좌반구와 우반구의 역할이 다르지만 건강한 사람의 경우 어떤 분야든 상관없이 양 반구를 지속적으로 사용한다. 또한 뇌에서는 사고, 감정, 상상 등이 동시에 이루어진다. 이들은 정보처리 모형, 사회적 · 문화적 지식의 양상에 따라 상호작용을 한다. 다시 말하면 뇌는 변화에 적응하는 시스템이기 때문에 변화에 대처하는 능력이 뛰어나며 정보를 부분적으로 세분화하는 동시에 정보를 전체적으로 통합하고 인지한다.

뇌에는 다양한 방식의 기억체계가 있다

사람의 뇌에는 반복 없이도 자동적으로 기억하는 공간기억체계와, 훈련과 반복이 있어야만 기억할 수 있는 기억체계가 별도로 존재한다. 공간기억체계는 모든 사람에게 갖추어져 있으며, 시간이 흐름에 따라 그 기능이 더욱 풍부해진다. 그리고 새로운 자극이 이 시스템을 더욱 활성화시키기도 한다.

정서는 인지능력의 지휘자이다: 정서개발을 통한 뇌의 활성화

Ornstein과 Sobel(1987)은 학습을 좌우하는 요소에는 인지적인 측면뿐만 아니라, 정서적인 측면도 존재한다고 주장했다. 정서적인 측면에는 학습자 개인의 기대치, 편견, 자아 존중감, 사회적 관계의 필요성 등이 있으며 이러한 정서적 특징은 특히 기억에 결정적인 영향을 준다고 한다. 적극적인 지적 도전은 학습을 향상시키는 반면, 위협과 스트레스는 학습을 방해한다. 인간의 뇌는 위협을 받으면 제 기능을 발휘하지 못하는 반면, 적정량의 도전을 받으면 더욱 활성화된다(Hart, 1983). 긍정적 정서는 학습에 대한 동기를 불러일으키며 확신을 준다. 반면 부정적인 정서는 학습에 대한 의욕을 떨어뜨린다. 그러므로 적정 수준의 긴장감이 있지만 편안한 분위기가 학습에 도움을 줄 수 있을 것이다.

생리상태가 학습에 영향을 준다

신체 상태는 학습을 좌우한다. 신체의 움직임, 음식, 주의집중 주기, 약물 등은 학습에 영향을 미친다. 배고프거나 목이 마른 상태에서 학생들은 제대로 사고할 수 없으며, 스트레스로 인해 호르몬이 제대로 조절되지 않을 때 학습하기 어렵다. 특히 신체 움직임은 학습에 직접적인 영향을 미치게 된다.

다른 사람과 협력할 때 뇌의 학습 효과는 증폭된다

뇌는 다른 이와 상호작용하는 가운데 발달하는데, 협력체계는 새로운 개념을 이해하고 적용하는 데 도움이 된다. 즉, 이러한 과정을 통해 학습의 효과가 증폭된다. 학습자가 정서와 감정을 교환하며, 토의하며, 공동으로 문제를 해결하는 가운데 학습의 질이 향상된다.

뇌는 본능적으로 의미를 추구한다

뇌는 유용하다고 생각하는 것을 찾고, 이를 중심으로 학습한다. 뇌는 경험에 의미를 부여하며 끊임없이 새로운 자극을 추구한다. 이러한 관점에서 볼 때 학습은 시간에 따른 경험의 변화에 의미를 부여하는 과정이며, 학습자 자신이 학습의 의미를 찾아가는 과정으로 정의할 수 있다. 뇌는 무의미한 정보나 관련이 없는 자료는 쉽게 잊어버린다. 학생들에게 필요한 것은 정보가 아니라 의미라는 것이다.

지금까지 뇌에 대한 이해를 위해 해부학적 관점, 신경계의 관점, 기능적 조직화의 관점, 지능적 관점에서 뇌의 여러 가지 부분과 기능들에 대해 살펴보았고, 이러한 뇌에서 일어나는 학습의 원리에 대해 여러 학자들의 논점을 훑어보았다. 이에 따르면 뇌는 상당히 복잡한 기관이며 학습 역시 간단하게 설명할 수 없는 단계를 통해 이루어지고 있는 것을 알 수 있었다. 또한 뇌에서 일어나는 학습에는 여러 가지 환경 조건들이 영향을 미치고 있으며 그러한 환경에는 다양한 물리적 환경뿐만 아니라 학습자의 정서적 상태도 중요한 역할을 한다는 것을 알 수 있다.

뇌기반 학습에 영향을 주는 요소

앞서 말한 바와 같이 뇌에서 이루어지고 있는 복잡한 학습의 과정에는 다양한 여러 가지 요소들이 영향을 준다. 여기에서는 우선 물리적 환경 요소, 학습자 및 교사의 상태를 포괄하여 서술하고 있는 Kovalik의 뇌 친화적 요소에 대해 설명하고 그것과 연관 되어 있는 부가적인 몇 가지 요소들(학습자의 감정, 스트레스, 보상과 동기부여, 음악과 움직임의 역할)을 설명하고자 한다.

뇌 친화적 요소

Kovalik(1994)는 뇌 친화적 교실에서 주의해야 할 요인을 여덟 가지로 논의하였다. 그녀는 주제별 통합 수업을 통해 뇌 친화적 요소를 세분화하였다. 여덟 가지 뇌 친화적 요소는 그림 16-2와 같다.

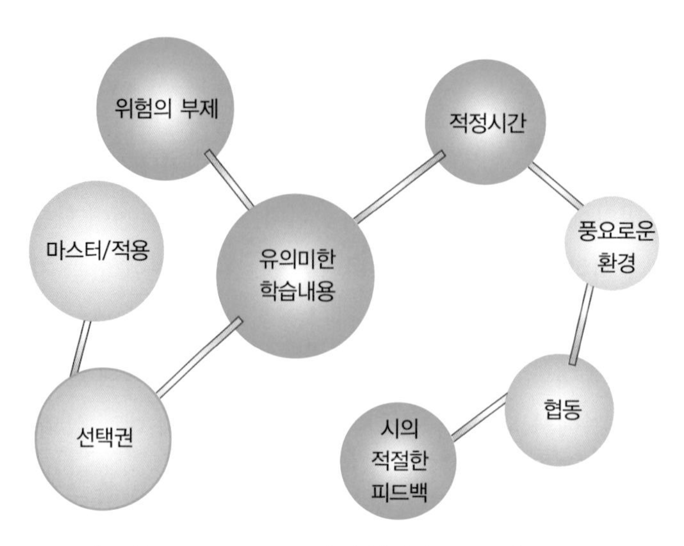

[그림 16-2 Kovalik의 뇌 친화적 요소들]

그녀의 뇌 친화적 요소는 실제적인 교육과정 측면에서 어떠한 요소가 뇌의 학습 원리에 부합하는지를 보여준다. 예를 들어, 사람이 공포에 노출되면 시상하부와 아드레날린 분비선에서 아드레날린, 코티솔, 바소프레신 등이 배출됨으로써 학습을 저해하므로 위협적인 환경을 학습에서 제거해야 한다는 점, 뇌가 본능적으로 정보의 유의미성을 탐색하므로 선택권을 통해 의미 탐색을 촉진해야 한다는 점, 충분한 시간을 통해 학습의 유의미성을 심화시켜야 한다는 점을 지적하였다. 또한 뇌는 다각적으로 정보를 받아들이기 때문에 풍요로운 환경을 뒷받침해 주어야 하고, 협력을 통해 사회적인 뇌를 활성화하며, 시의적절한 피드백을 통해 뇌의 패턴 구축을 도와야 한다고 설명하였다. 아울러 학습내용에 대한 의미 있는 반복과 실생활 경험이 뇌의 패턴 구축에 절대적이므로, 마스터와 적용이 뇌의 학습 원리에 필수 요소라는 점을 강조하였다.

뇌 친화적 요소에 대한 기본 개념은 20여 년 전에 이미 알려졌지만, 이러한 정보가 아직까지도 교육 체제를 통해 교실 현장으로 스며들지는 못하고 있다. 이러한 정보를 교실과 학교에 적용하는 것이 교육자의 최대 관심사라 할 수 있다. 뇌 친화적 환경이 교사, 학생, 교실과 좀 더 가까운 개념이 되도록 설명하자면 다음과 같다.

위협의 부재

뇌 친화적 요소 중 첫째 요소로서 위협이 없는 환경을 창출하기 위해서는 다양한 문제들을 먼저 해결해야 한다. 실제적인 것이든 지각된 것이든, 위협 요소는 보는 사람의 눈에 달려 있다. 그러므로, 위협이 없는 환경을 창출하기 위해서는 가장 먼저, 신체적 안전이 보장되어야 하고, 그 다음에는 심리적 안전, 학급에서 교사와 학생 간, 학생들 간, 학교 전반에 걸쳐 효과적인 협동이 이루어질 수 있는 조건들이 충족되어야 한다.

유의미한 학습내용

유의미 내용이란 가장 강력한 뇌 친화적 요소로서, 교육자가 답하기 어려운 질문이다. 유의미성은 아동의 입장에서 결정되기 때문이다. 이것은 학생의 내부적 동기 깊숙이 들어가서 알아보아야 하는 것이지만, 최근의 뇌 연구 결과를 살펴보면, 아동이 무엇을 어떻게 보는가를 추측할 수 있다. 유의미 내용은 실생활에서의 학습, 사전 경험, 뇌 발달 시기의 적합성 등의 영향을 받는다. 실생활과 연계하여 학습할수록, 사전 경험이 풍부할수록 학습은 잘 일어나고, 내용을 처리할 수 있을 만큼 충분히 뇌가 발달 되어야만 학습이 순조롭게 이루어진다는 것이다.

유의미성을 구축하기 위한 안내지침은 첫째, 실세계화의 현장 상호작용을 제공해야 한다. 둘째, 교육과정이 학습자의 뇌 발달 수준에 적합해야 한다, 셋째, 학생이 경험하지 못한 것을 가정하거나 요구하지 말아야 한다. 넷째, 학생과 교사의 흥미를 고양시킬 수 있는 내용이 제공되어야 한다. 다섯째, 교육과정이 CUE(Creative, Useful, Emotional) 기준에 부합해야 한다.

선택권

Smith(1986)는 사고는 첫째, 자신이 사고하고 있는 것을 이해하고, 둘째, 뇌 자체는 그 안에 일어나는 일을 관장한다는 두 가지 근본적인 필요조건이 충족될 때 더 쉽고 효과적이기 때문에 선택권이 중요하다고 본다. 초등학교에서 아동들이 학습해야 할 것을 결정하는 것은 교사의 전문적인 책임이지만, 아동들은 학습하는 방법에 관한 의사결정을 내릴 수 있고 그렇게 하도록 안내해야 한다. 선택권은 첫째, 학습자가 사고할 때 유의미한 것을 선택하거나 발견할 수 있게 될 가능성을 증가시킨다. 둘째, 다양한 입력을 제공하여 다양한 지각 패턴을 가능하게 한다. 셋째, 지루함이나 실패로 인한 좌절의 결과로 뇌 기능이 하향변환되는 것을 방지한다. 넷째, 자기가 선호하는 방식으로 입력을 선택, 조직화, 경험하는 것을 허용한다. 다섯째, 학습자에게 문제해결에 가장 성공적인 학습과정과 상황을 창출하고 선택할 수 있는 풍부한 기회를 제공한다.

적정시간

Hart(1983/1998)는 학습에 대해 "학습은 혼돈으로부터 유의미한 패턴을 추출하는 과정이며, 유용한 프로그램을 습득하는 과정이다."라고 정의하였다. 진정한 학습은 갑자기 나타나는 것이 아니며 어느 정도의 시간이 걸린다. 얼마만큼의 시간이 적절한가 하는 것은 학습자에 따라 다르다. 적절한 시간이 제공되지 않으면 포괄적인 이해와 마스터를 억제한다. 적정시간을 제공하기 위한 안내지침은 다음과 같다. 첫째, 융통성이 있어야 한다. 둘째, 교사 스스로 진행 속도를 늦춘다. 셋째, 학습 내용에 생명력을 불어넣고 심도 있게 공부하게 한다. 넷째, 학생들에게 그들이 시작한 것을 완료하는 데 소요되는 휴식 시간을 충분히 제공한다.

풍요로운 환경

풍요로운 환경을 창출할 때에는 학생들의 '자연 세계' 경험과 그 정도를 반드시 염두에 두고 그에 관한 책, 비디오, 사진, 복제물, 모형을 제공하기보다 먼저 '실물'을 제공해 주어야 한다. 뇌 친화적 교육과정은 쉽게 경험할 수 있는 현장에 기반을 두고 있으며 몰입경험에 의해 감각 입력이 확장된다. 교실을 공부하고 있는 실제 대상처럼 보이고, 실물처럼 소리 나고, 실물처럼 느껴지도록 만들어야 한다.

풍요로운 환경을 창출하기 위해서는 첫째, 학생들을 실재에 몰입시키고, 둘째, 실물을 갖고 직접 해볼 수 있는 2차 경험을 사용해야 한다. 셋째, 신체친화적 환경을 구축한다. 넷째, 주의산만과 지나친 자극을 주는 혼합물을 제거한다. 다섯째, 항상 현재 배우고 있는 내용과 관련된 자료를 게시한다. 여섯째, 현장 몰입과 학생들이 직접 조작할 수 있는 자료를 구입하는 데 비용을 투자한다. 일곱째, 학습 내용을 지원해 줄 초청연사를 정기적으로 활용한다. 여덟째, 정보 입력을 크게 증가시키는 것이 출발점이다.

협동

Hart(1983/1998)는 뇌에 다량의 정보가 입력될 필요성을 주장했고, Smith(1990)는 학습의 핵심 요소 중 하나로서 정보 조작 기회의 중요성을 강조하고 다른 사람과의 협동을 통해 자신의 사고를 점검하고 지식 베이스를 확장할 수 있다고 보았다. 교실에서는 한 사람의 교사가 각각 매우 상이한 방식으로 학습하는 30~40개 이상의 두뇌에 직면하게 되는데, 교사 혼자서는 이러한 과업을 성공적으로 수행하기 어렵다. 학생이 다른 학생들을 가르치고 서로에게 공명판(sounding board)을 제공하는 협동이야말로 뇌 친화적 학습환경에 필수적인 구조이다. 즉, 협동이라는 단어는 공통 목표를 달성하기 위하여 함께 작업하는 것을 의미하며, 뇌 친화적 학급에서 공통된 목표란 학습지를 완성하는 단기적 목표가 아니라, 실생활에 적용할 수 있는 기능과 지식을 마스터하는 것을 말한다.

즉각적 피드백

즉각적 피드백은 패턴탐색과 패턴구축을 위해 학습환경에서 중요한 요소이다. Smith(1986)는 학습은 강제나 무관련 보상을 필요로 하지 않는다고 주장했다. 즉, 학습은 그 자체가 보상이다. 학습과제에서 성공했다는 피드백을 받으면 '화학적 고조상태(chemical high)' 를 야기하는 신경전달물질이 다량 방출된다. 아동이 '아하!' 하는 순간 눈의 번득임에서 이러한 상태를 쉽게 관찰할 수 있다. 따라서 학습자가 자신의 지적 프로그램을 구축하고 그 프로그램에 확신을 갖게 하기 위해서는 정확하고 즉각적인 피드백이 필요하다. 즉각적인 피드백을 제공하기 위해서는 첫째, 학습한 것을 실세계에 적용함으로써 실천하게 하는 탐구활동이나 자료를 마련해야 한다. 둘째, 더 많은 학습을 위해 미숙한 학습자에게 정확한 피드백을 제공할 수 있을 정도로 충분히 마스터한 '교사' , 즉 우수학생의 수와 가용도를 증가시켜야 한다. 셋째, 학생이 해보는 시간과 교사의 설명을 듣는 시간의 비율이 역전되어야 한다. 즉, 학생이 직접 해보는 시간이 많아져야 한다.

마스터 · 적용

숙달(mastery)은 학습되고 있는 개념과 기능들에 대해 이해수준에 도달(패턴 탐지)하고 이것들을 실세계 상황에 적용하는 능력을 갖춘 것(프로그램 개발)으로 정의된다. 오늘날의 아동들은 제한된 경험과 지식뿐만 아니라 잘못된 개념을 많이 가지고 학교에 들어오기 때문에 각각의 학생들이 숙달 수준에까지 도달하도록 적절한 시간을 제공해 주어야 한다. 교사는 '양보다 질' 이라는 새로운 패러다임으로 변화하여 내용의 양을 줄이고 엄선하여 그 내용을 유의미한 방식으로 가르친다면 학생들은 그것을 숙달할 기회를 더 많이 가질 수 있다. 숙달을 위해서는 세 가지 기준(3Cs)이 필요하다. 첫째는 완전성(complete)으로서, 탐구에서 요구되는 활동이 시기적 적절성을 비롯하여 그 탐구에 필요한 요구 조건이나 세부사항들에 부합되도록 해야 한다. 둘째는 정확성(correct)으로서, 정확한 정보가 포함되어 있어야 하고 사용되는 정보가 가장 최근의 것이어야 하며 한 가지 이상의 정보원을 고려해야 한다. 셋째는 포괄성(comprehensive)으로서, 교과서를 통해 이루어지는 '공부'와는 대조를 이루기 때문에 교사가 잘 가르쳐 주어야 한다.

학습자의 감정

Eric Jensen(2000)은 학습자의 감정이 학습에 있어서 다음과 같은 역할을 한다고 제시했다.

(1) 학습자와 학습을 묶어준다.
(2) 무엇이 진실이고 무엇을 믿으며 느끼는지를 결정하도록 도와준다.
(3) 감정은 집중적이고 넓게 퍼진 화학물질에 근거한 장기기억을 활성화시킨다.
(4) 무의식적이고 직감적인 수준의 판단을 하도록 함으로써 빠른 결정을 내리도록 도와준다.
(5) 가치관을 고양시킴으로써 양질의 결단을 하도록 도와준다.
(6) 강한 감정이 표출되면 뇌는 자극을 받는다.
(7) 감정은 기억이 더 잘 나도록 하는 활동적이며 화학적으로 자극받는 두뇌를 만들어 준다.

뇌기반 학습에서는 무엇보다 학습자의 감정을 중요시한다. 뇌가 학습에 알맞은 최적의 상태가 되기 위해서는 어떤 환경적 요소와 준비보다도 학습자의 감정적 상태가 더 중요하다고 보는 것이다. 불과 몇 십년 전만 해도 감정을 보이는 일은 비논리적이며 학습에 적합지 못한 것이라고 생각하였다. 그러나 Joseph LeDoux(1996)는 "감정은 집중을 하게 하고, 의미를 만들어내며, 자신만의 기억 통로를 가지게 한다."고 주장함으로써 감정이 명백한 학습과정의 전형임을 보여주었다. 또한 Jerome Kagan(1990)은 "감정이 적절한 선택을 방해한다고 확신하는 이성주의자들은 사실을 잘못 알고 있는 것이다. 감정의 힘을 무시한 채 논리에만 의지하는 것은 대부분의 사람들을 바보로 만든다."고 말함으로써 감정의 힘을 역설했다.

왜냐하면 감정이라는 것은 신경 조직의 내적 양상이기 때문이다. '느낌' 이 문화적이고 환경적으로 개발된 주변에 대한 반응이라면 '감정' 은 생화학적으로 자동화된 통로를 통해 전달되며 '느낌' 과는 서로 다른 뇌 속의 서로 다른 생화학적 통로를 통해 분리되어 다닌다. 그렇기 때문에 행동에 미치는 감정의 영향은 지대하다. 그것은 모든 학습에는 몸, 감정과 태도, 신체적 건강에까지도 영향을 준다는 말을 지지한다.

Eric Jesen(2000)은 학습과정에 있어서 감정의 역할을 구체화해 주는 전략을 다음과 같이 제시했다.

(1) 역할 모델이 되라 : 교사는 학습의 즐거움을 보여주어야 한다. 교사를 정말 즐겁게 해주는 무엇인가를 학습 과정 중에 보여주면서 교사의 즐거움을 보여주는 것이 좋다. 긴장감, 웃음, 진실된 감정적 이야기, 인기 있는 책, 애완동물을 학교에 데려오거나 최근에 읽은 내용에 대해 토론하는 것은 교사의 열정과 즐거움을 드러내는 데 도움을 줄 것이고 학생들에게도 긍정적 감정에 대한 본보기가 될 것이다.

(2) 즐거움을 제공하라 : 학생들을 인정해주고 칭찬을 해주어야 한다. 하이-파이브, 팀 응원, 음식, 음악, 장식 등으로 긍정적이고 수용적인 분위기를 만들고 밝은 분위기에서 학습을 행하라.

(3) 논쟁을 하라 : 논쟁과 대화, 게임, 패널이 참여하는 토론을 하라. 경쟁적인 논쟁과 대화를 통해 더 많은 감정이 고양될 수 있다. 이러한 이벤트는 스트레스, 재미, 걱정, 참여, 긴장감, 즐거움, 안도감을 자아낸다.

(4) 육체적 의식 : 감정을 고양시키고 불러일으킬 수 있는 의식을 행하라. 예를 들어, 박수 치는 패턴, 응원, 노래, 율동, 테마 송 등이 있다. 출발의식과 마무리 의식을 행함으로써 지루함을 막을 수 있다.

(5) 자가진단 : 과제에 저널링, 그룹 토의, 이야기 교환, 인터뷰 등을 포함시켜라. 학생들 개인적인 과제를 위해 다른 사람과 소통을 하게 하라. 학습자들이 현재 하는 과제나 일생생활 중에 타인과 개인적인 접촉을 할 수 있도록 도와주어라.

학습자의 스트레스

학습자는 유익한 스트레스와 유해한 스트레스를 모두 경험한다. 이 두 가지 스트레스의 차이는 뚜렷하다. 걱정과 위협이 학습에 도움이 되지 않는 반면에 적당한 스트레스는 학습에 유익하다. 신체는 부신으로부터 코티솔이란 호르몬을 분비함으로써, 높고 만성적인 스트레스에 반응한다. 적은 양이 기분을 좋게 하고 동기부여의 힘이 될 수 있는 반면에 너무 많은 양은 면역체계를 쇠약하게 하고, 근육을 긴장시키고, 학습을 악화시킨다. 결국 높은 코티솔 수준은 절망감을 느끼게 하거나, 질리게 할 수 있다. 더 나쁜 것은 코티솔의 장기적인 분비는 학습과 관련된 해마 회의 뉴런을 파괴할 수 있다는 것이다(Sapolsky 1996).

학습자는 교사가 부과한 과제를 해결하기 위해 알게 모르게 스트레스와 싸우게 된다. 이러한 스트레스가 주는 문제를 해결하기 위해서 교사는 학습자가 겪는 스트레스를 줄이기 위해 노력해야 한다. 교사가 스트레스가 없는 안전하고 편안한 학습 환경을 만들 때 많은 학습자들이 교사를 놀라게 할 수 있을 것이다. 학습자들은 아주 빠르게 향상된 사고와 문제해결 능력을 보여줄 것이다. 비록 그 어느 교사도 완벽한 환경을 제공할 수는 없지만 강화를 위한 많은 기회와 함께 정서적, 신체적으로 안전한 환경을 제공하는 것은 학습자들의 스트레스를 감소시키는 데 큰 도움이 될 것이다.

동기부여와 보상

학습자를 통제하고, 다루고, 조종하고 영향을 주기 위한 노력의 일환으로 교사들은 보상을 사용하는 것에 익숙해졌다. 그러나 뇌의 자연적인 조작의 원리를 고려하면 이런 기술은 생산적이지 않다. 이러한 아이러니를 이해하기 위해, 우선 보상에 대해 정의해보자.

보상이란 예상할 수 있는 시장가치가 있는 대가 또는 결과이다. 만약 예상할 수는 있지만 시장가치가 없는 것(미소, 포옹, 칭찬, 무작위 선물과 징표, 공공적 인정 등)이라면 보상이 아니라 단순한 인정이다. 만약 시장가치는 있지만 절대적으로 예상할 수 없는 것이라면(자연스러운 파티, 피자, 과자, 선물권 작은 선물 등) 그것은 보상이 아니라 축하인 것이다. 그러나 학생이 상을 받을 기회가 있다는 것을 어떤 방식을 통해 알고 있다면 그것은 보상이라고 할 수 있을 것이다.

이러한 보상은 뇌에 어떤 작용을 하는가? 잘 발달되어 있는 보상체계는 개인의 독특한 경험과 인식을 바탕으로 오랜 시간에 걸쳐 발달한다. 그리고 각 사람의 시스템은 보상에 다양하게 반응한다. 즉 어떤 사람에게는 보상인 것이 다른 사람에게는 보상이 되지 않을 수 있다는 것이다. 보상체계는 쉽게 습관화될 수 있다. 이것은 보상이 처음에는 동기유발적일 수 있더라도, 곧 그 이후에 비용은 증가되어야 하지만 만족은 그에 미치지 못할 것이다. 두뇌가 보상체계에 익숙해져 간다는 의미가 된다. 학교에서 이것은 처음에 효과가 있던 것이 다음에는 부족할 수 있다는 것을 의미한다.

Terase Amabile은 외적인 동기부여가 내적인 동기부여를 제한한다고 주장했다. 창조성은 이것이 뇌에 지적인 표현의 자유를 주기 때문에 내적인 동기부여와 강하게 연결되어 있고 이것은 생각과 동기유발을 더 촉진시킨다고 말했다. 그러나 보상체계는 학습의 질을 떨어뜨린다고 주장했다. 그러므로 학습과정에서 보상은 학습 향상을 위해 현명하게 사용되어야 하며 보상을 통한 단순한 동기의 유발보다 내적 동기부여를 위한 전략을 사용해야 한다. 내적 동기부여를 위한 전략은 다음과 같다.

(1) 학습자의 요구와 목표를 충족시켜라.
(2) 통제와 선택의 감각을 제공하여라.
(3) 긍정적인 사회적 유대를 격려하고 제공하여라.
(4) 호기심의 감각을 길러주어라.
(5) 강렬한 감정에 접근하여라.
(6) 충분한 영양 섭취를 장려하라.
(7) 여러 가지의 지능을 통합하라.
(8) 성공담을 공유하라.
(9) 학생을 인정해주어라.
(10) 피드백을 자주 해라.
(11) 학생들의 몸의 상태를 파악하라.
(12) 성공의 희망을 심어 주어라.
(13) 성공과 성취에 대해 축하해 주어라.
(14) 학습환경을 신체적으로 감정적으로 안전하게 유지하라.
(15) 할 수 있다는 자신감과 내용에 대해 긍정적인 믿음을 심어주어라.

음악과 움직임의 역할

음악은 감정적 반응, 수용적이거나 공격적인 상태를 유도해내고 대뇌 변연계 시스템을 자극한다. 대뇌 변연계 시스템과 뇌의 피질하 영역은 장기기억을 조정할 뿐만 아니라 음악적, 감정적 반응을 이용하는 데에도 포함된다. 이것은 정보가 음악과 함께 받아들여질 때 뇌가 장기기억에 있어 그것을 암호화할 수 있다는 큰 가능성이 있음을 의미한다.

이미 교실에서 음악은 활용되고 있다. 교사는 의미를 전달하기 위해 자신의 목소리에 많이 의존하지만 음악은 뇌로 정보를 전달하는 아주 훌륭한 운반자이다. 음악을 학습에 이용하여 최선의 결과를 내기 위해서는 목적 있게 현명하게 이용해야 한다. 지나치게 사용하면 듣는 사람을 포화상태로 만들고 그것의 효과를 감소시킨다. 일반적 규칙으로서 음악은 전체 수업시간의 30%를 넘지 않게 이용되어야 한다(그렇지 않으면 음악 수업이 된다). 그리고 어떻게 음악을 이용할 것인가는 사용되는 음악의 형태만큼이나 중요하다. 많은 교육자들은 모차르트에 얽매이지 말고 다양한 음악의 장르를 사용할 것을 주장한다. 심지어 게임을 할 때 나는 두드림, 노랫소리, 자연의 소리, 그리고 단순한 리듬은 심리적 상태를 바꾸고 학습을 위한 수용적 태도와 감정 상태를 만든다. 또한 음악은 심장 박동수와 뇌의 화학적 변화에 영향을 미치며 스트레스를 감소시키는 역할도 한다.

운동은 첫째, 순환을 증가시켜서 개인적인 신경들이 산소와 영양소를 더 많이 받게 한다. 둘째로 운동은 뇌의 기능을 발달시켜 주는 호르몬인 NGF의 생성을 자극해준다. 셋째로, 총체적인 근육을 사용하는 움직임은 기분을 좋게 해주는 신경전달물질인 도파민 생성을 촉진한다. 지구상의 수백만 교사들은 학생들에게 제발 앉고, 조용히 하기를 간청한다. 그러나 이와 같은 맥락에서 본다면 적절한 신체적 움직임과 운동은 뇌의 활성화에 필수적이다. Asher는 즉각적이고, 신체와 감정을 수반한 배움(TPR)은 극적인 학습을 촉진한다고 주장한다. Asher의 가설은 "몸을 가르쳐라, 그렇게 하면 정신도 잘 배우게 된다."고 주장했다. Asher의 TPR 접근은 새로운 배움과 더불어 몸의 움직임을 결합시킨다.

뇌기반 학습의 이론과 적용

여기에서는 지금까지 소개한 여러 가지 이론에 기초하여 교육과정을 설계할 때 어떻게 적용할 수 있는지 살펴보고자 한다. 그 대표적 연구로서 문승호(2004)의 모델을 소개한다.

뇌기반 학습의 이론은 다음과 같이 교육과정 개발에 적용할 수 있다. 뇌기반 학습 이론에 기초한 교육과정 개발의 모형은 교육목표, 학습내용의 선정, 교수-학습 전략,

평가, 학습 환경이라는 다섯 가지 개념의 틀로 분석되고 종합될 수 있다.

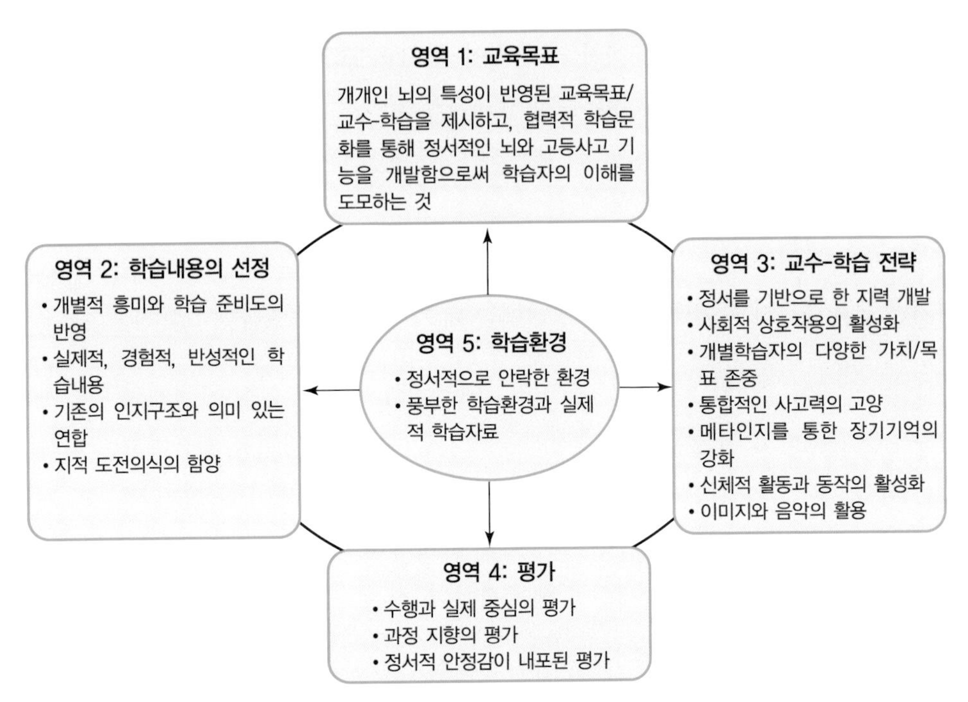

[그림 16-3 뇌기반 학습이론에 기초한 교육과정 개발의 모형 (문승호, 2004)]

영역 1 : 교육목표

뇌기반 교육과정의 교육목표는 '개별 학습자의 뇌가 지닌 특성을 반영한 교육목표와 교수-학습을 제시하고, 협력적 학습문화를 통해 정서적인 뇌와 고등사고기능을 개발함으로써, 학습자의 이해를 도모하는 것' 이다. 이는 뇌의 다양성, 정서가 학습에 주는 직접적인 영향, 사회적 뇌의 발달에 대한 뇌 과학의 연구 결과가 구체화된 것이다.

무엇보다 뇌기반 학습이론의 기본 출발점은 모든 학습자의 뇌의 프로파일이 다르다는 점이다. 학습자의 뇌가 지닌 이러한 다양성에도 불구하고 전통적인 학교 현장에서는 학습자들이 지닌 다중 지능, 학업 스타일, 학업 준비도, 이해수준, 발달수준, 흥미도, 미래의 꿈과 같은 개인차를 교육에 제대로 반영하지 못하였다. 이와 대조적으로 뇌기반 교육과정에서 지양하는 목표는 획일적인 교육관에서 벗어나 학습자 개개인의 차별화된 뇌를 존중하는 교육, 이들의 다양한 소질과 재능, 특성, 취향, 발달 정도를 실제적으로 반영한다는 것이다.

개개인의 뇌의 다양한 특성을 교육에 반영하는 것과 아울러, 뇌기반 학습이론에서는 사회적인 상호작용 안에서 학습하는 것을 중요하게 제시한다. 복잡한 학습 과제나 고차적 인지전략을 요구하는 내용에서 다른 학습자와 협력하는 가운데 학습의 효과가 높아진다는 연구는 학습에서 왜 협력이 중요한지 그 필요성과 중요성을 다시 한 번 부각시켜 준다(Slavin, 1983).

영역 2 : 학습내용의 선정

뇌기반 교육과정의 학습내용 선정 원리에는 네 가지 차원이 있다.

학습자의 개별적 흥미와 학습준비도를 고려. 이는 학습내용의 선정 과정에서 학습자의 다양성을 인정하고 이들이 자신의 강점을 발견할 수 있는 기회를 제공하고 안내하는 것은 학습자의 자아 실현의 전제가 되기 때문이다. 모든 학생이 한 가지 이상의 영역에서 강점을 지니고 있으므로, 교사는 이를 고려하여 학습내용을 선정해야 하며, 학생들을 격려해야 한다. 또한 세심한 배려를 통해 학습자들은 낙담하지 않게 되고, 학업에서 소외되는 것을 최소화하게 된다.

실제적 · 경험적 · 반성적 학습내용. 자기 주변에서 벌어지는 실생활의 내용이 학습에 반영되는 가운데 학습자에게 유의미한 학습이 가능하고, 실제적 지식을 획득하게 된다. 그리고 실생활의 경험을 통한 배움은 새로운 학습내용을 뇌에 패턴화하는 데 촉진제 역할을 하며, 실제 체험을 통해 깊이를 더한다.

기존의 인지구조와 의미 있는 결합. 뇌는 사전 경험에 기초하여 정보를 유형화하고 해석하는 유기체이다(Caine and Caine, 1990). 학습자는 새로운 자극이 자신에게 익숙한 유형인지 확인한 후, 기존의 인지구조와 연합하여 패턴화한다. 학습내용을 선정할 때 경험이나 선행 지식을 중요하게 여기는 이유도 뇌가 정보를 인식하는 과정에 선행지식과 사전경험이 필수 불가결하기 때문이다(Piaget, 1956; Vygotsky, 1978; Bransford et al., 2001). 학습자의 사전경험을 바탕으로 학습내용을 선정하는 것은 학습자의 주의를 집중시키고, 긍정적인 정서를 심어주는 점에서 큰 효과를 낳는다.

지적 도전의식(intellectual challenge)의 함양. 학습자는 학습 선택권을 바탕으로 학습내용의 선정 과정에 능동적으로 참여함으로써, 학습의 기회를 넓히고 학습에 대해 만족감을 느끼며 학습 잠재력을 극대화한다(Harr, 2003; Kovalik, 1993; Prigge, 2002). 무엇보다 학습의 선택권은 학습자가 학습내용을 유의미하게 받아들일 수 있는 가장 대표적인 방안이라는 점에서 의의가 있다(Erlauer, 2003). 학습자는 선택권을 통해 다양한 패턴으로 사물을 지각하게 된다. 특히 자신에게 도전적인 과제를 선택함으로써 노어아드레날린의 분비를 원활히 하고 수상돌기의 성장을 촉진한다(Jensen, 1998).

영역 3 : 교수-학습 전략

뇌기반 학습이론은 뇌의 학습 원리에 적합한 학습의 과정을 이해하고자 하는 시도이며, 수업을 위한 틀(instructional framework)을 제공하는 원리로 활용될 뿐 정형화된 모델이 아니다(Jensen, 2000). 그러므로 뇌기반 학습이론에 기초한 교수-학습 전략에서는 획일화되고 고정화된 교수-학습 전략을 처방하거나 강요하지 않는다. 여기에서는 일곱 가지의 교수-학습 전략을 소개한다.

정서를 기반으로 한 지력 개발. 새로운 정보는 대뇌피질에서 결정이 나기 전에 우선 편도체를 자극시켜 정서를 활성화시킨다. 평상시에는 입력정보가 감각피질로 가서 정보를 정교화하고 편도가 적절히 정서적 반응을 한다. 반면 학습자가 공포나 스트레스를 느꼈을 경우 새로운 정보가 감각피질로 가지 않고 곧바로 편도체로 가서 '즉시 부딪치거나 회피하는 반응(fight or flight)' 을 하게 된다. 훌륭한 학습이란 학습자의 긍정적인 정서에서 시작하고 정서를 통해 완성되는 것이다. 정서는 기억을 촉진하는 화학물질을 분비하며, 편도체를 강하게 각성시켜 잔상을 오래 남게 한다. 그러므로 정서의 중요성을 재인식하고, 이를 고려하여 교육과정을 개발하는 것이 필수적이다.

사회적 상호작용의 활성화. 뇌 과학의 관점에서 볼 때 협력학습과 토의학습은 다음과 같은 효과가 있다. 협동학습은 자극과 도전이 포함된 지적으로 자극적인 환경을 조성하여 복잡한 신경망 형성에 도움을 주고, 시냅스의 활성을 적절하게 조절하여 학습자들이 학습과 관련된 중요 자극에 집중하도록 하며, 학습에 긍정적으로 작용하는 코티솔, 세르토닌, 엔돌핀, 도파민 등의 분비를 촉진시킨다(이부영, 2002). 토의학습은 카테콜아민 신경계의 활성으로 각성과 주의집중, 지속적인 학습을 해 나갈 수 있게 하며, 감성회로를 활성화시켜 학습동기의 유발과 장기기억을 더 공고히 한다. 이는 학습자의 긍정적 자아개념 형성과 소속감에 긍정적인 영향을 주고 자기 주도적으로 학습할 수 있는 독립심을 함양시키는 데 의의가 있다.

개별학습자의 다양한 가치와 목표 존중. 이는 학습자의 인지적 다원성(cognitive pluralism)이 반영된 학습내용을 선정해야 한다는 논의와 연속선상에 있으며, 이러한 학습자의 다양성을 바탕으로 어떻게 교수-학습을 진행시켜 나가야 할 것인지에 대한 논의이다. 뇌 과학의 연구 결과의 출발점은 세상의 어떤 사람도 똑같은 뇌의 특성을 지니지 않는다는 점이다(Garrbier, 2003). 학습자들은 개개인마다 다른 두뇌구조를 바탕으로 서로 다른 강점과 약점, 독특한 학습방식, 특별한 능력이나 소질 등을 지니고 있으므로 학습자 간의 이러한 다양성을 인지하고, 개인의 특성에 맞는 개별화 교육을 실시하는 것이 필수적이다.

통합적인 사고력의 고양. 뇌가 새로운 정보를 통합적으로 사고하는 유기체라는 연구결과는 교수-학습에서 통합적인 내용을 고려해야 한다는 당위성을 제시한다. 뇌 과학의 연구 결과에 따르면 뇌는 유사한 정보들을 관련지어 인지하는 신체기관이며 다양한 정보를 패턴화할 수 있는 단서나 패턴을 탐색해가는 과정을 통해 정보를 받아들인다(Jensen, 1998). 뇌는 서로 유사한 패턴을 찾아 연결하기 때문에, 새로운 지식이나 경험을 전달할 때 뇌의 통합적인 특성을 살리고, 패턴형성 과정에 도움을 줄 수 있는 방향으로 지식을 전달하는 것이 학습에서는 매우 효과적이다.

메타인지를 통한 장기기억의 강화. 전통적인 교수-학습에서 이루어진 기계적인 암기위주의 교육은 단순 암기를 통해 기억력이 증진되고, 사실이나 세부 기술을 기억할 때 학습이 가능하다는 그릇된 인식에서 비롯되었다. 그러나 뇌 과학의 연구결과 무의미한 반복 · 암기 학습은 이해를 위한 학습을 저해하고 학습의 전이를 가로막는다는 것이 밝혀졌다. 뇌는 기본적으로 경험을 통해 의미를 창출하는 성향을 지니므로, 반복적인 암기나 경험과 관련 없는 무의미한 반복만으로는 진정한 학습이 이루어지지 않는다(Pool, 1997; Slavkin, 2002). 학습자는 메타인지를 사용하여 다양한 기억의 종류에 맞는 학습전략을 사용할 때, 장기기억을 증진시키게 된다. 단순암기는 단편적인 지식만을 암기하여 지식의 활용도가 낮고 쉽게 실증을 느끼며 피로해지기 쉬운 반면, 개념을 바탕으로 한 이해학습과 메타인지를 통한 반성적인 학습은 넓은 영역의 뇌를 사용함으로써 지식의 활용가치를 높이고 고등사고능력과 창의력을 발휘할 수 있게 한다.

신체 활동과 동작을 통한 수업. 동작은 인지능력을 향상시키는 데 효과적이다. 신경학 연구에서 알 수 있듯이 움직임은 기저핵, 소뇌, 뇌량 등을 발달시키며, 뉴런의 성장과 뉴런 간의 시냅스 형성을 촉진한다(Hannaford, 1995). 또한 동작은 선택적 주의 집중에 필요한 뉴런을 자극함으로써 주의 집중력을 향상시키고, 두뇌에 있는 신경망의 수초를 증가시킴으로써 학습에 결정적인 영향을 준다(김유미, 2002). 동작을 통해 뇌는 더욱 활성화되며 학업성취도를 높인다. 교사는 뇌의 이러한 기본적인 특성을 주지하고, 교수-학습 내용 안에 동작을 적절히 활용하는 것이 필요하다.

영역 4 : 평가

뇌기반 학습이론에 기초한 평가에서 제일 먼저 부각되는 부분은 수행 중심의 평가이다. 수행 중심의 다양한 평가방식과 더불어 뇌기반 평가에서 간과하지 말아야 할 요소는 첫째, 학습자의 뇌의 유형과 학업스타일에 따른 평가의 선택권을 보장하는 것이다. 뇌기반 학습이론에서는 학습자에게 평가에 대한 선택권을 제시함으로써 그들의 문제해결력을 향상시킬 수 있는 긍정적인 효과를 기대할 수 있다. 둘째 요소는 과정지향의 평가이다. 적절하고 의미 있는 피드백을 통한 과정지향의 평가는 뇌의 패턴 구축에 중요한 영향을 미친다. 이는 학습자에게 올바른 학습의 방향을 제시하고, 시냅스 간의 연결을 통해 낯선 정보를 기존의 패턴으로 정교화하는 데 필수적인 요소이다. 적절하고 의미 있는 피드백을 통한 과정지향의 평가는 교육목표를 더 구체화하고 학습자나 교사가 학습의 방향을 잃지 않게 하는 기수역할을 하게 된다. 평가에서 유념해야 할 세 번째 내용으로 정서적 안정감이 내포된 평가를 제시할 수 있다. 평가는 학습자에게 스트레스를 주게 되는데, 학습자가 스트레스, 억압 상태, 공포 상태에 있을 때 뇌는 정상적인 뇌의 혈류와 전기적 활동 양식이 비정상적으로 변한다(Aldridge, 2000; LeDoux, 1996). 반면 정서적으로 안정되고 자신감을 가지게 되면, 전두엽의 기능이 활성화되고 엔돌핀 등의 신경전달물질이 좋은 감정을 유발시켜 줌으로써, 학습자의 사고를 적극적이고 긍정적인 문제해결 방안 탐구로 유도하게 된다. 따라서 이러한 긍정적이고 안정된 평가상황에서 학습자는 학습과 평가상황이 유사할 때 자신의 능력을 충분히 발휘하여 제대로 평가받을 수 있다.

영역 5 : 학습환경

풍부한 학습환경과 실제적 학습자료를 제공하는 것은 뇌기반 학습이론에 적합한 학습환경이다. 풍요로운 학습환경 속에서 두뇌는 그 피질이 더 두꺼워지고, 수상돌기

가지의 수가 증가하며, 더 많은 축색돌기와 더 큰 세포체를 갖게 된다. 이는 뇌세포가 신경전달망을 새롭게 형성하였거나 강화시켰다는 것을 의미한다. 뇌 과학의 연구 결과에 따르면 뇌는 집중적인 것과 주변적인 것, 부분과 전체를 의식적인 방법과 무의식적인 방법을 통해 동시에 처리해 나가는 병렬처리체이다. 풍부한 학습환경이란 교수-학습 상황에 풍부하고 실제적인 자료를 제공해 줌으로써 뇌의 병렬처리체로서의 특성을 고무시켜 학습자의 지적 호기심과 지적 열정을 불러일으키고, 다양한 방식의 답변을 유도하는 것이다. 특히, 실물을 바탕으로 이루어지는 학습 환경과 음악이나 동작을 통해 모든 감각을 일깨우는 학습 환경이 뇌기반 학습이론을 구체화하는 좋은 방안이 될 것이다.

다음으로 물리적인 환경 외에 정서적인 환경 또한 중요하다. 뇌의 구조를 살펴볼 때 정서와 가장 관련이 깊은 부분은 변연계의 편도체이다. 위협적인 상황에 부딪혔을 때 인간의 뇌는 이 정보를 대뇌피질을 거치지 않고 직접 편도체로 전달한다. 이러한 상황에서 편도체는 경계적인 반응에 대처할 수 있도록 뇌의 상태를 주도하고, 결과적으로 대뇌피질에서 진행되어야 할 학습과 관련된 반응을 억제한다. 결과적으로 스트레스, 무력감, 낮은 자기 효능감과 같은 부정적인 정서는 학습을 방해하는 요인이 된다. 학교 현장에서 교사가 유념해야 할 사항은 무엇보다 정서의 중요성을 인식하고 학습 환경에 위협요소를 제거하는 것이다. 그리고 적정 수준의 긴장감이 있지만 편안한 가운데 학습이 이루어질 수 있도록 정서적으로 안정적인 환경을 마련하는 것이 중요하다. 학습자들은 풍요로운 환경과 자료를 통해 병렬처리체인 뇌를 자극하고, 위협 없는 수업환경에서 창의적이고 사고를 위한 기틀을 마련하게 된다. 이러한 학습 환경이야말로 뇌의 고등사고기능과 정서적인 뇌의 개발이 어우러진 교육을 향한 밑거름이 된다.

종합 및 결론

최첨단 뇌 촬영기법은 학습자가 깨어있는 상태에서 뇌를 관찰하고 분석할 수 있는 기술을 제공함으로써 '뇌의 시대' 를 열었다. 간학문적으로 이루어진 뇌 과학 연구의 결정체는 '뇌기반 학습 이론' 을 통해 교육과정의 개발과 수업 개선으로 확산되었으며 최적의 학습을 위한 이론과 실제를 제공하였다. 뇌기반 학습은 학습자가 잠재해 있는 자신을 발견하고, 자기지식을 넓혀 나가는 길을 열어 놓았다. 이는 학습자를 지식의 수용자가 아니라, 지식을 창조하고 구성하는 적극적인 참여자로 규정함으로써 가능하였다.

이에 이 장을 통하여 제시한 다양한 뇌기반 학습의 연구결과에 기초하여 현장의 교사들은 어떤 구체적인 방법들이 학생들의 학습을 자극시키고 촉진시킬 수 있을 것인지에 대하여 심각하게 고민해 보아야 할 것이다. 그 예로서 뇌의 사회적 성격상 개별 학생 중심의 수업에서 협동학습과 대화학습이 더욱 효과적인 학습 방법이 될 수 있음을 알 수 있다. 따라서 이 장에서 제시된 다양한 주장들과 연구결과들을 상기하면서 수업을 하려고 하는 노력이 요구된다. 아울러 뇌기반 학습이론에서 제시하고 있는 여러 가지 연구결과들을 미국과 구미의 학교교육에서 많이 적용되고 있는 학습 스타일과 어떻게 연관시켜 논의할 것인지에 대해서 역시 생각해 볼 필요가 있다.

학습활동과 토의주제

1. 뇌기반 학습(brain-based learning)과 구성주의(constructivism)를 비교해 봅시다. 두 이론들이 어떠한 면에서 관련성이 있는지 생각해 봅시다.

2. 교육자가 인간의 뇌 즉 학습자의 뇌에 대하여 해부학적, 신경학적, 기능적, 지능이론적 관점에서 이해할 필요가 있는지 고민해 봅시다. 필요하다면 어떠한 이유와 측면에서 그런지 토론해 봅시다.

3. Caine과 Caine, Jensen의 뇌의 학습원리에 근거한 정혜선의 뇌의 학습 원리 7가지를 교육과정에서 그리고 교실수업에서 어떻게 반영할 수 있을지 그 예를 만들어 봅시다.

4. 뇌기반 학습이론에 의하면 교육과정의 설계뿐만 아니라 교사의 수업방식과 학생들을 대하는 태도와 밀접한 관련이 있다. 소개되어 있는 개념과 이론들을 참고로 하여 뇌기반 학습 이론의 측면에서 보는 이상적인(바람직한) 교사상은 어떤 것인지 그 기준을 열거해 봅시다.

5. 지금까지 자신을 가르쳤던 선생님들을 회상해 봅시다. 그중 뇌기반 학습 이론적 측면에서 긍정적인 성향을 가진 선생님이 있었다면 그 분의 교수성향, 교수방법 혹은 자주 사용한 용어 등에 대해 이야기 해봅시다.

참고문헌

강문선(2003). 선행 조직자 활용 수업의 뇌 과학적 의의와 방법. 서울교육대학교 교육대학원 석사학위논문.

곽서은(2004). 뇌친화적 학습 원리를 적용한 과학 수업의 효과. 서울교육대학교 교육대학원 석사학위논문.

김영천 편(2002). 교과교육과 수업에서의 질적연구. 서울: 학지사.

김유미(2003). 뇌기반 교수-학습에서 동기유발, 열린유아교육연구, 8(1), 930110.

문승호(2004). 뇌기반 학습이론에 기초한 교육과정 개발 모형. 한양대학교 대학원 석사학위논문.

박미자(2003). 외국의 뇌기반 학습과학 연구의 최근 동향. 제1회 뇌기반 학습과학 심포지엄 자료집. 103-116.

박재근 · 김용진 외(2002). 사고 활동 중의 전방전두엽에서의 뇌전도 분석에 기초한 두뇌의 활성화 상태 분석. 한국생물교육학회지, 30(1), 54-65.

박찬웅(1998). 뇌: 학습과 기억의 구조. 서울: 서울대학교 출판부.

신선영(2003). 뇌 친화적 학습 원리를 적용한 슬기로운 생활 수업의 효과. 서울교육대학교 교육대학원 석사학위논문.

이용숙 · 김영천(1998). 교육에서의 질적 연구. 서울: 교육과학사.

이은이(2000). 뇌과학에 기초한 암기학습과 이해학습의 비교 분석. 서울교육대학교 교육대학원 석사학위논문.

이효순(2001). 초등학교 아동이 인식하는 뇌 친화적 요소와 과학태도 및 과학학습기억의 관계. 부산교육대학교 대학원 석사학위논문.

최선희(2002). 두뇌기반학습 원리에 기초한 초등 과학수업의 효과. 서울교육대학교 교육대학원 석사학위논문.

Caine, G., & Caine, R, N. (1990). Understanding a brain-based approach to learning and teaching. Educational leadership, 48(2). 66-70

Jensen, E. (2000d). Brain-based learning. San Diego, CA: The Brain Store, Inc.

McREL (2002). 학업성취를 위한 효과적인 수업방법. 진주교육대학교 · 경상남도 교육청 수업개선 국제 워크숍. 2002년 9월 24일.

Restak, R. (2004). The new brain. *The Futurist*, 38(1). 34-5.

Rhodes, M. (2003). Brain-Based, Heart-Felt. *Principal Leadership*, 3(9). 38-40.
Short, C. E. (Ed.). (1991). *Forms of curriculum inquiry*. NY: SUNY Press.
Wiggins, G., & McTighe, J. (1998). *Understanding by design*. VA: ASCD.

제17장

다중지능이론과 교육과정 설계: Multiple intelligences design

이 장의 공부할 내용

지능에 대한 전통적인 개념
다중지능이론의 이해
다중지능이론이 적용된 교육모델
다중지능이론과 교육과정
다중지능이론과 교수-학습 방법
다중지능이론과 학습자 평가

Howard Gardner

Howard Gardner는 하버드대학교와 대학원을 졸업하고 현재 하버드대학교 교육학과의 교수로 재직하고 있다. 루이빌대학교의 그레여마이어 상을 수상한 유일한 미국인이며, 1984년에 맥아더연구상을 수상하기도 하였다. 학부시절에는 에릭슨의 지도를 받았고 대학원 시절에는 브라운의 지도학생이었으며 학문교육과정으로 유명한 브루너의 연구조교로 활동하였다. 하버드대학교 교육학과의 교수로 부임하면서, Gardner는 인간의 인지발달, 지능, 창의성에 깊은 관심을 보였고 많은 연구를 수행하기에 이르렀다. Gardner는 철학자 굳만이 창설한 하버드 프로젝트 제로의 핵심인물로서 지난 25년 동안 활동해왔고 현재는 퍼킨스(David Perkins)와 함께 이 프로젝트의 소장을 역임하고 있다. 이 기간 동안 인간의 상징체계의 발달과정, 예술적 창의성의 특징, 미디어의 영향 등을 주로 심리학적 관점에서 연구해오고 있으며 최근에는 학교교육과 관련된 좀 더 실제적인 이슈들을 『다중지능이론과 실제』(김명희 역, 1997)와 같은 책을 통하여 교육과정, 수업, 평가와 관련하여 연구하고 있다. 그러한 연구결과는 Gardner를 미국의 유치원 교육에서부터 중등교육의 교육과정설계 수업, 그리고 평가의 실제에 직접적으로 영향을 끼치는 미국 교육개혁을 위한 이론창시자로서 만들고 있다.

인간발달과 능력에 대한 Gardner의 연구는 마침내 1983년 『마음의 틀(Frames of Mind)』로 완결되었는데 자신이 항상 질문하였던 문제들(인간의 능력은 무엇인가? 인간이 창의적이라는 것은 무엇인가? 우리 교육자는 아동의 숨겨진 잠재력을 어떻게 이끌어내고 개발할 수 있을 것인가)에 대한 한 가지 해답으로서 '다중지능이론'이라는 개념을 제시하기에 이르렀다. 그의 다중지능이론 『마음의 틀』은 출간되자마자 교육자, 교육정책가, 교사, 학부모로부터 많은 긍정적 반향을 일으켰는데 그 근본 이유는 우리가 수용해왔던 인간의 능력, 또는 지능에 대한 오랫동안의 믿음을 의문시하고 대안적 관점에서 인간의 능력을 재해석하고 있기 때문이다. 미국 심리학회에서 주는 윌리엄 제임스 상을 받았고, 루이빌대학교의 그레여마이어 상, 베르나르 과학 저널상 등 많은 상을 수상하였다. 2005년 '세계 100대 지성'에 선정되었고, 2008년 월스트리트저널이 세계의 유명 경영학자 중에서 선정한 '가장 영향력 있는 경영 사상가 20인' 중 5위를 차지하기도 하였다.

주요 저서

1993, Frames of Mind: The Theory of Multiple Intelligences: Basic Books.
1993, The Unschooled Mind: How Children Think and How School should teach: Basic Books.
2006, Changing Minds: The Art and Science of Changing our own and Other People's Minds: Havard Business School Press.
2009, Five Minds for the Future: Havard Business School Press.

다중지능이론은 1980년대 이후 구미와 서구의 학교 수업과 교육과정에 직접적인 영향을 미친 대표적인 이론이다. 이 이론의 영향은 학교 현장에서뿐만 아니라 교육과정과 수업설계, 교수-학습 방법 그리고 학습자의 평가에서도 다양한 형태로 나타났다. 이에 이 장에서는 다중지능과 관련된 다양한 이론적/실천적 방법에 대하여 살펴볼 것이다. 먼저 전통적인 지능의 개념과 다중지능이론에서의 지능의 개념을 소개함으로써 논의를 좀 더 깊이 있게 이해할 수 있도록 하였고, 다중지능이론이 성공적으로 접목된 학교들을 소개함으로써 새로운 학교개혁의 움직임을 소개하였다. 그리고 교육과정과 수업설계, 교수-학습 방법 그리고 학습자의 평가에서도 다중지능이론이 어떻게 다양한 형태로 접목되고 실천되고 있는지 소개하였다.

지능에 대한 전통적인 개념

사람들은 일반적으로 지능이라고 하면 IQ로 알려진 지능검사의 결과를 떠올린다. 그리고 사회가 요구하는 일반적인 지식이 풍부한 사람을 지능이 뛰어나다고 인식하였다. 지난 100년 동안 우리는 현명한 사람들을 구별 · 인식하는 방법으로 IQ검사를 사용해왔다. 하지만 이러한 IQ검사는 인간이 보여주고 사용할 수 있는 능력의 다양성, 즉 음악, 미술, 자연, 사회적 능력 등을 간과하는 한계를 가지고 있다(김명희 · 김영천, 1997; Armstrong, 2003; Gardner, 1983; Hatch & Gardner, 1986).

실제 지능검사와 지능지수는 20세기의 시작과 함께 파리의 교육자들이 심리학자인 알프레드 비네와 사이몬에게 학생의 능력을 발견할 수 있는 검사를 만들어 주기를 요청하면서 탄생하게 되었다. 1930년대에 이르러 이 지능검사는 터만에 의하여 스탠포드-비네 지능검사로 개정되었고 정신연령과 신체연령을 비교하여 산출하는 지능지수의 개념이 도입되었다. 비네의 지능검사는 미국의 교육상황에서 성공적으로 수용되어 학생들이 학업을 얼마나 성공적으로 연마할 수 있을 것인가 하는 것을 예측하는 방식으로 사용되었다. 따라서 스탠포드-비네 지능검사와 웩슬러 지능척도는 아동의 능력과 지능을 평가하는 가장 일반적으로 이용될 수 있는 검사도구로 인정되기에 이르렀다. 그러한 지능검사의 일반적인 영향력은 한 극단적인 예로서 지능지수 100을 평균으로 하여 지능지수 130을 받은 학생은 재능아 또는 영재교육 프로그램에 배치시키고 지능지수 81점을 받은 학생은 특수교육을 받아야 하는 학생으로 평가하는 교육적 실제를 양산하게 되었다. 현재 지능검사는 미국을 포함한 전 세계 학생들의 능력을 평가하는 국가적, 세계적 준거로서 자리 잡고 있다.

이 지능검사에서 중요하게 부각되는 한 가지 중심 가정은 인간의 능력이 일반지능 또는 원지능으로서 해석되고 있는 점이다. 인간의 지능은 어떠한 문제사태나 자극, 정보에 반응할 때 나타나는 어떤 단일한 능력으로 정의되고 있다. 사물을 학습하고 조작하는 능력은 하나의 보편적인 능력에서 나오는 것으로 가정되고 있다. 즉, 어떤 문제 상황이나 자극에 노출되었을 때 그것을 해결할 수 있는 방법이나 원리는 오직 최선책만을 선택할 수 있다고 생각한 것이다.

다중지능이론의 이해

인간의 지능을 여덟 개의 영역으로 제시한 다중지능 이론은 인간의 인지발달 · 학습스타일 · 지능에 대한 새로운 이론적 토대를 제공함으로써 미국의 교육학 연구와 학교 현장에 새로운 기운을 불어넣었다. 이 절에서는 이와 같이 교육에 새로운 기운을 불어넣은 다중지능이론에 대한 이해를 돕기 위해 다중지능이론의 개념과, 지능의 영역에 대하여 살펴볼 것이다. 다중지능이론에서 이야기하는 의미와 발달 가능성으로서의 지능의 의미는 학교 현장에서 아동을 이해하고 교육 현상을 이해하고 바라보는 데 도움을 줄 것이다.

다중지능이론의 개념

다중지능이론은 Howard Gardner에 의해 만들어진 인간의 지적 능력을 이해하는 이론중의 하나이다(Gardner, 1983). Gardner는 자신의 다중지능이론을 설명하는 데 있어 다음 세 가지 특징에 주목하여 지능을 정의하고 특징화시켰다(Nelson, 1997): ① 다중의 의미로서 지능, ② 실제 사태에서의 조작능력과 산물 구성능력으로서 지능 ③ 발달 가능성으로서 지능. 그가 주장한 이 세 가지 특징은 인간의 지능을 지적 능력으로만 인식하던 기존의 견해와는 매우 다른 것으로 아동의 지능을 새로운 시각에서 이해할 수 있도록 해주었다. 다음에서는 인간의 지능을 새롭게 정의한 다중지능이론의 세 가지 특징에 대해 자세히 살펴볼 것이다.

다중의 의미로서 지능

인간의 지능을 지능검사에 의한 단일한 능력으로 정의하였던 기존의 개념과 달리, Gardner는 인지과학, 발달심리학, 신경과학에서 이루어진 연구결과에 근거하여 인간의 지능을 여덟 개의 영역으로 구성하였다. Gardner에 따르면 인간은 수백만년을 통하여 적어도 여덟 가지 형식의 앎의 방식 또는 정보처리 형식을 수행할 수 있도록 진화해 왔다: ① 언어적 지능, ② 논리수학적, ③ 공간지능, ④ 음악지능, ⑤ 신체-운동지능, ⑥ 대인관계 지능, ⑦ 개인이해 지능, ⑧ 자연현상 분석지능. 따라서 정상적인 인간은 이 여덟 개 영역에 대해 어느 정도의 능력을 가지고 있으며, 특정 영역의 능력에서 두각을 나타낼 수 있다. 이러한 인간의 여덟 가지 지능은 우리 뇌의 여러 영역에 위치해 있으며, 또한 상호 관련되어 있어서, 상호 의존적으로, 때로는 독립적으로 작용한다는 사실을 제안하였다. 그러나 부분적으로 유전의 문제와 환경적 요인에 의하여, 아니면 유전과 환경의 상호작용 효과로 인하여 우리 인간은 지능의 프로파일에서 현격한 차이를 갖게 된다.

Gardner는 우리가 지금까지 수용해 왔던 일반적인 지능의 개념이 인간의 능력이 갖는 다양한 지능의 능력을 표현하는 데 부적절하다고 지적하고 있다(Gardner, 1983; Hatch & Gardner, 1986). 지능은 역동적이고 다측면적이어서 지적 능력을 특히 단일점수로서 양화시키는 것은 잘못된 것이며, 한 개인의 잠재력을 평가 절하할 수 있는 가능성이 있다는 입장에 있다. 이에 Gardner는 어떠한 특정 지능 점수도 인간의 지능을 구성하는 보편적 내용을 지엽적으로밖에 표현하지 못하는 것임을 지적하면서(Gardner, 1983; Sternberg, 1981) 아동에게는 모든 기술과 문제해결 능력을 관장하는 생래적인 고정된 하나의 속성이 존재하는 것은 아니라고 결론짓고 있다. 물론 지금까지 인정되어 왔던 원지능의 존재를 부인하는 것은 아니지만 하나의 개념으로 설명되지 않는 지능의 가능성을 탐구하는 것이 필요하다는 주장이다.

지능에 대한 Gardner의 새로운 이론화는 그의 다양한 의학적 실험과 분석, 그리고 문화연구를 통하여 도출되었다는 점에서 독특하다. 뇌손상을 입은 아동의 연구에서부터 다양한 문화에서 가치를 인정받고 능력에 대한 조사를 통하여, Gardner(1983)는 지능은 적어도 여덟 개의 상이한 능력의 조합으로 이해해야 한다고 주장하고 있다. 예를 들면, 뇌손상을 입은 아동의 연구에서는 언어적 능력을 상실한 아동이 여전히 음악적 능력을 소유하고 있다는 사실을 밝힘으로써 지능은 여러 개의 상이한 능력으로 구분되어 있음을 밝혔고, 문화 연구를 통해 우리가 뛰어나다고 규정하는 지능의 개념이 문화적으로 상대적인 것임을 밝혔다. 예를 들어 South Sea의 Puluwat 섬사람들에게 있어서 가장 중요한 지능은 공간지능이며, 사냥과 채집이 중요하게 간주되는 사회에서는 신체 · 운동적 지능이 가장 바람직한 것으로서 받아들여지고 있다는 것이다. 이러한 지능에 대한 사회학적 · 인류학적 해석은 언어 · 논리 · 수학적 능력만을 지능의 주요 구성요소로 간주한 서구사회의 그것과는 다른 것임을 지적하였다. 이러한 점에서 Gardner는 현재의 지능검사에서 타당화되고 있는 언어적 · 논리적 능력이 뛰어난 학생만이 지능이 높은 것으로 평가받는 것과 함께, 그 외 여섯 가지 지능의 영역에서 높은 수행수준을 보이는 경우 역시 '지능이 높은 것' 으로 평가해야 한다고 주장한다.

실제 사태에서의 조작능력과 산물 구성능력으로서 지능

Gardner는 지능의 개념을 인간이 실제생활에서 특정한 상황에 부딪혔을 때 자신의 이해와 해석에 근거하여 구체적 산물을 만드는 능력으로 확대, 심화시키고 있다. 그에 따르면, 특정한 실제생활의 문제사태에 직면했을 때 학습자가 문제를 해결하지 못하거나 만족스러운 수행의 증거를 보여주지 못하면 알지 못하는 것으로 정의내린다. 또한 자신의 이해를 보여줄 수 있는 산물을 만들지 못한다면 그것은 이해했다고 볼 수 없으며 알지 못하는 것으로 정의한다. 이러한 점에서 Gardner는 인간의 능력을 측정하기 위하여 실시하고 있는 지능검사는 인간의 능력을 정확하게 평가하는 데 문제점이 있음을 지적하고 있다. 즉, 우리가 인간의 언어적 능력을 평가하기 위해서는 인위적이고 가역적인 지필검사의 상황에서 특정 단어의 이해 정도(비슷한 말, 반대말, 단어의 뜻 등)를 파악할 것이 아니라, 학습자가 자신의 실제 생활에서 어떠한 언어적 능력을 구사하고 있고 보여주고 있느냐를 평가해야 한다는 것이다.

이러한 지적은 오늘의 학교에서 실시하고 있는 중요한 두 가지의 학습자 능력검사인 학업 성취방법과 지능검사 모두 인간의 능력을 적절하게 보여줄 수 있는 방법이 아니라는 점으로 연결되고 있다. 지필검사에서 나타나게 될 (그리고 요구하는) 학생이 보여줄 가상적이고 인위적인 상황에서의 문제해결 능력과 조작 능력은 실제 생활세계에서 접하게 되는 실제적 과제를 조작하고 해결하는 능력과는 관계가 없거나 상관관계가 낮을 수도 있다는 점이다. Gardner의 이러한 지적은 전통적인 학교 평가방법의 적절성과 합법성에 대한 근본적인 도전과 함께 새로운 방식의 평가방법의 개발을 요구하는 것이다. 이러한 지적이 오늘의 우리나라에서도 또 다른 평가방향으로 대두된 대안적 평가가 나타나게 된 이론적 배경이기도 하다.

발달 가능성으로서 지능

Gardner는 인간의 여덟 가지 지능은 적절한 환경적인 조건에 의하여 발달한다고 믿었다. 특히 인간의 지능은 성숙될 수 있고 강화될 수 있다는 Gardner의 주장은 지능이 다소 생래적이고 단일하며, 측정 가능한 것이라고 믿어 왔던 종래의 관점과 상치되는 것이기 때문에 최대한의 효과적인 학습과 성취를 위하여 어떻게 학생을 가르쳐야 할 것인가에 대한 교육과 학교의 역할에 대한 새로운 중요성을 부각시키고 있다. Gardner의 발달 가능성으로서 지능의 정의는 교육과정연구자와 개발자에게 교육과정과 수업을 어떻게 설계하는 것이 학생의 잠재력과 능력을 끌어올릴 수 있을 것인가라는 문제에 탐구의 초점을 맞추게 한다.

다중지능의 영역

다음은 Gardner가 이론화시킨 인간에게 보편적으로 내재한 지능의 여덟 가지 영역이다. Gardner(1983)는 『마음의 틀』을 통해 처음에는 인간의 지능을 일곱 가지 영역으로 제시하였는데, 이후 계속적인 연구를 통해 새로운 지능의 영역을 계속 규명해 나가고 있다. 이에 이 글에서는 이후 밝혀진 자연현상 분석지능과 실존적 지능 중 자연현상 분석지능을 첨가하여 소개하였다.

언어적 지능. 언어를 구사하고 말의 뉘앙스, 순서, 리듬에 대한 이해와 표현능력을 말한다. 이 영역에 높은 지능을 가지고 있는 학생들은 말하기를 좋아하며 이야기를 잘 만들고 글쓰기를 좋아한다. 이름과 장소, 날짜 등을 이유 없이 잘 외우는 아동들은 이 영역에 높은 능력을 가지고 있을 가능성이 높다. 학습의 과정에서 나타나는 대표적인 인지적 특성과 스타일은 말하기, 토론하기, 글짓기이다. 이 지능을 잘 사용하는 전문가 또는 이 지능이 요구되는 생활영역으로는 작가, 강연가, 비서, 사업가, 만담가, 코미디언, 시인과 영화배우 등이 있다.

논리-수학적 지능. 연역적, 귀납적 사고를 잘하는 능력을 말한다. 아울러 복잡한 수학적 계산과 사물 간의 논리성을 과학적으로 구성하는 추리능력, 추상적인 패턴과 관계들에 대한 인식능력이 포함된다. 이 지능에 뛰어난 아동은 문제해결력과 사유기술이

돋보이며, 사건과 사물의 해석을 위하여 논리와 추론이라는 과학적 사고의 과정을 곧 잘 따른다. 과학자, 수학자, 컴퓨터프로그래머, 법률가, 회계사, 논리학자, 통계학자가 이 영역에 속한다.

공간지능. 현상이나 사물을 시각적-공간적 표현방식으로 변형하거나 발전시킬 수 있는 능력을 말한다. 이 지능이 뛰어난 학생들은 그림 그리기, 만들기, 디자인하기, 배열하고 재편성하기를 좋아하며 자신에게 주어지는 정보를 그림이나 이미지, 공간적 배열을 통하여 변경하는 데 관심을 둔다. 이 지능이 특별하게 요구되는 전문직으로는 시각예술가, 안내자, 정찰병, 수렵가, 지도제작자, 건축가, 화가, 조각가, 외과의사, 성형외과의사, 실내장식가, 패션코디네이터 등이 있다.

음악지능. 자신의 감정을 음악적으로 잘 표현하며 소리가 갖는 다양한 특질(높낮이, 울림, 리듬)에 매우 민감하게 반응하고 표현할 수 있는 능력을 말한다. 여러 개의 음의 독특한 차이를 매우 정확하게 인식하거나, 남이 의식하지 못하는 주변의 소리자극에 매우 예민하게 반응하는 아동은 이 지능의 영역에 높은 능력을 가졌다고 볼 수 있다. 가수, 작곡가, 무용가, 음악선생님이 이 영역에 속한다.

신체운동지능. 외부의 자극과 정보, 문제를 자신의 육체를 통하여 인식하고 이해하는 능력을 말한다. 자신의 육체를 잘 통제할 수 있는 능력을 소유하고 있다. 남들이 쉽게 하지 못하는 몸놀림이나 표현 등을 어렵지 않게 따라하는 아동이나, 만지기를 좋아하고 돌아다니기를 좋아하며, 몸의 제스처를 자연스럽게 사용하는 아동은 이 영역이 뛰어나다고 할 수 있다. 영화배우, 운동선수, 외과의사, 판토마임, 무용가 등이 이 영역에 속한다.

대인관계 지능. 다른 사람의 마음, 감정, 느낌을 잘 이해함으로써 다른 사람과 효과적으로 조화스럽게 일할 수 있는 능력을 말한다. 타인의 마음의 현재 상태가 어떠한지 추론할 수 있고, 인간이 가지고 있는 상이한 감정의 다양한 특성을 잘 알고서 그에 맞게 올바른 대처양식을 개발할 수 있다. 여러 사람이 각각 공유하고 있는 차이점을 이해할 수 있으며 그에 근거한 유려하고 세련된 의사소통의 방식을 가지고 있다. 이 영역에 뛰어난 아동은 조직과 집단 내에서 협동을 항상 유지하며, 특정 목표를 달성하기 위하여 집단을 형성하고, 리더십을 구사하며, 심지어 갈등이 유발되었을 때도 조정과 협상의 테크닉을 통하여 사태를 잘 마무리한다. 교사, 상품판매인, 상담가, 종교지도자, 사업가 등에서 이 능력이 특별하게 요구된다.

개인이해 지능. 자기 자신의 본 모습에 대하여 객관적이고 심층적으로 이해할 수 있는 능력을 말한다. 자신의 성격, 감정 상태, 감정의 변화, 행동의 목적, 의도에 대하여 명료한 평가를 내릴 수 있다. 이 지능이 높은 아동은 자아에 대한 애착이 강하며 확신감도 강하기 때문에 독립적으로 문제를 해결하고 일하고자 하는 경향을 가지고 있다. 마음에 대한 지식과 통제력이 높기 때문에 자신의 감정을 잘 조절할 수 있다. 철학가, 심리치료사, 종교지도자 등이 이 영역에 속한다.

자연현상 분석지능. 자연세계의 독특성을 발견할 수 있는 능력을 말한다. 이 지능이 발달한 아동은 우리 주위의 자연현상과 인간의 삶에서 나타나는 여러 가지 상호작용의 특성을 예리한 관찰력으로 찾아낼 수 있다. 주변사물(식물, 동물, 물건들)과 사건들에 무척 깊은 관심을 가지고 있는 아동은 이 지능이 잠재적으로 높다고 할 수 있다. 식물학자, 동물학자, 물리학자, 인류학자가 이 영역에 속한다.

지금까지 살펴본 다중지능의 여덟 개의 영역의 내용을 정리하면 다음 표 17-1과 같다.

표 17-1에 제시된 여덟 가지 영역은 두뇌의 부위와 위치에 따라 독자적 영역을 갖고 있다. 누구나 모든 지능 영역을 보유하되, 각 지능 영역별 능력수준에는 개인차가

〈 표 17-1 다중지능이론의 여덟 가지 영역에 대한 이해 〉

영역	능력	좋아하는 활동	촉진하는 학습활동	작업군
언어	• 어휘의 유창성 • 복잡한 아이디어를 적절한 언어로 표현하기 • 단어의 뜻과 규칙 이해하기	• 말하기 • 글짓기 • 토론하기	• 다양한 어휘 표현활동 • 강의 듣기 • 토론	작가, 강연자, 비서, 사업가, 만담가, 코미디언, 시인, 영화배우 등
논리–수학	• 추상적인 수체제 사용하기 • 행동, 사물, 아이디어에 존재하는 관련성 파악하기 • 계열적인 추론 기술	• 문제해결능력 (상황판단능력) • 추론하기 (관계망 짓기) • 수리력	• 숫자놀이활동 • 과학적 사고와 탐구 • 복잡한 계산	과학자, 수학자, 컴퓨터프로그래머, 법률사, 회계사, 펀드매니저, 통계학자 등
음악	• 소리와 리듬에 대해 사고하기 • 음악 작곡하기 • 악기 연주하기	• 음의 차이 인식 • 소리자극에 대한 해석	• 감상 (소리 및 리듬)	가수, 작곡가, 무용가, 음악선생님 등

(계속)

영역	능력	좋아하는 활동	촉진하는 학습활동	작업군
공간	• 그림에 대해 생각하기 • 3D(입체) 표상화하기 • 창의적인 그래픽 사용하기	• 그림그리기 • 만들기 • 디자인하기 (재배열/재편성)	• 방향감각 • 색채감각	안내자, 정찰병, 수렵가, 지도제작자, 건축가, 화가, 조각가, 외과의사, 실내장식가, 패션코디네이터 등
신체 –운동	• 몸의 표현방법으로서 움직임에 대한 생각하기 • 행동의 시기와 방법 알기 • 신체 기술 향상시키기	• 표현의 능숙함 • 창의적 표현	• 신체적 움직임 • 창의적인 몸짓	영화배우, 운동선수, 외과의사, 무용가 등
대인 관계	• 분위기와 타인의 감정 이해하기 • 타인과 잘 결합하기 • 리더십 발현하기	• 의사소통하기 • 협동학습 • 리더십	• 협동심 • 희생정신	교사, 상품판매인, 상담가, 종교지도자, 사업가 등
개인 이해	• 분명한 자아의식 • 자신의 강점과 약점 인식하기 • 사고와 학습과정에 대해 반성하기	• 자아에 대한 강한 애착 • 독립적으로 문제해결	• 자기인식 (동기부여) • 삶의 목표설정	철학가, 심리치료사, 종교지도자 등
자연 탐구	• 자연세계 이해하기 • 특징별로 분류하고 범주화하기 • 생명체나 식물과 상호 작용하기	• 자연현상에 대한 애착 • 주변사물에 대한 예리한 관찰	• 세밀한 관찰활동 • 시간적 흐름에 따른 성숙과정 파악 및 인식	식물학자, 동물학자, 물리학자, 인류학자 등

있다. 또한 대부분의 실제 문제상황에서 여덟 가지 지능 영역은 상호 연계되어 조합된 형태로 나타난다. 예를 들어, 뛰어난 설치미술가에게 필요한 능력은 공간지능과 신체-운동지능, 개인이해 지능이다. 펀드매니저에게 필요한 능력은 논리-수학지능(경제감각 · 수리계산력), 언어지능(논리적 설명), 대인관계 지능(설득)일 것이다. 그리고 개인지능(personal intelligences)에 해당하는 대인관계 지능과 개인이해 지능은 인간의 직무수행에 가장 중요한 역할을 하는 능력이다(정태희, 1998; Hoerr, 2003). 이 두 영역은 다른 지능 영역의 활동에 깊은 영향력을 행사하며, 사회구성원으로서 인간에게 절대적으로 필요한 능력이기 때문이다. 그러므로 개인지능이 높으면 높을

수록 다른 지능 영역의 수준이 높아지게 된다.

다중지능이론이 적용된 교육 모델

다중지능이론에 대한 관심이 증가함에 따라 다중지능이론을 학교 현장에 적용한 교육모델도 활발하게 개발되고 있다. 이 절에서는 많은 사례들 중 다중지능이론이 성공적으로 적용된 세 가지 모델(프로젝트 스펙트럼, 인디애나 키 초등학교, 그 밖의 다중지능학교)을 중심으로 소개하고자 한다. 이미 이론적 의미를 넘어 학교 현장에서도 커다란 교육적 가치를 지닌 것으로 밝혀진 다중지능의 구체적인 적용사례를 살펴보는 것은 학교 현장의 개선과 실제에 커다란 도움을 줄 것이다. 이에 먼저 인간의 지능과 강점을 발견하고 측정하기 위해 Gardner와 그의 동료들이 개발한 평가방법인 프로젝트 스펙트럼을 소개하였다. 다음으로 인간이 가지고 있는 여덟 개의 지능을 발견하고 개발할 수 있도록, 초등학교 6년간의 교육과정을 개편하고 학생들의 잠재된 지능을 개발할 수 있도록 다양한 교육적 경험을 제공하기 위해 수업을 개선한 인디애나 키 다중지능초등학교의 사례를 제시하였다. 마지막으로 그 밖의 성공적인 다중지능학교들을 소개함으로써 다중지능이론이 적용되고 활용되고 있는 실제를 이해할 수 있도록 하였다.

프로젝트 스펙트럼

프로젝트 스펙트럼(project spectrum)은 다중지능의 여덟 개의 영역들과 관련된 인간의 지능을 평가할 수 있는 방법적 도구이다. Gardner와 펠드만은 지필검사 중심의 학교평가가 인간이 가지고 있는 지능의 다양한 영역들을 효과적으로 발견할 수 없다는 사실에 착안하여 학습자의 일곱 개의 지능을 발견하고 그 강점을 규명할 수 있는 프로젝트를 개발하였는데 그 방법이 프로젝트 스펙트럼이다(Krechevsky, 1994). 프로젝트 스펙트럼은 Gardner가 정의한 것처럼, 인간의 능력은 구체적인 실제 과제의 수행과정에서 드러나는 것이기 때문에 그러한 능력을 구체적으로 발견할 수 있는 활동(스펙트럼)을 구성하고 경험의 기회를 주어야 한다. 이것은 특정한 과제를 접하기 전에는 숨겨진 인간의 특정한 능력이 드러날 수 있는 기회가 없기 때문에, 인간의 다중지능에 대한 발견과 평가는 전통적인 지필검사 방법에 의해서가 아니라 실제 과제와 활동에 의하여 가능하다는 전제에 근거하고 있다. 이러한 평가관에 근거하여 연구자들은 유아에서 초등학교 저학년 아동들의 다중지능의 강점을 규명하기 위하여 아동들에게 충분한 표현과 경험의 기회를 주고자 하였다.

즉, 프로젝트 스펙트럼의 기본 가정은, 예를 들면 아동이 가지고 있을 잠재된 기계적 조작 능력은 기계설명서나 잡지를 읽는 것으로가 아니라 물건의 조작, 조립의 과정을 통하여 드러날 것이며, 이와 똑같은 이유로 신체-운동적 지능은 아동이 춤을 추거나 야구공을 던지거나 하는 수행의 상황이 제공될 때 측정 가능하다는 것이다. 다시 말하면, 연필을 가지고 답을 잘 쓰는 능력이 아니라 육체를 잘 조절하고 움직이는 실제 통제 능력이 평가의 대상이 되어야 한다는 것이다. 이러한 점에서 Gardner와 펠트만은 아동이 가지고 있는 지능을 드러낼 수 있는 스펙트럼을 탐구하고자 하였고, 논리와 언어적 능력 중심의 전통검사에서 탈피하여 구체적인 일곱 개의 지능 영역들에서의 아동의 능력을 평가할 수 있는 방법적 도구를 개발하게 되었다.

다중지능학교: 인디애나 키 초등학교

다중지능이론이 교육에 새로운 방향과 지침을 제공하면서 미국에서는 500여 개의 다중지능학교가 생겨났다. 여기에서는 많은 다중지능학교 중 성공적인 사례로 꼽히는 인디애나 키 초등학교를 소개하고자 한다. 인디애나 키 초등학교에서 교사들은 다중지능이론을 실현할 수 있는 교육과정을 개발하였다. 그리고 이러한 교육과정을 바탕으로 학생들의 다중지능을 개발할 수 있는 수업과 활동으로 구성한 대표적인 다중지능학교이다. 우리는 인디애나 초등학교의 사례를 통해 다중지능이론을 이용한 학교 교육과정의 실제와, 수업활동의 구성 및 평가가 어떻게 이루어지는지 좀 더 명확하게 알 수 있을 것이다.

1995년 미국의 인디애나 주, 인디애나폴리스의 공립학교에 재직하고 있던 여덟 명의 교사는 Gardner의 다중지능이론이 주는 매력에 심취하였다. 의기투합한 이들은 초등학교 교육과정을 다중지능이론에 근거하여 새롭게 개발하기로 마음먹었다. 그들은 아울러 시카고 대학의 심리학과 교수인 식스젠미할리(Csikszentmihlyi)의 학습동기이론과 창의성이론을 적용하여 교육과정을 개발하였다. 또한 정력적이고 비전을 가지고 있었던 패트리시아 볼라노스 교장선생님은 이들의 교육과정 개발을 적극지원하고, 모금활동을 통해 연구비를 모으면서 초등학교 교육과정을 새롭게 개편하였다.

그 결과 인디애나폴리스 공립학교 중에서 인디애나 키 초등학교가 선택학교로서 인기를 받게 되었다.

키 초등학교의 학생들은 지능의 여러 영역들을 개발하기 위해 매일 주제별 교육과정과 함께 계산, 음악, 신체-운동적 기능을 강화시키는 활동에 규칙적으로 참여한다(Bolanos, 1997). 교장 선생님인 패트리샤 볼라노스의 교육 철학처럼, 학생들은 창의적으로 생각하고, 전통학교교육에서 강조하는 언어 능력과 수학 능력 이외에도 다양한 능력을 시도하고 실험해 보도록 지도받는다. 학습과 수업은 최대한도로 학생의 개인적 흥미와 잠재력을 개발하는 방향으로 진행된다. 그리고 학생의 학습스타일에 맞는 과제가 일상적 경험과 활동을 중심으로 전개되기 때문에 수업은 수동적이지 않고 능동적이다.

다중지능을 성공적으로 이끌기 위해 이 학교가 가지고 있는 교육과정의 또 하나의 특성은 파드 프로그램(pod program)이다. 이 프로그램은 학년에 상관없이 학생들이 특정 기술이나 관심 있는 학문분야를 연마하기 위해 도제식으로 활동하는 프로그램이다. 이 과정은 집단과제와 활동을 강조하는 데 나이가 다양한 학생들이 함께 상호 협조하면서 탐구함으로써 대인관계 지능을 향상하게 된다. 그리고 파드 프로그램은 목표를 달성하기 위하여 학교의 교육과정이 지역사회와 깊이 연관되어 실시된다. 일주일에 한 번, 특정 직업이나 능력 분야의 전문가가 학교로 초빙되어 모든 학생들에게 전문 분야의 기술을 보여준다.

평가 역시 학생들이 수행한 프로젝트의 결과를 중심으로 이루어진다. 그리고 이러한 평가를 할 때에는 학생, 교사, 학부모, 지역사회의 구성원들이 모두 참여한다. 학생의 프로젝트에서 나타나는 개인별 특성과 발달적 난이도를 평가하기 위하여 크게 다섯 개의 평가차원이 적용된다: 개인별 프로파일, 사실 · 기술 · 개념의 이해정도 작업의 질적 수준, 의사소통과 표현의 능력, 반성능력. 이 과정을 통하여 학생의 독특한 능력, 제한점, 인지적 능력이 도출된다. 평가는 전통적인 몇 %의 등급에 근거하지 않으며 학생들의 발달에 초점을 맞추어, 만족스러운, 향상, 발달 필요의 세 가지 형식을 적용함으로써 학생들을 낙담시키지 않고 개인의 내적 발달을 허용하며 언제 조언이 필요한지를 시사해준다.

그 밖의 다중지능이론이 적용된 사례

이 절에서는 다중지능이론이 다양한 형태로 적용되고 있는 미국의 다중지능학교들을 간단하게 정리하였다. 이것은 다중지능이론이 천편일률적으로 적용되고 개발되는 것이 아니라 학교의 사정과 실태에 맞게 다양한 형태와 방법으로 적용되고 개발되는 것을 보여준다. 이것은 각 학교가 가지고 있는 문제점 혹은 수업이 가진 문제점을 개선하기 위해 또는 교장이나 교사의 신념, 교육철학에 따라 다양한 형태로 개발되고 적용된다. 구체적인 예를 살펴보면 다음과 같다.

Russell 초등학교는 다중지능이론의 적용을 통해 기존의 학교 교육과정과 수업환경을 새롭게 재구조화한 학교이다. 다중지능이론을 적용하기 이전의 Russell 초등학교는 교사중심의 강의식 수업과 지필검사와 주(state) 단위 검사에 의존하는 전통적인 학교였다. 하지만 다중지능이론을 적용하면서 학생중심의 교육과정으로 개편하고 예술을 통합한 수업을 통해 커다란 변화를 이루었다. 또한 평가에 있어서도 프로젝트 평가를 도입하여 학생들의 잠재력을 기를 수 있는 방향으로 바뀌었다. EXPO(Exposition for Excellence Elementary Magnet School) 초등학교는 창립 자체가 다중지능학교인 경우이다. 대부분의 학교들이 학교의 문제를 개선하거나 환경을 바꾸기 위해 다중지능이론을 학교현장에 가져오는 것이 일반적이지만 EXPO 초등학교는 설립할 때부터 다중지능학교로서 설립되었다는 특징이 있다. EXPO 초등학교는 다중지능 전문가들과 연계하여 3년간의 다중지능집단을 통해 내용교육을 선정하고 다중매체를 통한 교실평가를 통해 아동의 발달을 평가한다.

그 외에도 다중지능이론이 적용된 사례를 살펴보면 다음과 같다. Camino Real 초등학교는 철자 · 수학 · 과학 · 사회 수업에 관련된 지능 영역별 활동들을 활용하는 데 중점을 두었다. Stevens Point Area Alternative 고등학교는 위험한 상태에 처해있는 학생들의 생활이나 학습을 개선하기 위한 전략으로 다중지능이론을 적용하였다. Kansas 고등학교는 다중지능이론을 통해 영재들의 전문성 탐색에 주력하였다. Zamrando 초등학교 구성원들은 학교 교직원이나 학부모에게 다중지능이론을 설명하기 위한 방법을 직접 구상하였는데, 이러한 활동을 통해 개인만의 특별한 지능 영역을 발견하는 데 초점이 맞추어졌다. Hillcrest 초등학교는 '날씨' 라는 주제하에 통합주제단원 설계에 다중지능이론의 여러 활동을 도입시켰다. Travis Heights 초등학교에서는 지능 영역별 학습센터를 설치하여 자신의 수업에의 전이를 시도하기 위해 협조체제를 구축하였다.

이상의 사례들을 종합해 보면, 다중지능학교들은 초기에는 다중지능이론의 지능영역을 주입하거나 영역별 다양한 활동이나 작품에 대한 평가에 주력하지만, 적용과정이 지속될수록 심층적인 간학문적 다중지능 교육과정이나 프로젝트 등의 발전적이

고 심층적인 접근을 시도하는 공통점을 보여 주었다. 또한 다중지능이론이 학생들의 학습형태나 학교의 문화에 맞게 차별화되어 적용되며, 그 효과나 영향력은 매우 긍정적이라는 것을 보여준다.

다중지능이론과 교육과정

이 절에서는 다중지능이론에 기초한 교육과정 개발에 대하여 제시하고자 한다. 다중지능이론은 지필평가 중심의 지식 전달만을 강조하던 기존의 교육과정에 대한 새로운 대안이다. 다중지능이론을 기초로 한 교육과정은 학생들이 자신이 알고 있는 지식을 구체적인 산물로 만들 수 있도록 다양한 경험을 제공하고 다양한 영역들이 통합적으로 이루어질 수 있도록 교과의 통합을 도모한다. 이 절에서는 다중지능이론에 기초한 교육과정 개발과 관련된 개념을 세 가지로 살펴볼 것이다.

다중지능 교육과정 개발 단계

다중지능이론을 적용한 교육과정 개발에 있어 매트릭스의 구성요소에는 주제(핵심질문), 필수내용, 결과물, 수업과정(단원에 대한 로드맵, 다중지능이론에 기반한 학습, 사고기술, 실제생활에의 적용, 프로젝트), 다중평가(동료평가, 자기평가, 교사평가) 등이 포함된다(Campbell, Campbell, Dickenson, 2004). 내용적으로는 다중지능이론을 적용한 교육과정은 학습자의 잠재력을 충분히 개발하는 데 도움이 되는가에 초점이 맞추어져야 한다(Lazear, 2000). 이를 위해서는 교육목표 선정, 교육내용 선정 및 조직, 그리고 평가도구 개발과정에 있어서 학생들의 미래의 삶에 필요한 부분을 고려해야 한다. 실제 교실현장에서 다중지능이론을 기초로 교육과정을 개발하는 일곱 단계는 표 17-2와 같다.

통합교육과정

다중지능이론을 교육과정에서 활용할 수 있는 가장 좋은 방법은 통합교육과정을 설계하는 것이다. 통합에 근거한 교육과정 설계는 각 학문에 내재한 그리고 각 학문에

〈 표 17-2 다중지능 교육과정 개발 단계 〉

단계	핵심 활동	개발의 초점
1	특정 목표/주제 정하기	학습자의 학습경험을 고려한 생성적인 목표나 주제를 기술
2	특정 교수목표/주제에 대한 핵심 질문 제기	정해진 학습주제나 목표에 적합한 지능 영역의 구분 및 조합 • 공간적 지능 관련 주제 : '내가 어떻게 시각적인 보조기구, 시각화, 색깔, 미술을 이용할 수 있을까?' • 대인관계 지능 관련 주제: '내가 어떻게 학생들에게 협동학습 또는 대집단 모의학습을 하게 할 수 있을까?'
3	주제/목표에 적절한 방법 및 교재에 대한 가능성 생각해보기	구상한 교수-학습 전략에 적용 가능한 수업방법과 관련 교재들을 구체적으로 정하는 것
4	각 지능별 교수법에 대해 브레인스토밍하기	수업을 할 때의 접근과정에 대한 모든 가능성 탐색
5	적합한 방법 선택하기	실제 교육환경에 가장 적합하다고 생각되는 방법이나 활동을 선택
6	교수-학습 계획 세우기	선정된 교수법을 토대로 주제/목표에 도달가능한 교수계획 수립
7	실행하기	필요한 교재를 수집하고 적절한 시간을 택해 교수계획을 실천(예기치 못한 사안이나 불합리한 점이 발견되면 융통성 있게 수정)

출처: 전윤식 · 강영심 공역(2007). 다중지능과 교육. (Thomas Armstrong(1994). *Multiple Intelligences in the Classroom*. p.109-111 재구성.

특징적인 이해방식과 표현방식, 지능을 고취시키는 활동(예, 국어: 글쓰기와 말하기, 수학: 계산하기와 논리성, 미술: 공간의 이해, 사회와 역사: 대인관계와 개인이해 등)을 요구한다. 이는 다중지능이론이 가지고 있는 본질적인 특성과 그 맥락을 같이하는 것으로, 다중지능이론의 활용은 통합교육과정을 성공적으로 설계하고 실행하는 데 도움이 될 것이다. 따라서 통합교육과정에 다중지능이론을 활용한다면 통합교육의 목표와 다중지능개발이라는 목표를 동시에 달성할 수 있을 것이다. 특히 통합교육과정에 의한 교육과정 설계가 최근의 학교 교육내용 설계의 바람직한 대안으로 인정되고 있다는 점에서(Fogarty, 1991; Jacobs, 1989; Willis, 1992), 다중지능이론에 의한 통합교육과정의 구성방식은 그 적절성이 어느 때보다 명확해지고 있다. 이러한 통합교육과정의 설계에 있어 다중지능 수업을 설계하는 방식은 크게 네 가지로 나누어 볼 수 있다.

전통적인 교과수업 내에서 다중지능수업을 실시하는 방식. 이 방식은 타 교과와의 연계성 없이 각 교과에서 일반적으로 실천되는 수업활동들이 학습자의 특정 지능의 영역을 고취시키는 것과 관계가 깊다는 점에 근거하여 특정한 한 가지 지능을 고취하는 것을 목표로 또는 관련된 지능활동을 첨가하는 형식으로 수업을 전개하는 방식이다. 예를 들면 국어시간은 언어적 지능을, 수학시간은 논리 · 수학적 지능을 강조하는 형식으로 전개되며 상황에 따라서 다른 지능을 강조하는 활동을 첨가한다.

이때 유념할 점은 다중지능 수업의 목표는 교과내용의 숙달과 함께 특정 지능의 영역 내에서 어떠한 지능의 내용을 강조할 것인가를 세분화시키는 것이다. 즉, 국어시간이기 때문에 언어적 지능이 강조된다는 일반적 견해보다는 언어적 지능의 영역 내에서 다양한 능력(예, 말하기, 글쓰기, 이야기 만들기, 웅변하기 등) 중에서 어떠한 능력을 고취시키고자 하는지 좀 더 세분화된 목표의 정립이 필요할 것이다. 아울러 체육시간의 체조와 축구가 어떻게 다른 방식으로 인간의 신체 · 운동적 지능을 강조하고 발전시키는지 세부화된 이해를 하는 것이 필요할 것이다. 다중지능의 프로파일은 인간의 여덟 가지 능력을 기본으로 하여 세부적인 능력을 구체화시켜 놓았기 때문에 이를 참조하는 것이 필요하다.

전통적인 학과 영역은 그대로 유지한 채 관련되는 주제를 동시에 가르치는 평행적 교수방식(parallel teaching)에 의한 다중지능 수업방식. 예를 들면 국어과와 사회과, 산수과에서 관련되는 주제를 인위적으로 조합하여 한 수업에서 가르치는 형식을 말한다.

세 번째 방식으로는 주제, 문제, 프로젝트를 중심으로 다학문적 단원을 새롭게 조직하는 방식. 이 방식에는 학문 중심과 다학문 중심의 아이디어가 공존한다.

여러 개의 학문과 교과를 혼합하여 완전히 새로운 주제나 문제를 생성해내는 방식. 가장 급진적인 이 방식은 통합수업(integrated instruction)이라고 불린다. 예를 들면 학생들은 학문이나 교과를 배우는 것이 아니라, '전쟁은 정당화될 수 있는가?' '나는 누구인가?' 와 같은 질문을 중심으로 역사, 문학, 과학의 수업을 함께 전개해 나가는 방식이다. 이 방식이 완전하게 성공적으로 진행되는 경우 학생들이 참여하고 있는 수업이 어떤 교과인지 분간할 수 없게 된다.

프로젝트 교육과정

프로젝트 교육과정(project-based curriculum)은 학습자가 다양한 문제와 실제 상황을 해결하기 위해 프로젝트를 구성하고 수행하면서 문제를 해결하고 학습해 나가는 방법을 말한다. 즉, 자율과 자유가 존중되는 가운데 다양한 해결책을 모색하고, 실제 상황에 참여하여 부분 · 관계 · 의미 · 해결을 발견해 가는 학습을 말한다. 프로젝트 학습은 학생들이 전통적인 교실의 학습에서 더 많은 정보를 습득할 수 있게 해주며, 여러 교과를 통합하므로 다양한 지능 개발을 도와주기도 한다. 또한 개인의 학문적 · 개인적 장점을 강화시켜 주고, 실제 삶의 문제들을 운영하고 해결해가는 방법에 대한 통찰력을 갖게 해 준다.

다중지능이론에 기초한 프로젝트는 수행과정 속에서 학생들은 자신에게 가장 적합하며 많이 사용하는 지능을 발견하여 자신만의 학습 형태로 지식을 구축해 간다. 일반적으로 학기 초에 주제 목록을 만들고, 그 주제에 대해 교사가 계획한 다중지능 학습 활동을 4~6주 동안 실시하면서 개별 프로젝트를 수행한다. 매일 아침 교사와 학생이 함께 주제에 관한 주요 학습을 15분 정도 한 후, 지능 센터에서 모둠 활동을 하면서 자신의 프로젝트를 연구하는 시간을 갖는다(Campbell et al, 2004). 다중지능 센터 활동과 개별 프로젝트 과정 속에서 학생들은 학문적 기술을 배우고 프로젝트의 발표 기회를 통해 다양한 의사소통 기술을 발달시킨다.

〈 표 17-3 학년별 프로젝트 접근 전략의 예 (초등학교) 〉

학년	전반적 경향성	단기 프로젝트	장기 프로젝트	방중 프로젝트
1~2학년 (교과통합 형식)	통합교과서 내용 중에서 선정된 생성적 주제에 대한 다양한 지능 영역별 활동 유도	학교 및 수업에 대한 적응	통합교과서 구조에 맞추어 교과수업과 연계	체험 학습
3~4학년 (자유주제)	개인의 흥미나 관심사를 최대한 존중하는 차원에서 교과서 내용에 대한 개인별 요구분석 과정을 통해 개인의 강점을 파악함과 동시에 특정 지능 영역 심화	교과내용 중에서 자신의 관심 및 흥미에 대한 지능 영역별 파악 수준	교과내용에서 자신이 선정한 핵심 주제에 관련된 지능 영역별 심화 과정	체험 학습
5~6학년 (자기관리 및 자아 탐색)	'개인적 자아'와 '사회적 자아'를 통합하기 위해 다양한 자아탐색과 함께 사회적 이슈가 되는 시사 문제 탐구	사회적 자아의 형성을 위해 다양한 사회적 이슈 탐구	개인의 자아를 인식하고 탐색하는 과정을 통해 자아존중감 형성	체험 학습

출처: 차경희(2005). 한국 초등학교에서의 다중지능 이론의 적용에 관한 질적 사례 연구, p.153.

표 17-3은 다중지능 이론에 기초한 프로젝트를 수행한 경험을 가진 교사들의 의견을 종합하여 시기별 · 접근방식별로 분류한 것이다. 진로교육에 적용해 보면, '교과통합형식' 에서는 직업에 대한 전반적인 소개를 다루고, '자유주제' 단계에서는 다양한 직업과 해당 직업에 관련된 사항을 이해하는 데 중점을 둔다. 마지막으로 '자기관리 및 자아탐색' 단계에서는 자신이 희망하는 직업에 대한 구체적인 전략을 수립하는 과정으로 활용한 진로 프로젝트를 수행하면 된다.

다중지능이론과 교수-학습 방법

다중지능이론은 학교에서의 수업방식과 학습방식을 개선하는 혁신적인 교육모델이다. 이것은 다중지능이론이 각기 다른 정보처리방식과 해석방식을 가진 학습자 개개인에게 가장 적합한 교수-학습 방법을 제공하는 데 도움을 주기 때문이다. 다중지능이론은 각기 다른 학생들의 특성과 흥미에 맞는 활동을 제공할 수 있기 때문에 수업과 학습의 질을 높인다. 이것은 학습자 개인이 잘할 수 있는 것, 흥미를 느끼는 것에 자신감을 가지고 몰입할 수 있다는 전제하에 각기 다른 정보처리방식과 해석방식을 가진 학습자 개개인에게 적합한 수업활동과 학습과제를 제공하는 데 도움을 준다. Armstrong(1993)은 다중지능이론이야말로 강의 중심의 일방적인 수업방법을 교정하는 혁신적인 교육모델이라고 주장하였다. 다중지능이론에 근거한 교수-학습 활동의 운영 원칙을 통해 학생 개개인의 특수성을 발견하고 그에 적합한 교수-학습 활동을 수행함으로써 학생들의 잠재력을 길러줄 수 있다. 이러한 다중지능이론에 입각한 교수-학습 전략이 성공을 거두기 위해서는 다음 두 가지 조건이 충족되어야 한다.

첫째, 학습자의 발달단계를 정확히 파악하고 고려해야 한다. 유아기에 적합한 교육환경이 청소년기에는 적합하지 않으며, 큰 아이들에게 적합한 특정의 부호 체계는 어린 아동에게는 적합하지 않을 수도 있다. 예를 들어, 음악교육에서 스즈키 교수법은 부호체계를 전혀 가르치지 않은 채로 섬세한 연주기교를 배우게 한다. 이 방법은 유아에게는 효과성이 입증되었지만, 어느 정도 성장한 아동에게는 음악적 지능 계발에 오히려 방해가 될 수 있다(Gardner, 1993).

둘째, 학생의 지능 프로파일을 파악하여 개인별 강점과 약점을 정확하게 고려한 각 지능 영역별 교수-학습 활동이 존재한다(심우엽, 1997; Armstrong, 1987; Bellanca, Chapmam & Swartz, 1994; Bruetsch, 1995; Campbell & Campbell, Dickinson, 1996; Gardner, 1983, 1993; Lazear, 1991, 1994). 실제로 다중지능이론의 관점에서 교수-학습 활동 설계 시에는 정답을 찾기보다 학생들의 요구나 교사 자신의 성향에 적합한 것을 선정하는 것이 바람직하다. 학생들의 다양한 지능을 발견하고 개발하여 활용해야 하는 다중지능이론을 적용한 교수-학습 활동은 교사들에게 많은 시간과 열정, 지식과 창의력 등을 요구할 수밖에 없다.

지능 영역별 교수–학습 유형

지능 영역별 교수-학습 유형은 지능에 따라 적합한 교수활동, 교수-학습 자료, 교수전략을 유형별로 제시한 것이다. 교실에서의 교수-학습 활동은 개개인의 특성과 다중지능의 각 영역에 적합한 활동과 과제를 통해 이루어져야 하는데 지능 영역별 교수-학습유형은 이러한 교수-학습 활동이 가능하도록 해준다. Armstrong(1987, 1993, 1994)은 교수-학습 활동을 위해 학생들이 지니고 있는 지능의 구성형태를 그 개인의 독특한 학습유형으로 설명했다. 그는 학생들이 지니고 있는 개인적 학습유형(personal learning style)을 발견하는 것이 중요하며, 개인적 학습유형의 발견은 그 학생이 어떤 종류의 지능에서 우수한가를 찾아내는 것에 초점을 두어야 한다고 보았다. 그가 제안한 다중지능이론의 지능 영역별 교수-학습 유형은 표 17-4에 제시하였다.

표 17-4의 지능 영역별 교수-학습 활동에는 기존의 수업에서 활용되는 것도 다수 포함되어 있다. 또한 다중지능이론에 입각한 교수-학습 방법은 영역 간 혹은 영역 내의 통합을 중시한다는 것을 알 수 있다. 수업을 진행하는 과정에서 최대한 학습자의 잠재력을 끌어내기 위해서는 다양한 자극이 투입되어야 함을 의미하는 것이다. 그리고 위에서 언급되지 못한 '자연탐구 지능'*은 환경에 대한 수많은 동식물을 인식하고 분류하는 능력으로 Campbell, Dickinson(2004)의 여덟 가지 교수-학습 활동 및 전략으로 기술한다면 '그것을 조사하여라', '그것을 관찰하여라,' '그것을 수집하여라' 라고 설명할 수 있다.

---

* Campbell, Dickinson(2004)에 의하면, 자연탐구 지능에 해당하는 능력은 인간과 자연환경에 대한 관심과 열정을 갖고 탐구하기, 동 · 식물 돌보기, 동 · 식물의 생애주기 이해하기, 현미경 관찰하기, 관찰일지 작성하기, 가설하고 실험하기 등이 포함된다.

〈 표 17-4 지능 영역별 교수-학습 활동 및 전략 〉

지능 유형	교수활동 (예)	교수-학습 자료 (예)	교수전략 (예)
언어	강의, 토론, 낱말게임, 이야기하기, 다같이 읽기, 일지쓰기	책, 녹음기, 우표세트, 책의 내용을 녹음한 테이프	• 읽어라. • 써라. • 들어 보라.
논리-수학	퍼즐, 문제풀기, 과학실험, 암산, 수게임, 비판적 사고	계산기, 물건조작을 통한 숫자놀이, 과학장비, 수게임	• 측정하여라. • 그려라. • 시각화하여라. • 색칠하여라. • 마인드맵을 그려라.
음악	상위학습, 랩 음악, 노래하기	테이프 레코드, 테이프, 악기 등	• 랩으로 노래하여라. • 들어라.
신체-운동	체험 학습, 드라마, 춤, 스포츠, 촉각활동, 이완훈련	건축도구, 점토, 스포츠 장비, 조작할 수 있는 물건, 촉각적 학습자료	• 제작하여라. • 시연해 보아라. • 진수를 느껴라. • 춤으로 표현하여라.
공간	시각적 제시, 미술활동, 상상게임, 마인드맵, 은유, 시각화	그래프, 지도, 비디오, 레고 세트, 미술재료, 착시, 카메라	• 보아라. • 그려라. • 시각화하여라. • 색칠하여라. • 마음의 지도를 그려라.
대인 관계	협동학습, 또래 가르치기, 공동체 참여, 사회적 모임, 시뮬레이션	장기놀이, 파티 혹은 역할극에 필요한 용품	• 가르쳐라. • 협력하여라. • 상호작용하여라.
개인 이해	개별화 수업, 자기주도적 학습, 학습과정 선택, 자존감 형성	자기점검식 교재, 일지, 계획에 필요한 자료	• 개인생활과 관련지어라. • 선택하여라.

출처: 전윤식 · 강영심 공역(2007). 다중지능과 교육. (Thomas Armstrong(1994). *Multiple Intelligences in the Classroom.* p.100-101.

Gardner의 학습도입 전략

학습도입 전략은 학생들이 학습문제나 새로운 개념에 쉽게 접근할 수 있도록 학생들의 특성에 맞는 학습도입 방법을 소개하는 것이다. 다중지능에 따르면 특정 학습문제나 새로운 개념 등이 제시되면, 학생들은 자신의 성향에 따라 주어진 학습문제에 접근하게 된다. 이때 학습문제가 자신의 성향에 맞게 안내되면 쉽고 편한 마음으로 접근할 수 있으나, 자신의 성향과 다르게 안내될 때는 쉽게 접근하지 못한다. 이에 Gardner(1983, 1991, 1999b)는 학생들이 학습문제나 새로운 개념에 쉽게 접근할 수 있도록 하기 위해서는 학생들의 성향에 맞는 학습도입 전략을 구사해야 한다고 제안하였다. Gardner가 제안한 도입 방법은 다음과 같다(문용린 외, 2006).

서술적 도입(narrational entry point). 수업을 시작할 때에 학습해야 할 개념, 제재와 관련된 이야기나 설명을 통해서 안내하는 방법이다. 예를 들어 발해의 역사에 대한 수업에서는 건국 주역인 대조영의 이야기를 들려주면서 수업을 시작하면 쉽게 접근할 수 있다.

논리적-양적 도입(logical-quantitative/numerical entry point). 특정 수 혹은 통계치에 대한 연역적인 추리 과정을 통해 개념에 접근하는 방법이다. 발해 건국사의 경우 먼저 발해 주민들이 몇 명이나 당나라로 끌려갔으며, 몇 명 정도가 다시 고구려로 돌아왔는지 등에 대해 파악하는 과정을 도입하는 것이다.

근원적 도입(foundational/existential entry point). 학습해야 할 주제나 개념에 대해 철학적 · 심리학적 · 사회학적 기초나 용어 정의를 확인하고 점검함으로써 수업을 시작하는 방법이다. 발해의 건국에 있어서 발해(渤海)의 어원적 의미 혹은 발해 건국 시 사회적 배경을 토대로 수업을 전개할 수도 있다.

심미적 도입(esthetic entry point). 수업을 시작하면서 학생들이 실생활에서 체험한 감각적 경험을 끄집어 내는 것이다. 예를 들면 발해 유민들의 음악 · 미술 · 생활도구 등에 대한 학생들의 느낌 등을 연결시켜 주는 방법이 있다.

경험적 도입(experiential/hands-on entry point). 주어진 개념이나 내용을 학습할 때 조작적 자료나 컴퓨터 시뮬레이션 등을 활용하는 방법이다. 일부 학생들은 실물을 조작함으로써 이해하는 경우가 있다. 발해의 건국에 대해 학습할 때는 대조영이 당나라를 탈출하여 발해를 건국할 때까지의 과정을 직접 지도를 보면서 추적해 볼 수 있다.

사회적-협동적 도입(social-cooperative/interpersonal entry point). 학생들의 사회적 경험을 수업에 활용하는 방법이다. 새로운 개념을 배울 때 학생들로 하여금 서로 교류, 협력, 협동, 또는 대안으로서 토론이나 논쟁을 유도하는 방법이다. 학생들이 자신들이 집단 프로젝트에 참여하여 전체 프로젝트 완성에 어느 정도 기여함으로써 서로 간에 배울 수 있도록 하는 방법이다.

다중지능이론과 학습자 평가

전통적인 평가는 오직 단일점수에 의해 수량화되는 지필평가에 의해서만 이루어졌다. 하지만 다중지능이론에서 평가는 실제 사태에 대한 문제해결력을 보여줄 수 있는 다양한 활동을 통해 이루어진다. 이것은 다중지능에서 지능이란 실제 사태에 대한 문제해결력과 구체적인 산물을 만들어 내는 능력이라고 정의되기 때문이다. 따라서 다중지능에서는 문제해결과 구체적인 산물을 만들어 낼 수 있는 다양한 방법과 구체적인 활동을 통해 학습자를 평가한다. 이것은 개인의 잠재력을 드러내지 못하고 지엽적으로 표현할 수밖에 없는 전통적인 평가의 문제를 극복할 수 있도록 도와주며, 학습자의 다양한 능력과 잠재력을 개발할 수 있도록 도와준다. 다중지능에서 평가는 단일점수로 수량화시키는 지필평가에 의해 이루어진 전통적인 평가를 거부하고 다양한 평가 방법과 역동적인 활동들을 통해 이루어짐으로써 학습자의 다양한 능력과 잠재력을 개발할 수 있도록 도와준다.

다중지능이론에 근거한 학습자 평가 : 지침과 기본원리

다중지능이론에 근거한 학습자 평가는 다음 세 가지 지침을 따라야 한다(Lazear, 1998): ① 평가는 실제적 도전에 직면한 실제 상황에서 일어나야 한다. ② 평가는 수행에 근거해야 한다. ③ 평가는 학생들에게 그들의 수행에 대한 피드백과 함께 개선의 기회를 제공해야 한다. 다중지능이론에 기초한 평가 역시 개인의 변화와 그 과정을 중시하는 '진정한 평가', '대안적 평가', '수행평가' 등을 강조한다. 이러한 다중지능이론에 기초한 평가의 일곱 가지 요소는 다음과 같다(Gardner, 1993).

(1) 시험보다는 평가(assessment)에 중점을 둔다. '평가'는 개인의 기술과 가능성을 파악하여 본인과 주변 사람에게 그 정보를 제공하는 활동이다.
(2) 단순하고 자연스러우며 신뢰할 만한 계획에 근거한 평가방법이어야 한다. 특정 시점에서 시행하기보다는 배우는 과정에 자연스럽게 연계된 상태에서 지속

적으로 이루어져야 한다.

(3) 생태학적 '타당성'을 지녀야 한다. 예를 들어, 지능검사가 학교성적의 예측에는 유용한 정보일 수 있지만 사회생활에서의 성공여부는 예측할 수 없기 때문에 타당성에 문제가 발생한다.

(4) 공정한 지능평가 도구여야 한다. 기존의 시험도구들이 언어와 논리-수학적 측면에 치우친 반면 그 외의 능력들도 판단할 수 있는 공정한 지능평가 도구를 개발해야 한다.

(5) 개인차 · 발달수준 · 전문성을 주의 깊게 살펴야 한다. 특정 영역에서의 적절한 평가양식에 학생 개인차에 대한 다양한 정보가 접합된다면 최상의 평가가 가능해진다.

(6) 다양하고 복합적인 차원의 결과를 참조하여 학생을 판단해야 한다.

(7) 학생에게 도움을 줄 수 있는 평가, 즉 학생의 장 · 단점, 생산적 학습법, 평가방법 등에 대한 정보를 사전에 제공해 줌으로써 학습자가 평가주체가 될 수 있는 상황을 제공해야 한다. 구체적으로 조언해야 하며, 다른 학생들과 비교하지 말고, 그 학생이 지닌 상대적 장점을 지적해 주어야 한다.

지능 영역별 평가자료

다중지능수업이 학생 개개인의 잠재적 능력개발을 주요 목표로 하기 때문에 평가 역시 각 지능 관점에서의 학생들의 능력을 규명할 수 있어야 한다. 표 17-5는 학생들의 영역별 지능을 규명할 수 있는 평가 자료의 목록이다.

표 17-5에 제시된 모든 영역은 단일 주제에 대한 교육에서도 평가될 수 있다. 즉, 한 주제에서 여덟 가지 과제**를 모두 수행해 보도록 함으로써 적절한 평가과제를 할당할 수 있으며 학생 스스로도 자기가 원하는 평가방식을 선택할 수 있다. 실제로 다중지능이론을 적용한 수업에서는 학습자로 하여금 구체적 지능 영역에 몰두할 수 있는 작업을 부여하고, 그 과제를 수행하는 과정에서 인지적 작용을 관찰하고 평가하는 새로운 접근을 시도하고 있다.

** Campbell, Campbell, Dickinson (2004)에 의하면, 자연탐구 지능은 원래 논리-수학적 지능과 공간적 지능의 일부로 인식되어왔다. 그러므로 '자연탐구 지능'에 대한 평가는 위의 두 지능 영역의 평가방법을 적절히 취사선택하면 된다.

〈 표 17-5 지능 영역별 교수-학습 활동 및 전략 〉

지능 영역	평가 자료 목록
언어	절정에 다다른 에세이, 이야기, 읽기, 발표, 낱말 맞추기, 문제 푸는 방법 설명하기, 에피소드, 설명서 작성하기 등
논리-수학	조사, 문제해결, 자료해석, 인과간계 분석, 차트 작성, 작품의 유사점 · 차이점 분석 능력, 이야기에 대한 미래 유추능력 등
음악	노래, 연주, 소리모음, 악보, 즉흥 작곡, 수학 공식의 노래화, 모스 부호 이용하기, 문법과 구문을 노래나 랩으로 구성, 음악을 통한 스트레스 제거법, 음악을 그림으로 표현하기 등
신체-운동	시뮬레이션, 역할놀이, 판토마임, 즉석 무언극, 신체 부위를 통한 측정 능력, 단어를 신체로 표현하기, 여러 물질이 되어 행동하는 능력, 컴퓨터 작동법을 드라마로 제작하기 등
공간	사진 에세이, 비디오테이프, 콜라주, 모빌, 예술 작품, 벽화, 시화, 포스터, 진흙 지도, 길 찾는 능력, 이야기 단계 그림, 시각적 다이어그램 등
대인관계	협동학습, 서로 가르치기, 지도력, 인터뷰, 춤동작 설명 기술, 사람들의 감정과 생각을 공유하는 능력, 역사적 사건들의 영향력 토론하기 등
개인이해	개인 일기, 자서전, 목표 설정, 자기주도적 프로젝트, 나에 대한 시 창작하기, 느낌일기 쓰기, 타문화에 대한 일지쓰기, 역사적 인물이라고 가정하고 글쓰기, 수학개념 적용능력, 자신을 등장인물로 상상하기 등

출처: 박효정(1999). 다중지능이론과 교육에의 적용 가능성 탐색. p.93.

지능 프로파일

지능에 대한 정의가 새롭게 내려지면서 학생들의 여덟 가지 지능 영역에 대한 평가를 기록하기 위해 만들어진 것이 지능 프로파일이다. 구체적인 상황에서의 학생의 수행, 능력, 인지 유형, 지적 지구력, 흥미를 발견하고, 학생들의 장점과 약점을 기록하기 위해서는 기존의 점수 중심의 평가보고서는 적절하지 않을 것이다. 대신에 발달 프로파일을 작성하여 학생이 가지고 있는 능력은 무엇이고 그 능력이 어떻게 발견되었는지를 기술하는 것이 평가의 주요 활동이 될 것이다. 이러한 자연주의적 평가방법은 인위적이고 스트레스를 느끼는 평가절차를 거치지 않더라도 학생의 재능, 능력을 학습의 과정에서 발견할 수 있는 장점이 있다. 이러한 대안적 발달 프로파일의 작성은 현재 학교에서 실시되고 있는 교과 중심, 학업성취 중심의 학업성취 기록방법(성적표)을 보완하거나, 아니면 새로운 형식인 '학습자의 다중지능의 발달과정과 특성을 자세하게 보여줄 수 있는 학습자 다중지능 발달 프로파일' 을 통하여 구현될 수 있다.

이 절에서는 인디애나 초등학교의 발달 리포트와 김영천이 개발한 다중지능 프로파일에 대하여 살펴볼 것이다.

인디애나 초등학교 발달 리포트

인디애나 초등학교의 발달리포트는 기존의 교과를 다중지능 영역과 관련되는 범주로 통합한 다음 학습자의 다중지능의 발달 정도를 3 또는 4의 수준으로 평가하는 방법이다. 즉, 수학과 과학은 논리-수학적 지능의 영역으로 이해하고 국어와 외국어, 한자 등은 언어적 지능 영역으로 포괄하여 학생의 발달정도를 평가하는 방식이다. 이 방법은 다중지능이론을 실제 초등학교의 교육과정에 적용하여 학습자의 발달 프로파일을 개발하였다. 그 예는 그림 17-1과 같다.

언어

국어 :	발달	참여	수행
듣기 ------------------------			
말하기 ------------------------			
※ 쓰기 ------------------------			
읽기 ------------------------			
자기평가 ------------------------			

논리-수학

수학 :	발달	참여	수행
※ 숫자감각 ------------------------			
계산 ------------------------			
문제해결능력 ------------------------			
측정 ------------------------			
자기평가 -----------------------			

[그림 17-1 인디애나 키 초등학교에서의 학습자 발달 리포트의 예]

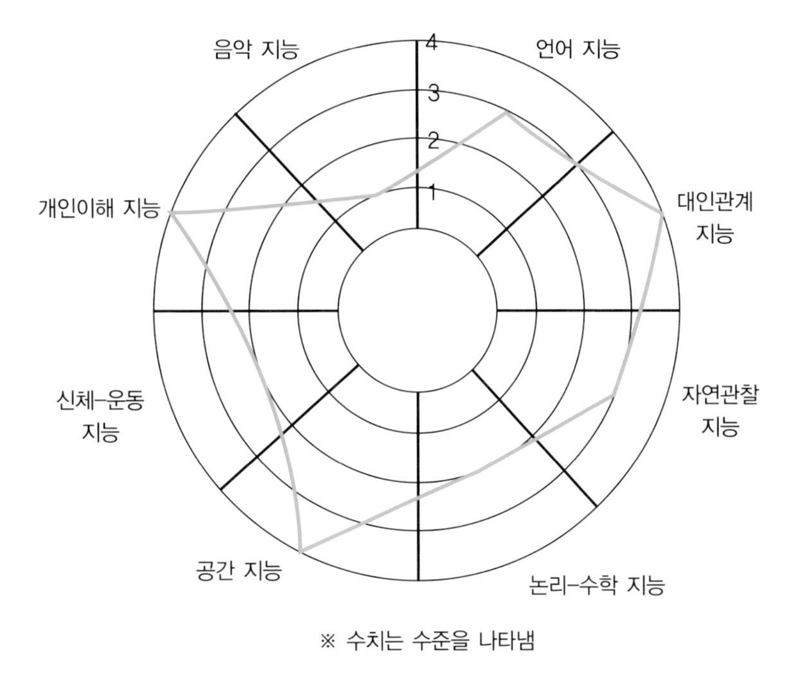

※ 수치는 수준을 나타냄

[그림 17-2 시각적 다중지능 프로파일]

이러한 평가표로부터 학습자가 가지고 있는 다중지능에서의 발달 특성과 강점을 이해하기 쉽게 하기 위하여 그림 17-2와 같이 시각적 다중지능 프로파일을 종합적으로 개발해보는 것은 특정 학습자의 능력에 대한 가능성과 진로지도를 위하여 필요한 과정이다.

김영천이 개발한 다중지능 프로파일

김영천의 다중지능 프로파일은 각 전통교과의 구획을 독립적으로 유지하면서 각 교과에서의 학습자의 발달을 다중지능의 관점에서 기술적으로 평가하는 방식이다. 이 방식은 학습자의 다중지능의 발달정도나 장점과 특성을 수준으로 표시하지 않고 기술적, 서술적으로 제시하는 형식을 띤다. 그러한 예는 미국 크로우 섬 학교에서 쓰이고 있는 발달 평가표와 비슷하게 다음 17-3의 형식을 띨 것이다.

국어

영수는 글 읽는 능력이 뛰어나고 특히 발음과 톤이 정확하여 듣는 사람에게 매력을 느끼게 합니다. 아울러 독해력이 뛰어나서 읽은 내용에 대하여 훌륭한 요약능력과 기억력을 가지고 있습니다. 수업시간의 협력학습 동안에도 집단 토의에 적극적으로 참여하며 수업 외적인 상황에서도 대화를 많이 합니다. 글쓰기와 관련하여 항상 주제를 자신의 일상적인 경험과 관련시켜 접근하면서 창의적으로 쓰고자 합니다.

체육

영수는 체육과에서 매우 뛰어난 학생입니다. 운동능력이 뛰어나고 몸에 대한 유연성이 뛰어납니다. 특히 기구를 다루는 축구나, 농구, 배구 등의 영역에서 좋은 활동을 하였습니다. 이에 특별활동 시간의 체육 프로그램에서 조장으로 활동하였습니다.

영수의 개인적 특성

영수는 따뜻한 품성과 사랑스러운 마음씨를 가지고 있습니다. 항상 배우는 것을 즐거워하며 성실과 열성을 가지고 모든 과제에 임하고 있습니다. 나아가 친구들과 항상 재미있게 대화하고 생활하고 있으며 집단대화와 협력에도 적극적으로 참여합니다.

수학

이번 학기에 가르친 수학과 중에서 영수는 특히 계산문제와 분수문제에 대하여 탁월한 능력을 보여주었습니다. 특히 영수가 가지고 있는 장점은 어려운 문제가 제시되더라도 포기하지 않고 열성적으로 문제를 풀고자 하는 태도입니다.

박 영 수

음악

영수는 음악적 지능이 매우 뛰어난 학생입니다. 청음과 발성이 뛰어나며 노래부르기를 좋아합니다. 아울러 작곡을 할 수 있는 잠재력도 보이고 있습니다. 항상 음악을 생활화하고 있으며 열성적입니다.

과학

이번 학기에 실시한 과학단원 태양계와 관련하여 영수는 매우 창의적인 아이디어를 제시해주었고 탐구력도 뛰어났습니다. 아울러 집단과제에서도 뛰어난 적극성과 리더십을 발휘하였습니다.

미술

영수는 미술에 재능이 많은 학생입니다. 항상 창의적으로 미술주제를 접근하고 있으며 다양한 기술(데생, 소묘)을 가지고 있습니다. 특히 영수가 가지고 있는 운동지능과 공간지능이 결합되어 검토를 사용한 조각작품 만들기에서 매우 창의적이고 독특한 과제를 수행하였습니다.

영수의 평가

저는 이번 학기 국어과목과 사회과목에서 굉장한 관심과 열정을 느꼈고 최선을 다하였습니다. 국어 과목에서 글짓기하는 과제는 무척 재미있었고 저에게도 많은 가능성이 있다는 것을 발견하였습니다. 아울러 사회과에서의 '한국무용과 풍속의 이해' 프로젝트에서는 상상력과 미술능력, 음악적 능력을 결합하여 새로운 연기와 발표를 할 수 있었다는 것이 좋았습니다. 아울러 수학과 과학의 주제 역시 열심히 하였고 재미를 느꼈습니다.

사회

영수는 이번 학기 사회과 주제인 민속무용과 문화의 이해에서 한국의 전통무용과 풍속을 선택하여 조원들과 함께 매우 뛰어난 능력을 발휘하였습니다. 주어진 주제에 대하여 탐구력과 종합력, 그리고 창의력을 발휘함과 함께 지적 열성과 관심을 보임으로써 훌륭한 발표회를 할 수 있었습니다.

[그림 17-3 서술적 방식에 의한 다중지능 발달 리포트]

종합 및 결론

이 장에서는 1980년대 이후 구미에서 교육학계에 새로운 바람을 불러일으킨 다중지능이론이 학교현장, 교육과정과 수업개발, 학습자 평가에 어떻게 적용되고 활용되고 있는지 살펴보았다. 이러한 다중지능이론은 학습자의 개별성과 독특성, 다양성을 인정한다는 점에서 우리가 교육의 진정한 이상이라고 규정해 온 창의적인 탐구와 자율성, 인간의 독특성과 개성, 인간의 잠재력에 대한 신뢰와 개발에 실질적인 기여를 할 것이다. 아울러 현장에서 활동하고 있는 교육자와 행정가로 하여금 우리의 학교교육이 열린 교육이 지향하고 있는 교육의 이상인 창의성, 개인성의 발견과 개발, 다양성의 인정, 비판적 사고와 탐구를 실현할 수 있도록 도울 것이다. 따라서 이 장에서 살펴본 다중지능이론의 이론적 · 실천적 방법에 대한 이해는 교육현장 개선과 교육과정을 개발하는 데 필요한 새로운 통찰력과 아이디어를 제공해 줄 것이다.

참고문헌

김명희(2002). 다중지능이론과 교육과정, 교육과정: 이론과 실제, 한국교육과정학회 편.

김명희 · 김영천(1997). 다중지능이론의 기본 전제와 시사점, 교육과정연구, 16(1). 299-330.

김명희 · 이경희 역(1998). 다중지능: 이론과 실제, 서울: 양서원. (Gardner, H. Multiple intelligences : The theory into practice, NY: Basic Books)

김영천(2007). 현장교사를 위한 교육평가, 서울: 문음사.

류완영 · 김명희(1999). 다중지능이론과 교육과정개발 교육과정연구, 17(2). 87-119.

문용린 · 유경재 역(2006). 다중지능, 서울: 웅진지식하우스. (Gardner, H. Multiple intelligences: The theory into practice, NY: Basic Books)

박효정(1999). 다중지능 이론과 교육에의 적용가능성 탐색, 한국교육, 26(1), 69-100.

박효정 · 성용구 · 신명희 · 유승희 · 이영민 · 정재걸 · 정종진 · 정태희 · 하대현 (2006). 다중지능이론과 수업, 서울: 양서원.

신명희(2000). 다중지능이론에 기초한 교수-학습 방법 연구, 교육학연구, 38(4), 6-11.

신재한(2006). 다중지능이론에 기초한 교수-학습 방법 연구. 아동교육, 15(2), 304-

305.

심우엽(1997). 다중지능이론과 학교교육의 개선에 관한 연구. 교육학연구. 35(3). 83-96.

전윤식 · 강영심 역(2007). 다중지능과 교육, 서울: 중앙적성출판사. (Armstrong, T. Multiple intelligences in the classroom. Alexandria, VA: ASCD)

정태희(1998). 다중지능이론에 기초한 교수-학습 활동 개발 및 효과분석: 개인적 지능을 중심으로, 한양대 박사학위논문.

차경희(2005). 한국 초등학교에서의 다중지능 이론의 적용에 관한 질적 사례 연구, 한양대 박사학위논문.

차경희(2007). 다중지능이론에 근거한 지능 프로파일의 교육적 가능성 탐색, 교육과정연구, 25(4), 157-178.

Armstrong, T. (1987). In their own way: Discovering and encouraging your child' s personal learning style. LA: Calkf: Jeremy. P. Tarcher. A good introduction to multiple intelligences for parents and teachers.

Armstrong, T. (1994). *Multiple intelligences in the classroom*. Alexandria, VA: Association for Supervision and Curriculum Development.

Armstrong, T. (2000). *Multiple intelligences in the classroom* (2nd ed). Alexandria VA: ASCD.

Armstrong, T. (2003). *You' re smarter than you think: A kid' s guide to multiple intelligences*, Free Spirit Publishing Inc.

Bellanca, J., Chapman, C., & Swartz, E. (1997). Multiple assessments for multiple intelligences, Palatine, IL: IRI/Skylight.

Blythy, T., & Gardner, H. (1990). A schools for all intelligences. Educational Leadership, 48, 33-37.

Campbell, B. (1994). The multiple intelligences handbook: Lesson plans and more, Campbell & Associates.

Campbell, L., & Campbell, B. (1999). Multiple intelligences and student achievement: Success stories from six schools. ASCD.

Campbell, L., Campbell, B., & Dickinson, D. (1996). *Teaching & Learning through multiple intelligences*. Needham Heights, MA: Allyn & Bacon.

Campbell, L., Campbell, B., & Dickinson, D. (2004). *Teaching & Learning through multiple intelligences* (3rd ed.). Pearson Education, Inc.

Chapman, C. (1993). If the shoe fits: How to develop multiple intelligences in the classroom. Palatine, IL: Shylight.

Checkley, K. (1997). The first seven... and the eighth: A conversation with Howard Gardner, Educational Leadership, 55, 8-13.

Cuban, L. (2004). Assessing the 20-year impact of multiple intelligences on schooling, Teachers College Record, 106(1), 140-146.

Drake, S. M. (1991). How our team dissolved the boundaries. *Educational Leadership*. 20-22.

Fogarty, R. (1991). *The mindful school: how to integrate the curricula*. Palatine, IL: Skylight Publishing. Inc.

Gardner, H. (1983). *Frames of Mind: the theory of multiple intelligences*. NY: Basic Books.

Gardner, H. (1989). Project zero: an introduction to arts propel. *Journal of Art & Design Education*. 8(2). 167-182.

Gardner, H. (1993). *Multiple intelligences: the theory in practice*. NY: Basic Books.

Gardner, H. (1997). Multiple intelligences as a partner in school improvement. Educational Leadership, 55, 20-21.

Gardner, H. (1999). Understanding the theory of multiple intelligences, Scholastic Early Childhood Today, 13(4), 43-45.

Gardner, H. (2006). The development and education of the mind: The collected works of Howard Gardner, London: Taylor and Francis.

Gardner. H., & Hatch, T. (1989). Multiple intelligences go to school. *Educational Researcher*, 18(8). 4-10.

Hatch, T. & Gardner, H. (1986). From testing intelligence to assessing competences: a pluralistic view of intellect. *Roeper Review*, 8(3). 147-150.

Hoerr, T. (2003). It' s no fad: Fifteen years of implementing multiple intelligences. Educational HORIZONS, winter, 92-94.

Jacobs, H. H.(ed.) (1989). *Interdisciplinary curriculum: design and implementation*. Alexandria, VA: Association for Supervision and Curriculum Development.

Kogan, S. & Kogan, M. (1998). Multiple intelligences: The complete MI book, CA: Kogan Cooperative Learning.

Kornhaber, K. (2003). What educators report are benefits of MI to student learning. Paper presented at the Annual Meeting of the American Educational Reserach Association, Chicago, April 21-25, 2003.

Krechevsky, M.(1994). *Project Spectrum: preschool assessment handbook*. Cambridge, MA: Harvard Project Zero.

Lazear, D. (1991a). *Seven ways of knowing: teaching for multiple intelligences*. Palatine, IL: Skylight Publishing Inc.

Lazear, D. (1991b). *Seven ways of teaching: the artistry of teaching with multiple intelligences*. Palatine, IL: Skylight Publishing Inc.

Lazear, D. (1994). Multiple intelligences approaches to assessment. Zephyr Press.

Lazear, D. (1998). The rubrics way: Using multiple intelligences to assess understanding, Chicago: Zephyr Press.

Lazera, D. (2000). The intelligent Curriculum: Using multiple intelligences to development your students' full potential, Chicago: Zephyr Press.

Nelson, K. (1997). *Developing students' multiple intelligences*. unpublished document.

Silver, H. F., Strong, R. W., & Perini, M. J. (2000). So much may learn: integrating learning styles and multiple intelligences. ASCD.

Stefanakis, E. H. (2002). Multiple intelligences and portfolios: A window into the learner' s mind, Portsmouth, NH: Heinemann,

Teele, S. (2000). Rainbows of intelligence : Exploring how students learn, Thousand Oaks, California, Corwin Press, Inc.

Torff, B. (Ed.). (1997). Multiple intelligences and assessment: A collection of articles. Arlington Heights, IL: IRI/Skylight Training & Publishing, Inc.

Willis, S. (1992). *Curriculum Update news letter*. Association for Supervision and Curriculum Development. 1-8.

Wiske, M. S. (1997). Teaching for understanding: Linking research with practice, Jossey-Bass.

Gardner에 대한 추억

필자는 1997년 한양대학교 김명희 교수와 미국 하버드대학교 Howard Gardner 박사의 국제공동연구의 책임연구원으로 다중지능이론의 한국적 교육과정 개발 작업에 참여하였다. 미국에 있는 동안 그의 명성을 잘 알게 되었지만 실제적으로 우리나라에서 그러한 교육과정을 개발하는 작업을 할 수 있게 된 것에 대하여 영광이라고 생각하였다. 한양대학교 부설 초등학교가 실험학교였던 관계로 학생들과 함께 면담하고 그들의 활동을 관찰하면서 그들이 새로운 교육 프로그램에 어떻게 반응하는지에 대하여 질적연구를 수행하였다. 그리고 기존의 평가시스템에서 두각을 나타내지 못한 학생들이 다중지능의 여러 범주에서 우수한 학생으로 두각을 나타내는 사실에 대하여 이 이론의 가능성과 가치에 대하여 알 수가 있었다.

이에 1998년 이후로 나의 학부 교육과정과 수업 교과목에서는 1주 정도를 반드시 다중지능이론에 대하여 강의하였고 미래 교사가 될 학생들에게 자신이 어떤 영역에서 강점과 약점이 있는지를 분석하게 하였다. 그리고 기존의 스탠포드-비네 테스트와는 다르게, 발달의 가능성이 어린 나이에 결정되지 않는다는 전제를 우리 학생들은 어떻게 이해하고 미래 교실수업에서 적용해야 하는지에 대하여 고민하게 만들었다. 대학수업에서 많은 학생들은 한 학기에 다루었던 많은 주제 중에서 가장 인상 깊은 주제로 다중지능이론을 선정하였고 자신이 교사가 된다면 그렇게 하고 싶다고 하였다. 그렇게 되기를 바란다.

그러나 이 이론이 필자에게 그리고 누구에게나 의미 있는 교육학/평가이론이 될 수 있다고 자부하는 것은 자신의 삶과 일상적인 경험을 통하여 자신의 잠재력과 강점이 무엇인가를 규명할 수 있도록 도와줄 수 있기 때문이다. 이 이론을 공부하고 난 다음에 필자는 우연한 기회에 나의 어린 시절 초등학교와 중학교의 성적표를 읽을 기회가 있었는데 교과목(내용영역)의 전체 석차 말고 나를 놀라게 한 것은 성적표의 서술란에 쓰인 나에 대한 기록이었다. 공통적으로 '공간적 지능'이 뛰어나다고 써 있었다. 공간적 지능은 스탠포드-비네 테스트에서 역시 사용되는 개념이었기 때문에 다를 것은 없지만 담임 선생님들의 나에 대한 관찰 기록이 너무나 정확하였다는 점이다.

필자는 미술 학원에 다닌 적도 없지만 가끔씩 초등학교와 중학교 미술 수업에서 그린 그림이 교실 뒤편의 환경정리판에 자주 붙고는 하였다. 아울러 어렸을 때부터 할 일이 없으면 집이나 건물 또는 내 고향을 새롭게 리모델링하는 그림을 그리곤 하였다. 물론 집 구조를 그리는 일은 대목수였던 아버지가 용돈을 준다고 하여 방 세 칸에 부엌 그리고 화장실 하나로 이루어지는 스레트 집을 그리는 게 고작이었지만 나는 항상 재미있게 그 일을 하였다. 그리고 학교에 와서도 수업 시간에 선생님 몰래 다양한 집을 그리곤 하였다. 또한 아버지는 도제제도를 통하여 목수가 되었기 때문에 전통기술까지 보유하고 있었다. 집에 있는 모든 가구들은 아버지가 직접 만들었다. 오동나무로 만든 오단 옷장, 쌀을 담는 뒤지, 그리고 많은 가구들. 가끔씩 방학숙제로 대신 목조제품을 만들어 주었고 수업에 쓸 지휘봉을 잘 만들어 선생님께 드리기도 하였다.

아직까지 그런 버릇은 남아 있어서 할 일이 없으면 미래에 내가 살고 싶은 집 구조를 그린다. 그리고 서울에 가면 외국에서 들어온 최신 주택과 인테리어 잡지를 구입한다. 아울러 필자의 책 표지 디자인이 마음에 들지 않아서 표지 디자이너와 싸우기까지 한다. 출판사에 따르면 표지 디자인으로 싸우는 학자는 필자밖에 없다고 한다. 너무 늦었다. 어렸을 때 필자의 그러한 미술과 디자인에 대한 욕망과 소질이 있었다는 사실을 알고서 조금 다른 길을 걷게 되었다면 교육학과 전공의 교수로 남아 있지는 않았을 것이다. 훌륭한 교육학/교육과정의 책을 읽을 때 그 학자가 존경스럽기는 하지만 내 가슴이 흔들리지는 않는다. 대신에 데미안 허스트, 프랭크 라이트, 클림트의 제자인 에곤쉴러, 자하드 그리고 프랑크 게리의 작품을 만나면 그들의 창조정신과 새로움에 충격을 받는다. 아마도 길을 잘못 들어선 것임에 틀림없다.

제18장

교육과정 평가: Curriculum quality control

이 장의 공부할 내용

교육과정 평가의 개념
교육과정 평가의 개념 변화
교육과정 평가의 목적과 역할
교육과정 평가에서 고려해야 하는 상황과 요인
교육과정 평가 모형

Robert E. Stake

Stake는 1950년에 네브래스카의 대학에서 수학전공으로 학사학위를 취득했으며, 해양학과 스페인어를 부전공했다. 동 대학에서 1954년에 교육심리학으로 석사학위를 취득하고, 1955부터 1958년까지 교육평가회의 심리검사 연구원이었으며 부교수 및 대학연구 중재자로서 네브래스카 대학에서도 활동하였다. 1958년 프린스턴 대학에서 심리학 박사학위를 받았고, 그후 3년 동안은 정신분석학 기계를 이용하여 심리학에 관한 연구를 진행하였다. 일리노이 대학의 교육학 교수로 재직하면서 교수와 대학교 운영 위원회가 참가하는 운영 협의회를 만들어 그 프로그램을 주도적으로 운영하였다.

그는 주로 교육평가 분야에서 활동하였는데, 그중에서도 평가 방법 중의 하나인 반응 평가(responsive evaluation)에 대해 심도 있게 연구하였다. 그의 개발한 반응 평가는 기존의 평가가 양화되고 수치화되어 있는 양적 평가에서 벗어나 질적 평가로 전환되는 데 큰 공헌을 하였고 더불어 개인의 경험이 평가에 반영되게 하거나, 학습에서 평가를 더욱 완전하게 할 수 있도록 평가를 보완하고 개선, 발전시키는 연구에 공헌하였다. 아울러 교육평가에서 사례연구에 기초한 평가(case study evaluation)의 개념을 일반화시키는 데 상당한 기여를 하였다. 교육평가 분야의 연구에 대한 그의 공로를 인정받아 미국평가협회의 레저펠드 상을 수상하고 웁살라 대학의 명예박사 학위를 수상하였으며, 현재 수업연구와 교육과정에서의 평가연구소(CIRCE/Center for Instructional Research and Curriculum Evaluation)의 소장을 맡고 있다. 최근에는 프로그램 평가와 사례 연구, 질적 자료 분석 그리고 교육과정 평가 과목을 강의하고 있다. 프로그램 평가와 질적 평가에 많은 후학들을 훈련시켰다.

주요 저서

1979, Case Studies in Science Education. University of Illinois: CIRCE.
1995, The Art of Case Study Research. Thousand Oaks: Sage Publications.
2004, Standards-Based Responsive Evaluation. Thousand Oaks, CA: Sage Publications.
2006, Multiple Case Study Analysis. New York: Guilford Press.

교육과정 평가는 개발된 교육과정이 목적에 맞게 성공적으로 실행되었는지를 판단하는 일련의 과정이다. 이러한 평가는 프로그램과 교육과정이 목적에 맞게 실행되었는지를 판단한다는 점에서 교육의 성공을 판단하는 중요한 과정이다. 이에 이 장에서는 교육과정에 있어서 중요한 일련의 과정으로 자리 잡은 교육과정의 평가에 대해서 살펴볼 것이다. 먼저 교육과정의 개념을 다양한 학자들에 의해 규명된 의미들을 중심으로 소개할 것이다. 그리고 시대적 요구와 패러다임에 따라 교육과정 평가의 의미가 어떻게 정의되고 변화되었는지를 소개함으로써 좀 더 넓은 시각에서 교육과정 평가를 이해할 수 있도록 구성하였다. 그리고 교육과정 평가의 목적과 역할에 대하여 소개하였다. 교육과정 평가의 목적과 역할에 대한 고찰은 교육과정 평가가 왜 필요한지 그리고 교육에서 어떠한 역할을 담당하는지를 알 수 있도록 도울 것이다. 그리고 교육과정 평가를 설계하거나 개발할 때 고려해야 하는 다양한 교육과정 평가의 요인을 Kenneth Sirotnik과 Jeannie Oakes가 규명한 네 개의 영역을 중심으로 소개하였다. 마지막으로 일반적으로 널리 알려지고 사용되고 있는 교육과정 평가의 모형 여덟 가지를 설명한다.

교육과정 평가의 개념

교육과정 평가는 교육과정의 내용, 적용과정, 교수 방법, 그리고 학생들의 학습과 행동에 미치는 효과를 밝히고 이러한 효과들을 향상시키는 방법을 찾기 위한 과정이다. 즉, 교육과정 목적의 달성도를 평가하는 과정을 말하며 교육활동의 효율성을 미리 설정된 준거에 의해 평가해 보고, 평가를 통해 나타난 결과에 대한 가치를 판별하는 체계적인 과정을 의미한다. 교육과정 평가는 종종 교육평가와 그 의미가 혼동되기도 한다. 교육평가가 학생들의 학업성취만을 평가하는 좁은 의미의 개념이라면 교육과정 평가는 교육 전반에 걸친 현상을 평가하는 넓은 의미의 개념이다. 이러한 교육과정 평가는 국가 수준의 교육정책을 수립하고 높은 질의 교육을 만들기 위한 필수적인 활동이라고 할 수 있다. 이러한 교육과정 평가의 뜻을 명확하게 이해하기 위하여 먼저 측정과 평가라는 두 개념을 정확하게 정의할 필요가 있다.

측정(assessment) vs 평가(evaluation)

실제 측정과 평가는 교육평가에서 동의어로 사용되기도 한다. 하지만 엄밀하게 두 개념을 구별하면 측정은 교육평가 과정에서 어떤 대상을 재는 것을 말하며 평가는 측정에서 나타난 결과에 의해 좋고 나쁨의 가치 판단을 하는 것이다. 즉, 측정은 평가를 위한 증거들을 수집하는 활동으로 볼 수 있다. 우리가 일반적으로 잘 알고 있는 표준화 검사의 점수와 같은 어떤 문제의 특성을 간접 측정을 통해 수량화, 객관화하는 것을 의미한다. 반면 평가는 측정된 결과가 어떤 준거에 비추어 보았을 때 바람직하냐 하지 않느냐와 같은 가치를 판단하는 것을 의미한다.

평가에 대하여 Stake(1967)는 평가란 어떤 것의 본질과 가치를 발견하는 판단과 그것을 기술하는 상호작용의 과정이라고 하였다. 그리고 평가자들은 항상 먼저 어떤 것을 기술하고 나서 그것이 가지는 장단점과 같은 가치를 판단하고 밝혀내려고 한다고 하였다(Stake 1967, Stake & Denny, 1969). 이러한 Stake의 말에서 알 수 있듯 평가란 어떤 것이 가지고 있는 본질과 속성을 밝히고 그 본질과 속성이 가지고 있는 가치(장 · 단점)에 대하여 판단하는 과정이라고 할 수 있다. 즉, 평가란 어떤 대상이 잘 실행되었는지, 문제점은 없는지와 같은 판단을 통해 그 대상의 가치를 밝혀내는 것이라고 할 수 있을 것이다.

평가는 교육과정이 학교와 교육의 현장에서 최고의 효과를 거둘 수 있도록 유지하도록 돕기 위해 이루어진다. 단지 문제가 발생하였을 때 이를 해결하기 위한 도구적인 것이 아니라 교육과정 평가는 교육프로그램을 개발하는 도구가 되어야 한다(Worthen & Rogers, 1980). 또한 평가는 목표 설정, 요구 분석, 목적 진술, 학습활동 고안, 과정과 결과의 평가, 순환과 같은 교육의 연속적인 활동이면서 동시에 정상적인 부분이 되어야 한다. 그리고 평가 결과는 평가 과정 동안 드러나는 요구들을 만족시킬 수 있는 교수목표를 개정하기 위한 기초적인 방향을 형성할 수 있다. 또한 새로운 학습 기회를 위한 요구에 대한 안내자의 역할을 할 수 있다. 또한 평가는 요구를 정확하게 나타낼 수 있어야 할 뿐만 아니라 새로운 자료의 선정, 절차, 조직 패턴의 선정에서 교육자들을 안내하는 길잡이가 된다(McNeil, 1981).

평가는 교육과정의 각 단계에 피드백의 역할을 한다. 이것은 평가가 교육과정 개발의 과정에서 어떤 단계에 이르렀을 때 다른 단계에 영향을 미치는 것을 의미한다(Wilhelms, 1967). 예를 들면, 평가의 결과 만약 목표가 너무 빈약하거나 너무 추상적이라는 것이 밝혀지면 목표를 다시 설정하기 위한 철저한 조사와 학습활동의 선정을 하게 된다. 이처럼 각 단계에서의 장단점에 대한 평가는 다른 단계에서의 효율적이고 성공적인 교육과정을 개발하는 데 피드백을 주게 되는 것이다.

다음으로는 학자들에 의해 정의되는 교육과정 평가의 정의에 대하여 살펴볼 것이다.

Saylor, Alexander와 Lewis의 교육과정 평가의 정의

평가의 개념을 그대로 가져와서 교육과정 평가의 개념을 정의한다면, 교육과정 평가는 교육과정의 본질과 속성이 가지고 있는 가치를 밝히는 과정이라고 정의할 수 있다. 이와 관련하여 Saylor, Alexander와 Lewis(1981)는 "교육과정 평가는 교육과정 선정의 적절성을 판단하는 데 사용되는 과정이다."라고 정의하였다. 그들은 교육과정의 적절성을 판단하기 위해 다음과 같은 질문들을 해 볼 것을 제안하였다. ① 교육과정은 계획하였던 목적을 만족시키고 있는가? ② 이러한 목적들은 그 자체로 적절한가? ③ 교육과정은 학생들의 참여를 끌어내기에 적절한가? ④ 그들이 추구하는 목적을 고려한 가장 적절한 활동을 선택하였는가? 그들은 이러한 질문들을 통해 교육과정의 선정과 만들어진 교육과정이 적절하였는지 그리고 그러한 교육과정의 실행과 활동의 선정이 적절하였는지를 판단하는 일련의 과정들에 대한 교육과정 평가로 정의하였다.

Ralph Tyler의 교육과정 평가의 정의

Ralph Tyler(1981)는 그가 개발한 교육과정 개발의 네 단계를 적용할 때 각 단계에서 나타나는 효과와 가치를 판단하는 과정으로 정의하였다. 이를 구체적으로 살펴보면, 첫째 단계는 교육과정 목표와 개념 선정의 적절성을 평가하는 것이다. 그는 교육과정의 선정에 있어 이전의 경험과 실험들을 사용해야 할 것을 주장하였다. 이것은 이전의 경험과 사례들을 통해 장단점을 파악하고 이러한 경험과 사례들을 통해 일어날 수 있는 가능성에 대해서도 고려하여 목적과 개념을 선정했는지를 평가하는 것이다. 둘째 단계는 실행의 과정에 대한 가치를 평가하는 것이다. 일단 계획이 실행되면 프로그램을 성공적으로 이끌 수 있는 조건에 대한 이해가 필요하며 이러한 실행과정이 성공적으로 이루어졌는지를 평가하는 것이다. 이러한 과정 속에서 본래 계획보다 효과적인 대안의 과정을 발견할 수도 있다. 셋째 단계는 실체 프로그램을 실행하는 동안 교육과정에 효과적이었던 요소나 요인들은 무엇인지 평가하는 것이다. 즉, 교육과정이 진행되는 동안 지속적인 관찰을 통해 교육과정에 필요한 요소들을 발견하고 학생들과 교사들에게 지침이 될 수 있는 정보를 제공하는 것이다. 넷째 단계는 프로그램이 수행되고 난 후 프로그램에 대한 성공 여부를 평가하는 것이다. 즉, 수행한 프로그램이 계속적으로 실행되어도 괜찮은지, 프로그램에 수정이 필요한지, 아니면 프로그램을 버려야 하는지 결정하는 것이다.

Tlyer에 따르면 평가는 학습경험을 어떻게 조직하고 개발하는 것이 효과적인지 그리고 기대한 결과를 만들어 낼 수 있는지 발견해 가는 과정이다. 또한 평가를 통해 계획했던 교육과정의 장단점을 파악하는 과정이다. 따라서 Tlyer의 관점은 교육과정을 개발할 때 사용되는 기본전제의 타당성을 체크하는 데 도움이 된다. 그리고 평가의 결과로서 교육과정의 효과와 개발 필요성에 대해서도 평가할 수 있다.

Willam Gephart의 교육과정 평가의 정의

Gephart(1978)는 체계적인 평가는 교육을 결정할 때에 이루어진 모든 기준에 대한 가치와 모든 대안적 프로그램의 상대적인 가치에 대한 정보를 제공해야 한다고 제안하였다. Gephart는 Tyler와 비슷한 접근 방법으로 주요 활동을 평가의 대상으로 삼았다. Gephart는 교육과정 평가는 과정을 구성하고 있는 중요한 네 가지 활동으로 구성된다.

(1) 선택의 각 단계에서 고려해야 하는 대안들에 대한 상세한 기술
(2) 결정자들이 그들의 선택 시에 사용하게 될 변인들을 정의하기
(3) 분석 데이더 수집하기
(4) 결정자들에게 대안들의 상대적인 가치 보고하기

교육과정 평가의 개념 변화

여기에서는 교육적인 평가에 대한 관심을 역사적으로 조명해 보고 시대에 따라 교육과정 평가의 개념이 어떻게 형성되고 발전 되어 왔는지를 살펴볼 것이다. 1900년대 초기에 시작 된 교육평가에 대한 관심의 시작에서부터 참평가로 알려진 현재의 교육과정 평가까지 그 의미가 어떻게 확장되고 발전해 왔는지 살펴볼 것이다. 이러한 시대에 따른 교육과정 평가의 개념들을 살펴보는 것은 교육과정 평가에 대한 이해를 깊이 있게 만들어 줄뿐만 아니라 교육과정 평가가 나아가야 하는 방향을 제시해 줄 것이다.

1990년대 초기 : 교육평가에 대한 관심의 발생

교육적인 평가에 대한 미국에서의 관심은 1900년대 초기의 과학적인 움직임으로 거슬러 올라간다(Merwin, 1969). 이 시기의 교육적인 테스트와 측정은 이제 막 시작하는 유아기와 같았지만 평가에 대한 관심만큼은 급속도로 증가한 시기이다. 그리고 이러한 평가에 대한 노력들은 학교 공동체, 학습 과정, 교수 방법과 같은 지극히 제한된 일부의 요소들에만 주목되어 있었다.

1900년대 초기의 지배적이었던 교육심리학은 능력심리학으로 일컬어지는 형식도야설에 기초를 두고 있었다(Thorndike, 1903). 따라서 지식을 만들어낼 수 없다고 보고 구체적인 결과와 눈으로 보이는 행동의 변화만을 교육으로 보던 시대였다. 따라서 교육의 평가도 이러한 가시적인 결과와 행동의 변화를 측정하는 수준에 머물렀다. Thorndike의 경우 이러한 행동주의 심리학에 바탕을 둔 자극과 반응에 기초한 평가는 스콜라 철학에서 주장하는 지식적 낭비를 막을 수 있다고 언급하였다. Judd(1918)은 공장에서 일련의 과정을 관찰하는 감독관에 대한 견해에 기초하여 그의 배심원들에게 교육의 구체적인 결과를 보고하는 것을 평가로 보았다. 이 시대에는 눈에 보이는 구체적인 결과를 중요시하였기 때문에 심지어 학교의 장들은 구체적이고 가시적인 결과에 바탕을 두고 학교를 운영하며 교육을 연구하던 시대이다. 그리고 그러한 교장들은 교사들이 수행한 것을 그들의 측정 결과에 대한 데이터에 따라 감독하였다.

1920~1970년대 : 목표 중심 교육과정으로서의 교육과정 평가

그러나 1918년에서 1925년까지의 시기에는 행동주의 심리학에 대한 관심이 증가하고 능력 심리학에 대하여 약간의 각성이 일어났다. 이것은 Tyler에 의해 밝혀졌다(1957). Tyler에 의해 교육목적이 행동목표와 일치하는 것이라는 매우 특정한 용어로서 처음 인식되기 시작한 시기이다. Bobbitt(1924), Charters(1923), 후에 Meger(1962)와 Popham(1969)과 같은 학자들에 의해 규명된 행동목표 교육모델은 학습결과와 행동목표모델을 강조하였다. 이것은 현재까지도 교사의 책무성을 강조하는 사람들에 의해 강조되고 있다. 이러한 접근 방법의 또 다른 결과는 펀드에 대한 연방의 당위성을 증명하기 위해서였다. 교육과정이 목표 달성을 성공적으로 실행하였는지를 연방 정부에 보이기 위해 그들의 구체적인 목표가 무엇인지 그리고 그러한 프로그램의 실행이 성공적이었는지를 평가하였다.

물론 이 시대에도 1900년대 초기의 과학 운동의 영향은 지속되었다. 그리고 1938년 William Reavis는 언급했다. "측정 운동의 발전, 수행의 측정에 대한 테스트의 완벽 그리고 정신적 가능성은 교육행정에 대한 진보를 가능하게 하였다." 이러한 과학적인 방법과 프로그램을 통한 테스트에 의존한 교육평가는 오늘날까지 지속되고 있다. 이 평가 방법이 오늘날까지 구체적으로 이어지고 있는 대표적인 예로는 표준화 검사, 교사가 만든 목표의 테스트, 대학 입학시험, 최소 자격 검사 그리고 다양한 직업 세계에 대한 인정 시험 등이 있다.

1970~1990년대 : 질적 평가 방법에 대한 관심의 증가

1970년대는 여전히 서열화와 줄세우기식 시험의 영향이 강하게 남아있었지만 교육과정과 교수에 대한 질적인 측면에 대한 평가의 관심이 증가하던 시기였다. 즉, 평가에 대한 질적인 연구로 그 방향이 옮겨지는 시기이다. 다양한 이유들로 인해, 교실의 삶에 대한 질적 연구에 대한 관심이 증가하고 있다. Goodlad(1979)는 이러한 흐름을 학교교육을 공장의 생산 모델에 비유하던 과거의 시각에 대한 반작용이라고 이야기하였다. 서열화에 의한 줄세우기식 평가와 공장에서 상품을 찍어내는 것처럼 투입-산출 모델의 논리에 의해, 표준화 검사를 통해 학생들의 지식과 능력은 그들의 성취 점수의 형태로 환원된다. 이러한 평가는 학생들이 무엇을 진정으로 알고 있으며 이해하고 있는지를 중요하게 여기지 않는다. 뿐만 아니라 학생들이 어떻게 그러한 지식을 형성하게 되었는지와 같은 이유와 과정은 드러내지 못한다고 생각하였다. 그리고 가장 큰 문제는 이러한 표준화 검사에 의한 점수가 실제 상황, 생활과 아무런 관련이 없다는 것이다. 이러한 전 시대에 대한 반성과 함께 학생들이 진정으로 무엇을 알고 있으며 이해하고 있는지와 같은 주제로 평가의 관심이 옮겨지게 되었다. 그리고 학습의 과정과 실제적인 상황에 대한 적용 능력이 평가의 주요 관심으로 옮겨지게 되었다. 그러면서 자연히 질적인 평가 방법에 대한 관심이 증가하게 되었다.

교육과정 평가에 대한 변화하고 있는 관점에 대한 주장 가운데 Henry Brickell의 말을 인용하면 다음과 같다. 1970년대로 돌아가면, 평가자들은 프로그램이 그들의 목표를 달성하였는지에 관해서 걱정하였다. 하지만 1975년에는 그들은 똑같은 목표를 달성하는 데 있어 프로그램이 좋았는지에 대해 걱정하였다. 그리고 오늘날에는 교실에 가져올 수 있는 더 좋은 목표가 있는지, 그 대신에 달성해야 하는 더 좋은 목표에 대하여 걱정한다(1981).

1990년~현재 : 교육과정 평가의 개념 확장

참평가로 널리 알려진 오늘날의 교육과정 평가는 학생의 평가와 그것의 위치에 대한 광범위한 시각을 가지고 있다. 이것은 주로 1980년대와 1990년대에 성장하였다. 참평가로 알려진 이러한 시각의 평가에서는 학생들의 포트폴리오를 평가도구로 사용한다. 교사는 학생들의 포트폴리오를 통해 학생들에게 발생하는 많은 모든 것들 그리고 학생들이 무엇을 학습하였는지를 평가하게 된다. Eisner(1999, 2000)에 따르면, 일반적으로 참평가는 '완벽으로 이르는 새로운 길' 을 탐험하는 속에 양적 연구 기술(표준화 검사)보다 중요한 질적 연구 기술들(교실의 주의 깊은 관찰과 일화 같은 기록 등)을 고려한다. 그리고 Broadfoot(1996)와 Wiggins(1998)는 참평가는 교수와 학습의 노력과 목적을 측정하고자 할 때에 양적 연구보다는 질적 연구 기술들을 고려해야 한다고 말하였다.

그리고 현재의 교육평가에 대한 개념은 참평가보다 넓은 의미에서 이야기되고 다루어지고 있다. 이와 관련하여 Skilbeck(1982)과 Wiles(2005)는 교육과정 평가는 그들 스스로 거대화되고 조직화되고 관리적이고 체계화되는 것보다는 작은 척도를 유지해야만 한다고 제안하였다. Skilbeck이 주장한 것처럼 그것이 작을 때, 좀 더 구체적인 경험, 자기 평가, 대안적 사고에 대한 반성적 형태를 유지할 수 있다. 그리고 이를 통해 교육자들은 체계화된 방법에 의해 관리되지 않는 극히 개인적일 수 있는 질적인 자료를 모을 수 있다. 하지만 이러한 미시적인 자료의 수집은 불필요한 수많은 자료를 양산하게 될 위험을 내포하고 있다. 이에 대해 Skillbeck은 다음과 같은 질문에 분명하게 답함으로써 이러한 오류를 줄일 수 있다고 제안하였다.

- 이 활동에 관하여 알기 위해 내가 알아야 하는 것은 무엇인가?
- 나는 어떻게 가장 효율적으로 발견할 수 있나?
- 나는 내가 알고 있는 것을 어떻게 사용할 수 있는가?
- 다른 사람들이 알도록 하기 위해 무엇이 필요한가?

교육평가에 대한 현대에 이루어지는 또 다른 중요한 논의는 다양한 구성원들의 의견을 반영할 수 있는 교육평가를 만들어가는 것이다. 일반적으로 거대한 규모의 평가에서 질문은 좀 더 비개인적인 경향이 있다. 그리고 교사들 자신이 가지고 있는 관심사와 동떨어진 질문들로 구성되는 경향이 강하다. 이와 같은 평가는 막대한 양적 자료를 축적할 수 있다. 예를 들면, Virginia Beach School District(1984)는 2년에 걸쳐 자료를 수집하고 분석하고 조직화할 5명의 전문가 팀을 고용하였다. 그들은 교사, 학생, 부모, 지역 공동체 대표, 감독관, 행정가들과의 미팅으로부터 나온 자료, 추천서, 공청회, 학교 시스템 감사, 대학으로부터 나온 자료, 컨퍼런스 참석, 상담가의 제안으로부터 나온 자료, 그리고 각종 문서와 자료들을 수집, 분석, 체계화하였다. 하지만 평가는 절대로 수집된 자료의 양에 의해 결정되는 것이 아니다. 오히려 자료 수집에 사용된 방법이 지적인지에 의해 결정된다고 볼 수 있다. 형식적인 평가와 기술을 사용한 사람들은 객관적인 입장을 유지하지 못하고 그들이 사용하는 평가에 종속되는 경향이 있다. 이와 관련하여 Rogers와 Badham(1992)은 시간과 실험, 자료 부족과 같은 억압 때문에, 교육과정 평가는 고도로 집중적이 되어야 한다고 제안하였다. 그들은 다음과 같은 원리를 제안하였다.

- 평가는 몇 가지 특정한 포커스에 집중되어야 한다.
- 오직 본질적인 질문들만이 수집되어야 한다.
- 사용의 최대치는 이미 이용되고 있는 정보로 구성되어야 한다.
- 평가는 참여하고 있는 구성원들이 신뢰할 만하고 가치 있는 것이어야 한다.

그러나 이러한 제안의 문제점은 평가가 너무 집중적이 되면 그것이 복잡하고 다양한 상황 아래에 놓인 실제의 상황을 벗어날 수도 있다는 것이다. 교육과정 평가는 특정한 환경 속에서 교육과정과 교수요목을 가지고 교사와 학생들이 어떻게 상호작용하는지에 대한 연구를 포함한다. 학생들이 학습하는 것이 무엇인지, 수업 계획에 대한 분석에만 제한되어서는 안된다. 오히려 다양한 요소와 환경들에 대한 고려가 이루어져야 한다. 즉, 교육과정 평가는 교육과정 계획과 실행에서 목표에 대한 고찰, 원론, 구조를 포함할 수 있어야 한다. 교육과정 실행에서 발생하는 상황(학부모와 지역 공동체로부터 투입된 것들을 포함한)에 대한 연구, 학생들의 교육과정 경험 속에서의 흥미, 동기, 반응, 성취도에 대한 분석도 포함하여야 한다.

특정한 상황에 응하는 그리고 좀 더 광범위한 교육과정 평가의 필요성을 많은 학자들이 주장하고 있다(Car & Harris, 2001; Norris, 1998; Ornstein & Hunkins, 2004). 교육과정은 대개 복수의 관심을 기술한다. 그리고 합의를 찾기 힘든 일들에 대한 의견의 일치를 통해 이러한 복수의 관심을 적극적으로 반영할 수 있어야 한다. 실제 학교 내부에는 다양한 그룹과 구성원이 존재한다. 다른 그룹과 개인(행정가, 교사, 학생, 학부모)은 교육과정에 포함되어야 하는 것이 무엇인지에 대해 다른 견해를 가지고 있다. 그리고 어떻게 가르쳐야 하는지에 대해서도 견해가 다르다. 이러한 다양한 구성원들의 견해의 일치와 합의는 교육과정 평가에 있어 매우 중요하다고 할 수 있다 (Broadfoot & Pollard, 2000).

교육과정 평가의 목적과 역할

교육과정 평가는 다양한 목적과 역할을 가지고 있다. 실제 교육과정 평가란 이러한 목적과 역할을 달성하기 위한 일련의 행위라고 할 수 있다. 따라서 이러한 교육과정 평가의 목적과 역할을 이해하는 것은 중요한 작업이라고 할 수 있다. 교육과정을 평가하고 분석하는 작업은 평가에 대한 시각의 초점으로부터 오기 때문이다. 따라서 우리는 먼저 평가의 목적을 분명하게 할 필요가 있다. 우리가 이야기해 왔던 것처럼 어떤 것의 가치를 결정하기 위해 평가를 행한다. 그러나 '어떻게 그것의 가치를 결정할 수 있는가?', '왜 그것이 가치가 있다고 이야기할 수 있는가?', '이 정보를 가지고 무엇을 할 수 있는가?'와 같은 질문에 답하는 것은 그 목적과 역할을 분명히 할 때 가능하다. 실제 대부분의 평가 전문가들은 평가를 수행하는 주요 이유는 개개인과 교육과정에 대한 결정을 내리는 데 필요한 정보를 제공하기 위해서라고 주장하는데 여기에서는 그러한 교육과정 평가의 목적과 역할을 여덟 가지로 제시하였다.

학생들에 대한 진단과 결정

학생들에 대한 진단은 개개인의 능력에 대하여 파악하고 이러한 정보를 바탕으로 학습경험과 처방을 결정하기 위한 것이다. 이러한 개개인에 관한 결정은 다음 여섯 가지 목적을 위해서 필요하다(문제 진단, 학습 피드백, 배치, 진급, 성적 증명, 선발). 첫째, 학생들의 능력과 문제를 진단하는 것은 개개인의 강점과 약점을 파악하는 것이다. 학생들의 강점과 약점에 대한 정보는 특별한 교육적 관심이 필요한 영역을 결정하는 데 사용된다. 학생들을 진단하는 방법은 다음과 같은 방법을 포함한다: ① 학생들의 수행에 관한 관찰 ② 태도, 관심, 행동 범위 ③ 각 영역의 하위 영역별 점수를 포함하고 있는 성취도 평가와 성격 검사. 둘째, 학습 피드백 결정은 학생들이 학습하는 과정에서 학생들이 학습목표에 도달하지 못하는 이유를 판단하고 적절한 방법을 안내하는 것을 말한다. 대부분의 교사가 만든 테스트와 퀴즈는 학생들이 그들의 과정을 관찰하고 그들의 접근방법을 조절하는 데 도움을 주기 위한 것들로 피드백의 대표적인 유형이다. 셋째, 배치를 결정하기 위해 학생들의 특정 기술에 대한 숙련도 수준에 관한 정보가 필요하다. 상대적으로 동질적인 그룹에서 그것들을 배치하기 위해서도 이러한 개인의 능력에 대한 진단은 필요하다. 넷째, 배치와 유사하게 진급 혹은 레벨을 낮추거나 유급에 대한 결정은 학생들의 숙련도와 성숙에 관한 정보에 근거하고 있다. 학생들이 다음 학년이나 단계로 진급해야 하는지 결정하기 위한 정보가 필요하다. 교실 관찰에 근거한 성취도 평가, 개개인의 수여, 교사의 추천은 이러한 두 유형의 결정을 하는 데 전형적으로 사용되는 방법이다. 다섯째, 성적 증명 결정은 자격증, 면허증, 혹은 프로그램 졸업의 자격 등을 통해 이루어진다. 전형적으로 이러한 결정은 주나 미국 법률가 협회와 같은 전문적인 조직 기관 같은 자격 기관에서 설계된 시험에서 사전에 결정되어 있는 통과 레벨을 증명할 것을 요구한다. 여섯째, 대학의 입학 기관과 같은 곳에서 이루어지는 선정의 결정은 전형적으로 등급과 같은 학생들의 성취에 관한 존재하는 자료를 사용한다. 그러나 SAT와 같은 성취도 평가에 의존하기도 한다.

교육과정 결정

교육과정 평가의 두 번째 중요한 역할은 교육과정을 결정하는 근거와 정보를 제공하는 것이다. 하지만 교육과정에 대한 정의가 다양하기 때문에, 교육과정 평가는 그 정의에 따라 성격과 유형을 달리하는 특징을 가지고 있다. 만약 교육과정이 교과목의 아웃라인, 시퀀스와 스콥프, 실라버스와 같은 문서를 언급한다면, 교육과정 평가는 그와 같은 문서의 가치와 유용성을 판단하는 것을 의미한다. 이러한 경우 평가는 다음과 같은 질문들에 대한 판단을 의미하게 된다: 그 문서가 완전한가? 내부적으로 일치하는가? 잘 쓰여졌는가? 그 문서는 충분히 깊이와 폭을 가진 교육과정을 표현하고 있는가? 교육과정이 잘 조직되어 있는가? 엄격한가? 최신의 것인가? 어떻게 그것을 개선할 것인가?

반대로 교육과정이 학생의 경험을 언급하는 것이라면, 교육과정 평가는 학생들에게 제공되는 교육 경험의 가치를 판단하는 다음과 같은 질문들에 대한 판단을 의미할지도 모른다: 경험은 교육적인가? 도전적인가? 참여적인가? 그것들은 이 특정 나이의 아이들에게 적절하고 안전하며 위생적인가? 다른 배경을 가진 학생들에게 똑같은 대우를 하는가? 어떻게 교육 경험을 향상시킬 것인가?

교육과정을 학습목표로 정의한다면, 교육과정 평가는 교육 실행의 실제 결과를 언급할지도 모른다. 예를 들면, 특정 코스에서 학생들이 배워야 하는 개념과 기술은 어떤 것들이 있는가? 이런 교육과정의 결과를 다른 교육과정(아마도 선행으로 이루어진)의 결과와 어떻게 비교할 것인가? 학생들의 학습이 의도했던 대로 잘 이루어졌는가? 어떤 부작용은 없는가? 학생들은 그들이 배운 것을 사용할 수 있는가? 교육과정으로부터 어떤 학생들이 가장 많은 혹은 가장 적은 이익을 얻은 것처럼 보이는가? 모든 학생들에게 어떻게 이익을 극대화시킬 것인가?

교육과정 평가 결정에는 형성평가와 총괄평가 두 가지 유형이 있다. Scriven(1967)은 '형성평가를 요구하는 교육과정을 향상시키기 위한 방법으로서 결정' 과 '총괄평가에서 요구되는 교육과정의 사용이 계속되어야 하는지에 대한 결정' 두 가지 유형으로 나누었다. 교육과정 개발 과정이 진행되는 동안 평가가 발생할 때, 평가는 형성의 역할을 한다. 다음에 분류된 질문들이 전형적인 것이다: 학생들은 목적을 알고 있는가? 교육과정이 관심을 두고 있는 새로운 요구를 다루기 위해 교사는 장비를 잘 장치하는가? 교육과정을 현실적으로 가르치기 위해 시간이 얼마나 필요한가? 재료가 너무 어렵지는 않은가? 교육과정의 필드 테스트는 형성평가의 한 유형으로 구성된다. 반면 평가가 행정가들이 학술적 지지를 인정할 만큼 충분히 교육이 좋은지 아닌지를 결정하기 위해 사용될 때 평가는 총괄의 기능을 하게 된다. '학교 시스템은 형식적으로 교육과정을 채택해야 하는가?' , '외부의 펀드 기관은 교육과정에 대한 지원을 계속해야 하는가?' 와 같은 결정은 총괄평가에 의해서 평가된다.

형성평가의 역할과 총괄평가의 역할 사이에 중요한 차이는 의사결정자와 평가의 위치이다. 형성평가를 결정하는 의사결정자는 교육과정을 개발하는 노력의 일부이다. 그러므로 평가는 내부의 과정에 위치한다. 하지만 총괄평가에서 의사결정자는 이러한 노력의 외부에 있다. 그러므로 단순히 평가를 의미하며 외부에 위치하게 된다. 예를 들어, 형성평가에서 교육과정 프로젝트 디렉터는 사실의 정확도를 위한 도안, 작가의 개인적 선입관, 적용의 이해를 평가할 수 있는 사학자 패널을 모을지도 모른다. 이들은 프로젝트를 개선하기 위한 자료를 수집하기 위해 형성평가를 사용한다. 하지만 총괄평가에서는 똑같은 사학자 패널이 모이기는 하지만 국가 설립 펀드 기관에 의해 고용된 평가자들이다. 그들은 정부로부터 계속적인 펀드를 얻기 위한 자료를 수집하기 위해 움직인다. 평가자들은 프로젝트의 계속적인 펀드 지원을 정부에 추천하기 위한 근거로서 패널의 소견을 사용할 것이다. 이것이 내부의 평가자이냐 외부의 평가자이냐의 차이를 말한다. 그리고 이것이 형성평가와 총괄평가를 비교하는 가장 두드러진 점이다.

형성평가는 교육과정 개발의 세 단계에 각각 쓰일 수 있다: 계획과 설계의 단계, 실행 단계, 보급의 단계. 계획 및 설계의 단계에서, 형성평가는 목표를 달성할 수 있는 대안적인 접근에 관한 정보를 수집할 수 있다. 실행의 단계에서, 형성평가는 프로그램의 성공에 영향을 미치는 과정과 요인들을 발견할 수 있다. 보급의 단계에서, 형성평가는 실행을 위한 채택과 전략의 기준으로서 프로그램에서 실제로 사용될 것으로 여겨지는 자료를 제공할 수 있다. 총괄평가는 또한 교육과정 계획을 개정하거나 새로운 것을 형성할 때 중요한 자료를 제공할 수 있다. 교수 과정에 넣거나 빼야 하는 그리고 새로운 항목의 선정, 목표와 목적의 개정, 유사한 결정에 이르기까지 특정 교육과정 프로그램이 끝나는 시점에 이루어진다.

개인 평가와 교수요목 평가

교육이 개인에게 효과가 있었는지 그리고 교수요목이 개인의 학습에 어떠한 영향을 미쳤는지에 대한 평가를 하는 것이다. 먼저 교수요목의 영향을 평가하는 방법에는 질문지, 교사와의 인터뷰, 교육과정 요소의 항목 분석, 서로 다른 커리큘라를 적용한 집단에 대한 성취도 평가 자료의 비교, 학점이수의 사후 인터뷰, 교실의 사례 연구와 같은 것들이 있다. 이 방법들은 교육과정 결정에 초점을 둔 평가로 사용되는 전형적인 방법들이다. 개개인에 대한 평가를 하는 데 사용되는 방법은 상대평가와 절대평가의 자료, 임상 인터뷰, 개개인의 장점과 단점, 그리고 특징, 문제를 규명할 수 있는 가족과 전문적인 회의와 같은 방법이 있다. 이러한 방법들은 개개인에 관한 결정을 알려주기 위해 사용된다.

이것들은 서로 다른 목적을 가지고 있지만 구체적인 적용에서 많은 혼란을 유발한다. 그 이유는 학생 테스트 자료와 똑같은 자료가 개인 평가와 교과과정에 관한 모두에 사용되기 때문이다. 그러나 이 둘에 대한 명확한 구분은 불필요한 자료 수집을 막아주고 예산의 낭비를 막아준다. 그리고 만약 이 둘을 명확하게 구분하지 않으면 값싸지만 수집되어야 하는 중요한 정보에 대한 놓지는 결과로 끝난다. 예를 들면, 만약 그것의 목적이 교육과정 속에 있는 문제를 규명하고 그것을 어떻게 고쳐야 할지를 결정하기 위한 것이라면, 모든 학생들로부터 똑같은 자료를 수집하는 것은 불필요하다. 심지어 일부의 학생들로부터 어떤 자료를 수집하는 것도 불필요하다. 학생들의 샘플은 자료 수집을 위해 사용될 수 있다. 그리고 더 넓은 범위의 정보는 다른 학생들의 다른 자료를 모음으로써 수집할 수 있다.

본질적 가치에 대한 질문

교육평가에 대한 고찰은 그 교육이 본질적으로 추구하고자 하는 가치가 무엇인지와 직접적으로 관련되어 있다. 따라서 이것은 교육 철학과 이념 같은 근원적인 물음에 대한 대답이다. 이런 본질적 가치에 대한 질문은 장점과 적절성에 역점을 두어 다룬다. 그리고 그것은 계획된 교육과정에서만 다루며, 이미 실행되고 끝난 교육과정을 다룬다. 본질적으로 만약 학교가 새로운 국어 교육과정을 다룬다면 그것은 국어과에서 알아야 하는 항목들, 그러한 항목들의 배열, 그러한 항목들의 실행에 관한 정보와 같은 생각을 통합해야 한다. 이렇게 다양한 항목과 요소들을 통합할 때 구심점과 방향을 잡아주는 것이 바로 이러한 본질적 가치에 대한 고찰이다. 따라서 이러한 본질적인 질문에 대해 높은 식견을 가진 언어학 전문가, 작문의 전문가, 문법의 전문가 등은 교육과정 계획에 높은 기준을 제공할 것이다.

그러나 이러한 질문들의 발생은 교육과정 문서를 분석하기 위해 전문가들을 모으는 것과 같이 단순한 문제가 아니다. 사람들은 그들의 철학적이고 심리적인 관점에 따라 본질적 가치에 대한 질문들을 가져온다. 그들은 그들이 알고 있는 교육적 목적의 기준 속에서 교육과정을 인식한다.(그들이 알고 있고 강조하는 것은 비판적 사고, 시민의식, 직업 생활을 위한 준비와 같은 것들이다.) 그리고 그들이 선호하는 학습 이론에 따라 교육과정을 인식한다.(행동주의, 인지주의, 인본주의는 그것을 실행하기 위한 방법과 항목들에 관하여 다른 관점을 가지고 있다.)

또한 본질적 가치에 대한 질문들은 정확하게 진행하기 어렵다. 부분적으로 그것은 근원적인 원리가 신중하게 형성되는 학교에서 과목의 범위가 있기 때문이다. 과학에서는 대부분의 과학자와 과학 교육자들이 동의하는 근원적인 과학적 원리가 있다. 대조적으로 이중 언어를 사용하는 교육자들은 그들의 연구 분야의 근원적인 원리에 관하여 다양한 선택 사항을 가질 수 있다.

수단적 가치에 대한 질문

평가는 단순한 교육적 결과만을 판단하는 것이 아니다. 평가는 교육의 전 과정을 평가하기도 한다. 즉, 목적을 달성하기 위해 사용된 교육도구나 수업 방법 그리고 수업

절차가 효과적이었는지에 대한 평가를 포함한다. 이러한 절차와 방법에 대한 평가를 위해 다음과 같은 질문들이 사용된다. "무엇이 교육과정을 위해 좋은 것인가? 그것의 의도된 청중은 누구인가?" 교육자들은 프로그램의 진술된 목표와 목적과 계획된 교육과정을 연결시키기 위해 제일 첫 번째 부분으로 이러한 질문들을 다룬다. 본질적으로, 그들은 프로그램에서 계획된 것들이 진술된 목표와 목적에 부합되게 진행되고 있는지 판단한다. 그들은 완료된 문서들을 봄으로써 이 평가 판단을 만든다.

그들은 일단 교육과정이 실행되고 나면 다음과 같은 질문들을 생성한다. "도구적 가치로서의 질문은 또한 교육과정에서 계획된 것이 달성될 수 있는 것인가? 범위는 어떤 학생들에게까지 미칠 수 있는가?"와 같은 것에 역점을 두어 다룬다. 게다가, 이 질문은 교육과정의 철학적, 심리적 방침이 계속 유지될 수 있는지에 관심을 가진다. 그리고 교육과정의 철학적, 심리적 방침이 항목과 재료, 활동, 방법들을 줄 수 있는지에 관심을 가진다. 만약 교육과정 개발자가 인본주의자라면, 학생 중심의 입장에서 이러한 질문들을 고려하게 된다. 반대로 행동주의자라면, 프로그램에서 계획된 교육과정이 학생들이 의도한 특정 능력 수준에 특정한 행동을 수행했는지 물을 것이다.

비교적 가치로서의 질문

비교적 가치로서의 질문은 두 개의 프로그램이나 교육과정을 비교하여 어느 것이 더 적절한 것인지 평가하는 것이다. 이러한 질문은 종종 새로운 프로그램이 직면할 수 있는 가능성에 대한 것들을 요구한다. 그래서 새 프로그램은 이전의 프로그램에 비하여 좋은가와 같은 질문을 던진다. 하지만 대개 이러한 비교 평가가 이루어지는 것은 기존의 프로그램이 적절하지 않다고 생각되어 새로운 프로그램의 필요가 생겨났기 때문이다. 또한 종종 다른 목표를 가진 다른 프로그램을 비교할 때에도 이러한 질문들을 사용한다. 기술 훈련을 강조하는 프로그램이 인식적, 논리적 시각을 강조하는 프로그램보다 나은지와 같은 비교는 대표적인 예이다. 이 둘은 확실하게 다른 성질을 가지고 있다. 따라서 하나는 다른 하나에 비하여 상대적으로 더 나은 가치를 가질 것으로 예상할 수 있다. 그러나, 만약 제안된 프로그램이 현재 존재하는 프로그램과 똑같은 유형이라면 비교적 가치로서의 질문을 고려해야 한다. 사실 교육자들은 이 질문들을 단지 학생들의 성취라는 관점 이상으로 고려할 필요가 있다. 그들은 두 프로그램의 실행 용이성, 비용, 자원 요구, 현존하는 학교 기관에서의 역할, 지역 공동체의 기대에 대한 반응 등을 비교할 필요가 있다.

이상적 가치로서의 질문

평가를 통한 질문은 기존보다 더 나은 이상적인 교육과정이나 프로그램이 무엇인지에 대한 정보를 제공한다. 평가를 다룰 때, 평가자들은 단지 계획된 것들이 실제로 발생될 수 있는지 결정하는 것에만 관심을 가지는 것이 아니다. 그들은 프로그램이 최고로 수행될 수 있도록 만드는 방법을 결정하는 데 도움을 줄 수 있는 정보를 제공하는 실행에 참여하는 것에 관심이 있다. 그들은 프로그램을 실행하는 방법에 관한 그들의 정보를 가지는 것에 관심을 가진다. 그리고 그들은 그들 자신에게 프로그램을 훨씬 더 좋게 만들 수 있는 (여기서 '훨씬 더' 는 학생들의 좀 더 높은 학업 성취를 이끌어내는 것, 그들 자신의 학습에 좀 더 적극적으로 참여하도록 하는) 대안적인 방법이 있는지 질문한다. 이 질문들은 새로운 프로그램이 실행되는 동안 지속적인 실행을 요구한다. 교육자들은 계속해서 그들 자신에게 프로그램의 항목과 재료, 방법과 같은 것들이 적절하게 배분되고 조화될 수 있는지 질문해야 한다. 그리고 학생들이 그것을 경험하는 것을 통해 최적화된 이익을 끌어내야 한다.

결정 가치로서의 질문

교육과정이란 선택의 연속이다. 평가는 어떠한 교육과정이나 프로그램이 선택되어야 하는지에 대한 결정을 내릴 수 있도록 도와 준다. 이전의 네 개의 평가 질문들에서 언급되었지만, 결정을 하는 것은 질적인 결정이 되어야 한다. 평가자들과 교육과정 결정자들은 이제 그들이 강화하고 수정해야 하는지 혹은 새로운 프로그램을 버려야 하는지와 같이 결정할 수 있는 방법과 같은 문서화된 증거들을 가져야 한다. 따라서 최종적 선택을 위한 결정을 하기 위하여 평가는 지대한 역할을 한다.

교육과정 평가에서 고려해야 하는 상황과 요인

교육과정 평가에서 고려해야 하는 상황과 요인은 매우 다양하다. 교육과정 평가는 교육의 전반적인 과정에서 일어나는 일반적인 한 부분이기 때문이다. 교육의 일련의 과정과 영역은 교육과정 평가와 상호관련을 맺고 있기 때문에 교육을 생각할 때 고려해야 하는 다양한 요인들은 모두 교육과정 평가의 고려 대상이라고 할 수 있다. 이러한 다양한 교육과정 평가의 요인들 중 Kenneth Sirotnik와 Jeannie Oakes(1981)가 규명한 네 개의 영역을 중심으로 살펴볼 것이다. 그들은 교육과정 평가를 교육과정 개발 · 계획의 사전 단계로 인식하고 그 중요성을 강조하였다. 물론 그들은 체계화되고 조직화된 평가 시스템을 제안하지는 못했다. 하지만 그들은 교육과정 평가와 교수학습 과정에서 고려되어야 하는 상황과 영역이 무엇인지를 다양하게 규명하였다.

Sirotnik와 Oakes(1981)는 교육과정 평가에서 고려되어야 하는 상황과 요인을 기본적으로 교과 수업이 이루어지는 교실 환경, 학교 환경, 지역사회의 환경에 영향을 미치는 것으로 정의하였다. 그리고 이것을 네 개의 영역(개인, 교실, 학교, 학교 교육)으로 구분하였다. 각각의 영역에 관한 자료는 조사, 인터뷰, 관찰일지, 다양한 교육과정 샘플, 문헌자료와 같은 다양한 방법으로 수집되었으며 각각의 영역에서 일반적으로 이루어지는 관심이 무엇인지를 수집하였다. 그리고 수집한 자료를 바탕으로 각 영역에 적합한 평가 프로그램을 만들고 평가를 실시하게 된다. 이러한 성취평가는 목적에 따라 구분되어 있으므로 그 결과는 네 개의 영역 중 하나에 속하게 된다.

첫째 영역 : 개인

개인 영역은 학생, 학부모, 교사와 같은 교육 구성원들의 자아, 성격, 태도와 관련된 요소에 대한 평가이다. 이 영역에 속하는 요소들은 학생들의 경우 자아에 대한 의식, 교육적 경험, 교육적 지향점, 교사의 경우 교육에 대한 교사의 신념과 교육적 열정, 학부모의 경우 부모의 정치적 신념, 관심사, 부모의 생애사 등이 있다. 이러한 개인적인 특성은 그들이 가지고 있는 학교에 대한 태도와 그들이 속해 있는 학교의 영향을 받는다. 또한 의사소통의 방식, 학습양식, 제도에 대한 신념과 같은 문화적 패턴은 그들이 속해 있는 집단에 따라 다르게 나타난다. 이러한 요소들은 학생들의 행동과 학교가 학생들에게 반응하는 방식과 같은 교육에 커다란 영향을 미친다. 따라서 교육과정 평가에서는 이러한 개인적 영역에 속하는 요소들을 고려해야 한다.

둘째 영역 : 교실

교실 영역은 수업시간과 교육 환경과 같은 교수적 영역에서 핵심이 되는 요소에 대한 평가이다. 이 영역에 속하는 요소는 Sirotnik와 Oakes(1981)에 의해 만들어진 교실 환경 평가와 관련된 영역에 잘 나타나 있다. 다음은 그들이 제시한 교실 환경 평가의 영역이다.

교실 환경 평가 영역 (Sirotnik & Oakes, 1981)

1. 물리적 환경을 포함한 기본적인 교실의 환경(교실의 크기, 수업 시간표, 학기의 일정, 그리고 학생들의 주요 인적 사항: 성별, 나이 , 인종)
2. 교실에서 일어나는 활동(교과목, 학습활동, 교구와 교자재, 소집단 형성 방법, 교수 전략, 학생들의 참여 수준, 교사에 의한 평가 방법, 교사와 학생의 상호작용, 말투)
3. 교실 특성에 대한 참가자들의 반응

교실 환경을 기술하는 방법 중 잘 알려진 것은 English(1880)가 만든 교육과정 매핑이다. 이것은 교실의 실제 상황와 교사가 실제로 가르치는 교육과정을 기술하는 데 매우 유용한 방법이다. 매핑은 가르치는 과목과 그것에 걸리는 시간을 기술하는 것으로 여기에서 말하는 과목은 단순히 전통적인 교과목만을 말하는 것이 아니라 교실의 방법, 활동, 과정을 포함한다. 교육과정 매핑의 목적은 교육과정 개발자들이 문서화된 교육과정과 실제의 교육과정의 실행이 일치하는 결과를 가져오도록 하는 것이다. 교수와 행동 통제 그리고 일상적인 행정적 기능에 소비하는 시간의 상대적인 양은 교수적 영역의 질에 영향을 미친다.

교실 환경을 평가할 때 교육 구성원의 인식을 모으는 것이 중요하다. 즉, 교사의 인식과 교실에서 일어나는 학습 과정에 대한 학생들의 인식을 모으는 것은 중요하다. Farley(1981)는 교수적인 질에 관한 좀 더 선명한 그림은 학생들에 대한 인식이 다른 교육평가 정보와 결합될 때 나타난다고 말하였다. 이러한 인식을 조사하기 위해서는 다음과 같은 몇 가지 단순한 가이드라인을 따를 것을 권하고 있는데, 그 가이드라인으로는 라포 형성, 중립적이며 개방적인 질문, 복잡하지 않은 질문 사용, 정확성을 위해 학생들과 함께 검토하기가 있다.

셋째 영역 : 기관

기관 영역은 학교가 얼마나 학교의 구성원들을 만족시키고 있는가에 대한 평가이다. 기관적 영역의 기본적인 구성요소는 학생 공동체의 통계치, 교실 규모, 교사 대 제자의 비율 자료, 학생의 부재 대 참여 비율, 재정적 자원, 다양한 부차적 영역에서의 교사의 비율과 같은 것을 포함한다. 초등학교에서 다양한 과목의 학습에 사용한 시간의 양, 학교에서 사용되는 그룹을 만드는 절차의 형태, 지적 · 사회적 · 직업적 학교교육의 개인적 기능에 두는 상대적인 가치의 판단과 같은 것들을 포함한다. 그것은 또한 얼마나 직원들이 그룹으로서 함께 일하는지, 교장의 리더십은 어떻게 작용하는지, 부모들이 학교에 어떻게 참여하고 있는지 평가한다. 학생들은 정규과목 이외의 활동, 상담자의 도움, 교장에게의 접근성에 관하여 물어보는 것을 통해 학교에 형성되어 있는 학생문화에 대한 인식을 갖게 될 것이다. 즉, 교우관계 그리고 학교에서 학생들의 선호도와 같은 그들의 문화에 대한 인식을 가지게 될 것이다. 모든 참가자들은 학교가 직면하고 있는 문제에 관한 정보를 가지게 될 것이다.

한 가지 주의해야 할 점은 기관에 대한 평가는 평가를 하는 참여자에 따라 달라질 수 있다는 것이다(Gephart, 1978). 다시 말해, 참여자가 학생인가, 교사 조합인가, 주나 연방 기관인가에 따라 달라질 수 있다는 것이다. 이것은 그들이 추구하는 방향이나 관점에 따라서 강조하는 것이 달라질 수 있기 때문이다.

넷째 영역 : 사회

사회 영역은 경제적, 정치적 관념과 같은 교육 외적인 것이긴 하지만 교육에 영향을 미치는 요인들에 대한 평가이다. 이것은 학교교육의 실패가 교육과정과 같은 학교교육 자체에 있는 것이 아니라 그것을 넘어 좀 더 광범위한 정치적, 경제적 환경과 같은 요인들에 있다고 보는 것이다(Apple, 1978). 실제로 경제적, 정치적 상황은 교사들의 시간, 에너지 교육과정 자원의 이용의 할당에 심각한 영향을 미친다. 비록 교육과정 평가 과정이 실천가들이 교육과정을 향상사키는 것을 돕기 위한 것이지만 여기에는 의사결정자들이 개선하려는 힘이 무엇인가에 따라 달라지는 한계점이 있다. 그들의 관심은 사회적인 속박의 내부에 존재할 가능성이 있는 것들에 대해서도 신경을 써야 한다. 따라서 교육에서 공동체 시각은 중요하다. 특히 공립교육의 재정 지원과 인종차별과 같은 이슈에 대한 관점은 중요하다. 지구촌 교육, 최소 수행능력 평가, 교사집단의 역할, 학생들의 직업경험, 공교육과 사교육 그리고 이와 유사한 문제들은 중요하게 고려해야 하는 평가의 요소들이다.

네 개의 영역에 대한 규명이 끝나면 이를 바탕으로 교육과정 평가 프로그램을 만들게 된다. 이러한 교육과정 평가 프로그램은 집, 학교, 지역, 공동체의 관심과 요구에 맞게 만들어졌을 때에만 의미가 있는데, 이때 고려해야 할 요소들을 규명하는 전 과정은 회의와 결정, 실행의 과정을 반드시 포함해야 한다. 표 18-1은 교육과정 평가에서 고려해야 하는 다양한 요소들을 조직하고 규명하는 데 유용할 것이다(Sirotnik & Oakes, 1981).

〈 표 18-1 교육과정 평가 요인 규명을 위한 구조표 〉

<table>
<tr><th colspan="2" rowspan="2"></th><th colspan="4">고려해야 하는 요인</th></tr>
<tr><th>개인</th><th>교실</th><th>기관</th><th>사회</th></tr>
<tr><td rowspan="4">자료수집대상</td><td>교사</td><td></td><td></td><td></td><td></td></tr>
<tr><td>학생</td><td></td><td colspan="2" rowspan="2">자료 수집 방법
조사, 인터뷰, 관찰 일지,
교육과정 샘플, 문헌자료</td><td></td></tr>
<tr><td>학부모</td><td></td><td></td></tr>
<tr><td>관찰자</td><td></td><td></td><td></td><td></td></tr>
</table>

교육과정 평가 모형

교육과정 평가 모형은 교육과정 평가를 효과적이고 성공적으로 만들기 위한 일련의 절차와 방법을 제시한 것이다. 이러한 모형들은 많은 학자들에 의해 셀 수 없을 만큼 다양하게 만들어지고 제시되었다. 이 책에서는 이러한 수많은 모형들 중 가장 일반적으로 알려져 있고 잘 만들어진 여덟 가지의 모형을 Allan과 Francis가 소개한 모델들을 바탕으로 소개하였다. 이러한 모형들에 대한 이해는 교육과정 평가에 대한 이해를 높여 줄 뿐만 아니라 교육과정 평가가 현장에서 성공적으로 수행될 수 있도록 이끄는 지침이 될 것이다. 또한 이러한 모형들에 대한 이해를 바탕으로 각 현장의 문화와 환경, 특성을 고려하여 적절하게 활용한다면 좀 더 높은 수준의 교육이 이루어질 수 있을 것이다.

Metfessrl-Michael의 평가 모형

1960년대 말에 Metfessrl과 Michael은 학계에 Tyler식 모형의 변형을 제시하였다. 이들의 평가 모형은 평가과정에 여덟 개의 주요 단계가 있다고 제안한다. 평가자들은 다음과 같은 일을 해야 한다.

(1) 종합적인 교육적 공동체를 구성하는 직 · 간접적인 구성원들을 포함하라—교사들, 전문적인 기관의 회원들, 학생들, 일반 시민들.

(2) 폭넓은 목적과 특정 목표에 대한 응집력 있는 패러다임을 발달시켜라. 그리고 그것들을 일반적인 결과를 가진 것에서 특정의 결과를 가진 것으로 조직적인 순서로 배열하라.

(3) 앞의 2단계에서 산출된 특정 목표를 교육과정 프로그램의 실행으로 응용할 수 있고 바꿀 수 있는 형식으로 해석하라.

(4) 진술된 목표의 관점에서 프로그램의 효율성에 관해 추측할 수 있는 측정 기준을 제공하는 데 필요한 수단을 개발하라.

(5) 프로그램의 실시 동안 검사, 사례, 다른 적당한 방법을 사용해서 정기적인 관찰을 하라.

(6) 적당한 통계적 절차를 통해 얻은 자료를 분석하라.

(7) 교육과정의 철학적 기원을 반영하는 특별한 판단력 있는 기준과 가치를 가진 용어로 자료를 해석하라. 이런 해석으로부터 얻은 결론은 평가에서 학습자의 성장 방향, 교육의 특정 영역에서 진보, 전체 프로그램의 전반적 효율성, 모든 영향받은 부분에 대한 영향력을 판단하는 데에 포함될 것이다.

(8) 모아진 정보를 근거로 해서 프로그램을 더 잘 실시하기 위한 또 다른 교육과정 요소와 총괄 목적, 특정 목표, 특정 내용, 경험, 물질을 수정하기 위한 기초를 제공 할 수 있는 추천(권장)을 만들어라. 이 단계의 결론에서 이 과정은 반복될 준비가 되어 있다.

Provous의 불일치 평가 모형

Provous(1969)의 불일치 평가 모형은 교육 또는 경영 및 관리를 통해 달성해야 할 표준이나 준거와 실제 수행 결과 간의 차이, 괴리, 상이 또는 불일치점을 분석하는 평가 모형이다. 이것은 Tyler의 평가 모형이 목표에의 도달 정도를 평가한 것과는 달리 모형의 목표와 수행 사이에서 나타나는 불일치에 초점을 둔다는 특징을 가지고 있다. 즉, 설정된 목표 혹은 기준과 실제 수행을 비교하여 얼마만큼의 불일치가 나타나는지를 평가하는 것이다.

불일치 평가 모형은 4개의 구성요소와 5개의 평가단계로 구성되어 있다. 4개의 구성요소들은 ① 프로그램의 기준을 결정하는 것, ② 프로그램의 수행행동을 결정하는 것, ③ 수행행동과 기준을 비교하는 것, ④ 수행행동과 기준 간에 불일치가 존재하는지 여부를 결정하는 것이다. 이 구성요소에 의해 기준과 수행 사이의 불일치를 찾아내게 된다. 그리고 수행행동과 기준 간에 나타나는 불일치에 대한 정보는 표 18-2의 각 단계에서 의사결정자들에게 보고된다. 의사결정자들은 보고된 불일치의 정보를 가지고 표 18-2에 나타난 다섯 단계에서 의사결정을 하게 된다. 각 단계에 대한 의사결정이 일어나면 다음 단계로 넘어간다. 불일치 모형에서 각 단계의 의사결정을 할 때 중요한 것은 프로그램의 기준에 비교하여 불일치되는 것을 찾고 이를 수정하여 더 나은 방향의 의사결정을 추구한다는 것이다. 이러한 불일치에 대한 평가는 프로그램을 실행하는 동안 순환적으로 계속해서 일어나게 된다, 즉, 수정된 프로그램을 다시 실행하고 거기에서 발견된 불일치를 수정하여 다시 수정된 프로그램을 수행하는 과정을 반복하게 된다. 이러한 불일치 모형은 좀 더 효율적인 프로그램의 수행을 위해 수행행동 혹은 기준을 수정할 수 있도록 돕는다. 그리고 프로그램이 불필요하다면 그 프로그램 자체를 없애기도 한다. 따라서 불일치 모형에서 의사결정자는 매우 중요한 역할을 담당한다. 불일치 모형에서 평가자들은 불일치 결과들을 의사결정자에게 보고한다. 문제가 무엇인지를 확인하며, 어떠한 교정적인 행위가 가능한가를 보고하는 것은 평가자의 임무이다. 의사결정자는 불일치가 생길 때 의견을 수정하고 종합한다는 점에서 중요한 역할을 담당한다.

표 18-2는 불일치 모형의 다섯 단계이다. 표에는 각 단계에서 수행되는 행동이 무엇인지 그리고 어떠한 기준이 각 단계에서 적용되는지를 보여준다.

〈 표 18-2 Provous의 불일치 평가 모형의 단계 〉

단계	행동	기준
1	설계	설계 준거
2	설치	설비의 충실도
3	제 과정	과정 적응
4	성과	성과 사정
5	비용	비교 및 비용-효과

1단계 설계. 프로그램의 목적과 수행에 대한 설계를 평가하는 단계이다. 이 단계에서는 설계목적 혹은 준거를 기준으로 평가한다. 이를 위해 이 단계에서는 프로그램의 목적은 무엇인지. 프로그램에 사용해야 하는 자원은 무엇인지, 그리고 어떠한 과정을 통해 프로그램을 실행할 것인지를 기술한다. 그리고 자세하게 기술된 준거를 가지고 평가를 해야 한다. 설계에 대한 평가는 프로그램이 내적으로 바람직한지(공간, 인사, 자원, 자료 등의 적합성), 그리고 외적으로도 바람직한지(실행될 것으로 보이는 비슷한 프로그램과의 비교)를 결정하기 위해서 필요하다. 또한 문제나 불일치가 발생하였을 때 근원적인 문제가 무엇인지를 찾고 해결할 수 있도록 해준다는 점에서 중요하다. 그리고 프로그램 설계와 설계기준 간에 존재하는 모든 불일치들은 의사결정자가 프로그램을 거부해야 할지, 수정해야 할지, 혹은 수용해야 할지를 결정할 수 있도록 보고되어야 한다.

2단계 설비. 프로그램의 실제적인 운용을 하기 위한 설비에 대한 평가를 하는 단계이다. 이 단계에서는 설비기준 혹은 충실도를 준거로 평가를 하게 된다. 이 단계에서는 프로그램의 특성, 시설, 매체, 방법, 학생의 능력 및 직원의 자격을 포함하여 평가되어야 한다. 프로그램 설비와 설비준거 간의 불일치는 실제적인 프로그램의 실행이 이루어질 수 있도록 하기 위해 의사결정자에게 보고되어야 한다.

3단계 과정. 이 단계에서는 프로그램을 실행하는 과정에 대한 평가를 한다. 이 단계에서는 학생 및 직원의 활동, 기능, 그리고 교실에서 이루어지는 커뮤니케이션과 같은 요소들을 포함한 평가가 이루어져야 한다. 만일 이러한 과정이 부적절할 경우에는 이를 수정하거나 과정에 적응할 수 있는 방향을 모색하여야 한다. 그리고 과정에서 발견되는 불일치는 이러한 과정에 대한 수정과 방향을 결정할 수 있도록 하기 위해 의사결정자에게 보고되어야 한다.

4단계 성과. 프로그램의 성과를 평가하는 단계로 전체적인 프로그램의 효과를 원래의 목적과 비교하여 평가한다. 이 단계에서 평가해야 하는 요소는 학교와 지역사회에 관련된 성과, 학생과 직원의 성과에 대한 평가를 포함해야 한다. 획득된 정보는 그 프로그램이 가치가 있는지 그리고 현재대로 계속되어야 할지, 수정되어야 할지, 혹은 종결되어야 할지의 여부를 결정할 수 있도록 돕기 위해 의사결정자에게 보고되어야 한다.

5단계 비용. 프로그램을 실행하는 데 소요된 비용을 평가하는 단계로 다른 비슷한 프로그램과의 비교를 통해 이루어진다. 사실 투자한 비용에 비해 성과가 얼마인가를 평가한다는 것은 그 기준이 명확하지 못하다. 하지만 시간, 노력, 투자를 한 것에 합당한 프로그램의 성과가 있었는지를 평가하는 것은 자원과 에너지의 낭비를 줄이는 데 도움을 준다. 이를 통해 의사결정자는 프로그램에 적은 비용, 노력, 투자를 하여 좋은 성과를 만들어 낼 수 있다.

Provous는 자신의 평가계획은 입안 단계에서부터 실행 단계에 이르는 과정의 어느 단계에서든 현재 진행 중인 프로그램에 관해 평가를 할 때 이용될 수 있다고 주장하였다. 이 평가계획은 학교 수준, 학구 수준, 지역 혹은 주 정부 수준에서도 이용될 수 있다.

Stake의 합치-유관 모형

Stake는 1967년 평가에 관한 논의에서의 공식적 평가(객관적 평가)와 비공식적 평가(주관적 평가) 중 공식적 평가를 실시해야 한다는 입장을 표명하며 합치-유관 모형을 제시하였다. 그는 교육평가는 우연적 관찰, 내재적 목적, 직관적 규준, 종속적 판단에 의존하는 비공식적 평가를 인정하면서도 교육자에게 공식적인 평가 절차를 완성하기 위한 노력이 더 중요함을 강조하였다. 그 이유는 공식적인 평가절차들은 주관적이 아닌 객관적인 데이터를 제공하기 때문이다. 그리고 이러한 데이터는 종합-실상 모형의 핵심이라 할 수 있는 프로그램에 관한 기술(description)과 판단(judgement)을 할 수 있는 정보를 제공하기 때문이다.

이러한 공식적 평가를 실행하기 위한 Stake의 종합-실상 모형은 크게 두 가지 활동을 통해 이루어진다. 그것은 기술하는 활동과 판단하는 활동이다. 기술은 수집한 자료들을 분류 · 정리하여 프로그램의 질을 평가할 수 있는 표준을 설정하는 활동이다. 판단은 수집한 자료를 통해 설정된 표준을 준거로 하여 기술적 자료에 대한 가치와 중요성을 매기는 활동이다. 그리고 Stake는 이 두 활동을 위한 평가의 절차로 3×2 자료 행렬(date matrix)을 제시하였다.

먼저 기술 활동에 대하여 자세히 살펴보면, 프로그램의 질을 판단하기 위한 표준을 만들기 위해 기술적 자료를 수집해야 한다. Stake는 수집해야 하는 기술적 자료의 종류를 선행요인(antecedent: 학습자의 특성, 교육과정, 교육시설, 학교환경), 실행요인(transaction: 학습자의 학업 성취도, 흥미, 동기, 태도, 프로그램의 실시가 학부모,

교사, 학교, 지역사회에 미치는 영향), 결과요인(outcomes: 학생과 교사, 학생 간의 상호작용, 질의, 설명, 토론, 숙제, 시험 등과 같은 프로그램 실행 과정에 작용하는 변인)로 구분하였다. 그리고 이렇게 수집된 세 가지 요인들에 대하여 프로그램의 설정된 의도와 프로그램 실행을 통해 관찰된 사항으로 분리해서 자료를 분류하고 정리한다. 이러한 과정을 그림 18-1에서 알 수 있듯이 3(선행요인, 실행요인, 결과요인) × 2(의도, 관찰) 자료 행렬로 나타낸다. 그리고 각 요인들의 연관성과 합치도를 분석한다. 각 요인들의 연관도를 분석하는 것은 연관성 분석이라고 하며, 의도와 관찰(실제 일어난 일) 사이의 관계의 일치정도를 분석하는 것은 합치도 분석이라고 한다.

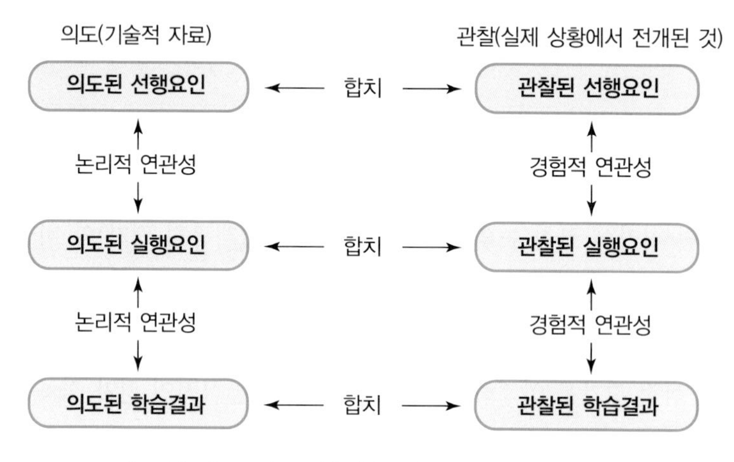

[그림 18-1 자료 기술 활동의 3 × 2 자료 행렬]

다음으로 판단 활동을 자세히 살펴보면, 기술적 자료에 대한 분석이 끝나면 프로그램의 판단 기준으로 사용할 절대적 표준과 상대적 표준을 설정하게 된다. 절대적 표준이란 프로그램이 갖추어야 하는 이상적인 기준을 의미하고 상대적 표준은 다른 유사한 프로그램과 비교하여 얻게 되는 상대적인 기준을 말한다. 종합-실제 상황에서는 이 두 가지 절대적 기준과 상대적 기준을 모두 사용하여 프로그램의 질을 평가한다. 판단 활동에서도 그림 18-2에서 알 수 있듯이 3(선행요인, 실행요인, 결과요인) × 2(표준, 판단) 자료 행렬을 사용한다. 판단 활동에서는 열에 해당하는 의도와 관찰 항목이 표준과 판단으로 바뀌었음을 알 수 있다. 그리고 3 × 2 자료 행렬에 따라 자료를 분류하고 정리한다. 그리고 나서 프로그램의 질을 판단하기 위한 연관성 분석과 합치도 분석을 실시한다. 이러한 과정을 통해 프로그램의 질을 판단하게 된다.

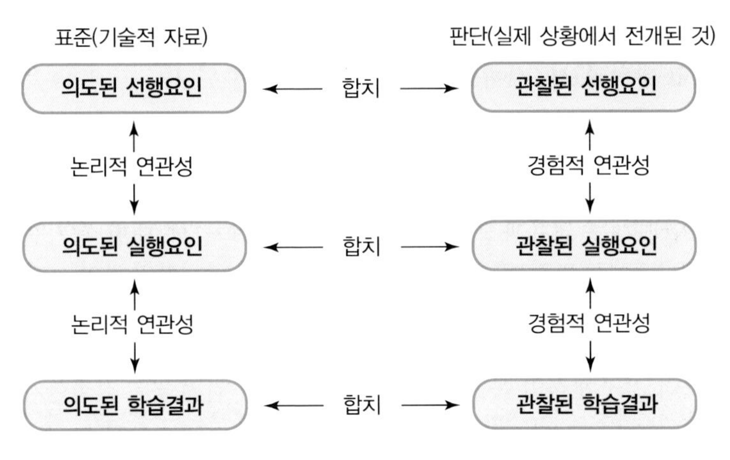

[그림 18-2 프로그램 가치 판단 활동의 3 × 2 자료 행렬]

Stufflebeam의 상황, 투입, 과정, 산출(CIPP) 모형

아마 교육과정에 대한 의사결정-관리 지향적인 접근방법에의 가장 중요한 공헌은, Daniel Stufflebeam에 의해 제시된 것일 것이다. Stufflebeam(1981)은 평가는 의사결정에 필요한 정보를 설계, 획득, 제공하는 과정이라고 보고 CIPP모형을 제시하였다. C는 상황평가(context evaluation)를 말하며, I는 투입평가(input evaluation), P는 과정평가(process evaluation), P는 산출평가(product evaluation)를 의미한다. CIPP의 네 단계에 대하여 자세히 살펴보면 다음과 같다.

1단계 상황평가. 상황평가란 프로그램을 개발하고 계획하는 데 도움이 될 수 있는 정보를 제공하기 위해 교육 환경 및 상황을 파악하는 것을 의미한다. Stufflebeam은 상황평가는 프로그램 개발에 있어 가장 기초가 되는 평가이며 목표 결정에 필요한 이론적 근거를 제공한다고 보았다. 이 단계에서는 프로그램을 실행하는 환경을 정의하고, 그 환경에서 기대되는 조건들과 실제적 조건들을 기술해야 한다. 그리고 사전에 계획하지 못하였던 상황이나 환경에 대해서도 파악하고 진단한다. 이러한 상황평가는 일회성의 단편적인 활동이 아니라 지속적으로 교육과정의 개발과 실행에 기초적인 정보를 제공해 준다.

2단계 투입평가. 투입평가는 프로그램의 목적을 달성하기 위해 필요한 자원은 무엇인지 그리고 그러한 자원은 어떻게 사용할 것인지를 판단하는 단계이다. 즉, 투입되어야 하는 자원의 종류와 방법에 대한 의사결정을 하는 단계이다. 투입할 자원과 방법을 결정하기 위해 먼저 평가자들은 학교의 역량을 파악한다. 그리고 학교가 가지고 있는 역량과 특성에 맞추어 목표 달성에 필요한 자원을 선정하고 투입방법을 결정하게 된다. 그리고 자원과 시간, 예산에 대한 설계를 하게 된다.

투입평가는 상황평가와는 대조적으로 체계적이고 거시적인 분석이라기보다 구체적이고 미시적인 분석이다. 투입평가는 상황평가로부터 도출한 의사결정들을 실행으로 옮긴다. 투입평가는 교육과정 계획의 구체적인 항목들에 대한 평가를 한다. 이를 위해 투입평가에서는 다음과 같은 질문들을 사용한다: 목표가 적절하게 진술되었는가? 목표는 진술된 목적과 해당 학교의 목적과 합치하는가? 내용은 해당 프로그램의 목적, 목표, 그리고 구체적인 목표들과 합치하는가? 수업전략은 적절한가? 목표를 달성하는 데 도움을 줄 수 있는 기타의 전략들도 존재하는가? 이들 내용들과 수업전략들을 이용하게 되면 자기들의 목표를 성공적으로 달성할 수 있을 것이라고 교육자들이 믿는 근거는 무엇인가?

3단계 과정평가. 과정평가는 교육과정상, 절차에 관한 설계와 계획 또는 계획된 것들이 실행되는 과정에서 나타나는 문제점과 고려해야 하는 점을 판단하는 단계이다. 교육활동이 이루어지는 가운데 나타나는 절차상의 장애, 문제점을 점검하고, 예상하지 못한 장벽에 대처하는 민첩성을 점검한다. 이 단계는 실제적인 과정을 기술하고 확인하는 데 그 의의가 있다. 이를 통해 프로그램을 실행하면서 발생하는 자세한 정보를 얻을 수 있다. 이것은 의사결정 과정에 비추어 살펴볼 때 프로그램을 설계하고 실행하는 데 필요한 과정을 통제하는 효과가 있다. 이것은 또한 과정평가가 필요한 이유이기도 하다.

4단계 결과평가. 결과평가는 계획한 교육과정 실행이 모두 이루어지고 난 후, 그 가치를 판단하는 단계이다. 즉, 프로그램의 마지막에 효과적인 교육과정을 결정하기 위한 자료의 수집과 산출된 결과가 목표에 부합하였는지를 판단하는 단계이다. 이를 통해 결과평가는 새로운 교육과정을 만들어내는 데 필요한 정보를 제공하고, 그 교육과정이 지속 가능하고 활용 가능한지 결정하는 데 필요한 정보를 준다. 이러한 정보는 교육과정과 프로그램에 대한 종합적인 정보를 제공하며 교육과정의 다른 단계가 효과적으로 변할 수 있는 가능성을 제공한다.

Stufflebaam의 CIPP 모형의 또 하나의 중요한 특징은 평가 절차를 의사결정 과정과 연결시켰다는 점이다. 그리고 그는 목표, 방법, 변화 과정을 의사결정과 관계짓고 이를 네 가지 유형으로 제시하였다(표 18-3). 유형을 살펴보면 다음과 같다. ① 목표를

〈 표 18-3 평가의 네 가지 유형 : 상황, 투입, 과정, 결과 〉

분류	상황평가	투입평가	과정평가	결과평가
목적	• 작동전후관계를 정의한다. • 요구와 기회를 확인한다. • 문제를 진단한다.	• 체제능력을 확인한다. • 가용한 투입의 전략을 세운다. • 전략실행을 설계한다.	과정 중 절차상의 설계 또는 실행에서 결점을 확인하고 예측한다.	성과의 정보를 목표와 상황, 투입, 과정의 정보와 관계 짓는다.
방법	• 맥락의 관계를 기술한다. • 가능한 체제수행능력을 비교한다. • 현실적이고 의도적인 투입 및 산출을 비교한다. • 현실과 의도 간의 격차의 원인을 분석한다.	• 해결전략을 기술하고 분석한다. • 적절성에 대한 절차설계를 기술하고 분석한다. • 가용한 인적, 물적 자원을 기술하고 분석한다. • 실행 가능성과 경제성을 기술하고 분석한다.	• 활동할 때 나타나는 절차상의 장벽의 점검 및 예기치 않은 장벽에 대처하는 민첩성을 점검한다. • 실제적인 과정을 기술한다. • 프로그램화된 결정에 필요한 세분화된 정보를 획득한다.	• 조작적으로 정의짓기 및 목표와 관련된 준거를 측정한다. • 측정결과들과 예정된 기준 또는 비교적인 근거와 비교한다.
변화과정에서의 의사결정과의 관계	필요한 변화에 따른 의사결정을 위해서 요구된다.	해결전략, 절차상의 설계, 선정, 즉 변화활동의 구조화를 위해서 요구된다.	프로그램 설계 및 절차의 실행, 정치, 즉 과정통제의 효과를 위해서 요구된다.	수정과 실행의 재순환을 위해서 요구된다.

확인하고 선정하기 위한 의사결정과 관계되는 계획 의사결정(planning decision), ② 선정된 목표를 달성하는 데 적합한 절차와 전략을 설계하기 위한 구조 의사결정(structure decision), ③ 수립된 설계와 전략을 행동으로 옮기는데 필요한 실행 의사결정(implement decision), ④ 목표가 달성된 정도를 판단하고 그에 대한 의견을 제시하는 순환 의사결정(recycling decision)(Modaus, Scriven, Stufflebeam, 1986: 33). 그는 이러한 네 가지 유형의 의사결정을 하기 위해서는 CIPP 모형의 네 단계 평가가 전제되어야 한다고 보았다. 그리고 의사결정의 유형 중 순환 의사결정을 통해 이러한 과정은 일회성으로 그치는 것이 아니라는 점을 드러내고 있다. 즉, 교육은 하나의 연속적인 활동이기 때문에 상황, 투입, 과정, 산출의 평가가 순환되어 산출평가가 다시

상황평가의 대상으로 재투입된다는 것을 묵시적으로 나타내고 있는 것이다. 그리고 평가를 좀 더 나은 프로그램 개발을 위한 의사결정과 개발된 프로그램의 실행을 위한 과정으로 보았다. 그는 평가를 교육과정의 실행이란 커다란 구조 속에 하나의 과정으로 바라본 것이다. 그리고 이러한 과정은 순환적이고 지속적인 것으로 보았다. 그림 18-3에는 이러한 순환적 과정이 묘사되어 있다.

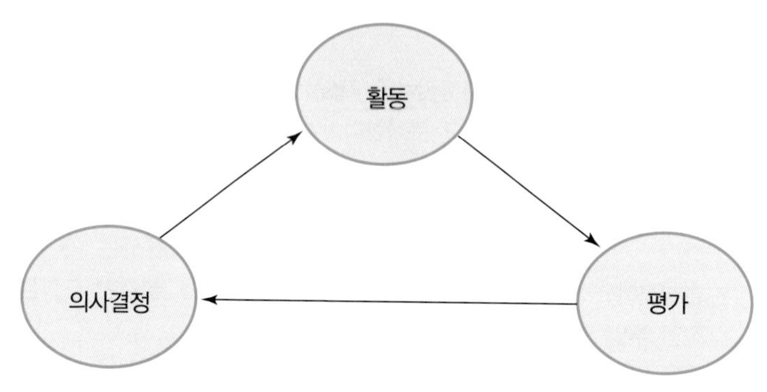

[그림 18-3 평가와 의사결정 과정과의 관계]

Eisner의 감식안 · 비평가 평가 모형

Eisner는 이전의 평가 모형들이 양적인 것에 초점을 맞춘 과학적 · 기술적 접근 방법인 것에 대한 대안으로 질적인 것에 초점을 둔 감식안 · 비평가 모형을 제안하였다. 이 평가 모형은 예술작품을 평가할 때 주로 사용하는 감식안(connoisseurship)과 비평(criticism)의 개념을 교육에 가져온 것으로 기존의 모형들과는 다른 평가 방법과 방향을 제시하였다. 그는 예술비평가들이 작품을 평가할 때 부분적인 요소들을 평가하는 것이 아니라 전문가적인 감식안을 사용하여 총체적이고 종합적인 판단을 하는 것처럼 교육현상도 목표를 중심으로 설정된 준거나 근거만이 아닌 전문가적인 식견과 안목을 통해 종합적으로 평가해야 한다고 제안하였다. 그는 교육현상은 다양하고 복잡한 현상이기 때문에 이러한 현상을 종합적인 안목과 시각에서 평가할 수 있는 전문가적인 안목과 감식안을 갖추어야 한다고 본 것이다. 그리고 전문가적인 감식안을 기르기 위해 경험과 배경지식을 중요하게 생각하였다.

Esiner(1985)는 이와 관련하여 다음과 같은 비유를 들었다. 와인 감식가는 와인을 오랫동안 주의 깊게 관찰함으로써 아주 미묘한 특질까지 구별할 수 있는 미감을 발달시킨다. 그가 와인을 마실 때에는 식별하려는 의도를 가지며, 와인의 수준을 판단하기 위하여 몇 가지 기술들을 사용하게 된다. 와인 감식가는 농도, 색깔, 향, 뒷맛, 자극성, 특유의 맛에 관심을 기울인다. 또한 그는 과거에 맛본 와인들의 경험에 의존한다. 기억 속에 있는 여타의 와인들은 특정 제품에 관한 현재의 판단을 위한 배경지식이 된다. 정련된 미각을 가졌고, 살펴보아야 할 것이 무엇인지 알고 있으며, 와인들에 대한 선행경험이 있기 때문에 감식가의 감식 수준은 와인을 마시는 보통사람들의 그것과는 차이가 난다. 와인의 품질에 관한 그의 판단은 단순한 선호를 의미하지 않는다(p.104). 이 비유에서 알 수 있듯이 감식가는 전문가적인 지식과 경험을 가지고 현상에 대한 미묘한 특성까지 파악해 낼 수 있어야 하는 것이다.

이에 Eisner는 이러한 예술에서의 개념을 교육에 도입하여 교육적 감식안을 제안하였다. 교육적 감식안이란 학생들의 교육적 경험을 포착할 수 있는 전문가적인 안목을 의미한다. 전문가적인 안목을 기르기 위해 교사는 많은 현상들과 유형에 대한 경험을 바탕으로 많은 지식을 가지고 있어야 한다. 그리고 이러한 경험과 지식을 바탕으로 교실과 교육현상 속에서 일어나는 다양하고 복잡한 교육적 현상들을 식별하고 판단할 수 있는 교육 전문가가 되어야 한다는 것이다. 교육 비평가와 전문가에 대해 Eisner의 경우 그 개념을 예술로부터 차용하였다. 그는 좋은 비평가는 상황의 미묘한 성격에 대한 인식과 이해를 갖고 있다고 보았으며 전문가는 교육 현상을 더 잘 인식할 수 있도록 도움을 주는 상황과 정황에 대하여 정의하고 기술할 수 있다고 보았다.

Eisner는 교육적 감식안과 함께 교육 비평을 기술적 측면, 해석적 측면, 평가적 측면으로 구분하여 제시하였다. 기술적 측면은 평가의 목적과 절차, 내용, 결과를 세밀하게 관찰하여 그 특징과 질을 생생하게 기술하는 것을 말한다. 기술적 측면은 있는 사실을 그대로 그려내는 것이 아니라 평가자의 통찰이 작용한다. 하지만 사실적인 측면의 기술이라는 점에서 가장 낮은 차원의 비평이다. 해석적 측면은 평가의 목적과 절차, 내용, 결과에서 나타나는 교육적 현상에 대한 의미와 가치를 논리적으로 해석하는 기술을 말한다. 이것은 평가자의 논리적 · 이성적 지식과 판단 근거를 통해 이루어지는 좀 더 높은 수준의 비평이라고 할 수 있다. 평가적 측면은 앞의 두 비평을 종합하여 앞에서 규명된 교육적 가치나 의미를 판단하고 교육적 실제를 좀 더 나은 방향으로 끌어낼 수 있는 비평을 말한다. 이를 위해서 평가자는 풍부한 경험이 필요하며 예리한 통찰력을 갖추고 있어야 한다. 그리고 교육의 장단점을 질적으로 판단해 낼 수 있는 심층적 이해와 논리적 해석을 필요로 한다.

평가자가 감식안 · 비평가 평가 모형을 적용하기 위해서는 교실의 관찰자가 되어 참여하여야 하고 학교와 교육과정의 성격에 관한 많은 질문을 해야 한다. 그리고 이를 통해 평가자는 자신의 지식과 경험(감식안)을 바탕으로 학생들의 활동에 대한 세부적인 분석을 해야 한다. 이를 위해 평가자는 교사와 학생들의 활동을 담은 필름, 비디오테이프, 사진 그리고 오디오테이프를 사용할 수 있다. 그리고 이러한 자료를 통해 어떠한 교육활동을 하였는지, 교육활동 중에 어떤한 커뮤니케이션이 이루어졌는지, 그리고 어떤 특징이 있으며, 중요한 것과 중요하지 않은 것은 무엇인지에 대한 기록을 찾아내게 된다. 그리고 이러한 자료를 바탕으로 전체적이고 종합적인 관점에서 교육의 현상과 질을 기술하게 된다.

Eisner의 감식안 · 비평가 평가 모형의 가치를 살펴보면, 그의 평가 모형은 기존의 교육평가 모델과는 다른 방법과 방향을 제시하였다. 기존의 교육과정들은 목표 지향적 모형이었기 때문에 과정과 실제적인 경험의 중요성을 경시하였다. 하지만 Eisner는 교육이 이루어지는 과정과 그 속에서 학생들이 경험하게 되는 실제를 강조하였다. 그리고 또한 그는 교실에서 일어나는 교육현상은 상황 맥락적이며 복잡하기 때문에 객관화된 지식과 기준으로 평가할 수 없다고 보았다. 이에 그는 이러한 교실에서 일어나는 복잡하고 복합적인 교실의 현상을 종합하고 분석할 수 있는 전문가적인 안목을 통해 교육평가가 이루어져야 한다고 보았다. 또한 그는 교육현상은 눈에 보이는 것만이 전부가 아니라 보이지 않는 부분에서도 이루어지는데 기존의 교육평가 모형은 이러한 가능성의 공간을 원천적으로 차단한다고 보았다. Eisner는 그가 제안한 평가 모형을 통해 이러한 가능성의 공간을 열어 주었다.

Stake의 반응적 평가 모형

반응적 평가 모형은 Stake에 의해 인기를 얻게 된 용어로, 목적이나 결과보다는 평가하는 프로그램의 실행과 진행에 관심을 가지고 필요할 때 즉각적인 반응을 보이는 평가 모형이다. 이 모형은 Stake가 실제 사용을 제시한 이후 제안한 것으로 유사한 점이 많이 존재한다. 하지만 종합-실상 모형이 사전에 이루어진 평가 계획에 따라 자료를 수집하는 데 반해 반응적 평가 모형은 평가가 진행되는 동안 그 평가의 방향과 방법을 결정한다는 점에서 차이를 보인다. 그리고 반응적 평가 모형은 형식적이고 모범적인 의사소통보다 비형식적이고 자연적인 의사소통에 더 의존한다. Eisner의 평가 모형과 같이, 반응적 접근은 규격화된 데이터, 평가 점수, 그리고 목적과 같은 방법론적이고 객관적인 자료보다는 프로그램의 묘사하고 기술하는 데 더 많은 관심을 둔다.

반응적 평가는 교육활동이 계획된 절차와 활동에 의해서 이루어지는 것이 아니라 상황 맥락적이며 복잡한 활동으로 보고, 평가자와 프로그램과의 지속적인 상호작용을 강조한다. 즉, 반응적 평가는 계획과 발전을 필요로 한다. 그러나 형식적인 진술에 덜 의존한다. 반응적 접근을 사용해서 평가자는 프로그램의 내용을 이야기하고, 형태를 제시하고, 개인에 대해 묘사하고, 주요한 이슈와 문제를 규정한다. 그리고 결과를 보고한다. 평가자는 비평가가 연극을 비평하거나 화가가 풍경을 묘사하는 것과 같은 자세를 취한다. 이를 통해 교육현상에서 실제로 일어나는 다양한 현상들과 주장, 관심, 쟁점을 확인할 수 있다고 보는 것이다.

반응적 평가를 안내하기 위해서, Stake는 평가자가 프로그램의 범위와 활동에 대한 계획을 개발해야 한다고 제안하였다. 그들은 관찰을 하기 위해 사람들과 타협해야 하고, 이야기와 묘사를 준비해야 하며, 결과물의 전시를 준비해야 한다. 그리고 우리 모두는 특정한 선입견을 갖고 있기 때문에 결과물에 대한 청중의 다양한 반응을 살펴보아야 한다. 그리고 이러한 활동을 통해 무엇이 가치 있고 중요한지에 대한 청중의 생각과 표현을 고려해야 한다. 보고된 자료는 청중의 성향에서 볼 때 분석적이어야 한다. 그리고 결과물에 대해 반박할 기회를 주어야 한다. 이 일을 실행하기 위해 평가자는 엄밀히 조사하고 질문을 만들어야 한다. 많은 참가자와 청중은 방어적으로 될 것이고, 피하거나 평가자에게 맞서려고 할 것이다. 이러한 평가자와 청중의 상호작용에서 나타나는 반응에 의해 평가가 이루어지며 좀 더 나은 교육과정과 프로그램을 개발하게 된다.

다음은 Stake의 반응적 평가 모형으로 교육과정을 평가하는 단계를 기술한 것이다.

(1) 평가를 위한 틀이 되는 작업에 있어 후원자들과 협의하라.
(2) 후원자들로부터 관심사의 주제, 이슈, 질문들을 이끌어 내라.
(3) 평가를 이끄는 질문들을 체계화하라.
(4) 교육과정의 범위와 활동을 확인하라; 고객과 직원들의 요구를 확인하라.
(5) 관찰, 인터뷰, 일지 준비, 사례 연구 등을 하라.
(6) 정보를 조금씩 줄여라; 주요한 이슈나 질문이 무엇인지 확인하라.
(7) 시험적인 보고서에서 처음의 결과를 제시하라.
(8) 반응을 분석하고 주된 관심사에 대해 철저히 조사하라.
(9) 결과를 지지하는 근거뿐 아니라 결과를 무효로 만들 수 있는 모순되는 근거도 찾아내라.
(10) 결과를 기록하라.

이들 단계의 많은 부분이 평가의 선입견에 관심이 있는 탈목표 평가와 가깝다. 탈목표 평가에서, 평가자는 프로그램 또는 프로그램 개발자의 가치관이나 후원자의 목적에 영향을 받지 않고 객관적이어야 한다.

Scriven의 탈목표 평가

Scriven(1974)가 제안한 탈목표 평가(goal-free evaluation)는 프로그램이 본래 의도하였던 목표에 대한 평가뿐만 아니라 프로그램을 실행하는 동안 발생하는 부수적인 교육적 효과들도 평가하는 모형이다. 이 모형은 기존의 평가 모형이 목표를 준거로 하여 의도했던 일차적인 성과만을 평가하기 때문에 그 이외의 이차적 또는 잠재적 부수효과를 평가할 수 없었던 문제점을 보완하기 위한 모형이다. 즉, 프로그램이 의도했던 효과뿐만 아니라 부수효과를 포함한 실제적인 효과를 규명하고 평가하는 방법이다. 따라서 탈목표 평가에 따르면 프로그램의 목적이 달성되었다 하더라도 목적 이외의 다른 부정적인 효과가 발생하였다면 그 프로그램은 폐기될 수 있으며, 반대로 프로그램의 목적이 달성되지 못하였다 하더라도 실제 발생한 부수적인 효과가 긍정적이라면 계속해서 그 프로그램은 사용될 수 있다.

따라서 탈목표 평가에서는 교육에서 일어나는 부수적인 효과를 관찰하고 그 가치를 판단하는 것이 중요한 과제가 된다. 이것은 이미 계획된 프로그램의 가치나 장단점을 파악하는 것이 아니기 때문에 쉬운 과정이 아니다. 이에 탈목표 평가에서는 프로그램에 대한 부수효과를 확인할 때 목표 대신에 표적 집단의 요구를 평가의 준거로 사용한다. 그래서 탈목표 평가는 요구근거 평가(need-based evaluation)라고 부르기도 한다. 그리고 탈목표 평가에서는 이러한 의도하지 않은 부수적인 효과를 찾아내어야 한다는 점에서 다른 평가 모형보다 평가자의 전문적 지식, 기술, 경험이 요구된다.

하지만 탈목표 평가가 목표 자체를 중시하지 않는 것은 아니다. 다만 미리 설정된 목표가 아니라 할지라도 프로그램을 평가하는 데 있어 유용한 다른 기준들을 포함하여 종합적인 판단을 해야 한다는 것을 강조한 것이다. 그리고 탈목표 평가는 미리 설정된 평가 기준에 의한 판단이 아니므로 타당성 확보가 중요한 쟁점이 된다. 이에 대해 Scriven은 전문가로서의 평가자의 역할이 중요하다고 보았다. 탈목표 평가의 절차를 정리하면 다음과 같다.

(1) 프로그램 시행과 관찰: 프로그램을 운영하면서 목표를 의식하지 않고 프로그

램의 운영과정과 성과를 다각적으로 광범위하게 관찰, 기록하는 단계

(2) 일차적 효과의 분석: 관찰된 성과 중에 프로그램을 통해 획득하려고 의도했던 성과를 분석, 정리해서 목표를 준거로 하여 그 가치를 판단한다.

(3) 이차적 효과의 분석: 프로그램을 운영해서 실제로 관찰한 성과 중에 목표에 진술하지 않았거나 또는 전혀 의도하지 않았으나 예상외의 부수적인 효과를 가져온 것을 추출하여 긍정적인 것과 부정적인 것으로 분류, 정리한다.

(4) 표적 집단의 요구 분석: 프로그램 참자가와 이해관계 당사자들의 프로그램에 대한 요구 또는 기대를 폭넓게 조사하여 항목별로 열거한다.

(5) 사실상의 효과 분석: 표적 집단의 요구와 프로그램에 대한 만족도를 준거로 하여 이차적 효과를 판단한 다음 일차적 효과와 함께 프로그램의 실제 효과를 종합적으로 판단한다.

종합 및 결론

이 장에서는 교육과정 개발의 마지막 과정인 교육과정 평가에 대하여 전체적으로 알아보았다. 이에 교육과정 평가의 개념에서부터 교육과정 평가의 목적과 교육과정 평가의 다양한 모델들을 기존의 문헌들에 기초하여 소개하고 설명하였다. 교육과정 평가는 교육과정 탐구의 가장 중요한 한 개의 영역임에도 불구하고 우리나라에서는 심도 있게 연구되지 않았고 연구물 역시 많지 않다. 또한 교육평가와 구분되지 않아서 그 영역 역시 특별하게 연구되지 않고 있다. 따라서 이 분야에 대한 더 체계적이고 심도 있는 연구가 필요할 것이다. 아울러 새로운 교육과정의 개발과 실행은 많으면서도 그 실행에 대한 실제적 효과와 평가에 대한 추적 연구와 질적평가들이 수행되지 않고 있다는 점 역시 우리나라에서는 이 분야가 실종된 분야(missing link)에 해당한다고 평가한다. 이에 앞으로 교육과정 평가에 대한 이론적 탐색과 함께 이 장에서 소개된 여러 가지 대안적 · 질적평가 모델들이 학교 교육과정의 실행과 관리에 적용되어야 할 것이다.

참고문헌

Apple, M. (1978). Ideology and Form In Willis, G(Eds.) *Qualitative Evaluation*. Berkeley: McCutchan.

Bloom, B. (1971). *Handbook on Formative and Summative Evaluation of Student Learning*. New york: McGraw-Hill.

Bobbitt, F. (1924). *How to Make a Curriculum*. Boston: Houghton Mifflin.

Brickell, H. (1981). Groping for the Elephant In Ronald, S. B(Eds.) *Applied Strategies for Curriculum Evaluation*. Alexandria, Va.: Association for Supervision and Curriculum Development.

Charters, W. (1923). *Curriculum Construction*. New York: Macmillan Co.

English, F. (1980). Curriculum Mapping. *Evaluation Leadership*, 37(April), 558-559.

Farley, J. (1981). Student Interviews as an Evaluation Tool. *Educational Leadership*, 39(December), 185-186.

Gephart, W. (1978). Who Will Engage in Curriculum Evaluation? *Educational Leadership*, 35(January), 255-258.

Goodlad, J. (1979). An Overview of 'A Study of Schooling.'. *Phi Delta Kappan*, 61(November), 174-178.

Hewitt, T. (2006). *Understanding and Shaping Curriculum: What We Teach and Why*. Sage.

Judd, C. (1918). A Look Forward In Bloomington In *The Measurement of Educationl Products*, Part II(pp. 159-160). bloomington, Ill.: Public School Publishing Co.

Mager, R. (1962). *Preparing Instructional Objectives*. Palo Alto, Calif.: Fearon.

Marsh, C. & Willis, G. (2006). *Curriculum: Alternative Approaches, Ongoing Issues*. Prentice Hall.

McNeil, J. (1981). Evluating the Curriculum In Giroux, H.,Penna, A. & Pinar, W.(Eds.) *Curriculum and Instruction*. Berkeley: McCutchan.

Merwin, J. (1969). *Historical Review of Changing Concepts of Education In Educational Evaluation: New Roles, New Means, Part II*. Chicago: University of Chicago Press.

Olivia, P. (2008). *Developing the Curriculum*. Allyn and Bacon.

Ornstein, A., and Hunkins, F. (2008). *Curriculum: Foundations, Principles and Issues*. Allyn and Bacon.

Popham, J. (1969). Instrutional Objectives: An Analysis of Emerging Issues. Chicago: Rand McNally.

Popham, J. (1981). The Evaluator' s Curse In Brandt, R. (Eds.) *Applied Strategies for Curriculum Evaluation*. Alexander, Va.: Association for Supervision and Curriculum Development.

Posner, G. (2003). *Analyzing the Curriculum*. McGraw-Hill.

Reavis, W. (1938). Contributions of Research to Educational Administration In The Scientific Movement in Education, Part II, p.27. Bloominton, Ill.: Public School Publishing Co.

Saylor, G., Alexander, W. & Lewis, A. (1981). *Curriculum Planning for Better Teaching Learning*. New York: Holt, Rinehart, and Winston.

Scriven, M. (1967). *The Methodology of Evaluation*. Chicago: Rand McNally.

Scriven, M. (1974). Pros and Cons about Goal-free Evaluation. *Evaluation Comment* 3(December).

Sirotnik, K. & Oakes, J. (1981). A Contextual Appraisal System for Schools: Medicine or Madness?. *Educational Leadership 39*(December), p. 164-79.

Stake, R. (1967). The Counternance of Educational Evaluation. *Teachers College Record* 68(april), p. 523-40.

Stake, R., & Denny, T. (1969). *Needed Concepts and Techniques for Utilizing More Fully the Potential of Evaluation In Educational Evaluation: New Roles, New Means, Part II.* Chicago: University of Chicago Press.

Thorndike, E. (1903). *Educational Psychology.* New York: Lenche and Buechner.

Tyler, R. (1981). Specific Approaches to Curriculum Development In Giroux, H.,Penna, A. & Pinar, W.(Eds.) *Curriculum and Instruction.* Berkeley: McCutchan.

Tyler, R. (1957). *Proceedings, 1956 Invitational Conference on Testing Problems.* Princeton, N.J.: Educational Testing Service.

Worthen, B., & Rogers, W. T. (1980). Pitfalls and Potential of Adversary Evaluation. *Educational Leadership 37*(April), p. 536-43.

Egon G. Guba

1924년에 시카고에서 태어난 Egon G. Guba는 미국 인디애나 주 Valparaiso 대학교에서 물리학과 기계학을 공부하였다. 세계 2차 대전이 발발하자 미군에 입대하여 정비공으로 복무하였고 2차 대전이 끝난 후 1946년에 복귀하여 1947년 Valparaiso 대학교에서 수학과 물리학 석사과정을 수료하고 1950년에는 캔자스 대학에서 통계학 박사학위를 취득하였다. 1952년에는 시카고대학교에서 양적 연구로 박사 후 과정을 수료하면서, 그 곳에서 몇 년간 학생들을 지도하기도 하였다. 졸업 후, 캔자스 대학교, 오하이오 주립대학교에서 양적연구 중심의 수업과 논문 연구를 하였고 최종적으로 인디애나 대학교 사범대학의 교수가 되면서부터 자신의 방법론적 정체성을 양적연구에서 질적연구로 변화시켰다. 그리고 그 결과로서 질적연구의 고전인 『Naturalistic inquiry』를 발간하였다. 인디애나 대학교에서 명예퇴직한 다음에 Texas A and M 대학으로 옮겨 명예교수 활동을 하다가 2008년에 삶을 마쳤다. 그 이후에는 평생 함께 연구하였던 부인 Lincoln이 많은 연구를 잇고 있다.

이 글에서 Guba의 학술적 업적과 그 역사적 가치를 기술하는 것은 불가능하다. 엄청난 양의 논문들과 교육학 분야에 심대한 영향을 끼친 저서들, 그리고 공식적 활동들은 그의 학술적 성취와 명예를 드러내기에 충분하다. 이에 그가 서거한 후에 AERA에는 연차적으로 구바 기념 강연이 마련되어 있어서 해당분야의 대표적인 학자들이 매년 초청되어 질적연구, 질적평가 분야에 대한 새로운 논문들을 발표하고 있다. 질적연구가 거의 전무하였던 1980년대에 자신 스스로 양적연구자에서 질적연구자로 변화하면서 교육평가 분야에서 제4세대 평가의 개념을 창안하여 질적방법을 활용한 교육평가/교육과정 평가의 새로운 영역을 개척하였다. 아울러 질적연구의 철학적/방법론적인 기초를 제공함으로써 왜 사회과학 영역과 교육학 영역에서 질적연구방법이 대안으로 고려되어야 하는지에 대한 적절한 이론을 제공하였다. 그의 저서 『자연주의 탐구』와 『제4세대 평가』는 질적연구를 공부하고자 하는 연구자들과 질적방법을 사용하여 평가를 탐구하려고 하는 연구자들에게는 필수적으로 탐독해야 하는 저서에 속한다. 서거 후에 QRSIG에 구바 재단을 만들어 후학들을 위해 지속인 기부와 후원을 하였다.

2008년 서거 후 두 개의 세계적인 학술지인 「Qualitative Inquiry」(2008, 12월), 그리고 「American Journal of Evaluation」(2008, 9월)이 Guba의 추모를 다룬 특집호를 마련하였다. 이 추모 특집호에는 Stufflebeam, Patton, Eisner, Wolcott 등의 추모사와 함께 그의 수제자인 Patti Lather와 Thomas Schwandt의 그에 대한 박사과정 기억이 회고되었다.

주요 저서

1985, Naturalistic Inquiry: Sage Publications Inc.
1989, Fourth Generation Evaluation: Sage Publications Inc.
1990, The Paradigm Dialogue: Sage Publications Inc.

제19장

좋은 교사를 평가하는 준거: National professional teaching standards

이 장의 공부할 내용

교사 전문성 기준의 등장배경

미국의 전문 교사의 다섯 가지 기준

- 학습 조력자로서의 교사
- 교수에 관한 전문적인 기술 소유자로서의 교사
- 수업 및 학습의 관리자로서의 교사
- 탐구자 및 연구자로서의 교사
- 학습 공동체 구성원으로서의 교사

주 수준의 교사 전문성 기준 : 캘리포니아와 노스 캐롤라이나의 기준이 절에서는 전문적인 교사가 되기 위한 자질과 덕목을 제시한 미국의 교사 전문성 기준을 소개하고자 한다. 흔히들 교사를 전문직이라고 부른다. 교사들은 자신들이 교육의 전문가이며 교육을 할 수 있는 유일한 직업이라고 주장한다. 하지만 단순히 임용고사를 통과하면 전문교사의 자격을 얻는 한국의 교사들이 과연 교사로서의 자질과 역량을 갖추고 있는지는 의문이다. 그럼에도 불구하고 전문직 교사들이 갖추어야 하는 자질과 역량에 대한 논의가 이루어지지 않고 있는 실정이다. 이에 이 절에서는 미국의 교사 전문성 기준이 어떻게 등장하게 되었는지 그리고 교사 전문성 기준이 무엇인지 살펴볼 것이다. 그리고 각 주에서는 이러한 전문성 교사의 기준이 각 주의 특성과 환경에 맞게 어떻게 적용되고 활용되고 있는지 살펴볼 것이다.

교사 전문성 기준의 등장배경

1983년 '위기에 처한 국가(A Nation at Risk)' 가 발표되면서 미국의 교육 상황에 대한 대중의 관심과 함께 교육 분야의 개혁을 위한 움직임이 나타나기 시작했다. 교육의 총체적 위기를 느낀 미국 정부는 교육의 내외적 요인에 대한 대대적인 개혁에 착수하였으나 정작 실제 교육을 담당하고 학생들과 끊임없이 상호작용하고 있는 교사에 대한 논의가 이루어지지 못하였다. 물론 교사에 대한 논의가 전혀 이루어지지 않은 것은 아니지만 이는 주변에만 머물러 있었을 뿐 교육 개혁의 커다란 담론으로 발전되지 못하였다. 결국 교사를 주변에 둔 교육 개혁은 미진할 수밖에 없었고, 이를 간파한 미국 정부는 1986년 '준비된 국가: 21세기를 향한 교사들(A Nation Prepared: Teachers for 21th Century)' 이라는 중요한 보고서를 발간하였다. 이 보고서의 주된 취지는 전문적인 교직 기준을 마련하자는 것이었다. 이를 위하여 미국 정부는 교직의 질을 높이기 위한 국가 위원회를 설립하게 되었다. 국가 위원회는 교사의 전문성 신장을 위해 다음 세 가지 방안을 제시하였다(그림 19-1).

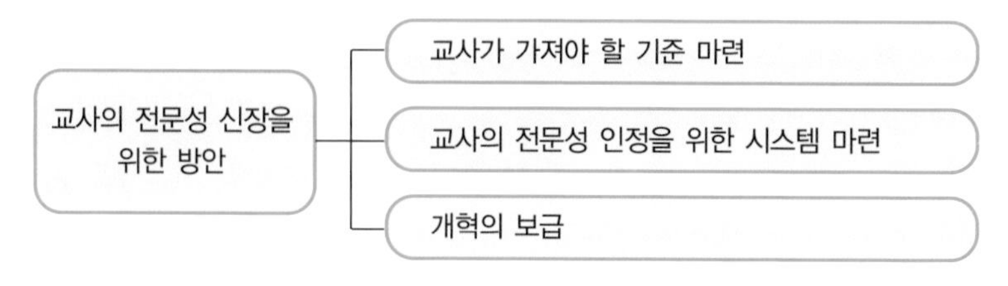

[그림 19-1 국가 위원회에서 제시한 교사의 전문성 신장을 위한 방안]

첫째, 전문적인 능력을 갖춘 교사에 대한 엄밀하고 수준 높은 기준을 마련하는 것이었다. 즉, 전문직으로서 교사가 갖추어야 할 지식, 능력, 태도 등에 관한 기준을 마련하고 이를 활용하고자 하였다. 둘째, 전문적인 능력을 갖춘 교사에 대한 국가적 공인 시스템을 마련하고자 하였다. 이는 추상적이고 원론적인 수준에서 이루어지고 있는 교직의 전문성에 대한 담론을 구체적이고 실천적인 운동으로 옮기려는 교육적 움직임이라 볼 수 있다. 셋째, 교사의 전문성 신장을 위한 개혁 운동을 각 주를 비롯한 전반적인 미국 사회에 확산 · 보급하는 것이었다. 아무리 정부가 교사의 전문성을 위한 기준을 마련하고 개혁하려 하여도 교사들의 의식 전환과 의지 없이는 불가능하다. 따라서 교사들에게 이러한 기준과 의의를 확산 · 보급하여 교사들 스스로의 자발적인 노력이 되도록 해야 하기 때문이다.

이러한 개혁의 움직임 속에서 국가 위원회는 전문직으로서의 교직을 위한 다섯 가지의 핵심 제안을 내놓았다. 이는 곧 전문직으로서의 교직에 대한 기본적인 사항이며, 이를 바탕으로 각 주들은 질 높은 교사 기준을 마련하게 되었다. 그림 17-2는 국가 위원회에서 제안한 다섯 가지의 핵심 사항이다.

학습의 조력자	전문적인 기술의 소유자	수업 및 학습의 관리자	탐구자 및 연구자	학습공동체의 구성원

[그림 19-2 국가 위원회에서 제시한 전문직 교사의 다섯 가지 기준]

학습의 조력자

교사는 학습자가 스스로 지식과 개념을 재구성할 수 있도록 돕는 조력자의 역할을 할 수 있는 능력이 있어야 한다. 학습자 개개인의 흥미와 욕구, 능력, 인지양식을 파악하여 그에 알맞은 교육적 처방을 내릴 수 있어야 한다. 또한 학생들이 어떻게 지식을 재구성해 나가는지를 파악하여 학생 각 개인에게 의미 있는 방식으로 지식이 구성되어 나갈 수 있도록 도와줄 수 있는 능력이 요구된다.

전문적인 기술의 소유자

교사는 가르치는 과목에 대한 전문적인 지식과 더불어 학생들의 발달에 알맞은 교육을 제공할 수 있는 수업의 기술을 소유하고 있어야 한다. 왜냐하면, 해당 과목을 의미 있고 충실하게 가르치기 위해서는 반드시 그 교과에 대한 전문적인 지식과 이해가 필요하기 때문이다. 더불어 학습자의 발달 수준과 이해 수준, 그리고 학습 내용의 특성에 따라 다양한 교육적 처방과 수업을 제공할 수 있는 전문적인 기술이 필요하다.

수업 및 학습의 관리자

교사는 수업의 흐름이 끊기지 않도록 수업을 예의 주시하며, 학생들의 학습 상황을 관리할 수 있어야 한다. 한 차시의 수업 중에서 실제 학습이 이루어지는 시간은 그리 많지 않다. 교사는 수업이 원활하게 이루어지게 하기 위하여 학생들의 주의 집중시키기, 학습교구 준비하기, 모둠 나누기 등 학습적인 분위기를 조성하는 데 많은 시간을 소비하는 경우가 있다. 이러한 시간이 많아질수록 학습자의 주의력과 집중력은 떨어지고 실제 학습을 하는 시간은 적어질 수밖에 없다. 결국 전문적인 능력을 가진 교사란 수업의 흐름을 예의 주시하며, 실제 학습 시간을 늘릴 수 있도록 효과적으로 학습을 관리할 수 있는 능력을 가져야만 한다.

탐구자 및 연구자

교사는 끊임없이 자신의 수업에 대한 반성과 탐구를 실천해 나가야 한다. 자신의 수업에서 무엇이 잘못됐고 무엇이 잘됐는지에 대한 반성과 탐구를 지속적이고 체계적으로 해나가게 된다면 수업은 곧 반성이 됨과 동시에 하나의 연구가 될 수 있다. 이는 물론 교직으로서의 사명감과 교직에 대한 열정이 선행되어야만 하며, 이러한 열망이 내적 도화선이 되어 수업의 개선을 위한 의지로 이어질 때 가능한 일이다. 또한 현장연구법, 반성 일지 기록법, 개인 생활사 연구법 등 현장 연구를 위한 다양한 연구 기법을 알아가려는 노력이 요구되기도 한다.

학습 공동체 구성원

교사는 학습 공동체의 일원이어야 한다. 이를 위하여 교사는 학생들과 상호작용을 할 때 그들의 사고방식과 사고 수준에서 대화할 수 있는 노력과 능력이 요구된다. 또한 학부모와 지역사회 인사들과의 지속적인 교육적 만남을 통해 그들을 학습 공동체의 일원으로 참여시켜야 하며, 동시에 그 공동체의 일원으로서의 역할과 행동이 요구된다.

이상의 다섯 가지 제안은 전문직으로서 교사에 대한 기준의 밑바탕이 될 뿐만 아니라 교사 자신이 지녀야 할 관점 그 자체라고 말할 수 있다. 위의 내용을 자세히 들여다보면 너무나 당연하고 기본적인 사항이라 볼 수 있다. 그럼에도 불구하고 미국 정부는 당연하고도 원론적인 사항들을 강조하고 있다. 이는 그동안 교육적 문제에 대한 접근을 교육 외적인 곳에서만 찾으려 했던 것에 대한 비판이며, 교실에서 학생들과 상호작용하고 있는 교사를 재조명하기 위한 움직임이라 볼 수 있다.

미국의 전문 교사의 다섯 가지 기준

2002년 미국의 교사 전문성 기준 국가 위원회(NBPTS)는 1986년에 발표한 전문교사의 기준(그림 19-2)을 수정하고 보완하여 「교사가 알아야 하는 것과 할 수 있어야 하는 것(What Teachers Should Know and Be Able to Do)」이라는 보고서를 발표하였다. 이 보고서는 교사의 전문성 기준을 크게 다섯 개의 영역으로 구분하고 각 영역에 해당하는 세부적인 하위 기준을 제시하였다. 표 19-1은 교사 전문성 기준의 다섯 가지 영역과 각 영역의 하위영역을 나타낸 표이다. 한 가지 유념할 점은 원문에서는 교사 전문성 기준 다섯 가지를 '제안(propose)' 이라는 용어를 사용하여 제시하였지만 이 책에서는 이해를 돕기 위해 '영역' 이라는 용어를 사용하였다.

영역 1 : 학습 조력자로서의 교사

전문교사 기준의 첫 번째 영역은 학생들의 학습과 발달을 돕는 학습 조력자로서의 교사이다. 전문적인 교사는 학생들이 학습을 통해 자신의 잠재력과 가치를 찾을 수 있도록 도울 수 있어야 한다. 이것은 모든 인간은 존엄하며 학습을 통해 자신의 가치를 발견하고 잠재력을 키울 수 있다는 믿음에 기초하고 있다. 따라서 교사는 모든 학생 개개인이 자신의 잠재적 능력과 특성을 발견하고 기를 수 있도록 가르치고 교육해야 한다. 하지만 한 학급의 인원이 30명이 넘는 학교 현실에서 개개인의 가치를 찾아 주는 교육을 하기란 쉽지 않다. 이에 학습 조력자로서의 교사의 역할이 더 중요해지는

〈 표 19-1 전문 교사 기준의 다섯 가지 영역과 그 하위영역들 〉

영역 1	영역 2	영역 3	영역 4	영역 5
학습 조력자로서의 교사	교수에 관한 전문적 기술 소유자로서의 교사	수업 및 학습의 관리자로서의 교사	탐구자 및 연구자로서의 교사	학습 공동체 구성원으로서의 교사
• 학생 개개인의 특성을 파악할 수 있는 능력 • 이론적 지식을 적용할 수 있는 능력 • 모든 학생들을 공평하게 대우하는 능력 • 학생들의 인격과 사회성을 개발할 수 있는 능력	• 교수-학습 내용에 대한 해박한 지식 • 교수 방법에 대한 해박한 지식 • 자기 주도적 학습을 위한 다양한 경험 제공	• 다양한 교수 전략의 활용 • 학급의 환경 관리 • 학습동기 유발 및 흥미 유지 • 학생들의 수준과 특성을 알기 위한 평가 • 효과적인 수업 설계 능력	• 개인적 반성과 학문 탐구 • 동료 교사 및 전문가와의 교류	• 교육과정과 교육 프로그램 개발에 적극적 참여 • 학부모와 긍정적인 관계 형성 • 지역사회 교육 자원의 적극 활용

것이다. 교사는 학생들의 다양성과 능력에 관심을 가지고 학생들이 이를 개발하고 발전시킬 수 있도록 도울 수 있어야 한다. 영역 1에서는 학습의 조력자로서 교사에게 필요한 자질을 네 가지 하위영역으로 제시하였다(그림 19-3).

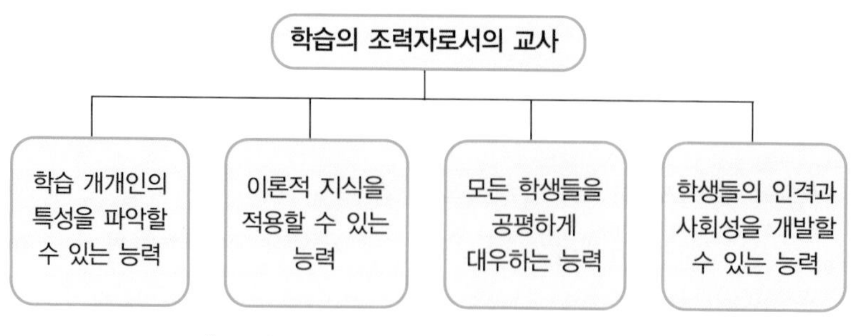

[그림 19-3 영역 1의 하위영역 네 가지]

학생 개개인의 특성을 파악할 수 있는 능력

교사는 학생 개개인의 잠재적인 능력을 개발할 수 있도록 돕기 위해 학생들이 가진 특성을 파악할 수 있어야 한다. 학생 개개인의 능력과 특성을 파악하는 것은 학생들에게 가장 적절한 학습방법과 피드백을 제공하게 해준다는 점에서 매우 중요하기 때문이다. 학생 개개인의 특성을 파악하기 위해, 교사는 학습뿐만 아니라 아동의 신체특성, 가정환경, 생활 패턴(등하교 시간과 같은), 흥미와 관심, 지적 발달 수준과 같은 다양한 정보를 파악하고 분석할 수 있어야 한다. 그리고 이러한 정보를 바탕으로 학생 개개인의 특성에 맞는 가장 효과적인 교육방법과 경험을 결정하고 제공할 수 있어야 한다. 이와 같이 개개인에 대한 능력과 특성을 파악할 때에 교실에 있는 학생들은 한 사람도 빠짐없이 학습의 기회를 가지고 학습할 수 있을 것이다.

이론적 지식을 적용할 수 있는 능력

교사는 교육학과 관련된 이론적 지식을 알고 있어야 하며 이러한 이론적 지식을 학교 현장에서 적용할 수 있어야 한다. 교육학과 관련된 이론적 지식이란 교육심리학, 사회학습이론, 아동과 청소년 발달과 이론에 대한 지식을 말하는 것으로, 이러한 이론적 지식은 아동의 성장과 정서를 이해하는 데 도움을 줄 뿐만 아니라 학생들의 학습과정과 지식형성의 과정을 깊이 있게 이해할 수 있도록 도와준다. 따라서 이러한 이론에 대한 지식은 학생들의 성장과 학습을 돕는 데 학생들의 성장과 개발을 돕기 위해 적용하고 활용할 수 있어야 한다. 교육학과 관련된 이론적 지식은 교육심리학, 사회학습이론, 아동과 청소년 발달 이론과 같은 것들이다. 이러한 이론들은 학생들이 어떠한 발달의 과정을 거치는지, 어떠한 학습 과정과 방법을 통해 지식을 형성해 가는지 이해할 수 있도록 도와준다. 따라서 교사는 학생들의 잠재력 개발과 이러한 이론적 지식을 현장에서 적용할 수 있어야 한다.

모든 학생들을 공평하게 대우하는 능력

교사는 학생의 외모, 성적, 가정환경 등과 관계없이 모든 학생들에게 동등한 관심과 애정을 가질 수 있어야 한다. 여기에서 동등한 관심과 애정은 절대적 평등을 의미하는 것이 아니라 사회문화적인 배경과 특성을 고려한 상대적 평등을 의미하는 것이다. 따라서 교사는 언어, 인종, 종교, 성별, 장애와 같은 요인을 가지고 학생들을 판단하고 평가해서는 안 된다.

그러나 이것은 간단한 문제가 아니다. 학생의 성격과 특성을 고려하지 않은 똑같은 대우가 정당한 교육을 의미하는 것은 아니기 때문이다. 오히려 전문적인 교사들은 모든 학생들을 똑같이 대하지는 않을 뿐만 아니라, 학생 개개인의 다양한 특성에 대응하기 위해 특정 소수의 학생들에게만 해당되는 관심사나 소재는 피하려고 노력한다. 따라서 전문적인 교사는 이러한 학생들의 다양한 차이를 이해하고, 학생들의 차이를 고려하여 대우할 수 있어야 한다.

학생들의 인격과 사회성을 개발할 수 있는 능력

교사는 학생들의 인지적 능력뿐만 아니라 인격과 사회성을 길러 주어야 한다. 학교에서 학생들은 단순히 지식만을 습득하는 것이 아니다. 학생들은 학교생활을 통해 자연스럽게 인격 형성 · 사회성 발달과 같은 중요한 덕목들을 개발시킨다. 따라서 교사는 자아정체성, 협동학습, 인격 발달, 사회적 덕목과 요구 등에 관심을 가지고 교육해야 한다. 이러한 덕목들은 아동의 권리이자 지적 발달에 필수적인 것들이다. 전문적인 교사들은 단순히 지식만을 전달하는 것이 아니라 이러한 다양한 덕목들을 고려하여 포괄적으로 학생들을 지도한다.

영역 2 : 교수에 관한 전문적인 기술 소유자로서의 교사

전문적인 교사 기준의 두 번째 영역은 가르칠 내용에 대한 해박한 지식을 가지고, 이것을 학생들에게 효과적으로 전달할 수 있는 교수기술을 가진 교사이다. 일반적으로 우리는 전문적인 교사를 떠올릴 때 잘 가르치는 교사를 떠올린다. 그리고 실제로 교사가 맡고 있는 가장 주된 역할은 학생들을 가르치는 것이라고 생각한다. 따라서 자신이 가르칠 내용과 교수방법에 대한 해박한 지식은 전문 교사가 갖추어야 할 기본 요건이라고 할 수 있다. 영역 2에서는 교사가 갖추어야 할 가장 기본적인 덕목인 훌륭한 교수-학습 방법을 갖추기 위한 교사의 자질을 세 가지 하위영역으로 제시하였다(그림 19-4).

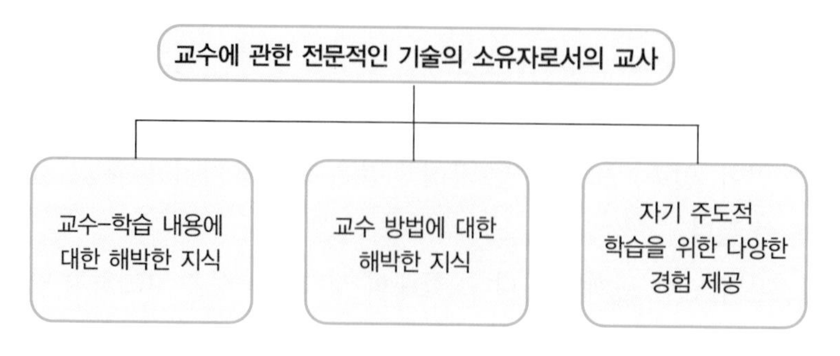

[그림 19-4 영역 2의 세 가지 하위영역]

교수-학습 내용에 대한 해박한 지식

교사는 학생들에게 가르칠 내용은 무엇인지, 그 내용은 어떻게 조직되고 구성되는지 잘 알고 있어야 한다. 교사가 가르칠 내용에 대하여 잘 알고 있을 때에만, 교육은 단순한 지식 전달을 넘어 의미를 구성하는 내면화 학습이 된다. 이것은 학생들로 하여금 단순한 지식 암기와 기계적인 반복학습을 넘어 지식을 구성하는 유의미 학습을 이끌어 낸다는 점에서 중요하다. 따라서 교사는 가르칠 내용이 무엇인지 또 어떻게 만들어지며 다른 내용과 어떻게 연결 · 조직되는지 잘 알고 있어야 한다. 예를 들면, 수학을 가르칠 때 교사는 단순히 수학공식과 문제를 푸는 방법을 전달하고 기계적으로 반복시키는 것이 아니다. 그러한 공식이 어떻게 만들어졌으며, 증명하는 방법은 무엇인지, 그리고 실제 우리의 일상에서 어떻게 사용되고 있으며, 우리의 일상과 어떠한 관련을 가지고 있는지 전달해 줄 수 있어야 한다.

교사가 가르칠 내용에 대하여 잘 알고 있을 때 교수-학습이 가지는 장점은 다음과 같다. 먼저 고등사고기술과 관련된 문제를 해결할 수 있도록 도울 수 있다. 그리고 단순한 지식의 전달이 아닌 학교에서 배운 실제를 이해하고 적절하게 활용할 수 있도록 도울 수 있다. 그리고 학습 주제를 광범위하게 탐구할 수 있도록 도울 수 있다.

교수 방법에 대한 해박한 지식

교사는 학습 내용과 지식을 전달하는 가장 효과적인 교수방법과 전략에 대해 알고 있어야 한다. 교사가 잘 가르치기 위해서는 앞서 제시한 가르칠 내용에 대한 해박한 지식만으로는 부족하다. 자신이 알고 있는 내용을 어떻게 하면 잘 전달할 수 있는지 아는 것도 중요하다. 즉, 교사는 단순히 많이 알고 있다고 해서 잘 가르치는 것이 아니라 어떻게 전달할지에 대해 잘 알고 있어야 한다는 것이다. 예를 들면, 전문적인 미술 · 음악 교사들은 취학 이전의 아동들이 눈과 손의 협응 과정을 통해 사물을 인지하고 학습한다는 사실을 이해하고 있다. 그래서 이들은 아동들에게 눈과 손의 협응 활동이 활발하게 일어날 수 있도록 수업을 구성하고 가르친다.

자기 주도적 학습을 위한 다양한 경험의 제공

교사는 학생들이 주도하여 스스로 개념을 형성하고 학습할 수 있는 다양한 경험을 제공해 줄 수 있어야 한다. 강의식 수업에 의한 교사의 일방적인 수업보다 학생이 스스로 문제를 찾고 해결하는 수업이 지식을 구조화하는 데 훨씬 효과적이라는 것은 이미 많은 연구를 통해 밝혀졌다. 이것은 단순반복에 의한 기계적인 암기를 넘어서 학생들의 진정한 이해를 발달시킨다는 점에서 중요하다. 또한 교사는 학생들의 지식 구조가 강화될 수 있도록 다양한 경험을 제공해 주어야 한다. 같은 내용을 학습하는 데 있어서도 그 전달방법과 경로는 다양하기 때문에, 학생들에게 다양한 경험을 제공함으로써 지식을 습득하고 의미를 발견할 수 있도록 수업을 구성해야 한다. 이런 다양한 경험을 통한 지식 습득은 서로 관련이 있는 다른 지식들을 연결시켜 주어 지식의 구조를 강화시켜 준다.

영역 3 : 수업 및 학습의 관리자로서의 교사

전문교사 기준의 세 번째 영역은 학습을 위한 최고의 환경과 조건을 만들기 위해 수업과 학급 조직을 효율적으로 관리할 수 있는 교사이다. 학급의 환경이나 학급조직의 형태에 따라 학습의 질이 달라지기 때문이다. 따라서 교사는 수업의 어느 부분에서 모둠 학습을 할 것인지, 모둠은 몇 개로 만들 것인지, 한 모둠의 구성원은 몇 명으로 하고 그 집단의 구성원은 어떻게 만들지와 같은 학습 환경에 대해 고민해야 한다. 그리고 최상의 학습 상태를 만들 수 있는 학급의 환경을 조성할 수 있어야 한다는 것이다. 즉, 학급의 모든 학생들이 교육적 기회를 가지고 학습을 성취할 수 있는 환경과 상태를 만들어 줄 수 있는 수업 및 학습의 관리자가 되어야 하는 것이다. 궁극적으로 교사가 수업 및 학습을 관리하는 이유는 학생들이 학습할 수 있는 학습 환경과 상태를 만들고 유지하기 위해서이다. 영역 3에서는 훌륭한 수업 및 학습의 관리자가 되기 위한 교사의 자질을 다섯 가지 하위영역으로 제시하였다(그림 19-5).

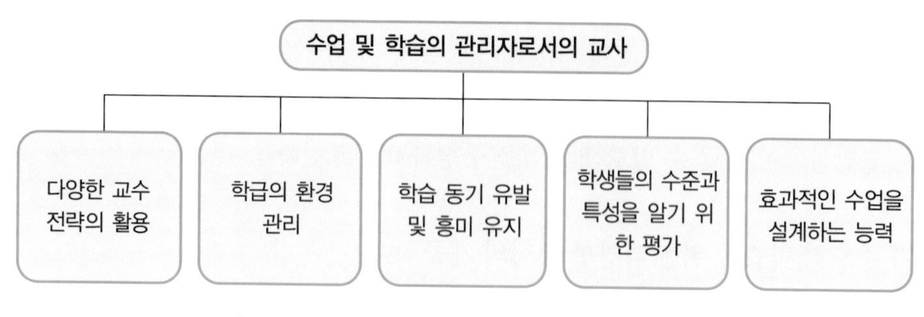

[그림 19-5 영역 3의 다섯 가지 하위영역들]

다양한 교수전략의 활용

교사는 학생들이 가장 높은 수준의 학습 환경을 만드는 효과적인 교수전략을 사용할 수 있어야 한다. 같은 내용이라 하더라도 그것을 전달하는 방법은 다양하다. 따라서 교사가 사용하는 교수전략에 따라 같은 내용에 대해서도 학생들은 다른 경험을 하게 된다. 그렇기 때문에 교사는 적절한 교수전략을 사용하여 학습의 조건과 환경을 관리할 수 있어야 한다. 그리고 학급의 환경과 아동의 수준, 학교의 문화와 같은 다양한 상황을 고려하여 가장 효과적인 교수전략을 사용할 수 있어야 한다.

학급의 환경 관리

교사는 학생들의 모둠을 어떻게 관리해야 하는지 알고 있어야 한다. 이것은 한 학급의 학생들을 적절한 인원과 구성원으로 모둠을 만들거나 그룹을 조직하는 것을 말한다. 모둠을 만들거나 그룹을 형성하는 것은 학생들과 교사들이 행동과 상호작용 방식을 결정하기 때문에, 학급 구성원으로서 자신의 역할과 책임감을 학습하도록 한다는 점에서 중요하다. 하지만 교사가 어떤 모둠의 형태를 만드냐에 따라 학습의 효과가 다르게 나타난다. 따라서 전문적인 교사는 이러한 학급의 경영과 학급의 관리에 대한 가장 효율적인 방법을 알고 있어야 한다. 여기에서 한 가지 유의할 점은 특정 상황에 대한 가장 효과적인 그룹형태 방법은 밝혀진 것이 없다는 것이다. 따라서 전문적인 교사는 교실환경과 아동의 수준, 그리고 상황 맥락적 요인들을 고려하여 모둠의 형태를 결정해야 한다.

학습 동기 유발과 흥미 유지

교사는 학생들의 학습동기를 유발하고 학습에 대한 흥미를 지속적으로 유지할 수 있어야 한다. 먼저 학습이 일어나기 위해서는 동기 유발이 가장 중요하다. 학생이 학습할 내용에 관심을 가져야만 적극적이고 능동적으로 학습에 참여하기 때문이다. 그리고 학습은 아동이 관심을 가지고 능동적으로 참여할 때 이루어지기 때문이다. 따라서 전문적인 교사는 동기를 유발하고 흥미를 유지하기 위해 학생들의 수행에 적절하게 보상하고, 어려움이나 문제에 부딪쳤을 때에는 문제를 끝까지 해결할 수 있도록 격려해야 한다.

학생들의 수준과 특성을 파악하기 위한 평가

교사는 학생들의 수준과 특성을 파악하기 위해 지속적이고 다양한 평가를 실시해야 한다. 평가의 목적은 학생들의 지적 수준 · 발달정도 · 특성을 파악하기 위해서이다. 이러한 학생들의 수준과 특성에 대한 파악이 정확하게 이루어질 때 교사는 개개인에게 가장 적절한 형태의 학습 기회와 방법을 제공할 수 있고 성공적인 수업을 설계할 수 있기 때문이다. 이를 위해 전통적인 지필평가뿐만 아니라 수행평가와 같은 다양한 대안적 평가방법을 사용하여 아동이 어떤 지식을 가지고 있으며 어떤 내용에 관심이 있는지 파악할 수 있어야 한다. 그리고 수동적인지 능동적인지와 같은 아동의 특성을 파악하고 있어야 한다.

그러기 위해 전문적인 교사는 평가의 목적, 평가가 이루어져야 하는 시기, 그리고 평가의 방법을 정확하게 이해하고 사용할 수 있어야 한다. 교사는 학생들의 움직임, 단어, 생각을 빈틈없이 관찰하고 다양한 평가 방법을 통하여 자신들의 목적, 학생의 강점과 약점, 발달정도를 추적한다. 그들은 평가도구, 포트폴리오, 비디오테이프, 시범 및 전시와 같은 대안적 평가를 포함한 퀴즈나 시험과 같은 전통적인 방법도 적절하게 사용할 수 있다. 어떤 때에는 학생들이 정보를 얼마나 이해하는지를 평가하기 위해서 그룹 토론을 하기도 하며 질의응답을 요구하기도 한다.

효과적인 수업을 설계하는 능력

교사는 모든 학생들이 교육적 기회를 가지고 교육목표에 도달할 수 있는 수업을 설계할 수 있어야 한다. 교사들은 수년간의 경험을 통해 교육목표에 도달하는 가장 효과적인 전략과 자원이 무엇인지 알고 있다. 그리고 이것을 바탕으로 모든 학생들이 교육목표에 도달할 수 있는 성공적인 수업을 설계해야 한다. 이러한 수업 설계는 일반적으로 수업지도안으로 알려져 있지만, 양식에 따라 세부적인 계획까지 담고 있는 수업계획안도 있고 큰 틀만을 기록한 메모의 형태도 있다. 중요한 것은 그 형태가 무엇이든 간에 교사는 도달해야 하는 목표를 정확하게 알고 있고 그 목표에 도달하는 가장 효과적인 방법을 설계할 수 있어야 한다는 것이다.

영역 4 : 탐구자 및 연구자로서의 교사

전문교사 기준의 네 번째 영역은 교사로서 자기 개발을 위한 끊임없는 탐구와 연구를 하는 것이다. 대부분의 직업처럼 가르치는 일에도 정답은 존재하지 않는다. 교사들 역시 교사로서의 자질과 역량을 향상시키고 효과적인 수업방법을 찾기 위한 탐구와 노력이 필요하다. 그러기 위해 전문적인 교사는 끊임없이 새로운 이론적 지식과 교수법을 받아들여야 한다. 그리고 이론적 지식과 다양한 수업방법을 실제 교실에서 적용해 보고 문제점은 없는지, 유익한 점은 없는지 자신의 경험을 반성해 보아야 한다. 그래서 잘못되거나 부족한 점은 개선해 나가고 더 좋은 새로운 방법은 없는지 탐구해 보아야 한다. 또한 유익한 점은 계속해서 장점으로 발전시켜야 하며 이러한 경험을 통해 반성했던 지식을 축적해야 한다. 영역 4에서는 자신의 역량과 자질을 기르고 탐구하기 위한 교사의 기준을 두 가지 하위영역으로 제시하였다(그림 19-6).

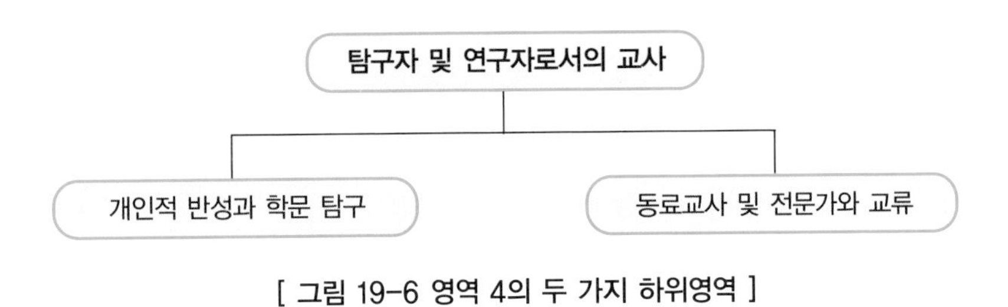

[그림 19-6 영역 4의 두 가지 하위영역]

개인적 반성과 학문 탐구

교사는 자신의 교육적 경험을 반성하고 좀 더 효과적인 방법을 찾기 위한 학문적 탐구를 해야 한다. 먼저 전문적인 교사는 자신이 실행하고 경험한 교육 활동에 대해 반성해야 한다. 교사가 가질 수 있는 일차적인 경험은 자신이 학교에서 적용하고 실행한 교육 활동이다. 따라서 교사는 자신이 실제로 적용한 실행의 장점과 단점을 가장 잘 파악할 수 있다. 교사는 자신의 의도에 따라 수업이 이루어졌는지 혹은 자신이 의도했던 것과 어떻게 달라졌는지, 효과적인 수업전략이었는지 등에 대해 반성을 할 수 있다. 그리고 이러한 반성을 통해 효과적인 방법을 연구하고 탐구하게 된다.

이러한 효과적인 방법을 연구하고 탐구하기 위해 교사는 새로운 이론의 학습과 수업개발과 같은 학문적 탐구에 힘써야 한다. 교육은 앞서 언급하였듯이 정답이 없는 퍼즐을 맞추는 것과 같다. 따라서 교사는 교육에서 일어날 수 있는 다양한 현상들에 유연하게 대처하기 위해 다양한 수업전략과 교육학적 이론들을 알고 있어야 한다. 또한 다양한 수준과 특성을 가진 아동이 존재하는 학급에서 모든 학생들이 교육적 기회를 가지고 학습을 성취할 수 있도록 도와주어야 한다. 그러기 위해서 교사는 아동의 수준과 특성에 맞는 다양한 방법과 전략을 사용하여 수업을 진행할 수 있도록 끊임없이 새로운 이론과 수업개발에 힘써야 한다.

동료교사 및 전문가와 교류

교사는 동료교사나 전문가와의 교류를 통해 자문을 구하고 의견을 구하는 활동을 통해 교사의 자질과 수업 기술을 향상시켜 가야 한다. 인간의 경험은 한정적이기 때문에 자신만의 경험을 가지고 교육의 효과를 판단하는 것은 오류를 범할 위험성을 항상 내포하고 있다. 따라서 전문적인 교사는 자신의 생각이 가질 수 있는 오류에 대한 새로운 가능성을 찾아야 한다. 오류를 찾는 방법 중의 하나는 다른 사람에게 자신의 수업과 활동을 관찰하게 하고 조언을 구하는 것이다.

구체적인 방법으로는 자신의 수업을 공개하고 교육전문가나 다른 동료교사들로부터 좋았던 점과 문제가 있었던 부분에 대하여 조언을 듣는 것이다. 이것은 교사 자신이 미처 발견하지 못했거나 새로운 교육방법을 발견할 수 있도록 도와준다. 또 다른 방법은 다른 동료교사나 교육전문가들과 서로의 교육적 경험과 지식을 나누고 토론하는 것이다. 다른 동료교사 및 교육전문가와의 특정 주제에 대한 토론을 통해 교사는 자신이 미처 발견하지 못했던 새로운 지식을 습득할 수 있다.

영역 5 : 학습 공동체 구성원으로서의 교사

전문교사 기준의 다섯 번째 영역은 학습 공동체 구성원으로서 교육 활동에 관심을 가지고 적극 참여하는 교사이다. 여기에서 학습 공동체 구성원으로서 교육 활동이란 교실에서 이루어지는 교수-학습 이외의 학교 교실 밖 지역 공동체에서 이루어지는 다양한 교육과 관련된 활동들을 의미한다. 전통적 관념에서 교사의 역할은 교실에서 하는 수업에만 한정되어 있었다. 하지만 교육은 교실에서 이루어지는 수업만이 전부가 아니다. 지역 공동체의 관심과 지역 공동체 구성원들의 노력에 의해 그 지역 사회의 교육문화와 질이 결정되기 때문이다. 따라서 교사는 자신이 지역의 학습 공동체 구성원임을 인식하고 지역의 교육문화와 발전에 힘써야 한다. 이러한 수업 이외의 교육 활동은 직접적인 지식 전달은 아니지만 학습환경과 학습문화, 교육의 질을 높여주기 때문이다.

학습 공동체 구성원으로서 교사가 할 수 있는 교육 활동에는 교육과정 개발, 교육 프로그램 개발, 진학 상담, 교육적 상담, 학부모와의 라포 형성 등이 있다. 뿐만 아니라 교육전문가, 교육행정가와 함께 교육과정 개발 및 교육 프로그램 개발, 아동의 진학 상담과 교육 상담, 교육환경에 큰 영향을 미치는 학부모와의 긴밀한 관계 유지 역시 학습 공동체 구성원으로서 교사가 해야 하는 역할에 포함시킬 수 있다. 그리고 조금 더 발전적으로 사회에 있는 다양한 자원들(문화재, 현장학습의 장소 등)을 교육의 도구로 활용하는 것 역시 학습공동체 구성원으로서의 교사가 해야 하는 역할이라고 할 수 있다. 영역 5에서는 학습 공동체 구성원으로서 교사가 할 수 있는 역할을 크게 세 가지 하위영역으로 제시하였다(그림 19-7).

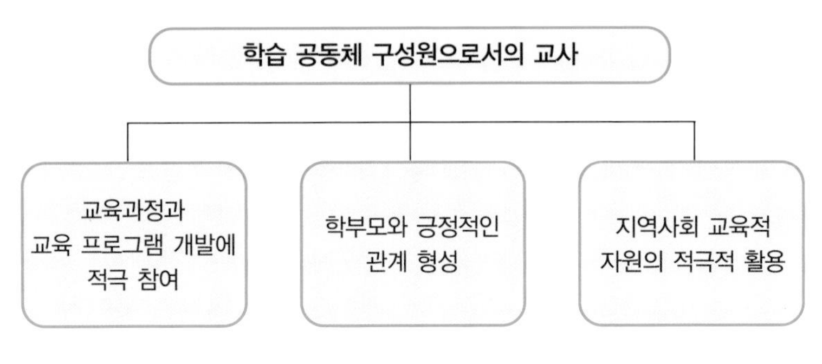

[그림 19-7 영역 5의 하위영역 세 가지]

교육과정과 교육프로그램 개발에 적극적인 참여

교사는 좋은 교육과정과 교육 프로그램이 만들어질 수 있도록 개발과 연구에 적극 참여해야 한다. 교육과정은 학교에서 이루어지는 수업과 교육목표, 방향을 설정한다는 점에서 그리고 교육 프로그램은 학습의 성공을 결정한다는 점에서 중요하다. 따라서 좋은 교육과정과 교육 프로그램의 개발은 교육에 있어 핵심 과제의 하나이다. 하지만 이러한 교육과정이 단순히 교육행정가나 교육전문가들에 의해서만 이루어진다면 현장과 괴리된 교육과정이 만들어질 위험이 있다. 따라서 교사는 현장과 괴리되지 않는 교육과정과 교육 프로그램이 개발될 수 있도록 관심을 가지고 적극 참여하여야 한다.

학부모와의 긍정적인 관계 형성

교사는 학생들의 학습에 중요한 영향을 미치는 학부모와 긍정적인 관계를 형성하고 유지해야 한다. 하지만 교육에 대한 일부 잘못된 인식이 교사와 학부모의 긍정적인 관계 형성을 어렵게 한다. 일부의 학부모들은 학생들의 지적 발달에 영향을 미치는 가정의 잠재력을 과소평가하고 심지어 학생의 교육은 학교와 학원에서 이루어지는 것이 전부라고 생각하기도 한다. 하지만 학부모는 학생의 학습에 중요한 영향을 미친다. 따라서 교사는 이러한 잘못된 인식을 바로잡고, 학부모와 학교에서 이루어지는 학생의 학습과 경험을 공유하고, 그들로부터 적극적인 관심을 끌어내어야 한다.

그리고 시대가 맞이하고 있는 새로운 변화 시기 역시 교사와 학부모의 긴밀한 협력관계를 더욱 어렵게 한다. 현대 사회에는 새로운 가족 형태로 편부모 가정과 맞벌이 가정, 그리고 사회 계층의 양극화로 인한 빈곤층 가정과 같이 다양한 형태의 가족이 나타나고 있다. 이러한 사회 환경은 가정과 학교가 협력할 수 있는 교사와 학부모 간의 의사소통을 더욱 어렵게 만들고 있다. 하지만 이런 상황일수록 더욱 가정과 학교의 연계가 중요하다. 가정과 교실의 긴밀한 협력 아래 창의적이고 열정적인 교사의 노력이 더해질 때 학생들의 성취는 더 높은 수준이 될 수 있기 때문이다.

학부모와 긍정정인 관계 형성을 위해 교사가 해야 하는 역할로는 크게 다음 세 가지를 들 수 있다.

학교에서 이루어지는 학습과 교육방향 공유하기. 교사는 학교에서 이루어지는 교육을 학부모에게 이해시키기 위하여 학교의 교육방향과 목적을 알리고 공유해야 한다. 이것은 불일치할 수 있는 학교교육과 가정교육의 합의점을 찾을 수 있도록 해준다. 그리고 이것은 학부모와 학교가 긴밀한 협력 관계 속에서 상호보완적인 교육이 가능하도록 해주기 때문에 학생의 학습이 가정과 학교에서 일관되게 이루어질 수 있도록 돕는다.

하지만 때때로 학교 교육방향과 가족의 교육방향이 서로 상반될 수 있다. 또 학부모들은 자신들이 받은 전통적인 교육방식에 비추어 학교 교육을 바라보기 때문에 현재 학교에서 이루어지고 있는 교육에 대해 회의적이고 부정적일 수 있다. 교사는 학부모들을 이해시키기 위해 학교의 교육방향이 무엇인지, 학교에서 이루어지는 학습과 수행은 어떻게 이루어지고 있는지 알려 주어야 한다. 그리고 이러한 학습과 수행의 결과에 대해 알려 주어야 한다. 이를 통해 교사는 학부모에게 이해를 구하고 교육에 대한 합의점을 찾을 수 있다.

면담을 통한 가정교육환경 이해. 교사는 학부모와의 면담을 통해 학생의 가정교육환경을 파악하고 있어야 한다. 교사가 가정교육환경을 이해하고 있을 때, 학생에게 맞는 가장 적절한 학습방법과 피드백을 제공할 수 있기 때문이다. 하지만 학생의 가정교육환경은 너무나 다양하기 때문에 그 합의점이나 일치점을 파악하는 것이 쉽지 않다. 학교 교육은 교육과정과 교육방침에 따라 이루어지기 때문에 어느 정도 일관성이 있지만 가정에서 이루어지는 교육은 가정환경에 따라 너무나 다양한 형태로 나타나기 때문이다. 따라서 교사는 가정교육환경에 영향을 미치는 문화 차이, 언어 차이, 부모의 교육관, 가정 형편 그리고 학생에 대한 기대 등과 같은 다양한 요인들에 관심을 가지고 학생의 가정교육환경을 이해하고 있어야 한다.

교육방법과 진로에 대한 상담. 교사는 올바른 교육방법, 학생들의 진로 결정, 그리고 그 진로를 향해 나아가는 방법을 제시해줄 수 있는 좋은 상담자가 되어야 한다. 먼저 교사는 학생을 올바르게 교육하고 지도할 수 있는 방법을 알려주는 상담자가 되어야 한다. 예를 들어 유치원 아동을 자녀로 둔 학부모가 글쓰기 교육에 대하여 상담해 왔을 때, 철자를 받아쓰는 시험보다 이야기를 읽는 방법이 쓰기 능력을 향상시키는 데 더 효과적이고 중요하다는 것을 알려주고 이해시켜 주어야 한다. 그리고 다음으로 학생의 진학과 진로 올바른 방향을 설정해 줄 수 있어야 한다. 교사는 학부모의 기대, 학생의 희망, 학생의 수준, 그리고 진로의 특성 등을 종합적으로 고려하여 학생의 진학과 진로 방향을 찾아줄 수 있어야 한다. 또한 진로가 결정되고 나면 학생이 그 진로를 나아가는 데 필요한 올바른 교육방향과 방법에 대해서도 구체적으로 알려주고 제시할 수 있어야 한다.

지역사회 교육 자원의 적극적 활용

교사는 학습에 도움이 될 수 있는 지역사회의 다양한 자원을 교육에 활용할 수 있어야 한다. 여기에서 지역사회의 다양한 자원이란 국회와 같은 지역 관청을 방문하는 것, 미술관이나 박물관을 관람하는 것, 지역의 환경 생태를 연구하는 것, 인터넷을 검색하는 것, 역사적 경험자들로부터 직접 이야기를 듣는 것 등을 말한다. 이러한 자원의 활용은 직접 보고, 듣고, 느끼는 체험을 통한 학습이기에 교육 효과가 매우 높으며 내면화 학습이 가능하도록 해준다.

이러한 지역 공동체의 자원의 활용은 도시나 시골 같은 환경은 중요하지 않다. 오히려 교사가 지역의 다양한 자원을 어떻게 효과적으로 구성하고 활용하느냐에 따라 훌륭한 교육 자료가 된다. 게다가 어떤 공동체든지 간에 교사, 학생, 연장자, 학부모, 사업가들이 함께 협력하면서 도울 수 있는 소중한 교육 자원들이 있기 마련이다. 교사는 혼자서 가르치는 것이 아니다. 다른 교육 공동체의 구성원들과 협력하여 가르칠 때 좀 더 효과적인 학습을 만들어낼 수 있다. 교사는 직업 현장이나 봉사단체와 같은 기관에 직접 방문하여 그들의 작업을 도와주고 학생들의 학습을 촉진할 수 있어야 한다.

주 수준의 교사 전문성 기준 : 캘리포니아와 노스 캐롤라이나의 기준

1986년 국가 수준의 기준이 마련된 후, 각 주에서는 국가 수준의 기준을 바탕으로 각 주의 특성과 환경을 고려한 주 수준의 교사 전문성 기준을 만들어 사용하고 있다. 이러한 주 수준의 기준은 교사들이 갖추어야 하는 자질과 그 자질을 판단할 수 있는 기준을 국가 수준보다 구체적이고 명시적으로 제시하고 있다. 또한 이 기준이 문서에만 그치지 않고 교사들이 교사의 전문성을 개발하고 교사의 전문성을 판단하는 데 적극 활용할 수 있도록 구체적인 실천 방향과 지침을 제시하고 있다. 형식적인 면에서 대부분의 주 수준 기준은 각 주가 가지고 있는 교육목표와 비전에 대해 소개하고 교사의 전문성 기준을 5~6개로 제시한다(국가 수준은 5개임). 그리고 각 기준들의 의미와 개념에 대하여 설명하고 구체적인 실천 방안들을 제시한다. 여기에서는 선택적으로 21세기에 요구되는 교육의 방향을 반영한 특징을 보여주면서 가장 일반적인 양식과 형태를 보여주는 North Carolina의 기준과, 주의 특성과 환경을 잘 살려 기준을 제시한 California의 교사 전문성 기준을 소개한다.

노스 캐롤라이나 주의 교사 전문성 기준

노스 캐롤라이나에서 만들어진 교사의 전문성 기준은 크게 두 가지 특징을 가진다. 첫째, 변화하는 시대에 초점에 맞추어 21세기에 교사가 갖추어야 하는 요건이 무엇인지에 대한 방향을 제시하였다. 둘째, 주 수준에서 만들어진 교사 전문성 기준의 가장 일반적이고 전형적인 형태와 양식을 보여 주고 있다.

21세기를 위한 교사의 자격 요건

> *모든 공립학교 학생들은 21세기에 살아가기 위한 준비와 직업세계와 평생교육을 위한 국제적인 경쟁력을 가지고 고등학교를 졸업할 수 있어야 해야 한다(Mission of the North Carolina State Board of Education, August 2006).*

2006년에 발표된 노스 캐롤라이나 교육부의 정책에서 알 수 있듯이, 노스 캐롤라이나의 교사 전문성 기준은 변화된 21세기 교육환경에서 새롭게 요구되고 있는 교육의 방향과 교사의 역할에 대한 기준을 제시하고자 하였다. 21세기에 새롭게 강조되는 교육의 방향은 세계화에 따른 다문화의 이해와 개방적 자세, 비판적 사고와 문제해결력, 정보통신기술과 메스미디어의 활용이다. 노스 캐롤라이나에서는 21세기에 요구되는 교육과 새로운 교사 역할을 '교육의 새로운 비전(A New Vision of Teaching)' 이라고 명명하고 시대의 요구 여덟 가지를 밝혔다. 그리고 여덟 가지 '교육의 새로운 비전'을 바탕으로 새롭게 요구되는 교사의 역할과 교사의 전문성 기준을 개발하였다.

교육의 새로운 비전 여덟 가지

- 교육공동체의 구성원으로서 교육환경을 만들고 유지하는 데 힘써야 한다. 교육관계자, 교장과 함께 공통의 관심사와 목적을 공유하고 나누며 학교의 방향과 문화를 설정하고 만들어가야 한다. 그리고 교사는 그러한 합의된 교육방향이 교실에서 학생들에게 이루어질 수 있도록 해야 한다.
- 가르치는 내용은 실제 생활을 삶과 연결지을 수 있도록 하며 이를 통해 학생들의 삶이 더 풍성해질 수 있도록 도와야 한다. 그리고 실제 생활을 통해 지식이 강화되고 그 의미가 깊어질 수 있도록 해야 한다.
- 교사들은 더 이상 정해진 교재와 방법으로 수업을 진행해서는 안 된다. 미래 사회에서 강조되고 있는 비판적 사고, 문제해결력, 정보통신 기술을 길러주어야 한다. 또한 멀티미디어와 같은 다양한 교수 매체를 적극 활용하여 학생들의 학습을 돕는다.
- 학생들은 교실에서 개방적인 환경 속에서 자신의 생각을 자유롭게 표현하고 의사를 전달하며, 협동하여 학습하고 문제를 해결하는 방법을 발견할 수 있도록 장려되어야 한다.
- 글로벌 시각, 도시 문명적 시각, 경제적 시각, 문학적 예술적 시각, 건강에 관한 인식과 같이 21세기에 요구되는 소양을 핵심 과목에 포함시키고 가르쳐야 한다.
- 학교에서 학습한 내용을 가정과 지역공동체에서 참여를 통해 체험하고 훈련할 수 있도록 해야 한다.
- 교사는 자신의 경험과 실행에 관한 지속적인 반성을 통한 자기개발에 힘써야 한다.
- 학교 교육이 끝난 후에도 끊임없는 자기 개발과 학습을 위한 평생교육이 이루어질 수 있도록 해야 한다.

노스 캐롤라이나의 교사 전문성 기준 양식

노스 캐롤라이나에서 만들어진 교사의 전문성 기준은 각 주에서 만들어진 기준 양식의 전형을 보여 준다. 노스 캐롤라이나에서는 전문성 기준을 국가 수준과 마찬가지로 크게 다섯 개의 영역으로 나누고 각 영역에 해당하는 하위영역을 제시하였는데, 이것은 가장 일반적인 양식을 보여준다. 그리고 각 영역에 관해 설명하고 구체적으로 실천할 수 있는 실천 지침을 제시하였다. 또한 노스 캐롤라이나의 기준은 세계화와 글로벌 시대의 문화와 인종의 다양성의 관점을 반영하였다. 그리고 21세기에 요구되는 비판적 사고와 문제해결력을 강조하고 지식정보화 시대에 필요로 하는 정보통신기술의 사용과 개발을 반영하여 교사의 전문성 기준을 제시하였다. 표 19-2는 이해를 돕

〈 표 19-2 노스 캐롤라이나 교사의 전문성 기준의 일부 〉

기준 II. 교사는 다양한 집단으로 이루어진 학생들의 환경을 고려한 계획을 설계할 수 있어야 한다.

하위기준: 교사는 학교 공동체와 사회의 다양성을 고려할 수 있어야 한다.

교사는 다양한 인종과 사회의 문화와 역사에 대해 잘 알고 있어야 한다. 그리고 글로벌적인 시각에서 다양한 문화를 수용하는 개방적인 마인드를 지녀야 한다. 그리고 효과적인 수업을 위해 이러한 문화와 역사의 특징을 고려한 수업을 설계할 수 있어야 한다.

교사는 인종, 성(gender), 종교, 그 이외의 다양한 문화적 관점이 학생들의 성장과 인격 형성 그리고 학습에 미치는 영향을 인지하고 알고 있어야 한다.

교사는 학생들의 문화적 배경을 학습에 어떻게 끌어올 수 있는지 이해하고 이것을 수업에 끌어와야 한다. 그리고 학생들이 자신의 문화적 배경을 이용하여 학습할 수 있도록 도와야 한다.

- 다양한 문화에 대한 해박한 지식 갖추기
- 고정관념을 벗어난 개방적인 마인드 가지기
- 문화가 아동의 성장과 성격, 행동에 미치는 영향 알기
- 다양한 관점을 통합하고 고려하기

기준 IV. 교사는 학생들의 학습에 책임자가 되어야 한다.

하위기준: 교사는 다양한 교수 방법과 자료를 사용할 수 있어야 한다.

교사는 학생들의 요구를 만족시킬 수 있는 가장 효율적인 교수 방법과 기술을 선택할 수 있어야 한다. 이것은 학생들 개개인의 학습의 차이를 줄이고 모든 학생들에게서 학습이 이루어질 수 있도록 해준다. 따라서 교사는 정보통신 기술과 매스미디어, 다양한 기자재들을 교육에 끌어 오고 사용할 수 있어야 한다.

- 학생들의 학습 수준차를 극복하기 위해 다양한 교수 방법과 자료 사용하기
- 멀티미디어, 정보통신 등과 같은 다양한 교수 방법을 사용하고 활용하기

하위기준: 교사는 학생들의 비판적 사고와 문제해결력을 길러 주어야 한다.

교사는 학생들의 질문을 장려하고 창의적 사고와 상상력과 독창적인 사고를 할 수 있도록 독려해야 한다. 그리고 학생들의 생각과 아이디어를 구조화하고 결론을 도출할 수 있도록 해야 한다. 그리고 학생들의 경험과 대화가 합리적이고 구조화될 수 있도록 도와야 한다. 또한 지식들을 구조화하고 분석하고 문제를 해결할 수 있는 능력을 길러 주어야 한다.

- 학생들이 질문을 많이 하도록 장려하고 창의적이고 독창적인 아이디어를 많이 제시할 수 있도록 장려하기
- 학생들이 그들의 생각과 지식을 구조화하여 결론을 도출할 수 있도록 돕기
- 학생들의 경험과 대화가 합리적이고 구조화될 수 있도록 만들기
- 다양한 학생들의 생각과 지식을 구조화하고 분석하여 스스로 문제를 해결할 수 있도록 하기

기 위해 다섯 개의 기준 중 이러한 노스 캐롤라이나의 특징을 가장 잘 반영한 '기준 II'와 ' 기준 IV'를 제시하였다.

캘리포니아 주의 교사 전문성 기준

캘리포니아 기준의 특징은 교사의 전문성 기준을 6개의 영역으로 제시하였다는 점 그리고 수행평가에 기초한 교사 자격 평가 프로그램과 연결되어 있다는 점이다. 그리고 다양한 인종이 공존하는 캘리포니아의 환경과 특성을 잘 반영하여 교사의 전문성 기준을 만들었다는 것은 캘리포니아 교사 기준만이 가지고 있는 장점이자 강점이다.

캘리포니아의 교사 전문성 기준의 목적과 특징

캘리포니아의 교사 전문성 기준은 다음 세 가지 목적으로 만들어졌다: ① 교사의 자질을 향상시키기 위해. 이것은 교수실행과 학생학습에 대한 반성을 통해 교사 자질을 높일 수 있도록 하는 것이다. ② 전문적 목표의 제시. 이것은 교수 실행을 향상시키는 전문적인 목표를 명확하게 제시하는 것이다. ③ 교수 · 실행에 대한 지침 안내 및 평가. 이것은 전문적인 기준을 달성하기 위한 교사의 교수 실행을 안내하고 자신의 실행을 검토하고 평가하기 위한 것이다. 캘리포니아의 교사 전문성 기준은 다음 네 가지 관점을 반영하여 만들어졌다.

다양성의 관점

다양성의 관점은 학생들의 다양한 인종 · 언어 · 성별 · 종교 같은 요인들과 관계없이 학교교육이 이루어져야 한다는 것이다. 이것은 다양한 인종이 모여 사는 캘리포니아 주의 특징과 관련이 깊다. 캘리포니아는 다른 주와 달리 외국인들의 유입이 많아 다양한 민족과 인종이 섞여 있는 다문화 사회를 이루고 있다. 자연히 학생들은 각기 다른 문화, 언어, 사회경제적 지위를 가질 수밖에 없었고 교육에 대한 관심 · 기대 · 지식 역시 이러한 다양성에 기초할 수밖에 없었다. 이것은 자연히 학교에 학생 개개인의 차이에 바탕을 둔 교육을 요구하였고 다양한 학생들의 차이를 고려한 교육이 이루어질 것을 요구하였다. 또한 교사들도 각기 다른 배경적 지식과 경험을 가지고 있기 때문에 효과적인 수업을 끌어내는 방식이나 방법이 달랐다. 캘리포니아는 이러한 다양성에 대한 고려를 바탕으로 교사의 전문성 기준을 개발하였다.

전체적인 관점

전체적인 관점은 교실에서 일어나는 다양한 상황과 맥락을 전체적인 시각에서 하나의 수업으로 통일시키는 것을 말한다. 즉 교수와 학습이 다양한 상황과 맥락에서 발생하는 독립된 변인들의 복잡한 상호작용 속에서 통합적으로 일어난다는 것을 인지한다는 것을 의미한다. 교실의 내부와 외부의 많은 요인들에 의해 영향을 받는다. 따라서 교사는 교수와 학습에 대한 다양한 측면을 고려해야 한다. 교사의 학생에 대한 지식, 교수-학습 내용에 대한 지식, 교육과정, 교수방법, 교수전략, 교수 스타일은 교수-학습 계획과 평가에 대한 계획을 세울 때 고려된다. 교수는 방법론 이상의 것이다. 이론적이면서 철학적, 관념적이기도 하다.

교수 개발의 관점

교수 개발의 관점은 교사가 자신의 교육적 경험을 반성하고 새로운 지식의 습득을 통해 끊임없이 자기개발을 추구하는 것을 말한다. 그 어떤 수업도 완벽할 수 없으며 교사에게 완성이라는 단어는 존재하지 않는다. 교사는 학교와 교실에서의 경험을 통해 점점 발전해 간다. 이에 교사는 자신의 교육적 경험을 반성하고 더 나은 교수방법이나 모델을 찾기 위해 끊임없이 노력해야 한다. 그리고 급속히 변해가는 사회와 점점 다양해지는 학생들의 요구를 반영하기 위해서도 교사는 지속적인 자기개발의 노력이 중요하다.

교사의 전문성 자질 개발을 위한 프로그램 개발의 관점

캘리포니아의 기준은 이러한 기준이 단순한 문서로만 그치는 것이 아니라 교사의 전문성 정도를 평가하고 교사의 전문성 자질을 개발할 수 있는 프로그램과 연결되어 있는 특징을 가지고 있다. 캘리포니아 교사 자격증 위원회와 교육부는 교사 전문성 기준이 교사들에게 실제 도움이 되고 사용될 수 있도록 만드는 방법을 찾고 있었는데, 두 기관은 교사들이 각 기준과 관련하여 자신의 발달단계가 어디인지 알려주는 정확하고 신뢰할 만한 정보를 제공하는 개발척도를 개발하였다. 이에 캘리포니아 교사 자격증 위원회와 교육부는 공식적인 평가지와 프로그램으로 BTSA(Begining Teacher Support and Assessment)와 FACT(Formative Assessment for California Teacher)를 개발하였다. BTSA는 캘리포니아 교사 전문성 기준에 근거하여 각 기준의 수준을 평가할 수 있도록 고안되었다.

캘리포니아의 교사 전문성 기준 양식

캘리포니아의 교사 전문성 기준은 국가 수준의 기준이 5개의 큰 영역으로 이루어진 데 반하여 여섯 개의 큰 영역으로 제시하였다. 여섯 개의 영역은 다음과 같다.

기준 1. 모든 학생들이 수업에 적극 참여하고 학습할 수 있도록 하기
기준 2. 학습에 최적의 조건과 환경을 만들고 유지하기
기준 3. 교과내용 이해하기와 재구성하기
기준 4. 모든 학생에게 경험의 기회를 주는 수업 설계하기
기준 5. 학생들의 학습 평가하기
기준 6. 전문적인 교육자로서의 자기 개발하기

여섯 개의 기준 모두 앞서 제시한 캘리포니아 기준의 특징인 개발적 전체적인 관점을 나타내고 있으며, 캘리포니아의 다양한 교사와 학생들의 요구를 충족시키기 위해 만들어졌다. 각각의 기준은 교사들이 달성해야 하는 최고의 수준을 제시한 것으로 서술의 형태로 제시하였다. 그리고 이러한 서술적 설명 뒤에는 각각의 기준에 포함되어 있는 핵심 영역을 밝히는 핵심 요소(element)들을 제시하였다. 그리고 교사들이 교사생활을 하면서 그들의 교수 실행을 탐구 · 개발 · 실천할 수 있도록 질문들을 통해 구체적인 실천방안과 반성의 기준을 제시하였다. 이러한 질문들은 계속적으로 반성하고 통찰할 수 있도록 하기 위해 두 가지 질문으로 시작하도록 제시하였다. '어떻게~?' 로 시작하는 질문은 기준을 실천하기 위한 구체적인 방침을 교사들이 찾을 수 있도록 만들어져 있고, '왜~?' 로 시작하는 질문을 교수의 이론적이고 원론적인 의미와 이론을 반성하고 찾을 수 있도록 장려하는 질문이다.

기준 1. 모든 학생들이 수업에 적극 참여하고 학습할 수 있도록 하기

교사는 모든 학생들이 학습목표에 도달할 수 있도록 학생들의 사전 지식과 경험, 흥미를 이끌어 낼 수 있어야 한다.

교사는 학생 개개인의 요구에 부응할 수 있는 다양한 교수 전략과 학습 자원을 사용할 수 있어야 한다.

교사는 자율과 협동이 이루어질 수 있는 환경에서 학생들의 학습 경험과 도전을 촉진한다.

교사는 학생들이 학습내용에 대해 비판적 사고를 하고 문제를 해결할 수 있도록 도와야 한다. 학습 내용은 실제 생활과 관련지어 학습할 수 있도록 도울 수 있어야 한다.

교사는 학생들이 스스로 학습한 내용을 표현하고 평가할 수 있는 자기 주도적 학습자가 될 수 있도록 도울 수 있어야 한다.

핵심 요소: 학생들의 사전 지식, 경험, 흥미를 학습목표와 연결시키기

핵심 요소를 개발하기 위해, 교사는 '어떻게~?', '왜~?' 라는 질문을 사용해야 한다.

- 학생들의 사전 지식과 새로운 자료 사이의 상호관련성을 알 수 있도록 돕기
- 교실에서 학습한 내용과 실제 삶과 문화 이해에 연결시키기
- 학습목표를 달성하기 위해 모국어와 제2외국어를 사용하도록 돕기
- 학생들의 관심과 주의를 유지할 수 있도록 단원을 재구성하고 학습량을 조절하기
- 수업 중에 나오는 학생들의 질문이나 말을 학습에 활용하기
- 학생들의 관심과 질문에 따라 적절한 시점에서 교수 방법 바꾸기

핵심 요소: 학생 개개인의 요구에 부응할 수 있는 다양한 교수 방법과 자원 사용하기

핵심 요소를 개발하기 위해, 교사는 '어떻게~?', '왜~?' 라는 질문을 사용해야 한다.

- 모든 학생들이 이해할 수 있도록 다양한 방법을 학습내용과 학습과정을 사용하여 소개하고 설명하기

한 가지 주의할 점은 이러한 질문들은 전문성 기준의 도구나 체크리스트로 사용되어서는 안된다는 점이다. 각 요소에 포함되어 있는 질문들은 교수에 있어 중요하다고 생각되는 일면에 지나지 않는 샘플일 뿐이며 가능한 모든 교수 상황과 관점을 나타내고 있는 것은 아니다. 그러므로 자신의 교직생활을 통해 전문성 개발과 반성을 향상시키기 위한 논점을 증명하는 도구나 체크리스트로 사용해서는 안 된다.

종합 및 결론

이 장에서는 전문직으로서의 교사가 갖추어야 하는 자질과 덕목이 무엇인지 미국의 교사 전문성 기준 다섯 가지 영역을 통해 살펴보았다. 사실 이런 기준과 덕목들은 교사의 전문성 유무를 판단하는 평가 도구라기보다는 전문적인 교사가 되기 위해서 무엇을 해야 하는지, 무엇을 노력해서 해야 하는지에 대한 진지한 고찰이라고 할 수 있다. 이것은 끊임없이 자기개발을 요구하는 교사들에게 무엇을 해야 하는지 알려 주는 좋은 지침이 될 것이다. 요즘의 교사들은 흔히 학생들을 가르치는 것이 점점 어려워

지고 있다고 이야기한다. 정보화와 세계화의 물결 속에 교실 환경은 급격하게 변해가고 있고 학급을 구성하고 있는 학생들도 다양해지고 교사에게 기대되는 요구와 역할 또한 늘어나게 되었다. 이제는 더 이상 정체되어 있는 교사는 살아남을 수 없게 되었다. 이러한 변화 속에서 교사가 무엇을 해야 하는지, 무엇을 노력해서 해야 하는지 알지 못한다면 그것은 아무런 의미를 가지지 못할 것이다. 이에 미국의 교사 전문성 기준은 빠르게 변해가는 사회에서 교사가 무엇을 해야 하는지 알려 주는 지침이 될 것이다. 그리고 현대 사회와 미래 사회가 요구하는 교사의 자질에 대한 하나의 지침이 되어 줄 것이다.

참고문헌

Wallace, D. (2002). What Teachers should know and be able to do. *National Board for Professional Teaching Standards*.

김 영 천

진주교육대학교 교육학과 교수

한양대학교 사범대학 교육학과를 졸업하고 대학원에서 교육과정으로 석사학위를 받았다. 1995년 미국 오하이오 주립대학교 사범대학원 교육학과에서 교육과정이론과 질적연구방법론으로 철학박사학위를 받았다.

〈네 학교 이야기〉, 〈질적연구방법론 1〉, 〈미운 오리 새끼〉, 〈질적연구: 우리나라의 걸작선〉 등의 베스트셀러를 출간하였고, 20권 이상의 저서와 35편 이상의 논문을 저술하였다. 질적연구 분야의 권위지인 QSE(Interenational Journal of Qualitative Studies in Education) 아시아지역 편집장을 맡고 있다. 2002~2007년에 세계 교육과정 학회 이사를 역임하였으며, 2008년부터는 한국 다문화교육학회 부회장직을 맡아서 우리나라의 다문화교육에 대한 선진 이론화 작업에 참여하고 있다.

QSE와 Journal of Curriculum Theorizing 등에 교육과정과 질적연구의 한국적 상황에 대한 글이 게재되었다. 최근에는 질적연구를 활용한 한국다문화교육에 대한 현장작업을 하고 있으며 특히 인종, 젠더, 국가 정체성에 대한 문화연구로 연구영역을 확대해 나가고 있다. 미국과 캐나다 그리고 영국과 핀란드 등의 선진학교들에 대한 현장작업을 통하여 구미 학교 교육과정의 역사와 특징을 연구하였고, 이러한 지식을 여러 강연에서 현장교사들을 위하여 전달해 주었다. 특히 질적연구와 관련해서는 전국의 많은 대학원의 연구모임에서 워크숍과 초청강연을 해왔고 마케팅에서의 질적연구의 국제 워크숍 강연자로 활동하였다.

홈페이지: http://www.cue.ac.kr/

1918-2009년 학교교육과정 연구의 역사적 항해

교육과정 I: Curriculum Development

발행일 | 2009년 9월 15일 초판 발행
| 2020년 1월 15일 6쇄 발행

저 자 | 김영천
발행인 | 홍진기
발행처 | 아카데미프레스
주 소 | 413-756 경기도 파주시 문발동 출판정보산업단지 507-9
전 화 | 031-947-7389
팩 스 | 031-947-7698
웹사이트 | www.academypress.co.kr
이메일 | info@academypress.co.kr
등록일 | 2003. 6. 18. 제406-2011-000131호
ISBN | 978-89-91517-66-0

값 25,000원